DICTIONNAIRE MODERNE SÉLECT

Français — Anglais
Anglais — Français

Select Modern Dictionary

French — English
English — French

DICTIONNAIRE MODERNE SÉLECT

Français — Anglais
Anglais — Français

Select Modern Dictionary

French — English
English — French

GUSTAVE RUDLER
Docteur ès lettres, M.A.
autrefois professeur de littérature française
à l'Université d'Oxford
et
NORMAN C. ANDERSON
L-ès-L. M.A. autrefois conférencier
en français de l'Université de Glasgow.

Revu et corrigé par Anthony C. Brench, M.A.,
Christopher D. Bettinson, B.A.,
W. Mary Billington, M.A.,
Françoise Salgues, L. ès L.,
Conférenciers en français, Université de Glasgow.

PRESSES SÉLECT LTÉE
1555 Ouest, rue de Louvain
Montréal, Qué.

Cette édition fut publiée pour la première fois par
William Collins Son & Co. Ltd.,
London and Glasgow

La présente édition est publiée par
Presses Sélect Ltée, 1555 Ouest, rue de Louvain,
Montréal, Québec. H4N 1G6

DÉPÔT LÉGAL:
Bibliothèque Nationale du Canada
Bibliothèque Nationale du Québec
3e Trimestre 1979

Imprimé au Canada

Table des Matières

Contents

Introduction

In order to economize space we have not given the feminine form of those French adjectives which regularly form their feminine by adding *e* to the masculine form, e.g., *crue, grivoise, guindée,* will be found under the masculine form only, *cru, grivois, guindé.* The feminine form has been indicated in the case of all other adjectives, e.g., *audacieux, -euse, bon, bonne, décisif, -ive; moyen, -enne, premier, -ière, rêveur, -euse.* We have also on occasion omitted the adverb (often formed by adding *-ment* to the feminine singular of the adjective) and the verbal nouns in *-ment* and *-age*, where the presence of the adjective and the verb should enable the reader to recognize a family of words from one main entry.

Some American words have been included on both sides of the dictionary especially where the variation from British English is likely to cause confusion.

Similarly a few French words for West Africa have been added.

Abbreviations used in the Dictionary

ABRÉVIATIONS		ABBREVIATIONS
adjectif	**a**	adjective
adverbe	**ad**	adverb
adjectif et nom	**an**	adjective and noun
architecture	**archit**	architecture
automobile	**aut**	automobile
aviation	**av**	aviation
botanique	**bot**	botany
chimie	**chem**	chemistry
conjonction	**cj**	conjunction
colonial	**col**	colonial
commerce	**com**	commerce
comparatif	**comp**	comparative
cuisine	**cook**	cooking
datif	**dat**	dative
article défini	**def art**	definite article
disjonctif	**disj**	disjunctive
ecclésiastique	**eccl**	ecclesiastical
électricité	**el**	electricity
exclamation	**excl**	exclamation
féminin	**f**	feminine
familier	**fam**	familiar
figuré	**fig**	figuratively
finances	**fin**	finance
gouvernement	**govt**	government
article indéfini	**indef art**	indefinite article
interrogatif	**inter**	interrogative
invariable	**inv**	invariable
juridique	**jur**	juridica
masculin	**m**	masculine
médecine	**med**	medicine

militaire	**mil**	military
mines	**min**	mining
musique	**mus**	music
nom	**n**	noun
nautique, marine	**naut**	nautical
nom féminin	**nf**	noun feminine
nom masculin	**nm**	noun masculine
numéral	**num**	numeral
	o.s.	oneself
péjoratif	**pej**	pejorative
personne	**pers**	person
pluriel	**pl**	plural
pronom	**pn**	pronoun
politique	**pol**	politics
participe passé	**pp**	past participle
préposition	**prep**	preposition
passé	**pt**	past tense
quelque chose	**qch**	
quelqu'un	**qn**	
relatif	**rel**	relative
chemins de fer	**rl**	railway
singulier	**s**	singular
écossais	**Scot**	Scottish
argot, populaire	**sl**	slang
	s.o.	someone
	sth	something
superlatif	**sup**	superlative
technique	**tec**	technical
télévision	**TV**	television
États-Unis	**US**	United States
généralement	**usu**	usually
verbe	**v**	verb
verbe intransitif	**vi**	verb intransitive
verbe impersonnel	**v imp**	verb impersonal
verbe intransitif, réfléchi	**vir**	verb intransitive, reflexive
verbe réfléchi	**vr**	verb reflexive
verbe transitif	**vt**	verb transitive
verbe transitif, intransitif	**vti**	verb transitive, intransitive
verbe transitif, intransitif, réfléchi	**vtir**	verb transitive, intransitive, reflexive
verbe transitif, réfléchi	**vtr**	verb transitive, reflexive
vulgaire	**vul**	vulgar

English and French Numerals

CARDINAL NUMBERS—NOMBRES CARDINAUX

1 one—un, une
2 two—deux
3 three—trois
4 four—quatre
5 five—cinq
6 six—six
7 seven—sept
8 eight—huit
9 nine—neuf
10 ten—dix
11 eleven—onze
12 twelve—douze
13 thirteen—treize
14 fourteen—quatorze
15 fifteen—quinze
16 sixteen—seize
17 seventeen—dix-sept
18 eighteen—dix-huit
19 nineteen—dix-neuf
20 twenty—vingt

21 twenty-one—vingt et un
22 twenty-two—vingt-deux
30 thirty—trente
40 forty—quarante
50 fifty—cinquante
60 sixty—soixante
70 seventy—soixante-dix
71 seventy-one—soixante-et-onze
72 seventy-two—soixante-douze
80 eighty—quatre-vingts
81 eighty-one—quatre-vingt-un
90 ninety—quatre-vingt-dix
91 ninety-one—quatre-vingt-onze
100 a hundred—cent
101 one hundred and one—cent un
300 three hundred—trois cents
301 three hundred and one—trois cent un
1000 a thousand—mille
5000 five thousand—cinq mille
1,000,000 a million—un million

ORDINAL NUMBERS—NOMBRES ORDINAUX

First—premier, -ère
Second—deuxième; second, -e
Third—troisième
Fourth—quatrième
Fifth—cinquième
Sixth—sixième
Seventh—septième
Eighth—huitième
Ninth—neuvième
Tenth—dixième
Eleventh—onzième
Twelfth—douzième
Thirteenth—treizième
Fourteenth—quatorzième
Fifteenth—quinzième
Sixteenth—seizième
Seventeenth—dix-septième
Eighteenth—dix-huitième
Nineteenth—dix-neuvième
Twentieth—vingtième
Twenty-first—vingt-et-unième
Twenty-second—vingt-deuxième
Thirtieth—trentième
Fortieth—quarantième
Fiftieth—cinquantième
Sixtieth—soixantième
Seventieth—soixante-dixième
Seventy-first—soixante-et-onzième
Seventy-second—soixante-douzième
Eightieth—quatre-vingtième
Eighty-first—quatre-vingt-unième
Ninetieth—quatre-vingt-dixième
Ninety-first—quatre-vingt-onzième
Hundredth—centième
Hundred-and-first—cent-unième
Two hundredth—deux-centième
Two hundred-and-first—deux-cent-unième
Thousandth—millième
Thousand-and-first—mille-et-unième
Thousand-and-second—mille-deuxième
Millionth—millionième

Pronunciation

A simple and accurate transcription of pronunciation is given by the phonetic system of the International Phonetic Association. Although it is not as widely used in Great Britain as it is in other countries, we thought that its use in this dictionary would help readers to feel at ease with the spoken language. The phonetic transcription of English words is that of Received Pronunciation. It does not mention regional variations. The same convention has been applied to the transcription of French words, Standard French being roughly the pronunciation of educated people from the north of France. The readers will find below a comparative presentation of phonetic symbols (IPA) both French and English.

Length of vowels is noted thus: short—no symbol
long—[ː] after the vowel

In English, stress is shown by the symbol [ˈ] before the stressed syllable and also secondary stress by the symbol [ˌ].

Pour la transcription phonétique nous avons employé le système de l'Association internationale de phonétique, système qui, nous semble-t-il, permettra aux lecteurs de ce dictionnaire de se sentir à l'aise avec la langue parlée. La transcription des mots anglais est celle de la prononciation reçue, et ne tient pas compte des variations régionales. Pour le français, la même convention a été suivie. La prononciation donnée ne tient ègalement pas compte des différences locales.

Les lecteurs trouveront en bas une présentation comparative de symboles phonétiques pour les deux langues.

La longueur des voyelles est indiquée de la façon suivante:

courte—pas de symbole
longue—[ː] après la voyelle

En anglais l'accentuation d'une voyelle est donnée par le symbole [ˈ] placé devant le syllabe accentué, et l'accentuation secondaire par le symbole [ˌ].

CONSONNES CONSONANTS

p	**poupée**	*p*	**puppy**	(in French [*p*, *t*, *k*] are not aspirated)
t	**tente**	*t*	**tent**	(en français [*p*, *t*, *k*] ne sont pas aspirés)
k	**coq**	*k*	**cork**	
b	**bombe**	*b*	**bomb**	

d	**dinde**	*d*	**daddy**	
g	**gringalet**	*g*	**gag**	
f	**ferme**	*f*	**farm**	
v	**vite**	*v*	**very**	
s	**souci**	*s*	**so**	
z	**cousin**	*z*	**cousin**	
		θ	**thorn**	
		ð	**that**	
ʃ	**chose**	ʃ	**sheep**	
		tʃ	**church**	
ʒ	**juge**	ʒ	**pleasure**	
		*d*ʒ	**judge**	
w	**oui**	*w*	**wall**	
y	**huit**			
j	**hier**	*j*	**yet**	
		h	**hat**	
		x	**loch** (*Scots*)	
r	**rentrer**	*r*	**rat**	(English *r* is pronounced with the tip of the tongue against the front of the palate, French *r* with the back of the tongue against the back of the palate, not unlike, though, softer, than the Scots [*x*] of **loch**) (le *r* anglais se prononce avec le bout de la langue contre le palais)
m	**maman**	*m*	**mummy**	
n	**non**	*n*	**no**	
ɲ	**campagne**			
		ŋ	**singing**	
l	**lait**	*l*	**little**	(in English the pronunciation of the two [*l*] of little is not the same. There is no such difference in French [*l*] as in **lot**) (en anglais la prononciation des deux [*l*] de little n'est pas semblable)

VOYELLES VOWELS

i	**ici**	*i*	**heel**	(these equivalents are obviously only approximate because French vowels and English vowels are produced differently) (ces équivalents ne sont pas absolument semblables, les voyelles françaises et anglaises se prononcent différemment)
		i	**hit**	
e	**est, été**	*e*	**said**	
ɛ	**mère**	ɛə	**there**	
a	**patte**	æ	**bat**	
ɑ	**pâte**	ɑ:	**car**	
ɔ	**donne**	ɔ	**lot**	
o	**côte**	ɔ:	**all**	
u	**cou**	*u*	**put**	
u:	**cour**	*u:*	**shoe**	
		ʌ	**but**	
œ:	**beurre**	ə:	**bird**	
ə	**le**	ə	**rodent**	
ø	**feu**	(mouth set as for [ə:] of bird, lips rounded as for [*u:*] of shoe		
y	**rue**	(mouth set as for [*i:*], lips rounded as for [*u:*]		

nasales (nasals); these French vowels are produced by pronouncing the corresponding oral vowel through the nose

ɑ̃ **sang** ɛ̃ **vin** œ̃ **lundi** ɔ̃ **long**

diphthongs (diphthongs)

*i*ə **beer** *ei* **date** *ai* **life** *au* **fowl** ɔ*i* **boil** *ou* **low** *u*ə **poor**

Français - Anglais

French - English

A

à [a] *prep* to, at, in, on, according to, by, of, with *etc.*
abaissement [abɛsmã] *nm* lowering, falling, degradation, derogation, humiliation.
abaisser [abɛse] *vt* to lower, bring down; *vr* to fall away, stoop, droop, demean oneself.
abandon [abãdɔ̃] *nm* surrender, relinquishing, withdrawal, desertion, neglect, abandon; **à l'—** neglected, at random.
abandonné [abãdɔne] *a* forsaken, forlorn, stray desolate, derelict, shameless.
abandonnement [abãdɔnmã] *nm* surrender, desertion, abandon, degradation, profligacy.
abandonner [abãdɔne] *vt* to surrender, give up, relinquish, make over (to **à**), desert; *vr* to give oneself up (to), indulge (in).
abasourdir [abazurdiːr] *vt* to astound, take aback, bewilder, stun.
abat-jour [abaʒuːr] *nm* lampshade, awning.
abattage [abataːʒ] *nm* felling, slaughtering.
abats [aba] *nm pl* offal.
abattement [abatmã] *nm* dejection, prostration.
abattoir [abatwaːr] *nm* slaughter-house, shambles.
abattre [abatr] *vt* to knock down, overthrow, bring (pull, blow) down, fell, slaughter, depress, lower, lay; *vr* to fall (swoop) down crash, abate, become downhearted.
abattu [abaty] *a* depressed, despondent, downcast.
abbaye [abɛ(j)i] *nf* abbey.
abbé [abe] *nm* abbot, priest.
abbesse [abɛs] *nf* abbess.
abcès [apsɛ] *nm* abscess, gathering, fester.
abdiquer [abdike] *vt* to abdicate, (*post*) resign.
abeille [abɛːj] *nf* bee.
aberration [abɛr(r)asjɔ̃] *nf* aberration, derangement, (*mental*) lapse.
abhorrer [abɔr(r)e] *vt* to abhor, detest, loathe.
abîme [abiːm] *nm* abyss, chasm, deep.
abîmer [abime] *vt* to injure, damage, spoil; *vr* to be swallowed up, be sunk, get damaged.
abject [abʒɛkt] *a* despicable, vile.
abjurer [abʒyre] *vt* to abjure, recant.
ablation [ablasjɔ̃] *nf* ablation, removal, excision.
ablution [ablysjɔ̃] *nf* ablution.
abnégation [abnegasjɔ̃] *nf* sacrifice, selflessness.
aboiement [abwamã] *nm* bark(ing), baying.
abois [abwa] *nm pl* **aux —** at bay, hard pressed.
abolir [abɔliːr] *vt* to abolish.
abolition [abɔlisjɔ̃] *nf* abolition.
abominable [abɔminabl] *a* abominable, loathsome, wretched.
abomination [abɔminasjɔ̃] *nf* abomination; **avoir en —** to detest.
abondamment [abɔ̃damã] *ad* abundantly.
abondance [abɔ̃dãːs] *nf* abundance, plenty; **en —** galore.
abondant [abɔ̃dã] *a* abundant, plentiful, copious.
abonder [abɔ̃de] *vi* to abound, be plentiful.
abonnement [abɔnmã] *nm* subscription, (*hire purchase*) instalment; **carte d'—** season-ticket.
abonné [abɔne] *n* subscriber, season-ticket holder.
s'abonner [sabɔne] *vr* to subscribe (to **à**), take a season-ticket.
abord [abɔːr] *nm* access, approach, landing; **d'—** first, to begin with; **de prime —, au premier —** at first sight; **dès l'—** from the start.
abordable [abɔrdabl] *a* approachable, accessible.
abordage [abɔrdaːʒ] *nm* landing, boarding, collision.
aborder [abɔrde] *vi* to land; *vt* to approach, accost, board, tackle, collide.
aboutir [abutiːr] *vi* to lead (to **à**), end (in), result (in), succeed, come off.
aboyer [abwaje] *vi* to bark, bay.
abrasif [abrazif] *a* abrasive.
abrégé [abreʒe] *nm* abridgment, epitome.
abréger [abreʒe] *vt* to shorten, abbreviate, abridge; *vr* to grow shorter.
abreuver [abrœve] *vt* to water, soak; *vr* to drink, quench one's thirst.
abreuvoir [abrœvwaːr] *nm* watering-place, drinking-trough.
abréviation [abrevjasjɔ̃] *nf* abbreviation, contraction.
abri [abri] *nm* shelter, cover; **à l' —** sheltered, immune.
abricot [abriko] *nm* apricot.

abricotier [abrikɔtje] *nm* apricot-tree.
abriter [abrite] *vt* to shelter, protect, house, shade; *vr* to take shelter.
abroger [abrɔʒe] *vt* to abrogate, repeal; *vr* to lapse.
abrupt [abrypt] *a* abrupt, sheer.
abruti [abryti] *a* besotted, sodden, stupefied, dazed; *nm* sot, idiot.
abrutir [abryti:r] *vt* to stupefy, besot.
abrutissant [abrytisɑ̃] *a* stupefying, degrading, killing.
absence [apsɑ̃:s] *nf* non-appearance.
absent [apsɑ̃] *a* not at home, vacant.
s'absenter [sapsɑ̃te] *vr* to absent oneself, stay away.
absinthe [apsɛ̃:t] *nf* absinth, wormwood.
absolu [apsɔly] *a* absolute, utter, unqualified.
absolument [apsɔlymɑ̃] *ad* absolutely, utterly; —! quite so, just so!
absolution [apsɔlysjɔ̃] *nf* absolution.
absorber [apsɔrbe] *vt* to absorb, engross; *vr* to become absorbed (in), pore (over **dans**).
absoudre [apsudr] *vt* to absolve, condone, exonerate.
s'abstenir [sapstəni:r] *vr* to abstain, eschew, refrain.
abstinence [apstinɑ̃:s] *nf* abstinence.
abstinent [apstinɑ̃] *a* abstinent; *n* teetotaller.
abstraction [apstraksjɔ̃] *nf* abstraction; — **faite de** apart from, disregarding, setting aside
abstraire [apstrɛ:r] *vt* to abstract.
abstrait [apstrɛ] *a nm* abstract, absent-minded.
abstrus [apstry] *a* abstruse.
absurde [apsyrd] *a* ludicrous; *nm* absurd.
absurdité [apsyrdite] *nf* absurdity, nonsense.
abus [aby] *nm* abuse, misuse, error; — **de confiance** breach of faith.
abuser [abyze] *vi* to misuse, take advantage of; *vt* to delude; *vr* to delude oneself.
abusif, -ive [abysif, i:v] *a* contrary to usage, wrong, excessive.
acabit [akabi] *nm* (*of people*) nature, stamp.
académicien [akademisjɛ̃] *nm* academician, member of the French Academy.
académie [akademi] *nf* academy, school, regional education unit, learned society, riding-school.
académique [akademik] *a* academic (al), choice, distinguished.
acajou [akaʒu] *nm* mahogany.
acariâtre [akarjɑ:tr] *a* shrewish, bad-tempered, cantankerous.
accablant [akablɑ̃] *a* overwhelming, crushing, oppressive.
accablé [akable] *a* overwhelmed, overcome, prostrate.
accablement [akabləmɑ̃] *nm* dejection, despondency, prostration.
accabler [akable] *vt* to overwhelm, overload weigh down, snow under.
accalmie [akalmi] *nf* lull, respite.
accaparement [akaparmɑ̃] *nm* cornering, securing, monopoly.
accaparer [akapare] *vt* to corner, monopolize, hoard.
accéder [aksede] *vi* to accede, agree, have access.
accélération [akselerasjɔ̃] *nf* acceleration.
accélérateur [akseleratœ:r] *nm* accelerator.
accélérer [akselere] *vtr* to accelerate, quicken.
accent [aksɑ̃] *nm* accent, emphasis, stress; *pl* strains.
accentuation [aksɑ̃tɥasjɔ̃] *nf* accentuation.
accentuer [aksɑ̃tɥe] *vt* to accentuate, stress, emphasize, intensify; *vr* to become more marked.
acceptable [akseptabl] *a* reasonable.
acceptation [akseptasjɔ̃] *nf* acceptance.
accepter [aksepte] *vt* to accept.
acception [aksepsjɔ̃] *nf* acceptation, meaning.
accès [aksɛ] *nm* access, approach, attack, fit, bout.
accessible [aksɛsibl] *a* available, open (to **à**).
accession [aksɛsjɔ̃] *nf* accession.
accessoire [aksɛswɑ:r] *a* adjunct, accessory, incidental; *nm* accessory; *pl* theatrical properties.
accident [aksidɑ̃] *nm* accident, mishap; (*of ground*) fold; **par** — accidentally, casually.
accidenté [aksidɑ̃te] *a* uneven, eventful; *n* victim (of accident).
accidentel, -elle [aksidɑ̃tɛl] *a* accidental.
acclamation [aklamasjɔ̃] *nf* acclamation; *pl* cheers.
acclamer [aklame] *vt* to acclaim, cheer.
acclimatation [aklimatasjɔ̃] *nf* acclimatization.
acclimater [aklimate] *vt* to acclimatize.
s'accointer [sakwɛ̃te] *vr* to take up (with **avec**).
accolade [akɔlad] *nf* embrace, accolade, bracket.
accoler [akɔle] *vt* to couple, bracket.
accommodant [akɔmɔdɑ̃] *a* accommodating, easy-going.
accommodation [akɔmɔdasjɔ̃] *nf* adaptation.
accommodement [akɔmɔdmɑ̃] *nm* compromise.
accommoder [akɔmɔde] *vt* to suit, adapt, settle, prepare, cook; *vr* to settle down, make the best (of), adapt oneself (to **de**), come to an agreement (with **avec**).
accompagnateur, -trice [akɔ̃paɲatœ:r, tris] *n* accompanist.

accompagnement [akɔ̃paɲmɑ̃] *nm* accompaniment.
accompagner [akɔ̃paɲe] *vt* to accompany, escort.
accompli [akɔ̃pli] *a* accomplished, finished, perfect.
accomplir [akɔ̃pliːr] *vt* to accomplish, achieve, fulfil, complete; *vr* to be fulfilled.
accomplissement [akɔ̃plismɑ̃] *nm* accomplishment, fulfilment, completion.
accord [akɔːr] *nm* agreement, harmony, tune, chord; **d'—** agreed, (all) right; **être d'—** to concur, be at one (with **avec**), be in tune.
accorder [akɔrde] *vt* to reconcile, square, grant, award, concede, extend, tune, key; *vr* to agree, accord, harmonize.
accordeur [akɔrdœːr] *nm* tuner.
accort [akɔːr] *a* trim, pleasing.
accoster [akɔste] *vt* to accost, come alongside.
accoter [akɔte] *vt* to shore up; *vr* to lean (against **contre**).
accouchement [akuʃmɑ̃] *nm* confinement, labour, delivery.
accoucher [akuʃe] *vi* to be confined, give birth (to **de**).
s'accouder [sakude] *vr* to lean on one's elbow.
accoupler [akuple] *vt* to couple, mate, connect.
accourcir [akursiːr] *vt* to shorten.
accourir [akuriːr] *vi* to hasten, come running, rush.
accoutrement [akutrəmɑ̃] *nm* rig (-out), kit.
accoutrer [akutre] *vt* to rig out; *vr* to get oneself up.
accoutumé [akutyme] *a* accustomed, used, customary.
accoutumer [akutyme] *vt* to accustom; *vr* to get used (to **à**).
accréditer [akredite] *vt* to accredit.
accroc [akro] *nm* hitch rip, infraction.
accrochage [akrɔʃaːʒ] *nm* grazing, hanging up, picking up, altercation, set-to, (*aut*) accident.
accroche-cœur [akrɔʃkœːr] *nm* kiss-curl.
accrocher [akrɔʃe] *vt* to hook, catch, collide with, hang up, pick up, tune in; *vr* to cling, hang on, get caught, clinch, have a set-to.
accroire [akrwaːr] *vt* **en faire — à qn** to delude s.o.
accroissement [akrwasmɑ̃] *nm* growth, increase.
accroître [akrwaːtr] *vt* to increase, enlarge, enhance.
s'accroupir [akrupiːr] *vr* to squat, crouch (down), cower.
accueil [akœːj] *nm* welcome, reception.
accueillir [akœjiːr] *vt* to welcome, greet, receive.
acculer [akyle] *vt* to drive back, corner.
accumulateur, -trice [akymylatœːr tris] *n* hoarder; *nm* accumulator, storage battery.
accumulation [akymylasjɔ̃] *nf* accumulation.
accumuler [akymyle] *vt* to accumulate, amass, heap up.
accusateur, -trice [akyzatœːr, tris] *a* accusatory, incriminating; *n* accuser, indicter, plaintiff.
accusation [akyzasjɔ̃] *nf* charge, indictment; **mettre en —** to impeach, arraign.
accusé [akyze] *a* prominent; *n* accused; *nm* acknowledgement.
accuser [akyze] *vt* to accuse, indict, tax (with **de**), accentuate; **— réception de** to acknowledge receipt of.
acerbe [asɛrb] *a* bitter, harsh, sharp, sour.
acerbité [asɛrbite] *nf* bitterness, harshness, sharpness.
acéré [asere] *a* sharp-pointed, cutting.
acharné [aʃarne] *a* eager, keen, desperate, inveterate, fierce, relentless, strenuous.
acharnement [aʃarnəmɑ̃] *nm* eagerness, keenness, desperation, relentlessness.
s'acharner [saʃarne] *vr* to be dead set (against **à**), persist (in), be bent (on).
achat [aʃa] *nm* purchase; **faire des —s** to go shopping.
acheminer [aʃmine] *vt* to direct, dispatch, convey; *vr* to make one's way, proceed.
acheter [aʃte] *vt* to buy, purchase, bribe.
acheteur, -euse [aʃtœːr, øːz] *n* buyer, purchaser.
achevé [aʃve] *a* accomplished, perfect, thorough.
achèvement [aʃɛvmɑ̃] *nm* completion.
achever [aʃve] *vt* to complete, end, finish off; *vr* to draw to a close, end, culminate.
achoppement [aʃɔpmɑ̃] *nm* obstacle; **pierre d'—** stumbling-block.
acide [asid] *a* acid, tart; *nm* acid.
acidité [asidite] *nf* acidity.
acier [asje] *nm* steel.
aciérie [asjeri] *nf* steelworks.
acompte [akɔ̃ːt] *nm* instalment.
acoquiner [akɔkine] *vr* to be thick with.
à-côté [akote] *nm* aside; *pl* side-issues, extras.
à-coup [aku] *nm* jerk, sudden stop, snatch; **par —s** by fits and starts, in spasms.
acoustique [akustik] *nf* acoustics.
acquérir [akeriːr] *vt* to acquire, get.
acquiescer [akjɛse] *vt* to acquiesce, assent.
acquis [aki] *a* acquired, established, vested; **mal —** ill-got(ten); **— d'avance** foregone; *nm* attainments, acquired knowledge.

acquisition [akizisjɔ̃] *nf* acquisition.
acquit [aki] *nm* acquittance, receipt; **pour** — received, paid (with thanks); **par** — **de conscience** for conscience' sake.
acquittement [akitmɑ̃] *nm* discharge, acquittal.
acquitter [akite] *vt* to discharge, acquit, clear, fulfil, receipt; *vr* to acquit o.s.; — **de** carry out, discharge.
âcre [ɑːkr] *a* acrid, pungent.
âcreté [ɑkrəte] *nf* acridity, pungency.
acrimonie [akrimɔni] *nf* acrimony.
acrimonieux, -euse [akrimɔnjø, jøːz] *a* acrimonious.
acrobate [akrɔbat] *n* acrobat.
acrobatie [akrɔbasi] *nf* acrobatics.
acte [akt] *nm* act, deed, record; — **de naissance, de décès, de mariage** birth, death, marriage certificate.
acteur, -trice [aktœːr, tris] *n* actor, actress.
actif, -ive [aktif, iːv] *a* active, busy, brisk, live, industrious; *nm* credit, assets.
action [aksjɔ̃] *nf* action, effect, shares, lawsuit.
actionnaire [aksjɔnɛːr] *n* shareholder.
actionner [aksjɔne] *vt* to sue, set in motion, drive.
activer [aktive] *vt* to push on, stir up, whip up.
activité [aktivite] *nf* activity, industry.
actuaire [aktɥɛːr -tyɛːr] *nm* actuary.
actualité [aktɥalite -tya-] *nf* reality, topical question; *pl* current events, newsreel.
actuel, -elle [aktɥɛl -tyɛl] *a* real, current, topical, of the present.
actuellement [aktɥelmɑ̃ -tyɛl] *ad* at present.
acuité [akɥite] *nf* keenness, sharpness.
adage [adaːʒ] *nm* adage.
adaptable [adaptabl] *a* adaptable.
adaptation [adaptasjɔ̃] *nf* adaptation.
adapter [adapte] *vt* to adapt, adjust, accommodate.
addition [adisjɔ̃] *nf* addition, appendage, bill.
additionner [ad(d)isjɔ̃ne] *vt* to add (up).
adepte [adɛpt] *a* adept.
adhérence [aderɑ̃ːs] *nf* adhesion.
adhérent [aderɑ̃] *a* adherent, adhesive; *n* adherent, member, follower.
adhérer [adere] *vi* to adhere, stick, hold, join.
adhésif, -ive [adezif, iːv] *a nm* adhesive.
adhésion [adezjɔ̃] *nf* adhesion.
adieu [adjø] *ad* good-bye; *nm* farewell, leave-taking; **faire ses —x à** to say farewell to, take leave of.
adjacent [adʒasɑ̃] *a* adjacent.
adjectif, -ive [adʒektif, iːv] *a* adjectival; *nm* adjective.
adjoindre [adʒwɛ̃ːdr] *vt* to unite, associate, add; *vr* to join in (with **à**).
adjoint [adʒwɛ̃] *an* assistant; — **au maire** deputy mayor, alderman.
adjudant [adʒydɑ̃] *nm* company sergeant-major, adjutant, warrant-officer.
adjudication [adʒydikasjɔ̃] *nf* adjudication; **mettre en** — to invite tenders for, put up for sale by auction.
adjuger [adʒyʒe] *vt* to adjudge, award, knock down; *vr* to appropriate.
adjurer [adʒyre] *vt* to adjure, beseech, conjure.
admettre [admɛtr] *vt* to admit, assume, allow, concede, pass.
administrateur, -trice [administratœːr, tris] *n* administrator, director, trustee.
administration [administrasjɔ̃] *nf* administration, government, civil service, trusteeship.
administrer [administre] *vt* to administer, govern, manage, dispense.
admirable [admirabl] *a* admirable, wonderful.
admirateur, -trice [admiratœːr, tris] *n* admirer, fan.
admiratif, -ive [admiratif, iːv] *a* admiring.
admiration [admirasjɔ̃] *nf* admiration, wonderment.
admirer [admire] *vt* to admire, wonder at, marvel at.
admissible [admisibl] *a* admissible, eligible, qualified for oral examination.
admission [admisjɔ̃] *nf* admission.
admonestation [admɔnɛstasjɔ̃] *nf* reprimand.
admonester [admɔnɛste] *vt* to admonish.
adolescence [adɔlɛssɑ̃ːs] *nf* adolescence, youth.
adolescent [adɔlɛssɑ̃] *n* adolescent, youth, girl.
s'adonner [sadɔne] *vr* to give oneself up (to **à**), take (to).
adopter [adɔpte] *vt* to adopt.
adoptif, -ive [adɔptif, iːv] *a* adopted, adoptive.
adoption [adɔpsjɔ̃] *nf* adoption.
adorable [adɔrabl] *a* adorable, charming, lovely.
adorateur, -trice [adɔratœːr, tris] *n* adorer, worshipper; *a* adoring.
adorer [adɔre] *vt* to adore, worship.
adosser [adɔse] *vt* to place back to back, lean back (against **à**); *vr* to lean one's back (against **à**).
adoucir [adusiːr] *vt* to soften, subdue, alleviate, mitigate, mollify; *vr* to grow softer, milder.
adoucissement [adusismɑ̃] *nm* soft-

ening, toning down, alleviation, mitigation.

adresse [adrɛs] *nf* address, destination, skill, deftness, sleight, adroitness, craftiness.

adresser [adrɛse] *vt* to address, direct; *vr* to address, apply, ask.

adroit [adrwa] *a* skilful, deft, clever, handy, shrewd.

adulation [adylasjɔ̃] *nf* adulation.

adulte [adylt] *an* adult, grown-up, full-grown.

adultère [adyltɛːr] *a* adulterous; *n* adulterer, adulteress; *nm* adultery.

advenir [advəniːr] *v imp* to happen, occur, come to pass, become of; **advienne que pourra** come what may.

adverbe [advɛrb] *nm* adverb.

adversaire [advɛrsɛːr] *nm* adversary, opponent.

adverse [advɛrs] *a* adverse.

adversité [advɛrsite] *nf* adversity, misfortune.

aération [aɛrasjɔ̃] *nf* aeration, airing, ventilation.

aérer [aere] *vt* to air, aerate, ventilate.

aérien, -ienne [aerjɛ̃, jɛn] *a* airy, aerial, ethereal; **raid —** long-distance flight, air-raid; **forces —nes** air-force.

aéro-club [aerɔklyb, -klœb] *nm* flying-club.

aérodrome [aerɔdroːm] *nm* aerodrome.

aérodynamique [aerɔdinamik] *a* stream-lined.

aéronaute [aerɔnoːt] *nm* aeronaut.

aéronautique [aerɔnotik] *a* aeronautical; *nf* aeronautics.

aéroport [aerɔpɔːr] *nm* airport.

aéroporté [aerɔpɔrte] *a* airborne.

aérostat [aerɔsta] *nm* airship, balloon.

aérostatique [aerɔstatik] *a* **barrage —** balloon barrage; *nf* aerostatics.

affabilité [afabilite] *nf* affability, graciousness.

affable [afaːbl] *a* affable.

affadir [afadiːr] *vt* to make insipid; *vr* to become insipid.

affaiblir [afɛbliːr] *vt* to weaken, enfeeble, impair, lower, water down; *vr* to become weaker, flag, abate.

affaiblissement [afɛblismɑ̃] *nm* weakening, enfeeblement, impairment.

affaire [afɛːr] *nf* affair, thing, matter, concern, case; *pl* business, dealings, belongings; **— de cœur** love affair; **son — est faite** it's all up with him; **la belle —!** is that all!; **avoir — à, avec** to deal with; **le Ministère des — étrangères** Foreign Office.

affairé [afɛre] *a* busy.

affaissement [afɛsmɑ̃] *nm* subsidence, collapse.

s'affaisser [safɛse] *vr* to subside, collapse.

affamé [afame] *a* hungry, starving, famished.

affectation [afɛktasjɔ̃] *nf* affectation, primness, assignment, (*mil*) posting.

affecté [afɛkte] *a* affected, conceited, prim, (*mil*) posted.

affecter [afɛkte] *vt* to affect, assign (to **à**), post (to).

affection [afɛksjɔ̃] *nf* affection, liking, trouble.

affectionner [afɛksjɔne] *vt* to have a liking for.

affectueux, -euse [afɛktɥø, øːz] *a* affectionate, fond.

affermir [afɛrmiːr] *vt* to strengthen; *vr* to grow stronger, harden.

afféterie [afetri] *nf* affectation, primness, gewgaws.

affichage [afiʃaːʒ] *nm* bill-posting.

affiche [afiʃ] *nf* bill, poster, placard; **panneau à —s** hoarding; **tenir l'—** (*of a play*) to run.

afficher [afiʃe] *vt* to stick up, post up, make a display of; **défense d'—** no bills; *vr* to show off.

afficheur [afiʃœːr] *nm* bill-poster.

affilée [afile] *nf* **d'—** at a stretch.

affiler [afile] *vt* to sharpen, grind, whet, strop.

affiliation [afiljasjɔ̃] *nf* affiliation, branch.

affilier [afilje] *vt* to affiliate.

affinité [afinite] *nf* affinity, connection.

affirmatif, -ive [afirmatif, iːv] *a* affirmative.

affirmation [afirmasjɔ̃] *nf* affirmation, assertion.

affirmative [afirmatiːv] *nf* affirmative.

affirmer [afirme] *vt* to affirm, assert, aver, avouch.

affleurer [aflœre] *vt* to make flush; *vi* to be level.

affliction [afliksjɔ̃] *nf* affliction, grief.

affligé [afliʒe] *a* afflicted, aggrieved, sorrowful.

affligeant [afliʒɑ̃] *a* distressing, sad, grievous.

affliger [afliʒe] *vt* to afflict, distress; *vr* to grieve.

affluence [aflyɑ̃ːs] *nf* flow, influx, affluence, concourse, crowd; **heures d'—** rush hours.

affluent [aflyɑ̃] *nm* tributary.

affluer [aflye] *vi* to flow, flock, abound, throng.

affolé [afɔle] *a* crazy, distracted, panicky.

affolement [afɔlmɑ̃] *nm* distraction, panic.

affoler [afɔle] *vt* to distract, drive crazy; *vr* to become panicky, become infatuated (with **de**).

affranchi [afrɑ̃ʃi] freed, *a* stamped, unscrupulous; **colis —** prepaid

parcel; *n* emancipated man, woman.
affranchir [afrɑ̃ʃiːr] *vt* to set free, emancipate, stamp, enfranchize; *vr* to become free, shake off (**de**).
affranchissement [afrɑ̃ʃismɑ̃] *nm* freeing, setting free, stamping, postage.
affréter [afrete] *vt* to charter, freight.
affreux, -euse [afrø, øːz] *a* horrible, awful, dreadful.
affront [afrɔ̃] *nm* affront, insult, disgrace, public shame.
affronter [afrɔ̃te] *vt* to affront, face.
affût [afy] *nm* hiding-place, gun-carriage; **à l'—** on the watch.
affûter [afyte] *vt* to sharpen, whet.
afin [afɛ̃] *ad* — **de** in order to; *cj* — **que** so that.
africain [afrikɛ̃] *an* African.
Afrique [afrik] *nf* Africa.
agaçant [agasɑ̃] *a* annoying, irritating, grating.
agacer [agase] *vt* to annoy, irritate, set teeth on edge.
âge [ɑːʒ] *nm* age, period; **d'un certain —**, elderly; **prendre de l'—** to be getting on in years; **quel — avez-vous?** how old are you?
âgé [ɑʒe] *a* old, aged.
agence [aʒɑ̃ːs] *nf* agency, office.
agencer [aʒɑ̃se] *vt* to arrange, fit together, set.
agenda [aʒɛ̃da] *nm* agenda, diary.
agenouillé [aʒnuje] *a* kneeling.
s'agenouiller [saʒnuje] *vr* to kneel (down).
agent [aʒɑ̃] *nm* agent; — **de police** policeman; — **de change** stock-broker; — **voyer** road surveyor.
agglomération [aglɔmerasjɔ̃] *nf* agglomeration, built-up area.
aggloméré [aglɔmere] *nm* conglomerate, compressed fuel, coal-dust, briquette.
agglomérer [aglɔmere] *vt* to agglomerate, cluster, bind.
aggraver [agrave] *vt* to aggravate, worsen, increase.
agile [aʒil] *a* agile, nimble.
agilité [aʒilite] *nf* agility, nimbleness.
agioteur [aʒjɔtœːr] *nm* speculator, stock-jobber.
agir [aʒiːr] *vi* to act; *v imp* **s'—** to be in question, concern; **il s'agit de** it is a question of; **de quoi s'agit-il?** what is the matter?
agissements [aʒismɑ̃] *nm pl* dealings, doings.
agitateur, -trice [aʒitatœːr, tris] *n* agitator.
agitation [aʒitasjɔ̃] *nf* agitation, restlessness, bustle; **faire de l'—** to agitate.
agité [aʒite] *a* agitated, restless, excited, agog, rough.
agiter [aʒite] *vt* to agitate, stir up, wave, flap, dangle; *vr* to become agitated, bustle, fidget, toss.
agneau [aɲo] *nm* lamb.
agonie [agɔni] *nf* death agony; **à l'—** dying.
agonisant [agɔnizɑ̃] *a* dying; *n* dying person.
agoniser [agɔnize] *vi* to be dying.
agouti [aguti] *nm* cane-rat.
agrafe [agraf] *nf* hook, clasp, clip, fastener; **—s et portes** hooks and eyes.
agrafer [agrafe] *vt* to fasten, clip.
agrandir [agrɑ̃diːr] *vt* to enlarge, magnify; *vr* to grow larger, become more powerful.
agrandissement [agrɑ̃dismɑ̃] *nm* aggrandizement, enlargement.
agréable [agreabl] *a* pleasant, congenial, acceptable.
agréer [agree] *vt* to accept; **veuillez — l'expression de mes sentiments distingués** yours faithfully, yours truly.
agrégation [agrɛgasjɔ̃] *nf* aggregation, aggregate, State competitive examination for recruitment of secondary school teachers.
agrégé [agreʒe] *an* teacher who has passed the aggregation.
s'agréger [sagreʒe] *vr* to aggregate, join together.
agrément [agrɛmɑ̃] *nm* pleasure, charm, approbation.
agrès [agrɛ] *nm pl* rigging, tackle.
agresseur [agrɛsœːr] *nm* aggressor.
agressif, -ive [agrɛsif, iːv] *a* aggressive.
agression [agrɛsjɔ̃] *nf* aggression, assault.
agreste [agrɛst] *a* rustic, rural, uncouth.
agricole [agrikɔl] *a* agricultural.
agriculteur [agrikyltœːr] *nm* farmer.
agriculture [agrikyltyːr] *nf* agriculture.
agripper [agripe] *vt* to clutch, grip; *vr* to cling, come to grips (with **à**).
aguerri [agɛri] *a* seasoned.
aguerrir [agɛriːr] *vt* to harden, train, season.
aguets [agɛ] *nm pl* **être aux —** to lie in wait, be on the look-out, on the lurk.
aguicher [agiʃe] *vt* to allure, inflame.
ahuri [ayri] *a* bewildered, dumbfounded, dazed.
ahurir [ayriːr] *vt* to bewilder, flabbergast, daze.
ahurissement [ayrismɑ̃] *nm* bewilderment.
aide [ɛ(ː)d] *nf* aid, help, assistance; **à l'—!** help!, **venir en — à** to help, benefit; *n* assistant, helper, mate.
aide-mémoire [ɛdmemwaːr] *nm* memorandum.
aider [ɛde] *vt* to aid, help, assist, avail.
aïeul [ajœl] *n* ancestor, ancestress, grandfather, grandmother.
aigle [ɛgl] *nm* eagle, lectern.
aiglefin [ɛgləfɛ̃] *nm* haddock.

aiglon [ɛglɔ̃] *nm* eaglet.
aigre [ɛːgr] *a* sour, tart, bitter, crabbed, shrill, sharp.
aigre-doux, -douce [ɛgrədu, dus] *a* bittersweet.
aigrefin [ɛgrəfɛ̃] *nm* sharper, swindler, haddock.
aigrette [ɛgrɛt] *nf* aigrette, tuft, plume.
aigreur [ɛgrœːr] *nf* sourness, tartness, embitterment, crabbedness; *pl* heartburn.
aigrir [ɛgriːr] *vt* to sour, turn sour, embitter.
aigu, -uë [egy] *a* pointed, sharp, shrill, high-pitched.
aiguière [egjɛːr] *nf* ewer.
aiguille [egɥiːj] *nf* needle, hand, pointer, spire, cock, switch; *pl* points.
aiguiller [egɥije] *vt* to switch, shunt, divert.
aiguilleur [egɥijœːr] *nm* pointsman.
aiguillon [egɥijɔ̃] *nm* goad, spur, prickle, sting.
aiguillonner [egɥijɔne] *vt* to goad, spur on, stimulate.
aiguisé [eg(ɥ)ize] *a* sharp.
aiguiser [eg(ɥ)ize] *vt* to sharpen point, stimulate; **pierre à —** hone, whetstone.
ail [aːj] *nm* garlic.
aile [ɛl] *nf* wing, mudguard, aisle.
ailé [ɛle] *a* winged.
aileron [ɛlrɔ̃] *nm* pinion, fin, aileron, wing-flap.
ailette [ɛlɛt] *nf* fin, blade.
ailier [ɛlje] *nm* wing-player, winger.
ailleurs [ajœːr] *ad* elsewhere; **d'—** moreover, besides; **par —** in other respects, from another source.
aimable [ɛmabl] *a* amiable, pleasant, bland, kind.
aimablement [ɛmabləmɑ̃] *ad* amiably, agreeably.
aimant [ɛmɑ̃] *a* affectionate; *nm* magnet, loadstone.
aimanter [ɛmɑ̃te] *vt* to magnetize.
aimer [ɛme] *vt* to love, like, be fond of, care for, enjoy.
aine [ɛn] *nf* groin.
aîné [ɛne] *a* elder, eldest, senior.
ainsi [ɛ̃si] *ad* thus, so; **et — de suite** and so on; **— soit-il** amen, so be it; **pour — dire** so to speak; **— que** as, like, as well as.
air [ɛːr] *nm* air, wind, appearance, look, tune, melody; **avoir l'—** to look, seem; **en plein —** in the open air; **qui tient l'—** airworthy.
airain [ɛrɛ̃] *nm* bronze, brass.
aire [ɛːr] *nf* threshing-floor, area, surface, eyrie, point of the compass.
aisance [ɛzɑ̃ːs] *nf* ease, comfort, affluence.
aise [ɛːz] *nf* ease, comfort; **à l'—** comfortable, well-off; **à votre —** just as you like; **mal à l'—** uncomfortable, uneasy; **bien —** very glad.
aisé [ɛze] *a* easy, well-to-do.
aisément [ɛzemɑ̃] *ad* easily.
aisselle [ɛsɛl] *nf* armpit.
ajonc [aʒɔ̃] *nm* furze, gorse.
ajournement [aʒurnəmɑ̃] *nm* postponement.
ajourner [aʒurne] *vt* to postpone; *vr* to adjourn.
ajouter [aʒute] *vt* to add, supplement.
ajustage [aʒystaːʒ] *nm* adjustment, fitting.
ajustement [aʒystəmɑ̃] *nm* adjusting, settlement, fit.
ajuster [aʒyste] *vt* to adjust, fit, settle.
ajusteur [aʒystœːr] *nm* fitter.
alacrité [alakrite] *nf* alacrity.
alanguir [alɑ̃giːr] *vt* to enfeeble; *vr* to grow languid.
alanguissement [alɑ̃gismɑ̃] *nm* languor.
alarmant [alarmɑ̃] *a* alarming.
alarme [alarm] *nf* alarm.
alarmer [alarme] *vt* to alarm; *vr* to take fright.
alarmiste [alarmist] *a* alarmist, panicky; *n* scaremonger.
album [albɔm] *nm* album.
alchimie [alʃimi] *nf* alchemy.
alchimiste [alʃimist] *nm* alchemist.
alcool [alkɔl] *nm* alcohol, spirit(s); **— à brûler** methylated spirit.
alcoolique [alkɔlik] *a* alcoholic.
alcoolisme [alkɔlism] *nm* alcoholism.
alcôve [alkoːv] *nf* alcove, recess.
aléatoire [aleatwaːr] *a* risky, chancy.
alène [alɛn] *nf* awl.
alentour [alɑ̃tuːr] *ad* around; *nm pl* surroundings.
alerte [alɛrt] *a* alert, quick; *nf* alarm, alert, air-raid warning; **fin d'—** all clear.
alerter [alɛrte] *vt* to give the alarm to, warn.
alésage [alɛzaːʒ] *nm* (*tec*) boring, bore.
alèse [alɛːz] *nf* draw-sheet, rubber sheet.
algèbre [alʒɛbr] *nf* algebra.
Algérie [alʒeri] *nf* Algeria.
algérien, -ienne [alʒerjɛ̃, jɛn] *an* Algerian.
algue [alg] *nf* alga, seaweed.
alibi [alibi] *nm* alibi.
aliénation [aljenasjɔ̃] *nf* alienation, estrangement.
aliéné [aljene] *a* insane; *n* lunatic.
aliéner [aljene] *vt* to alienate, estrange.
aliéniste [aljenist] *nm* mental specialist.
alignement [aliɲmɑ̃] *nm* alignment, line, row, putting in lines.
aligner [aliɲe] *vt* to align, line up, draw up; *vr* to fall into line.
aliment [alimɑ̃] *nm* aliment, food.
alimentation [alimɑ̃tasjɔ̃] *nf* alimentation, feeding, nourishment.

alimenter [alimɑ̃te] *vt* to feed, nourish.
alinéa [alinea] *nm* paragraph, break.
s'aliter [salite] *vr* to take to one's bed.
allaiter [alɛte] *vt* to suckle.
allant [alɑ̃] *nm* dash, go.
allécher [al(l)eʃe] *vt* to entice, allure.
allée [ale] *nf* avenue, drive, path, lane, passage.
allégation [al(l)ɛgasjɔ̃] *nf* allegation.
alléger [al(l)eʒe] *vt* to lighten, alleviate.
allégorie [allegɔri] *nf* allegory.
allègre [allɛːgr] *a* lively.
alléguer [al(l)ege] *vt* to allege, urge, plead.
Allemagne [almaɲ] *nf* Germany.
allemand [almɑ̃] *an* German.
aller [ale] *vi* to go, suit, fit; — **chercher** to fetch; **comment allez-vous?** how do you do?; **allez-y!** fire away!; **cela va de soi** that is a matter of course; **y — de qch.** to be at stake; **allons donc!** come along! nonsense!; *vr* **s'en** — to go away, clear off, depart; *nm* single ticket, outward journey; **billet d'— et retour** return ticket; **au pis** — if the worst comes to the worst.
alliage [aljaːʒ] *nm* alloy.
alliance [aljɑ̃ːs] *nf* alliance, blending, wedding ring.
allier [alje] *vt* to ally.
allocation [allɔkasjɔ̃] *nf* allocation, allowance, grant.
allonger [alɔ̃ʒe] *vt* to lengthen, stretch out, strike, eke out; *vr* to lengthen, stretch.
allumage [alymaːʒ] *nm* lighting, putting on, ignition.
allumer [alyme] *vt* to light, put on, set alight, arouse.
allumette [alymɛt] *nf* match.
allure [alyːr] *nf* carriage, gait, walk, speed, turn, style.
aloi [alwa] *nm* quality, standard; **de bon** — genuine.
alors [alɔːr] *ad* then, at that time, so, in that case.
alouette [alwɛt] *nf* lark.
alpinisme [alpinism] *nm* mountaineering.
altercation [altɛrkasjɔ̃] *nf* altercation, dispute.
altérer [altere] *vt* to change, spoil, impair, falsify, make thirsty; *vr* to change, be spoiled, become thirsty.
alternatif, -ive [altɛrnatif, iːv] *a* alternative, alternate, alternating.
alterner [altɛrne] *vt* to alternate, take turn about.
altier [altje] *a* haughty, lofty.
amabilité [amabilite] *nf* amiability, civility.
amadouer [amadwe] *vt* to wheedle, coax, win over.
amaigrir [amɛgriːr] *vt* to make thin, reduce.
amande [amɑ̃ːd] *nf* almond.
amant [amɑ̃] *n* lover.
amarre [amaːr] *nf* hawser; *pl* moorings.
amarrer [amare] *vtr* to moor, tie up.
amas [amɑ] *nm* pile, heap.
amasser [amɑse] *vt* to amass, pile up; *vr* to mass.
amateur, -trice [amatœːr, tris] *n* amateur, lover.
ambages [ɑ̃baːʒ] *nf pl* **sans** — bluntly, plainly.
ambassade [ɑ̃basad] *nf* embassy.
ambiance [ɑ̃bjɑ̃ːs] *nf* surroundings, atmosphere.
ambigu,-uë [ɑ̃bigy] *a* ambiguous.
ambition [ɑ̃bisjɔ̃] *nf* ambition.
ambre [ɑ̃ːbr] *nm* amber.
ambulant [ɑ̃bylɑ̃] *a* travelling, itinerant, strolling.
âme [ɑːm] *nf* soul, spirit, core, heart, life; (*of gun*) bore.
améliorer [ameljɔre] *vtr* to improve, mend.
aménager [amɛnaʒe] *vt* to fit up (out), lay out.
amende [amɑ̃ːd] *nf* fine.
amender [amɑ̃de] *vtr* to improve.
amener [amne] *vt* to lead, bring, induce.
amer, -ère [amɛːr] *a* bitter.
américain [amerikɛ̃] *an* American.
Amérique [amerik] *nf* America.
amertume [amɛrtym] *nf* bitterness.
ameublement [amœbləmɑ̃] *n* furnishing, furniture.
ameuter [amøte] *vt* to rouse; *vr* to mutiny.
ami [ami] *n* friend, boy-, girl-friend.
amical [amikal] *a* friendly.
amidon [amidɔ̃] *nm* starch.
amincir [amɛ̃siːr] *vt* to make thinner, thin down; *vr* to grow thinner.
amiral [amiral] *nm* admiral.
amirauté [amirote] *nf* admiralty.
amitié [amitje] *nf* friendship, favour; *pl* kind regards.
amoindrir [amwɛ̃driːr] *vtr* to lessen, decrease.
amollir [amɔliːr] *vt* to soften; *vr* to grow weak.
amonceler [amɔ̃sle] *vtr* to pile up; *vr* to gather.
amont [amɔ̃] *nm* upper reaches; **en** — upstream.
amorce [amɔrs] *nf* bait, beginning, detonator.
amortir [amɔrtiːr] *vt* to deaden, allay, muffle, slacken, pay off, sink, redeem.
amortissement [amɔrtismɑ̃] *nm* deadening, redemption; **fonds d'—** sinking-fund.
amortisseur [amɔrtisœːr] *nm* shock-absorber.
amour [amuːr] *nm* (*pl* usually *f*) love; **pour l'— de** for love of, for the sake of.
s'amouracher [samuraʃe] *vr* to fall head over heels in love (with **de**).

amourette [amurɛt] *nf* passing love affair.
amoureux, -euse [amurø, øːz] *a* loving, amorous; **être — de** to be in love with, enamoured of; *n* lover.
amour-propre [amurprɔpr] *nm* self-esteem, -respect, vanity, egotism.
amovible [amɔvibl] *a* removable, detachable.
amphibie [ɑ̃fibi] *a* amphibious; *nm* amphibian.
ample [ɑ̃ːpl] *a* ample, roomy; **plus —** further, fuller.
ampleur [ɑ̃plœːr] *nf* fullness, copiousness, magnitude.
amplificateur, -trice [ɑ̃plifikatœːr, tris] *a* amplifying; *nm* amplifier.
amplification [ɑ̃plifikasjɔ̃] *nf* amplification.
amplifier [ɑ̃plifje] *vt* to amplify.
ampoule [ɑ̃pul] *nf* blister, phial, (electric light) bulb.
ampoulé [ɑ̃pule] *a* bombastic, high-flown, stilted.
amputation [ɑ̃pytasjɔ̃] *nf* amputation.
amputer [ɑ̃pyte] *vt* to amputate, reduce.
amusant [amyzɑ̃] *a* amusing, entertaining.
amusement [amyzmɑ̃] *nm* amusement, entertainment, fun.
amuser [amyze] *vt* to amuse, entertain, interest; *vr* to enjoy oneself, take pleasure (in **à**), have fun.
amusette [amyzɛt] *nf* toy.
amygdale [ami(g)dal] *nf* tonsil.
amygdalite [ami(g)dalit] *nf* tonsillitis.
an [ɑ̃] *nm* year; **le jour de l'—** New Year's Day.
analogie [analɔʒi] *nf* analogy.
analogue [analɔg] *a* analogous, kindred.
analyse [analiːz] *nf* analysis, abstract.
analyser [analize] *vt* to analyse, parse.
analyste [analist] *nm* analyst.
analytique [analitik] *a* analytical.
ananas [anana(ːs)] *nm* pineapple.
anarchie [anarʃi] *nf* anarchy.
anarchiste [anarʃist] *an* anarchist.
anathème [anatɛm] *nm* anathema, curse.
anatomie [anatɔmi] *nf* anatomy.
anatomiste [anatɔmist] *nm* anatomist.
ancestral [ɑ̃sɛstral] *a* ancestral.
ancêtre [ɑ̃sɛːtr] *n* ancestor, ancestress, forefather.
anchois [ɑ̃ʃwa] *nm* anchovy.
ancien, -ienne [ɑ̃sjɛ̃, jɛn] *a* ancient, old, long-standing, former, past, senior; **— combattant** ex-serviceman.
anciennement [ɑ̃sjɛnmɑ̃] *ad* formerly.
ancienneté [ɑ̃sjɛnte] *nf* antiquity, seniority.
ancre [ɑ̃ːkr] *nf* anchor; **lever l'—** to weigh anchor.
andouille [ɑ̃duːj] *nf* (*chitterling*) sausage, duffer, mug.
âne [ɑːn] *nm* ass, donkey, fool; **en dos d'—** hog-backed.
anéantir [aneɑ̃tiːr] *vt* to destroy, wipe out; *vr* to come to nothing.
anéantissement [aneɑ̃tismɑ̃] *nm* destruction, annihilation.
anecdote [anekdɔt] *nf* anecdote.
anémie [anemi] *nf* anæmia.
anémique [anemik] *a* anæmic.
anesthésie [anɛstezi] *nf* anæsthesia.
anesthésier [anɛstezje] *vt* to anæsthetize.
anesthésique [anɛstezik] *a nm* anæsthetic.
anesthésiste [anɛstezist] *nm* anæsthetist.
ange [ɑ̃ːʒ] *nm* angel.
angélique [ɑ̃ʒelik] *a* angelic.
angélus [ɑ̃ʒelyːs] *nm* angelus.
angine [ɑ̃ʒin] *nf* sore throat, quinsy, tonsillitis; **— de poitrine** angina (pectoris).
anglais [ɑ̃glɛ] *a nm* English; *n* Englishman, -woman.
angle [ɑ̃ːgl] *nm* angle.
Angleterre [ɑ̃glətɛːr] *nf* England.
anglican [ɑ̃glikɑ̃] *an* anglican.
angoissant [ɑ̃gwasɑ̃] *a* distressing.
angoisse [ɑ̃gwas] *nf* anguish, anxiety, distress.
anguille [ɑ̃giːj] *nf* eel; **— sous roche** something in the wind, something brewing; **— de mer** conger-eel.
angulaire [ɑ̃gylɛːr] *a* angular; **pierre —** corner-stone.
anguleux [ɑ̃gylø] *a* angular, gaunt.
animal [animal] *a nm* animal.
animateur, -trice [animatœːr, tris] *n* animator, moving spirit, organizer.
animation [animasjɔ̃] *nf* animation.
animé [anime] *a* animated, lively, spirited, heated.
animer [anime] *vt* to animate, enliven, vivify, brighten, actuate; *vr* to become animated, brighten up.
animosité [animɔzite] *nf* animosity.
anis [ani] *nm* aniseed.
annales [annal] *nf pl* annals.
anneau [ano] *nm* ring, link, ringlet, quoit.
année [ane] *nf* year, vintage; **bonne—!** a Happy New Year!
annexe [an(n)ɛks] *nm* annex.
annexer [an(n)ɛkse] *vt* to annex.
annexion [an(n)ɛksjɔ̃] *nf* annexation.
annihiler [an(n)iile] *vt* to annihilate.
anniversaire [anivɛrsɛːr] *a* anniversary; *nm* anniversary, birthday.
annonce [anɔ̃ːs] *nf* announcement, advertisement.
annoncer [anɔ̃se] *vt* to announce, herald, usher in, advertise, betoken, denote.
annonciation [anɔ̃sjasjɔ̃] *nf* Annunciation, Lady Day.

annotation [an(n)ɔtasjɔ̃] *nf* annotation.
annoter [an(n)ɔte] *vt* to annotate, note.
annuaire [an(n)ɥɛːr] *nm* annual, telephone directory.
annuel [an(n)ɥɛl] *a* annual.
annuité [an(n)ɥite] *nf* annuity.
annulaire [an(n)ylɛːr] *a* annular; *nm* third finger.
annulation [an(n)ylasjɔ̃] *nf* annulment, nullification, revocation, cancellation.
annuler [an(n)yle] *vt* to annul.
anoblir [anɔbliːr] *vt* to ennoble.
anoblissement [anɔblismɑ̃] *nm* ennoblement.
anodin [anɔdɛ̃] *a* anodyne, harmless; *nm* palliative.
anomalie [anɔmali] *nf* anomaly.
ânonner [ɑnɔne] *vt* to mumble, stammer through.
anonymat [anɔnima] *nm* anonymity.
anonyme [anɔnim] *a* anonymous; **société** — limited company; *nm* anonymity.
anormal [anɔrmal] *a* abnormal, anomalous.
anse [ɑ̃ːs] *nf* handle, cove.
antagonisme [ɑ̃tagɔnism] *nm* antagonism.
antécédent [ɑ̃tesedɑ̃] *a nm* antecedent.
antenne [ɑ̃tɛn] *nf* antenna, feeler, aerial.
antérieur [ɑ̃terjœːr] *a* anterior, former, prior.
antériorité [ɑ̃terjɔrite] *nf* anteriority.
anthrax [ɑ̃traks] *nm* carbuncle.
anthropophage [ɑ̃trɔpɔfaːʒ] *a nm* cannibal.
antiaérien, -ienne [ɑ̃tiaerjɛ̃, jɛn] *a* anti-aircraft.
antibiotique [ɑ̃tibiɔtik] *nm* antibiotic.
antichambre [ɑ̃tiʃɑ̃ːbr] *nf* anteroom, hall, waiting-room.
antichar [ɑ̃tiʃar] *a* anti-tank.
anticipation [ɑ̃tisipasjɔ̃] *nf* anticipation.
anticiper [ɑ̃tisipe] *vt* to anticipate, forestall; *vi* to anticipate, encroach (upon **sur**).
anticorps [ɑ̃tikɔr] *nm* antibody.
antidater [ɑ̃tidate] *vt* to antedate.
antidérapant [ɑ̃tiderapɑ̃] *a* non-skid.
antidote [ɑ̃tidɔt] *nm* antidote.
antipathie [ɑ̃tipati] *nf* antipathy, repugnance.
antipathique [ɑ̃tipatik] *a* antipathetic, uncongenial.
antipodes [ɑ̃tipɔd] *nm pl* antipodes.
antiquaille [ɑ̃tikɑːj] *nf* lumber, junk.
antiquaire [ɑ̃tikɛːr] *nm* antiquarian.
antique [ɑ̃tik] *a* antique, ancient, old-fashioned.
antiquité [ɑ̃tikite] *nf* antiquity.
antiseptique [ɑ̃tisɛptik] *a nm* antiseptic.
antithèse [ɑ̃titɛːz] *nf* antithesis.
antithétique [ɑ̃titetik] *a* antithetical.
antre [ɑ̃ːtr] *nm* den, lair, sinus.
anxiété [ɑ̃ksjete] *nf* anxiety, solicitude.
anxieux, -euse [ɑ̃ksjø, øːz] *a* anxious, solicitous.
aorte [aɔrt] *nf* aorta.
août [u] *nm* August.
apache [apaʃ] *nm* hooligan.
apaiser [apɛze] *vt* to appease, alleviate, mollify, mitigate; *vr* to calm down.
aparté [aparte] *nm* aside, stage whisper.
apathie [apati] *nf* apathy, listlessness.
apathique [apatik] *a* apathetic, listless.
apercevoir [apersəvwaːr] *vt* to perceive, catch sight of; *vr* to notice, realize.
aperçu [apɛrsy] *nm* glimpse, side-light, outline, summary.
apéritif [aperitif] *nm* appetizer.
aphone [afɔn] *a* voiceless.
aphteux, -euse [aftø, øz] *a* aphthous; **la fièvre aphteuse** foot-and-mouth disease.
apiculteur [apikyltœːr] *nm* bee-keeper.
apitoyer [apitwaje] *vt* to move to pity; *vr* to commiserate (with **sur**).
aplanir [aplaniːr] *vt* to smooth (away), plane, level.
aplanissement [aplanismɑ̃] *nm* smoothing, levelling.
aplatir [aplatiːr] *vt* to flatten, iron out; *vr* to grovel, collapse, fall flat.
aplatissement [aplatismɑ̃] *nm* flattening.
aplomb [aplɔ̃] *nm* perpendicularity, level, self-possession, nerve; **d'—** upright, firm on one's feet, four-square.
apogée [apɔʒe] *nm* apogee, acme, zenith, peak.
apologie [apɔlɔʒi] *nf* vindication, justification.
apologiste [apɔlɔʒist] *nm* apologist.
apoplectique [apɔplɛktik] *a* apoplectic.
apoplexie [apɔplɛksi] *nf* apoplexy.
apostat [apɔsta] *nm* apostate.
apostolat [apɔstɔla] *nm* apostleship.
apostolique [apɔstɔlik] *a* apostolic.
apothicaire [apɔtikɛːr] *nm* apothecary.
apôtre [apoːtr] *nm* apostle.
apparaître [aparɛːtr] *vi* to appear, become apparent.
apparat [apara] *nm* pomp, show, state.
appareil [aparɛːj] *nm* apparatus, mechanism, plant, set, aeroplane; **— photographique** camera.
appareillage [aparɛjaːʒ] *nm* fitting

up, getting under way, equipment.
appareiller [apareje] *vt* to fit up; *vi* get under way.
apparemment [aparamɑ̃] *ad* apparently, evidently, seemingly.
apparence [aparɑ̃:s] *nf* appearance, look, show, guise.
apparent [aparɑ̃] *a* apparent, seeming, obvious.
apparenté [aparɑ̃te] *a* related.
apparier [aparje] *vt* to match, pair, mate.
apparition [aparisjɔ̃] *nf* appearance, apparition.
appartement [apartəmɑ̃] *nm* flat, (*US*) apartment, suite, rooms.
appartenir [apartəni:r] *vi* to belong; *v imp* to appertain (to **à**), rest (with **à**).
appas [apɑ] *nm pl* charms.
appât [apɑ] *nm* bait, lure.
appâter [apɑte] *vt* to lure, bait.
appauvrir [apovri:r] *vt* to impoverish; *vr* to become poor(er).
appeau [apo] *nm* bird-call, decoy.
appel [apɛl] *nm* appeal, call, cry, call-up, roll-call, muster; **aller, renvoyer en** — to appeal; — **d'incendie** fire-alarm.
appeler [aple] *vt* to call (for, in, to, up); **en — à** to appeal to; **faire** — to send for; *vr* to be called, named.
appendice [ap(p)ɛ̃dis] *nm* appendix.
appendicite [ap(p)ɛ̃disit] *nf* appendicitis.
appentis [apɑ̃ti] *nm* outhouse, lean-to shed.
appesantir [apəzɑ̃ti:r] *vt* to make heavy, dull; *vr* to become heavy, dwell (upon **sur**).
appétissant [apetisɑ̃] *a* appetizing.
appétit [apeti] *nm* appetite; **de bon** — hearty appetite.
applaudir [aplodi:r] *vt* to applaud.
applaudissements [aplodismɑ̃] *nm pl* applause.
applicable [aplikabl] *a* applicable.
application [aplikasjɔ̃] *nf* application, enforcement, diligence, concentration.
applique [aplik] *nf* bracket.
appliqué [aplike] *a* diligent, assiduous, applied.
appliquer [aplike] *vt* to apply, carry out; *vr* to apply oneself (to **à**).
appoint [apwɛ̃] *nm* balance, odd money, contribution; **faire l'**— to tender exact amount, ' no change given '.
appointements [apwɛ̃tmɑ̃] *nm pl* salary.
appontement [apɔ̃tmɑ̃] *nm* landing-stage.
apport [apɔ:r] *nm* contribution, share.
apporter [apɔrte] *vt* to bring (in, forward, forth).
apposer [apoze] *vt* to affix.
apposition [apɔzisjɔ̃] *nf* apposition, affixing.
appréciation [apresjasjɔ̃] *nf* appreciation, estimate, valuation.
apprécier [apresje] *vt* to appreciate, estimate, value.
appréhender [apreɑ̃de] *vt* to apprehend.
appréhension [apreɑ̃sjɔ̃] *nf* apprehension.
apprendre [aprɑ̃:dr] *vt* to learn, teach, inform, tell.
apprenti [aprɑ̃ti] *n* apprentice.
apprentissage [aprɑ̃tisa:ʒ] *nm* apprenticeship.
apprêté [aprɛte] *a* affected.
apprêter [aprɛte] *vt* to prepare, dress; *vr* to get ready.
apprivoiser [aprivwaze] *vt* to tame, domesticate.
approbateur, -trice [aprɔbatœ:r, tris] *a* approving; *n* approver.
approbatif, -ive [aprɔbatif, i:v] *a* approving.
approbation [aprɔbasjɔ̃] *nf* approbation, approval, sanction.
approche [aprɔʃ] *nf* approach.
approcher [aprɔʃe] *vt* to approach, draw near; *vi* to approach, draw near, border (on); *vr* to come near.
approfondi [aprɔfɔ̃di] *a* deep, thorough, exhaustive.
approfondir [aprɔfɔ̃di:r] *vt* to deepen, go deeply into, fathom.
approfondissement [aprɔfɔ̃dismɑ̃] *nm* deepening, investigation.
approprié [aprɔprie] *a* appropriate, suitable, proper.
approprier [aprɔprie] *vt* to appropriate, adapt.
approuver [apruve] *vt* to approve of, favour, consent to.
approvisionnement [aprɔvizjɔnmɑ̃] *nm* provisioning, victualling, supply, stores, provisions.
approvisionner [aprɔvizjɔne] *vt* to stock, supply; *vr* to lay in supplies, get supplies.
approximatif, -ive [aprɔksimatif, i:v] *a* approximate, rough.
approximation [aprɔksimasjɔ̃] *nf* approximation.
appui [apɥi] *nm* support, prop, stress, rest; **point d'**— strong point, defended locality.
appuyer [apɥije] *vt* to support, prop, favour, further; *vi* — **sur** dwell on, stress, emphasize, press; *vr* to lean, rest (on, against **sur, contre**), depend, rely (on).
âpre [ɑ:pr] *a* rough, harsh, bitter, stern, grim, keen.
après [aprɛ] *prep* after; **d'**— according to, from; *ad* afterwards; *cj* — **que** after.
après-demain [aprɛdmɛ̃] *ad* the day after tomorrow.
après-guerre [aprɛgɛ:r] *nm* post-war period.
après-midi [aprɛmidi] *nm or f* afternoon.
âpreté [ɑprəte] *nf* roughness, harsh-

ness, bitterness, sternness, keenness, greed.
à-propos [aprɔpo] *nm* aptness, opportuneness.
apte [apt] *a* apt, qualified.
aptitude [aptityd] *nf* aptitude, proficiency.
apurement [apyrmɑ̃] *nm* — **de comptes** audit(ing).
apurer [apyre] *vt* to audit.
aquarelle [akwarel] *nf* water-colour.
aqueduc [ak(ə)dyk] *nm* aqueduct.
aqueux, -euse [akø, øːz] *a* aqueous, watery.
aquilin [akilɛ̃] *a* aquiline.
arabe [arab] *a* Arab, Arabian, Arabic; *n* Arab, Arabic.
arable [arabl] *a* arable.
arachide [araʃid] *nf* peanut.
araignée [arɛɲe] *nf* spider; — **dans le plafond** bee in the bonnet.
arbitrage [arbitraːʒ] *nm* arbitration, umpiring, refereeing.
arbitraire [arbitrɛːr] *a* arbitrary, high-handed.
arbitre [arbiːtr] *nm* arbitrator, umpire, referee; **libre** — freewill.
arbitrer [arbitre] *vt* to arbitrate, umpire, referee.
arborer [arbɔre] *vt* to hoist, raise, sport.
arbre [arbr] *nm* tree, shaft.
arbrisseau [arbriso] *nm* shrub.
arbuste [arbyst] *nm* bush.
arc [ark] *nm* bow, arch, arc; **tir à l'**— archery.
arcade [arkad] *nf* arcade.
arc-boutant [ar(k)butɑ̃] *nm* flying-buttress, stay.
arceau [arso] *nm* arch, hoop.
arc-en-ciel [arkɑ̃sjɛl] *nm* rainbow.
archaïsme [arkaism] *nm* archaism.
archange [arkɑ̃ːʒ] *nm* archangel.
arche [arʃ] *nf* ark, arch, span.
archéologie [arkeɔlɔʒi] *nf* archaeology.
archéologue [arkeɔlɔg] *nm* archaeologist.
archer [arʃe] *nm* archer.
archet [arʃɛ] *nm* bow.
archevêché [arʃəvɛʃe] *nm* archbishopric, archbishop's palace.
archevêque [arʃəvɛːk] *nm* archbishop.
archicomble [arʃikɔ̃bl] *a* packed.
archipel [arʃipɛl] *nm* archipelago.
architecte [arʃitɛkt] *nm* architect.
architecture [arʃitɛktyːr] *nf* architecture.
archives [arʃiːv] *nf pl* archives, records, Record Office.
arctique [arktik] *a* arctic.
ardemment [ardamɑ̃] *ad* ardently, eagerly.
ardent [ardɑ̃] *a* ardent, glowing, keen, eager, live.
ardeur [ardœːr] *nf* ardour, heat, glow, eagerness, zeal, enthusiasm, spirit.
ardoise [ardwaːz] *nf* slate.
ardu [ardy] *a* arduous, tough.
arène [arɛn] *nf* arena.
arête [arɛt] *nf* fishbone, ridge, edge.
argent [arʒɑ̃] *nm* silver, money; — **comptant** ready money, cash down.
argenté [arʒɑ̃te] *a* silver, silver-plated.
argenterie [arʒɑ̃tri] *nf* silver-plate.
argentin [arʒɑ̃tɛ̃] *a* silvery, silver-toned.
argile [arʒil] *nf* clay.
argot [argo] *nm* slang.
argument [argymɑ̃] *nm* argument, plea, summary.
argumentation [argymɑ̃tasjɔ̃] *nf* argumentation.
argumenter [argymɑ̃te] *vi* to argue.
argutie [argysi] *nf* quibble.
aride [arid] *a* arid, dry, barren.
aridité [aridite] *nf* aridity.
aristocrate [aristɔkrat] *n* aristocrat.
aristocratie [aristɔkrasi] *nf* aristocracy.
arithmétique [aritmetik] *a* arithmetical; *nf* arithmetic.
armateur [armatœːr] *nm* shipwright, shipowner.
armature [armatyːr] *nf* framework, mainstay, reinforcement, armature.
arme [arm] *nf* arm, weapon, branch of the army; **maître d'**—**s** fencing master; **prise d'**—**s** parade.
armée [arme] *nf* army, host; — **de métier** professional army; — **de l'air** Air Force; **aux** —**s** on active service.
armement [arməmɑ̃] *nm* arming, fitting out, loading, equipment, crew; *pl* armaments.
armer [arme] *vt* to arm, strengthen, fit out, equip, load, commission, man.
armistice [armistis] *nm* armistice.
armoire [armwaːr] *nf* wardrobe, cupboard, press, closet.
armoiries [armwari] *nf pl* coat of arms, crest.
armure [armyːr] *nf* armour.
armurerie [armyr(ə)ri] *nf* armoury, arms factory.
armurier [armyrje] *nm* armourer, gunsmith.
arôme [aroːm] *nm* aroma.
arpenter [arpɑ̃te] *vt* to measure, survey, pace.
arqué [arke] *a* arched, curved, bow.
arquer [arke] *vt* to arch, bend.
arrache-pied [araʃpje] *ad* **d'**— steadily.
arracher [araʃe] *vt* to tear away (off, out, up), pull away (out, up), snatch.
arraisonner [arɛzɔne] *vt* to hail, stop and examine a ship.
arrangement [arɑ̃ʒmɑ̃] *nm* arrangement, order.
arranger [arɑ̃ʒe] *vt* to arrange, compose, settle; *vr* to manage, come to terms.

arrérages [arɛra:ʒ] *nm pl* arrears.
arrestation [arɛstasjɔ̃] *nf* arrest, detention.
arrêt [arɛ] *nm* stop(ping), stoppage, detention, arrest, seizure, decree, judgment; — **facultatif** stop here if required ; **mandat d'—** warrant; **maison d'—** gaol.
arrêté [arɛte] *a* fixed; *nm* decision, decree, by(e)-law.
arrêter [arɛte] *vt* to stop, stem, check, clog, detain, arrest, decide; *vi* to halt, stop, draw up; *vr* to dwell (on **sur**), stop.
arrière [arjɛ:r] *a* back, rear; *ad* backwards; **en** — behind, in arrears, back; **en — de** behind; **faire marche** — to reverse; *nm* rear, back part, full back; **à l'—** in the rear, at the back, behind, astern.
arrière-boutique [arjɛrbutik] *nf* back-shop.
arrière-bras [arjɛrbra] *nm* upper arm.
arrière-cour [arjɛrku:r] *nf* back-yard.
arrière-garde [arjɛrgard] *nf* rear-guard.
arrière-goût [arjɛrgu] *nm* after-taste, smack.
arrière-grand-père, -grand'mère [arjɛrgrɑ̃pɛ:r, grɑ̃mɛ:r] *n* great-grandfather, -grandmother.
arrière-pensée [arjɛrpɑ̃se] *nf* ulterior motive, mental reservation.
arrière-plan [arjɛrplɑ̃] *nm* back-ground.
arrière-saison [arjɛrsɛzɔ̃] *nf* late autumn, (*US*) fall.
arrière-train [arjɛrtrɛ̃] *nm* hind-quarters, hind-carriage.
arriéré [arjere] *a* in arrears, back-ward, old-fashioned.
arrimer [arime] *vt* to stow, trim.
arrivage [ariva:ʒ] *nm* arrival, con-signment.
arrivée [arive] *nf* arrival, coming, winning-post.
arriver [arive] *vi* to arrive, reach, get, succeed, happen, occur, come about.
arriviste [arivist] *n* careerist, go-getter.
arrogance [arɔgɑ̃:s] *nf* arrogance, bumptiousness.
arrogant [arɔgɑ̃] *a* arrogant, bumptious, assuming.
s'arroger [sarɔʒe] *vr* to arrogate, assume as a right.
arrondir [arɔ̃di:r] *vt* to round (off), make round.
arrondissement [arɔ̃dismɑ̃] *nm* rounding (off), subdivision of a French department, municipal ward.
arrosage [aroza:ʒ] *nm* watering, spraying.
arroser [aroze] *vt* to water, spray, sprinkle, baste.
arrosoir [arozwa:r] *nm* watering-can, -cart, sprinkler.
arsenal [arsənal] *nm* arsenal, naval dockyard.
arsenic [arsənik] *nm* arsenic
art [a:r] *nm* art, skill.
artère [artɛ:r] *nf* artery, thorough-fare.
artériel, -elle [arterjɛl] *a* arterial.
artichaut [artiʃo] *nm* globe arti-choke.
article [artikl] *nm* article, imple-ment, paper; *pl* wares; **—s de Paris** fancy goods; **à l'— de la mort** at the point of death.
articulation [artikylasjɔ̃] *nf* articula-tion, joint.
articuler [artikyle] *vt* to articulate.
artifice [artifis] *nm* artifice, art, expedient, scheming; **feu d'—** fire-works.
artificiel, -elle [artifisjɛl] *a* artificial, imitation.
artillerie [artijri] *nf* artillery.
artimon [artimɔ̃] *nm* **mât d'—** mizzen-mast.
artisan [artizɑ̃] *nm* artisan, work-man, maker.
artisanat [artizana] *nm* working classes.
artiste [artist] *a* artistic; *n* artist, performer.
artistique [artistik] *a* artistic.
aryen, -yenne [arjɛ̃,jɛn] *an* aryan.
as [ɑ:s] *nm* ace, crack, swell.
asbeste [azbɛst] *nm* asbestos.
ascendance [as(s)ɑ̃dɑ̃:s] *nf* ancestry.
ascendant [as(s)ɑ̃dɑ̃] *a* ascending, climbing; *nm* ascendancy; *pl* ancestry.
ascenseur [asɑ̃sœ:r] *nm* lift.
ascension [asɑ̃sjɔ̃] *nf* ascent, ascen-sion.
ascète [assɛt] *n* ascetic.
ascétique [assetik] *a* ascetic(al).
ascétisme [assetism] *nm* asceticism.
asepsie [asɛpsi] *nf* asepsis.
aseptique [asɛptik] *a* aseptic.
asiatique [azjatik] *a* asiatic, oriental.
Asie [azi] *nf* Asia.
asile [azil] *nm* shelter, refuge, sanctuary, home, almshouse; **— des pauvre** workhouse: **— d'aliénés** lunatic asylum.
aspect [aspɛ] *nm* aspect, appearance, look, sight.
asperge [aspɛrʒ] *nf* asparagus.
asperger [aspɛrʒe] *vt* to sprinkle, splash, spray.
aspérité [asperite] *nf* asperity, roughness, harshness.
asphalte [asfalt] *nm* asphalt, bitu-men, pitch.
asphyxiant [asfiksjɑ̃] *a* asphyxiat-ing, poison.
asphyxie [asfiksi] *nf* asphyxia.
asphyxier [asfiksje] *vt* to asphyxiate.
aspirant [aspirɑ̃] *a* sucking; *n* cand-idate aspirant; *nm* midshipman.
aspirateur, -trice [aspiratœ:r, tris]

a aspiratory; *nm* **aspirator, vacuum cleaner.**
aspiration [aspirasjɔ̃] *nf* **aspiration, longing (for à), inhaling, suction, gasp.**
aspirer [aspire] *vt* **to aspire, long (for à), hanker (after à), inhale, suck up, aspirate.**
aspirine [aspirin] *nf* aspirin.
assaillant [as(s)ajɑ̃] *nm* assailant.
assaillir [as(s)aji:r] *vt* to assail.
assainir [asɛni:r] *vt* **to make healthier, cleanse.**
assaisonnement [asɛzɔnmɑ̃] *nm* **seasoning, flavouring, dressing, relish, sauce.**
assaisonner [asɛzɔne] *vt* to season, flavour, dress.
assassin [asasɛ̃] *n* **assassin, murderer.**
assassinat [asasina] *nm* assassination, murder.
assassiner [asasine] *vt* **to assassinate, murder.**
assaut [aso] *nm* assault, onslaught, attack, bout; **emporter d'—** to storm; **troupes d'—** shock troops.
assécher [aseʃe] *vt* to drain, dry; *vir* to dry up.
assemblage [asɑ̃bla:ʒ] *nm* collating, gathering, assembly, joining up.
assemblée [asɑ̃ble] *nf* assembly, meeting, gathering, convocation; **Assemblée Nationale** Lower Chamber of French Parliament.
assembler [asɑ̃ble] *vt* to assemble, gather, connect; *vr* to meet, assemble, flock.
assener [asəne] *vt* to deliver, deal, land (a blow).
assentiment [asɑ̃timɑ̃] *nm* assent.
asseoir [aswa:r] *vt* to set, lay, found; *vr* to sit down.
assermenter [asɛrmɑ̃te] *vt* to swear in.
asservir [asɛrvi:r] *vt* to enslave.
asservissement [asɛrvismɑ̃] *nm* enslavement.
assesseur [asɛsœ:r] *nm* assessor.
assez [ase] *ad* enough, rather, fairly.
assidu [asidy] *a* assiduous, sedulous, constant, regular.
assiduité [asidɥite] *nf* assiduity, application, regularity.
assiégeant [asjɛʒɑ̃] *a* besieging; *nm* besieger.
assiéger [asjeʒe] *vt* to besiege, beleaguer.
assiette [asjɛt] *nf* position, situation, set, foundation, plate; **n'être pas dans son —** to be out of sorts.
assignation [asiɲasjɔ̃] *nf* assignment, writ, subpoena.
assigner [asiɲe] *vt* to assign, allot, allocate, summon, serve a writ on.
assimiler [as(s)imile] *vt* to assimilate, digest.
assimilation [as(s)imilasjɔ̃] *nf* assimilation.
assis [asi] *a* seated, sitting, established, situated.
assise [asi:z] *nf* foundation, base, seating, course; *pl* assizes, sittings, sessions.
assistance [asistɑ̃:s] *nf* assistance, relief, presence, audience.
assistant [asistɑ̃] *n* assistant, onlooker; **—e sociale** welfare worker; *pl* audience, those present.
assister [asiste] *vt* to assist, help; *vi* to be present, witness, attend.
association [asɔsjasjɔ̃] *nf* association, society, partnership.
associé [asɔsje] *n* partner, associate.
associer [asɔsje] *vt* to associate, band, club, connect; *vr* to participate (in à), enter into a partnership (with à).
assoiffé [aswafe] *a* thirsty.
assombrir [asɔ̃bri:r] *vt* to darken, dim, cast a gloom over; *vr* to become dark, cloud (over), become sad.
assommant [asɔmɑ̃] *a* overwhelming, tiresome, deadly dull, humdrum, boring.
assommer [asɔme] *vt* to knock senseless, bludgeon, tire out, wear out, bore.
assommeur [asɔmœ:r] *nm* slaughterer.
assommoir [asɔmwa:r] *nm* pole-axe, bludgeon, low tavern.
assomption [asɔ̃psjɔ̃] *nf* assumption.
assortiment [asɔrtimɑ̃] *nm* matching, sorting, assortment, set.
assortir [asɔrti:r] *vt* to match, sort, assort, stock.
assoupi [asupi] *a* dozing.
assoupir [asupi:r] *vt* to send to sleep, allay; *vr* to doze (off), die away.
assoupissement [asupismɑ̃] *nm* drowsiness, allaying.
assourdir [asurdi:r] *vt* to deafen, stun, muffle, subdue, mute; *vr* to die away.
assourdissant [asurdisɑ̃] *a* deafening, stunning.
assouvir [asuvi:r] *vt* to satisfy, slake, wreak; *vr* to become sated.
assujetti [asyʒeti] *a* subject (to), tied (to).
assujettir [asyʒeti:r] *vt* to subdue, govern.
assujettissant [asyʒetisɑ̃] *a* tying.
assumer [asyme] *vt* to assume.
assurance [asyrɑ̃:s] *nf* assurance, confidence, insurance.
assurément [asyremɑ̃] *ad* certainly.
assuré [asyre] *a* sure, confident, certain, safe, steady; *n* policyholder.
assurer [asyre] *vt* to assure, ensure, make secure, insure; *vr* to make sure.
assureur [asyrœ:r] *nm* underwriter.
astérisque [asterisk] *nm* asterisk.
asthmatique [asmatik] *a* asthmatic, wheezy.
asthme [asm] *nm* asthma.

asticot [astiko] *nm* maggot.
astiquer [astike] *vt* to polish.
astral [astral] *a* astral.
astre [astr] *nm* star.
astreindre [astrɛ̃:dr] *vt* to compel; *vr* to keep (to à).
astrologie [astrɔlɔʒi] *nf* astrology.
astrologue [astrɔlɔg] *nm* astrologer.
astronaute [astrɔnot] *nm* astronaut.
astronef [astrɔnɛf] *nm* space-ship.
astronome [astrɔnɔm] *nm* astronomer.
astronomie [astrɔnɔmi] *nf* astronomy.
astuce [astys] *nf* wile, astuteness, guile, gimmick.
astucieux, -euse [astysjø, ø:z] *a* wily, astute.
atelier [atəlje] *nm* workshop, studio.
atermoyer [atɛrmwaje] *vti* to put off, delay.
athée [ate] *a* atheistic, godless; *n* atheist.
athéisme [ateism] *nm* atheism.
athlète [atlɛt] *nm* athlete.
athlétique [atletik] *a* athletic.
athlétisme [atletism] *nm* athleticism, athletics.
atmosphère [atmɔsfɛ:r] *nf* atmosphere, environment.
atmosphérique [atmɔsferik] *a* atmospheric.
atome [ato:m] *nm* atom.
atomique [atɔmik] *a* atomic.
atomiser [atɔmize] *vt* to atomize, spray.
atomiseur [atɔmizœ:r] *nm* atomizer, spray.
atours [atu:r] *nm pl* finery, attire.
atout [atu] *nm* trump.
âtre [a:tr] *nm* hearth.
atroce [atrɔs] *a* atrocious, outrageous, heinous, terrible, excruciating, woeful.
atrocité [atrɔsite] *nf* atrocity.
s'attabler [satable] *vr* to sit down to table.
attachant [ataʃɑ̃] *a* interesting, attractive, winning.
attache [ataʃ] *nf* tie, fastening, connection, brace, leash, fastener, paper-clip, joint; **port d'—** home port.
attaché [ataʃe] *nm* attaché.
attachement [ataʃmɑ̃] *nm* attachment, adherence, fondness.
attacher [ataʃe] *vt* to attach, fasten, tie (up), connect, lash, strap, brace; *vr* to cling, stick become attached, apply oneself.
attaquable [atakabl] *a* assailable.
attaque [atak] *nf* attack, thrust, fit, stroke, seizure.
attaquer [atake] *vt* to attack, assault, tackle, attempt, (*cards*) lead; *vr* to attack, grapple (with à).
s'attarder [satarde] *vr* to linger, tarry.
atteindre [atɛ̃:dr] *vt* to reach, attain, hit, affect.
atteint [atɛ̃] *a* affected, attacked, hit.
atteinte [atɛ̃:t] *nf* reach, blow, attack; **porter — à** to hurt, damage.
attelage [atla:ʒ] *nm* harnessing, team, yoke, coupling.
atteler [atle] *vt* to harness, yoke, couple, team; *vr* to buckle to.
attelle [atɛl] *nf* splint.
attenant [atnɑ̃] *a* adjacent, adjoining.
attendant [atɑ̃:dɑ̃] *ad* **en —** meanwhile, pending; *cj* **en — que** until.
attendre [atɑ̃:dr] *vt* to await, wait for, expect, look for; *vr* to expect.
attendri [atɑ̃dri] *a* fond, compassionate.
attendrir [atɑ̃dri:r] *vt* to soften, move, touch; *vr* to become tender, be moved.
attendrissant [atɑ̃drisɑ̃] *a* touching, affecting.
attendrissement [atɑ̃drismɑ̃] *nm* tender emotion, pity.
attendu [atɑ̃dy] *prep* considering, owing to, on account of; **— que** seeing that, whereas.
attentat [atɑ̃ta] *nm* attempt, outrage, murder bid.
attente [atɑ̃:t] *nf* wait, expectation, hope; **salle d'—** waiting-room; **être dans l'— de** to be awaiting.
attenter [atɑ̃te] *vt* make an attempt (on, against à).
attentif, -ive [atɑ̃tif, i:v] *a* attentive, careful, heedful, considerate.
attention [atɑ̃sjɔ̃] *nf* attention, care, regard mindfulness; **—!** look out! **faire — à** to pay attention to, heed.
attentionné [atɑ̃sjɔne] *a* thoughtful.
atténuant [atenɥɑ̃] *a* extenuating.
atténuation [atenɥasjɔ̃] *nf* extenuation, qualification, understatement.
atténuer [atenɥe] *vt* to attenuate, extenuate, mitigate, qualify, understate, subdue, dim; *vr* to lessen, diminish.
atterrer [atɛre] *vt* to overwhelm, fell, stun.
atterrir [atɛri:r] *vi* to ground, alight, land; *vt* to run ashore, beach.
atterrissage [atɛrisa:ʒ] *nm* grounding, landing.
attestation [atɛstasjɔ̃] *nf* attestation, voucher.
attester [atɛste] *vt* to attest, testify, vouch.
attiédir [atjedi:r] *vt* to make tepid, lukewarm.
attifer [atife] *vtr* to dress up.
attirail [atira:j] *nm* outfit, tackle, gear, show.
attirance [atirɑ̃:s] *nf* attraction, lure.
attirant [atirɑ̃] *a* attractive, engaging.
attirer [atire] *vt* to attract, draw, entice, inveigle.
attiser [atize] *vt* to stir (up), poke (up).
attitude [atityd] *nf* attitude.

attouchement [atuʃmɑ̃] *nm* touch(ing), contact.
attraction [atraksjɔ̃] *nf* attraction, attractiveness; *pl* variety show.
attrait [atrɛ] *nm* attraction, allurement, enticement, charm.
attrape [atrap] *nf* trap, snare, trick, catch.
attrape-mouches [atrapmuʃ] *nm* fly-paper.
attrape-nigaud [atrapnigo] *nm* booby-trap.
attraper [atrape] *vt* to catch, trick, get, seize, scold.
attrayant [atrɛjɑ̃] *a* attractive.
attribuer [atribɥe] *vt* to attribute, ascribe, assign, put down (to **à**); *vr* to assume.
attribut [atriby] *nm* attribute.
attribution [atribysjɔ̃] *nf* attribution, allocation, award, conferment; *pl* powers, functions.
attristé [atriste] *a* saddened, sorrowful.
attrister [atriste] *vt* to sadden; *vr* to grow sad.
attrition [atrisjɔ̃] *nf* attrition.
attroupement [atrupmɑ̃] *nm* mob.
attrouper [atrupe] *vt* to gather, collect; *vr* to flock, form into a mob, crowd.
au [o] = **à** + **le.**
aubaine [obɛn] *nf* windfall, godsend.
aube [o:b] *nf* early dawn, paddle, blade.
aubépine [obepin] *nf* hawthorn, may.
auberge [obɛrʒ] *nf* inn; — **de la jeunesse** youth hostel.
aubergine [obɛrʒin] *nf* egg-plant, aubergine.
aubergiste [obɛrʒist] *n* innkeeper.
aucun [okœ̃] *pn* anyone, no one, nobody; *pl* some people; *a* any, not any.
aucunement [okynmɑ̃] *ad* not at all, in no way.
audace [odas] *nf* audacity, boldness, daring, hardihood.
audacieux, -euse [odasjø, ø:z] *a* audacious, bold, daring, dashing, impudent.
au-delà [od(ə)la] *ad* beyond; *nm* the after-life.
au-dessous [odsu] *ad* underneath, below; *prep* — **de** below, under.
au-dessus [odsy] *ad* above, over (head); *prep* — **de** above, over, beyond.
au-devant [odvɑ̃] *ad* **aller** — **de** to go to meet.
audience [odjɑ̃:s] *nf* audience, hearing; **lever l'**— to close the session, sitting.
auditeur, -trice [oditœ:r, tris] *n* listener.
audition [odisjɔ̃] *nf* audition, hearing.
auditoire [oditwa:r] *nm* audience.
auge [o:ʒ] *nf* trough.
augmentation [ɔgmɑ̃tasjɔ̃] *nf* increase, rise.
augmenter [ɔgmɑ̃te] *vt* to augment, increase, add, raise; *vr* to increase, rise.
augure [ɔgy:r] *nm* augury, omen; **de mauvais** — unpropitious, inauspicious.
augurer [ɔgyre] *vt* to augur, promise.
auguste [ɔgyst] *a* august, majestic.
aujourd'hui [oʒurdɥi] *ad* today; **d'— en huit** today week.
aumône [omo:n] *nf* alms, charity.
aumônier [omonje] *nm* almoner, chaplain.
aune [o:n] *nf* alder.
auparavant [oparavɑ̃] *ad* before, first.
auprès [oprɛ] *ad* hard by, close at hand; *prep* — **de** close (to, by), near, beside, at, with, in comparison with.
auquel [okɛl] = **à** + **lequel.**
auréole [ɔreɔl] *nf* halo.
auriculaire [ɔrikylɛ:r] *nm* little finger.
aurore [ɔrɔ:r] *nf* dawn.
ausculter [ɔskylte] *vt* to sound.
auspice [ospis] *nm* auspice, omen.
aussi [osi] *ad* as, so, also, too; *cj* therefore, so.
aussitôt [osito] *ad* at once, immediately; *cj* — **que** as soon as; — **dit,** — **fait** no sooner said than done.
austère [ɔstɛ:r] *a* austere, severe, stern.
austérité [ɔsterite] *nf* austerity, severity, sternness.
Australie [ɔstrali] *nf* Australia.
australien, -ienne [ɔstraljɛ̃, jɛn] *an* Australian.
autant [otɑ̃] *ad* as much, so much, as many, so many; — **que** as much as, as many as, as far as; **d'— que, d'— plus que** more especially as, all the more . . . as.
autel [otɛl] *nm* altar.
auteur [otœ:r] *nm* author, writer, promoter, originator, perpetrator; **femme** — authoress; **droits d'**— royalties.
authenticité [otɑ̃tisite] *nf* authenticity.
authentique [otɑ̃tik] *a* authentic, genuine.
auto [oto] *nf* motor car.
autobiographie [otɔbjɔgrafi] *nf* autobiography.
autobus [otɔby:s] *nm* motor (omni) bus.
autocar [otɔka:r] *nm* motor coach, motor charabanc.
autochtone [otɔkto:n, -tɔn] *a* native, indigenous.
autocrate [otɔkrat] *n* autocrat; *a* autocratic.
autocratie [otɔkrasi] *nf* autocracy.
autocratique [otɔkratik] *a* autocratic.

autodémarreur [otɔdemarœːr] *nm* self-starter.
autodétermination [otɔdetɛrminasjɔ̃] *nf* (*govt*) self-determination.
autodidacte [otɔdidakt] *a* self-taught, -educated; *nm* autodidact.
autodrome [otɔdrɔm, -droːm] *nm* motor-racing track.
autographe [otɔgraf] *nm* autograph.
autographier [otɔgrafje] *vt* to autograph.
automate [otɔmat] *nm* automaton, robot.
automatique [otɔmatik] *a* automatic, automaton-like.
automnal [otɔmnal] *a* autumnal.
automne [otɔn] *nm* autumn, (*US*) fall; *a* ɑ'—autumnal.
automobile [otɔmɔbil] *a* motor; *nf* automobile, motor car; **salon de l'**— motor show.
automobilisme [otɔmɔbilism] *nm* motoring.
automobiliste [otɔmɔbilist] *n* motorist.
automoteur [otɔmɔtœːr] *a* self-propelling.
autonome [otɔnɔm] *a* autonomous, self-governing.
autonomie [otɔnɔmi] *nf* autonomy, home-rule.
autopsie [otɔpsi] *nf* autopsy, post-mortem examination.
autorail [otɔraːj] *nm* rail-car.
autorisation [otɔrizasjɔ̃, ɔt-] *nf* authorization, permit, licence.
autorisé [otɔrize, ɔt-] *a* authorized, authoritative.
autoriser [otɔrize, ɔt-] to authorize, empower, warrant, sanction, license.
autoritaire [otɔritɛːr, ɔt-] *a* authoritative, domineering.
autorité [otɔrite, ɔt-] *nf* authority, warrant; **faire** — to be an authority; **qui fait** — authoritative.
autoroute [otɔrut] *nf* motorway.
auto-stop [otɔstɔp] *nm* hitch-hiking.
autour [otuːr] *ad* round, about; *prep* — **de** round.
autre [oːtr] *a pn* other; *a* further, different; **d'un moment à l'**— any moment; **de temps à** — now and again; **nous** —**s Francais** we French; **l'un et l'**— both; **les uns . . . les** —**s** some . . . others; — **chose** something else; **quelqu'un d'**— someone else; **j'en ai vu bien d'**—**s** that's nothing;— **part** elsewhere.
autrefois [otrəfwɑ] *ad* formerly, in the past.
autrement [otrəmɑ̃] *ad* otherwise, else, in a different way.
Autriche [otriʃ] *nf* Austria.
autrichien, -ienne [otriʃjɛ̃, jɛn] *a n* Austrian.
autruche [otryʃ] *nf* ostrich.
autrui [otrɥi] *pn indef* others, other people.
aux [o] = **à** + **les.**
auxiliare [ɔksiljɛːr, o-] *a* auxiliary, sub-; *nm* auxiliary.
auxquels [okel] = **à** + **lesquels.**
aval [aval] *nm* lower part of river; *ad* **en** — downstream; *prep* **en** — **de** below.
avalanche [avalɑ̃ːʃ] *nf* avalanche.
avaler [avale] *vt* to swallow, drink up, gulp down, stomach; — **une insulte** to pocket an insult, affront.
avance [avɑ̃ːs] *nf* advance, start, lead, drive, dash; loan; **à l', d', par** — beforehand, in advance; **être en** — to be fast, before time, ahead.
avancé [avɑ̃se] *a* advanced, forward, onward, well on, high; **vous voilà bien** — much good that has done you.
avancement [avɑ̃smɑ̃] *nm* advancing, putting forward, furtherance, rise, promotion, advancement.
avancer [avɑ̃se] *vt* to advance, put (forward, on), carry on, promote; *vi* to move forward, advance, get on, be fast, be ahead of time; *vr* to advance, make one's way, progress, jut out.
avant [avɑ̃] *prep* before; — **peu** presently; *ad* before, far (into), deep, further (in, back); **en** — before, forward, in front, ahead, onward; *cj* — **que** before; *a* fore-; *nm* bow, forward, front.
avantage [avɑ̃taːʒ] *nm* advantage; **tirer** — **de** to turn to account.
avantager [avɑ̃taʒe] *vt* to favour, improve.
avantageux, -euse [avɑ̃taʒø, øːz] *a* advantageous, beneficial, favourable, becoming, self-satisfied.
avant-bras [avɑ̃bra] *nm* forearm.
avant-corps [avɑ̃kɔːr] *nm* fore-part.
avant-cour [avɑ̃kuːr] *nf* forecourt.
avant-coureur [avɑ̃kurœːr] *a* precursory; *nm* forerunner.
avant-dernier, -ière [avɑ̃dɛrnje, jɛːr] *a* last but one.
avant-garde [avɑ̃gard] *nf* van (guard), advanced guard, avant-garde.
avant-goût [avɑ̃gu] *nm* foretaste, earnest.
avant-guerre [avɑ̃gɛːr] *nm* pre-war period.
avant-hier [avɑ̃tjɛːr] *ad* day before yesterday.
avant-plan [avɑ̃plɑ̃] *nm* foreground.
avant-port [avɑ̃pɔːr] *nm* outer harbour.
avant-poste [avɑ̃pɔst] *nm* outpost.
avant-première [avɑ̃prəmjɛːr] *nf* dress rehearsal.
avant-propos [avɑ̃prɔpo] *nm* preface.
avare [avaːr] *a* miserly, tight-fisted, chary; *nm* miser.
avarice [avaris] *nf* avarice, miserliness, closeness.
avaricieux, -euse [avarisjø, jøːz] *a* avaricious, mean.
avarie [avari] *nf* damage.

avarier [avarje] *vt* to damage; *vr* to deteriorate.
avatar [avata:r] *nm* avatar; *pl* ups and downs.
avec [avɛk] *prep* with; — **ça!** nonsense; **et — ça Monsieur?** do you require anything else? **d'—** from; *ad* with it, with them.
avenant [avnɑ̃] *a* comely, prepossessing, buxom; **à l'—** in keeping, to match.
avènement [avɛnmɑ̃] *nm* advent, accession.
avenir [avni:r] *nm* future; **à l'—** henceforth, hereafter.
aventure [avɑ̃ty:r] *nf* adventure, luck, love-affair; **à l'—** at random, aimlessly; **d'—** by chance; **dire, tirer la bonne —** to tell fortunes.
aventurer [avɑ̃tyre] *vtr* to venture, risk.
aventureux, -euse [avɑ̃tyrø, ø:z] *a* adventurous, venturesome, reckless, risky.
aventurier, -ière [avɑ̃tyrje, jɛ:r] *n* adventurer, adventuress.
avenu [avny] *a* **non —** cancelled, void.
avenue [avny] *nf* avenue, drive, walk.
avéré [avere] *a* established, proved, authenticated.
averse [avɛrs] *nf* shower of rain, downpour.
aversion [avɛrsjɔ̃] *nf* aversion, dislike, repulsion.
averti [avɛrti] *a* experienced, well-informed, knowing.
avertir [avɛrti:r] *vt* to warn, caution, give notice (of).
avertissement [avɛrtismɑ̃] *nm* warning, notice, caution; **sans — préalable** at a moment's notice.
avertisseur [avɛrtisœ:r] *nm* alarm, warning, motor horn, call-boy.
aveu [avø] *nm* confession, avowal, admission, consent.
aveugle [avœgl] *a* blind, sightless; **à l'—** blindly wildly; *nm* blind person.
aveuglement [avœgləmɑ̃] *nm* blindness.
aveuglément [avœglemɑ̃] *ad* blindly.
aveugler [avœgle] *vt* to blind, dazzle, hoodwink, plug.
aveuglette [avœglɛt] *ad* **à l'—** blind(ly).
aviateur, -trice [avjatœr, tris] *n* aviator, flyer.
aviation [avjasjɔ̃] *nf* aviation, air force.
avide [avid] *a* avid, greedy, grasping, eager (for **de**).
avidité [avidite] *nf* avidity, greed, eagerness.
avilir [avili:r] *vt* to debase, depreciate; *vr* to lower oneself, stoop, lose value.
avilissement [avilismɑ̃] *nm* abasement, degradation, depreciation.
avion [avjɔ̃] *nm* aeroplane, aircraft; **— de bombardment** bomber; **— de chasse, de combat** fighter; **— de ligne** airliner; **— en remorque** glider; **— à réaction** jet plane; **par —** by airmail.
aviron [avirɔ̃] *nm* oar, rowing.
avis [avi] *nm* opinion, advice, judgment, notice, warning; **à mon —** to my mind; **changer d'—** to change one's mind.
avisé [avize] *a* far-seeing, wary, canny, shrewd, advised.
aviser [avize] *vt* to warn, perceive; *vi* to see about (**à**); *vr* to take it into one's head.
avocat [avɔka] *nm* barrister, counsel, advocate.
avoine [avwan] *nf* oats; **folle —** wild oats.
avoir [avwa:r] *vt* to have, possess, get, obtain; **— vingt ans** to be twenty years old; **qu'avez-vous?** what is the matter with you? **en — à, contre qn.** to bear s.o. a grudge; **y — v imp** to be; **qu'est-ce qu'il y a?** what's up, what's the matter?; **il y a sept ans** seven years ago; *nm* property, possessions, balance in hand; **doit et —** debit and credit.
avoisinant [avwazinɑ̃] *a* neighbouring.
avoisiner [avwazine] *vt* to be near, border on.
avorter [avɔrte] *vi* to abort, miscarry.
avortement [avɔrtmɑ̃] *nm* abortion, miscarriage.
avorton [avɔrtɔ̃] *nm* undersized, stunted creature.
avoué [avwe] *a* professed; *nm* solicitor (*US*) attorney.
avouer [avwe] *vt* to avow, confess, acknowledge.
avril [avril] *nm* April; **un poisson d'—** an April fool.
axe [aks] *nm* axis, spindle.
axiome [aksjo:m] *nm* axiom.
azimut [azimyt] *nm* azimuth, bearing, (**sl**) direction.
azote [azɔt] *nm* nitrogen.
azotique [azɔtik] *a* nitric.
azur [azy:r] *nm* azure, blue.
azyme [azim] *a* unleavened; *nm* unleavened bread.

B

baba [baba] *nm* sponge-cake; *a* dumbfounded.
babeurre [babœ:r] *nm* buttermilk.
babil [babi(l)] *nm* prattling, twittering.
babillard [babija:r] *a* talkative, babbling; *n* chatterbox.
babiller [babije] *vi* to chatter, babble, prattle.
babines [babin] *nf pl* chops, drooping lips.

babiole [babjɔl] *nf* bauble, curio, trinket, frippery.
bâbord [babɔ:r] *nm* port (side).
babouin [babwɛ̃] *nm* baboon.
bac [bak] *nm* ferryboat, tub.
bâche [ba:ʃ] *nf* tarpaulin, awning, cistern; — **de campement** groundsheet.
bachelier, -ière [baʃəlje, jɛ:r] *n* pre-university student.
bâcher [baʃe] *vt* to cover with a tarpaulin.
bachot [baʃo] *nm* baccalauréat, punt.
bacille [basil] *nm* bacillus, germ.
bâcler [bakle] *vt* to bolt, bar, block, scamp, dash off.
bactériologie [bakterjɔlɔʒi] *nf* bacteriology.
badaud [bado] *a* idle; *n* stroller, idler.
badauder [badode] *vi* to saunter, idle about.
badigeon [badiʒɔ̃] *nm* distemper, whitewash brush.
badigeonner [badiʒɔne] *vt* to distemper, colour-wash, paint.
badin [badɛ̃] *a* playful, jocular, waggish; *n* joker, wag.
badinage [badina:ʒ] *nm* bantering, joking.
badine [badin] *nf* switch, cane.
badiner [badine] *vt* to tease, banter; *vi* to joke, trifle, banter.
bafoué [bafwe] *a* scorned, discomfited.
bafouer [bafwe] *vt* to scoff, jeer at, sneer at.
bafouiller [bafuje] *vti* to stammer, splutter, gabble.
bâfrer [bɑfre] *vt* to gobble, guzzle; *vi* to gormandize; *vr* to stuff.
bagage [baga:ʒ] *nm* baggage; *pl* luggage; **plier** — to pack up, clear out.
bagarre [baga:r] *nf* brawl, disturbance, affray, scrap.
bagatelle [bagatɛl] *nf* trifle.
bagnard [baɲɑ:r] *n* convict.
bagne [baɲ] *nm* prison.
bagnole [baɲɔl] *nf* worn-out car, car.
bagout [bagu] *nm* **avoir du** — to have the gift of the gab.
bague [bag] *nf* ring, cigar-band.
baguenauder [bagnode] *vi* to waste time, trifle.
baguette [bagɛt] *nf* wand, rod, stick, pointer, beading, long loaf.
bahut [bay] *nm* (*fam*) cupboard, trunk, chest; school.
bai [bɛ] *a* (*colour*) bay.
baie [bɛ] *nf* bay, bight, berry, baywindow.
baignade [bɛɲad] *nf* bathe, bathing-place.
baigner [bɛɲe] *vt* to bathe, bath, wash; *vi* to soak, steep; *vr* to take a bath, bathe, welter.
baigneur, -euse [bɛɲœ:r, ø:z] *n* bather, bathing attendant.
baignoire [bɛɲwa:r] *nf* bath, (*theatre*) pit-box.
bail [ba:j] *nm* lease.
bâillement [bɑjmɑ̃] *nm* yawn(ing), gaping.
bâiller [bɑje] *vi* to yawn, gape, be ajar.
bailleur [bajœ:r] *nm* lessor; — **de fonds** money-lender, sleeping-partner.
bâillon [bɑjɔ̃] *nm* gag.
bâillonner [bɑjɔne] *vt* to gag, muzzle.
bain [bɛ̃] *nm* bath, bathe, dip; —**s de mer** sea-bathing.; —**(s) de soleil** sunbath(ing).
bain-marie [bɛ̃mari] *nm* double saucepan, water-bottle.
baïonnette [bajɔnɛt] *nf* bayonet.
baiser [bɛze] *vt* to kiss; *nm* kiss.
baisse [bɛs] *nf* fall, drop, ebb, abatement.
baisser [bɛse] *vt* to lower, let down, turn down; *vi* to fall, go down, sink, droop, slump; *vr* to stoop.
baissier [bɛsje] *nm* (*Stock Exchange*) bear.
bajoue [baʒu] *nf* cheek, chap, chop.
bal [bal] *nm* ball, dance.
balade [balad] *nf* amble, drive, stroll.
balader [balade] *vir* to go for a stroll, a drive.
baladeuse [baladø:z] *nf* handcart, trailer, inspection-lamp.
baladin [baladɛ̃] *nm* buffoon.
balafre [balafr] *nf* gash, cut, scar.
balafrer [balafre] *vt* to gash, scar, slash.
balai [balɛ] *nm* brush, broom.
balance [balɑ̃:s] *nf* balance, scale(s), suspense; **faire la** — to strike the balance.
balancer [balɑ̃se] *vt* to balance, swing, rock; *vi* to swing, dangle, waver, hesitate; *vr* to sway, swing, rock.
balancier [balɑ̃sje] *nm* pendulum, balance-wheel, beam, balancing-pole.
balançoire [balɑ̃swa:r] *nf* swing, seesaw.
balayage [balɛja:ʒ] *nm* sweeping, (*radar*) scanning.
balayer [balɛje] *vt* to sweep (out, away, up), scour, throw out.
balayeur, -euse [balɛjœ:r, ø:z] *nmf* sweeper, cleaner, scavenger; *nf* carpet-sweeper.
balayures [balɛjy:r] *nf pl* sweepings.
balbutier [balbysje] *vti* to stammer, stutter, falter.
balcon [balkɔ̃] *nm* balcony, dress-circle.
baldaquin [baldakɛ̃] *nm* canopy.
baleine [balɛn] *nf* whale, whalebone, rib.
baleinière [balɛnjɛ:r] *nf* whaleboat.
balise [bali:z] *nf* beacon, seamark, groundlight, radiosignal.

balistique [balistik] *a* ballistic; *nf* ballistics.
baliverne [balivɛrn] *nf* idle story; *pl* balderdash, rubbish.
ballade [balad] *nf* ballad.
ballant [balɑ̃] *a* dangling.
ballast [balast] *nm* ballast, bottom.
balle [bal] *nf* ball, bullet, franc, bale, pack, chaff, husk; **avoir la — belle** to have the ball at one's feet; **c'est un enfant de la —** he has been brought up in the trade.
ballet [balɛ] *nm* ballet (dancing).
ballon [balɔ̃] *nm* balloon, football; **lancer un — d'essai** to fly a kite.
balloner [balɔne] *vir* to swell, balloon out, distend, bulge.
ballot [balo] *nm* bundle, bale, kitbag.
ballotage [balɔta:ʒ] *nm* shaking, tossing, second ballot.
balloter [balɔte] *vt* to shake, toss about, buffet; *vi* to toss, shake, rattle, swing.
balnéaire [balneɛ:r] *a* **station —** seaside resort.
balourd [balu:r] *a* uncouth, clumsy, awkward; *n* awkward person, yokel, dullard.
balourdise [balurdi:z] *nf* clumsiness, stupid mistake.
baluchon [balyʃɔ̃] *nm* bundle, kit.
balustrade [balystrad] *nf* balustrade, rail.
balustre [balystr] *nm* baluster; *pl* banisters.
bambin [bɑ̃bɛ̃] *n* little child, urchin, baby.
bamboche [bɑ̃bɔʃ] *nf* puppet, undersized person, carousal, spree.
bambou [bɑ̃bu] *nm* bamboo.
ban [bɑ̃] *nm* ban, proclamation, round of cheers, banishment; *pl* banns; **mettre au —** to banish, ostracize.
banal [banal] *a* commonplace, hackneyed, trite, casual.
banalité [banalite] *nf* triteness, commonplace remark.
banane [banan] *nf* banana.
bananier [bananje] *nm* banana-tree.
banc [bɑ̃] *nm* bench, form, seat, bed, pew, layer, shoal; **— des accusés** dock; **— de sable** sandbank.
bancal [bɑ̃kal] *a* bow-legged, rickety.
banco [bɑ̃ko] *nm* swish, baked mud, (*for building*) clay.
bandage [bɑ̃da:ʒ] *nm* bandaging, bandage, binder, truss, binding.
bande [bɑ̃:d] *nf* band, group, gang, flock, shoal, stripe, belt, shaft, wrapper, cushion, reel, film; **donner de la —** (*of ship*) to list.
bandeau [bɑ̃do] *nm* headband, bandeau, bandage.
bander [bɑ̃de] *vt* to bind up, bandage, stretch, bend; *vr* to band together; **— les yeux à** to blindfold.
banderole [bɑ̃drɔl] *nf* streamer, shoulder-belt, sling.
bandit [bɑ̃di] *nm* bandit, gangster, rascal.
bandoulière [bɑ̃duljɛ:r] *nf* bandolier, shoulder-belt.
banlieue [bɑ̃ljø] *nf* suburb.
banne [ban] *nf* hamper, awning, coal-cart.
banneau [bano] *nm* fruit-basket, hamper.
bannière [banjɛ:r] *nf* banner.
banni [bani] *a* outlawed, exiled; *n* outlaw, exile.
bannir [bani:r] *vt* to outlaw, banish.
bannissement [banismɑ̃] *nm* exile, banishment.
banque [bɑ̃:k] *nf* bank, banking.
banqueroute [bɑ̃krut] *nf* bankruptcy; **faire —** to go bankrupt.
banquet [bɑ̃kɛ] *nm* banquet, feast.
banquette [bɑ̃kɛt] *nf* seat, bench.
banquier, -ière [bɑ̃kje, jɛ:r] *a* banking; *n* banker.
banquise [bɑ̃ki:z] *nf* ice-field, -pack, -flow.
baptême [batɛ:m] *nm* baptism, christening; *a* **de —** baptismal, maiden.
baptiser [batize] *vt* to baptize, christen.
baquet [bakɛ] *nm* tub, bucket.
bar [ba:r] *nm* bar, pub; sea-dace.
baragouiner [baragwine] *vti* to jabber, gibber.
baraque [barak] *nf* hut, booth, stall.
baraquement [barakmɑ̃] *nm* hut, lodging in huts; *pl* hutments.
baratte [barat] *nf* churn.
baratter [barate] *vt* to churn.
barbare [barba:r] *a* barbarous, cruel, barbaric; *n* barbarian.
barbarie [barbari] *nf* barbarity, barbarousness, barbarism.
barbe [barb] *nf* beard, whiskers; **se faire la —** to shave; **rire dans sa —** to laugh up one's sleeve.
barbelé [barbəle] *a* barbed.
barbiche [barbiʃ] *nf* goatee beard.
barboter [barbɔte] *vt* to splash up and down; *vi* to paddle, flounder, splash about.
barbouillage [barbuja:ʒ] *nm* smearing, scrawl, daubing, scribble, scribbling.
barbouiller [barbuje] *vt* to smear, smudge, dirty.
barbu [barby] *a* bearded.
barbue [barby] *nf* brill.
bard [ba:r] *nm* hand-trolley.
barde [bard] *nf* pack-saddle, slice of bacon.
barder [barde] *vt* to carry on a hand-barrow, bard; *vi* to rage; **ça va —** there will be ructions.
barème [barɛ:m] *nm* ready-reckoner, scale.
baril [bari] *nm* barrel, cask.
barillet [barijɛ] *nm* keg, drum, cylinder.
bariolé [barjɔle] *a* multi-coloured, motley, gaudy.

baromètre [barɔmɛtr] *nm* weather glass.
baroque [barɔk] *a* odd, quaint; *nm* baroque style.
barque [bark] *nf* boat, fishing-smack.
barrage [baraːʒ] *nm* road-block, barrier, dam, weir, (*sport*) replay.
barre [baːr] *nf* iron bar, wooden batten, rod, tiller, helm, stroke, (*law courts*) bar, rail, rung, surf, undertow; — **des témoins** witness-box; **homme de** — coxswain, helmsman.
barreau [baro] *nm* (*law courts*) bar, rail, rung; *pl* (*prison*) bars.
barrer [bare] *vt* to bar, block, dam, obstruct, cross out, steer; — **un chèque** to cross a cheque; **rue barrée** no thoroughfare.
barrette [barɛt] *nf* biretta, hairslide.
barreur [barœːr] *nm* helmsman, coxswain.
barricade [barikad] *nf* barricade.
barricader [barikade] *vt* to barricade.
barrière [barjɛːr] *nf* gate, toll-gate, bar, rail.
barrique [barik] *nf* large barrel, cask, hogshead.
baryton [baritɔ̃] *nm* baritone.
bas, -se [ba, baːs] *a* low, base, deep, mean, lower; *ad* low, quietly; *nm* lower part, end, bottom, stocking; *pl* hose; **en** — downstairs, below; **en** — **de** at the foot of; **à** — down (with); **mettre** — to lay down, bring forth.
basalte [bazalt] *nm* basalt.
basaner [bazane] *vt* to tan; *vr* to become tanned.
bas-bout [babu] *nm* bottom, lower end.
bas-côté [bakote] *nm* aisle, lay-by.
bascule [baskyl] *nf* seesaw, weighbridge, rocker; **chaise à** — rocking-chair; **wagon à** — tip-wagon.
basculer [baskyle] *vt* to rock, swing; *vti* to dip, tip.
base [baːz] *nf* foundation, basis, foot, root; **de** — basic; **sans** — unfounded.
baser [baze] *vt* to base, found; *vr* to be founded.
bas-fond [bafɔ̃] *nm* low ground, swamp, shoal, deep pool; *pl* riffraff, dregs.
basilique [bazilik] *nf* basilica.
basque [bask] *nf* tail.
basse [baːs] *nf* bass.
basse-cour [baskuːr] *nf* farmyard.
bassesse [basɛs] *nf* lowness, vileness, baseness.
basse-fosse [basfoːs] *nf* dungeon.
bassin [basɛ̃] *nm* basin, pond, ornamental lake, dock; — **houiller** coalfield.
bassine [basin] *nf* pan.
bât [ba] *nm* pack-saddle; **cheval de** — pack-horse.
bataille [bataːj] *nf* battle, contest.
batailleur, -euse [batajœːr, øːz] *a* pugnacious, cantankerous, quarrelsome.
bataillon [batajɔ̃] *nm* battalion.
bâtard [bataːr] *an* bastard, mongrel.
bateau [bato] *nm* boat, vessel; — **-école** training ship; — **-feu** light ship; — **pétrolier** tanker.
bateleur, -euse [batlœːr, øːz] *n* juggler, mountebank.
batelier, -ière [batəlje, jɛːr] *n* boatman, -woman, ferryman, -woman, bargee.
bâter [bate] *vt* to put a pack-saddle on.
bath [bat] *a* (*fam*) ripping, topping.
batifoler [batifole] *vi* to frolic, lark.
bâtiment [batimɑ̃] *nm* building (trade), edifice, ship.
bâtir [batiːr] *vt* to build, erect.
bâtisse [batis] *nf* ramshackle building, masonry.
batiste [batist] *nf* cambric.
bâton [batɔ̃] *nm* stick, staff, baton, pole, truncheon; **à** —**s rompus** desultory, by fits and starts.
bâtonner [batɔne] *vt* to beat, whip, cane.
battage [bataːʒ] *nm* beating, threshing, churning, boosting.
battant [batɑ̃] *a* beating, driving, pelting, banging; **porte** —**e** swing-door; *nm* bell-clapper, table, counter top.
batte [bat] *nf* beetle, mallet.
battement [batmɑ̃] *nm* beating, stamping, flapping, banging, fluttering, tapping, throbbing, margin (of time), interval.
batterie [batri] *nf* beat of drums, roll of drums, artillery battery; set; — **de cuisine** set of kitchen utensils.
batteur -euse [batœːr, øːz] *nf* threshing machine, egg whisk; *nm* beater, thresher.
battre [batr] *vt* to beat, thrash, thresh, batter, defeat, churn, whisk, (*flag*) fly, shuffle; *vi* to beat, throb, belt, flap, bang; — **la campagne** to scour the countryside, to be delirious; — **des mains** to clap one's hands; *vr* to fight.
battu [baty] *a* beaten, wrought; **avoir les yeux** —**s** to have circles round one's eyes.
battue [baty] *nf* beat, round-up.
baudet [bodɛ] *nm* donkey.
baudrier [bodrije] *nm* shoulder-belt, cross-belt.
bauge [boːʒ] *nf* lair, hole, squirrel's nest, pigsty.
baume [boːm] *nm* balm, balsam.
bauxite [boksit] *nf* bauxite.
bavard [bavaːr] *a* talkative, garrulous; *n* chatterbox, gossip.
bavardage [bavardaːʒ] *nm* chattering, gossip.
bavarder [bavarde] *vi* to gossip, chatter.

bave [ba:v] *nf* froth, foam, slaver, slime.
baver [bave] *vi* to slaver, dribble, foam, run.
bavette [bavɛt] *nf* bib.
baveur, -euse [bavœ:r, ø:z] *a* slavering, drivelling; *nm* slobberer.
baveux, -euse [bavø, ø:z] *a* slobbery, juicy.
bavure [bavy:r] *nf* burr, blot, smudge.
bayer [baje] *vi* — **aux corneilles** to gape at the moon.
bazar [baza:r] *nm* bazaar, cheap stores; **tout le** — the whole caboodle.
béant [beɑ̃] *a* gaping, yawning.
béat [bea] *a* smug, complacent.
béatitude [beatityd] *nf* bliss, complacency.
beau, belle [bo, bɛl] *a* lovely, beautiful, fair, fine, handsome, noble; **il en a fait de belles** he has been up to some nice things; **bel et bien** well and truly, fairly; **bel et bon** all very well; **l'échapper belle** to have a narrow escape; **il avait beau faire** in spite of all he did.
beaucoup [boku] *ad* (very) much, a lot, a good deal, (very) many, lots.
beau-fils [bofis] *nm* son-in-law, stepson.
beau-frère [bofrɛ:r] *nm* brother-in-law, stepbrother.
beau-père [bopɛ:r] *nm* father-in-law, stepfather.
beaupré [bopre] *nm* bowsprit.
beauté [bote] *nf* beauty, loveliness, handsomeness, belle, beautiful woman; **salon de** — beauty parlour; **soins de** — beauty treatment; **se faire une** — to do oneself up; **finir en** — to finish in grand style.
beaux-arts [boza:r] *nm pl* fine arts.
bébé [bebe] *nm* baby.
bébête [bebɛ:t] *a* silly.
bec [bɛk] *nm* beak, bill, spout, mouthpiece, nose, nozzle; — **de gaz** gas burner, jet, lamp-post; — **de plume** pen-nib; **coup de** — peck; **fin** — gourmet; **prise de** — row, altercation; **clouer le** — **à qn.** to shut someone up.
bécane [bekan] *nf* bike.
bécasse [bekas] *nf* woodcock.
bécassine [bekasin] *nf* snipe.
bec-de-cane [bɛkdəkan] *nm* lever, (*of door*) handle, pliers.
bec-de-lièvre [bɛkdəljɛ:vr] *nm* hare-lip.
bêche [bɛʃ] *nf* spade.
bêcher [bɛʃe] *vt* to dig, run down.
bécot [beko] *nm* kiss peck.
becquée [bɛke] *nf* beakful; **donner la** — **à** to feed.
becqueter [bɛkte] *vt* to peck at, pick up, kiss.
bedaine [bədɛn] *nf* paunch.
bedeau [bədo] *nm* verger.
bedon [bədɔ̃] *nm* paunch.
bedonner [bədɔne] *vi* to get stout.
bée [be] *af* gaping; **regarder qn bouche** — to gape at someone.
beffroi [bɛfrwa] *nm* belfry.
bégaiement [begɛmɑ̃] *nm* stammering, stuttering.
bégayer [begɛje] *vt* to stammer out, through; *vi* to stutter, splutter, stammer.
bègue [bɛg] *a* stammering; *n* stammerer.
bégueule [begœl] *a* priggish, prudish; *nf* prude.
béguin [begɛ̃] *nm* hood, bonnet; **avoir le** — **pour qn.** to fall for s.o.
beige [bɛ:ʒ] *nm* beige.
beignet [bɛɲɛ] *nm* fritter.
béjaune [beʒo:n] *nm* nestling, freshman, greenhorn.
bêler [bɛle] *vi* to bleat.
bel-esprit [bɛlɛspri] *nm* wit.
belette [bəlɛt] *nf* weasel.
belge [bɛlʒ] *an* Belgian.
Belgique [bɛlʒik] *nf* Belgium.
bélier [belje] *nm* ram, battering-ram.
bellâtre [bɛlɑ:tr] *a* foppish; *nm* fop.
belle [bɛl] *nf* beauty; **jouer la** — to play the deciding game.
belle-fille [bɛlfi:j] *nf* daughter-in-law, stepdaughter.
belle-mère [bɛlmɛ:r] *nf* mother-in-law, stepmother.
belles-lettres [bɛllɛtr] *nf* humanities.
belle-sœur [bɛlsœ:r] *nf* sister-in-law, stepsister.
belligérance [bɛlliʒɛrɑ̃:s] *nf* belligerance.
belligérant [bɛlliʒɛrɑ̃] *a* belligerant.
belliqueux, -euse [bɛllikø, ø:z] *a* bellicose, warlike.
belvédère [bɛlvedɛ:r] *nm* viewpoint, summer-house.
bémol [bemɔl] *nm* (*music*) flat.
bénédicité [benedisite] *nm* grace, blessing.
bénédictin [benediktɛ̃] *an* Benedictine.
bénédiction [benediksjɔ̃] *nf* blessing.
bénéfice [benefis] *nm* profit, benefit, (*eccl*) living; *pl* profits, drawings.
bénéficiaire [benefisjɛ:r] *an* beneficiary.
bénéficier [benefisje] *vi* to benefit, (make a) profit.
benêt [bənɛ] *a* stupid, silly; *nm* ninny, simpleton.
bénévole [benevɔl] *a* benevolent, gentle, voluntary.
bénin -igne [benɛ̃, iɲ] *a* benign, mild, kindly.
bénir [beni:r] *vt* to bless, consecrate.
bénit [beni] *a* blessed, holy, consecrated; **eau** —**e** holy water.
bénitier [benitje] *nm* holy-water font.
benne [bɛn] *nf* hamper, basket, hutch, bucket; **camion à** — **basculante** tip-lorry.
benzine [bɛ̃zin] *nf* benzine.
benzol [bɛ̃zɔl] *nm* benzol.

béquille [beki:j] *nf* crutch, prop, stand.
bercail [bɛrka:j] *nm* sheep fold.
berceau [bɛrso] *nm* cradle, cot, arbour.
bercer [bɛrse] *vt* to rock, lull, beguile, soothe; *vr* to rock, sway.
berceuse [bɛrsø:z] *nf* swing-cot, lullaby.
bergamote [bɛrgamɔt] *nf* bergamot.
berge [bɛrʒ] *nf* bank, parapet.
berger [bɛrʒe] *nm* shepherd.
bergère [bɛrʒɛ:r] *nf* shepherdess, easy-chair, wagtail.
bergerie [bɛrʒəri] *nf* sheepfold, pen.
bergeronnette [bɛrʒərɔnɛt] *nf* wagtail.
berline [bɛrlin] *nf* berline, limousine, truck.
berlingot [bɛrlɛ̃go] *nm* caramel, toffee.
berlue [bɛrly] *nf* **avoir la —** to have a wrong view of things.
berne [bɛrn] *nf* **en —** at half-mast.
berner [bɛrne] *vt* to toss in a blanket, take in, deceive.
bernique [bɛrnik] *int* nothing doing.
besicles [bəzikl] *nf* spectacles, goggles.
besogne [bəzɔɲ] *nf* work, job, task, bit of work.
besogneux, -euse [bəzɔɲø, ø:z] *a* needy, poor.
besoin [bəzwɛ̃] *nm* need, want, necessity, poverty, urge, craving, addiction; **au —** if need be, at a pinch; **avoir — de** to need, require.
bestial [bɛstjal] *a* brutish, beastly.
bestialité [bɛstjalite] *nf* bestiality, beastliness.
bestiaux [bɛstjo] *nm pl* livestock, cattle.
bestiole [bɛstjɔl] *nf* little beast, insect.
bêta [bɛtɑ] *nm* nincompoop, wiseacre, nitwit.
bétail [beta:j] *nm* livestock, cattle.
bête [bɛ:t] *nf* animal, beast, blockhead, fool; **faire la —** to act the goat; **— à bon Dieu** ladybird, harmless creature; **— noire** pet aversion; **chercher la petite —** to quibble, be overcritical.
bêtise [beti:z] *nf* stupidity, foolishness, silly thing.
béton [betɔ̃] *nm* concrete; **— armé** reinforced concrete, ferro-concrete.
bétonner [betɔne] *vt* to concrete.
bétonnière [betɔnjɛ:r] *nf* concrete mixer.
bette [bɛt] *nf* beet.
betterave [bɛtra:v] *nf* beetroot, mangel; **— sucrière** sugar-beet.
beuglement [bøgləmɑ̃] *nm* bellowing, lowing.
beugler [bøgle] *vt* to bellow, bawl out; *vi* to bellow, low.
beurre [bœ:r] *nm* butter; **cuit au — noir** cooked in brown butter; **œil au — noir** black eye.
beurrer [bœre] *vt* to butter.
bévue [bevy] *nf* blunder.
biais [bjɛ] *a* sloping, slanting, oblique, askew; *nm* slant, slope, bias, expedient; **de —** sideways; **en —** on the slant.
bibelot [biblo] *nm* trinket, curio, knick-knack.
biberon [bibrɔ̃] *nm* feeding-bottle, feeder, tippler.
bible [bibl] *nf* Bible.
bibliographe [bibliɔgraf] *nm* bibliographer.
bibliographie [bibliɔgrafi] *nf* bibliography.
bibliomane [bibliɔman] *nm* book collector.
bibliophile [bibliɔfil] *nm* booklover.
bibliothécaire [bibliɔtekɛ:r] *nm* librarian.
bibliothèque [bibliɔtɛk] *nf* library, bookcase.
biblique [biblik] *a* biblical.
bicarbonate [bikarbɔnat] *nm* bicarbonate.
biche [biʃ] *nf* hind, doe, darling.
bichon [biʃɔ̃] *n* lapdog, darling.
bicoque [bikɔk] *nf* jerry-built house, shanty.
bicyclette [bisiklɛt] *nf* bicycle; **aller à — à** to cycle to; **faire de la —** to cycle.
bidet [bidɛ] *nm* nag, bidet, trestle.
bidon [bidɔ̃] *nm* can, tin, drum, water-bottle; **du —** rubbishy; **bidonville —** shanty town.
bief [bjɛf] *nm* mill-race, -course, -lade, (*of river*) reach.
bielle [bjɛl] *nf* rod, crank-arm.
bien [bjɛ̃] *ad* well, good, right, proper, really, very, quite, indeed, much, many; *nm* property, wealth, blessing; *pl* belongings, chattels, assets; **elle est —** she is nice-looking; **être — avec** to be on good terms with; **— que** *cj* although.
bien-aimé [bjɛ̃nɛme] *an* beloved.
bien-être [bjɛ̃nɛ:tr] *nm* comfort, well-being, welfare.
bienfaisance [bjɛ̃fəzɑ̃:s] *nf* beneficence, generosity, charity; **œuvre de —** charitable society, work.
bienfaisant [bjɛ̃fəzɑ̃] *a* charitable, kind, beneficial.
bienfait [bjɛ̃fɛ] *nm* benefit, favour, boon, kindness.
bienfaiteur, -trice [bjɛ̃fɛtœ:r, tris] *n* benefactor, -tress.
bien-fondé [bjɛ̃fɔ̃de] *nm* merits, justice, soundness.
bien-fonds [bjɛ̃fɔ̃] *nm* real estate.
bienheureux, -euse [bjɛ̃nœrø, ø:z] *a* happy, blessed.
biennal [biɛnnal] *a* biennial.
bienséance [bjɛ̃seɑ̃:s] *nf* decorum, propriety.
bienséant [bjɛ̃seɑ̃] *a* decorous, seemly, proper.
bientôt [bjɛ̃to] *ad* soon, before long; **à —** good-bye.

bienveillance [bjɛ̃vɛjɑ̃:s] *nf* benevolence, goodwill, kindness.
bienveillant [bjɛ̃vɛjɑ̃] *a* benevolent, kindly.
bienvenu [bjɛ̃vny] *an* welcome.
bienvenue [bjɛ̃vny] *nf* welcome.
bière [bjɛ:r] *nf* beer, ale; bier, coffin.
biffer [bife] *vt* to delete.
biffin [bifɛ̃] *nm* ragman, foot-soldier, footslogger.
bifteck [biftɛk] *nm* beefsteak.
bifurcation [bifyrkasjɔ̃] *nf* fork, branch line.
bifurquer [bifyrke] *vi* to fork, branch off.
bigame [bigam] *a* bigamous; *n* bigamist.
bigamie [bigami] *nf* bigamy.
bigarré [bigare] *a* variegated, mottled, motley.
bigorneau [bigɔrne] *nm* periwinkle, whelk.
bigot [bigo] *a* sanctimonious, overdevout; *n* bigot.
bigoudi [bigudi] *nm* hair-curler.
bijou [biʒu] *nm* jewel.
bijouterie [biʒutri] *nf* jewellery, jeweller's shop, jeweller's trade.
bijoutier -ière [biʒutje, jɛ:r] *n* jeweller.
bilan [bilɑ̃] *nm* balance-sheet, schedule; **dresser le** — to strike the balance.
bile [bil] *nf* spleen, anger; **se faire de la** — to worry, fret.
bilieux, -euse [biljø, ø:z] *a* bilious, liverish.
billard [bija:r] *nm* billiards, billiard-table, billiard saloon; — **japonais** bagatelle table.
bille [bi:j] *nf* billiard ball, marble, log; (*rl*) sleeper; rolling pin; **roulement à** —s ball-bearing.
billet [bijɛ] *nm* (*bank-*)note, letter, ticket, bill, permit; — **simple** single ticket; — **d'aller et retour** return ticket; — **à ordre** promissory note.
billot [bijo] *nm* (*of wood*) block.
bimensuel, -elle [bimɑ̃sɥɛl] *a* fortnightly.
bimestriel [bimɛstriɛl] *a* two-monthly.
binaire [binɛ:r] *a* binary.
bine [bin] *nf* hoe.
biner [bine] *vt* to hoe.
binette [binɛt] *nf* hoe.
binocle [binɔkl] *nm* eye-glasses, pince-nez.
binoculaire [binɔkylɛ:r] *a* two-eyed, binocular.
biographe [biɔgraf] *nm* biographer.
biographie [biɔgrafi] *nf* biography.
biographique [biɔgrafik] *a* biographical.
biologie [biɔlɔʒi] *nf* biology.
biplan [biplɑ̃] *nm* biplane.
birman [birmɑ̃] *an* Burmese.
Birmanie [birmani] *nf* Burma.
bis [bis, bi] *a* greyish-brown; *ad* twice, encore, repeat; **pain** — wholemeal bread.
bisannuel, -elle [bizanɥɛl] *a* biennial.
bisbille [bisbi:j] *nf* bickering, squabble.
biscornu [biskɔrny] *a* distorted, misshapen, irregular, weird, inconsistent.
biscotte [biskɔt] *nf* rusk.
biscuit [biskɥi] *nm* biscuit, plain cake.
bise [bi:z] *nf* north wind, cold blast; kiss.
biseau [bizo] *nm* bevel, chamfer.
biseauter [bizote] *vt* to bevel, chamfer.
bison [bizɔ̃] *nm* bison.
bisque [bisk] *nf* shellfish soup; ill humour; **donner une** — to give odds.
bissecter [bisɛkte] *vt* to bisect.
bisser [bise] *vt* to encore.
bissextile [bisɛkstil] *a* **année** — leap year.
bistouri [bisturi] *nm* lancet.
bistré [bistre] *a* darkened, swarthy, browned.
bistro(t) [bistro] *nm* café, pub, tavern.
bitte [bit] *nf* bollard.
bitume [bitym] *nm* bitumen, asphalt, pitch.
bivouaquer [bivwake] *vi* to bivouac.
bizarre [biza:r] *a* odd, peculiar, queer, weird, strange.
blackbouler [blakbule] *vt* to blackball, reject.
blafard [blafa:r] *a* wan, pale, livid, pallid.
blague [blag] *nf* tobacco-pouch; joke, banter; **sans** — you don't say! really!
blaguer [blage] *vt* to chaff, pull someone's leg; *vi* to joke.
blagueur, -euse [blagœ:r] *a* scoffing, ironical; *n* cynical scoffer, cynic.
blaireau [blɛro] *nm* badger, shaving-brush.
blâmable [blɑmabl] *a* blameworthy.
blâme [blɑ:m] *nm* blame, reproof
blâmer [blame] *vt* to blame, reprove, rebuke
blanc, -che [blɑ̃, blɑ̃:ʃ] *a* white, pale, pure, clean, blank; *nm* white, blank; **nuit blanche** sleepless night.
blanc-bec [blɑ̃bɛk] *nm* tyro, greenhorn, raw youth.
blanchâtre [blɑ̃ʃɑ:tr] *a* whitish.
blanche [blɑ̃:ʃ] *nf* minim, white ball.
blancheur [blɑ̃ʃœ:r] *nf* whiteness, purity, paleness.
blanchir [blɑ̃ʃi:r] *vt* to whiten, bleach, wash limewash; *vi* to turn white, pale.
blanchissage [blɑ̃ʃisa:ʒ] *nm* laundering, whitewashing, sugar refining.
blanchisserie [blɑ̃ʃisri] *nf* laundry, wash-house.

blanchisseur, -euse [blɑ̃ʃisœːr, øːz] *n* laundryman, laundress, bleacher, washer-woman.
blanc-seing [blɑ̃sɛ̃] *nm* (signature to a) blank document; **donner — à** to give a free hand to.
blandices [blɑ̃dis] *nf pl* blandishment.
blanquette [blɑ̃kɛt] *nf* veal stew.
blaser [blaze] *vt* to blunt, satiate, cloy; *vr* to become blasé, tired (of **de**).
blason [blɑzɔ̃] *nm* coat of arms, escutcheon, heraldry.
blasphémateur, -trice [blasfɛmatœːr, tris] *a* blasphemous; *n* blasphemer.
blasphématoire [blasfɛmatwaːr] *a* blasphemous.
blasphème [blasfɛːm] *nm* blasphemy, curse.
blasphémer [blasfeme] *vti* to blaspheme, curse.
blatte [blat] *nf* cockroach.
blé [ble] *nm* corn, wheat; **— noir** buckwheat; **— d'Inde** maize, (*US*) corn.
bled [blɛd] *nm* (*pej*) wilds, countryside.
blême [blɛːm] *a* pale, wan.
blêmir [blemiːr] *vi* to turn pale, blanch, grow dim.
blessé [blɛse] *a* wounded, hurt; *n* wounded man, casualty.
blesser [blɛse] *vt* to wound, hurt, offend, injure; *vr* to be wounded, be hurt, hurt oneself.
blessure [blɛsyːr] *nf* wound, injury, hurt, sore.
blet, -te [blɛ, blɛt] *a* over-ripe, soft.
bleu [blø] *a* blue; *nm* recruit, rookie, greenhorn, blue; *pl* dungarees; **avoir des —s** to be black and blue; **n'y voir que du —** to be all at sea.
bleuâtre [bløɑːtr] *a* bluish.
bleuir [bløiːr] *vt* to make blue; *vi* to turn blue.
blindé [blɛ̃de] *a* armour-plated, timbered; *nm pl* **les —s** the armour.
blinder [blɛ̃de] *vt* to armourplate, line with timber.
bloc [blɔk] *nm* block, mass, lump, pad, coalition, clink, prison; **en —** all together, in one piece; **à —** thoroughly.
blocage [blɔkaːʒ] *nm* blocking up, clamping, seizing.
bloc-notes [blɔknɔt] *nm* writing, scribbling pad, (*US*) scratch pad.
blocus [blɔkyːs] *nm* blockade; **braver le —** to run the blockade.
blond [blɔ̃] *a* fair-haired, light, blonde.
blondir [blɔ̃diːr] *vt* to dye blond, bleach; *vi* to turn yellow.
bloquer [blɔke] *vt* to block up, obstruct, blockade, jam, dam; *vr* to seize up, jam.
se blottir [səblɔtiːr] *vr* to crouch, cower, huddle, nestle, snuggle.
blouse [bluːz] *nf* smock, overall.
blouson [bluzɔ̃] *nm* battle-dress jacket, skiing jacket; **—s noirs** *n pl* young ruffians.
bluet [blye] *nm* cornflower, blue-bottle.
bluffer [blœfe] *vti* to bluff.
bobard [bɔbaːr] *nm* tall tale, fib.
bobèche [bɔbɛʃ] *nf* socket, sconce.
bobine [bɔbin] *nf* bobbin, reel, spool, coil, dial.
bocage [bɔkaːʒ] *nm* copse.
bocal [bɔkal] *nm* jar, bottle.
bock [bɔk] *nm* glass of beer, beer-glass.
bœuf [bœf] *nm* ox, bullock, beef; **— de conserve** corned beef; **— à la mode** stewed beef.
bohème [bɔɛːm] *a* unconventional, Bohemian; *n* Bohemian; *nf* Bohemia, art-world.
bohémien, -ienne [bɔɛmjɛ̃, jɛn] *an* gipsy, Bohemian.
boire [bwaːr] *vt* to drink (in, up), imbibe, absorb, soak in, up; *nm* drink(ing); **— un coup en vitesse** to have a quick one.
bois [bwɑ] *nm* wood, forest, timber; *pl* antlers, woodwind instruments.
boisage [bwɑzaːʒ] *nm* timbering, scaffold(ing), woodwork, afforestation.
boisé [bwɑze] *a* wooded, woody, wainscoted.
boiser [bwɑze] *vt* to timber, put under timber, wainscot.
boiserie [bwɑzri] *nf* woodwork, wainscoting, joinery.
boisseau [bwaso] *nm* bushel, drain, flue-tile.
boisselier [bwasəlje] *nm* cooper.
boisson [bwasɔ̃] *nf* drink, beverage; **pris de —** under the influence.
boîte [bwaːt] *nf* box, case, tin, casket, jail; **— aux lettres** letter-box; **— à ordures** bin; **— à thé** tea-caddy; **— de nuit** night-club; **— de vitesses** gear-box.
boiter [bwate] *vi* to limp, hobble, be lame.
boiteux, -euse [bwatø, øːz] *a* lame, shaky, lop-sided.
boîtier [bwatje] *nm* case.
bol [bɔl] *nm* bowl, basin.
bolchevisme [bolʃevism] *nm* Bolshevism.
bolchevique [bɔlʃevik] *an* bolshevik.
bolide [bɔlid] *nm* meteor, fast car.
bombance [bɔ̃bɑ̃ːs] *nf* feast(ing); **faire —** to carouse, have a blow-out.
bombardement [bɔ̃bardəmɑ̃] *nm* bombardment, bombing, shelling; **— en piqué** dive-bombing.
bombarder [bɔ̃barde] *vt* to bombard, bomb, shell.
bombardier [bɔ̃bardje] *nm* bombardier, bomb-aimer, bomber plane.
bombe [bɔ̃ːb] *nf* bomb, spree; **— à retardement** time-bomb; **faire la —** to go on the binge.

bombé [bɔ̃be] *a* bulging, convex, cambered.

bomber [bɔ̃be] *vt* to stick out, arch, bend, camber; *vi* bulge, belly.

bon, -ne [bɔ̃, bɔn] *a* good, nice, right, correct, sound, righteous, kind, fitting, profitable; *nm* voucher, warrant, bond, draft, bill; **pour de** — for good, in earnest; **bon!** right!; — **à rien** good-for-nothing.

bonasse [bɔnas] *a* simple, silly.

bonbon [bɔ̃bɔ̃] *nm* sweet(meat), drop; *pl* confections.

bonbonne [bɔ̃bɔn] *nf* carboy.

bonbonnière [bɔ̃bɔnjɛːr] *nf* sweet-box, well-furnished little house.

bond [bɔ̃] *nm* jump, leap, spring, bounce; **faire faux** — to break.

bonde [bɔ̃ːd] *nf* bung, plug, bung-hole.

bondé [bɔ̃de] *a* packed, crowded, crammed.

bondir [bɔ̃diːr] *vi* to jump, leap, spring, bound, bounce, skip about.

bonheur [bɔnœːr] *nm* happiness, bliss, welfare, success; **par** — fortunately; **au petit** — indiscriminately, haphazardly.

bonhomie [bɔnɔmi] *nf* good nature, humour.

bonhomme [bɔnɔm] *a* good-natured; *nm* (good-natured) man, figure.

boni [bɔni] *nm* surplus, premium, bonus.

bonification [bɔnifikasjɔ̃] *nf* bonus, rebate, improvement.

bonifier [bɔnifje] *vti* to improve.

boniment [bɔnimɑ̃] *nm* patter, moonshine.

bonjour [bɔ̃ʒuːr] *nm* good-day, -morning, -afternoon.

bonne [bɔn] *nf* maid servant; — **d'enfants** nursemaid.

bonnet [bɔnɛ] *nm* cap, bonnet; **gros** — bigwig; **avoir la tête près du** — to be hot tempered; **opiner du** — to agree, have no opinion of one's own.

bonneterie [bɔntri] *nf* hosiery, knitted ware.

bonneteur [bɔntœːr] *nm* card-sharper, confidence man.

bonnetier, -ière [bɔntje, jɛːr] *n* hosier.

bon(n)iche [bɔniʃ] *nf* maidservant, skivvy.

bon-papa [bɔ̃papa] *nm* grandpa, grand-dad.

bonsoir [bɔ̃swaːr] *nm* good-evening, -night.

bonté [bɔ̃te] *nf* kindness, goodness, good nature.

bonze[bɔ̃ːz] *nm* bonze, buddhist priest, **vieux** — old fossil.

bord [bɔːr] *nm* edge, brink, brim, rim, bank, verge, side, flap, tack; **livre de** — log book; **à** — **de** aboard; **à pleins** —s brim-full.

bordage [bɔrdaːʒ] *nm* border(ing), kerb, edging, planking.

bordeaux [bɔrdo] *nm* Bordeaux wine; — **rouge** claret.

bordée [bɔrde] *nf* broadside, watch, tack, volley; **tirer des** —s to tack; **être en** — to be on the spree.

bordel [bɔrdɛl] *nm* brothel.

border [bɔrde] *vt* to border, edge, run along, fringe, braid, plank; — **qn. dans son lit** to tuck s.o. in.

bordereau [bɔrdəro] *nm* statement, account, memorandum, docket, file.

bordure [bɔrdyːr] *nf* edge, fringe, binding, kerb, rim.

borgne [bɔrɲ] *a* one-eyed, blind in one eye, shady.

borne [bɔrn] *nf* limit, boundary mark, guard-stone, terminal; — **kilométrique** milestone; **cela passe les** —s that is going too far.

borné [bɔrne] *a* limited, narrow, restricted.

borner [bɔrne] *vt* to bound, limit, restrict, stake, mark out the limits of; *vr* to confine, restrict oneself.

bosquet [bɔskɛ] *nm* thicket, grove, arbour.

bosse [bɔs] *nf* hump, lump, bump, dent, bruise; **rouler sa** — to knock about.

bosseler [bɔsle] *vt* to emboss, dent, bash.

bosselure [bɔslyːr] *nf* dent, bruise.

bossoir [bɔswaːr] *nm* davit, cathead, (*of ship*) bow.

bossu [bɔsy] *a* hunch-backed, humped; *n* hunchback.

bot [bo] *a* **pied** — club-foot, club-footed person.

botanique [bɔtanik] *a* botanical; *nf* botany.

botaniste [bɔtanist] *n* botanist.

botte [bɔt] *nf* boot, field-boot, bunch, truss, bundle, lunge, thrust, slip; —**s retroussées** top boots; —**s à l'écuyère** riding-boots.

botteler [bɔtle] *vt* to truss, bundle, bunch, tie up.

botter [bɔte] *vt* to put boots on, kick.

bottier [bɔtje] *nm* bootmaker.

bottin [bɔtɛ̃] *nm* directory.

bottine [bɔtin] *nf* ankle-boot.

bouc [buk] *nm* he-, billy-goat; — **émissaire,** scapegoat.

boucan [bukɑ̃] *nm* din, shindy, row, smoked meat.

boucaner [bukane] *vt* (*meat*) to cure, to stink.

boucanier [bukanje] *nm* buccaneer, pirate.

bouche [buʃ] *nf* mouth, muzzle, slot, opening; — **d'eau** hydrant; **garder qch. pour la bonne** — to keep something as a titbit; **fine** — gourmet; **être porté sur la** — to think of nothing but one's belly; **faire la petite** — to pick at one's food, be difficult.

bouché [buʃe] *a* plugged, stopped up, dense.

bouchée [buʃe] *nf* mouthful, bite, morsel; **— à la reine** vol-au-vent of chicken; **mettre les —s doubles** to gobble one's food, put a spurt on.

boucher [buʃe] *nm* butcher; *vt* to plug, stop (up), cork, bung, obstruct.

boucherie [buʃri] *nf* butcher's shop, -trade; slaughter, shambles.

bouchon [buʃɔ̃] *nm* cork, stopper, plug, fishing float.

boucle [bukl] *nf* buckle, coop, bow, ringlet, curl; **— d'oreille** earring.

bouclé [bukle] *a* curly.

boucler [bukle] *vt* to buckle on, knot, fasten, settle, clinch, curl, lock up; *vi* to buckle, be curly.

bouclier [bukli(j)e] *nm* shield, buckler.

bouder [bude] *vt* to be in the sulks with; *vi* to sulk.

bouderie [budri] *nf* sulkiness.

boudeur, -euse [budœːr, øːz] *a* sulky; *nf* double settee.

boudin [budɛ̃] *nm* black-pudding, inner tube, twist, roll, flange, beading.

boudoir [budwaːr] *nm* boudoir.

boue [bu] *nf* mud, dirt, deposit.

bouée [bwe, bue] *nf* buoy; **— de sauvetage** lifebuoy.

boueux, -euse [buø, øːz] *a* muddy, miry, dirty; *nm* scavenger, dustman.

bouffant [bufɑ̃] *a* puffed, baggy.

bouffe [buf] *a* **opéra —** comic opera.

bouffée [bufe] *nf* whiff, puff, waft, gust, breath; **tirer des —s de sa pipe** to puff at one's pipe.

bouffer [bufe] *vt* to puff out, gobble; *vi* to balloon out, bag, swell.

bouffi [bufi] *a* puffed up, puffy, bloated, swollen, turgid.

bouffir [bufiːr] *vt* to bloat, inflate; *vi* to become swollen, puffed up.

bouffon, -onne [bufɔ̃, ɔn] *a* farcical; *nm* clown, jester.

bouge [buːʒ] *nm* hovel, slum, den, pigsty, (*of ship*) bilge.

bougeoir [buʒwaːr] *nm* candlestick.

bougeotte [buʒɔt] *nf* **avoir la —** to be fidgety.

bouger [buʒe] *vt* to move; *vi* to budge, stir.

bougie [buʒi] *nf* candle, sparking-plug, (*US*) spark plug.

bougon, -onne [bugɔ̃, ɔn] *a* testy, grumpy; *n* grumbler.

bougonner [bugɔne] *vi* to grumble, grouse.

bougran [bugrɑ̃] *nm* buckram.

bouillabaisse [bujabɛs] *nf* fish-soup.

bouillant [bujɑ̃] *a* boiling, ebullient, impetuous.

bouillie [buji] *nf* gruel, pap.

bouilloire [bujwaːr] *nf* kettle.

bouillon [bujɔ̃] *nm* bubble, soup, stock, beeftea, cheap restaurant, unsold copies.

bouillonnement [bujɔnmɑ̃] *nm* boiling, seething.

bouillonner [bujɔne] *vt* to gather material into puffs; *vi* to boil up, seethe, bubble.

bouillotte [bujɔt] *nf* hot-water bottle.

boulanger, -ère [bulɑ̃ʒe, ɛːr] *n* baker, baker's wife; *vti* to bake.

boulangerie [bulɑ̃ʒri] *nf* bread-baking, baker's shop.

boule [bul] *nf* bowl, ball, globe, bulb, lump, head, face; **joueur de —s** bowler; **jeu de —s** bowls, bowling-green.

bouleau [bulo] *nm* birch-tree.

bouledogue [buldɔg] *nm* bulldog.

boulet [bule] *nm* cannonball, fetlock-joint.

boulette [bulɛt] *nf* pellet, meatball.

boulevard [bulvaːr] *nm* avenue, boulevard.

boulevardier, -ière [bulvardje, ɛːr] *a* of the boulevards; *nm* man-about-town.

bouleversement [bulvɛrsəmɑ̃] *nm* upheaval, overthrow, disturbance, confusion.

bouleverser [bulvɛrse] *vt* to upset, overturn, perturb, bowl over, astound, stagger.

boulon [bulɔ̃] *nm* bolt, pin.

boulot, -otte [bulo, ɔt] *a* chubby, plump, dumpy; *nm* work, food.

boulotter [bulɔte] *vt* to eat; *vi* to jog along, on.

bouquet [bukɛ] *nm* bunch, posy, bouquet, nosegay, clump, cluster, aroma, crowning-piece, highlight; **c'est le —** that crowns it; **pour le —** . . . last but not least. . .

bouquetier [buktje] *nm* flower vase.

bouquetière [buktjɛːr] *nf* flower-girl.

bouquin [bukɛ̃] *nm* old book, book, buck-rabbit, hare.

bouquiner [bukine] *vi* to collect old books, read.

bouquiniste [bukinist] *nm* second-hand bookseller.

bourbe [burb] *nf* mud, mire.

bourbeux, -euse [burbø, øːz] *a* muddy miry.

bourbier [burbje] *nm* bog, mire.

bourde [burd] *nf* bloomer, fib.

bourdon [burdɔ̃] *nm* drone, great bell, bumble-bee.

bourdonnement [burdɔnmɑ̃] *nm* buzzing humming, drumming, whir.

bourdonner [burdɔne] *vt* to hum; *vi* to buzz, hum, drone, whirr.

bourg [buːr] *nm* market town.

bourgeois [burʒwa] *a* middle-class, plain, common; *n* citizen, townsman, commoner.

bourgeoisie [burʒwazi] *nf* middle class; **la haute (petite) —** the upper (lower) middle class.

bourgeon [burʒɔ̃] *nm* bud, pimple.

bourgeonner [burʒɔne] *vi* to bud, break out in pimples.

bourgeron [burʒərɔ̃] *nm* workman's overall.
Bourgogne [burgɔɲ] *nf* Burgundy; *m* burgundy wine.
bourguignon [burgiɲɔ̃] *a nmf* Burgundian, of Burgundy.
bourlinguer [burlɛ̃ge] *vi* to labour, make heavy weather, knock about.
bourrade [burad] *nf* blow, thrust, thump, rough word.
bourrage [buraːʒ] *nm* stuffing, padding, cramming; **— de crâne** bunkum, eyewash, dope.
bourrasque [burask] *nf* squall.
bourre [buːr] *nf* flock, floss, wad, waste.
bourreau [buro] *nm* hangman, executioner, tormentor.
bourrée [bure] *nf* bundle of firewood, faggot.
bourreler [burle] *vt* to torment, rack, goad.
bourrelet [burlɛ] *nm* pad, cushion, fold, roll, rim, bead.
bourrelier [burəlje] *nm* saddler.
bourrer [bure] *vt* to pad, stuff, pack, cram, fill, thrash, trounce; **— le crâne à qn.** to fill someone's head with stuff and nonsense.
bourriche [buriʃ] *nf* basket, hamper.
bourrique [burik] *nf* she-ass, donkey, duffer.
bourru [bury] *a* churlish, surly, rude, gruff.
bourse [burs] *nf* purse, pouch, bag, grant, bursary, scholarship, stock exchange; **jouer à la —** to speculate.
boursier, -ière [bursje, jɛːr] *n* scholar, paymaster, speculator.
boursouflé [bursufle] *a* swollen, bloated, turgid.
boursouflement [bursufləmɑ̃] *nm* swelling, blistering.
boursoufler [bursufle] *vt* to swell, blister, bloat; *vi* to swell, blister.
boursouflure [bursuflyːr] *nf* swelling, blister, turgidity.
bousculade [buskylad] *nf* scuffle, scurry, hustle, rush.
bousculer [buskyle] *vt* to jostle, hustle, upset.
bouse [buːz] *nf* dung.
bousiller [buzije] *vt* to bungle, scamp, crash (plane).
boussole [busɔl] *nf* compass.
boustifaille [bustifɑːj] *nf* grub, food.
bout [bu] *nm* end, extremity, tip, bit, tag, scrap; **bas (haut) bout** foot (head); **à — de forces** exhausted, worn out, spent; **au — de** at the end of, after; **jusqu'au —** right to the end, to the bitter end, through; **de — en —** through and through; **venir à — de** to overcome, manage, cope with; **à — portant** point-blank.
boutade [butad] *nf* whim, outburst, sally, quip.
boute-en-train [butɑ̃trɛ̃] *nm* bright and cheery companion, life and soul.
boutefeu [butfø] *nm* firebrand.
bouteille [butɛːj] *nf* bottle.
bouteroue [butru] *nf* guard-stone, fender.
boutique [butik] *nf* shop, caboodle.
boutiquier, -ière [butikje, jɛːr] *n* shopkeeper.
bouton [butɔ̃] *nm* button, bud, pimple, handle, knot; **— de col** stud; **— de manchettes** cuff-link; **— d'or** buttercup; **tourner le —** to switch on, off.
boutonner [butɔne] *vt* to button up; *vi* to bud.
boutonneux, -euse [butɔnø, øːz] *a* pimply.
boutonnière [butɔnjɛːr] *nf* buttonhole, rosette.
bouture [butyːr] *nf* cutting.
bouvier [buvje] *nm* cowherd, drover.
bouvreuil [buvrœːj] *nm* bullfinch.
bovin [bɔvɛ̃] *a* bovine.
box [bɔks] *nm* loose box, lock-up garage cubicle, dock.
boxe [bɔks] *nf* boxing.
boxer [bɔkse] *vt* to box with; *vi* to box, spar.
boxeur [bɔksœːr] *nm* boxer.
boy [bɔj] *nmf* steward.
boyau [bwajo] *nm* bowel, gut, inner tube, hosepipe, communication trench.
boycotter [bɔjkɔte] *vt* to boycott.
bracelet [braslɛ] *nm* bracelet, bangle, armband.
braconnage [brakɔnaːʒ] *nm* poaching.
braconner [brakɔne] *vti* to poach.
braconnier, -ière [brakɔnje, jɛːr] *a* poaching; *nm* poacher.
braguette [bragɛt] *nf* (*of trousers*) fly.
braillard [brajaːr] *a* noisy, bawling, rowdy; *n* brawler.
brailler [braje] *vti* to bawl out, shout.
braire [brɛːr] *vi* to bray.
braise [brɛːz] *nf* embers.
braiser [brɛze] *vt* to braise.
bramer [brame] *vi* (*of stag*) to bell.
brancard [brɑ̃kaːr] *nm* shaft, stretcher.
brancardier [brɑ̃kardje] *nm* stretcher-bearer.
branche [brɑ̃ːʃ] *nf* branch, bough, prong, leg, (*of family*) line.
branchement [brɑ̃ʃmɑ̃] *nm* branching, forking, junction, lead.
brancher [brɑ̃ʃe] *vt* to connect, branch, plug in; **on m'a mal branché** I was given the wrong number.
brandir [brɑ̃diːr] *vt* to brandish, flourish, wave.
brandon [brɑ̃dɔ̃] *nm* firebrand.
branlant [brɑ̃lɑ̃] *a* shaky, loose, ramshackle.
branle [brɑ̃ːl] *nm* swing, impetus, oscillation, motion; **mettre qch. en —** to set something going.
branle-bas [brɑ̃ləbɑ] *nm* stir, bustle,

commotion; **faire le —** to clear decks for action.

branler [brɑ̃le] *vt* to swing, wag, shake; *vi* to shake, rock, be loose.

braquage [brakaːʒ] *nm* levelling, aiming, pointing; **angle de —** lock (of car).

braquer [brake] *vt* to aim, level, point, fix, direct.

bras [bra, brɑ] *nm* arm, limb, bracket; **— droit** right-hand man, *pl* workmen, hands, henchmen; **— dessus — dessous** arm in arm; **— de mer** arm of the sea, (*Scot*) sea loch; **en — de chemise** in one's shirt sleeves; **à — le corps** round the waist; **— de rivière** backwater; **manquer de —** to be short-handed.

brasero [brɑzero] *nm* brazier.

brasier [brɑzje] *nm* fire, inferno, furnace.

brasiller [brɑzije] *vt* to grill, broil; *vi* to sizzle.

brassard [brasaːr] *nm* armlet, arm-band.

brasse [brɑːs] *nf* arm-span, fathom, stroke; **nager à la —** to swim the breast stroke.

brassée [brase] *nf* armful.

brasser [brase] *vt* to mix, stir, brew, brace; **— de grosses affaires** to do big business.

brasserie [brasri] *nf* brewery, ale-house, restaurant.

brasseur, -euse [brasœːr, øːz] *n* brewer, puddler, mixer; **— d'affaires** big businessman.

brassière [brasjɛːr] *nf* baby's vest; *pl* slings, leading strings; **— de sauvetage** life-jacket.

bravache [bravaʃ] *a* blustering, swaggering; *nm* braggadocio, bully.

bravade [bravad] *nf* bluster.

brave [braːv] *a* brave, gallant, decent, worthy, good.

braver [brave] *vt* to brave, dare, defy, face, run (blockade).

bravoure [bravuːr] *nf* bravery, valour.

brebis [brəbi] *nf* ewe, sheep; **— galeuse** black sheep.

brèche [brɛʃ] *nf* breach, hole, gap; **battre en —** to breach.

bréchet [breʃɛ] *nm* breastbone.

bredouille [brəduːj] *a inv* empty-handed.

bredouiller [brəduje] *vt* to stammer out, mumble; *vi* to stutter, splutter, gabble.

bref, brève [brɛf, brɛːv] *a* brief, short, curt; *ad* curtly, in short.

breloque [brəlɔk] *nf* trinket, charm.

Brésil [brezil] *nm* Brazil.

brésilien, -ienne [breziljɛ̃, jɛn] *a* Brazilian.

Bretagne [brətaɲ] *nf* Brittany.

bretelle [brətɛl] *nf* strap, sling; *pl* braces.

breton, -onne [brətɔ̃, ɔn] *an* Breton.

bretteur [brɛtœːr] *nm* duellist, swashbuckler.

breuvage [brœvaːʒ] *nm* drink, beverage, draught.

brevet [brəvɛ] *nm* patent, certificate.

breveté [brəvte] *a* certificated, by special appointment; *n* patentee.

breveter [brəvte] *vt* to grant a patent to, patent.

bréviaire [brevjɛːr] *nm* breviary.

brévité [brevite] *nf* shortness.

bribe [brib] *nf* scrap, fragment.

bric-à-brac [brikabrak] *nm* curios, bits and pieces.

bricole [brikɔl] *nf* strap, breast harness strap, ricochet; *pl* trifles, odd jobs.

bricoler [brikɔle] *vt* to arrange; *vi* to do odd jobs, potter about.

bricoleur [brikɔlœːr] *nm* handy-man, jobber, jack of all trades.

bride [brid] *nf* bridle, string, flange, strap; **à — abattue** full tilt, at full speed; **lâcher la — à** to give free rein to, full scope to.

brider [bride] *vt* to bridle, curb, restrain, truss, flange, fasten.

bridge [bridʒ] *nm* (*game*) bridge.

bridgeur, -euse [bridʒœːr, øːz] *n* bridge player.

brièvement [briɛvmɑ̃] *ad* briefly, curtly, succinctly.

brièveté [briɛvte] *nf* brevity, shortness, conciseness.

brigade [brigad] *nf* brigade, squad, shift, gang.

brigadier [brigadje] *nm* corporal, bombardier, sergeant (*police*).

brigand [brigɑ̃] *nm* robber, brigand, highwayman.

brigandage [brigɑ̃daːʒ] *nm* brigandage, highway robbery.

brigue [brig] *nf* canvassing, intrigue, plot.

briguer [brige] *vt* to canvass for, solicit.

brillament [brijamɑ̃] *ad* brilliantly.

brillant [brijɑ̃] *a* brilliant, shining, glossy; *nm* brilliancy, gloss(iness), shine, polish.

briller [brije] *vi* to shine, sparkle, glitter.

brimade [brimad] *nf* rough joke, rag.

brimbaler [brɛ̃bale] *vt* to lug about; *vi* to swing, wobble.

brimborion [brɛ̃bɔrjɔ̃] *nm* bauble, trifle.

brimer [brime] *vt* to rag, persecute.

brin [brɛ̃] *nm* blade, sprig, stalk, shoot, strand, bit, crumb, jot, touch, shred, chit.

brindille [brɛ̃diːj] *nf* twig, tiny branch.

bringue [brɛ̃ːg] *nf* bit, piece; **faire la —** to go on the spree.

brio [bri(j)o] *nm* vigour, dash, gusto, brilliance.

brioche [briɔʃ] *nf* bun.

brique [brik] *nf* brick.

briquet [brikɛ] *nm* flint, tinderbox, cigarette lighter.

brisant [brizɑ̃] *a* shattering; *nm* breaker, reef.
brise [bri:z] *nf* breeze.
brise-bise [brizbi:z] *nm* draught-tube, short window curtain.
brisées [brize] *nf pl* tracks; **aller sur les — de qn.** to compete with someone; **suivre les — de qn.** to follow in someone's footsteps.
brise-lames [brizlam] *nm* breakwater, mole.
briser [brize] *vt* to break (up, down, off), shatter, smash; *vr* to break.
brisure [brizy:r] *nf* break, flaw, crack.
britannique [britanik] *an* British; *n* Briton.
broc [bro] *nm* jug, pitcher.
brocanter [brɔkɑ̃te] *vt* to sell, barter; *vi* to deal in second-hand goods.
brocanteur, -euse [brɔkɑ̃tœ:r, ø:z] *n* second-hand dealer.
brocard [brɔka:r] *nm* taunt, lampoon.
brocart [brɔka:r] *nm* brocade.
broche [brɔʃ] *nf* spit, skewer, peg, brooch, spindle, pin, spigot
brocher [brɔʃe] *vt* to stitch, sew, brocade; **livre broché** paper-bound book.
brochet [brɔʃɛ] *nm* pike.
brochette [brɔʃɛt] *nf* skewer, stick; **élevé à la — fed by hand**, brought up with tender care.
brochure [brɔʃy:r] *nf* booklet, pamphlet.
brodequin [brɔdkɛ̃] *nm* sock, ankle-boot; *pl* marching boots.
broder [brɔde] *vt* to embroider. embellish, amplify.
broderie [brɔdri] *nf* (piece of) embroidery, embellishment.
bromure [brɔmy:r] *nm* bromide.
broncher [brɔ̃ʃe] *vi* to stumble, falter, flinch shy.
bronches [brɔ̃:ʃ] *nf pl* bronchial tubes.
bronchite [brɔ̃ʃit] *nf* bronchitis.
bronze [brɔ̃:z] *nm* bronze (statue).
bronzer [brɔ̃ze] *vt* to bronze, brown, tan.
brosse [brɔs] *nf* brush; **cheveux en —** crewcut.
brosser [brɔse] *vt* to brush, thrash.
brouet [bruɛ] *nm* gruel, skilly.
brouette [bruɛt] *nf* wheelbarrow.
brouhaha [bruaa] *nm* uproar, din, clatter, hubbub.
brouillage [bruja:ʒ] *nm* interference, jamming, mixing.
brouillard [bruja:r] *nm* fog, mist, daybook; il **fait du —** it is foggy.
brouille [bru:j] *nf* quarrel, dispute wrangle, broil; **être en — avec qn.** to have fallen out with s.o.
brouiller [bruje] *vt* to confuse, mix (up), fuddle, scramble, perplex, jam; *vr* to get confused, mixed, blurred, quarrel fall out.
brouillon, -onne [brujɔ̃, ɔn] *a* muddleheaded; *nm* rough copy, draft.
broussailles [brusɑ:j] *nf pl* underwood, brushwood, scrub.
broussailleux, -euse [brusajø, ø:z] *a* bushy, shaggy.
brousse [brus] *nf* bush, scrub, wilds.
brouter [brute] *vt* to graze, crop, browse.
broyer [brwaje] *vt* to crush, grind, pound; **— du noir** to have the blues.
bru [bry] *nf* daughter-in-law.
brugnon [bryɲɔ̃] *nm* nectarine.
bruine [brɥin] *nf* drizzle.
bruiner [brɥine] *vi* to drizzle, spit.
bruire [brɥi:r] *vi* to rustle, murmur, hum.
bruissement [brɥismɑ̃] *nm* rustling, whisper humming.
bruit [brɥi] *nm* noise, clatter, din, rumour sound, fuss, ado.
brûlant [brylɑ̃] *a* burning, blazing, scorching, fervent.
brûlé [bryle] *a* burnt, scorched; **odeur de —** smell of burning.
brûle-gueule [brylgœl] *nm* clay pipe, nose warmer.
brûle-pourpoint [brylpurpwɛ̃] *ad* **à —** point-blank.
brûler [bryle] *vt* to burn (up, down, out, away), singe, nip, scorch; *vi* to burn, be on fire, be aflame, singe, scorch, be eager (to); **— une gare** to run through a station without stopping; **— les feux** to jump the lights; **— la cervelle à qn.** to blow s.o.'s brains out.
brûleur, -euse [brylœ:r, ø:z] *n* burner, distiller; *nm* gas jet, bunsen burner.
brûlot [brylo] *nm* fireship.
brûlure [bryly:r] *nf* burn, scald, blight; *pl* heartburn.
brume [brym] *nf* fog, mist, haze.
brumeux, -euse [brymø, ø:z] *a* foggy, misty, hazy.
brun [brœ̃] *a* brown, dark, dusky; *nm* brown; *n* dark person.
brunâtre [brynɑ:tr] *a* brownish.
brunir [bryni:r] *vt* to brown, darken, tan, burnish; *vi* to become dark, tan.
brusque [brysk] *a* abrupt, hasty, sudden.
brusquer [bryske] *vt* to hurry, rush, be sharp with.
brusquerie [brysk(ə)ri] *nf* bluntness, abruptness, bluffness, roughness.
brut [bryt] *a* rough, crude, unrefined, raw, unpolished, uncut, gross, extra dry.
brutal [brytal] *a* coarse, callous, rough, blunt.
brutaliser [brytalize] *vt* to bully, ill-treat.
brutalité [brytalite] *nf* (act of) brutality, brutishness, callousness.

brute [bryt] *nf* beast, bully.
bruyant [bryjɑ̃] *a* noisy, boisterous, loud, blatant.
bruyère [bryjɛːr] *nf* heather, heath (land), briar; **coq de** — grouse.
buanderie [bɥɑ̃dri] *nf* wash-house.
bucarde [bykard] *nf* cockle.
bûche [by(ː)ʃ] *nf* log, fall, spill, duffer.
bûcher [byʃe] *vt* to work at, swot up; *vi* to work, swot; *nm* woodshed, woodpile, pyre, stake.
bûcheron [byʃrɔ̃] *nm* woodcutter, woodman lumberjack.
bûcheur, -euse [byʃœːr, øːz] *n* hard worker, plodder.
bucolique [bykɔlik] *a* bucolic, pastoral.
budget [bydʒɛ] *nm* estimates; **boucler le** — to balance the budget.
budgétaire [bydʒetɛːr] *a* fiscal, financial.
buée [bye] *nf* vapour, steam.
buffet [byfɛ] *nm* sideboard, refreshment room.
buffle [byfl] *nm* buffalo, hide.
buffleterie [byflətri] *nf* leather equipment.
buis [bɥi] *nm* boxwood.
buisson [bɥisɔ̃] *nm* bush, thicket, brake.
buissonnier, -ière [bɥisɔnje, jɛːr] *a* which lives in the woods; **faire l'école buissonnière** to play truant.
bulgare [bylgaːr] *an* Bulgarian.
Bulgarie [bylgari] *nf* Bulgaria.
bulbe [bylb] *nm* bulb.
bulle [byl] *nf* bubble, (*eccl*) bull.
bulletin [byltɛ̃] *nm* report, ticket, receipt, ballot; — **de vote** voting paper.
buraliste [byralist] *n* clerk, collector of taxes, tobacconist.
bure [byːr] *nf* frieze, homespun.
bureau [byro] *nm* desk, office, board, committee, orderly room; — **de placement** Labour Exchange, registry; — **de poste** post office; — **de tabac** tobacconist's shop.
bureaucrate [byrokrat] *nm* bureaucrat.
bureaucratie [byrokrasi] *nf* bureaucracy, officialdom, red tape.
burette [byrɛt] *nf* buret, oilcan, flagon.
burin [byrɛ̃] *nm* graving tool, etcher's pen.
buriner [byrine] *vt* to engrave.
burlesque [byrlɛsk] *a* comical.
busc [byːz] *nf* buzzard, tube, nozzle.
busqué [byske] *a* aquiline, hooked.
buste [byst] *nm* bust; **en** — half-length.
but [by(t)] *nm* aim, goal, purpose, object(ive), target, mark; **sans** — aimless(ly); **marquer un** — to score a goal; **de** — **en blanc** point blank.
buté [byte] *a* obstinate, set.
butée [byte] *nf* buttress, stop.
buter [byte] *vi* to knock, stumble, strike, abut; *vr* to knock, prop oneself up.
butin [bytɛ̃] *nm* booty, loot, spoils, plunder.
butoir [bytwaːr] *nm* buffer, check.
butor [bytɔːr] *nm* bittern, lout, bully.
butte [byt] *nf* hillock, mound, butts; **être en** — **à** to be exposed to.
buvable [byvabl] *a* drinkable.
buvard [byvaːr] *a* **papier** — blotting paper; *nm* blotter, blotting pad.
buvette [byvɛt] *nf* refreshment room, pump room.
buveur, -euse [byvœːr, øːz] *n* drinker, toper.

C

c' see **ce**
ça [sa] see **cela.**
çà [sa] *ad* here, hither; — **et là** here and there; **ah** —! now then! I say!
caban [kabɑ̃] *nm* pea-jacket, pilot-coat.
cabane [kaban] *nf* hut, shanty, hutch.
cabanon [kabanɔ̃] *nm* padded cell, small hut.
cabaret [kabarɛ] *nm* tavern, public house, restaurant.
cabaretier, -ière [kabartje, jɛːr] *n* publican, tavern-keeper.
cabas [kaba] *nm* shopping basket, satchel, tool-bag.
cabestan [kabɛstɑ̃] *nm* capstan, windlass, winch.
cabillaud [kabijo] *nm* cod.
cabine [kabin] *nf* cabin, saloon, box, call-box, hut.
cabinet [kabinɛ] *nm* closet, small room, office, consulting room, cabinet, government, collection; *pl* water closet, lavatory; — **de travail** study; — **de toilette** dressing room.
câble [kɑːbl] *nm* cable, rope, line, wire.
câbler [kɑble] *vt* to cable.
caboche [kabɔʃ] *nf* pate, head.
cabosse [kabɔs] *nm* pod.
cabot [kabo] *nm* mongrel.
cabotage [kabɔtaːʒ] *nm* coasting-trade.
caboteur [kabɔtœːr] *nm* coaster.
cabotin [kabɔtɛ̃] *n* ham actor.
cabrer [kɑbre] *vt* (*plane*) to elevate; *vr* to rear, buck, jib (at).
cabriole [kabriɔl] *nf* leap, caper, somersault.
cabriolet [kabriɔlɛ] *nm* gig, cabriolet, coupé.
cacahuète [kakawɛt] *nf* peanut.
cacao [kakao] *nm* cacao, cocoa.
cacaotière [kakaotjɛːr] *nf* cocoa plantation.
cacaoyer [kakaɔje] *nm* cocoa-tree.
cacatoès [kakatɔɛːs] *nm* cockatoo.
cache [kaʃ] *nf* hiding-place.

cache-cache [kaʃkaʃ] *nm* hide-and-seek.
cache-col [kaʃkɔl] *nm* man's scarf.
cachemire [kaʃmiːr] *nm* cashmere.
cache-nez [kaʃne] *nm* muffler.
cacher [kaʃe] *vt* to hide, conceal, keep secret; *vr* to lie in hiding, hide (from **à**).
cachet [kaʃɛ] *nm* seal, mark, stamp, fee, cachet.
cacheter [kaʃte] *vt* to seal (up).
cachette [kaʃɛt] *nf* hiding-place; **en** — on the quiet.
cachot [kaʃo] *nm* dungeon.
cachotterie [kaʃɔtri] *nf* mystery.
cachottier, -ière [kaʃɔtje, jɛːr] *a* secretive, reticent.
cadastre [kadastr] *nm* cadastral survey.
cadavéreux, -euse [kadaverø, øːz] *a* cadaverous.
cadavre [kadɑːvr] *nm* corpse, dead body, carcase.
cadeau [kado] *nm* present, gift.
cadenas [kadnɑ] *nm* padlock, clasp.
cadenasser [kadnase] *vt* to padlock, clasp.
cadence [kadɑ̃ːs] *nf* cadence, rhythm, time, tune.
cadencé [kadɑ̃se] *a* measured, rhythmical.
cadet, -ette [kadɛ, ɛt] *a* younger, junior; *n* youngest; *nm* caddie.
cadran [kadrɑ̃] *nm* dial, face.
cadre [kɑːdr] *nm* frame(work), limits, bounds, outline, plan, cadre, list, strength, management staff.
cadrer [kɑdre] *vi* to agree, square, tally, fit in.
caduc, -uque [kadyk] *a* declining, decrepit, weak, lapsed, null and void.
cafard [kafaːr] *a* sanctimonious; *nm* cockroach, telltale; **avoir le** — to have the blues.
cafarder [kafarde] *vi* to tell tales, sneak.
café [kafe] *nm* coffee, café; — **nature** black coffee; — **crême** white coffee; — **complet** white coffee, roll and butter.
caféier(e) [kafeje] *n* coffee plant, plantation.
cafetier, -ière [kaftje, jɛːr] *n* owner of a café.
cafetière [kaftjɛːr] *nf* coffee-pot.
cafouiller [kafuje] *vi* to splutter, (*car*) misfire.
cage [kaːʒ] *nf* cage, coop, casing, well, shaft, stairway.
cagneux, -euse [kaɲø, øːz] *a* knock-kneed, crooked.
cagnotte [kaɲɔt] *nf* pool, kitty.
cagot [kago] *a* hypocritical; *n* hypocrite.
cagoule [kagul] *nf* cowl, hood.
cahier [kaje] *nm* exercise book, copy-book.
cahin-caha [kaɛ̃kaa] *ad* middling, so-so, limping.
cahot [kao] *nm* jolt, bump.
cahoter [kaɔte] *vti* to jolt, bump, shake, toss about.
cahoteux, -euse [kaɔtø, øːz] *a* bumpy, rough.
caille [kɑːj] *nf* quail.
caillebotte [kɑjbɔt] *nf* curds.
cailler [kɑje] *vtir* to clot, curdle; **lait caillé** curds.
caillot [kɑjo] *nm* clot.
caillou [kaju] *nm* pebble.
caillouter [kajute] *vt* to metal, pave with pebbles.
caillouteux, -euse [kajutø, øːz] *a* stony, pebbly.
caïman [kaimɑ̃] *nm* crocodile.
caisse [kɛs] *nf* case, chest, casing, tub, body, cashbox, till, pay-desk, counting-house, fund, bank, drum; **tenir la** — to be in charge of the money; — **d'épargne** savings bank.
caissier, ière [kɛsje, jɛːr] *n* cashier.
caisson [kɛsɔ̃] *nm* box, boot, ammunition wagon, locker, caisson.
cajoler [kaʒɔle] *vt* to cajole, coax.
cajolerie [kaʒɔlri] *nf* cajolery, coaxing.
calamité [kalamite] *nf* calamity.
calamiteux, -euse [kalamitø, øːz] *a* calamitous, broken-down, seedy.
calao [kalao] *nm* hornbill.
calcaire [kalkɛːr] *a* calcareous, chalky; *nm* limestone.
calcul [kalkyl] *nm* calculation, reckoning, arithmetic, calculus, (*in bladder*) stone.
calculé [kalkyle] *a* calculated, studied, deliberate.
calculer [kalkyle] *vt* to calculate, reckon.
cale [kal] *nf* hold, slipway, stocks, wedge, chock, prop; — **sèche** dry dock; — **de radoub** graving dock; **mettre sur** — to lay down.
calé [kale] *a* wedged, jammed, good (at **en**).
calebasse [kalbɑːs] *nf* calabash, gourd.
caleçon [kalsɔ̃] *nm* drawers, pants.
calembour [kalɑ̃buːr] *nm* pun.
calendrier [kalɑ̃dri(j)e] *nm* calendar.
calepin [kalpɛ̃] *nm* notebook.
caler [kale] *vt* to wedge, chock (up), prop up, adjust, stall; *vi* to stall, draw water, funk.
calfat [kalfa] *nm* caulker.
calfater [kalfate] *vt* to caulk.
calfeutrer [kalføtre] *vt* to stop (up), block (up), make draught-proof; *vr* to shut oneself up, make oneself cosy, comfortable.
calibre [kalibr] *nm* calibre, bore, gauge, pattern.
calice [kalis] *nm* calyx, chalice, cup.
calicot [kaliko] *nm* calico, draper's shop assistant.
califourchon [kalifurʃɔ̃] *ad* **à** — astride.
câlin [kɑlɛ̃] *a* caressing, winning, wheedling.

câliner [kɑline] *vt* to caress, fondle, pet, wheedle.
câlinerie [kɑlinri] *nf* caress(ing), petting, wheedling.
calleux, -euse [kalø, ø:z] *a* horny, callous.
calligraphie [kalligrafi] *nf* penmanship, handwriting.
callosité [kallɔzite] *nf* callosity.
calme [kalm] *a* calm, still, quiet, composed, collected; *nm* calm(ness), stillness.
calmer [kalme] *vt* to calm, quiet, soothe; *vr* to calm down, abate.
calomniateur, -trice [kalɔmnjatœ:r, tris] *n* slanderer.
calomnie [kalɔmni] *nf* calumny, slander, libel.
calomnier [kalɔmnje] *vt* to slander.
calomnieux, -euse [kalɔmnjø, ø:z] *a* slanderous.
calorie [kalɔri] *nf* calory.
calorifère [kalɔrifɛ:r] *nm* central-heating apparatus, hot-air stove.
calorifuge [kalɔrify:ʒ] *a* heat-insulating, heat-proof.
calorique [kalɔrik] *a* caloric, heat.
calot [kalo] *nm* forage cap, rough slate, stone.
calotte [kalɔt] *nf* skull cap, box on the ears.
calotter [kalɔte] *vt* to cuff.
calque [kalk] *nm* tracing, traced copy.
calquer [kalke] *vt* to trace.
calvitie [kalvisi] *nf* baldness.
camarade [kamarad] *n* comrade, chum, friend, mate.
camaraderie [kamaradri] *nf* comradeship, fellowship.
camard [kama:r] *a* flat-, snub-, pug-nosed.
Cambodge [kãmbodʒ] *nm* Cambodia.
cambouis [kãbwi] *nm* dirty oil, grease.
cambré [kãbre] *a* cambered, arched, curved, bent.
cambrer [kãbre] *vt* to arch, bend, camber, curve; *vr* to brace oneself.
cambriolage [kãbriɔla:ʒ] *nm* burglary.
cambrioler [kãbriɔle] *vt* to burgle, break into.
cambrioleur, -euse [kãbriɔlœ:r, ø:z] *n* burglar.
cambrure [kãbry:r] *nf* camber, curve, arch, instep.
cambuse [kãby:z] *nf* steward's room, glory hole, hovel.
came [kam] *nf* cam.
camée [kame] *nm* cameo.
caméléon [kameleɔ̃] *nm* chameleon.
camélia [kamelja] *nm* camelia.
camelot [kamlo] *nm* street hawker, newsvendor.
camelote [kamlɔt] *nf* rubbish, trash, shoddy goods.
caméra [kamɛra] *nf* cine-camera.
camion [kamjɔ̃] *nm* wagon, dray, lorry, truck.
camionnage [kamjɔna:ʒ] *nm* cartage, haulage.
camionnette [kamjɔnɛt] *nf* light motor lorry, van.
camionneur [kamjɔnœ:r] *nm* carrier.
camisole [kamizɔl] *nf* woman's vest, dressing-jacket; — **de force** strait-jacket.
camouflage [kamuflɑ:ʒ] *n* camouflage.
camoufler [kamufle] *vt* to disguise, fake, camouflage.
camouflet [kamuflɛ] *nm* insult, snub.
camp [kã] *nm* camp, side.
campagnard [kãpaɲa:r] *a* country, rustic; *n* countryman, -woman.
campagne [kãpaɲ] *nf* country(side), field, campaign; **partie de** — picnic.
campé [kãpe] *a* **bien** — well set-up, strapping.
campement [kãpmã] *nm* encampment, camping.
camper [kãpe] *vi* to (en)camp; *vt* to put under canvas, place, put, stick; — **là** to leave in the lurch; *vr* to pitch one's camp, plant oneself.
camphre [kã:fr] *nm* camphor.
camphrer [kãfre] *vt* to camphorate.
camus [kamy] *a* snub-, flat-, pug-nosed.
canaille [kanɑ:j] *nf* rabble, mob, blackguard, rascal.
canal [kanal] *nm* canal, channel, pipe, duct.
canalisation [kanalizasjɔ̃] *nf* canalization, draining, piping, pipes, wiring, mains.
canaliser [kanalize] *vt* to canalize, pipe, lay down pipes in, wire.
canapé [kanape] *nm* sofa; canapé.
canard [kana:r] *nm* duck, drake, false report, hoax, lump of sugar dipped in coffee.
canari [kanari] *nm* canary, earthenware pot.
cancan [kãkã] *nm* cancan dance, scandal.
cancanier, -ière [kãkanje, jɛ:r] *a* addicted to tittle-tattle; *n* scandalmonger.
cancer [kãsɛ:r] *nm* cancer.
cancéreux, -euse [kãserø, ø:z] *a* cancerous.
cancrelat [kãkrəla] *nm* cockroach.
candélabre [kãdɛlɑ:br] *nm* candelabrum, branched lamp-post.
candeur [kãdœ:r] *nf* ingenuousness, artlessness.
candidat [kãdida] *nm* candidate.
candide [kãdid] *a* ingenuous, artless, guileless.
cane [kan] *nf* duck.
caneton [kantɔ̃] *nm* duckling.
canette [kanɛt] *nf* beer-bottle, spool.
canevas [kanvɑ] *nm* canvas, outline, sketch.
caniche [kaniʃ] *n* poodle.

canicule [kanikyl] *nf* dog-days.
canif [kanif] *nm* penknife.
caniveau [kanivo] *nm* gutter, conduit.
canne [kan] *nf* cane, walking-stick, fishing-rod; — **à sucre** sugar cane.
cannelle [kanɛl] *nf* cinnamon, spigot, tap.
cannelure [kanlyːr] *nf* groove, fluting.
canner [kane] *vt* to cane-bottom.
cannibale [kanibal] *nm* cannibal, man-eater.
cannibalisme [kanibalism] *nm* cannibalism.
canon [kanɔ̃] *nm* cannon, gun, barrel, pipe, tube, canon.
cañon [kaɲɔ̃] *nm* canyon.
canonique [kanɔnik] *a* canonical.
canoniser [kanɔnize] *vt* to canonize.
canonnade [kanɔnad] *nf* cannonade.
canonnier [kanɔnje] *nm* gunner.
canonnière [kanɔnjɛːr] *nf* gunboat.
canot [kano] *nm* boat, dinghy, cutter.
canotage [kanɔtaːʒ] *nm* boating, rowing.
canoter [kanɔte] *vi* to go rowing, boating.
canotier [kanɔtje] *nm* rower, oarsman, boatman, straw hat, boater.
cantatrice [kɑ̃tatris] *nf* singer, vocalist.
cantine [kɑ̃tin] *nf* canteen.
cantinier, -ière *n* canteen-keeper.
cantique [kɑ̃tik] *nm* canticle, hymn.
canton [kɑ̃tɔ̃] *nm* canton, district.
cantonade [kɑ̃tɔnad] *nf* **à la** — in the wings, ' off '.
cantonal [kɑ̃tɔnal] *a* cantonal, district.
cantonner [kɑ̃tɔne] *vt* to divide into cantons, quarter, billet, confine, limit.
cantonnement [kɑ̃tɔnmɑ̃] *nm* cantonment, quarters, billet.
cantonnier [kɑ̃tɔnje] *nm* roadman, road-mender.
canulant [kanylɑ̃] *a* boring.
canule [kanyl] *nf* nozzle.
caoutchouc [kautʃu] *nm* (india) rubber, waterproof coat; *pl* galoshes, overshoes, rubbers.
caoutchouter [kautʃute] *vt* to rubberize, treat with rubber.
cap [kap] *nm* cape, headland.
capable [kapabl] *a* capable, fit, able.
capacité [kapasite] *nf* capacity, ability, capability.
cape [kap] *nf* cape, cloak; **rire sous** — to laugh up one's sleeve.
capillaire [kapillɛːr] *a* capillary.
capitaine [kapitɛn] *nm* captain, master, head; — **de vaisseau** captain (R.N.); — **de frégate** commander; — **de corvette** lieutenant-commander; — **de port** harbour-master.
capital [kapital] *a* capital, chief, principal; *nm* capital, assets, principal.
capitale [kapital] *nf* capital, chief town.
capitaliser [kapitalize] *vt* to capitalize.
capitalisme [kapitalism] *nm* capitalism.
capitaliste [kapitalist] *n* capitalist.
capiteux, -euse [kapitø, øːz] *a* heady, strong.
capitonner [kapitɔne] *vt* to upholster, quilt.
capituler [kapityle] *vi* to capitulate.
caporal [kapɔral] *nm* corporal, (ordinary quality) tobacco.
capot [kapo] *nm* cover, hood, bonnet, cowl.
capotage [kapɔtaːʒ] *nm* capsizing, overturning.
capote [kapɔt] *nf* greatcoat, bonnet, hood, cowl, contraceptive.
capoter [kapɔte] *vt* to capsize, overturn.
câpre [kɑːpr] *nm* caper.
caprice [kapris] *nm* caprice, whim, impulse.
capricieux, -euse [kaprisjø, jøːz] *a* capricious, wayward.
capsule [kapsyl] *nf* capsule, seal, firing-cap.
captage [kaptaːʒ] *nm* catching, collecting.
captation [kaptasjɔ̃] *nf* catching, tapping, picking up.
capter [kapte] *vt* to catch, collect, obtain, pick up.
captieux, -euse [kapsjø, øːz] *a* captious, specious.
captif, -ive [kaptif, iːv] *an* captive.
captiver [kaptive] *vt* to captivate, charm.
captivité [kaptivite] *nf* captivity.
capture [kaptyːr] *nf* capture, seizure, booty.
capturer [kaptyre] *vt* to capture, catch, collect.
capuchon [kapyʃɔ̃] *nm* hood, cowl, cap.
capucine [kapysin] *nf* nasturtium.
caque [kak] *nf* keg, herring barrel.
caquet [kakɛ] *nm* cackle, chattering.
caqueter [kakte] *vi* to cackle, chatter.
car [kaːr] *cj* for, because; *nm* motor coach.
carabin [karabɛ̃] *nm* medical student.
carabine [karabin] *nf* carbine, rifle.
carabiné [karabine] *a* stiff, violent, strong.
carabinier [karabinje] *nm* rifleman
caractère [karaktɛːr] *nm* character, temper, personality, characteristic, nature.
caractériser [karakterize] *vt* to characterize; *vr* to assume the character (of **par**), be distinguished (by **par**).
caractéristique [karakteristik] *a* characteristic, typical; *nf* trait, feature.

carafe [karaf] *nf* decanter, carafe.
caravane [karavan] *nf* desert caravan, caravan.
carbone [karbɔn] *nm* carbon.
carbonisé [karbɔnize] *a* carbonized, charred, burnt to death.
carburant [karbyrɑ̃] *nm* motor fuel.
carburateur [karbyratœːr] *nm* carburettor.
carbure [karbyːr] *nf* carbide.
carcasse [karkas] *nf* carcase, frame.
cardiaque [kardjak] *a* cardiac; **crise —** heart attack.
cardinal [kardinal] *anm* cardinal.
carême [karɛm] *nm* Lent.
carence [karɑ̃ːs] *nf* insolvency, default, deficiency.
carène [karɛn] *nf* hull, bottom.
caresse [karɛs] *nf* caress.
caresser [karɛse] *vt* to caress, stroke, fondle, cherish.
cargaison [kargɛzɔ̃] *nf* cargo.
cargo [kargo] *nm* cargo boat, tramp steamer.
caricature [karikatyːr] *nf* caricature.
carie [kari] *nf* caries, decay.
carié [karje] *a* decayed.
carillon [karijɔ̃] *nm* chime, peal of bells.
carillonner [karijɔne] *vi* to chime, ring a peal of bells.
carillonneur [karijɔnœːr] *nm* bell-ringer.
carlingue [karlɛ̃ːg] *nf* fuselage, cockpit.
carnage [karnaːʒ] *nm* slaughter, bloodshed.
carnassier, -ière [karnasje, jɛːr] *a* carnivorous.
carnassière [karnasjɛːr] *nf* game-bag.
carnaval [karnaval] *nm* carnival.
carnet [karnɛ] *nm* notebook; **— de banque** pass-book; **— de chèques** cheque-book; **— de bal** dance programme.
carnier [karnje] *nm* game-bag.
carnivore [karnivɔːr] *a* carnivorous.
carotte [karɔt] *nf* carrot; (*of tobacco*) plug; fraud, trick, catch.
carpe [karp] *nf* carp.
carpette [karpɛt] *nf* rug.
carquois [karkwa] *nm* quiver.
carré [kɑre] *a* square (-shouldered), straightforward; *nm* square, lodgings.
carreau [kɑro] *nm* tile, floor, small square, window-pane, diamonds.
carrefour [karfuːr] *nm* crossroads, square.
carrelage [karlaːʒ] *nm* tiling, tile-flooring.
carreler [karle] *vt* to pave, lay with tiles.
carrelet [karlɛ] *nm* plaice.
carrément [karemɑ̃] *ad* squarely, firmly, bluntly.
carrer [kɑre] *vt* to square; *vr* to swagger, settle oneself.
carrier [karje] *nm* quarryman.
carrière [karjɛːr] *nf* career, quarry; **donner libre — à** to give free play, scope, vent to.
carriole [karjɔl] *nf* light cart.
carrossable [kɑrɔsabl] *a* **route —** carriageway.
carrosse [kɑrɔs] *nm* coach.
carrosserie [kɑrɔsri] *nf* coach-building, body(work).
carrousel [kɑruzɛl] *nm* tournament, merry-go-round.
carrure [kɑryːr] *nf* build, stature.
cartable [kartabl] *nm* satchel, portfolio.
carte [kart] *nf* map, chart, card, bill, list, menu; **— blanche** free hand, carte blanche.
cartel [kartɛl] *nm* trust, combine, coalition.
carter [kartɛːr] *nm* gearcase, sump, spool-box.
cartographe [kartɔgraf] *nm* map-maker, cartographer.
cartographie [kartɔgrafi] *nf* map-making.
cartomancie [kartɔmɑ̃si] *nf* fortune-telling by cards.
cartomancien, -ienne [kartɔmɑ̃sjɛ̃, jɛn] *n* fortune-teller by cards.
carton [kartɔ̃] *nm* cardboard box, carton, cartoon.
cartonné [kartɔne] *a* (*books*) bound in boards.
cartouche [kartuʃ] *nf* cartridge.
cartouchière [kartuʃjɛːr] *nf* cartridge-pouch.
cas [kɑ] *nm* case, matter, affair, instance, circumstance; **le — échéant** should the occasion arise; **au, dans le — où** in the event of; **en tout —** in any case; **faire (grand) — de** to value highly.
casanier, -ière [kazanje, jɛːr] *a* stay-at-home, sedentary.
cascade [kaskad] *nf* waterfall, cascade.
case [kɑːz] *nf* hut, cabin, pigeon-hole, compartment, space, division, square.
casemate [kazmat] *nf* casemate.
caser [kɑze] *vt* to put away, stow, file, find a place for, settle; *vr* to settle down.
caserne [kazɛrn] *nf* barracks.
casier [kazje] *nm* set of pigeonholes, rack, cabinet; **— judiciaire** police record.
casque [kask] *nm* helmet.
casquette [kaskɛt] *nf* cap.
cassant [kɑsɑ̃] *a* brittle, crisp, short, blunt, abrupt.
cassation [kɑsasjɔ̃] *nf* cassation, quashing, reduction to the ranks.
casse [kɑːs] *nf* breakage, ructions, damage.
casse-cou [kɑsku] *nm* dare-devil, death-trap.
casse-croûte [kɑskrut] *nm* snack, quick lunch.

casse-noisettes [kɑsnwazɛt] *nm* nut-crackers.
casser [kɑse] *vt* to break, crack, cashier, degrade, annul, quash; *vr* to break, give way, snap; **se — la tête** to puzzle, rack one's brains.
casserole [kasrɔl] *nf* saucepan, stewpan, casserole.
casse-tête [kɑstɛt] *nm* club, loaded stick, teaser, din.
cassette [kasɛt] *nf* casket, money-box.
cassis [kɑsi(s)] *nm* blackcurrant (liqueur); open gutter across road.
cassonade [kasɔnad] *nf* brown sugar.
cassure [kasyːr] *nf* break, fracture, crack.
castor [kastɔːr] *nm* beaver.
casuel [kɑzɥɛl] *nm* perquisites, casual profits, fees.
cataclysme [kataklism] *nm* cataclysm.
catacombes [katakɔ̃ːb] *nf pl* catacombs.
catalepsie [katalɛpsi] *nf* catalepsy.
catalogue [katalɔg] *nm* catalogue.
cataloguer [katalɔge] *vt* to catalogue, list.
catalyseur [katalizœːr] *nm* catalyst.
cataplasme [kataplasm] *nm* poultice; **— sinapisé** mustard poultice.
cataracte [katarakt] *nf* cataract.
catarrhe [kataːr] *nm* catarrh.
catastrophe [katastrɔf] *nf* catastrophe, disaster.
catch [katʃ] *nm* all-in wrestling.
catéchiser [kateʃize] *vt* to catechize, lecture, reason with, try to persuade.
catéchisme [kateʃism] *nm* catechism.
catégorie [kategɔri] *nf* category.
catégorique [kategɔrik] *a* categorical, positive.
cathédrale [katedral] *nf* cathedral.
catholicisme [katɔlisism] *nm* catholicism.
catholique [katɔlik] *a* catholic, orthodox; universal; *an* Roman Catholic; **ce n'est pas —** that is fishy.
catimini [katimini] *ad* **en —** on the sly, stealthily.
cauchemar [kɔʃmaːr, ko-] *nm* nightmare.
cauri [kɔri] *nm* cowrie shell.
cause [koːz] *nf* cause, grounds, suit, action, brief; **et pour —** for a very good reason, very properly; **pour — de** for reasons of; **à — de** on account of, owing to, through; **— célèbre** famous case, trial; **mettre en —** to implicate, bring into question; **en connaissance de —** with full knowledge of the case.
causer [koze] *vt* to cause; *vi* to talk, converse, chat.
causerie [kozri] *nf* talk, chat.
causeur, -euse [kozœːr, øːz] *a* talkative, chatty; *n* talker.
caustique [kostik] *a* caustic, burning, cutting, biting.
cauteleux, -euse [kotlø, øːz] *a* cunning, sly, wary.
cautériser [koterize] *vt* to cauterize.
caution [kosjɔ̃] *nf* security, surety, bail, guarantee; **sujet à —** unconfirmed.
cautionnement [kosjɔnmɑ̃] *nm* surety, deposit, security, guarantee.
cavalerie [kavalri] *nf* cavalry.
cavalier, -ière [kavalje, jɛːr] *a* offhand, free and easy, jaunty, riding; *n* horseman, horsewoman, rider; *nm* trooper, escort, cavalier, partner, knight.
cave [kaːv] *a* hollow, sunken, deep-set; *nf* cellar, stake.
caveau [kavo] *nm* vault.
caverne [kavɛrn] *nf* cave, cavern, den, cavity.
caverneux, -euse [kavernø, øːz] *a* cavernous, hollow, sepulchral.
caviarder [kavjarde] *vt* to suppress, block-out.
cavité [kavite] *nf* cavity, hollow, pit.
ce [s(ə)] *pn* it, he, she; **— qui, — que** what, which; **sur —** thereupon; **pour — qui est de** as regards; *a* **ce, cet, cette, ces** this, that, such; *pl* these, those, such; **— soir** this evening, tonight; **cette nuit** last night.
ceci [səsi] *pn* this.
cécité [sesite] *nf* blindness.
céder [sede] *vt* to give up, surrender, assign; *vi* to yield, give way, sag; **le — à qn.** to be inferior to s.o.
cèdre [sɛːdr] *nm* cedar.
ceindre [sɛ̃ːdr] *vt* to gird (on), encircle, encompass.
ceinture [sɛ̃tyːr] *nf* girdle, belt, sash, waist, circle.
ceinturon [sɛ̃tyrɔ̃] *nm* waistbelt, sword-belt.
cela [səla, sla] *pn* that, it, so; **comme ci, comme ça** so so; **c'est ça** that's right, that's it.
célèbre [selɛbr] *a* famous.
célébrer [selebre] *vt* to celebrate, observe, hold, solemnize, sing the praises of.
célébrité [selebrite] *nf* celebrity.
céleri [selri] *nm* celery
célérité [selerite] *nf* celerity, speed, swiftness.
céleste [selɛst] *a* celestial, heavenly.
célibat [seliba] *nm* celibacy.
célibataire [selibatɛːr] *a* celibate, unmarried, single; *n* bachelor, spinster.
celle see **celui.**
cellulaire [sɛlylɛːr] *a* cellular; **voiture —** police van.
cellule [sɛlyl] *nf* cell.
celluloïd [sɛlylɔid] *nm* celluloid.
cellulose [sɛlyloːz] *nf* cellulose.
celte [sɛlt] *n* Celt.
celtique [sɛltik] *a* Celtic.
celui, celle, ceux, celles [səlɥi] *pn* he,

she, the one, those; **—-ci** the latter, this one; **—-là** the former, that one.
cendre [sɑ̃:dr] *nf* ash(es), cinders, embers.
cendré [sɑ̃dre] *a* ashy, ash-grey.
cendrier [sɑ̃drie] *nm* ashbin, -pan, -pit, -tray.
cène [sɛn] *nf* the Last Supper.
censé [sɑ̃se] *a* supposed.
censeur [sɑ̃sœ:r] *nm* censor, critic, disciplinary head of French school.
censure [sɑ̃sy:r] *nf* censorship, blame.
censurer [sɑ̃syre] *vt* to censor, criticize.
cent [sɑ̃] *a* one hundred; *nm* a hundred; **faire les — pas** to walk up and down.
centaine [sɑ̃tɛn] *nf* (about) a hundred.
centenaire [sɑ̃tnɛ:r] *an* centenarian; *nm* centenary.
centième [sɑ̃tjɛm] *anm* hundredth.
centigrade [sɑ̃tigrad] *a* centigrade.
centigramme [sɑ̃tigram] *nm* centigramme.
centilitre [sɑ̃tilitr] *nm* centilitre.
centime [sɑ̃tim] *nm* centime.
centimètre [sɑ̃timɛtr] *nm* centimetre, tape-measure.
central [sɑ̃tral] *a* central, middle; *nm* telephone exchange.
centrale [sɑ̃tral] *nf* power-house, electricity works.
centraliser [sɑ̃tralize] *vt* to centralize.
centre [sɑ̃:tr] *nm* centre, middle.
centrifuge [sɑ̃trify:ʒ] *a* centrifugal.
centuple [sɑ̃typl] *a* centuple, hundredfold.
cep [sɛ(p)] *nm* vine-plant.
cependant [s(ə)pɑ̃dɑ̃] *ad* meanwhile, meantime; *cj* still, yet, nevertheless.
cerceau [sɛrso] *nm* hoop.
cercle [sɛrkl] *nm* circle, set, club, hoop, ring, dial.
cercler [sɛrkle] *vt* to encircle, ring, hoop.
cercueil [sɛrkœ:j] *nm* coffin.
céréale [sereal] *anf* cereal.
cérébral [serebral] *a* cerebral, of the brain.
cérémonie [seremɔni] *nf* ceremony; **tenue de —** full dress; **sans —** informally.
cérémonieux, -euse [seremɔnjø, ø:z] ceremonious, formal.
cerf [sɛ:r, sɛrf] *nm* stag.
cerfeuil [sɛrfœ:j] *nm* chervil.
cerf-volant [sɛrvɔlɑ̃] *nm* kite.
cerise [səri:z] *nf* cherry.
cerisier [s(ə)rizje] *nm* cherry-tree.
cerné [sɛrne] *a* **les yeux —s** with rings under the eyes.
cerner [sɛrne] *vt* to encircle, surround, hem in.
certain [sɛrtɛ̃] *a* certain, sure, fixed, stated; *pn pl* some, certain.
certainement [sɛrtɛnmɑ̃] *ad* certainly, by all means.
certes [sɛrt] *ad* yes indeed, most certainly, to be sure.
certificat [sɛrtifika] *nm* certificate, script.
certifier [sɛrtifje] *vt* to attest, authenticate.
certitude [sɛrtityd] *nf* certainty.
cerveau [sɛrvo] *nm* brain, mind; **— brûlé** hot-head
cervelas [sɛrvəlɑ] *nm* saveloy.
cervelle [sɛrvɛl] *nf* brain(s), mind; **se creuser la —** to rack one's brains.
ces see **ce.**
cessation [sɛsasjɔ̃] *nf* cessation, suspension.
cesse [sɛs] *nf* cease, ceasing.
cesser [sɛse] *vit* to cease, leave off, stop.
cet see **ce.**
cette see **ce.**
ceux see **celui.**
chacal [ʃakal] *nm* jackal.
chacun [ʃakœ̃] *pn* each, each one, every one, everybody, everyone.
chagrin [ʃagrɛ̃] *a* sad, glum, peevish, fretful; *nm* grief, annoyance, worry.
chagriner [ʃagrine] *vt* to grieve, afflict, vex, annoy.
chahut [ʃay] *nm* noise, uproar, rowdyism.
chahuter [ʃayte] *vi* to kick up a shindy, boo; *vt* to rag.
chahuteur, -euse [ʃaytœ:r, ø:z] *an* rowdy.
chaîne [ʃɛn] *nf* chain, cable, range, warp; *pl* bonds, fetters; **travail à la —** moving-belt production.
chaînon [ʃɛnɔ̃] *nm* link.
chair [ʃɛ:r] *nf* flesh, meat, pulp; **en — et en os** in the flesh; **— de poule** gooseflesh, creeps; **— à canon** cannon fodder.
chaire [ʃɛ:r] *nf* pulpit, desk, rostrum, chair, professorship.
chaise [ʃɛ:z] *nf* chair, seat.
chaise-longue [ʃɛzlɔ̃:g] *nf* couch.
chaland [ʃalɑ̃] *nm* customer, lighter, barge.
châle [ʃɑ:l] *nm* shawl, wrap.
chalet [ʃalɛ, ʃa-] *nm* chalet.
chaleur [ʃalœ:r] *nf* warmth, heat, ardour, zeal; **craint la —** keep in a cool place.
chaleureux, -euse [ʃalœrø, ø:z] *a* warm, cordial.
chaloupe [ʃalup] *nf* launch.
chalumeau [ʃalymo] *nm* straw, pipe, blowpipe.
chalutier [ʃalytje] *nm* drifter, trawler.
se chamailler [səʃamɑje] *vr* to quarrel, squabble, row.
chambarder [ʃɑ̃mbarde] *vt* to smash up, upset, sack.
chambellan [ʃɑ̃bɛlɑ̃] *nm* chamberlain.
chambranle [ʃɑ̃brɑ̃:l] *nm* frame, mantelpiece.
chambre [ʃɑ̃:br] *nf* (bed)room, chamber, House (parliament); **— à air** inner tube; **— d'ami** spare room.

chambrée [ʃɑ̃bre] *nf* roomful, barrack room.
chambrer [ʃɑ̃bre] *vt* to lock up in a room; (*wine*) take the chill off.
chameau [ʃamo] *nm* camel, scoundrel, beast, swine.
chamois [ʃamwa] *nm* chamois.
champ [ʃɑ̃] *nm* field, ground, course, range, scope; **à tout bout de —** at every turn.
champagne [ʃɑ̃paɲ] *nm* champagne; **fine —** liqueur brandy.
champêtre [ʃɑ̃pɛːtr] *a* rustic, rural.
champignon [ʃɑ̃piɲɔ̃] *nm* mushroom.
champion, -ionne [ʃɑ̃pjɔ̃, jɔn] *n* champion.
championnat [ʃɑ̃pjɔna] *nm* championship.
chance [ʃɑ̃ːs] *nf* chance, luck.
chancelant [ʃɑ̃slɑ̃] *a* staggering, shaky, delicate.
chanceler [ʃɑ̃sle] *vi* to stagger, totter.
chancelier [ʃɑ̃səlje] *nm* chancellor.
chancellerie [ʃɑ̃sɛlri] *nf* chancellery, secretaryship.
chanceux, -euse [ʃɑ̃sø, øːz] *a* hazardous, lucky.
chancre [ʃɑ̃ːkr] *nm* canker, ulcer.
chandail [ʃɑ̃daːj] *nm* sweater, pullover.
Chandeleur [ʃɑ̃dlœːr] *nf* Candlemas.
chandelier [ʃɑ̃dəlje] *nm* candlestick.
chandelle [ʃɑ̃dɛl] *nf* candle, prop, shore; **voir trente-six —s** to see stars; **économies de bouts de —** cheese-paring.
change [ʃɑ̃ːʒ] *nm* exchange; **lettre de —** bill of exchange.
changeable [ʃɑ̃ʒabl] *a* changeable, exchangeable.
changeant [ʃɑ̃ʒɑ̃] *a* changing, changeable, fickle.
changement [ʃɑ̃ʒmɑ̃] *nm* change, alteration, variation, variety; **— de vitesse** gear, change of gear; **— de voie** points.
changer [ʃɑ̃ʒe] *vt* to change, exchange, alter; *vi* to change; *vr* to alter, change one's clothes.
changeur [ʃɑ̃ʒœːr] *nm* money-changer.
chanoine [ʃanwan] *nm* canon.
chanson [ʃɑ̃sɔ̃] *nf* song; **—s!** nonsense!
chansonnier, -ière [ʃɑ̃sɔnje, jɛːr] *n* songwriter; *nm* songbook.
chant [ʃɑ̃] *nm* song, singing, crow (ing), chant, canto.
chantage [ʃɑ̃taːʒ] *nm* blackmail.
chantant [ʃɑ̃tɑ̃] *a* singing, musical, sing-song.
chanter [ʃɑ̃te] *vt* to sing, crow, chirp, suit; **faire —** to blackmail.
chanteur, -euse [ʃɑ̃tœːr, øːz] *n* singer, vocalist; **maître —** master-singer, blackmailer.
chantier [ʃɑ̃tje] *nm* stand, ship (building) yard, dockyard; **sur le —** in hand.
chantonner [ʃɑ̃tɔne] *vt* to hum.
chanvre [ʃɑ̃ːvr] *nm* hemp.
chaos [kao] *nm* chaos.
chaotique [kaotik] *a* chaotic.
chape [ʃap] *nf* cope, coping.
chapeau [ʃapo] *nm* hat, cover, cap, cowl, heading; **donner un coup de — à** to raise one's hat to; **— melon** bowler; **— haut-de-forme, à, de haute forme** top hat.
chapelet [ʃaplɛ] *nm* rosary, string.
chapelier [ʃapəlje] *nm* hatter.
chapelle [ʃapɛl] *nf* chapel, coterie, clique.
chapelure [ʃaplyːr] *nf* breadcrumbs.
chaperon [ʃaprɔ̃] *nm* hood, chaperon.
chapitre [ʃapitr] *nm* chapter, heading, item, point; **avoir voix au —** to have a say in the matter.
chapitrer [ʃapitre] *vt* to lecture, reprimand.
chaque [ʃak] *a* each, every.
char [ʃaːr] *nm* chariot, car, wagon; **— d'assaut** tank.
charbon [ʃarbɔ̃] *nm* coal, carbon; **— de bois** charcoal.
charbonnage [ʃarbɔnaːʒ] *nm pl* collieries, coal-mining; (*naut*) bunkering.
charbonner [ʃarbɔne] *vt* to carbonize, blacken with charcoal.
charbonnier [ʃarbɔnje, jɛːr] *nm* collier, charcoal-burner, coal merchant, coalman.
charcuterie [ʃarkytri] *nf* pork-butcher's shop, pork-butcher's meat, pork.
charcutier, -ière [ʃarkytje, jɛːr] *n* pork-butcher.
chardon [ʃardɔ̃] *nm* thistle.
chardonneret [ʃardɔnrɛ] *nm* goldfinch.
charge [ʃarʒ] *nf* load, burden, charge, onus, care, trust, expense, office, duty, exaggeration, skit, indictment; **à la — de** chargeable to, dependent on, assigned to; **en —** (*el*) live; **à — de** on condition that, provided that; **témoin à —** witness for the prosecution.
chargé [ʃarʒe] *a* loaded, live, furred, coated, full, busy, overcast; **lettre —e** registered letter; *nm* **— de cours** lecturer, reader.
chargement [ʃarʒəmɑ̃] *nm* lading, loading (up), charging, registration, freight.
charger [ʃarʒe] *vt* to load, charge, fill, instruct, caricature, exaggerate, saddle; *vr* to undertake, shoulder.
chariot [ʃarjo] *nm* wagon, go-cart, truck, trolley.
charité [ʃarite] *nf* charity, alms.
charme [ʃarm] *nm* charm, spell.
charmer [ʃarme] *vt* to charm, bewitch, delight, please.
charnel, -elle [ʃarnɛl] *a* carnal, sensual.
charnier [ʃarnje] *nm* charnel-house, ossuary.

charnière [ʃarnjɛ:r] *nf* hinge.
charnu [ʃarny] *a* fleshy, plump.
charognard [ʃarɔɲar] *nm* vulture.
charogne [ʃarɔɲ] *nf* carrion, decaying carcase.
charpente [ʃarpɑ̃:t] *nf* frame(work).
charpenter [ʃarpɑ̃te] *vt* to frame, build, construct.
charpenterie [ʃarpɑ̃tri] *nf* carpentry, carpenter's shop.
charpentier [ʃarpɑ̃tje] *nm* carpenter.
charpie [ʃarpi] *nf* lint; **en —** in shreds.
charretier [ʃartje] *nm* carter, carrier.
charrette [ʃarɛt] *nf* cart; **— à bras** barrow; **— anglaise** trap, dogcart.
charrier [ʃarje] *vt* to cart, carry.
charron [ʃarɔ̃] *nm* cartwright, wheelwright.
charrue [ʃary] *nf* plough.
charte [ʃart] *nf* charter.
chartreux [ʃartrø] *nm* Carthusian monk.
chasse [ʃas] *nf* chase, hunting, shooting, shoot; **— à courre** riding to hounds; **— à l'affût** stalking; **— d'eau** flush.
châsse [ʃɑ:s] *nf* reliquary, shrine, frame.
chasser [ʃase] *vt* to chase, hunt, shoot, drive (away, out), dismiss, expel; *vi* to hunt, go hunting, shooting, drive.
chasseur, -euse [ʃasœ:r, ø:z] *n* huntsman, sportsman, shooter; *nm* pageboy, messenger, rifleman, fighter-plane; **— de fauves** big-game hunter.
chassieux, -euse [ʃasjø, ø:z] *a* blear-eyed.
chassis [ʃasi] *nm* frame, sash, chassis, under carriage.
chaste [ʃast] *a* chaste, pure.
chasteté [ʃastəte] *nf* chastity, purity.
chat, -atte [ʃa, -at] *n* cat; **— de gouttières** stray cat.
châtaigne [ʃatɛɲ] *nf* chestnut.
châtaignier [ʃatɛɲje] *nm* chestnut tree.
châtain [ʃatɛ̃] *a* chestnut-brown, auburn.
château [ʃɑto] *nm* castle, country-residence, manor, palace; **—x en Espagne** castles in the air; **— d'eau** water tower.
châteaubriant [ʃatobriɑ̃] *nm* grilled steak.
chat-huant [ʃayɑ̃] *nm* tawny, brown owl.
châtier [ʃatje] *vt* to punish, chastise, (*style*) polish.
châtiment [ʃatimɑ̃] *nm* punishment, chastisement.
chatoiement [ʃatwamɑ̃] *nm* shimmer, sheen.
chaton [ʃatɔ̃] *nm* kitten, catkin, stone in its setting.
chatouiller [ʃatuje] *vt* to tickle.
chatouilleux, -euse [ʃatujø, ø:z] *a* ticklish, touchy sensitive, delicate.
chatoyer [ʃatwaje] *vi* to shimmer, sparkle.
châtrer [ʃatre] *vt* to castrate, geld.
chatterton [ʃatɛrtɔ̃] *nm* insulating tape.
chaud [ʃo] *a* warm, hot; **pleurer à —es larmes** to weep bitterly; **il fait —** it is warm; **tenir au —** to keep in a warm place; **avoir —** to be warm.
chaudière [ʃodjɛ:r] *nf* boiler.
chaudron [ʃodrɔ̃] *nm* cauldron.
chaudronnerie [ʃodrɔnri] *nf* coppersmith's work; boiler-making, boiler-works.
chaudronnier [ʃodrɔnje] *nm* coppersmith, brazier, boiler-smith, boiler-maker.
chauffage [ʃofa:ʒ] *nm* heating, firing, stoking; **— central** central heating.
chauffard [ʃofa:r] *nm* roadhog.
chauffe [ʃo:f] *nf* heating, stoking, firing.
chauffer [ʃofe] *vt* to warm, heat, stoke up, fire up, nurse, cram; *vi* to get hot. warm (up), get up steam.
chauffeur, -euse [ʃofœ:r, ø:z] *n* stoker, fireman, driver.
chaume [ʃo:m] *nm* thatch, stubble (-field).
chaumière [ʃomjɛ:r] *nf* (thatched) cottage.
chaussée [ʃose] *nf* causeway, roadway, carriageway.
chausse-pied [ʃospje] *nm* shoehorn.
chausser [ʃose] *vt* to put on (shoes, stockings), make footwear for, supply with footwear; *vr* to put on one's shoes, stockings.
chausse-trape [ʃostrap] *nf* trap, ruse.
chaussette [ʃosɛt] *nf* sock.
chausson [ʃosɔ̃] *nm* slipper, dancing sandal, gymnasium shoe, bootee, bed-sock, footlet; **— aux pommes** apple turnover.
chaussure [ʃosy:r] *nf* footwear, boot, shoe.
chauve [ʃo:v] *a* bald.
chauve-souris [ʃovsuri] *nf* bat.
chauvin [ʃovɛ̃] *an* chauvinist(ic).
chaux [ʃo] *nf* lime; **— vive** quicklime; **blanchir à la —** to whitewash.
chavirer [ʃavire] *vi* to capsize; *vt* to upset, tip (up).
chéchia [ʃeʃja] *nm* fez.
chef [ʃɛf] *nm* head, chief, leader, principal, foreman, master, authority, right; **— de cuisine** head cook, chef; **— d'orchestre** conductor; **— de train** guard.
chef-d'œuvre [ʃɛdœ:vr] *nm* masterpiece.
chef-lieu [ʃɛfljø] *nm* county town.
chelem [ʃlɛm] *nm* (*cards*) slam.
chemin [ʃmɛ̃] *nm* way, road, track, path, headway; **— de fer** railway; **— des écoliers** roundabout road; **— faisant** on the way; **se mettre en —** to set out; **— de traverse**

crossroad; **ne pas y aller par quatre —s** to go straight to the point.
chemineau [ʃmino] *nm* tramp.
cheminée [ʃmine] *nf* fireplace, mantelpiece, chimney, funnel.
cheminer [ʃmine] *vi* to tramp, proceed, walk, trudge.
chemise [ʃmiːz] *nf* shirt, chemise, jacket, folder, casing, dust jacket; **— de nuit** nightshirt (man), nightdress, nightgown (woman); **en bras de —** in one's shirt sleeves.
chenal [ʃ(ə)nal] *nm* channel.
chenapan [ʃnapɑ̃] *nm* rogue, rascal.
chêne [ʃɛn] *nm* oak (tree).
chenet [ʃ(ə)nɛ] *nm* fire-dog, andiron.
chenil [ʃ(ə)ni] *nm* kennel.
chenille [ʃ(ə)niːj] *nf* caterpillar, chenille, caterpillar tracks.
cheptel [ʃətɛl, ʃɛptɛl] *nm* livestock.
chèque [ʃɛk] *nm* cheque.
chéquier [ʃekje] *nm* cheque-book.
cher, -ère [ʃɛːr] *a* dear, beloved, expensive, costly, precious; *ad* dearly, at a high price; **cela ne vaut pas —** it is not worth much.
chercher [ʃɛrʃe] *vt* to look (for, up), seek, search for, endeavour, try (to); **envoyer —** to send for.
chère [ʃɛːr] *nf* countenance, food.
chéri [ʃeri] *a* dear, beloved; *n* darling.
chérir [ʃeriːr] *vt* to love dearly, cherish.
cherté [ʃɛrte] *nf* dearness, high price.
chérubin [ʃerybɛ̃] *nm* cherub.
chétif, -ive [ʃetif, iːv] *a* puny, weak, sickly, poor.
cheval [ʃəval, ʃfal] *nm* horse, horsepower; **— à bascule** rocking-horse; **— de bois** wooden horse; *pl* merry-go-round, roundabout; **— de trait** draught horse; **à —** on horseback; **être à — sur** to be astride, straddle, be a stickler for; **remède de —** drastic remedy.
chevaleresque [ʃ(ə)valrɛsk, ʃfal-] *a* chivalrous, knightly.
chevalerie [ʃ(ə)valri, ʃfal-] *nf* chivalry, knighthood.
chevalet [ʃ(ə)valɛ, ʃfalɛ] *nm* support, trestle, stand, easel, clothes-horse.
chevalier [ʃ(ə)valje, ʃfal-] *nm* knight; **— d'industrie** swindler, adventurer.
chevalière [ʃ(ə)valjɛːr, ʃfal-] *nf* signet-, seal-ring.
chevalin [ʃəvalɛ̃, ʃfalɛ̃] *a* equine; **boucherie —e** horse-meat butcher's shop.
cheval-vapeur [ʃəvalvapœːr] *nm* horsepower.
chevaucher [ʃ(ə)voʃe] *vti* to ride; *vt* to span, overlap.
chevelu [ʃəvly] *a* hairy.
chevelure [ʃəvlyːr] *nf* (head) of hair, locks.
chevet [ʃ(ə)vɛ] *nm* bed's head, bedside, bolster.
cheveu [ʃ(ə)vø] *nm* hair; **couper un — en quatre** to split hairs; **argument tiré par les —x** a far-fetched argument.
cheville [ʃ(ə)viːj] *nf* pin, peg, bolt, expletive, padding, ankle; **— ouvrière** king-pin.
chèvre [ʃɛːvr] *nf* goat.
chevreau [ʃəvro] *nm* kid.
chèvrefeuille [ʃɛvrəfœːj] *nm* honeysuckle.
chevreuil [ʃəvrœːj] *nm* roe-deer, roebuck.
chevron [ʃəvrɔ̃] *nm* rafter, chevron, stripe.
chevrotant [ʃəvrɔtɑ̃] *a* quavering.
chez [ʃe] *prep* at, in the house of, care of, with, among, in; **— lui** at his home; **— mon frère** at my brother's.
chic [ʃik] *a* stylish, smart, posh, swell, decent.
chicane [ʃikan] *nf* quibbling, wrangling, pettifoggery.
chicaner [ʃikane] *vt* to wrangle with; *vi* to quibble, haggle over, cavil (at **sur**).
chiche [ʃiʃ] *a* scanty, poor, stingy, sparing of; *excl* go on!, I dare you!; **pois —** chick pea.
chichis [ʃiʃi] *nm pl* affected manners, airs.
chicorée [ʃikɔre] *nf* chicory; **— (frisée)** endive.
chien, chienne [ʃjɛ̃, ʃjɛn] *n* dog, bitch; *nm* (*of gun*) hammer; **faire le — couchant** to cringe, toady; **un temps de —** filthy weather; **entre — et loup** at dusk, in the gloaming; **— loup** Alsatian dog.
chiffon [ʃifɔ̃] *nm* rag, duster, piece of lace, ribbon, material, scrap, chiffon; **parler —s** to talk dress.
chiffonner [ʃifɔne] *vt* to crumple, rumple, annoy.
chiffonnier, -ière [ʃifɔnje, jɛːr] *n* ragman, rag-picker; *nm* small chest of drawers.
chiffre [ʃifr] *nm* figure, number, cipher, account, monogram; **— d'affaires** turnover.
chiffrer [ʃifre] *vt* to number, work out, cipher, mark; *vi* to calculate, reckon.
chignole [ʃiɲɔl] *nf* (hand-)drill.
chimère [ʃimɛːr] *nf* chimera, illusion.
chimérique [ʃimerik] *a* fanciful, unpractical.
chimie [ʃimi] *nf* chemistry.
chimique [ʃimik] *a* chemical.
chimiste [ʃimist] *nm* chemist (scientist).
Chine [ʃin] *nf* China.
chinois [ʃinwa] *an* Chinese, Chinaman, Chinese woman.
chinoiserie [ʃinwazri] *nf* Chinese curio; *pl* red tape, irksome complications.
chiper [ʃipe] *vt* to pinch, pilfer, sneak, scrounge, bag.
chipie [ʃipi] *nf* shrew, ill-natured woman.

chique [ʃik] *nf* quid (tobacco), roundworm.
chiqué [ʃike] *nm* sham, pretence, make-believe.
chiquenaude [ʃiknoːd] *nf* fillip, flick (of fingers).
chiquer [ʃike] *vt* to chew tobacco.
chiromancie [kirɔmɑ̃si] *nf* palmistry.
chiromancien, -ienne [kirɔmɑ̃sjɛ̃, jɛn] *n* palmist.
chirurgical [ʃiryrʒikal] *a* surgical.
chirurgie [ʃiryrʒi] *nf* surgery; — **esthétique du visage** face-lifting.
chirurgien, -ienne [ʃiryrʒjɛ̃, jɛn] *n* surgeon.
chloroforme [klɔrɔfɔrm] *nm* chloroform.
choc [ʃɔk] *nm* shock, clash, impact, knock.
chocolat [ʃɔkɔla] *nm* chocolate.
chœur [kœːr] *nm* chorus, choir, chancel.
choisi [ʃwazi] *a* choice, select, picked.
choisir [ʃwaziːr] *vt* to choose, select, pick.
choix [ʃwa] *nm* choice, choosing, selection, pick; **de** — choice, best, first-class; **au** — all at the same price.
choléra [kɔlɛra] *nm* cholera.
chômage [ʃomaːʒ] *nm* unemployment, idleness, closing down.
chômer [ʃome] *vi* to stop work, close, shut down, be idle, be unemployed.
chômeur [ʃomœːr] *nm* unemployed person.
chope [ʃɔp] *nf* tankard.
chopine [ʃɔpin] *nf* pint mug.
choquer [ʃɔke] *vt* to shock, offend, strike, bump, clink; *vr* to come into collision, be shocked.
chose [ʃoːz] *nf* thing, case, matter; **bien des —s de ma part à** remember me to; **monsieur** — Mr. Thingummy, Mr. What's-his-name; **être tout** — to feel queer, look queer.
chou [ʃu] *nm* cabbage, rosette, cream-cake; — **de Bruxelles** Brussels sprouts; **feuille de** — rag (newspaper); **mon** — my darling, pet.
choucas [ʃuka] *nm* jackdaw.
choucroute [ʃukrut] *nf* sauerkraut.
chouette [ʃwɛt] *nf* owl; *a* ripping, posh, swell.
chou-fleur [ʃuflœːr] *nm* cauliflower.
choyer [ʃwaje] *vt* to pet, pamper, cherish.
chrétien, -ienne [kretjɛ̃, jɛn] *an* Christian.
chretienté [kretjɛ̃te] *nf* Christendom.
Christ [krist] *nm* **le** — Christ.
christianisme [kristjanism] *nm* Christianity.
chromatique [krɔmatik] *a* chromatic.
chrome [kroːm] *nm* chromium, chrome.
chromo [krɔmo] *nm* colour-print.
chronique [krɔnik] *a* chronic; *nf* chronicle, news, notes, reports.
chroniqueur [krɔnikœːr] *nm* chronicler, reporter.
chronologie [krɔnɔlɔʒi] *nf* chronology.
chronologique [krɔnɔlɔʒik] *a* chronological.
chronomètre [krɔnɔmɛtr] *nm* chronometer.
chronométrer [krɔnɔmetre] *vt* to time.
chronométreur [krɔnɔmetrœːr] *nm* time-keeper.
chrysalide [krizalid] *nf* chrysalis.
chrysanthème [krizɑ̃tɛ(ː)m] *nm* chrysanthemum.
chuchotement [ʃyʃɔtmɑ̃] *nm* whispering.
chuchoter [ʃyʃɔte] *vti* to whisper.
chuchoterie [ʃyʃɔtri] *nf* whispered conversation.
chut [ʃyt, ʃt] *excl* hush.
chute [ʃyt] *nf* fall, drop, downfall, collapse, shoot; **la — des reins** small of the back.
Chypre [ʃipr] *nm* Cyprus.
ci [si] *ad* **par-ci, par-là** here and there; **de-ci de-là** on all sides; *dem pn neuter* **comme ci, comme ça** so-so.
ci-après [siaprɛ] *ad* hereafter, further on, below.
cible [sibl] *nf* target.
ciboire [sibwaːr] *nm* ciborium, pyx.
ciboulette [sibulɛt] *nf* chives.
cicatrice [sikatris] *nf* scar.
ci-contre [sikɔ̃ːtr] *ad* opposite, annexed, on the other side, per contra.
ci-dessous [sidsu] *ad* undermentioned, below.
ci-dessus [sidsy] *ad* above (mentioned).
ci-devant [sidvɑ̃] *ad* previously, formerly, late.
cidre [si(ː)dr] *nm* cider.
ciel [sjɛl] *pl* **cieux** [sjø] *nm* sky, heaven, air, climate, canopy.
cierge [sjɛrʒ] *nm* wax candle, taper.
cigale [sigal] *nf* cicada.
cigare [sigaːr] *nm* cigar.
cigarette [sigarɛt] *nf* cigarette
ci-gît [siʒi] here lies.
cigogne [sigɔɲ] *nf* stork.
ci-inclus [siɛ̃kly] *a* herewith, enclosed.
ci-joint [siʒwɛ̃] *a* herewith, attached, subjoined.
cil [sil] *nm* eyelash.
cime [sim] *nf* summit, top.
ciment [simɑ̃] *nm* cement; — **armé** reinforced concrete.
cimenter [simɑ̃te] *vt* to cement, consolidate.
cimetière [simtjɛːr] *nm* cemetery, graveyard.
cinéaste [sineast] *nm* film technician, producer.

cinéma [sinɛmɑ] *nm* cinema, picture-house.
cinématographier [sinɛmatɔgrafje] *vt* to cinematograph, film.
cinématographique [sinɛmatɔgrafik] *a* cinematographic, film.
cinéprojecteur [sineprɔʒɛktœːr] *nm* cine(matographic) projector.
cinglant [sɛ̃glɑ̃] *a* biting, cutting, scathing.
cingler [sɛ̃gle] *vt* to lash, cut with a lash, whip, sting; *vi* to sail, scud along.
cinq [sɛ̃(ː)k] *num a* five; **moins —** a near thing.
cinquantaine [sɛ̃kɑ̃tɛn] *nf* (about) fifty.
cinquante [sɛ̃kɑ̃ːt] *num a* fifty.
cinquantenaire [sɛ̃kɑ̃tnɛːr] *nm* fiftieth anniversary, jubilee; *n* a man, woman of fifty.
cinquantième [sɛ̃kɑ̃tjɛm] *num an* fiftieth.
cintre [sɛ̃ːtr] *nm* curve, bend, arch.
cintrer [sɛ̃tre] *vt* to curve, arch, take in at the waist.
cirage [siraːʒ] *nm* polishing, wax (ing), polish.
circoncire [sirkɔ̃siːr] *vt* to circumcise.
circonférence [sirkɔ̃ferɑ̃ːs] *nf* circumference, perimeter, girth.
circonflexe [sirkɔ̃flɛks] *a* circumflex.
circonscription [sirkɔ̃skripsjɔ̃] *nf* circumscription, division, constituency.
circonscrire [sirkɔ̃skriːr] *vt* to circumscribe, encircle, limit.
circonspect [sirkɔ̃spɛ, -spɛk, -spɛkt] *a* circumspect, cautious.
circonspection [sirkɔ̃spɛksjɔ̃] *n* circumspection, prudence, caution.
circonstance [sirkɔ̃stɑ̃ːs] *n* circumstance, occasion, event.
circuit [sirkɥi] *nm* circuit, round; **établir le —** to switch on; **couper le —** to switch off, cut out.
circulaire [sirkylɛːr] *anf* circular.
circulation [sirkylasjɔ̃] *nf* circulation, traffic; **— interdite** no thoroughfare.
circuler [sirkyle] *vi* to circulate, move (on, about).
cire [siːr] *nf* wax.
ciré [sire] *a* waxed, polished; **toile —e** oilcloth; *nm* oilskins.
cirer [sire] *vt* to wax, polish.
cireur, -euse [sirœːr, øːz] *n* polisher, shoeblack.
cirque [sirk] *nm* circus.
cisaille(s) [sizɑːj] *nf* shears, clippers.
ciseau [sizo] *nm* chisel; *pl* scissors, shears.
ciseler [sizle] *vt* to chisel, carve, chase, cut.
citadelle [sitadɛl] *nf* citadel, stronghold.
citadin [sitadɛ̃] *nm* townsman.
citation [sitasjɔ̃] *nf* quotation, summons, (*in despatches*) mention.
cité [site] *nf* town, (old) city, housing scheme, students' hostel(s).
citer [site] *vt* to quote, cite, summon, mention.
citerne [sitɛrn] *nf* cistern, tank.
citoyen, -enne [sitwajɛ̃, jɛn] *n* citizen.
citron [sitrɔ̃] *nm* lemon, lime; *a inv* lemon-coloured; **— pressé** lemon squash.
citronnade [sitrɔnad] *nf* lemon squash, lime-juice cordial.
citronnier [sitrɔnje] *nm* lemon tree, lime-tree.
citrouille [sitruːj] *nf* pumpkin.
civil [sivil] *a* civil, civic, lay, civilian, polite; **en —** in mufti, in plain clothes.
civilisation [sivilisasjɔ̃] *nf* civilization, culture.
civiliser [sivilize] *vt* to civilize.
civilité [sivilite] *nf* civility, courtesy; *pl* regards.
clabauder [klabode] *vi* to babble, chatter; **— contre** to run down.
claie [klɛ] *nf* wattle, hurdle, screen, fence.
clair [klɛːr] *a* clear, obvious, plain, bright, light, pale; *ad* clearly, plainly; *nm* light, clearing; **tirer au —** to clear up.
claire-voie [klɛrvwa] *nf* lattice, openwork, grating.
clairière [klɛrjɛːr] *nf* clearing, glade.
clairon [klɛrɔ̃] *nm* bugle, bugler.
clairsemé [klɛrsəme] *a* scattered, thin.
clairvoyance [klɛrvwajɑ̃ːs] *nf* perspicacity.
clairvoyant [klɛrvwajɑ̃] *a* perspicacious, shrewd; *n* clairvoyant.
clameur [klamœːr] *nf* outcry, clamour, howl.
clandestin [klɑ̃dɛstɛ̃] *a* clandestine, secret, surreptitious, underground.
clapier [klapje] *nm* rabbit-hutch.
claque [klak] *nf* smack, slap, hired applauders; *nm* opera hat.
claqué [klake] *a* dog-tired.
claquer [klake] *vi* to clap, bang, clatter, slap, snap, die; *vt* to smack.
claquettes [klakɛt] *nf pl* tap-dance.
clarifier [klarifje] *vt* to clarify.
clarinette [klarinɛt] *nf* clarinet.
clarté [klarte] *nf* clearness, brightness, light, perspicacity.
classe [klɑːs] *nf* class, order, form, standard, classroom, contingent, school.
classement [klɑsmɑ̃] *nm* classification, grading, filing.
classer [klɑse] *vt* to class, classify, sort out, grade, file.
classeur [klɑsœːr] *nm* file, filing-cabinet, sorter.
classification [klasifikasjɔ̃] *nf* classification.
classifier [klasifje] *vt* to classify.
classique [klasik] *a* classic, classical, standard; *nm pl* classics, classicists.
clavicule [klavikyl] *nf* collarbone.

clavier [klavje] *nm* keyboard.
clé. clef [kle] *nf* key, clue, clef; — **anglaise** screw-spanner; — **de voûte** keystone; **sous** — under lock and key.
clémence [klɛmɑ̃:s] *nf* clemency, mercy, mildness.
clément [klɛmɑ̃] *a* clement, merciful, lenient, mild.
clerc [klɛ:r] *nm* clerk, cleric, scholar, learned man.
clergé [klɛrʒe] *nm* clergy.
clérical [klerikal] *a* clerical.
cliché [kliʃe] *nm* stereotype, block, negative, hackneyed expression, tag.
client [kliɑ̃] *n* client, customer, patient.
clientèle [kliɑ̃tɛl] *nf* clientele, practice, custom, customers, public, connection.
clignement [kliɲmɑ̃] *nm* blink(ing), wink(ing).
cligner [kliɲe] *vti* to blink, wink, flicker the eyelids.
clignoter [kliɲɔte] *vi* to blink, twinkle, twitch, flicker.
climat [klima, -mɑ] *nm* climate.
climatique [klimatik] *a* climatic.
climatisé [klimatize] *a* air-conditioned.
clin d'œil [klɛ̃dœ:j] *nm* wink, twinkling of an eye.
clinique [klinik] *a* clinical; *nf* nursing home, surgery, clinic.
clinquant [klɛ̃kɑ̃] *nm* foil, tinsel, tawdriness.
clique [klik] *nf* gang, set, clique, bugle-band.
cliqueter [klikte] *vi* to rattle, click, clink, (*of car*) pink.
cliquetis [klikti] *nm* rattling, click, clink(ing), jingle.
cloaque [klɔak] *nf* cesspool.
clochard [klɔʃa:r] *nm* tramp; (**US**) hobo.
cloche [klɔʃ] *nf* bell, blister.
cloche-pied [klɔʃpje] *ad* **à** — on one foot.
clocher [klɔʃe] *nm* belfry, steeple; *vi* to limp, go wrong.
cloison [klwazɔ̃] *nf* partition, bulkhead.
cloître [klwa:tr] *nm* cloister(s), monastery, convent.
clopin-clopant [klɔpɛ̃klɔpɑ̃] *ad* hobbling about, limping along.
cloque [klɔk] *nf* lump, blister.
clos [klo] *a* closed, shut up; **maison —e** brothel; *nm* enclosure.
clôture [kloty:r] *nf* enclosure, fence, closing, closure, end.
clou [klu] *nm* nail, staple, (*pedestrian crossing*) stud, boil, star turn.
clouer [klue] *vt* to nail (up, down), pin, tie to, root to.
clouté [klute] *a* studded; **passage —** pedestrian crossing.
coaguler [koagyle] *vt* to coagulate, congeal, curdle.
coasser [koase] *vi* to croak.
coassement [koasmɑ̃] *nm* croaking.
cobaye [kɔba:j] *nm* guinea-pig.
cobra [kɔbra] *nm* cobra.
cocaïne [kɔkain] *nf* cocaine.
cocaïnomane [kɔkainɔman] *n* cocaine addict.
cocarde [kɔkard] *nf* cockade, rosette.
cocasse [kɔkas] *a* comical.
coccinelle [kɔksinɛl] *nf* ladybird.
coche [kɔʃ] *nf* notch, nick; *nm* stage-coach.
cocher [kɔʃe] *nm* coachman, cabman, driver.
cochon. -onne [kɔʃɔ̃, ɔn] *a* beastly, obscene, swinish; *nm* pig; — **d'Inde** guinea-pig.
cochonnerie [kɔʃɔnri] *nf* beastliness, rubbish, trash, obscenity, dirty trick.
coco [kɔko] *nm* **noix de —** coconut.
cocoteraie [kɔkɔtrɛ] *nf* coconut plantation.
cocotier [kɔkɔtje] *nm* coconut tree.
cocotte [kɔkɔt] *nf* darling, pet, woman of easy virtue stew-pan.
code [kɔd] *nm* code, law, statute-book; **mettre en —** to dim, dip motor lights.
codicille [kɔdisil] *nm* codicil.
coefficient [koefisjɑ̃] *nm* coefficient.
coercition [koɛrsisjɔ̃] *nf* coercion.
cœur [kœ:r] *nm* heart, soul, mind, courage, core depth, height, hearts; **avoir mal au** — to feel sick; **avoir le — gros** to be sad at heart; **de bon** — heartily, ungrudgingly; **de mauvais** — reluctantly.
coffre [kɔfr] *nm* box, chest, bin, trunk.
coffre-fort [kɔfrfɔ:r] *nm* safe.
cognac [kɔɲak] *nm* brandy.
cognée [kɔɲe] *nf* axe, hatchet.
cogner [kɔɲe] *vt* to drive in, hit; *vti* to knock. hit, bump.
cohérent [kɔerɑ̃] *a* coherent.
cohésion [kɔezjɔ̃] *nf* cohesion
cohue [kɔy] *nf* crowd, mob, crush.
coiffe [kwaf] *nf* head-dress, cap, lining.
coiffer [kwafe] *vt* to cap, cover, put on hat, dress the hair; *vr* to put on one's hat, do one's hair, take a fancy (to **de**); **du combien coiffez-vous?** what is your size in hats?
coiffeur. -euse [kwafœ:r, ø:z] *n* hairdresser; *nf* dressing-table.
coiffure [kwafy:r] *nf* head-dress, style of hairdressing.
coin [kwɛ̃] *nm* corner, spot, plot, patch, wedge, hallmark.
coincer [kwɛ̃se] *vt* to wedge (up); *vr* to jam, stick.
coïncidence [kɔɛ̃sidɑ̃:s] *nf* coincidence.
coïncider [kɔɛ̃side] *vi* to coincide.
coing [kwɛ̃] *nm* quince.
col [kɔl] *nm* collar, neck, mountain pass; **faux —** detachable collar, (*beer*) froth.
coléoptère [kɔleɔptɛ:r] *nm* beetle.

colère [kɔlɛːr] *a* angry, irascible; *nf* anger, rage, temper.
colérique [kɔlerik] *a* quick-tempered, choleric, fiery.
colifichet [kɔlifiʃɛ] *nm* trinket, knick-knack.
colimaçon [kɔlimasɔ̃] *nm* snail; **en** — spiral.
colin-maillard [kɔlɛ̃majaːr] *nm* blindman's buff.
colique [kɔlik] *a* colic; *nf* colic, gripes.
colis [kɔli] *nm* parcel, package, packet, piece of luggage; **par — postal** by parcel post.
collaborateur, -trice [kɔlabɔratœːr, tris] *n* collaborator, contributor.
collaboration [kɔlabɔrasjɔ̃] *nf* collaboration.
collaborer [kɔlabɔre] *vi* to collaborate, contribute (to **à**).
collant [kɔlɑ̃] *a* sticky, clinging, close-fitting; *nm* tights.
collatéral [kɔlatɛral] *a* collateral, side.
collation [kɔl(l)asjɔ̃] *nf* collation, conferment, snack.
collationner [kɔl(l)asjɔne] *vt* to collate, read over repeat; *vi* to have a snack.
colle [kɔl] *nf* paste, glue, size, oral test, poser.
collecte [kɔllɛkt] *nf* collection, collect.
collecteur, -trice [kɔlɛktœːr, tris] *n* collector.
collectif, -ive [kɔlɛktif, iːv] *a* collective, joint.
collection [kɔlɛksjɔ̃] *nf* collecting, collection, file.
collectionner [kɔlɛksjɔne] *vt* to collect.
collectionneur, -euse [kɔlɛksjɔnœːr, øːz] *n* collector.
collectivité [kɔlɛktivite] *nf* collectivity.
collège [kɔlɛːʒ] *nm* college, secondary school, electoral body.
collégien, ienne [kɔleʒjɛ̃, jɛn] *n* schoolboy, -girl.
collègue [kɔllɛg] *n* colleague.
coller [kɔle] *vt* to paste, stick, glue, plough, stump; *vi* to adhere, plough, stump; *vi* to adhere, cling, stick (to); *vr* to stick, cling close (to).
collet [kɔlɛ] *nm* collar, scruff of the neck, snare; — **monté** strait-laced, prim.
colleter [kɔlte] *vt* to collar, grapple with.
collier [kɔlje] *nm* necklace, necklet, collar, band; **un coup de** — tug, great effort.
colline [kɔlin] *nf* hill.
collision [kɔllizjɔ̃] *nf* collision, clash.
colloque [kɔlɔk] *nf* colloquy, conversation.
colombe [kɔlɔ̃ːb] *nf* dove.
colombier [kɔlɔ̃bje] *nm* dovecot, pigeon-house.
colon [kɔlɔ̃] *nm* colonist, settler.
colonel [kɔlɔnɛl] *nm* colonel.
colonial [kɔlɔnjal] *a nm* colonial.
colonie [kɔlɔni] *nf* colony, settlement; — **de vacances** holiday camp.
colonisation [kɔlɔnizasjɔ̃] *nf* colonization.
coloniser [kɔlɔnize] *vt* to colonize, settle.
colonne [kɔlɔn] *nf* column, pillar; — **vertébrale** spine.
colorer [kɔlɔre] *vt* to colour, stain, tint; *vr* to take on a colour, grow ruddy.
coloris [kɔlɔri] *nm* colour(ing), hue.
colossal [kɔlɔsal] *a* colossal, huge, gigantic.
colporter [kɔlpɔrte] *vt* to hawk, peddle.
colporteur, -euse [kɔlpɔrtœːr, øːz] *n* pedlar.
combat [kɔ̃ba] *nm* combat, fight, battle, action, conflict, struggle, match.
combatif, -ive [kɔ̃batif, iːv] *a* combative, pugnacious.
combattant [kɔ̃batɑ̃] *nm* combatant, fighting-man; **anciens —s** ex-servicemen.
combattre [kɔ̃batr] *vt* to combat, fight, battle with; *vi* to strive, struggle, fight.
combien [kɔ̃bjɛ̃] *ad* how much, how many, how far; **le — sommes-nous?** what day of the month is this?
combinaison [kɔ̃binɛzɔ̃] *nf* arrangement, combine, plan, underslip, overalls, flying suit.
combine [kɔ̃bin] *nf* scheme, racket.
combiner [kɔ̃bine] *vt* to combine, arrange, contrive.
comble [kɔ̃ːbl] *nm* heap, summit, top, acme, roof(ing); **pour — de malheur** as a crowning misfortune; **ca, c'est le** — that's the limit; *a* heaped up, crowded; **faire salle** — to play to a full house.
combler [kɔ̃ble] *vt* to fill (up, in), make good, crowd, fill to overflowing, gratify.
combustible [kɔ̃bystibl] *a* combustible; *nm* fuel.
combustion [kɔ̃bystjɔ̃] *nf* combustion.
comédie [kɔmedi] *nf* comedy, play, drama; **jouer la** — to act a part.
comédien, -ienne [kɔmedjɛ̃, jɛn] *n* actor, actress.
comestible [kɔmɛstibl] *a* edible, eatable; *nm pl* food, provisions.
comète [kɔmɛt] *nf* comet.
comique [kɔmik] *a* comic, funny; *nm* comedy, comedian, humorist, joke.
comité [kɔmite] *nm* committee, board.
commandant [kɔmɑ̃dɑ̃] *nm* commanding officer, major (army), squadron leader.
commande [kɔmɑ̃ːd] *nf* order,

control, lèver, driving-gear; **de** — essential, forced, feigned; **sur** — made to order, bespoke.
commandement [kɔmɑ̃dmɑ̃] *nm* command, order, commandment.
commander [kɔmɑ̃de] *vt* to order, govern, be in command of, compel, control.
commanditaire [kɔmɑ̃ditɛːr] *nm* **(associé)** — sleeping partner (*in business*).
comme [kɔm] *ad* as, like, such as, in the way of, how; **c'est tout** — it amounts to the same thing; *cj* as, since.
commémorer [kɔmmemɔre] *vt* to commemorate.
commençant [kɔmɑ̃sɑ̃] *nm* beginner, learner; *a* budding, beginning, early.
commencement [kɔmɑ̃smɑ̃] *nm* beginning.
commencer [kɔmɑ̃se] *vti* to commence, begin, start.
comment [kɔmɑ̃] *ad* how? what? *excl* why! what!
commentaire [kɔmɑ̃tɛːr] *nm* commentary, comment.
commentateur, -trice [kɔmɑ̃tatœːr, tris] *n* commentator.
commenter [kɔmɑ̃te] *vti* to comment (on), annotate.
commérage [kɔmɛraːʒ] *nm* gossip, tittle-tattle.
commerçant [kɔmɛrsɑ̃] *nm* merchant, tradesman; *a* commercial, mercantile.
commerce [kɔmɛrs] *nm* commerce, trade, business, intercourse, dealings.
commercial [kɔmɛrsjal] *a* commercial, trading.
commettre [kɔmɛtr] *vt* to commit, perpetrate, entrust.
commis [kɔmi] *nm* clerk, bookkeeper, shop-assistant; — **voyageur** commercial traveller.
commissaire [kɔmisɛːr] *nm* commissioner, steward, purser, police superintendent, commissar.
commissaire-priseur [kɔmisɛrprizœːr] *nm* auctioneer.
commissariat [kɔmisarja] *nm* commissionership, police station.
commission [kɔmisjɔ̃] *nf* commission, message, errand, board, committee.
commissionnaire [kɔmisjɔnɛːr] *nm* (commission) agent, porter, messenger.
commode [kɔmɔd] *a* convenient, handy, commodious, easy-going; *nf* chest of drawers.
commodité [kɔmɔdite] *nf* convenience, comfort, commodiousness.
commotion [kɔm(m)osjɔ̃] *nf* commotion, shock, upheaval, concussion.
commun [kɔmœ̃] *a* common, usual, ordinary, vulgar; **d'un — accord** with one accord; **peu** — out-of-the-way, uncommon; *nm* common run, generality, common fund; *pl* offices, outhouses.
communauté [kɔmynote] *nf* community, commonwealth, society, religious order.
commune [kɔmyn] *nf* commune, parish.
communément [kɔmynemɑ̃] *ad* commonly.
communicatif, -ive [kɔmynikatif, iːv] *a* communicative, talkative, infectious.
communication [kɔmynikasjɔ̃] *nf* communication, connection, telephone call, message.
communion [kɔmynjɔ̃] *nf* communion.
communiqué [kɔmynike] *nm* communiqué, official statement, bulletin.
communiquer [kɔmynike] *vt* to communicate, transmit, convey, connect; *vr* to be communicated.
communisant [kɔmynizɑ̃] *n* fellow-traveller.
communisme [kɔmynism] *nm* communism.
communiste [kɔmynist] *n* communist.
commutateur [kɔmytatœːr] *nm* commutator, switch.
compagne [kɔ̃paɲ] *nf* companion, partner, wife.
compagnie [kɔ̃paɲi] *nf* company, party, firm; **de bonne, de mauvaise** — well-, ill-bred.
compagnon [kɔ̃paɲɔ̃] *nm* companion, fellow, mate.
comparable [kɔ̃parabl] *a* comparable.
comparaison [kɔ̃parɛzɔ̃] *nf* comparison, simile.
comparatif, -ive [kɔ̃paratif, iːv] *a nm* comparative.
comparé [kɔ̃pare] *a* comparative.
comparer [kɔ̃pare] *vt* to compare.
compartiment [kɔ̃partimɑ̃] *nm* compartment.
compas [kɔ̃pɑ] *nm* compass(es), scale, standard.
compassé [kɔ̃pɑse] *a* stiff, formal, set, prim.
compassion [kɔ̃pasjɔ̃] *nf* compassion, pity.
compatible [kɔ̃patibl] *a* compatible.
compatir [kɔ̃patiːr] *vi* to sympathize (with **à**), feel (for).
compatissant [kɔ̃patisɑ̃] *a* compassionate.
compatriote [kɔ̃patriɔt] *nm* compatriot.
compensation [kɔ̃pɑ̃sasjɔ̃] *nf* compensation, offset, balancing, adjustment.
compensé [kɔ̃pɑ̃se] *a* **semelles —es** wedge heels.
compenser [kɔ̃pɑ̃se] *vt* to compensate, make good, set off, balance, adjust.
compétence [kɔ̃petɑ̃ːs] *nf* jurisdic-

tion, competence, proficiency, skill.
complaisance [kɔ̃plɛzɑ̃:s] *nf* complaisance, obligingness, kindness, complacency, accommodation.
complaisant [kɔ̃plɛzɑ̃] *a* complaisant, obliging, kind, complacent.
complémentaire [kɔ̃plemɑ̃tɛ:r] *a* complementary, fuller.
complet, -ète [kɔ̃plɛ, ɛt] *a* complete, total, entire, full; *nm* suit of clothes; **au —** complete, at full strength.
compléter [kɔ̃plete] *vt* to complete, finish off.
complexe [kɔ̃plɛks] *a* complex, complicated, compound; *nm* complex.
complexion [kɔ̃plɛksjɔ̃] *nf* constitution, temperament.
complexité [kɔ̃plɛksite] *nf* complexity.
complication [kɔ̃plikasjɔ̃] *nf* complication, intricacy.
complice [kɔ̃plis] *a nm* accessory, accomplice.
complicité [kɔ̃plisite] *nf* complicity, aiding and abetting.
compliment [kɔ̃plimɑ̃] *nm* compliment; *pl* greetings, regards, congratulations.
complimenter [kɔ̃plimɑ̃te] *vt* to compliment, congratulate.
compliqué [kɔ̃plike] *a* complicated, intricate, difficult.
complot [kɔ̃plo] *nm* plot.
comploter [kɔ̃plɔte] *vt* to plot, scheme.
componction [kɔ̃pɔ̃ksjɔ̃] *nf* compunction.
comporter [kɔ̃pɔrte] *vt* to admit of, require, comprise, involve; *vr* to behave.
composé [kɔ̃poze] *a* composed, impassive, composite; *a nm* compound.
composer [kɔ̃poze] *vt* to compose, form, make up, set, arrange; *vi* to come to terms; *vr* to consist.
compositeur, -trice [kɔ̃pɔzitœ:r, tris] *n* composer, compositor.
composition [kɔ̃pɔzisjɔ̃] *nf* composing, composition, making-up, setting, essay, test, arrangement.
compote [kɔ̃pɔt] *nf* compote, stewed fruit.
compréhensible [kɔ̃preɑ̃sibl] *a* comprehensible.
compréhensif, -ive [kɔ̃preɑ̃sif, i:v] *a* comprehensive, inclusive, understanding.
compréhension [kɔ̃preɑ̃sjɔ̃] *nf* understanding.
comprendre [kɔ̃prɑ̃:dr] *vt* to include, comprise, understand, comprehend.
compression [kɔ̃prɛsjɔ̃] *nf* compression, crushing, repression.
comprimé [kɔ̃prime] *nm* tablet.
comprimer [kɔ̃prime] *vt* to compress, repress, restrain.
compris [kɔ̃pri] *a* **y —** including; **non —** exclusive of.
compromettre [kɔ̃prɔmɛtr] *vt* to compromise, implicate endanger.
compromis [kɔ̃prɔmi] *nm* compromise.
comptabilité [kɔ̃tabilite] *nf* book-keeping, accountancy accounting dept.
comptable [kɔ̃tabl] *a* accounting, book-keeping, accountable, responsible; *nm* accountant, book-keeper; **expert —** chartered accountant.
comptant [kɔ̃tɑ̃] *a* **argent —** ready money; *ad* (in) cash; **au —** cash down.
compte [kɔ̃:t] *nm* account, reckoning, calculation, count; **à bon —** cheap; **tout — fait** all things considered; **versement** à **—** payment on account; **pour mon —** for my part; **— rendu** report, review; **se rendre — de** to realize.
compte-gouttes [kɔ̃tgut] *nm* dropping-tube, dropper.
compter [kɔ̃te] *vt* to count, reckon, charge, expect; *vi* rely, reckon, depend, count.
compteur [kɔ̃tœ:r] *nm* (taxi)meter, counting-machine.
comptoir [kɔ̃twa:r] *nm* counter; **— d'escompte,** discount bank.
compulser [kɔ̃pylse] *vt* to go through, examine.
comte [kɔ̃:t] *nm* count.
comté [kɔ̃te] *nm* county.
comtesse [kɔ̃tɛs] *nf* countess.
concéder [kɔ̃sede] *vt* to concede, grant allow.
concentrer [kɔ̃sɑ̃tre] *vt* to concentrate, focus, repress; *vr* to concentrate, centre (in, on round).
concentrique [kɔ̃sɑ̃trik] *a* concentric.
conception [kɔ̃sɛpsjɔ̃] *nf* conception.
concerner [kɔ̃sɛrne] *vt* to concern, affect.
concert [kɔ̃sɛ:r] *nm* concert, agreement.
concerter [kɔ̃sɛrte] *vt* to concert, plan; *vr* to act in concert.
concession [kɔ̃sɛsjɔ̃] *nf* concession, grant, compound.
concessionnaire [kɔ̃sɛsjɔnɛ:r] *nm* concessionary, grantee, licence-holder.
concevable [kɔ̃s(ə)vabl] *a* conceivable.
concevoir [kɔ̃səvwa:r] *vt* to conceive, imagine, understand, word.
concierge [kɔ̃sjɛrʒ] *n* hall porter, doorkeeper, caretaker.
concilier [kɔ̃silje] *vt* to conciliate, reconcile, win over.
concis [kɔ̃si] *a* concise, terse, brief, crisp.
concision [kɔ̃sizjɔ̃] *nf* concision terseness.
concluant [kɔ̃klyɑ̃] *a* conclusive, decisive.
conclure [kɔ̃kly:r] *vt* to conclude, end clinch infer.

conclusion [kɔ̃klyzjɔ̃] *nf* conclusion, end, settlement, inference, decision.
concombre [kɔ̃kɔ̃:br] *nm* cucumber.
concorde [kɔ̃kɔrd] *nf* concord.
concourir [kɔ̃kuri:r] *vi* to coincide, combine, compete.
concours [kɔ̃ku:r] *nm* concourse, concurrence, coincidence, co-operation, assistance, competition, contest, show.
concret, -ète [kɔ̃krɛ, -ɛt] *a nm* concrete.
concurrence [kɔ̃kyrɑ̃:s] *nf* concurrence, competition.
concurrent [kɔ̃kyrɑ̃] *a* competitive, rival; *nm* competitor, rival, candidate.
condamnable [kɔ̃danabl] *a* blameworthy
condamnation [kɔ̃danasjɔ̃] *nf* condemnation judgment, sentence, censure.
condamné [kɔ̃dane] *n* convict, condemned person.
condamner [kɔ̃dane] *vt* to condemn, sentence, convict, censure, block up.
condensateur [kɔ̃dɑ̃satœ:r] *nm* condenser.
condensation [kɔ̃dɑ̃sasjɔ̃] *nf* condensation.
condenser [kɔ̃dɑ̃se] *vt* to condense.
condenseur [kɔ̃dɑ̃sœ:r] *nm* condenser.
condescendance [kɔ̃dɛsɑ̃dɑ̃:s] *nf* condescension.
condescendre [kɔ̃dɛsɑ̃:dr] *vt* to condescend.
condition [kɔ̃disjɔ̃] *nf* condition, state, position, rank; *pl* conditions, circumstances, terms; **à —** on approval; **à — que** on condition that; **être en —** to be in domestic service.
conditionnel, -elle [kɔ̃disjɔnɛl, ɛl] *a nm* conditional.
conditionner [kɔ̃disjɔne] *vt* to condition.
condoléance [kɔ̃dɔleɑ̃:s] *nf* condolence; *pl* sympathy.
conducteur, -trice [kɔ̃dyktœ:r, tris] *a* conducting, guiding; *n* leader, guide, driver; *nm* conductor, main.
conduire [kɔ̃dɥi:r] *vt* to conduct, lead, guide, conduce (to), drive, convey, manage; *vr* to behave, conduct oneself.
conduit [kɔ̃dɥi] *nm* passage, pipe, conduit, duct.
conduite [kɔ̃dɥit] *nf* behaviour, driving, pipe, management, conducting, leading.
cône [ko:n] *nm* cone.
confection [kɔ̃fɛksjɔ̃] *nf* confection, putting together, manufacture, making up, ready-made clothes.
confectionner [kɔ̃fɛksjɔne] *vt* to make up, manufacture.
confectionneur, -euse [kɔ̃fɛksjɔnœ:r, ø:z] *n* ready-made outfitter, clothier.
confédération [kɔ̃federasjɔ̃] *nf* federation, confederacy.
confédérer [kɔ̃federe] *vtr* to confederate, unite.
conférence [kɔ̃ferɑ̃:s] *nf* conference, lecture.
conférencier, -ière [kɔ̃ferɑ̃sje, jɛ:r] *n* lecturer.
conférer [kɔ̃fere] *vt* to confer, award, bestow, compare; *vi* to confer (with **avec**).
confesser [kɔ̃fɛse] *vt* to confess, own; *vr* to confess.
confesseur [kɔ̃fɛsœ:r] *nm* confessor.
confession [kɔ̃fɛsjɔ̃] *nf* confession, religion, denomination.
confessional [kɔ̃fɛsjɔnal] *nm* confessional(box).
confiance [kɔ̃fjɑ̃:s] *nf* confidence, trust, reliance; **de —** on trust, reliable.
confiant [kɔ̃fjɑ̃] *a* confiding (self-) confident, assured.
confidence [kɔ̃fidɑ̃:s] *nf* confidence, secret; **en — in** confidence, confidentially.
confidentiel, -elle [kɔ̃fidɑ̃sjɛl, ɛl] *a* confidential.
confier [kɔ̃fje] *vt* to confide, disclose, entrust, commit; *vr* to rely (on **à**), take into one's confidence.
confiner [kɔ̃fine] *vt* to confine, shut up; *vi* to be contiguous border upon.
confins [kɔ̃fɛ̃] *nm pl* confines, borders.
confirmatif, -ive [kɔ̃firmatif, i:v] *a* confirmative, corroborative.
confirmation [kɔ̃firmasjɔ̃] *nf* confirmation, corroboration.
confirmer [kɔ̃firme] *vt* to confirm, corroborate.
confiscation [kɔ̃fiskasjɔ̃] *nf* confiscation.
confiserie [kɔ̃fizri] *nf* confectionery, confectioner's shop.
confiseur, -euse [kɔ̃fizœ:r, ø:z] *n* confectioner.
confisquer [kɔ̃fiske] *vt* to confiscate.
confit [kɔ̃fi] *a* preserved, steeped in; **un air —** sanctimonious air; *nm pl* confections, comfits, sweets.
confiture [kɔ̃fity:r] *nf* preserves, jam; **— d'orange** marmalade.
conflagration [kɔ̃flagrasjɔ̃] *nf* conflagration, blaze, fire.
conflit [kɔ̃fli] *nm* conflict, clash, strife; **être en —** to conflict, clash.
confluent [kɔ̃flyɑ̃] *nm* confluence, junction, meeting.
confondre [kɔ̃fɔ̃:dr] *vt* to confound, mingle blend, mistake, disconcert, put to confusion; *vr* to blend, intermingle, be identical; **se — en excuses** to apologize profusely.
confondu [kɔ̃fɔ̃dy] *a* overwhelmed, disconcerted.
conforme [kɔ̃fɔrm] *a* conformable, according (to **à**), in keeping (with **à**).
conformément [kɔ̃fɔrmemɑ̃] *ad*

according (to à), in keeping (with à).
conformer [kɔ̃fɔrme] *vt* to form, conform; *vr* to conform (to), comply (with à).
conformité [kɔ̃fɔrmite] *nf* conformity, agreement.
confort [kɔ̃fɔːr] *nm* comfort.
confortable [kɔ̃fɔrtabl] *a* comfortable.
confrère [kɔ̃frɛːr] *nm* colleague, fellow-member, brother.
confrérie [kɔ̃freri] *nf* brotherhood, confraternity.
confrontation [kɔ̃frɔ̃tasjɔ̃] *nf* confrontation, comparison.
confronter [kɔ̃frɔ̃te] *vt* to confront, compare.
confus [kɔ̃fy] *a* confused, jumbled, indistinct, embarrassed, abashed, ashamed.
confusion [kɔ̃fyzjɔ̃] *nf* confusion, welter, mistake, embarrassment.
congé [kɔ̃ʒe] *nm* leave, holiday, furlough, dismissal, discharge, notice to quit.
congédier [kɔ̃ʒedje] *vt* to dismiss, discharge.
congélation [kɔ̃ʒɛlasjɔ̃] *nf* congelation, freezing.
congeler [kɔ̃ʒle] *vtr* to congeal, freeze (up).
congénital [kɔ̃ʒenital] *a* congenital.
congestion [kɔ̃ʒɛstjɔ̃] *nf* congestion; — **cérébrale** stroke; — **pulmonaire** pneumonia.
congestionné [kɔ̃ʒɛstjɔne] *a* congested, apoplectic, red in the face.
congestionner [kɔ̃ʒɛstjɔne] *vt* to congest; *vr* to become congested.
congrégation [kɔ̃grɛgasjɔ̃] *nf* congregation.
congrès [kɔ̃grɛ] *nm* congress.
conique [kɔnik] *a* conic(al), cone-shaped, tapering.
conjecture [kɔ̃ʒɛktyːr] *nf* conjecture, surmise, guess.
conjecturer [kɔ̃ʒɛktyre] *vt* to conjecture, surmise.
conjoint [kɔ̃ʒwɛ̃] *a* conjoined, united, married; *nm pl* husband and wife.
conjonction [kɔ̃ʒɔ̃ksjɔ̃] *nf* union, conjunction.
conjoncture [kɔ̃ʒɔ̃ktyːr] *nf* conjuncture.
conjugaison [kɔ̃ʒygɛzɔ̃] *nf* conjugation.
conjugal [kɔ̃ʒygal] *a* conjugal, married, wedded.
conjugué [kɔ̃ʒyge] *a* conjugated, interconnected, coupled, twin.
conjuration [kɔ̃ʒyrasjɔ̃] *nf* plot, conspiracy; incantation.
conjuré [kɔ̃ʒyre] *nm* conspirator.
connaissance [kɔnɛsɑ̃ːs] *nf* knowledge understanding, acquaintance, consciousness, senses; *pl* learning, attainments; **en pays de** — on familiar ground, among familiar faces; **sans** — unconscious, insensible.
connaisseur, -euse [kɔnɛsœːr, øːz] *n* expert, connoisseur, judge.
connaître [kɔnɛːtr] *vt* to know, be acquainted with, take cognizance, distinguish, have a thorough knowledge of; *vr* to be a good judge (of **en**), know all (about **en**).
connexe [kɔn(n)ɛks] *a* connected, allied, like.
connexion [kon(n)ɛksjɔ̃] *nf* connection, connector.
connivence [kɔnivɑ̃ːs] *nf* connivance, collusion.
conquérant [kɔ̃kɛrɑ̃] *a* conquering; *n* conqueror.
conquérir [kɔ̃keriːr] *vt* to conquer.
conquête [kɔ̃kɛːt] *nf* conquest.
consacré [kɔ̃sakre] *a* consecrated, hallowed, established, time-honoured, accepted, stock.
consacrer [kɔ̃sakre] *vt* to devote, ordain, consecrate.
conscience [kɔ̃sjɑ̃ːs] *nf* conscience, consciousness.
consciencieux, -euse [kɔ̃sjɑ̃sjø, jøːz] *a* conscientious.
conscient [kɔ̃sjɑ̃] *a* conscious, aware, sentient.
conscription [kɔ̃skripsjɔ̃] *nf* conscription.
conscrit [kɔ̃skri] *nm* conscript.
consécration [kɔ̃sɛkrasjɔ̃] *nf* consecration, dedication.
consécutif, -ive [kɔ̃sɛkytif, iːv] *a* consecutive.
conseil [kɔ̃sɛːj] *nm* advice, decision, council, counsel, board, court; — **des ministres** cabinet; — **de guerre** council of war, court martial.
conseiller, -ère [kɔ̃sɛje, ɛːr] *n* adviser, councillor, judge.
conseiller [kɔ̃sɛje] *vt* to advise, counsel.
consentement [kɔ̃sɑ̃tmɑ̃] *nm* consent, assent.
consentir [kɔ̃sɑ̃tiːr] *vi* to consent, agree.
conséquemment [kɔ̃sekamɑ̃] *ad* consequently.
conséquence [kɔ̃sekɑ̃ːs] *nf* consequence, outcome, sequel, inference, importance.
conséquent [kɔ̃sekɑ̃] *a* consistent, following, important; **par** — accordingly.
conservateur, -trice [kɔ̃sɛrvatœːr, tris] *a* preserving, conservative; *n* keeper, guardian, curator, conservative.
conservation [kɔ̃sɛrvasjɔ̃] *nf* preservation, keeping, care.
conservatoire [kɔ̃sɛrvatwaːr] *nm* school, academy (of music).
conserve [kɔ̃sɛrv] *nf* preserved food, tinned food; *pl* dark spectacles; — **au vinaigre** pickles; **de** — together.
conserver [kɔ̃sɛrve] *vt* to preserve, keep.
considérable [kɔ̃siderabl] *a* con-

siderable, large, eminent, important.
considération [kɔ̃siderasjɔ̃] *nf* consideration, regard, respect.
considérer [kɔ̃sidere] *vt* to consider, contemplate, regard, respect, esteem.
consigne [kɔ̃siɲ] *nf* order(s), duty, countersign, detention, cloakroom, left-luggage office, (*US*) checkroom.
consigner [kɔ̃siɲe] *vt* to deposit, consign, confine to barracks, keep in, put out of bounds, hold up.
consistance [kɔ̃sistɑ̃ːs] *nf* consistence, consistency, firmness, standing.
consistant [kɔ̃sistɑ̃] *a* firm, set, solid.
consister [kɔ̃siste] *vi* to consist, be composed (of **en**).
consolateur, -trice [kɔ̃solatœːr, tris] *a* consoling; *n* consoler, comforter.
consolation [kɔ̃sɔlasjɔ̃] *nf* consolation, comfort.
console [kɔ̃sɔl] *nf* bracket, console (table).
consoler [kɔ̃sɔle] *vt* to console, solace, comfort, cheer.
consolider [kɔ̃sɔlide] *vt* to consolidate, fund (debt).
consommateur, -trice [kɔ̃sɔmatœːr, tris] *n* consumer, customer.
consommation [kɔ̃sɔmasjɔ̃] *nf* consummation, consumption, drink.
consommé [kɔ̃sɔme] *a* consummate; *nm* stock, clear soup.
consommer [kɔ̃sɔme] *vt* to consummate, consume.
consomption [kɔ̃sɔ̃psjɔ̃] *nf* consuming, consumption.
consonne [kɔ̃sɔn] *nf* consonant.
conspirateur, -trice [kɔ̃spiratœːr, tris] *n* conspirer, conspirator, plotter.
conspiration [kɔ̃spirasjɔ̃] *nf* conspiracy, plot.
conspirer [kɔ̃spire] *vti* to conspire, plot.
conspuer [kɔ̃spɥe] *vt* to decry, boo, hoot, barrack.
constamment [kɔ̃stamɑ̃] *ad* constantly.
constance [kɔ̃stɑ̃ːs] *nf* constancy, steadfastness, perseverance, stability.
constant [kɔ̃stɑ̃] *a* constant, steadfast, firm.
constatation [kɔ̃statasjɔ̃] *nf* ascertainment, verification, record, statement.
constater [kɔ̃state] *vt* to establish, ascertain, state, record.
constellation [kɔ̃stɛllasjɔ̃] *nf* constellation, galaxy.
consternation [kɔ̃stɛrnasjɔ̃] *nf* consternation, dismay.
consterner [kɔ̃stɛrne] *vt* to dismay, stagger.
constipation [kɔ̃stipasjɔ̃] *nf* constipation.
constipé [kɔ̃stipe] *a* constipated, costive.
constituer [kɔ̃stitɥe] *vt* to constitute, form, set up, incorporate, settle (on); **se — prisonnier** to give oneself up.
constitution [kɔ̃stitysjɔ̃] *nf* constitution, composition, settlement.
constitutionnel, -elle [kɔ̃stitysjɔnɛl, ɛl] *a* constitutional.
constructeur [kɔ̃stryktœːr] *nm* constructor, builder, maker.
construction [kɔ̃stryksjɔ̃] *nf* construction, making, building, structure.
construire [kɔ̃strɥiːr] *vt* to construct. build, make.
consul [kɔ̃syl] *nm* consul.
consulaire [kɔ̃sylɛːr] *a* consular.
consulat [kɔ̃syla] *nm* consulate.
consultant [kɔ̃syltɑ̃] *a* consulting; *nm* consultant.
consultation [kɔ̃syltasjɔ̃] *nf* consultation, opinion, advice; **cabinet de —** consulting-room, surgery.
consulter [kɔ̃sylte] *vt* to consult.
consumer [kɔ̃syme] *vt* to consume, destroy, wear away, use up; *vr* to waste away, burn away.
contact [kɔ̃takt] *nm* contact, touch, connection, switch.
contagieux, -euse [kɔ̃taʒjø, jøːz] *a* contagious, infectious, catching.
contagion [kɔ̃taʒjɔ̃] *nf* contagion, contagiousness.
contamination [kɔ̃taminasjɔ̃] *n*, contamination, infection.
contaminer [kɔ̃tamine] *vt* to contaminate, infect.
conte [kɔ̃ːt] *nm* story, tale, yarn, short story; **— bleu** fairy tale; **— à dormir debout** cock-and-bull story.
contemplation [kɔ̃tɑ̃plasjɔ̃] *nf* contemplation, meditation, gazing.
contempler [kɔ̃tɑ̃ple] *vt* to contemplate, meditate upon, gaze at, upon.
contemporain [kɔ̃tɑ̃pɔrɛ̃] *n* contemporary; *a* contemporaneous.
contenance [kɔ̃tnɑ̃ːs] *nf* capacity, content, countenance, bearing.
contenir [kɔ̃tniːr] *vt* to contain, hold, restrain; *vr* to contain oneself, keep one's temper.
content [kɔ̃tɑ̃] *a* content, satisfied, pleased, glad; *nm* **manger tout son—** to eat one's fill.
contentement [kɔ̃tɑ̃tmɑ̃] *nm* satisfaction.
contenter [kɔ̃tɑ̃te] *vt* to content, satisfy, gratify; *vr* to be satisfied (with **de**).
contenu [kɔ̃tny] *a* restrained, reserved; *nm* contents.
conter [kɔ̃te] *vt* to tell.
contestable [kɔ̃testabl] *a* questionable, debatable.
contestation [kɔ̃tɛstasjɔ̃] *nf* contestation, dispute.
conteste [kɔ̃tɛst] *nf* **sans —** unquestionably.
contester [kɔ̃tɛste] *vt* to contest, dispute, challenge.

conteur, -euse [kɔ̃tœːr, øːz] *n* narrator, story-teller.
contexte [kɔ̃tɛkst] *nm* context.
contigu, -uë [kɔ̃tigy] *a* contiguous, adjoining.
continent [kɔ̃tinɑ̃] *a* continent, chaste; *nm* continent, mainland.
contingent [kɔ̃tɛ̃ʒɑ̃] *a* contingent; *nm* contingent, quota, share.
continu [kɔ̃tiny] *a* continuous, sustained.
continuation [kɔ̃tinɥasjɔ̃] *nf* continuation.
continuel, -elle [kɔ̃tinɥɛl, ɛl] *a* continual.
continuer [kɔ̃tinɥe] *vt* to continue, proceed with, go on with; *vi* to carry on, continue, go on.
continuité [kɔ̃tinɥite] *nf* continuity.
contour [kɔ̃tuːr] *nm* outline, contour.
contournement [kɔ̃turnəmɑ̃] *nm* **route de —** by-pass.
contourner [kɔ̃turne] *vt* to shape, get round, by-pass, twist, distort.
contracter [kɔ̃trakte] *vt* to contract, incur, draw together; *vr* to shrink, contract.
contraction [kɔ̃traksjɔ̃] *nf* contraction, shrinking.
contradiction [kɔ̃tradiksjɔ̃] *nf* contradiction, discrepancy, inconsistency.
contradictoire [kɔ̃tradiktwaːr] *a* contradictory.
contraindre [kɔ̃trɛ̃ːdr] *vt* to constrain, compel, force, restrain.
contraint [kɔ̃trɛ̃] *a* constrained, cramped, forced.
contrainte [kɔ̃trɛ̃ːt] *nf* constraint, compulsion, restraint.
contraire [kɔ̃trɛːr] *a* contrary, opposite, opposed, adverse, bad; **jusqu'à avis —** until further notice; *nm* contrary, opposite.
contrarier [kɔ̃trarje] *vt* to thwart, oppose, annoy, vex, provoke, interfere with.
contrariété [kɔ̃trarjete] *nf* contrariety, annoyance, nuisance.
contraste [kɔ̃trast] *nm* contrast.
contraster [kɔ̃traste] *vti* to contrast.
contrat [kɔ̃tra] *nm* contract, agreement, deed, policy.
contravention [kɔ̃travɑ̃sjɔ̃] *nf* contravention, breach, infringement, offence; **dresser une — à** to take the name and address of, prosecute.
contre [kɔ̃ːtr] *prep* against, contrary to, for, to, versus; *ad* against, hard by; **le pour et le —** pros and cons.
contre-amiral [kɔ̃tramiral] *nm* rear-admiral.
contre-attaque [kɔ̃tratak] *nf* counter-attack.
contre-avion(s) [kɔ̃travjɔ̃] *a* anti-aircraft.
contre-avis [kɔ̃travi] *nm* contrary opinion.
contre-balancer [kɔ̃trəbalɑ̃se] *vt* to counterbalance offset.
contrebande [kɔ̃trəbɑ̃ːd] *nf* contraband, smuggling.
contrebandier [kɔ̃trəbɑ̃dje] *nm* smuggler.
contrecarrer [kɔ̃trəkare] *vt* to thwart, cross.
contrecœur [kɔ̃trəkœːr] *ad* **à —** reluctantly.
contre-coup [kɔ̃trəku] *nm* rebound, recoil, reaction, repercussion.
contredire [kɔ̃trədiːr] *vt* to contradict, gainsay; *vr* to contradict oneself, be inconsistent.
contredit [kɔ̃trədi] *ad* **sans —** unquestionably.
contrée [kɔ̃tre] *nf* region, district, country.
contre-espionnage [kɔ̃trɛspjɔnaːʒ] *nm* counter-espionage.
contrefaçon [kɔ̃trəfasɔ̃] *nf* counterfeit, forgery.
contrefaire [kɔ̃trəfɛːr] *vt* to imitate, feign, forge.
contrefait [kɔ̃trəfɛ] *a* disguised, feigned, sham, counterfeit, forged.
contrefort [kɔ̃trəfɔːr] *nm* buttress, spur.
contre-jour [kɔ̃trəʒuːr] *nm* unfavourable light; **à —** against the light, in one's own light.
contremaître, -tresse [kɔ̃trəmɛːtr, trɛs] *n* foreman, -woman, overseer.
contremander [kɔ̃trəmɑ̃de] *vt* to countermand, cancel, call off.
contre-ordre [kɔ̃trɔrdr] *nm* counter-order, countermand; **sauf —** unless we hear to the contrary.
contre-partie [kɔ̃trəparti] *nf* opposite view, other side, counterpart, contra.
contre-pied [kɔ̃trəpje] *nm* opposite, contrary view.
contrepoids [kɔ̃trəpwɑ] *nm* counterweight, counterbalance, counterpoise.
contre-poil [kɔ̃trəpwal] *ad* **à —** the wrong way.
contrer [kɔ̃tre] *vt* to counter; *vi* to double.
contre-sens [kɔ̃trəsɑ̃ːs] *nm* misconstruction, mistranslation, wrong way; **à —** in the wrong direction.
contresigner [kɔ̃trəsiɲe] *vt* to countersign.
contretemps [kɔ̃trətɑ̃] *nm* mishap, hitch, inconvenience; **à —** inopportunely.
contre-torpilleur [kɔ̃trətɔrpijœːr] *nm* destroyer.
contrevent [kɔ̃trəvɑ̃] *nm* outside shutter.
contre-voie [kɔ̃trəvwa] *ad* **à —** in the wrong direction, on the wrong side.
contribuable [kɔ̃tribɥabl] *a* tax-paying; *nm* taxpayer.
contribuer [kɔ̃tribɥe] *vi* to contribute.
contribution [kɔ̃tribysjɔ̃] *nf* contribution, share, tax, rate.

contrit [kɔ̃tri] *a* contrite, penitent.
contrition [kɔ̃trisjɔ̃] *nf* contrition, penitence.
contrôle [kɔ̃tro:l] *nm* checking, inspection, roll, roster, hallmark, ticket office.
contrôler [kɔ̃trole] *vt* inspect, control, verify.
contrôleur, -euse [kɔ̃trolœ:r, ø:z] *n* inspector, inspectress, assessor, controller, ticket-collector, time-keeper.
controuvé [kɔ̃truve] *a* fabricated, invented.
controverse [kɔ̃trɔvɛrs] *nf* controversy, dispute.
contumace [kɔ̃tymas] *nf* contumacy.
contusion [kɔ̃tyzjɔ̃] *nf* bruise.
contusionner [kɔ̃tyzjone] *vt* to contuse, bruise.
conurbation [kɔ̃nyrbasjɔ̃] *nf* conurbation.
convaincre [kɔ̃vɛ̃:kr] *vt* to convince, convict.
convalescence [kɔ̃valɛssɑ̃:s] *nf* convalescence.
convalescent [kɔ̃valɛssɑ̃] *an* convalescent.
convenable [kɔ̃vnabl] *a* suitable, proper, fit(ting), decent, decorous, well-behaved.
convenance [kɔ̃vnɑ̃:s] *nf* agreement, suitability, convenience, propriety, decorum; *pl* convention.
convenir [kɔ̃vni:r] *vi* to suit, fit, agree, own, admit, be advisable, befitting.
convention [kɔ̃vɑ̃sjɔ̃] *nf* covenant, agreement, convention.
conventionnel, -elle [kɔ̃vɑ̃sjɔnɛl, ɛl] *a* conventional.
convenu [kɔ̃vny] *a* agreed, stipulated, settled.
conversation [kɔ̃vɛrsasjɔ̃] *nf* conversation, talk.
converser [kɔ̃vɛrse] *vi* to converse, talk.
conversion [kɔ̃vɛrsjɔ̃] *nf* conversion, change.
converti [kɔ̃vɛrti] *n* convert.
convertir [kɔ̃vɛrti:r] *vt* to convert, change, win over; *vr* to become converted, turn.
convertisseur [kɔ̃vertisœ:r] *nm* converter, transformer.
convexe [kɔ̃vɛks] *a* convex.
conviction [kɔ̃viksjɔ̃] *nf* conviction.
convier [kɔ̃vje] *vt* to invite, urge.
convive [kɔ̃vi:v] *n* table-companion, guest.
convocation [kɔ̃vɔkasjɔ̃] *nf* convocation, summons, convening, calling-up.
convoi [kɔ̃vwa] *nm* convoy, column, procession.
convoiter [kɔ̃vwate] *vt* to covet, desire.
convoitise [kɔ̃vwati:z] *nf* covetousness, desire, lust.
convoquer [kɔ̃vɔke] *vt* to convoke, summon, convene, call up.
convulsif, -ive [kɔ̃vylsif, i:v] *a* convulsive.
convulsion [kɔ̃vylsjɔ̃] *nf* convulsion, upheaval.
coopérative [koɔperati:v] *nf* co-operative stores.
coopérer [koɔpere] *vi* to co-operate.
coordination [koɔrdinasjɔ̃] *nf* co-ordination.
coordonner [koɔrdɔne] *vt* to co-ordinate, arrange.
copain [kɔpɛ̃] *nm* chum, pal.
copeau [kɔpo] *nm* shaving, chip.
copie [kɔpi] *nf* copy, (examination-) paper, reproduction, imitation.
copier [kɔpje] *vt* to copy, reproduce, imitate.
copieux, -euse [kɔpjø, jø:z] *a* copious, full, hearty.
copiste [kɔpist] *nm* transcriber, imitator.
coq [kɔk] *nm* cock, weathercock, ship's cook; **poids —** bantam weight; **vivre comme un — en pâte** to live like a fighting cock.
coq-à-l'âne [kɔkalɑ:n] *nm* cock-and-bull story.
coque [kɔk] *nf* shell, husk, hull, bottom, loop; **œuf à la —** boiled egg.
coquelicot [kɔkliko] *nm* poppy.
coqueluche [kɔklyʃ] *nf* whooping-cough; darling.
coquerico [kɔkriko] *nm* cock-a-doodle-doo.
coquet, -ette [kɔkɛ, ɛt] *a* coquettish, smart, stylish, trim, interested in dress.
coquetier [kɔktje] *nm* egg-cup, egg merchant.
coquette [kɔkɛt] *nf* flirt.
coquetterie [kɔkɛtri] *nf* coquetry, affectation, love of finery, smartness.
coquillage [kɔ̃kija:ʒ] *nm* shellfish, shell.
coquille [kɔ̃ki:j] *nf* shell, case; misprint, printer's error.
coquin, -e [kɔkɛ̃, in] *nm* rogue, rascal, scamp; *nf* hussy, minx.
cor [kɔ:r] *nm* horn, (*of stag*) tine, corn; **réclamer à — et à cri** to clamour for.
corail [kɔra:j] *nm* coral.
coran [kɔrɑ̃] *nm* Koran.
corbeau [kɔrbo] *nm* crow, raven; corbel, bracket.
corbeille [kɔrbɛ:j] *nf* basket, round flowerbed; **— de noces** bridegroom's wedding present(s) to bride.
corbillard [kɔrbija:r] *nm* hearse.
cordage [kɔrda:ʒ] *nm* rope, cordage.
corde [kɔrd] *nf* rope, cord, line, string, wire, thread.
cordeau [kɔrdo] *nm* tracing-line, string, fuse.
cordelière [kɔrdəljɛr] *nf* girdle, cord.
corder [kɔrde] *vt* to twist, cord, rope, string.
cordial [kɔrdjal] *a* hearty, cordial; *nm* cordial.

cordialité [kɔrdjalite] *nf* cordiality, heartiness.
cordon [kɔrdɔ̃] *nm* cordon, row, cord, ribbon, rope, string.
cordonnerie [kɔrdonri] *nf* shoemaking, boot and shoe trade, shoemaker's shop.
cordonnier [kɔrdɔnje] *nm* shoemaker, bootmaker.
coriace [kɔrjas] *a* tough, leathery; hard, grasping.
corne [kɔrn] *nf* (*animal*) horn; **coup de** — butt, gore; — **du sabot** horse hoof; — **d'un livre** (*book*) dog's ear; — **à souliers** shoehorn; — **de brume** foghorn.
cornée [kɔrne] *nf* cornea.
corneille [kɔrnɛːj] *nf* crow, rook.
cornemuse [kɔrnəmyːz] *nf* bagpipes.
corner [kɔrne] *vt* to trumpet, din, dog's ear, turn down; *vi* to sound the horn, ring.
cornet [kɔrnɛ] *nm* horn, trumpet, cornet; — **à dés** dice-box.
corniche [kɔrniʃ] *nf* cornice, ledge.
cornichon [kɔrniʃɔ̃] *nm* gherkin, simpleton.
cornu [kɔrny] *a* horned.
cornue [kɔrny] *nf* retort.
corollaire [kɔrollɛːr] *nm* corollary.
corporation [kɔrpɔrasjɔ̃] *nf* corporation, guild.
corporel, -elle [kɔrpɔrɛl, ɛl] *a* corporeal, corporal, bodily.
corps [kɔːr] *nm* body, substance, corpse, corps, frame, main part; — **à** — hand to hand, clinch; **prendre**— to take shape; **perdu** — **et biens** lost with all hands; **à** — **perdu** recklessly.
corpulence [kɔrpylɑ̃ːs] *nf* stoutness, corpulence.
corpulent [kɔrpylɑ̃] *a* stout, corpulent, fat.
corpuscule [kɔrpyskyl] *nm* corpuscle.
correct [kɔr(r)ɛkt] *a* correct, proper, accurate, polite, well-behaved.
correcteur, -trice [kɔr(r)ɛktœːr, tris] *n* corrector, proof-reader.
correction [kɔr(r)ɛksjɔ̃] *nf* correcting, proof-reading, correctness, accuracy, propriety, punishment.
correctionnel, -elle [kɔr(r)ɛksjɔnɛl, ɛl] *a* **tribunal de police** —**le** police court; **délit** — minor offence.
correspondance [kɔrɛspɔ̃dɑ̃ːs] *nf* correspondence, letters, communication, connection, intercourse.
correspondant [kɔrɛspɔ̃dɑ̃] *a* corresponding, connecting; *nm* correspondent, friend acting for parent.
correspondre [kɔrɛspɔ̃ːdr] *vi* to correspond, tally, agree, comunicate.
corridor [kɔridɔːr] *nm* corridor, passage.
corrigé [kɔriʒe] *nm* fair copy, correct version.
corriger [kɔriʒe] *vt* to correct, rectify, (*proofs*) read, cure, chastize.
corroboration [kɔrrɔbɔrasjɔ̃] *nf* corroboration, confirmation.
corroborer [kɔrrɔbɔre] *vt* to corroborate.
corroder [kɔrrɔde] *vt* to corrode, eat away.
corrompre [kɔr(r)ɔ̃ːpr] *vt* to corrupt, spoil, bribe, taint.
corrompu [kɔr(r)ɔ̃py] *a* corrupt, depraved, tainted.
corrosif, -ive [kɔrrozif, iːv] *a nm* corrosive.
corrosion [kɔrrozjɔ̃] *nf* corrosion.
corroyer [kɔrwaje] *vt* to curry, weld, trim, puddle.
corrupteur, -trice [kɔr(r)yptœːr, tris] *a* corrupt(ing); *n* corrupter.
corruptible [kɔr(r)yptibl] *a* corruptible, bribable.
corruption [kɔr(r)ypsjɔ̃] *nf* corruption, bribery, bribing.
corsage [kɔrsaːʒ] *nm* bodice, blouse.
Corse [kɔrs] *nf* Corsica.
corse [kɔrs] *an* Corsican.
corsé [kɔrse] *a* full-bodied, strong, broad, meaty.
corser [kɔrse] *vt* to give body to, fortify, intensify; *vr* to get serious, thicken.
corset [kɔrsɛ] *nm* corset; — **de sauvetage** life-jacket.
corsetier, -ière [kɔrsətje, jɛːr] *n* corset-maker.
cortège [kɔrtɛːʒ] *nm* procession, train, retinue.
corvée [kɔrve] *nf* fatigue duty, task, (piece of) drudgery.
cosmétique [kɔsmetik] *a nm* cosmetic.
cosmopolite [kɔsmɔpolit] *an* cosmopolitan.
cosse [kɔs] *nf* pod, husk.
cossu [kɔsy] *a* wealthy.
costaud [kɔsto] *a nm* strong, burly, brawny (man).
costume [kɔstym] *nm* costume, dress, suit.
costumé [kɔstyme] *a* **bal** — fancy-dress ball.
cote [kɔt] *nf* share, proportion, assessment, mark, number, classification, quotation, list of prices, odds.
côte [koːt] *nf* rib, hill, slope, coast, shore; — **à** — side by side.
côté [kote] *nm* side, way, direction, aspect, broadside, beam-ends; **à** — near, to one side; **à** — **de** beside, by the side of, next to; **de** — on one side, sideways, aside, by; **de mon** — for my part.
coteau [kɔto] *nm* hill, hillside, slope.
côtelé [kotle] *a* ribbed, corded, corduroy (velvet).
côtelette [kotlɛt] *nf* cutlet, chop.
coter [kɔte] *vt* to assess, quote, classify, number, award marks for, back.

coterie [kɔtri] *nf* set, clique, circle.
côtier, -ière [kotje, jɛːr] *a* coast, coastal, inshore; *nm* coaster.
cotisation [kɔtizasjɔ̃] *nf* share, contribution, subscription, fee.
se cotiser [səkɔtize] *vr* to club together, get up a subscription.
coton [kɔtɔ̃] *nm* cotton; **filer un mauvais** — to be in a poor way, go to the dogs.
cotonnerie [kɔtɔnri] *nf* cotton plantation.
cotonnier [kɔtɔnje] *nm* cotton plant.
côtoyer [kotwaje] *vt* to keep close to, hug, run along, skirt.
cou [ku] *nm* neck.
couardise [kwardiːz] *nf* cowardice, cowardliness.
couchage [kuʃaːʒ] *nm* bedding, bedclothes; **sac de** — sleeping-bag.
couchant [kuʃɑ̃] *a* setting; *nm* west, setting sun; **chien** — setter.
couche [kuʃ] *nf* bed, couch, layer, stratum, coat(ing), baby's napkin; *pl* confinement.
couché [kuʃe] *a* lying, recumbent, in bed.
coucher [kuʃe] *vt* to put to bed, lay down, set down; — **en joue** to aim (at); *vi* to sleep, spend the night; *vr* to go to bed, lie down, set, go down; *nm* night's lodging, setting.
couchette [kuʃɛt] *nf* crib, cot, berth, bunk, sleeper.
coucou [kuku] *nm* cuckoo.
coude [kud] *nm* elbow, bend, crank; **jouer des** —**s** to elbow one's way.
coudée [kude] *nf pl* elbow room, scope.
cou-de-pied [kudpje] *nm* instep.
coudoyer [kudwaje] *vt* to elbow, jostle, rub shoulders with.
coudre [kudr] *vt* to sew (up), stitch (on).
coudrier [kudrie] *nm* hazel tree.
couenne [kwan] *nf* thick skin, rind, membrane.
coulage [kulaːʒ] *nm* pouring, casting, running, sinking.
coulant [kulɑ̃] *a* running, flowing, easy, accommodating; **nœud** — slip-knot, noose.
coulé [kule] *a* cast, sunk, done for; *nm* slide, slur.
coulée [kule] *nf* running, flow, streak, casting.
couler [kule] *vt* to run, pour, cast, sink, slip, slur; *vi* to flow, run, leak, sink, slip, slur; *vr* to slip, glide, slide; **se la — douce** to take it easy, sit back.
couleur [kulœːr] *nf* colour, complexion, colouring, paint, suit, flag.
couleuvre [kulœːvr] *nf* grass snake; **avaler une** — to pocket an insult.
coulisse [kulis] *nf* groove, slot, slide, unofficial stock-market; *pl* wings, slips; **à** — sliding; **en** — sidelong.
couloir [kulwaːr] *nm* corridor, passage, lobby, channel, gully, lane.
coup [ku] *nm* blow, stroke, knock, hit, attempt, deed, attack, poke, stab, shot, blast, gust, move, ring, peal, influence, threat; **manquer son** — to miss the mark; — **de froid** cold snap, chill; **boire à petits** —**s** to sip; — **d'envoi** kick-off; **tout d'un** — all at once; **du** — now at last, this time; **sur le** — on the spot; **tout à** — suddenly.
coupable [kupabl] *a* guilty, culpable, sinful; *n* culprit.
coupe [kup] *nf* cup, glass, bowl, cut(ting), section, stroke.
coupé [kupe] *a* cut (up), sliced, broken, jerky, diluted; *nm* brougham, coupé.
coupe-coupe [kupkup] *nm* cutlass, matchet.
coupe-jarret [kupʒarɛ] *nm* cutthroat, ruffian.
coupe-papier [kuppapje] *nm* paper knife.
couper [kupe] *vt* to cut (out, up, down, off, in), intersect, cross, turn off, switch off, interrupt, stump, dilute; *vr* to cut oneself, cut, intersect, contradict oneself.
couperet [kuprɛ] *nm* chopper, cleaver, knife, blade (of guillotine).
couperosé [kuproze] *a* blotchy.
couple [kupl] *nm* couple, pair; *nf* two, brace, yoke, couple.
coupler [kuple] *vt* to couple, connect, join up.
couplet [kuplɛ] *nm* verse.
coupole [kupɔl] *nf* cupola, dome.
coupon [kupɔ̃] *nm* coupon, warrant, ticket, cut(ting), remnant, (short) length.
coupure [kupyːr] *nf* cut, gash, cutting, note.
cour [kuːr] *nf* court, courtship, courtyard, square, playground; **faire la — à** to make love to.
courage [kuraːʒ] *nm* courage, fortitude, spirit, heart.
courageux, -euse [kuraʒø, øːz] *a* brave, courageous.
couramment [kuramɑ̃] *ad* fluently, easily, generally.
courant [kurɑ̃] *a* running, current, present, standard, rife; *nm* current, stream, course; — **d'air** draught.
courbature [kurbatyr] *nf* stiffness, tiredness, ache.
courbaturé [kurbatyre] *a* aching, stiff.
courbe [kurb] *nf* curve, bend, sweep.
courber [kurbe] *vtir* to curve, bend; *vr* to stoop.
coureur, -euse [kurœːr, øːz] *n* runner, racer, sprinter, gadabout, adventurer, rake; — **de dots** fortune-hunter.
courge [kurʒ] *nf* pumpkin.
courgette [kurʒɛt] *nf* courgette, small marrow.
courir [kuriːr] *vi* to run, race, go,

be current, circulate; *vt* run (after), pursue, roam, gadabout, haunt, frequent; **le bruit court** it is rumoured; **par le temps qui court** nowadays, as things are.
courlis [kurli] *nm* curlew.
couronne [kurɔn] *nf* crown, coronet, wreath, corona, ring, rim.
couronnement [kurɔnmɑ̃] *nm* crowning, coronation, coping.
couronner [kurɔne] *vt* to crown, cap, reward, award a prize to, cope.
courrier [kurje] *nm* courier, messenger, mail, letters, post, newspaper paragraph.
courroie [kurwa] *nf* strap, transmission, belt, band.
courroux [kuru] *nm* anger, wrath.
cours [ku:r] *nm* course, flow, run, path, circulation, currency, quotation, price, course of lectures; *pl* classes; **en —** in progress, on hand, present, current.
course [kurs] *nf* run, race, excursion, outing, errand, course, path, flight.
court [ku:r] *a* short, brief, limited; *ad* short; **à — de** short of; **tout —** simply, merely; *nm* tennis court.
courtage [kurta:ʒ] *nm* broking, brokerage.
courtaud [kurto] *a* thickset, dumpy.
court-circuit [kursirkɥi] *nm* short-circuit.
courtier [kurtje] *nm* broker.
courtisan [kurtizɑ̃] *nm* courtier.
courtisane [kurtizan] *nf* courtesan prostitute.
courtiser [kurtize] *vt* to court, curry favour with.
courtois [kurtwa] *a* courteous, polite, courtly.
courtoisie [kurtwazi] *nf* courtesy, courteousness.
couru [kury] *a* run after, sought after, popular.
cousin [kuzɛ̃] *n* cousin; *nm* gnat, midge; **— germain** first cousin; **— à la mode de Bretagne** distant relation.
coussin [kusɛ̃] *nm* cushion.
coussinet [kusinɛ] *nm* pads, small cushion, bearing; **—s à billes** ball-bearings.
cousu [kuzy] *a* sewn, stitched; **— d'or** rolling in money.
coût [ku] *nm* cost; **— de la vie** cost of living.
couteau [kuto] *nm* knife, blade; **à —x tirés** at daggers drawn.
coutelas [kutlɑ] *nm* cutlass, large knife.
coutelier [kutəlje] *nm* cutler.
coutellerie [kutɛlri] *nf* cutlery, cutler's shop or trade.
coûter [kute] *vi* to cost, pain, cause an effort; **coûte que coûte** at all costs.
coûteux, -euse [kutø, ø:z] *a* costly, expensive.
coutil [kuti] *nm* drill, twill, ticking
coutume [kutym] *nf* custom, habit; **de —** usual.
couture [kuty:r] *nf* needlework, seam, scar; **battre à plate(s) —(s)** to trounce.
couturier, -ière [kutyrje, jɛ:r] *n* dressmaker.
couvée [kuve] *nf* brood, hatch, clutch.
couvent [kuvɑ̃] *nm* convent, monastery.
couver [kuve] *vt* to sit (on eggs), hatch (out), brood (over); *vi* to smoulder, brew hatch; **— des yeux** to look fondly or longingly at.
couvercle [kuvɛrkl] *nm* lid, cover, cap.
couvert [kuvɛ:r] *a* covered, clad, wearing one's hat, shady, wooded, overcast, covert, overgrown; *nm* cover(ing), shelter, place, knife and fork and spoon, cover charge.
couverture [kuvɛrty:r] *nf* cover(ing), rug, blanket, cloth, bedspread, wrapper, roofing.
couvre-feu [kuvrfø] *nm* curfew, lights out.
couvre-lit [kuvrli] *nm* bedspread.
couvre-pied [kuvrpje] *nm* quilt.
couvreur [kuvrœ:r] *nm* roofer, slater, tiler.
couvrir [kuvri:r] *vt* to cover (with, up), clothe, conceal, roof, drown (sound); *vr* to clothe oneself, put on one's hat, become overcast.
crabe [krɑ:b] *nm* crab.
crachat [kraʃa] *nm* spittle, spit.
craché [kraʃe] *a* **tout —** the dead spit of, to a tee.
cracher [kraʃe] *vt* to spit (out), splutter; *vi* to spit.
crachoir [kraʃwa:r] *nm* spittoon.
craie [krɛ] *nf* chalk.
craindre [krɛ̃:dr] *vt* to fear, dread, be afraid of; **il n'y rien à —** there's no need to worry, nothing to worry about.
crainte [krɛ̃:t] *nf* fear, dread.
craintif,-ive [krɛ̃tif, i:v] *a* timid, afraid, fearful.
cramoisi [kramwazi] *a* crimson.
crampe [krɑ̃:p] *nf* cramp.
crampon [krɑ̃pɔ̃] *nm* clamp, fastener, crampon, stud, limpet, pest.
cramponner [krɑ̃pɔne] *vt* to cramp, clamp together, fasten, pester, stick to; *vr* to hold on, hang on (to à).
cran [krɑ̃] *nm* safety catch, notch, hole, pluck, spirit.
crâne [krɑ:n] *nm* skull; *a* plucky, jaunty, swaggering.
crâner [krɑne] *vi* to swagger, assume a jaunty air, brazen it out.
crâneur [kranœ:r] *n* braggart, swaggerer.
crapaud [krapo] *nm* toad.
crapule [krapyl] *nf* debauchery, blackguard.
crapuleux, -euse [krapylø, ø:z] *a* debauched, dissolute, lewd, filthy.

craquelure [krakly:r] *nf* crack.
craquer [krake] *vi* to crack, crackle, crunch, creak.
crasse [kras] *af* gross; *nf* dirt, squalor, dross, slag, meanness, dirty trick.
crasseux, -euse [krasø, ø:z] *a* dirty, grimy, squalid.
cratère [kratɛ:r] *nm* crater.
cravache [kravaʃ] *nf* riding-whip, horsewhip.
cravate [kravat] *nf* (neck)tie.
crayeux, -euse [krɛjø, ø:z] *a* chalky.
crayon [krɛjɔ̃] *nm* pencil, pencil-drawing, crayon.
crayonner [krɛjɔne] *vt* to pencil, sketch, jot down.
créance [kreɑ̃:s] *nf* credence, belief, credit, trust, debt, claim; **lettre(s) de —** letter of credit, credentials.
créancier, -ière [kreɑ̃sje, jɛ:r] *n* creditor.
créateur, -trice [kreatœ:r, tris] *a* creative; *n* creator, maker, inventor, founder.
création [kreasjɔ̃] *nf* creation, creating, founding.
créature [kreaty:r] *nf* creature, person.
crèche [krɛʃ] *nf* crib, manger, day-nursery.
crédence [kredɑ̃:s] *nf* sideboard.
crédibilité [kredibilite] *nf* credibility.
crédit [kredi] *nm* credit, loan, bank, repute, influence.
créditeur, -trice [kreditœ:r, tris] *a* credit; *n* creditor.
credo [kredo] *nm* creed.
crédule [kredyl] *a* credulous.
crédulité [kredylite] *nf* credulity, credulousness.
créer [kree] *vt* to create, make, found, build up.
crémaillère [krɛmajɛ:r] *nf* pot hook; **pendre la —** to give a house-warming.
crématoire [krɛmatwa:r] *a* **four —** crematorium.
crème [krɛm] *nf* cream, custard.
crémerie [krɛmri] *nf* creamery, dairy, milk-shop, small restaurant.
crémeux, -euse [kremø, ø:z] *a* creamy.
crémier, -ière [kremje, jɛ:r] *n* dairyman, dairywoman.
crémière [kremjɛ:r] *nf* cream-jug.
créneau [kreno] *nm* loophole; *pl* battlements.
crénelé [krɛnle] *a* crenellated, loop-holed, notched, toothed.
créosote [kreɔzot] *nf* creosote.
crêpe [krɛ:p] *nf* pancake; *nm* crape, crêpe.
crêper [krɛpe] *vt* to crimp, crisp, frizz, backcomb.
crépi [krepi] *nm* rough-cast.
crépir [krepi:r] *vt* to rough-cast, grain.
crépiter [krepite] *vi* to crackle, sputter, patter.
crépu [krepy] *a* crimped, crisp frizzy, fuzzy.
crépuscule [krepyskyl] *nm* dusk, twilight, gloaming.
cresson [krəsɔ̃] *nm* cress.
crête [krɛ:t] *nf* comb, crest, ridge.
crétin [kretɛ̃] *nm* cretin, idiot, half-wit.
cretonne [krətɔn] *nf* cretonne.
creuser [krøze] *vt* to hollow (out), excavate, dig (out), go deeply into.
creuset [krøzɛ] *nm* crucible, melting-pot.
creux, -euse [krø, ø:z] *a* hollow, sunk(en), empty, slack, futile; *nm* hollow, hole, pit, cavity.
crevaison [krəvɛzɔ̃] *nf* puncture, bursting, death.
crevant [krəvɑ̃] *a* funny, killing, exhausting.
crevasse [krəvas] *nf* crevice, crevasse, crack, split.
crève-cœur [krɛvkœ:r] *nm* heart-break, disappointment.
crever [krəve] *vi* to burst, split, die; *vt* to puncture, burst, put out.
crevette [krəvɛt] *nf* shrimp, prawn.
cri [kri] *nm* cry, shout, call, squeal; **le dernier —** the latest fashion, the last word.
criailler [kriɑje] *vi* to shout, bawl, whine, squeal.
criant [kriɑ̃] *a* crying, flagrant, glaring.
criard [kria:r] *a* crying, squealing, shrill, garish.
crible [kribl] *nm* sieve, riddle, screen.
cribler [krible] *vt* to sift, riddle, screen.
cric [krik] *nm* jack.
cricri [krikri] *nm* chirping, cricket.
criée [krie] *nf* auction.
crier [krie] *vti* to cry, shout; *vi* scream, squeak.
crime [krim] *nm* crime.
criminel, -elle [kriminɛl] *an* criminal.
crin [krɛ̃] *nm* horsehair.
crinière [krinjɛ:r] *nf* mane.
crique [krik] *nf* creek, cove.
crise [kri:z] *nf* crisis, problem, shortage, slump, attack.
crispation [krispasjɔ̃] *nf* twitching, clenching, wincing, shrivelling up.
crisper [krispe] *vt* to clench, contract, contort, screw up; *vr* to contract, shrivel up.
crisser [krise] *vi* to grate.
cristal [kristal] *nm* crystal.
cristallin [kristalɛ̃] *a* crystalline, crystal-clear.
cristalliser [kristalize] *vti* to crystallize.
critère [kritɛ:r] *nm* criterion.
critiquable [kritikabl] *a* open to criticism.
critique [kritik] *a* critical, crucial, ticklish, decisive; *nf* criticism, censure; *nm* critic.

critiquer [kritike] *vt* to criticize, censure.
croasser [krɔase] *vi* to caw, croak.
croc [kro] *nm* hook, fang, tusk.
croc-en-jambe [krɔkɑ̃ʒɑ̃:b] *nm* **faire donner un — à qn** to trip.
croche [krɔʃ] *nf* quaver.
crochet [krɔʃe] *nm* hook, crochet, skeleton key, swerve, sudden turn; *pl* square brackets.
crochu [krɔʃy] *a* hooked, crooked.
crocodile [krɔkɔdil] *nm* crocodile.
croire [krwa:r] *vt* to believe, think; *vi* believe (in **à, en**).
croisade [krwazad] *nf* crusade.
croisé [krwaze] *a* crossed, cross, double-breasted; *nm* crusader.
croisée [krwaze] *nf* crossing, cross-roads, casement window.
croisement [krwazmɑ̃] *nm* crossing, meeting, intersection, interbreeding.
croiser [krwaze] *vt* to cross, fold, pass, meet; *vi* to fold over, cruise; *vr* to intersect, cross, meet and pass.
croiseur [krwazœ:r] *nm* cruiser.
croisière [krwazjɛ:r] *nf* cruise.
croissance [krwasɑ̃:s] *nf* growth.
croissant [krwasɑ̃] *nm* crescent, crescent roll.
croître [krwa:tr] *vi* to grow, increase, rise, wax, lengthen
croix [krwa] *nf* cross.
croque-mitaine [krɔkmitɛn] *nm* bogy(man).
croquer [krɔke] *vt* to crunch, munch, sketch.
croquis [krɔki] *nm* sketch.
crosse [krɔs] *nf* crook, crosier, stick, club, butt.
crotte [krɔt] *nf* mud, dirt, dung, chocolate sweet.
crotté [krɔte] *a* dirty, muddy, bespattered.
crottin [krɔtɛ̃] *nm* dung, droppings.
croulant [krulɑ̃] *a* crumbling, tottering.
croulement [krulmɑ̃] *nm* collapse, crumbling, falling in.
crouler [krule] *vi* to collapse, totter, crumble.
croupe [krup] *nf* croup, crupper, rump.
croupion [krupjɔ̃] *nm* rump, parson's nose.
croupir [krupi:r] *vi* to wallow, stagnate.
croustillant [krustijɑ̃] *a* crisp, crusty, spicy, smutty.
croûte [krut] *nf* crust, rind, scab, daub; **casser la** — to have a snack.
croûton [krutɔ̃] *nm* crust, crusty end, croûton.
croyable [krwajabl] *a* credible, believable, trustworthy.
croyance [krwajɑ̃:s] *nf* belief.
croyant [krwajɑ̃] *a* believing; *n* believer; *pl* the faithful.
cru [kry] *a* raw, crude, broad, coarse, blunt, garish; *nm* vintage, growth, vineyard, invention; **vin du** — local wine; **les meilleurs —s** the best vineyards; **un bon** — a good vintage.
cruauté [kryote] *nf* cruelty.
cruche [kryʃ] *nf* pitcher, jug, blockhead, dolt.
crucifier [krysifje] *vt* to crucify.
crucifix [krysifi] *nm* crucifix.
crucifixion [krysifiksjɔ̃] *nf* crucifixion.
crudité [krydite] *nf* crudity, rawness, coarseness; *pl* raw fruit or vegetables.
crue [kry] *nf* rising, flood spate.
cruel, -elle [kryɛl] *a* cruel.
crûment [krymɑ̃] *ad* crudely, bluntly, roughly.
crustacés [krystase] *nm pl* crustaceans.
crypte [kript] *nf* crypt.
cube [kyb] *a* cubic; *nm* cube.
cubique [kybik] *a* cubic(al), cube.
cubisme [kybism] *nm* cubism.
cueillaison [kœjɛzɔ̃] *nf* gathering, picking, gathering season.
cueillette [kœjɛt] *nf* gathering, picking, crop.
cueillir [kœji:r] *vt* to gather, pick, pluck.
cuiller, -ère [kyjɛ:r, kɥijɛ:r] *nf* spoon.
cuillerée [kyjre, kɥijre] *nf* spoonful.
cuir [kɥi:r] *nm* leather, hide, skin, strop; — **chevelu** scalp.
cuirasse [kɥiras] *nf* breastplate, armour.
cuirassé [kɥirase] *a* armour-plated, armoured; *nm* ironclad, battleship.
cuire [kɥi:r] *vt* to cook, roast, bake, fire, burn; *vi* to cook, stew, burn, smart.
cuisant [kɥizɑ̃] *a* burning, smarting, biting, bitter.
cuisine [kɥizin] *nf* kitchen, cooking, cookery, food.
cuisiner [kɥizine] *vt* to cook; — **les comptes** cook the books, pull strings, (*a suspect*) interrogate.
cuisinier, -ière [kɥizinje, jɛ:r] *n* cook.
cuisinière [kɥizinjɛ:r] *nf* stove, cooker.
cuisse [kɥis] *nf* thigh, leg.
cuisson [kɥisɔ̃] *nf* cooking, baking, firing, burning, smarting.
cuistre [kɥistr] *nm* pedant, ill-mannered man.
cuit [kɥi] *a* cooked, baked, drunk; — **à point** done to a turn; **trop** — overdone; **pas assez** — underdone.
cuite [kɥit] *nf* baking, firing, burning, batch; **prendre une** — to get tight (drunk).
cuivre [kɥi:vr] *nm* copper, copperplate; — **jaune** brass; **les —s** the brass(es).
cuivré [kɥivre] *a* coppered, copper-coloured, bronzed, metallic, brassy.
cul [ky] *nm* (*fam*) bottom, behind, rump, tail, stern.
culasse [kylas] *nf* breech.

culbute [kylbyt] *n* somersault, tumble, fall.
culbuter [kylbyte] *vi* to turn a somersault, tumble; *vt* to knock over, dump, trip.
cul-de-sac [kydsak] *nm* blind alley, dead end.
culinaire [kylinɛ:r] *a* culinary.
culminant [kylminɑ̃] *a* culminating, highest.
culot [kylo] *nm* bottom, base, dottle, cheek, sauce.
culotte [kylɔt] *nf* breeches, knickerbockers, shorts.
culotter [kylɔte] *vt* to breech, colour, season.
culpabilité [kylpabilite] *nf* culpability, guilt.
culte [kylt] *nm* worship, cult.
cultivateur [kyltivatœ:r] *nm* farmer, cultivator, grower.
cultivé [kyltive] *a* cultivated, cultured.
cultiver [kyltive] *vt* to farm, till, cultivate.
culture [kylty:r] *nf* cultivation, farming, culture; *pl* fields, land under cultivation.
cumul [kymyl] *nm* plurality of offices.
cumuler [kymyle] *vt* to occupy several posts.
cupide [kypid] *a* covetous, greedy, grasping.
cupidité [kypidite] *nf* covetousness, greed.
Cupidon [kypidɔ̃] *nm* Cupid.
curatif, -ive [kyratif, i:v] *a* curative.
cure [ky:r] *nf* care, heed, presbytery, vicarage, rectory, cure.
curé [kyre] *nm* parish priest.
cure-dents [kyrdɑ̃] *nm* toothpick.
curer [kyre] *vt* to pick, clean (out), cleanse, clear.
curieux, -euse [kyrjø, ø:z] *a* interested, curious, odd, quaint.
curiosité [kyrjɔzite] *nf* interestedness, inquisitiveness, curiosity, oddness, peculiarity, curio; *pl* sights.
curviligne [kyrviliɲ] *a* curvilinear, rounded.
cuticule [kytikyl] *nf* cuticle.
cuve [ky:v] *nf* vat, tun, tank.
cuver [kyve] *vti* to ferment; **— son vin** to sleep off one's drink.
cuvette [kyvɛt] *nf* wash-basin, dish, pan, basin.
cyanure [sjany:r] *nm* cyanide.
cycle [sikl] *nm* cycle.
cyclisme [siklism] *nm* cycling.
cyclone [siklon] *nm* cyclone.
cygne [siɲ] *nm* swan.
cylindre [silɛ̃:dr] *nm* cylinder, drum, roller.
cylindrer [silɛ̃dre] *vt* to roll, calender, mangle.
cylindrique [silɛ̃drik] *a* cylindrical.
cymbale [sɛ̃bal] *nf* cymbal.
cynique [sinik] *a* cynic(al), brazen, barefaced; *nm* cynic.
cynisme [sinism] *nm* cynicism, effrontery.
cynocéphale [sinɔsɛfal] *nm* baboon.
cyprès [siprɛ] *nm* cypress-tree.
cytise [siti:z] *nm* laburnum.

D

daba [daba] *nf* hoe.
dactylo(graphe) [daktilɔgraf] *n* typist.
dactylographier [daktilɔgrafje] *vt* to type.
dada [dada] *nm* hobby (-horse).
dadais [dadɛ] *nm* ninny.
dague [dag] *nf* dagger.
daigner [dɛɲe] *vi* to condescend, deign.
daim [dɛ̃] *nm* deer, buck.
dais [dɛ] *nm* canopy, dais.
dallage [dala:ʒ] *nm* paving, tiled floor.
dalle [dal] *nf* flagstone, slice, slab.
daller [dale] *vt* to pave, tile.
daltonisme [daltɔnism] *nm* colour-blindness.
damas [damɑ(:s)] *nm* damask, damson.
dame [dam] *nf* lady, queen, king (draughts), beetle; *pl* draughts.
damer [dame] *vt* to crown a piece (at draughts).
damier [damje] *nm* draught-board.
damner [dane] *vt* to damn, condemn.
dancing [dɑ̃sɛ̃:g] *nm* dance hall.
dandiner [dɑ̃dine] *vt* to dandle, dance; *vr* to waddle.
Danemark [danmark] *nm* Denmark.
danger [dɑ̃ʒe] *nm* danger, peril, jeopardy, risk.
dangereux, -euse [dɑ̃ʒrø, ø:z] *a* dangerous, perilous, risky.
danois [danwa, wa:z] *a nm* Danish; *n* Dane.
dans [dɑ̃] *prep* in, into, within, out of, from.
danse [dɑ̃:s] *nf* dance, dancing.
danser [dɑ̃se] *vti* to dance; *vi* to prance, bob.
danseur, -euse [dɑ̃sœ:r, ø:z] *n* dancer, partner.
dard [da:r] *nm* dart, javelin, harpoon, sting, tongue.
darder [darde] *vt* to dart, hurl, shoot out.
darse [dars] *nf* floating dock.
date [dat] *nf* date.
dater [date] *vti* to date; **à — de** as from.
datte [dat] *nf* date.
dattier [datje] *nm* date palm.
dauphin [dofɛ̃] *nm* dolphin, dauphin.
davantage [davɑ̃ta:ʒ] *ad* more, any more, any further.
de [də] *prep* from, of, by, with, in.
dé [de] *nm* thimble, dice, die, tee.
débâcle [debɑ:kl] *nf* collapse, break-up, downfall, rout.
déballer [debale] *vt* to unpack.

débandade [debɑ̃dad] *nf* rout, stampede; **à la —** in disorder, helter-skelter.
débander [debɑ̃de] *vt* to loosen, relax, unbend.
débarbouiller [debarbuje] *vt* to clean, wash; *vr* wash one's face.
débarcadère [debarkadɛːr] *nm* landing-stage.
débarder [debarde] *vt* to unload, discharge.
débardeur [debardœːr] *nm* stevedore, docker.
débarquement [debarkəmɑ̃] *nm* disembarking, landing, unloading, detraining.
débarquer [debarke] *vti* to land, disembark, detrain; *vt* to unload, set down.
débarras [debarɑ] *nm* lumber-room; **bon —!** good riddance!
débarrasser [debarase] *vt* to rid, free, relieve; *vr* to get rid (of **de**).
débarrer [debare] *vt* to unbar.
débat [deba] *nm* debate, argument, discussion.
débattre [debatr] *vt* to discuss, debate; *vr* to struggle.
débauche [deboːʃ] *nf* debauchery, dissipation.
débaucher [deboʃe] *vt* to corrupt, lead astray; *vr* go to the bad.
débile [debil] *a* feeble, weak, sickly.
débilité [debilite] *nf* feebleness, debility.
débit [debi] *nm* sale, shop, flow, delivery, debit.
débiter [debite] *vt* to sell, retail, deliver, spin, debit.
débiteur, -trice [debitœːr, tris] *n* debtor.
déblai [deblɛ] *nm* clearing, excavation; **voie en —** railway cutting.
déblatérer [deblatere] *vi* to rail (against **contre**).
déblayage [deblɛjaʒ] *nm* clearance, clearing.
déblayer [deblɛje] *vt* to clear away.
déboire [debwaːr] *nm* nasty aftertaste, disappointment.
déboisement [debwazmɑ̃] *nm* deforestation.
déboîter [debwate] *vt* to dislocate, disjoint, disconnect.
débonder [debɔ̃de] *vt* to unbung.
débonnaire [debɔnɛːr] *a* good-natured, easy-tempered.
débordement [debɔrdəmɑ̃] *nm* overflowing, depravation, dissoluteness.
déborder [debɔrde] *vti* to overflow, boil over, brim over; *vt* to overlap, extend beyond, to outflank.
débouché [debuʃe] *nm* outlet, opening, market.
déboucher [debuʃe] *vt* to uncork, open, clear; *vi* to emerge, debouch.
déboucler [debukle] *vt* to unbuckle; *vr* (*hair*) to lose its curl.
déboulonner [debulɔne] *vt* to unbolt, unrivet.
débourber [deburbe] *vt* to clean out, sluice, dredge.
débours [debuːr] *nm pl* out of pocket expenses.
débourser [deburse] *vt* to spend, disburse.
debout [dəbu] *ad* erect, upright, standing, on end, up.
déboutonner [debutɔne] *vt* to unbutton.
débraillé [debrɑje] *a* untidy, dishevelled, improper.
débrayer [debrɛje] *vt* to disconnect, throw out of gear, declutch.
débrider [debride] *vt* to unbridle; **sans —** without a stop.
débris [debri] *nm pl* fragments, bits, remains, ruins.
débrouillard [debrujaːr] *a* ingenious, resourceful, smart.
débrouiller [debruje] *vt* to unravel, disentangle. *vr* to find a way out, not to be stuck.
débrousser [debruse] *vt* to clear forest, bush.
débusquer [debyske] *vt* to dislodge, ferret out.
début [deby] *nm* beginning, start, first appearance.
débutant [debytɑ̃] *n* beginner.
débuter [debyte] *vi* to lead, begin, come out.
deçà [dəsa] *ad* on this side.
décacheter [dekaʃte] *vt* to unseal, break open.
décadence [dekadɑ̃ːs] *nf* decay, decline, downfall.
décaler [dekale] *vt* to remove wedge from, alter.
décamper [dekɑ̃pe] *vi* to decamp, scuttle off.
décapiter [dekapite] *vt* to behead.
décati [dekati] *a* worn out, senile.
décatir [dekatiːr] *vt* to sponge, steam, finish.
décéder [desede] *vt* to die, decease.
déceler [desle] *vt* to reveal, disclose, divulge.
décembre [desɑ̃ːbr] *nm* December.
décence [desɑ̃ːs] *nf* decency, propriety, decorum.
décent [desɑ̃] *a* decent, proper, modest.
décentraliser [desɑ̃tralize] *vt* to decentralize.
déception [desepsjɔ̃] *nf* deception, disappointment.
décerner [deserne] *vt* to confer, award, decree.
décès [desɛ] *nm* decease.
décevant [des(ə)vɑ̃] *a* deceptive, disappointing.
décevoir [desəvwaːr] *vt* to disappoint, deceive, dash.
déchaîner [deʃɛne] *vt* to unchain, let loose, unfetter; *vr* to break loose, break (out).
décharge [deʃarʒ] *nf* unloading, volley, discharge, acquittal, rebate; **témoin à —** witness for defence.

déchargement [deʃarʒəmɑ̃] *nm* unloading, discharging.
décharger [deʃarʒe] *vt* to dump, exonerate, unload, discharge, let off; *vr* to go off, run down, get rid (of **de**).
décharné [deʃarne] *a* gaunt, emaciated, skinny.
déchausser [deʃose] *vt* to take off s.o.'s shoes; *vr* take off one's shoes.
déchéance [deʃeɑ̃:s] *nf* fall, downfall, forfeiture.
déchet [deʃɛ] *nm* loss, decrease; *pl* refuse, scraps, failures.
déchiffrer [deʃifre] *vt* to decipher, decode, read.
déchiqueté [deʃikte] *a* torn, slashed, jagged.
déchirant [deʃirɑ̃] *a* heart-rending, ear-splitting, excruciating, harrowing.
déchirer [deʃire] *vtr* to tear, rend.
déchirure [deʃiry:r] *nf* tear, slit, rent.
déchoir [deʃwa:r] *vi* to fall.
décidément [desidemɑ̃] *ad* decidedly, resolutely.
décider [deside] *vt* to decide, settle, induce; *vir* to make up one's mind, decide.
décimale [desimal] *nf* decimal.
décimer [desime] *vt* to decimate.
décisif, -ive [desizif, i:v] *a* decisive, crucial, conclusive.
décision [desizjɔ̃] *nf* decision, resolution.
déclamation [deklamasjɔ̃] *nf* declamation, oratory, elocution.
déclamatoire [deklamatwa:r] *a* declamatory.
déclamer [deklame] *vti* to declaim, spout.
déclarable [deklarabl] *a* liable to custom's duty.
déclaration [deklarasjɔ̃] *nf* announcement, declaration; — **assermentée** affidavit.
déclarer [deklare] *vt* to declare, state; *vr* declare oneself, break out, avow one's love, own up.
déclassé [deklɑse] *a* degraded, ostracized; *n* outcast, pariah.
déclasser [deklɑse] *vt* to transfer from one class to another, degrade.
déclencher [deklɑ̃ʃe] *vt* to loosen, release, launch.
déclic [deklik] *nm* latch, trigger, click, snap.
déclin [deklɛ̃] *nm* decline, close, end, deterioration.
déclinaison [deklinɛzɔ̃] *nf* declension, variation.
décliner [dekline] *vt* to decline, refuse; *vi* to decline, deteriorate, decay, fall; — **son nom** to give one's name.
déclivité [deklivite] *nf* declivity, slope, incline.
décocher [dekɔʃe] *vt* to shoot, discharge, let fly, fire.
décoiffer [dekwafe] *vt* to remove s.o.'s hat, undo s.o.'s hair; *vr* take one's hat off.
décollage [dekɔla:ʒ] *nm* unsticking, removal of gum, take-off (plane); **piste de** — runway.
décoller [dekɔle] *vt* to unstick, loosen, remove gum from; *vi* to take off; *vr* to come unstuck, work loose.
décolleté [dekɔlte] *a* low-necked.
décolorant [dekɔlɔrɑ̃] *anm* bleaching (agent).
décolorer [dekɔlɔre] *vt* to discolour, take colour out of.
décombres [dekɔ̃:br] *nm pl* rubbish, debris.
décommander [dekɔmɑ̃de] *vt* to cancel, countermand, call off.
décomposer [dekɔ̃poze] *vt* to decompose, alter, distort; *vr* to decompose, become distorted.
décompte [dekɔ̃:t] *nm* discount, deduction.
déconcerter [dekɔ̃sɛrte] *vt* to confound, take aback.
déconfiture [dekɔ̃fity:r] *nf* defeat, discomfiture.
déconseiller [dekɔ̃sɛje] *vt* to dissuade, advise against.
déconsidération [dekɔ̃siderasjɔ̃] *nf* discredit, disrepute.
déconsidéré [dekɔ̃sidere] *a* disreputable.
déconsidérer [dekɔ̃sidere] *vt* to bring into disrepute.
décontenancer [dekɔ̃tnɑ̃se] *vt* to abash.
déconvenue [dekɔ̃vny] *nf* mishap, misfortune.
décor [dekɔr] *nm* decoration, scenery, set(ting).
décorateur, -trice [dekɔratœ:r, tris] *n* decorator, scene-painter.
décoration [dekɔrasjɔ̃] *nf* decoration, scene-painting.
décorer [dekɔre] *vt* to decorate.
décortiquer [dekɔrtike] *vt* to remove bark from, shell, peel, husk.
découcher [dekuʃe] *vi* to sleep out.
découdre [dekudr] *vt* to unstitch, unpick; *vr* to come unstitched.
découler [dekule] *vi* to flow, run down, fall.
découpage [dekupa:ʒ] *nm* cutting out, fretwork.
découper [dekupe] *vt* to cut out, cut up, carve; *vr* to stand out.
découplé [dekuple] *a* **bien** — well-built.
découpure [dekupy:r] *nf* cutting out, cutting.
découragé [dekuraʒe] *a* downhearted, despondent.
décourageant [dekuraʒɑ̃] *a* disheartening.
découragement [dekuraʒmɑ̃] *nm* despondency, discouragement.
décousu [dekuzy] *a* disconnected, incoherent, rambling; *nm* incoherency.

découvert [dekuvɛːr] *a* uncovered, open, exposed; **à** — openly.
découverte [dekuvɛrt] *nf* discovery.
découvrir [dekuvriːr] *vt* to uncover, discover, reveal, detect, expose; *vr* to doff one's hat, be discovered.
décrasser [dekrase] *vt* to scour, clean.
décrépitude [dekrepityd] *nf* decay, senility.
décret [dekrɛ] *nm* decree.
décréter [dekrete] *vt* to decree, enact.
décrier [dekrie] *vt* to decry, run down, disparage.
décrire [dekriːr] *vt* to describe.
décrocher [dekrɔʃe] *vt* to unhook, take down, undo.
décroissance [dekrwasɑ̃ːs] *nf* decrease, decline.
décroître [dekrwaːtr] *vi* to decrease, grow shorter.
décrotter [dekrɔte] *vt* to clean, brush, scrape.
décrottoir [dekrɔtwaːr] *nm* scraper.
déçu [desy] *a* disappointed.
dédaigner [dedɛɲe] *vt* to disdain, scorn.
dédaigneux, -euse [dedɛɲø, øːz] *a* disdainful, supercilious.
dédain [dedɛ̃] *nm* disdain.
dédale [dedal] *nm* maze.
dedans [dədɑ̃] *ad* inside, within, in it; *nm* interior, inside.
dédicace [dedikas] *nf* dedication.
dédier [dedje] *vt* to dedicate, inscribe.
se dédire [sədediːr] *vr* to retract, take back one's words.
dédommagement [dedɔmaʒmɑ̃] *nm* compensation, damages, amends.
dédommager [dedɔmaʒe] *vt* to compensate, make amends to; *vr* to make up one's loss.
déduction [dedyksjɔ̃] *nf* deduction, inference.
déduire [dedɥiːr] *vt* to deduce, deduct.
déesse [deɛs] *nf* goddess.
défaillance [defajɑ̃ːs] *nf* weakness, lapse, falling-off, swoon; **tomber en** — to faint.
défaillant [defajɑ̃] *a* failing, sinking; *n* defaulter.
défaillir [defajiːr] *vi* to grow weak, fail, faint.
défaire [defɛːr] *vt* to undo, untie, defeat; *vr* to come undone, rid oneself, get rid (of).
défait [defɛ] *a* haggard, drawn, worn, undone.
défaite [defɛt] *nf* defeat.
défaitiste [defɛtist] *an* defeatist.
défalquer [defalke] *vt* to deduct, write off.
défaut [defo] *nm* defect, fault, lack, blemish, flaw; **à — de** for lack of; **prendre qn en** — to catch someone out.
défaveur [defavœːr] *nf* disgrace, disfavour.
défavorable [defavɔrabl] *a* unfavourable, disadvantageous.
défection [defɛksjɔ̃] *nf* disloyalty, defection.
défectueux, -euse [defɛktɥø, øːz] *a* faulty, defective.
défendable [defɑ̃dabl] *a* defensible.
défendeur, -eresse [defɑ̃dœːr, ərɛs] *n* defendant.
défendre [defɑ̃ːdr] *vt* to defend, uphold, protect, forbid.
défense [defɑ̃ːs] *nf* defence, support, interdiction; *pl* tusks; **—de fumer** no smoking; — **passive** Anti-Aircraft Defence, Civil Defence.
défenseur [defɑ̃sœːr] *nm* defender, protector, upholder, counsel for defence.
défensif, -ive [defɑ̃sif, iːv] *a* defensive.
défensive [defɑ̃siːv] *nf* defensive.
déférence [deferɑ̃ːs] *nf* respect, deference, compliance.
déférer [defere] *vt* to refer, hand over, administer; *vi* to assent, defer, comply.
déferler [defɛrle] *vt* to unfurl; *vi* to break.
déferrer [defɛre] *vt* to unshoe, remove the iron from; *vr* to cast a shoe.
défi [defi] *nm* defiance, challenge.
défiance [defjɑ̃ːs] *nf* distrust, suspicion, diffidence.
défiant [defjɑ̃] *a* distrustful, suspicious, wary.
déficeler [defisle] *vt* to untie.
déficit [defisit] *nm* deficit.
déficitaire [defisitɛːr] *a* deficient, unbalanced.
défier [defje] *vt* to defy, dare, challenge, beggar; *vr* to distrust.
défigurer [defigyre] *vt* to disfigure, distort, deface.
défilade [defilad] *nf* filing past.
défilé [defile] *nm* pass, defile, parade, march past.
défiler [defile] *vi* to march past, parade, flash past.
définir [definiːr] *vt* to determine, define.
définitif, -ive [definitif, iːv] *a* final, definitive.
définition [definisjɔ̃] *nf* definition.
déflation [deflasjɔ̃] *nf* deflation.
déflorer [deflɔre] *vt* to take the bloom off, take the novelty off, deflower.
défoncer [defɔ̃se] *vt* to break in, burst in, knock the bottom out of.
déformer [defɔrme] *vt* to disfigure, distort, put out of shape; *vr* to lose its shape.
défraîchi [defrɛʃi] *a* faded, soiled.
défrayer [defrɛje] *vt* to defray, pay s.o.'s expenses.
défricher [defriʃe] *vt* to clear, prepare, break.
défroncer [defrɔ̃se] *vt* to unplait, smooth.

défroque [defrɔk] *nf pl* cast-off clothing, wardrobe.
défroquer [defrɔke] *vt* to unfrock.
défunt [defœ̃] *a* deceased, dead, defunct.
dégagé [degaʒe] *a* free, easy, off-hand, airy.
dégagement [degaʒmɑ̃] *nm* disengagement, release, slackening, redemption.
dégager [degaʒe] *vt* to disengage, release, to redeem.
dégainer [degɛne] *vt* to unsheathe, draw.
dégarnir [degarniːr] *vt* to strip, deplete, dismantle; *vr* to be stripped, grow bare, empty.
dégâts [degɑ] *nm pl* damage, havoc.
dégauchir [degoʃiːr] *vt* to smooth, straighten, take the rough edges off.
dégel [deʒɛl] *nm* thaw.
dégeler [deʒle] *vti* to melt, thaw.
dégénération [deʒenɛrasjɔ̃] *nf* degeneration, degeneracy.
dégénérer [deʒenere] *vi* to degenerate.
dégingandé [deʒɛ̃gɑ̃de] *a* ungainly, gawky.
dégivreur [deʒivrœr] *nm* de-icer.
dégoiser [degwaze] *vt* to say hurriedly, race through; *vi* to chatter.
dégonfler [degɔ̃fle] *vt* to deflate, reduce, debunk, explode; *vr* to go flat, subside, climb down.
dégorger [degɔrʒe] *vt* to disgorge, clear; *vi* to flow out, overflow.
dégouliner [deguline] *vi* to drip, trickle.
dégourdi [degurdi] *a* smart, knowing, wide-awake.
dégourdir [degurdiːr] *vt* to revive, restore circulation to; *vr* to loosen one's muscles, stretch one's limbs.
dégoût [degu] *nm* disgust, aversion, distaste, annoyance.
dégoûtant [degutɑ̃] *a* disgusting, sickening.
dégoûté [degute] *a* disgusted, sick, fastidious, fed up.
dégoûter [degute] *vt* to disgust, sicken.
dégoutter [degute] *vi* to trickle, drip, drop.
dégradation [degradasjɔ̃] *nf* abasement, degeneracy, reduction to the ranks, shading off.
dégrader [degrade] *vt* to degrade, reduce to ranks, shade off, graduate.
dégrafer [degrafe] *vt* to unclasp, unhook, undo.
dégraisser [degrɛse] *vt* to scour, clean.
degré [dəgre] *nm* degree, stage, grade, step.
dégringolade [degrɛ̃gɔlad] *nf* fall, tumble, collapse, slump, bathos.
dégringoler [degrɛ̃gɔle] *vti* to rush, tumble down.
dégriser [degrize] *vt* to sober, bring s.o. to his senses; *vr* to come back to earth.
dégrossir [degrosiːr] *vt* to rough plane, rough hew, take the rough edges off.
déguenillé [degnije] *a* ragged, tattered.
déguisement [degizmɑ̃] *nm* disguise, fancy dress.
déguiser [degize] *vt* to disguise; *vr* to dress in fancy costume, disguise oneself.
déguster [degyste] *vt* to taste, sample, sip.
dehors [dəɔːr] *ad* out(side); *nm* exterior, outside.
déjà [deʒa] *ad* already, before, by this time, as it is.
déjeuner [deʒœne] *vi* to breakfast, have lunch; *nm* lunch; **petit —** breakfast.
déjouer [deʒwe] *vt* to baffle, outwit, foil, thwart.
délabrement [delɑbrəmɑ̃] *nm* dilapidation, disrepair, ruin, decay.
délabrer [delɑbre] *vt* to pull to pieces, wreck; *vr* to fall into ruins, disrepair.
délacer [delase] *vt* to unlace; *vr* to come unlaced.
délai [delɛ] *nm* delay, notice, extension.
délaissement [delɛsmɑ̃] *nm* desertion, neglect, relinquishment.
délaisser [delɛse] *vt* to desert, forsake, relinquish.
délassement [delɑsmɑ̃] *nm* pastime, relaxation.
délasser [delɑse] *vt* to refresh; *vr* to take some relaxation.
délateur, -trice [dɛlatœːr, tris] *n* informer.
délayer [delɛje] *vt* to dilute, water down, spin out.
délégation [delegasjɔ̃] *nf* delegation, assignment.
déléguer [delege] *vt* to depute, assign, delegate.
délester [delɛste] *vt* to unballast, relieve.
délibération [delibɛrasjɔ̃] *nf* deliberation, discussion, thought, resolution.
délibéré [delibere] *a* deliberate, purposeful.
délibérer [delibere] *vt* to discuss, think over; *vi* to deliberate, ponder.
délicat [delika] *a* delicate, dainty, fastidious, ticklish.
délicatesse [delikatɛs] *nf* delicacy, frailty, daintiness.
délice [delis] *nm* (*Usu pl f*) delight, pleasure.
délicieux, -euse [delisjø, øːz] *a* delightful, delicious.
délié [delje] *a* slender, slim, shrewd.
délier [delje] *vt* to untie, unbind; *vr* to come loose.
délimiter [delimite] *vt* to mark the limits of, define.

délinquant [delɛ̃kɑ̃] *n* offender, delinquent.
délirant [delirɑ̃] *a* raving, frenzied, delirious.
délire [deliːr] *nm* frenzy, delirium.
délirer [delire] *vi* to rave, be delirious.
délit [deli] *nm* offence, misdemeanour.
délivrance [delivrɑ̃ːs] *nf* deliverance.
délivrer [delivre] *vt* free, release; *vr* to rid oneself (of **de**).
déloger [delɔʒe] *vt* to dislodge, eject; *vi* to remove.
déloyal [delwajal] *a* unfaithful, false, unfair, unequal.
déloyauté [delwajote] *nf* unfaithfulness, treachery, dishonesty, disloyalty.
déluge [delyːʒ] *nm* flood, deluge, downpour.
déluré [delyre] *a* wide-awake, cute, sly.
demain [dəmɛ̃] *ad* tomorrow; — **en huit** tomorrow week.
démailler [demɑje] *vr* to ladder (stocking).
demande [d(ə)mɑ̃ːd] *nf* request, question, inquiry, application, indent.
demander [d(ə)mɑ̃de] *vt* to ask, ask for, apply for, request, sue; *vr* to wonder.
demandeur, -eresse [d(ə)mɑ̃dœːr, ərɛs] *n* claimant, petitioner.
démanger [demɑ̃ʒe] *vi* to itch.
démanteler [demɑ̃tle] *vt* to dismantle.
démarcation [demarkasjɔ̃] *nf* demarcation.
démarche [demarʃ] *nf* walk, bearing, step, approach.
démarrage [demaraːʒ] *nm* unmooring, start-off.
démarrer [demare] *vt* to unmoor; *vi* to leave moorings, start off.
démarreur [demarœːr] *nm* self-starter.
démasquer [demaske] *vt* to unmask, expose; *vr* to show one's true colours.
démêlé [demele] *nm* quarrel, tussle.
démêler [demele] *vt* to unravel, disentangle.
démembrer [demɑ̃bre] *vt* to dismember, partition.
déménagement [demenaʒmɑ̃] *nm* removal.
déménager [demenaʒe] *vi* to remove.
démence [demɑ̃ːs] *nf* madness, insanity.
démener [demne] *vr* to struggle, make violent efforts.
démenti [demɑ̃ti] *nm* contradiction, denial, lie.
démentir [demɑ̃tiːr] *vt* to contradict, belie; *vr* to go back on one's word.
démesuré [demzyre] *a* huge, immoderate.
démettre [demɛtr] *vt* to dislocate; *vr* to resign.
demeurant [dəmœrɑ̃] *ad* **au** — after all, moreover.
demeure [dəmœːr] *nf* abode, dwelling.
demeurer [dəmœre] *vi* to dwell, live, remain, stay.
demi [dəmi] *a ad* half; *nm* half, half-back.
demi-finale [dəmifinal] *nf* semifinal.
demi-pensionnaire [dəmipɑ̃sjɔnɛːr] *n* day-boarder.
demi-place [dəmiplas] *nf* half-fare, half-price.
demi-saison [dəmisezɔ̃] *nf* between-season.
démission [demisjɔ̃] *nf* resignation.
démissionner [demisjɔne] *vi* to resign.
demi-tour [dəmituːr] *nm* **faire** — to turn back.
démobilisation [demɔbilizasjɔ̃] *nf* demobilization.
démobiliser [demɔbilize] *vt* to demobilize.
démocrate [demɔkrat] *a* democratic; *n* democrat.
démocratie [demɔkrasi] *nf* democracy.
démocratique [demɔkratik] *a* democratic.
démodé [demɔde] *a* old-fashioned, out-of-date.
démographie [demɔgrafi] *nf* demography.
demoiselle [dəmwazɛl] *nf* young lady, maiden, spinster; dragonfly, beetle; — **d'honneur** bridesmaid; — **de compagnie** lady companion.
démolir [demɔliːr] *vt* to pull down, demolish.
démon [demɔ̃] *nm* demon, fiend, devil, imp.
démonstration [demɔ̃strasjɔ̃] *nf* demonstration, proof.
démonté [demɔ̃te] *a* dismounted, stormy, flustered.
démonter [demɔ̃te] *vt* to unseat, take to pieces.
démontrer [demɔ̃tre] *vt* to demonstrate, prove.
démoralisateur, -trice [demɔralizatœːr, tris] *a* demoralizing.
démoraliser [demɔralize] *vt* to demoralize, dishearten; *vr* to lose heart, be demoralized.
démordre [demɔrdr] *vi* to let go, give up; **en** — to climb down.
démuni [demyni] *a* short (of), without, out (of **de**).
dénaturé [denatyre] *a* unnatural, perverted.
dénaturer [denatyre] *vt* to falsify, pervert.
dénégation [denegasjɔ̃] *nf* denial.
dénicher [deniʃe] *vt* to remove from the nest, find, unearth; *vi* to forsake the nest.
dénigrement [denigrəmɑ̃] *nm* disparagement.

dénigrer [denigre] *vt* to run down, disparage.
dénombrement [denɔ̃brəmɑ̃] *nm* enumeration, numbering, census.
dénommer [denɔme] *vt* to name.
dénoncer [denɔ̃se] *vt* to denounce, declare, inform against, squeal on.
dénonciateur, -trice [denɔ̃sjatœːr, tris] *a* tell-tale; *n* informer.
dénonciation [denɔ̃sjasjɔ̃] *nf* denunciation.
dénoter [denɔte] *vt* to denote, betoken.
dénouement [denumɑ̃] *nm* issue, end(ing), outcome.
dénouer [denwe] *vt* to untie, undo, unravel; *vr* to come loose, be unravelled.
denrée [dɑ̃re] *nf* commodity, foodstuff.
dense [dɑ̃ːs] *a* dense, thick.
densité [dɑ̃site] *nf* density, denseness.
dent [dɑ̃] *nf* tooth, prong, cog; **avoir une — contre qn** to bear s.o. a grudge; **à belles —s** with relish.
dentaire [dɑ̃tɛːr] *a* dental.
denté [dɑ̃te] *a* cogged.
denteler [dɑ̃tle] *vt* to indent, notch, serrate.
dentelle [dɑ̃tɛl] *nf* lace.
dentellerie [dɑ̃tɛlri] *nf* lace manufacture.
dentelure [dɑ̃tlyːr] *nf* indentation, serration.
dentier [dɑ̃tje] *nm* denture, set of false teeth.
dentifrice [dɑ̃tifris] *nm* toothpaste, -powder; **pâte —** toothpaste.
dentiste [dɑ̃tist] *nm* dentist.
dentition [dɑ̃tisjɔ̃] *nf* dentition, teething.
denture [dɑ̃tyːr] *nf* (set of) teeth (natural).
dénudation [denydasjɔ̃] *nf* laying bare, stripping.
dénudé [denyde] *a* bare, bleak.
dénuder [denyde] *vt* to lay bare, denude.
dénué [denɥe] *a* devoid (of **de**).
dénuement [denymɑ̃] *nm* destitution, distress, want.
dénuer [denɥe] *vt* to strip, divest; *vr* to part (with).
dépannage [depanaːʒ] *nm* running or emergency repairs; **équipe de —** breakdown gang.
dépanner [depane] *vt* to repair, help out.
dépaqueter [depakte] *vt* to unpack.
dépareillé [deparɛje] *a* odd, unmatched.
déparer [depare] *vt* to mar, spoil, disfigure.
départ [depaːr] *nm* departure, start (ing), difference.
départager [departaʒe] *vt* to decide between; **— les suffrages** to give the casting vote.
département [departəmɑ̃] *nm* department, administrative subdivision.
départir [departiːr] *vt* to share out, divide, dispense; *vr* to depart (from **de**), part (with **de**).
dépasser [depase] *vt* to pass, surpass, exceed.
dépaysé [depe(j)ize] *a* out of one's element, strange.
dépayser [depe(j)ize] *vt* to bewilder, disconcert.
dépecer [depəse] *vt* to cut up, carve.
dépêche [depɛ(ː)ʃ] *nf* despatch, telegram, wire.
dépêcher [depɛʃe] *vt* to dispatch; *vr* to hurry, hasten.
dépeigner [depɛɲe] *vt* to disarrange, ruffle s.o.'s hair.
dépeindre [depɛ̃ːdr] *vt* to depict, describe.
dépendance [depɑ̃dɑ̃ːs] *nf* dependence, appurtenance; *pl* outbuildings.
dépendant [depɑ̃dɑ̃] *a* dependent.
dépendre [depɑ̃ːdr] *vt* to take down; *vi* to depend, be answerable, hinge.
dépens [depɑ̃] *nm pl* cost, expense.
dépense [depɑ̃ːs] *nf* expenditure, outlay, expense, consumption, pantry.
dépenser [depɑ̃se] *vt* to spend, expend, consume, use up; *vr* to expend one's energies.
dépensier, -ière [depɑ̃sje, jɛːr] *a* extravagant.
dépérir [deperiːr] *vi* to pine away, decline, wilt.
dépérissement [deperismɑ̃] *nm* decline, decay.
dépêtrer [depɛtre] *vt* to extricate; *vr* to extricate oneself.
dépeupler [depœple] *vt* to depopulate, thin, empty.
dépiécer [depjese] *vt* to cut up, carve.
dépiècement [depjɛsmɑ̃] *nm* carving, dismemberment.
dépister [depiste] *vt* to run to earth, throw off the scent.
dépit [depi] *nm* spite, annoyance, vexation; **en — de** in spite of.
dépiter [depite] *vt* to annoy, spite.
déplacé [deplase] *a* out of place, incongruous, misplaced, uncalled for.
déplacement [deplasmɑ̃] *nm* displacing, moving, transfer; *pl* movements, journey.
déplacer [deplase] *vt* to displace, move, shift, transfer; *vr* to remove, move about, travel, shift.
déplaire [deplɛːr] *vt* to displease, offend; **ne vous en déplaise** with all due respect.
déplaisant [deplɛzɑ̃] *a* disagreeable, unpleasant.
déplaisir [deplɛziːr] *nm* displeasure, vexation, sorrow.
déplanter [deplɑ̃te] *vt* to lift (plant), transplant.
déplantoir [deplɑ̃twaːr] *nm* trowel.

déplier [deplie] *vtr* to unfold, open.
déplisser [deplise] *vt* to take out of its folds.
déploiement [deplwamɑ̃] *nm* unfolding, display, deployment.
déplorable [deplɔrabl] *a* lamentable.
déplorer [deplɔre] *vt* to deplore, bewail, mourn.
déployer [deplwaje] *vt* to unfold, spread out, display, deploy; *vr* to spread, deploy.
déplumer [deplyme] *vt* to pluck; *vr* to moult.
dépolir [depɔliːr] *vt* to take gloss off, frost (glass).
dépopulation [depɔpylasjɔ̃] *nf* depopulation.
déportements [depɔrtəmɑ̃] *nm pl* misconduct, excesses.
déporter [depɔrte] *vt* to deport.
déposant [depozɑ̃] *n* witness, depositor.
déposer [depoze] *vt* to lay down, deposit, lodge, drop; *vi* to testify, attest.
dépositaire [depɔzitɛːr] *n* trustee, sole agent.
déposition [depɔzisjɔ̃] *nf* testimony, evidence, attestation.
déposséder [depɔsede] *vt* to dispossess, strip.
dépossession [depɔsɛsjɔ̃] *nf* dispossessing.
dépôt [depo] *nm* deposit(ing), store, depot, warehouse, dump, coating.
dépouille [depuːj] *nf* skin, (earthly) remains, spoils, relics.
dépouiller [depuje] *vt* to skin, strip, plunder, rob; *vr* to cast its skin, rid oneself, shed; — **son courrier** to go through one's mail.
dépourvu [depurvy] *a* devoid, bereft; **pris au** — caught unawares.
dépravation [depravasjɔ̃] *nf* depravity.
dépraver [depraver] *vt* to deprave.
dépréciation [depresjasjɔ̃] *nf* depreciation, wear and tear, disparagement.
déprécier [depresje] *vt* to underrate, depreciate, disparage, cheapen.
déprédation [depredasjɔ̃] *nf* depredation, embezzlement.
dépression [deprɛsjɔ̃] *nf* depression, fall, hollow, gloom, dejection.
déprimer [deprime] *vt* to depress; *vr* to become depressed.
depuis [dəpɥi] *prep* since, for, from; *ad* afterwards since then.
députation [depytasjɔ̃] *nf* deputation, deputing, membership of Parliament; **se présenter à la** — to stand for Parliament.
député [depyte] *n* deputy, Member of Parliament; **chambre des** —**s** parliament house.
députer [depyte] *vt* to depute, appoint as deputy.
déraciner [derasine] *vt* to uproot. root out, extirpate.
dérailler [deraje] *vi* to be derailed, run off rails; *vt* **faire** — to derail.
déraison [derɛzɔ̃] *nf* unreasonableness, folly.
déraisonnable [derɛzɔnabl] *a* unreasonable.
déraisonner [derɛzɔne] *vi* to talk nonsense.
dérangement [derɑ̃ʒmɑ̃] *nm* disarrangement, disorder, derangement.
déranger [derɑ̃ʒe] *vt* to disarrange, disturb, upset, derange; *vr* to move, inconvenience oneself, trouble.
dérapage [derapaːʒ] *nm* dragging anchor, skid.
déraper [derape] *vi* to drag its anchor, to skid.
dératé [derate] *a* spleened; **courir comme un** — to run like a hare.
derechef [dərəʃɛf] *ad* once again.
déréglé [deregle] *a* out of order, dissolute, inordinate.
dérèglement [derɛgləmɑ̃] *nm* disorder, irregularity, profligacy.
dérégler [deregle] *vt* to upset, disarrange, put out of order, unsettle; *vr* to get out of order, go wrong.
dérider [deride] *vt* to smoothe, remove wrinkles from, brighten up; *vr* to unbend.
dérision [derizjɔ̃] *nf* mockery, derision.
dérisoire [derizwaːr] *a* absurd, derisive, ridiculous.
dérivation [derivasjɔ̃] *nf* derivation, diversion, deflection, drift.
dérive [deriːv] *nf* drift, leeway; **à la** — adrift.
dériver [derive] *vt* to divert; *vi* to drift, be derived.
dernier, -ière [dɛrnje, jɛːr] *a* last, latter, latest, hindmost, utmost, extreme.
dernièrement [dɛrnjɛrmɑ̃] *ad* recently, lately.
dérobé [derɔbe] *a* secret; **à la** —**e** secretly, stealthily.
dérober [derɔbe] *vt* to steal, hide; *vr* to escape, hide, avoid, give way.
dérogatoire [derɔgatwaːr] *a* derogatory.
déroger [derɔʒe] *vi* to derogate, depart (from **à**), lose dignity.
dérouiller [deruje] *vt* to remove rust from, polish, brush up.
dérouler [derule] *vt* to unroll, uncoil, unfold; *vr* to unfold, stretch, spread, happen.
déroute [derut] *nf* rout, flight, downfall.
dérouter [derute] *vt* to lead astray, baffle, put off.
derrière [dɛrjɛːr] *prep* behind, beyond; *ad* behind, astern, at the back, in the rear; *nm* back, rear, bottom.
des [de, dɛ] = **de** + **les.**
dès [dɛ] *prep* since, from; — **lors** from then; — **que** as soon as.

désabuser [dezabyze] *vt* to disillusion, undeceive.
désaccord [dezakɔːr] *nm* disagreement, variance, clash.
désaccoutumer [dezakutyme] *vt* to break (s.o.) of a habit; *vr* to get out of the habit.
désaffecter [dezafɛkte] *vt* to put to another use, convert.
désaffection [dezafɛksjɔ̃] *nf* disaffection.
désagréable [dezagreabl] *a* unpleasant, offensive.
désagrégation [dezagregasjɔ̃] *nf* disintegration, breaking-up.
désagrément [dezagremɑ̃] *nm* source of irritation, vexatious incident.
désaltérer [dezaltere] *vt* to quench s.o.'s thirst; *vr* to quench one's thirst.
désappointer [dezapwɛ̃te] *vt* to disappoint.
désapprendre [dezaprɑ̃ːdr] *vt* to unlearn.
désapprobateur, -trice [dezaprɔbatœːr, tris] *a* disapproving.
désapprobation [dezaprɔbasjɔ̃] *nf* disapprobation, disapproval.
désapprouver [dezapruve] *vt* to disapprove, frown upon.
désarçonner [dezarsɔne] *vt* to unseat, unsaddle.
désarmement [dezarməmɑ̃] *nm* disarming, disarmament, laying up.
désarmer [dezarme] *vt* to disarm, dismantle, lay up; *vi* to disarm, be disbanded.
désarroi [dezarwa] *nm* confusion, disorder.
désassocier [dezasɔsje] *vt* to dissociate; *vr* to dissociate o.s. (from **de**).
désassorti [dezasɔrti] *a* made up of odd bits.
désastre [dezastr] *nm* disaster, calamity, catastrophe.
désastreux, -euse [dezastrø, øːz] *a* disastrous.
désavantage [dezavɑ̃taːʒ] *nm* handicap.
désavantager [dezavɑ̃taʒe] *vt* to mar, handicap, put at a disadvantage.
désavantageux, -euse [dezavɑ̃taʒø, øːz] *a* detrimental, disadvantageous.
désaveu [dezavø] *nm* denial, disavowal.
désavouer [dezavwe] *vt* to repudiate, disown, disclaim.
désceller [desɛle] *vt* to unseal, open, loosen.
descendant [dɛsɑ̃dɑ̃] *a* descending, downward; *n* descendant, offspring.
descendre [dɛsɑ̃ːdr] *vt* to go down, carry down, bring down; *vi* to descend, go down, alight, dismount; — **en panne** to come down with engine trouble; — **à un hôtel** to put up at an hotel.
descente [dɛsɑ̃ːt] *nf* descent, declivity, swoop, raid; — **de lit** rug.
descriptible [deskriptibl] *a* describable.
descriptif, -ive [deskriptif, iːv] *a* descriptive.
description [deskripsjɔ̃] *nf* description.
désemballer [dezɑ̃bale] *vt* to unpack.
désemparé [dezɑ̃pare] *a* helpless, crippled, in distress.
désemparer [dezɑ̃pare] *vt* to disable, disjoint; **sans** — without stopping.
désencombrer [dezɑ̃kɔ̃bre] *vt* to clear, free.
désenfler [dezɑ̃fle] *vt* to reduce the swelling of; *vi* to become less swollen, go down.
désengager [dezɑ̃gaʒe] *vt* to release, free, take out of pawn.
désengrener [dezɑ̃grəne] *vt* to put out of gear, disengage.
désenivrer [dezɑ̃nivre] *vt* to sober; *vr* to come to one's senses.
désenterrer [dezɑ̃tɛre] *vt* to disinter, dig up.
déséquilibrer [dezekilibre] *vt* to throw off balance, unbalance.
désert [dezɛːr] *a* lonely, empty, deserted, bleak; *nm* desert, wilderness
déserter [dezɛrte] *vt* to desert, abandon; *vi* to desert.
déserteur [dezɛrtœːr] *nm* deserter.
désertion [dezɛrsjɔ̃] *nf* desertion, running away.
désespérance [dezɛspɛrɑ̃ːs] *nf* despair.
désespérant [dezɛspɛrɑ̃] *a* hopeless, heartbreaking.
désespéré [dezɛspere] *a* desperate, hopeless.
désespérer [dezɛspere] *vt* to drive to despair; *vi* to despair; *vr* to be in despair.
désespoir [dezɛspwaːr] *nm* despair, despondency.
déshabillé [dezabije] *nm* négligé.
déshabiller [dezabije] *vtr* to undress.
déshabituer [dezabitɥe] *vt* to break s.o. of the habit; *vr* to get out of the habit.
déshériter [dezerite] *vt* to disinherit.
déshonnête [dezɔnɛːt] *a* immodest, improper, indecent.
déshonnêteté [dezɔnɛtəte] *nf* impropriety.
déshonneur [dezɔnœːr] *nm* dishonour, disgrace.
déshonorer [dezɔnɔre] *vt* to dishonour, disgrace.
déshydrater [dezidrate] *vt* dehydrate.
désignation [deziɲasjɔ̃] *nf* designation, appointment, choice, description.
désigner [deziɲe] *vt* to appoint, designate, show, fix, detail, post, draft.
désillusion [dezillyzjɔ̃] *nf* disillusion.

désillusionner [dezillyzjɔne] *vt* to disillusion.
désinfectant [dezɛ̃fɛktɑ̃] *nm* disinfectant.
désinfection [dezɛ̃fɛksjɔ̃] *nf* disinfection, decontamination.
désinfecter [dezɛ̃fɛkte] *vt* to disinfect, decontaminate.
désintégrer [dezɛ̃tegre] *vt* to disintegrate, split.
désintéressé [dezɛ̃terɛse] *a* disinterested, unselfish, selfless.
désintéressement [dezɛ̃terɛsmɑ̃] *nm* disinterestedness, unselfishness.
désintéresser [dezɛ̃terɛse] *vr* to lose interest, take no interest (**de** in).
désinvolte [dezɛ̃vɔlt] *a* free, offhand, flippant.
désinvolture [dezɛ̃vɔlty:r] *nf* unselfconsciousness, ease, airy manner, flippancy; **avec** — airily, flippantly.
désir [dezi:r] *nm* desire, wish, longing.
désirable [dezirabl] *a* desirable.
désirer [dezire] *vt* to desire, want, long for.
désireux, -euse [dezirø, ø:z] *a* desirous, anxious.
désobéir [dezɔbei:r] *vti* to disobey.
désobéissance [dezɔbeisɑ̃s] *nf* disobedience.
désobligeance [dezɔbliʒɑ̃s] *nf* ungraciousness, disagreeableness.
désobliger [dezɔbliʒe] *vt* to disoblige, offend.
désobstruer [dezɔpstrye] *vt* to clear, free.
désœuvré [dezœvre] *a* idle, at a loose end.
désœuvrement [dezœvrəmɑ̃] *nm* idleness; **par** — for want of something to do.
désolant [dezɔlɑ̃] *a* distressing, grievous.
désolation [dezɔlasjɔ̃] *nf* desolation, grief.
désolé [dezɔle] *a* desolate, dreary, grieved; **je suis** — I am very sorry.
désoler [dezɔle] *vt* to ravage, grieve, distress.
désopilant [dezɔpilɑ̃] *a* screamingly funny.
désordonné [dezɔrdɔne] *a* disordered, untidy, dissolute.
désordre [dezɔrdr] *nm* confusion, disorder, untidiness, disturbance.
désorganisation [dezɔrganizasjɔ̃] *nf* disorganization, disarrangement.
désorganiser [dezɔrganize] *vt* to disorganize.
désorienter [dezɔrjɑ̃te] *vt* to put s.o. off his bearings, bewilder; *vr* to lose one's bearings, get lost.
désormais [dezɔrmɛ] *ad* henceforward, from now on.
désosser [dezose] *vt* to bone.
despote [despɔt] *nm* despot.
despotisme [despɔtism] *nm* despotism.
dessaisir [desɛzi:r] *vt* to dispossess; **se** — **de** to give up, relinquish.
dessaler [dɛsale] *vt* to remove salt from, teach s.o. a thing or two.
se dessécher [sədeseʃe] *vr* to dry, wither; *vt* parch.
dessein [dɛsɛ̃] *nm* plan, design, purpose, intention; **à** — intentionally.
desseller [desɛle] *vt* to unsaddle.
desserrer [desɛre] *vt* to loosen, slacken, release; *vr* to come loose, slacken, relax.
dessert [desɛ:r] *nm* dessert.
desservant [desɛrvɑ̃] *nm* officiating priest.
desservir [desɛrvi:r] *vt* to clear (away), serve, connect.
dessin [desɛ̃] *nm* drawing, sketch, cartoon design.
dessinateur, -trice [desinatœ:r, tris] *n* designer, draughtsman, black and white artist.
dessiner [desine] *vt* to draw, design, plan, outline; *vr* to stand out, be outlined.
dessouler [desule] *vt* to sober; *vi* to become sober.
dessous [dəsu] *ad* below, underneath, under it, them; **regarder qn en** — to look furtively at s.o.; **avoir le** — to get the worst of it; *nm* bottom, underside; *pl* seamy side.
dessus [dəsy] *ad* above, over, on it, them above it, them; *nm* top, upper side, advantage; **avoir le** — to have the best of it; — **d'assiette** doily; — **de lit** bedspread; — **du panier** the pick of the basket.
destin [dɛstɛ̃] *nm* destiny, fate.
destinataire [dɛstinatɛ:r] *n* addressee, payee.
destination [dɛstinasjɔ̃] *nf* destination; **à** — **de** bound for.
destinée [dɛstine] *nf* fate, destiny fortune.
destiner [dɛstine] *vt* to destine, intend, mean; *vr* to aim, intend to be; **être destiné à** to be fated to.
destituer [dɛstitɥe] *vt* to dismiss, remove.
destitution [dɛstitysjɔ̃] *nf* dismissal.
destructeur -trice [dɛstryktœ:r, tris] *a* destructive; *n* destroyer.
destructif, -ive [dɛstryktif, i:v] *a* destructive.
destruction [dɛstryksjɔ̃] *nf* destruction.
désuet, -uète [desɥɛ ɛt] *a* obsolete, out-of-date.
désuétude [desɥetyd] *nf* disuse abeyance.
désunion [dezynjɔ̃] *nf* disunion, separation breach.
désunir [dezyni:r] *vtr* to disunite.
détaché [detaʃe] *a* loose, detached, unconcerned.
détachement [detaʃmɑ̃] *nm* detaching, detachment, indifference, contingent, draft.

détacher [detaʃe] *vt* to detach, unfasten, untie, disaffect, detail, draft, remove stains from; *vr* to come loose, come off, stand out.
détail [deta:j] *nm* detail, retail; **vente au —** retail selling.
détailler [detaje] *vt* to retail, detail, divide up, look over, appraise.
détaler [detale] *vi* to clear out, scamper off, bolt.
détartrer [detartre] *vt* to scale, fur.
détection [detɛksjɔ̃] *nf* detection.
détective [detɛkti:v] *nm* detective.
déteindre [detɛ̃:dr] *vt* to take the colour out of; *vir* to fade, run; *vi* to influence.
dételer [detle] *vt* to unyoke, unharness.
détendre [detɑ̃:dr] *vtr* to slacken loosen, relax.
détenir [detni:r] *vt* to hold, detain, withhold.
détente [detɑ̃:t] *nf* slackening, relaxation, trigger.
détenteur, -trice [detɑ̃tœ:r, tris] *n* holder.
détention [detɑ̃sjɔ̃] *nf* detention.
détérioration [deterjɔrasjɔ̃] *nf* damage, wear and tear.
détériorer [deterjɔre] *vt* to damage, spoil; *vr* to deteriorate.
détermination [detɛrminasjɔ̃] *nf* determination.
déterminé [detɛrmine] *a* determined, definite.
déterminer [detɛrmine] *vt* to determine, fix, bring about, decide; *vr* to make up one's mind.
déterrer [detɛre] *vt* to dig up, unearth, find out.
détestable [detɛstabl] *a* wretched, hateful.
détester [detɛste] *vt* to hate, loathe, dislike.
détonateur [detɔnatœ:r] *nm* detonator, fog-signal.
détonation [detɔnasjɔ̃] *nf* detonation, report.
détoner [detɔne] *vi* to detonate, bang.
détonner [detɔne] *vi* to be out of tune, jar.
détour [detu:r] *nm* turning, winding, curve, bend, roundabout way.
détourné [deturne] *a* circuitous, devious.
détournement [deturnəmɑ̃] *nm* diversion, embezzlement, abduction.
détourner [deturne] *vt* to divert, avert, ward off, abduct, alienate, embezzle; *vr* to turn aside.
détracteur, -trice [detraktœ:r, tris] *n* detractor.
détraquement [detrakmɑ̃] *nm* breakdown.
détraquer [detrake] *vt* to put out of order; *vr* to break down.
détrempe [detrɑ̃:p] *nf* distemper, wash.
détremper [detrɑ̃pe] *vt* to soak, soften.
détresse [detrɛs] *nf* distress, misery,
détriment [detrimɑ̃] *nm* detriment, prejudice, loss.
détritus [detrity:s] *nm* detritus, refuse.
détroit [detrwa] *nm* strait(s), channel, pass.
détromper [detrɔ̃pe] *vt* put right; enlighten, *vr* **détrompez-vous!** get that out of your head!
détrôner [detrone] *vt* to dethrone.
détrousser [detruse] *vt* to let down, rob.
détruire [detrɥi:r] *vt* to destroy, overthrow, demolish.
dette [dɛt] *nf* debt, indebtedness, duty.
deuil [dœ:j] *nm* mourning, grief, bereavement.
deux [dø] *a* two, second; *nm* two, deuce.
deuxième [døzjɛm] *an* second.
dévaler [devale] *vti* to rush down; *vi* to slope, descend, rush down.
dévaliser [devalize] *vt* to rob, rifle, plunder.
dévaluer [devalɥe] *vt* to devaluate.
devancer [d(ə)vɑ̃se] *vt* to go before, precede, forestall.
devancier, -ière [d(ə)vɑ̃sje, jɛ:r] *n* predecessor.
devant [d(ə)vɑ̃] *prep* before, in front of, in face of; *ad* ahead, in front; *nm* front; **prendre les —s sur** to steal a march on.
devanture [d(ə)vɑ̃ty:r] *nf* front, shop window.
dévastateur, -trice [devastatœ:r, tris] *a* damaging, devastating; *n* ravager.
dévastation [devastasjɔ̃] *nf* devastation, havoc.
dévaster [devaste] *vt* to lay waste, devastate, gut.
déveine [devɛn] *nf* bad luck.
développement [devlɔpmɑ̃] *nm* development, growth, expansion.
développer [devlɔpe] *vt* to develop, expand, enlarge (upon); *vr* to develop, expand.
devenir [dəvni:r] *vi* to become, get, grow; **qu'est-il devenu?** what has become of him?
dévergondage [devɛrgɔ̃da:ʒ] *nm* shamelessness.
dévergondé [devɛrgɔ̃de] *a* shameless, profligate.
déverrouiller [devɛruje] *vt* to unbolt.
dévers [devɛr] *a* leaning, warped, out of plumb; *nm* slope, warp, banking.
déversement [devɛrs(ə)mɑ̃] *nm* overflow, tipping.
déverser [devɛrse] *vt* to slant, incline, pour, dump; *vi* to lean, get out of true line.
dévêtir [deveti:r] *vt* to strip, undress, take off; *vr* to undress, divest oneself.
déviation [devjasjɔ̃] *nf* deviation,

deflexion, departure, (*road*) detour.
dévider [devide] *vt* to unwind, reel, pay out.
dévidoir [devidwaːr] *nm* reel, drum, winder.
dévier [devje] *vt* to turn aside, deflect; *vi* to swerve, deviate.
deviner [dəvine] *vt* to guess, foretell, make out.
devinette [dəvinɛt] *nf* conundrum, riddle.
devis [dəvi] *nm* estimate.
dévisager [devisaʒe] *vt* to stare at.
devise [dəviːz] *nf* device, slogan, currency, bill.
dévisser [devise] *vt* to unscrew.
dévoiler [devwale] *vt* to unveil, disclose, reveal.
devoir [dəvwaːr] *vt* to owe, be indebted, have to, be obliged to, must, ought, should; *nm* duty, task, exercise.
dévolu [devɔly] *a* devolving, devolved; *nm* **jeter son — sur** to choose.
dévorer [devɔre] *vt* to devour, eat up, consume.
dévot [devo] *an* devout, religious (person).
dévotion [devosjɔ̃] *nf* piety, devotion.
dévoué [devwe] *a* devoted, sincere, loyal.
dévouement [devumɑ̃] *nm* devotion, devotedness, self-sacrifice.
dévouer [devwe] *vt* to devote, dedicate; *vr* to devote oneself, sacrifice oneself.
dévoyer [devwaje] *vtr* to lead astray, go off the rails.
dextérité [dɛksterite] *nf* dexterity, skill.
diabète [djabɛt] *nm* diabetes.
diabétique [djabetik] *an* diabetic.
diable [djɑːbl] *nm* devil; **allez au —!** go to hell!
diablerie [djɑbləri] *nf* devilry, witchcraft, mischievousness, turbulence.
diablotin [djɑblɔtɛ̃] *nm* imp, cracker.
diabolique [djabɔlik] *a* diabolical, fiendish.
diaconesse [djakɔnɛs] *nf* deaconess.
diacre [djakr] *nm* deacon.
diadème [djadɛm] *nm* diadem.
diagnostic [djagnɔstik] *nm* diagnosis.
diagnostiquer [djagnɔstike] *vt* to diagnose.
diagonal [djagɔnal] *a* diagonal.
dialecte [djalɛkt] *nm* dialect.
dialogue [djalɔg] *nm* dialogue.
diamant [djamɑ̃] *nm* diamond.
diamètre [djamɛtr] *nm* diameter.
diane [djan] *nf* reveille.
diantre [djɑ̃ːtr] *excl* the deuce!
diapason [djapazɔ̃] *nm* tuning fork, diapason, range.
diaphane [djafan] *a* diaphanous, transparent.
diaphragme [djafragm] *nm* diaphragm, sound-box.
diapré [djapre] *a* mottled, speckled, variegated.
dictateur [diktatœːr] *nm* dictator.
dictature [diktatyːr] *nf* dictatorship.
dictée [dikte] *nf* dictation.
dicter [dikte] *vt* to dictate.
diction [diksjɔ̃] *nf* diction, elocution.
dictionnaire [diksjɔnɛːr] *nm* dictionary.
dicton [diktɔ̃] *nm* saying, proverb, maxim.
dièse [djɛːz] *nm* (*mus*) sharp.
diète [djɛt] *nf* diet, regimen.
dieu [djø] *nm* god; *excl* goodness!
diffamation [diffamasjɔ̃] *nf* slander, libel.
diffamatoire [diffamatwaːr] *a* slanderous, defamatory, libellous.
diffamer [diffame] *vt* to defame, slander.
différence [diferɑ̃ːs] *nf* difference, distinction, discrepancy, gap.
différend [diferɑ̃] *nm* difference, dispute.
différent [diferɑ̃] *a* different, unlike, various.
différentiel, -ielle [diferɑ̃sjɛl] *a nm* differential.
différer [difere] *vt* to put off, postpone; *vi* to differ, put off.
difficile [difisil] *a* difficult, hard, hard to please.
difficilement [difisilmɑ̃] *ad* with difficulty.
difficulté [difikylte] *nf* difficulty; **faire des —s** to be fussy, raise difficulties.
difforme [difɔrm] *a* deformed, shapeless.
difformité [difɔrmite] *nf* deformity.
diffus [dify] *a* diffuse, wordy, diffused.
diffuser [difyze] *vt* to diffuse.
diffusion [difyzjɔ̃] *nf* spreading, broadcasting.
digérer [diʒere] *vt* to digest, assimilate.
digestible [diʒɛstibl] *a* digestible.
digestif, -ive [diʒɛstif] *a* digestive.
digestion [diʒɛstjɔ̃] *nf* digestion, assimilation.
digital, -ale, -aux [diʒital, al, o] *a* **empreinte —** fingerprint; *nf* foxglove, digitalis.
digne [diɲ] *a* worthy, stately, dignified, deserving.
dignitaire [diɲitɛːr] *nm* dignitary.
dignité [diɲite] *nf* dignity, nobility, greatness.
digression [digrɛsjɔ̃] *nf* digression.
digue [dig] *nf* dike, sea-wall, embankment, dam.
dilapider [dilapide] *vt* to waste, squander, embezzle.
dilater [dilate] *vtr* to dilate, expand, distend.
dilemme [dilɛm] *nm* dilemma.
diligence [diliʒɑ̃ːs] *nf* application, industry, haste; stage-coach.
diligent [diliʒɑ̃] *a* busy.

diluer [dilɥe] *vt* to dilute, water down.
dimanche [dimɑ̃ːʃ] *nm* Sunday.
dimension [dimɑ̃sjɔ̃] *nf* size; *pl* measurements.
diminuer [diminɥe] *vt* to diminish, lessen, reduce; *vi* to decrease, abate.
diminution [diminysjɔ̃] *nf* decrease, reduction.
dinde [dɛ̃ːd] *nf* turkey-hen.
dindon [dɛ̃dɔ̃] *nm* turkey-cock.
dîner [dine] *vi* to dine; *nm* dinner (party).
dîneur, -euse [dinœːr, øːz] *n* diner.
diocèse [djɔsɛːz] *nm* diocese.
dioula [diula] *nm* itinerant pedlar.
diphtérie [difteri] *nf* diphtheria.
diplomate [diplɔmat] *nm* diplomat (ist).
diplomatie [diplɔmasi] *nf* diplomacy, diplomatic service.
diplomatique [diplɔmatik] *a* diplomatic.
diplôme [diploːm] *nm* diploma, certificate.
diplômé [diplome] *a* certificated.
dire [diːr] *vt* to say, tell, speak; *nm* assertion, statement, words; **dites donc!** I say!; **ce vin ne me dit rien** I don't care for this wine; **et — que** and to think that; **que dites-vous de cela?** what do you think of that?
direct [dirɛkt] *a* direct, straight, pointed, flat.
directeur, -trice [dirɛktœːr, tris] *a* guiding, controlling; *n* chief, leader, manager, manageress, headmaster, headmistress, superintendent.
direction [dirɛksjɔ̃] *nf* direction, management, guidance, leadership, steering.
directives [dirɛktiːv] *nf pl* main or guiding lines.
dirigeant [diriʒɑ̃] *a* directing, guiding, governing.
dirigeable [diriʒabl] *nm* airship.
diriger [diriʒe] *vt* to direct, manage, conduct, guide, steer, point; *vr* to make one's way, proceed.
discernement [disɛrnəmɑ̃] *nm* discernment, discrimination.
discerner [disɛrne] *vt* to discern, descry, distinguish.
disciple [disipl] *nm* disciple, follower.
discipline [disiplin] *nf* discipline, order.
discipliner [disipline] *vt* to discipline.
discontinuer [diskɔ̃tinɥe] *vt* to discontinue, leave off, break off.
disconvenance [diskɔ̃vnɑːs] *nf* disparity, unsuitableness.
disconvenir [diskɔ̃vniːr] *vi* to be unsuitable, deny.
discordance [diskɔrdɑ̃ːs] *nf* disagreement, clash.
discordant [diskɔrdɑ̃] *a* harsh, grating, clashing.
discorde [diskɔrd] *nf* strife, lack of unity.
discourir [diskuriːr] *vi* to talk volubly, hold forth, discourse.
discours [diskuːr] *nm* discourse, speech, talk.
discourtois [diskurtwa] *a* impolite, discourteous.
discrédit [diskredi] *nm* disrepute.
discréditer [diskredite] *vt* to discredit, disparage, bring into disrepute.
discret, -ète [diskrɛ, ɛt] *a* discreet, unobtrusive.
discrétion [diskresjɔ̃] *nf* restraint.
discriminer [diskrimine] *vt* to discriminate.
disculper [diskylpe] *vt* to exonerate, clear.
discussion [diskysjɔ̃] *nf* argument, debate.
discutable [diskytabl] *a* debatable, disputable.
discuter [diskyte] *vt* to discuss, talk over, question.
disette [dizɛt] *nf* want, scarcity, dearth.
diseur, -euse [dizœːr, øːz] *n* **— de bonne aventure** fortune-teller.
disgrâce [disgrɑːs] *nf* disfavour, misfortune.
disgracieux, -euse [disgrasjø, øːz] *a* ungraceful, awkward, ungracious.
disjoindre [disʒwɛ̃ːdr] *vt* to sever, disjoin.
dislocation [dislɔkasjɔ̃] *nf* dislocation, dismemberment.
disloquer [dislɔke] *vt* to dislocate, dismember; *vr* to fall apart, break up.
disparaître [disparɛːtr] *vi* to disappear, vanish.
disparate [disparat] *a* unlike, ill-assorted.
disparition [disparisjɔ̃] *nf* disappearance.
dispendieux, -euse [dispɑ̃djø, øːz] *a* expensive.
dispensaire [dispɑ̃sɛːr] *nm* dispensary, out-patients' department.
dispensation [dispɑ̃sasjɔ̃] *nf* dispensing.
dispense [dispɑ̃ːs] *nf* dispensation, exemption.
dispenser [dispɑ̃se] *vt* to dispense, distribute, excuse, exempt; *vr* to get exempted (from **de**), get out (of **de**).
disperser [disperse] *vtr* to scatter, disperse.
dispersion [dispɛrsjɔ̃] *nf* scattering, dispersal.
disponibilité [dispɔnibilite] *nf* availability; *pl* available funds; **être en —** to be on half-pay.
disponible [dispɔnibl] *a* available.
dispos [dispo] *a* fit, bright, well.
disposé [dispoze] *a* disposed, agreeable, ready; **être bien (mal) —** to be in a good (bad) temper.
disposer [dispoze] *vt* to arrange, array, set out, incline; *vr* to get ready; **— de** to have at one's disposal.

dispositif [dispɔzitif] *nm* apparatus, gadget.
disposition [dispɔzisjɔ̃] *nf* disposition, disposal, arrangement, tendency; *pl* natural gift, provisions.
disproportion [disprɔpɔrsjɔ̃] *nf* lack of proportion.
disproportionné [disprɔpɔrsjɔne] *a* disproportionate, out of proportion.
disputailler [dispytɑje] *vi* to cavil, bicker.
dispute [dispyt] *nf* dispute, squabble.
disputer [dispyte] *vt* to discuss, argue about, dispute, challenge; *vi* to quarrel; *vr* to argue wrangle, contend for.
disqualifier [diskalifje] *vt* to disqualify.
disque [disk] *nm* discus, disc, gramophone record.
dissemblable [di(s)sɑ̃blabl] *a* unlike, dissimilar.
dissemblance [dis(s)ɑ̃blɑ̃:s] *nf* unlikeness, dissimilarity.
disséminer [dis(s)emine] *vt* to scatter, spread.
dissension [dis(s)ɑ̃sjɔ̃] *nf* dissension, discord.
dissentiment [dis(s)ɑ̃timɑ̃] *nm* dissent, disagreement.
disséquer [dis(s)eke] *vt* to dissect.
dissertation [disɛrtasjɔ̃] *nf* essay, composition.
disserter [disɛrte] *vi* to dissert, expatiate.
dissident [dis(s)idɑ̃] *a* dissentient, dissident.
dissimulateur, -trice [dis(s)imylatœ:r, tris] *n* dissembler; *a* deceitful.
dissimulation [dis(s)imylasjɔ̃] *nf* deceit, dissimulation hiding.
dissimuler [dis(s)imyle] *vt* to dissimulate, conceal, disguise; *vr* to hide.
dissipation [disipasjɔ̃] *nf* dissipation, dispersion, wasting, dissolute conduct, inattentiveness.
dissipé [disipe] *a* dissipated, giddy, inattentive.
dissiper [disipe] *vt* to dissipate, dispel, waste, divert; *vr* to disappear, be dispelled, clear, become dissolute.
dissolu [dis(s)ɔly] *a* profligate, abandoned, dissolute.
dissolution [dis(s)ɔlysjɔ̃] *nf* disintegration, dissolving, breaking-up, solution.
dissoudre [dis(s)udr] *vtr* to dissolve, break up.
dissuader [dis(s)ɥade] *vt* to dissuade, talk out of.
distance [distɑ̃:s] *nf* distance, range.
distancer [distɑ̃se] *vt* to outdistance outstrip.
distant [distɑ̃] *a* distant, aloof.
distillateur [distilatœ:r] *nm* distiller.
distillation [distilasjɔ̃] *nf* distillation, distilling.
distiller [distile] *vt* to distil, drop.
distillerie [distilri] *nf* distillery.
distinct [distɛ̃(:kt)] *a* distinct, clear, audible.
distinctif, -ive [distɛ̃ktif, i:v] *a* distinctive.
distinction [distɛ̃ksjɔ̃] *nf* distinction, honour, distinguished air.
distingué [distɛ̃ge] *a* eminent, distinguished.
distinguer [distɛ̃ge] *vt* to distinguish, discriminate, characterize, perceive, bring to notice; *vr* to distinguish oneself, be distinguishable.
distraction [distraksjɔ̃] *nf* separation, distraction, absent-mindedness, entertainment.
distraire [distrɛ:r] *vt* to separate, distract, take one's mind off, amuse, entertain; *vr* to amuse oneself.
distrait [distrɛ] *a* absent-minded, listless.
distribuer [distribɥe] *vt* to distribute, apportion, share out, hand out, deliver; — **les rôles** to cast a play.
distributeur, -trice [distribytœ:r, tris] *n* dispenser, distributor; — **automatique** slot-machine.
distribution [distribysjɔ̃] *nf* distribution, issue, allotting, delivery; — **des prix** prize-giving; — **des rôles** cast(ing).
dit [di] *a* called, named; **autrement** — alias.
divagation [divagasjɔ̃] *nf* deviation, wandering.
divaguer [divage] *vi* to deviate, wander, rave.
divan [divɑ̃] *nm* couch.
divergence [divɛrʒɑ̃:s] *nf* divergence, spread.
diverger [divɛrʒe] *vi* to diverge.
divers [divɛ:r] *a* various, sundry, divers, different, diverse; *nm pl* sundries.
diversion [divɛrsjɔ̃] *nf* diversion, change.
diversité [divɛrsite] *nf* variety, diversity.
divertir [divɛrti:r] *vt* to entertain, divert; *vr* to amuse oneself.
divertissement [divɛrtismɑ̃] *nm* recreation, entertainment, diversion.
dividende [dividɑ̃:d] *nm* dividend.
divin [divɛ̃] *a* divine, sacred, heavenly, sublime.
divinateur, -trice [divinatœ:r, tris] *n* soothsayer.
divinité [divinite] *nf* divinity, deity.
diviser [divize] *vt* to divide; *vr* to divide, break up.
diviseur [divizœ:r] *nm* divisor.
divisible [divizibl] *a* divisible.
division [divizjɔ̃] *nf* division, section, dissension.
divorce [divɔrs] *nm* divorce.
divorcer [divɔrse] *vti* to divorce.
divulgation [divylgasjɔ̃] *nf* disclosure.

divulguer [divylge] *vt* to divulge, disclose, reveal.
dix [dis] *a nm* ten, tenth.
dixième [dizjɛm] *a nm* tenth.
dizaine [dizɛn] *nf* (about) ten.
docile [dɔsil] *a* compliant, manageable.
docilité [dɔsilite] *nf* docility.
dock [dɔk] dock(s), warehouse.
docte [dɔkt] *a* learned.
docteur [dɔktœːr] *nm* doctor.
doctoral [dɔktɔral] *a* doctoral, pompous.
doctorat [dɔktɔra] *nm* doctorate.
doctrine [dɔktrin] *nf* doctrine, belief, teaching.
document [dɔkymɑ̃] *nm* document.
documentaire [dɔkymɑ̃tɛːr] *a* documentary.
documentation [dɔkymɑ̃tasjɔ̃] *nf* gathering of facts.
documenter [dɔkymɑ̃te] *vt* to document, give information to; *vr* to collect material, information.
dodeliner [dɔdline] *vti* to dandle, nod, shake.
dodo [dɔdo] *nm* sleep; **faire — to go** to bye-bye.
dodu [dɔdy] *a* plump.
dogme [dɔgm] *nm* dogma.
dogue [dɔg] *nm* mastiff.
doigt [dwa] *nm* finger; **— de pied** toe.
doigté [dwate] *nm* tact, (*mus*) fingering.
doigtier [dwatje] *nm* finger-stall.
doit [dwa] *nm* debit.
doléances [dɔleɑ̃ːs] *nf pl* grievances, sorrows.
dolent [dɔlɑ̃] *a* doleful.
domaine [dɔmɛn] *nm* domain, estate, province, field.
dôme [doːm] *nm* dome.
domesticité [dɔmɛstisite] *nf* domesticity, staff of servants.
domestique [dɔmɛstik] *a* domestic; *n* servant.
domicile [dɔmisil] *nm* abode, residence.
domicilié [dɔmisilje] *a* residing, resident.
domicilier [dɔmisilje] *vr* to settle, take up residence.
dominance [dɔminɑ̃ːs] *nf* dominion, predominance.
dominant [dɔminɑ̃] *a* ruling, (pre) dominant.
dominateur, -trice [dɔminatœːr, tris] *a* domineering.
domination [dɔminasjɔ̃] *nf* rule, sway.
dominer [dɔmine] *vt* to dominate, rule, master, control, overlook; *vi* to rule.
domino [dɔmino] *nm* hood, domino.
dommage [dɔmaːʒ] *nm* harm, injury, pity; *pl* damage, destruction; **dommages et intérêts** damages (*in law*).
dompter [dɔ̃te] *vt* to tame, break in, master.
dompteur, -euse [dɔ̃tœːr, øːz] *n* tamer, trainer.
don [dɔ̃] *nm* donation, giving, gift, present, talent.
donateur, -trice [dɔnatœːr, tris] *n* donor, giver.
donc [dɔ̃ːk] *cj* so, therefore, then; *ad* well, just, ever.
donjon [dɔ̃ʒɔ̃] *nm* (*of castle*) keep.
donne [dɔn] *nf* (*card games*) deal.
donnée [dɔne] *nf* fundamental idea; *pl* data.
donner [dɔne] *vt* to give, furnish, yield, ascribe, deal; *vi* to look out (**sur** on to); **— dans** to have a taste for, fall into; **s'en — à cœur joie** to have a high old time; **c'est donné** it's dirt cheap.
dont [dɔ̃] *pr* of (by, from, with, about) whom or which, whose.
doré [dɔre] *a* gilt, golden.
dorénavant [dɔrenavɑ̃] *ad* henceforth.
dorer [dɔre] *vt* to gild, brown.
dorloter [dɔrlɔte] *vt* to cuddle, pet, coddle, pamper.
dormant [dɔrmɑ̃] *a* dormant, sleeping, stagnant.
dormeur, -euse [dɔrmœːr, øːz] *n* sleeper, sleepy-head.
dormir [dɔrmiːr] *vi* to sleep, be asleep, be stagnant, lie dormant.
dortoir [dɔrtwaːr] *nm* dormitory.
dorure [dɔryːr] *nf* gilt, gilding.
dos [do] *nm* back, bridge.
dose [doːz] *nf* dose, amount.
doser [doze] *vt* to dose, decide the amount of
dossier [dɔsje] *nm* (*of chair*) back; record, documents, brief.
dot [dɔt] *nf* dowry.
doter [dɔte] *vt* to give a dowry to, endow.
douaire [dwɛːr] *nm* marriage settlement, dower.
douane [dwan] *nf* customs, customhouse, duty; **en** — in bond.
douanier, -ière [dwanje, jɛːr] *a* customs; *n* customs-officer.
double [dubl] *a* double, twofold; *nm* double duplicate.
doubler [duble] *vt* to double, fold in two, line, overtake, quicken; **— une classe** to repeat a class; **— un rôle** to understudy a part; **— le cap** to round the cape.
doublure [dublyːr] *nf* lining, understudy.
doucement [dusmɑ̃] *ad* gently, quietly smoothly.
doucereux, -euse [dusrø, øːz] *a* sweetish, cloying, glib, sugary.
douceur [dusœːr] *nf* sweetness, smoothness, gentleness, softness, mildness; *pl* comforts, sweets.
douche [duʃ] *nf* shower-bath, douche.
doué [dwe] *a* gifted, endowed.
douer [dwe] *vt* to endow.
douille [duːj] *nf* case, casing, socket, sleeve.

douillet, -ette [dujɛ, ɛt] *a* soft, cosy, delicate, tender.
douleur [dulœːr] *nf* suffering, pain, grief, sorrow.
douloureux, -euse [dulurø, øːz] *a* painful, aching, sad, sorrowful, grievous.
doute [dut] *nm* doubt, misgiving, scruple; **mettre en —** to call in question; **sans —** probably.
douter [dute] *vi* to doubt, suspect; *vr* to suspect, surmise; **je m'en doutais bien** I thought as much.
douteux, -euse [dutø, øːz] *a* doubtful, questionable.
douve [duːv] *nf* ditch, moat.
doux, douce [du, dus] *a* sweet, gentle, smooth, soft, mild, pleasant; **eau douce** fresh water.
douzaine [duzɛn] *nf* dozen.
douze [duːz] *nm* twelve, twelfth.
doyen, -enne [dwajɛ̃, ɛn] *n* dean, doyen, senior.
dragage [dragaːʒ] *nm* dredging, dragging, mine-sweeping.
dragée [draʒe] *nf* sugared almond, comfit.
dragon [dragɔ̃] *nm* dragon, dragoon.
draguer [drage] *vt* to dredge, drag, sweep.
dragueur [dragœːr] *nm* dredger; **— de mines** mine-sweeper.
drainer [drɛne] *vt* to drain.
dramatique [dramatik] *a* dramatic; **auteur —** playwright.
dramatiser [dramatize] *vt* to dramatize.
dramaturge [dramatyrʒ] *nm* dramatist.
drame [dram] *nm* drama, play, sensational event.
drap [dra] *nm* cloth; **— de lit** bedsheet; **être dans de beaux —s** to be in a mess.
drapeau [drapo] *nm* flag, colours.
draper [drape] *vt* to drape, hang.
draperie [drapri] *nf* cloth-trade, drapery.
drapier, -ière [drapje, jɛːr] *n* draper, clothier.
dresser [drɛse] *vt* to raise, set up, draw up, make out, train, break in; *vr* to rise, sit up, straighten up; **— les oreilles** to cock one's ears; **faire — les cheveux à qn** to make s.o.'s hair stand on end.
dresseur, -euse [drɛsœːr, øːz] *n* trainer, trimmer, adjuster.
dressoir [drɛswaːr] *nm* dresser, sideboard.
drogue [drɔg] *nf* drug.
droguer [drɔge] *vt* to give medicine to, drug, dope.
droguiste [drɔgist] *nm* drysalter.
droit [drwa] *a* straight, direct, upright, right (hand), honest; *ad* straight (on); *nm* right, due, fee, law; **veston —** single-breasted jacket; **— d'auteur** copyright; **—s acquis** vested interests; **à bon —** with good reason; **— d'aînesse** birthright.
droite [drwat] *nf* right (-hand, side).
droitier, -ière [drwatje, jɛːr] *a* right-handed.
droiture [drwatyːr] *nf* integrity, uprightness.
drôle [droːl] *a* funny, odd, queer; *n* rogue, rascal.
dromadaire [drɔmadɛːr] *nm* dromedary.
dru [dry] *a* thick, dense, strong; *ad* thickly, heavily.
du [dy] = **de** + **le**.
duc [dyk] *nm* duke.
duché [dyʃe] *nm* duchy, dukedom.
duchesse [dyʃɛs] *nf* duchess.
duelliste [dɥɛlist] *nm* duellist.
dûment [dymɑ̃] *ad* duly, in due form.
dune [dyn] *nf* dune, sand-hill.
dunette [dynɛt] *nf* (*deck*) poop.
duo [dyo] *nm* duet.
dupe [dyp] *nf* dupe, catspaw, mug.
duper [dype] *vt* to dupe, trick, take in.
duperie [dypri] *nf* trickery, sell, a piece of double-dealing.
duplicité [dyplisite] *nf* duplicity, falseness, deceit, double-dealing.
dur [dyːr] *a* hard, harsh, difficult, tough, inured; *ad* hard; **avoir l'oreille —e** to be hard of hearing; **avoir la tête —e** to be slow-witted; **œufs —s** hard-boiled eggs; **c'est un — à cuire** he is a tough nut.
durabilité [dyrabilite] *nf* durability, lasting quality.
durable [dyrabl] *a* hard-wearing, lasting, enduring.
durant [dyrɑ̃] *prep* during, for.
durcir [dyrsiːr] *vt* to harden, make hard; *vi* to grow hard.
durcissement [dyrsismɑ̃] *nm* hardening.
durée [dyre] *nf* duration, continuance, wear, life.
durement [dyrmɑ̃] *ad* hard(ly), roughly, harshly.
durer [dyre] *vi* to last, endure, wear well.
dureté [dyrte] *nf* hardness, harshness, callousness.
durillon [dyrijɔ̃] *nm* callosity.
duvet [dyvɛ] *nm* down, fluff.
duveté [dyvte] *a* downy, fluffy.
dynamique [dinamik] *a* dynamic; *nf* dynamics.
dynamite [dinamit] *nf* dynamite.
dynastie [dinasti] *nf* dynasty.
dysenterie [disɑ̃tri] *nf* dysentery.
dyspepsie [dispɛpsi] *nf* dyspepsia.
dyssymétrie [dis(s)imetri] *nf* asymmetry.

E

eau [o] *nf* water; **— oxygénée** hydrogen peroxide; **mortes —x** neap

tides; **vives —x** spring tides; **faire —** to leak, bilge; **faire venir l'— à la bouche** to make one's mouth water; **laver à grande —** to swill.
eau-de-vie [odvi] *nf* brandy, spirits.
eau-forte [ofɔrt] *nf* aqua fortis, etching.
ébahir [ebai:r] *vt* to amaze, dumbfound; *vr* to be dumbfounded, abashed.
ébahissement [ebaismɑ̃] *nm* amazement, wonder.
ébats [eba] *nm pl* frolic, sport, gambols, revels.
s'ébattre [sebatr] *vr* to frolic, gambol, frisk about.
s'ébaubir [sebobi:r] *vr* to be astounded, flabbergasted.
ébauche [ebo:ʃ] *nf* sketch, outline.
ébaucher [eboʃe] *vt* to sketch, rough draw, outline.
ébène [ebɛn] *nf* ebony.
ébéniste [ebenist] *nm* cabinet-maker.
ébénisterie [ebenistri] *nf* cabinet-making.
éberlué [eberlɥe] *a* dumbfounded.
éblouir [eblui:r] *vt* to dazzle.
éblouissement [ebluismɑ̃] *nm* dazzling, dazzle, dizziness.
ébonite [ebɔnit] *nf* vulcanite.
éborgner [ebɔrɲe] *vt* to put s.o.'s eye out.
ébouillanter [ebujɑ̃te] *vt* to scald.
éboulement [ebulmɑ̃] *nm* falling-in, landslide.
s'ébouler [sebule] *vr* to fall in, cave in, slip.
éboulis [ebuli] *nm* mass of fallen rock and earth.
ébouriffer [eburife] *vt* to dishevel, ruffle, take aback.
ébrancher [ebrɑ̃ʃe] *vt* to lop the branches off.
ébranlement [ebrɑ̃lmɑ̃] *nm* shaking, tottering, shock, commotion.
ébranler [ebrɑ̃le] *vt* to shake, loosen, set in motion; *vr* to totter, start, move off.
ébrécher [ebreʃe] *vt* to notch, chip, make inroads into.
ébriété [ebriete] *nf* intoxication.
s'ébrouer [sebrue] *vr* to snort; (*birds*) take a dust bath.
ébruiter [ebrɥite] *vt* to noise abroad, spread, make known; *vr* to be noised abroad, spread.
ébullition [ebylisjɔ̃] *nf* boiling, fever, ferment.
écaille [ekɑ:j] *nf* scale, shell, flake, chip.
écailler [ekaje] *vt* to scale, open; *vr* to peel, flake off.
écailleux, -euse [ekajø, ø:z] *a* scaly, flaky.
écale [ekal] *nf* shell, pod.
écaler [ekale] *vt* to shell, husk.
écarlate [ekarlat] *a* scarlet.
écarquiller [ekarkije] *vtr* to open wide, spread wide apart.
écart [eka:r] *nm* step aside, swerve, deflection, straying, divergence, difference, error, variation, discarding; **à l'—** aside; **faire un —** to shy, step aside; **faire le grand —** to do the splits.
écarté [ekarte] *a* lonely, remote, out-of-the-way.
écarteler [ekartəle] *vt* to quarter; **être écartelé** to be torn between.
écartement [ekartəmɑ̃] *nm* separation, spacing, gap, gauge.
écarter [ekarte] *vt* to separate, space, spread, pull aside, fend off, brush aside, discard; *vr* to diverge, stray, step aside.
ecclésiastique [eklezjastik] *a* ecclesiastical, clerical; *nm* clergyman.
écervelé [esɛrvəle] *a* hare-brained, giddy, rash.
échafaud [eʃafo] *nm* scaffold.
échafaudage [eʃafoda:ʒ] *nm* scaffolding.
échafauder [eʃafode] *vt* to construct, build up.
échalas [eʃalɑ] *nm* vine-pole, hop-pole, spindle-shanks.
échalis [eʃali] *nm* stile.
échancrer [eʃɑ̃kre] *vt* to cut out, scallop, indent.
échancrure [eʃɑ̃kry:r] *nf* cut-out piece, opening.
échange [eʃɑ̃:ʒ] *nm* exchange, barter.
échangeable [eʃɑ̃ʒabl] *a* exchangeable.
échanger [eʃɑ̃ʒe] *vt* to exchange, barter, bandy.
échantillon [eʃɑ̃tijɔ̃] *nm* sample, pattern.
échappatoire [eʃapatwa:r] *nf* loophole, way out.
échappement [eʃapmɑ̃] *nm* escape, leakage, exhaust-pipe.
échapper [eʃape] *vi* to escape; *vr* to run away, escape, leak; **il l'a échappé belle** he had a narrow escape; **— à qn** to elude s.o.
échappée [eʃape] *nf* vista; turning space; (*racing*) spurt; (*cattle*) straying.
écharde [eʃard] *nf* splinter.
écharpe [eʃarp] *nf* scarf, sash, sling.
échasse [eʃɑ:s] *nf* stilt.
échauder [eʃode] *vt* to scald.
echauffant [eʃofɑ̃] *a* heating, exciting.
échauffement [eʃofmɑ̃] *nm* heating, over-heating, over-excitement.
échauffer [eʃofe] *vt* to overheat, heat, warm; *vt* to get overheated, warm up.
échauffourée [eʃofure] *nf* scuffle, skirmish.
échéance [eʃeɑ̃:s] *nf* date, expiration, falling due.
échec [eʃɛk] *nm* check, set-back, failure; *pl* chess, chessmen; **échec et mat** checkmate.
échelle [eʃɛl] *nf* ladder, scale; **après lui il faut tirer l'—** he always goes

one better than anyone else; **faire la courte — à** to give a leg up to; **— de sauvetage** fire-escape.
échelon [eʃlɔ̃] *nm* rung, step, degree, echelon.
échelonner [eʃlɔne] *vt* to space out, stagger.
écheveau [eʃvo] *nm* skein, hank.
échevelé [eʃəvle] *a* dishevelled, wild, frenzied.
échine [eʃin] *nf* spine.
échiner [eʃine] *vt* to work to death; *vr* to slave, wear o.s. out.
échiquier [eʃikje] *nm* chessboard, exchequer.
écho [eko] *nm* echo.
échoir [eʃwaːr] *vi* to fall (due), expire, devolve.
échoppe [eʃɔp] *nf* stall, booth.
échouage [eʃwaːʒ] *nm* stranding, grounding.
échouer [eʃwe] *vt* to beach; *vi* to run aground, ground, fail, miscarry.
éclabousser [eklabuse] *vt* to splash, spatter.
éclaboussure [eklabusyːr] *nf* splash, spatter.
éclair [eklɛːr] *nm* lightning, flash; eclair.
éclairage [eklɛraːʒ] *nm* lighting (up); **— par projecteurs** floodlighting.
éclaircie [eklɛrsi] *nf* break, bright interval, clearing.
éclaircir [eklɛrsiːr] *vt* to clarify, clear up, solve, enlighten, thin out; *vr* to clear, grow thin, be cleared up.
éclaircissement [eklɛrsismɑ̃] *nm* clearing-up, enlightenment, elucidation.
éclairer [eklɛre] *vt* to light, brighten, enlighten, reconnoitre; *vr* to light up, brighten up, clear.
éclaireur, -euse [eklɛrœːr, øːz] *n* scout, Boy Scout, Girl Guide.
éclat [ekla] *nm* splinter, chip, flash, brilliancy, glamour, burst; **rire aux —s** to laugh uproariously.
éclatant [eklatɑ̃] *a* bursting, loud, brilliant, resounding, flagrant.
éclater [eklate] *vt* to burst, split; *vi* to burst, explode, break out; **— en colère** to fly into a rage; **— de rire** to burst out laughing.
éclectique [eklɛktik] *a* eclectic, catholic.
éclipse [eklips] *nf* eclipse.
éclipser [eklipse] *vt* to eclipse, put in the shade, surpass; *vr* to vanish.
éclisse [eklis] *nf* splint; fish-plate.
éclopé [eklɔpe] *a* lame, limping; *nm* cripple, lame person.
éclore [eklɔːr] *vt* to hatch (out), open out, burst.
éclosion [eklozjɔ̃] *nf* hatching, blossoming, opening out.
écluse [eklyːz] *nf* lock, sluice-gate.
écœurant [ekœrɑ̃] *a* sickening, fulsome.
écœurement [ekœrmɑ̃] *nm* disgust, loathing.
écœurer [ekœre] *vt* to sicken, disgust.
école [ekɔl] *nf* school; **— polytechnique** military academy; **— normale** training college.
écolier, -ière [ekɔlje, jɛːr] *n* schoolboy, -girl.
éconduire [ekɔ̃dɥiːr] *vt* to show out, put out.
économe [ekɔnɔm] *a* economical, thrifty; *nm* steward, housekeeper, bursar.
économie [ekɔnɔmi] *nf* economy, thrift; *pl* savings; **faire des —s** to save, retrench.
économique [ekɔnɔmik] *a* economic (al).
économiser [ekɔnɔmize] *vt* to economize, save.
économiste [ekɔnɔmist] *nm* economist.
écope [ekɔp] *nf* scoop, ladle, bailer.
écoper [ekɔpe] *vt* to bail out; *vi* to cop it
écorce [ekɔrs] *nf* bark, peel, rind, crust.
écorcer [ekɔrse] *vt* to bark, peel, husk.
écorcher [ekɔrʃe] *vt* to skin, flay, graze, scratch.
écorchure [ekɔrʃyːr] *nf* abrasion, scratch.
écorner [ekɔrne] *vt* to take the horns off, break the corners of, dog's-ear, make inroads in.
écornifler [ekɔrnifle] *vt* to scrounge, cadge.
Écosse [ekɔs] *nf* Scotland.
écossais [ekɔsɛ] *a* Scottish, Scotch, Scots; **étoffe —e** tartan; *n* Scot, Scotsman, Scotswoman.
écosser [ekɔse] *vt* to shell, pod, husk.
écot [eko] *nm* share, quota.
écoulement [ekulmɑ̃] *nm* flow, discharge, waste-pipe, sale.
écouler [ekule] *vt* to sell, dispose of; *vr* to flow, run out, to pass, elapse.
écourter [ekurte] *vt* to shorten, curtail, cut short.
écoute [ekut] *nf* listening-place, listening-in; **être aux —s** to be on the look-out; **faire, rester à l'—** to listen in.
écouter [ekute] *vt* to listen to; *vi* to listen; **— à la porte** to eavesdrop.
écouteur, -euse [ekutœːr, øːz] *n* listener; *nm* earphone, receiver.
écoutille [ekutiːj] *nf* hatchway.
écran [ekrɑ̃] *nm* screen.
écrasement [ekrɑzmɑ̃] *nm* crushing, crashing, defeat.
écraser [ekrɑze] *vt* to crush, run over, overburden, dwarf; *vr* to collapse, crash.
écrémer [ekreme] *vt* to skim, cream.
écrevisse [ekrəvis] *nf* crayfish.
s'écrier [sekrie] *vr* to exclaim, cry out.
écrin [ekrɛ̃] *nm* case, casket.
écrire [ekriːr] *vt* to write, note down spell; **machine à —** typewriter.

écrit [ekri] *a* written; *nm* writing, paper with writing on it.
écriteau [ekrito] *nm* placard, notice.
écritoire [ekritwa:r] *nf* inkwell.
écriture [ekrity:r] *nf* handwriting; *pl* accounts, Scripture.
écrivain [ekrivɛ̃] *nm* writer, author.
écrou [ekru] *nm* screw-nut.
écrouer [ekrue] *vt* to send to prison, lock up.
écroulement [ekrulmɑ̃] *nm* collapse, falling in, crash.
s'écrouler [sekrule] *vr* to collapse, crumble, tumble down.
écru [ekry] *a* unbleached, raw, natural-coloured.
écu [eky] *nm* shield, escutcheon, crown.
écueil [ekœ:j] *nm* reef, rock on which one perishes.
écuelle [ekɥɛl] *nf* bowl, basin.
éculer [ekyle] *vt* to wear away the heels of (shoes).
écume [ekym] *nf* foam, froth, scum; **— de mer** meerschaum.
écumer [ekyme] *vt* to skim; *vi* to foam, froth; **— les mers** to scour the seas.
écumeux, -euse [ekymø, ø:z] *a* foamy, frothy scummy.
écumoire [ekymwa:r] *nf* skimming ladle.
écurer [ekyre] *vt* to scour.
écureuil [ekyrœ:j] *nm* squirrel.
écurie [ekyri] *nf* stable.
écusson [ekysɔ̃] *nm* escutcheon, coat-of-arms shield.
écuyer, -ère [ekɥije, ɛ:r] *n* rider, horseman, -woman; *nm* equerry squire; **bottes à l'écuyère** riding-boots.
édenté [edɑ̃te] *a* toothless.
édenter [edɑ̃te] *vt* to break the teeth of.
édicter [edikte] *vt* to decree, enact.
édification [edifikasjɔ̃] *nf* building, erection; edification.
édifice [edifis] *nm* edifice, building, structure.
édifier [edifje] *vt* to build, erect, edify.
édit [edi] *nm* edict.
éditer [edite] *vt* to edit, publish.
éditeur, -trice [editœ:r, tris] *n* editor, editress, publisher.
édition [edisjɔ̃] *nf* edition, publishing trade; **maison d'—** publishing house.
éditorial [editɔrjal] *a* editorial; *nm* leading article, leader.
édredon [edrədɔ̃] *nm* eiderdown, quilt.
éducation [edykasjɔ̃] *nf* training, rearing, breeding, upbringing.
éduquer [edyke] *vt* to educate, bring up.
effacé [ɛfase] *a* unobtrusive, unassuming, retiring.
effacement [ɛfasmɑ̃] *nm* obliteration, wearing out, unobtrusiveness.
effacer [ɛfase] *vt* to efface, blot out, delete; *vr* to wear away, fade, remain in the background.
effarement [ɛfarmɑ̃] *nm* alarm, fright.
effarer [ɛfare] *vt* to scare, alarm; *vr* to be scared, take fright.
effaroucher [ɛfaruʃe] *vt* to scare away; *vr* to be startled.
effectif, -ive [efɛktif, i:v] *a* effective, actual, real; *nm* total strength, manpower.
effectivement [efɛktivmɑ̃] *ad* actually, as a matter of fact, exactly.
effectuer [efɛktɥe] *vt* to bring about, carry out execute.
efféminé [efemine] *a* effeminate.
effervescence [efɛrvɛssɑ̃:s] *nf* excitement, ebullience, turmoil.
effet [efɛ] *nm* effect, result, impression, operation; *pl* effects, possessions, stocks; **à cet —** for this purpose; **en —** indeed, as a matter of fact; **manquer son —** to fall flat; **faire de l'—** to be effective; **mettre à l'—** to put into operation.
effeuiller [efœje] *vt* to remove the leaves from; *vr* to shed its leaves.
efficace [efikas] *a* effective, efficacious, effectual.
efficacité [efikasite] *nf* efficacy, effectiveness, efficiency.
effigie [efiʒi] *nf* image, likeness.
effilé [efile] *a* fringed, slender, slim, tapering.
effiler [efile] *vt* to unravel, taper; *vr* to fray taper.
effilocher [efilɔʃe] *vt* to unravel; *vr* to fray
efflanqué [eflɑ̃ke] *a* lean.
effleurer [eflœre] *vt* to graze, brush, skim touch upon.
effondrement [efɔ̃drəmɑ̃] *nm* collapse falling in, subsidence, slump, breakdown.
effondrer [efɔ̃dre] *vt* to break down, smash in; *vr* to collapse, fall in, slump.
s'efforcer [sefɔrse] *vr* to strive, endeavour.
effort [efɔ:r] *nm* endeavour, exertion, strain.
effraction [efraksjɔ̃] *nf* housebreaking.
effrayer [efrɛje] *vt* to frighten, terrify scare, daunt; *vr* to get a fright, be frightened.
effréné [efrene] *a* unbridled, frantic, frenzied.
effriter [efrite] *vt* to wear away; *vr* to crumble.
effroi [efrwa] *nm* fright, dread, terror.
effronté [efrɔ̃te] *a* shameless, impudent, cheeky, saucy.
effronterie [efrɔ̃tri] *nf* effrontery, impudence.
effroyable [efrwajabl] *a* frightful, dreadful, appalling.
effusion [efyzjɔ̃] *nf* effusion, out-

pouring, effusiveness; — **de sang** bloodshed.
égailler [egaje] *vt* to flush, scatter; *vr* to scatter.
égal [egal] *a* equal, level, even; **cela lui est** — it is all the same to him.
également [egalmɑ̃] *ad* equally, likewise, as well.
égaler [egale] *vt* to be equal to, compare with.
égaliser [egalize] *vt* to equalize, regulate, level.
égalitaire [egalitɛːr] *an* equalitarian.
égalité [egalite] *nf* equality, evenness, smoothness; **être à** — to be all square, equal.
égard [egaːr] *nm* regard, respect, consideration; *pl* esteem, attentions, consideration; **avoir — à** to take into account; **à cet** — in this respect; **à tous les —s** in every respect; **à l'— de** with regard to, towards.
égaré [egare] *a* lost, stray, distracted.
égarement [egarmɑ̃] *nm* loss, mislaying; aberration, frenzy; *pl* disorderly conduct.
égarer [egare] *vt* to lead astray, mislead, mislay; *vr* to go astray, lose one's way.
égayer [egɛje] *vt* to cheer up, brighten (up).
égide [eʒid] *nf* shield, aegis.
églantier [eglɑ̃tje] *nm* wild rose, sweet brier.
églantine [eglɑ̃tin] *nf* wild rose (flower).
église [egliːz] *nf* church.
égoïsme [egɔism] *nm* selfishness, egoism.
égoïste [egɔist] *a* selfish; *n* egoist, egotist.
égorger [egɔrʒe] *vt* to cut the throat of, butcher.
s'égosiller [segozije] *vr* to shout oneself hoarse.
égout [egu] *nm* drain, sewer, gutter; **eaux d'—** sewage.
égoutter [egute] *vt* to drain; *vr* drip, drop, drain.
égratigner [egratiɲe] *vt* to scratch, graze.
égratignure [egratiɲyːr] *nf* scratch, graze.
égrener [egrəne] *vt* to pick out, pick off; *vr* to drop (one by one); — **son chapelet** to tell one's beads.
égrillard [egrijaːr] *a* ribald, daring, spicy.
Égypte [eʒipt] *nf* Egypt.
égyptien, -enne [eʒipsjɛ̃, jɛn] *an* Egyptian.
éhonté [eɔ̃te] *a* shameless, brazen-faced.
éjaculer [eʒakyle] *vt* to ejaculate.
élaborer [elabɔre] *vt* to elaborate, draw up, labour.
élaguer [elage] *vt* to lop off, prune, cut down.
élan [elɑ̃] *nm* spring, bound, dash, impetus, abandon, (out)burst; moose.
élancé [elɑ̃se] *a* slender, slim, tapering.
élancement [elɑ̃smɑ̃] *nm* twinge, stabbing pain.
s'élancer [selɑ̃se] *vr* to dash forward, rush, spring.
élargir [elarʒiːr] *vt* to widen, enlarge, broaden, release, discharge; *vr* to broaden out, extend.
élargissement [elarʒismɑ̃] *nm* broadening, extension, release, discharge.
élasticité [elastisite] *nf* elasticity, resilience, spring.
élastique [elastik] *a* elastic, springy, resilient; *nm* elastic, rubber band.
électeur, -trice [elɛktœːr, tris] *n* voter, constituent.
électif, -ive [elɛktif, iːv] *a* elective.
élection [elɛksjɔ̃] *nf* election, choice; **se présenter aux —s** to stand at the election.
électoral [elɛktɔral] *a* electoral; **collège** — constituency; **campagne —e** electioneering; **corps** — electorate.
électorat [elɛktɔra] *nm* electorate.
électricien [elɛktrisjɛ̃] *nm* electrician.
électricité [elɛktrisite] *nf* electricity.
électrique [elɛktrik] *a* electric.
électriser [elɛktrize] *vt* to electrify.
électrocuter [elɛktrɔkyte] *vt* to electrocute.
électronique [elɛktrɔnik] *a* electronic; *nf* electronics.
élégance [elegɑ̃ːs] *nf* stylishness, smartness.
élégant [elegɑ̃] *a* well-dressed, fashionable.
élégiaque [eleʒjak] *a* elegiac.
élégie [eleʒi] *nf* elegy.
élément [elemɑ̃] *nm* component, element, ingredient; *pl* rudiments.
élémentaire [elemɑ̃tɛːr] *a* elementary, rudimentary.
éléphant [elefɑ̃] *nm* elephant.
élevage [ɛlvaːʒ] *nm* raising, rearing, breeding.
élévation [elevasjɔ̃] *nf* elevation, raising, rise, height, grandeur.
élève [elɛːv] *n* pupil, boy, girl.
élevé [elve] *a* elevated, high, lofty, exalted; **bien (mal)** — well- (ill-) bred, well (badly) behaved.
élever [elve] *vt* to elevate, erect, raise; *vr* to rise up, arise.
éleveur, -euse [elvœːr, øːz] *n* stock-breeder, grower, keeper.
élider [elide] *vt* to elide.
éligibilité [eliʒibilite] *nf* eligibility.
éligible [eliʒibl] *a* eligible.
élimer [elime] *vt* to wear threadbare; *vr* to wear, be worn threadbare.
éliminatoire [eliminatwaːr] *a* eliminatory, preliminary.
éliminer [elimine] *vt* to eliminate, weed out.
élire [eliːr] *vt* to elect, choose, appoint, return.
élision [elizjɔ̃] *nf* elision.

élite [elit] *nf* élite, pick, flower; *a* **d'—** crack.
ellipse [elips] *nf* ellipse, ellipsis.
élocution [elɔkysjɔ̃] *nf* elocution.
éloge [elɔʒ] *nm* eulogy, commendation, praise.
élogieux, -euse [elɔʒjø, jøːz] *a* laudatory, glowing.
éloigné [elwaɲe] *a* distant, far (away, off).
éloignement [elwaɲmɑ̃] *nm* absence, removal, isolation, postponement, distance.
éloigner [elwaɲe] *vt* to remove, get out of the way, alienate, postpone; *vr* to withdraw, stand further away.
éloquence [elɔkɑ̃ːs] *nf* eloquence.
éloquent [elɔkɑ̃] *a* eloquent.
élu [ely] *a* chosen; *nm pl* the elect, the elected members.
élucider [elyside] *vt* to elucidate.
éluder [elyde] *vt* to elude, evade.
émacié [emasje] *a* emaciated.
émail [emaːj] *nm* enamel, glaze.
émailler [emaje] *vt* to enamel, glaze, fleck, besprinkle.
émancipé [emɑ̃sipe] *a* full-fledged, having advanced ideas, emancipated.
émanciper [emɑ̃sipe] *vt* to emancipate; *vr* to become emancipated, kick over the traces.
émaner [emane] *vi* to emanate, come, originate (from).
émasculer [emaskyle] *vt* to emasculate, weaken.
emballage [ɑ̃balaːʒ] *nm* packing, wrapping.
emballement [ɑ̃balmɑ̃] *nm* (*of machine*) racing, enthusiasm, boom, craze.
emballer [ɑ̃bale] *vt* to pack, wrap up, (*motor engine*) race, fill with enthusiasm; *vr* (*horse*) to bolt, be carried away, rave (with enthusiasm), fly into a temper.
emballeur [ɑ̃balœːr] *nm* packer.
embarcadère [ɑ̃barkadɛːr] *nm* landing-stage, wharf, platform.
embarcation [ɑ̃barkasjɔ̃] *nf* boat, craft.
embardée [ɑ̃barde] *nf* lurch, swerve, skid.
embargo [ɑ̃bargo] *nm* embargo.
embarquement [ɑ̃barkəmɑ̃] *nm* loading, embarking, shipping, entrainment.
embarquer [ɑ̃barke] *vt* to embark, take aboard, entrain; *vir* to go abroad, entrain.
embarras [ɑ̃barɑ] *nm* embarrassment, difficulty, quandary, superfluity; *pl* fuss.
embarrassé [ɑ̃barase] *a* embarrassed, involved.
embarrasser [ɑ̃barase] *vt* to embarrass, perplex, confound, hamper, obstruct.
embaucher [ɑ̃boʃe] *vt* to engage, take on, employ.
embauchoir [ɑ̃boʃwaːr] *nm* boot-tree.
embaumer [ɑ̃bome] *vt* to embalm, perfume; *vi* to have a lovely perfume, smell of.
embellir [ɑ̃bɛliːr] *vt* to embellish, improve, beautify.
embellissement [ɑ̃bɛlismɑ̃] *nm* embellishment.
embêtant [ɑ̃bɛtɑ̃] *a* (*fam*) annoying.
embêter [ɑ̃bete] *vt* to annoy.
emblée [ɑ̃ble] *ad* **d'—** straight away.
emblème [ɑ̃blɛːm] *nm* emblem, badge, sign.
embobeliner [ɑ̃bɔbline] *vt* to coax, get round.
emboîtement [ɑ̃bwatmɑ̃] *nm* joint, fitting, encasing.
emboîter [ɑ̃bwate] *vt* to joint, fit together, dovetail, encase; **— le pas à** to fall into step with.
embolie [ɑ̃bɔli] *nf* embolism, stroke.
embonpoint [ɑ̃bɔ̃pwɛ̃] *nm* corpulence, stoutness.
embouché [ɑ̃buʃe] *a* **mal —** coarse-tongued.
emboucher [ɑ̃buʃe] *vt* to put to one's mouth blow.
embouchure [ɑ̃buʃyːr] *nf* mouthpiece. (*river, volcano*) mouth.
embourber [ɑ̃burbe] *vt* to bog; *vr* to be bogged, stuck in the mud.
embout [ɑ̃bu] *nm* ferrule, tip.
embouteillage [ɑ̃butɛjaːʒ] *nm* bottling (up), bottleneck, traffic-jam.
embouteiller [ɑ̃butɛje] *vt* to bottle (up), jam, block; *vr* to get jammed.
embranchement [ɑ̃brɑ̃ʃmɑ̃] *nm* branching off, junction, branch-line.
embrancher [ɑ̃brɑ̃ʃe] *vt* to join up, together.
embrasement [ɑ̃brazmɑ̃] *nm* conflagration.
embraser [ɑ̃braze] *vt* to set fire to, fire; *vr* to catch fire.
embrassade [ɑ̃brasad] *nf* embrace, hug.
embrasser [ɑ̃brase] *vt* to embrace, hug, kiss, enfold, take up, include.
embrasure [ɑ̃brazyːr] *nf* recess, embrasure.
embrayage [ɑ̃brɛjaːʒ] *nm* connecting, coupling-gear, putting into gear.
embrayer [ɑ̃brɛje] *vt* to connect, couple, throw into gear; *vi* to let in the clutch.
embrocher [ɑ̃brɔʃe] *vt* to spit, put on the spit.
embrouillement [ɑ̃brujmɑ̃] *nm* entanglement, intricacy, muddle, confusion.
embrouiller [ɑ̃bruje] *vt* to tangle, muddle, embroil, complicate, confuse; *vr* to become entangled, complicated, confused.
embrun [ɑ̃brœ̃] *nm* spray, spindrift.
embryon [ɑ̃briɔ̃] *nm* embryo.

embûche [ɑ̃by(:)ʃ] *nf* ambush; **dresser une — à** to waylay.
embuer [ɑ̃bɥe] *vt* to cloud, cover with vapour.
embuscade [ɑ̃byskad] *nf* ambush, ambuscade.
embusqué [ɑ̃byske] *nm* shirker, dodger, sharpshooter.
embusquer [ɑ̃byske] *vt* to place in ambush, put under cover; *vr* to lie in ambush, take cover, shirk war service.
éméché [emeʃe] *a* slightly tipsy, rather merry.
émeraude [ɛmro:d] *nf* emerald.
émerger [emɛrʒe] *vi* to emerge, come out.
émeri [ɛmri] *nm* emery.
émérite [emerit] *a* emeritus, retired, experienced.
émerveillement [emɛrvɛjmɑ̃] *nm* amazement.
émerveiller [emɛrvɛje] *vt* to amaze, astonish; *vr* to marvel, wonder.
émétique [emetik] *nm* emetic.
émetteur, -trice [emɛtœ:r, tris] *a* issuing, transmitting, broadcasting; *n* issuer transmitter.
émettre [emɛtr] *vt* to emit, issue, utter, give out, express, transmit, broadcast.
émeute [emø:t] *nf* riot disturbance.
émeutier [emøtje] *nm* rioter.
émietter [emjɛte] *vtr* to crumble.
émigrant [emigrɑ̃] *a* emigrating, migratory; *n* emigrant.
émigré [emigre] *n* political exile.
émigrer [emigre] *vi* to emigrate, migrate.
éminence [eminɑ̃:s] *nf* eminence, height, prominence.
éminent [eminɑ̃] *a* distinguished.
émissaire [emisɛ:r] *nm* emissary; **bouc —** scapegoat.
émission [emisjɔ̃] *nf* issue transmission, broadcast; **poste d'—** broadcasting station.
emmagasinage [ɑ̃magazina:ʒ] *nm* storing, storage.
emmagasiner [ɑ̃magazine] *vt* to store (up).
emmailloter [ɑ̃majɔte] *vt* to swaddle, swathe.
emmancher [ɑ̃mɑ̃ʃe] *vt* to put a handle on; joint; *vr* to fit (into **dans**), set going.
emmanchure [ɑ̃mɑ̃ʃy:r] *nf* armhole.
emmêler [ɑ̃mɛle] *vt* to mix up, muddle, implicate.
emménager [ɑ̃menaʒe] *vt* to move in, furnish; *vi* to move in.
emmener [ɑ̃mne] *vt* to lead, take away, take.
emmitoufler [ɑ̃mitufle] *vt* to muffle up.
émoi [emwa] *nm* emotion, excitement, stir, flutter; **en —** agog, astir, in a flutter.
émoluments [emolymɑ̃] *nm pl* emoluments, fees.
émonder [emɔ̃de] *vt* to prune, trim.
émotion [emosjɔ̃] *nf* emotion, feeling, excitement.
émotionnable [emosjɔnabl] *a* emotional, excitable.
émotionner [emosjɔne] *vt* to excite, stir, thrill; *vr* to get excited.
émoudre [emudr] *vt* to grind.
émoulu [emuly] *a* sharpened; **frais — de** just out of, fresh from.
émousser [emuse] *vt* to blunt, deaden; *vr* to become blunt, dulled.
émoustillant [emustijɑ̃] *a* piquant, exhilarating.
émoustiller [emustije] *vt* to stir (up), rouse, titillate, stimulate; *vr* to come to life, sparkle.
émouvant [emuvɑ̃] *a* moving, exciting, thrilling.
émouvoir [emuvwa:r] *vt* to move, stir up, excite; *vr* to be moved, get excited.
empailler [ɑ̃pɑje] *vt* to pack, cover in straw, stuff.
empailleur, -euse [ɑ̃pɑjœ:r, ø:z] *n* taxidermist
empaler [ɑ̃pɑle] *vt* to impale.
empaqueter [ɑ̃pakte] *vt* to pack up, parcel up, bundle.
s'emparer [sɑ̃pare] *vr* to seize, take possession (of **de**), secure.
empâté [ɑ̃pɑte] *a* coated, clogged, thick.
empâter [ɑ̃pɑte] *vt* to cover with paste, make sticky, fatten; *vr* to put on fat.
empêchement [ɑ̃pɛʃmɑ̃] *nm* impediment, obstacle, hindrance.
empêcher [ɑ̃pɛʃe] *vt* to prevent, impede, hamper; *vr* to refrain; **je ne peux m'— de rire** I cannot help laughing.
empeigne [ɑ̃pɛɲ] *nf* upper (of shoe).
empennage [ɑ̃pɛna:ʒ] *nm* feathers, feathering, fur, vanes.
empereur [ɑ̃prœ:r] *nm* emperor.
empesé [ɑ̃pəze] *a* starched, stiff, starchy.
empeser [ɑ̃pəze] *vt* to starch, stiffen.
empester [ɑ̃pɛste] *vt* to infect, create a stink in.
empêtrer [ɑ̃pɛtre] *vt* to hobble, entangle, hamper; *vr* to get entangled, involved.
emphase [ɑ̃fa:z] *nf* grandiloquence, bombast
emphatique [ɑ̃fatik] *a* bombastic, grandiloquent.
empierrer [ɑ̃pjɛre] *vt* to ballast, metal.
empiètement [ɑ̃pjɛtmɑ̃] *nm* encroachment, trespassing, infringement.
empiéter [ɑ̃pjete] *vi* to encroach infringe.
empiffrer [ɑ̃pifre] *vt* to stuff; *vr* to stuff oneself, guzzle.
empiler [ɑ̃pile] *vt* to pile, stack.
empire [ɑ̃pi:r] *nm* empire, sway,

dominion; — **sur soi-même** self-control.
empirer [ɑ̃pire] *vt* to make worse, aggravate; *vr* to get worse.
empirique [ɑ̃pirik] *a* empirical.
emplacement [ɑ̃plasmɑ̃] *nm* site, location.
emplâtre [ɑ̃plɑːtr] *nm* plaster, poultice.
emplette [ɑ̃plɛt] *nf* purchase; **faire ses —s** to go shopping.
emplir [ɑ̃pliːr] *vt* to fill; *vr* to fill (up).
emploi [ɑ̃plwa] *nm* use, employment, job, post.
employé [ɑ̃plwaje] *n* employee, clerk, attendant.
employer [ɑ̃plwaje] *vt* to employ, use; *vr* to spend one's time, occupy oneself.
employeur, -euse [ɑ̃plwajœːr, øːz] *n* employer.
empocher [ɑ̃pɔʃe] *vt* to pocket.
empoignant [ɑ̃pwaɲɑ̃] *a* thrilling, gripping.
empoigner [ɑ̃pwaɲe] *vt* to grasp, grab, grip, hold.
empois [ɑ̃pwa] *nm* starch.
empoisonnant [ɑ̃pwazɔnɑ̃] *a* poisonous, rotten.
empoisonnement [ɑ̃pwazɔnmɑ̃] *nm* poisoning.
empoisonner [ɑ̃pwazɔne] *vt* to poison, infect, corrupt.
empoisonneur, -euse [ɑ̃pwazɔnœːr, øːz] *n* poisoner.
emporté [ɑ̃pɔrte] *a* hot-tempered, fiery, hasty.
emportement [ɑ̃pɔrtəmɑ̃] *nm* outburst, anger, rapture, passion.
emporte-pièce [ɑ̃pɔrtəpjɛs] *nm* punch; **réponse à l'—** caustic reply.
emporter [ɑ̃pɔrte] *vt* to carry away, off, sweep along, away, remove; *vr* to fly into a rage, bolt; **l'—** to carry the day, prevail, have the best of it; **— la balance** to turn the scale.
empoté [ɑ̃pɔte] *a* clumsy, unathletic; *n* muff, duffer.
empoter [ɑ̃pɔte] *vt* to pot.
empourprer [ɑ̃purpre] *vt* to tinge with crimson; *vr* to turn crimson, grow red.
empreindre [ɑ̃prɛ̃ːdr] *vt* to imprint, stamp.
empreinte [ɑ̃prɛ̃t] *nf* stamp, mark, imprint, print, impression, mould; **— digitale** fingerprint.
empressé [ɑ̃prɛse] *a* eager, solicitous, ardent, sedulous.
empressement [ɑ̃prɛsmɑ̃] *nm* eagerness, alacrity, haste, zeal.
s'empresser [sɑ̃prɛse] *vr* to hurry, be eager, be attentive, dance attendance.
emprise [ɑ̃priːz] *nf* expropriation, hold, power.
emprisonnement [ɑ̃prizɔnmɑ̃] *nm* imprisonment.
emprisonner [ɑ̃prizɔne] *vt* to imprison, put in prison, confine.
emprunt [ɑ̃prœ̃] *nm* borrowing, loan.
emprunté [ɑ̃prœ̃te] *a* borrowed, assumed, embarrassed, self-conscious.
emprunter [ɑ̃prœ̃te] *vt* to borrow, take, assume.
emprunteur, -euse [ɑ̃prœ̃tœːr, øːz] *n* borrower.
ému [emy] *a* moved, touched, excited, nervous.
émulation [emylasjɔ̃] *nf* emulation, rivalry.
émule [emyl] *n* rival.
en [ɑ̃] *prep* in, into, to, as, like, while; *pn* of it, of them, about it, about them, for that, because of that, some, any.
encadrement [ɑ̃kadrəmɑ̃] *nm* framing, framework, setting, officering.
encadrer [ɑ̃kadre] *vt* to frame, set surround, officer.
encaisse [ɑ̃kɛs] *nf* cash in hand, cash-balance.
encaissé [ɑ̃kɛse] *a* boxed-in, sunken, steeply embanked, blind (corner).
encaissement [ɑ̃kɛsmɑ̃] *nm* encasing, packing in boxes, collection, embankment.
encaisser [ɑ̃kɛse] *vt* to pack in boxes, collect cash, embank, take (blow).
encaisseur [ɑ̃kɛsœːr] *nm* collector, cashier, payee.
encan [ɑ̃kɑ̃] *nm* **mettre à l'—** to put up for auction.
encanailler [ɑ̃kanɑje] *vr* to keep bad company, go to the dogs.
encapuchonner [ɑ̃kapyʃɔne] *vt* to put a hood on, put the cover over.
encart [ɑ̃kaːr] *nm* inset.
en-cas [ɑ̃ka] *nm* reserve, something to fall back on.
encastrer [ɑ̃kastre] *vt* to fit in, imbed, dovetail.
encaustique [ɑ̃kostik] *nf* floor, furniture polish.
encaustiquer [ɑ̃kostike] *vt* to polish, beeswax.
enceindre [ɑ̃sɛ̃ːdr] *vt* to encircle, gird, surround.
enceinte [ɑ̃sɛ̃t] *a* pregnant; *nf* wall, fence, enclosure, circumference.
encens [ɑ̃sɑ̃] *nm* incense, flattery.
encenser [ɑ̃sɑ̃se] *vt* to cense, burn incense before, flatter.
encenseur [ɑ̃sɑ̃sœːr] *nm* censer-bearer flatterer.
encensoir [ɑ̃sɑ̃swaːr] *nm* censer.
encercler [ɑ̃sɛrkle] *vt* to encircle, surround.
enchaînement [ɑ̃ʃɛnmɑ̃] *nm* chaining, series, putting together.
enchaîner [ɑ̃ʃɛne] *vt* to chain, link up, hold in check.
enchantement [ɑ̃ʃɑ̃tmɑ̃] *nm* magic, enchantment, charm, spell.
enchanter [ɑ̃ʃɑ̃te] *vt* to enchant, delight, bewitch.
enchanteur, -eresse [ɑ̃ʃɑ̃tœːr rɛːs]

a bewitching, entrancing; *n* enchanter, enchantress.
enchâsser [ɑ̃ʃɑse] *vt* to enshrine, set, mount.
enchère [ɑ̃ʃɛːr] *nf* bid(ding); **vente à l'—** auction sale.
enchérir [ɑ̃ʃeriːr] *vt* to raise the price of; *vi* to go up in price, make a higher bid; **— sur qn** to outbid, outdo s.o.
enchérissement [ɑ̃ʃerismɑ̃] *nm* rise, increase.
enchérisseur, -euse [ɑ̃ʃerisœːr, øːz] *n* bidder.
enchevêtrement [ɑ̃ʃvɛtrəmɑ̃] *nm* tangling up, confusion.
enchevêtrer [ɑ̃ʃvɛtre] *vt* to halter, confuse, mix up; *vr* to get entangled, mixed up.
enclaver [ɑ̃klave] *vt* to enclose, dovetail.
enclencher [ɑ̃klɑ̃ʃe] *vt* to put into gear, engage.
enclin [ɑ̃klɛ̃] *a* inclined, prone.
enclore [ɑ̃klɔːr] *vt* to enclose, fence in.
enclos [ɑ̃klo] *nm* enclosure, paddock.
enclume [ɑ̃klym] *nf* anvil.
encoche [ɑ̃kɔʃ] *nf* notch, last, slot; **avec —s** with thumb index.
encocher [ɑ̃kɔʃe] *vt* to notch, nick.
encoignure [ɑ̃kɔɲyːr] *nf* corner, corner cupboard.
encoller [ɑ̃kɔle] *vt* to gum, glue, paste.
encolure [ɑ̃kɔlyːr] *nf* neck and shoulders, (*dress*) neck, (*collar*) size.
encombrant [ɑ̃kɔ̃brɑ̃] *a* clumsy, bulky, cumbersome
encombre [ɑ̃kɔ̃ːbr] *nm* obstacle, hindrance, mishap.
encombrement [ɑ̃kɔ̃brəmɑ̃] *nm* obstruction, congestion, jam, litter, overcrowding, glut, bulkiness.
encombrer [ɑ̃kɔ̃bre] *vt* to encumber, burden, congest, crowd, glut, litter.
encontre [ɑ̃kɔ̃ːtr] *ad* **à l'—** to the contrary; *prep* **à l'— de** contrary to, unlike.
encore [ɑ̃kɔːr] *ad* still, yet, again, furthermore, even, even at that; **— que** although.
encouragement [ɑ̃kuraʒmɑ̃] *nm* encouragement, incentive, inducement.
encourager [ɑ̃kuraʒe] *vt* to encourage, hearten, foster, abet, egg on.
encourir [ɑ̃kuriːr] *vt* to incur draw upon oneself.
encrasser [ɑ̃krase] *vt* to dirty clog, choke; *vr* to become dirty, clog.
encre [ɑ̃ːkr] *nf* ink.
encrier [ɑ̃krie] *nm* inkwell, inkstand.
encroûter [ɑ̃krute] *vt* to encrust, cake; *vr* to become caked, stagnate.
encyclopédie [ɑ̃siklɔpedi] *nf* encyclopedia.
endetter [ɑ̃dɛte] *vt* to run into debt; *vr* to get into debt.
endiablé [ɑ̃djɑble] *a* reckless, wild boisterous.
endiguer [ɑ̃dige] *vt* to dam up, bank, dike.
s'endimancher [sɑ̃dimɑ̃ʃe] *vr* to dress in one's Sunday best.
endive [ɑ̃diːv] *nf* chicory.
endolori [ɑ̃dɔlɔri] *a* painful, tender.
endommager [ɑ̃dɔmaʒe] *vt* to damage, injure.
endormi [ɑ̃dɔrmi] *a* asleep, sleeping, drowsy, sluggish, numb; *n* sleepyhead.
endormir [ɑ̃dɔrmiːr] *vt* to put to sleep, make numb, give an anaesthetic to; *vr* to fall asleep, drop off.
endosser [ɑ̃dose] *vt* to put on, endorse.
endroit [ɑ̃drwa] *nm* place, spot, aspect, right side; **à l'— de** with regard to.
enduire [ɑ̃dɥiːr] *vt* to coat, smear, daub.
enduit [ɑ̃dɥi] *nm* coating, coat, plaster.
endurance [ɑ̃dyrɑ̃ːs] *nf* endurance, long-suffering.
endurant [ɑ̃dyrɑ̃] *a* patient, long-suffering.
endurcir [ɑ̃dyrsiːr] *vt* to harden, inure; *vr* to harden, become hard, obdurate.
endurcissement [ɑ̃dyrsismɑ̃] *nm* hardening, inuring, obduracy, callousness.
endurer [ɑ̃dyre] *vt* to endure, put up with, bear.
énergie [enɛrʒi] *nf* energy, vigour, power, efficacy, drive.
énergique [enɛrʒik] *a* energetic, vigorous, drastic, strong-willed.
énergumène [enɛrgymɛn] *nm* madman.
énervant [enɛrvɑ̃] *a* enervating, annoying, nerve-racking.
énerver [enɛrve] *vt* to enervate, get on one's nerves; *vr* to grow soft, become irritatable, get excited.
enfance [ɑ̃fɑ̃ːs] *nf* childhood, boyhood, children.
enfant [ɑ̃fɑ̃] *n* child, little boy, girl; **— trouvé** foundling; *a* **bon —** easy-going.
enfantement [ɑ̃fɑ̃tmɑ̃] *nm* childbirth, production.
enfanter [ɑ̃fɑ̃te] *vt* to bear, give birth to.
enfantillage [ɑ̃fɑ̃tijaːʒ] *nm* childishness.
enfantin [ɑ̃fɑ̃tɛ̃] *a* childish, childlike, children's.
enfer [ɑ̃fɛːr] *nm* hell.
enfermer [ɑ̃fɛrme] *vt* to shut in, lock up, enclose, sequester; *vr* to shut, lock oneself in.
enferrer [ɑ̃fɛre] *vt* to transfix, run s.o. through; *vr* to transfix oneself, swallow the hook, get caught out.
s'enfiévrer [sɑ̃fjevre] *vr* to grow feverish, get excited.
enfilade [ɑ̃filad] *nf* succession, string, raking fire.

enfiler [ɑ̃file] *vt* to thread, string, pierce, go along, slip on.
enfin [ɑ̃fɛ̃] *ad* at last, finally, at length, in a word, after all.
enflammé [ɑ̃flɑme] *a* burning, fiery, blaze.
enflammer [ɑ̃flɑme] *vt* to inflame, set on fire, stir up; *vr* to catch fire, become inflamed.
enflé [ɑ̃fle] *a* swollen, inflated, grandiloquent.
enfler [ɑ̃fle] *vt* to swell, puff out, bloat; *vr* to swell.
enflure [ɑ̃fly:r] *nf* swelling, puffiness, grandiloquence.
enfoncement [ɑ̃fɔ̃smɑ̃] *nm* driving in, smashing in, depression, recess, bay.
enfoncer [ɑ̃fɔ̃se] *vt* to drive in, thrust, smash in; *vi* to sink, settle; *vr* to plunge, dive, sink.
enfouir [ɑ̃fwi:r] *vt* to bury, hide.
enfourcher [ɑ̃furʃe] *vt* to stick a fork into, mount.
enfourchure [ɑ̃furʃy:r] *nf* fork, bifurcation.
enfourner [ɑ̃furne] *vt* to put in the oven, shovel in.
enfreindre [ɑ̃frɛ̃:dr] *vt* to infringe, break, contravene.
s'enfuir [sɑ̃fɥi:r] *vr* to flee, escape, fly, run away, elope.
enfumé [ɑ̃fyme] *a* smoky, smoke-blackened.
enfumer [ɑ̃fyme] *vt* to fill (blacken) with smoke.
engagé [ɑ̃gaʒe] *a* pledged; *n* volunteer.
engageant [ɑ̃gaʒɑ̃] *a* winning, prepossessing, inviting, ingratiating.
engagement [ɑ̃gaʒmɑ̃] *nm* appointment, commitment, pawning, pledge, bond, engagement, enlistment.
engager [ɑ̃gaʒe] *vt* to engage, sign on, pawn, pledge, enter into, urge; *vr* to undertake, get involved, commit oneself, enlist, fit, jam, foul.
engainer [ɑ̃gɛne] *vt* to sheathe, envelop.
engeance [ɑ̃ʒɑ̃:s] *nf* breed, race.
engelure [ɑ̃ʒly:r] *nf* chilblain.
engendrer [ɑ̃ʒɑ̃dre] *vt* to beget, engender, breed.
engin [ɑ̃ʒɛ̃] *nm* engine, machine, device; *pl* tackle, appliances.
englober [ɑ̃glɔbe] *vt* to include, embrace, take in.
engloutir [ɑ̃gluti:r] *vt* to swallow up, gulp down, engulf; *vr* to be engulfed.
engoncé [ɑ̃gɔ̃se] *a* bunched-up, hunched-up.
engorgement [ɑ̃gɔrʒəmɑ̃] *nm* choking up, clogging, stoppage.
engorger [ɑ̃gɔrʒe] *vt* to choke up, clog, obstruct; *vr* to get choked up.
engouement [ɑ̃gumɑ̃] *nm* infatuation, craze.
engouer [ɑ̃gwe] *vt* to obstruct; *vr* to become infatuated, go crazy, mad (about **de**), have a passion (for **de**).
engouffrer [ɑ̃gufre] *vt* to engulf, swallow up; *vr* to be engulfed, rush.
engourdi [ɑ̃gurdi] *a* numb, cramped, sluggish, lethargic; *n* dullard, sluggard.
engourdir [ɑ̃gurdi:r] *vt* to benumb, cramp, chill, dull; *vr* to grow numb, sluggish.
engourdissement [ɑ̃gurdismɑ̃] *nm* numbness, sluggishness.
engrais [ɑ̃grɛ] *nm* fattening food, manure, fertilizer.
engraissement [ɑ̃grɛsmɑ̃] *nm* fattening, growing fat, corpulence.
engraisser [ɑ̃grɛse] *vt* to fatten, fertilize, manure; *vi* to grow fat, put on weight.
engranger [ɑ̃grɑ̃ʒe] *vt* (*corn*) to get in, to garner.
engrenage [ɑ̃grəna:ʒ] *nm* gearing, gear, mesh; *pl* gear-wheels, works.
engrener [ɑ̃grəne] *vt* to connect, engage; *vr* to interlock.
enhardir [ɑ̃ardi:r] *vt* to make bolder, encourage; *vr* to venture, grow bolder.
enharnacher [ɑ̃arnaʃe] *vt* to put the harness on.
énigmatique [enigmatik] *a* enigmatic(al).
énigme [enigm] *nf* enigma, riddle, conundrum.
enivrement [ɑ̃nivrəmɑ̃] *nm* intoxication, rapture.
enivrer [ɑ̃nivre] *vt* to intoxicate, send into raptures; *vr* to get drunk, be carried away, be uplifted.
enjambée [ɑ̃ʒɑ̃be] *nf* stride.
enjambement [ɑ̃ʒɑ̃bmɑ̃] *nm* enjambment.
enjamber [ɑ̃ʒɑ̃be] *vt* to step over, bestride; *vi* to stride along, encroach.
enjeu [ɑ̃ʒø] *nm* (*betting*) stake.
enjoindre [ɑ̃ʒwɛ̃:dr] *vt* to enjoin, exhort, call upon.
enjôler [ɑ̃ʒole] *vt* to wheedle, cajole, coax.
enjoliver [ɑ̃ʒɔlive] *vt* to embellish, embroider upon.
enjoué [ɑ̃ʒwe] *a* playful, sportive, vivacious.
enjouement [ɑ̃ʒumɑ̃] *nm* playfulness.
enlacement [ɑ̃lasmɑ̃] *nm* entwining, embrace.
enlacer [ɑ̃lase] *vt* to entwine, intertwine, clasp, embrace; *vr* to intertwine, twine, embrace each other.
enlaidir [ɑ̃lɛdi:r] *vt* to make ugly; *vi* to grow ugly.
enlèvement [ɑ̃lɛvmɑ̃] *nm* removal, carrying off, kidnapping, storming.
enlever [ɑ̃lve] *vt* to remove, carry off (away), storm, perform brilliantly, kidnap, abduct; *vr* to come off, boil over; se **laisser** — to elope.
enliser [ɑ̃lize] *vt* to draw in, engulf; *vr* to sink, get bogged

enluminer [ãlymine] *vt* to illuminate, colour.
enluminure [ãlyminy:r] *nf* illuminating, colouring, illumination.
ennemi [ɛnmi] *a* enemy, hostile; *n* enemy, foe.
ennoblir [ãnɔbli:r] *vt* to ennoble, exalt, elevate.
ennui [ãnɥi] boredom, tediousness, worry, trouble.
ennuyer [ãnɥije] *vt* to bore, bother, worry, annoy; *vr* to weary, be bored.
ennuyeux, -euse [ãnɥijø, ø:z] *a* tedious, irksome, tiresome, dull, drab, annoying.
énoncé [enɔ̃se] *nm* statement, wording, enunciation.
énoncer [enɔ̃se] *vt* to state express, articulate.
énonciation [enɔ̃sjasjɔ̃] *nf* stating, articulation.
enorgueillir [ãnɔrgœji:r] *vt* to make proud; *vr* to become proud, pride oneself.
énorme [enɔrm] *a* huge, enormous excessive, heinous.
énormément [enɔrmemã] *ad* enormously, awfully, a great many, a great deal.
énormité [enɔrmite] *nf* hugeness, enormity, incredible lie, excessiveness.
s'enquérir [sãkeri:r] *vr* to inquire, ask, make inquiries.
enquête [ãkɛt] *nf* inquiry, investigation, inquest
enquêter [ãkɛte] *vi* to make investigations, hold an inquiry.
enraciner [ãrasine] *vt* to plant securely, establish; *vr* to take root, become ingrained.
enragé [ãraʒe] *a* mad, enthusiastic, rabid; *n* fan.
enrager [ãraʒe] *vt* to enrage, madden; *vi* to be mad, be in a rage.
enrayer [ãrɛje] *vt* to lock, check, stop, foul.
enregistrement [ãrəʒistrəmã] *nm* registration, recording; **bureau d'—** registry office luggage booking-office.
enregistrer [ãrəʒistre] *vt* to register, record, enrol enter.
enregistreur, -euse [ãrəʒistrœ:r, ø:z] *a* recording; *nm* registrar.
enrhumer [ãryme] *vt* to give s.o. a cold; *vr* to catch a cold.
enrichir [ãriʃi:r] *vt* to enrich, make wealthy, augment, increase; *vr* to grow wealthy, make money.
enrober [ãrɔbe] *vt* to cover coat.
enrôler [ãrole] *vtr* to enrol, enlist.
enrouement [ãrumã] *nm* hoarseness, huskiness.
enroué [ãrwe] *a* hoarse, husky.
enrouer [ãrwe] *vt* to make hoarse; *vr* to become hoarse, husky.
enrouler [ãrule] *vt* to roll up, wind. wrap; *vr* to wind, coil.
enrubanner [ãrybane] *vt* to decorate with ribbon.
ensabler [ãsable] *vt* to sand, silt up.
ensanglanter [ãsãglãte] *vt* to stain cover, with blood.
enseignant [ãsɛɲã] *a* teaching; **corps —** teaching profession.
enseigne [ãsɛɲ] *nf* mark, sign, token, shop-sign, ensign, (sub-) lieutenant; **logés à la même —** in the same boat.
enseignement [ãsɛɲmã] *nm* teaching, education, lesson.
enseigner [ãsɛɲe] *vt* to teach.
ensemble [ãsã:bl] *ad* together, at the same time; *nm* general effect, whole, set; **vue d'—** general view; **dans l'—** on the whole.
ensemencer [ãsmãse] *vt* to sow.
ensevelir [ãsəvli:r] *vt* to bury, entomb, cover.
ensevelissement [ãsəvlismã] *nm* burial entombment.
ensoleillé [ãsɔlɛje] *a* sunny.
ensommeillé [ãsɔmɛje] *a* sleepy, drowsy.
ensorceler [ãsɔrsəle] *vt* to bewitch, cast a spell upon.
ensorcellement [ãsɔrsɛlmã] *nm* witchcraft sorcery, spell.
ensuite [ãsɥit] *ad* then, afterwards, next.
s'ensuivre [sãsɥi:vr] *vr* to follow, ensue.
entablement [ãtabləmã] *nm* coping, copestone.
entaille [ãta:j] *nf* notch, nick, slot, dent, gash
entailler [ãtaje] *vt* to nick, notch, slot gash.
entamer [ãtame] *vt* to cut, open, break start.
entassement [ãtasmã] *nm* piling up stacking.
entasser [ãtase] *vt* to heap (up), stack, accumulate, pack together; *vr* to accumulate, pile up, crowd together
entendement [ãtãdmã] *nm* understanding reason.
entendre [ãtã:dr] *vt* to hear, understand mean intend; *vr* to agree, know (about **en**), be good (at **à**); **—parler de** to hear of; **— dire que** to hear that; **laisser —** to imply.
entendu [ãtãdy] *a* capable, knowing, sensible shrewd; *ad* **bien —** of course; **c'est —** all right, agreed.
entente [ãtã:t] *nf* agreement, understanding, knowledge.
entérite [ãterit] *nf* enteritis.
enterrement [ãtɛrmã] *nm* burial, funeral.
enterrer [ãtɛre] *vt* to bury, inter.
en-tête [ãtɛ:t] *nm* heading.
entêté [ãtɛte] *a* obstinate, stubborn.
entêtement [ãtɛtmã] *nm* obstinacy, doggedness.
s'entêter [sãtɛte] *vr* to be obstinate persist.

enthousiasme [ɑ̃tuzjasm] *nm* enthusiasm.
enthousiasmer [ɑ̃tuzjasme] *vt* to fill with enthusiasm, send into raptures; *vr* to be, become, enthusiastic, rave (about **pour**).
enthousiaste [ɑ̃tuzjast] *a* enthusiastic; *n* enthusiast.
entiché [ɑ̃tiʃe] *a* infatuated, keen, mad; **— du théâtre** stage-struck.
entichement [ɑ̃tiʃmɑ̃] *nm* infatuation, craze.
s'enticher [sɑ̃tiʃe] *vr* to become infatuated (with **de**), take a fancy (to **de**).
entier, -ière [ɑ̃tje, jɛːr] *a* whole, entire, intact, downright, straightforward, possessive, whole-hearted.
entièrement [ɑ̃tjɛrmɑ̃] *ad* entirely, completely, quite.
entomologie [ɑ̃tɔmɔlɔʒi] *nf* entomology.
entonner [ɑ̃tɔne] *vt* to put into casks, strike up, intone; *vr* to rush, sweep.
entonnoir [ɑ̃tɔnwaːr] *nm* tunnel, crater, shell-hole.
entorse [ɑ̃tɔrs] *nf* sprain, twist, wrench.
entortiller [ɑ̃tɔrtije] *vt* to twine, twist, wind, coax, get round; *vr* to coil, wind.
entour [ɑ̃tuːr] *nm pl* neighbourhood, surroundings; *ad* **à l'—** round about, around.
entourage [ɑ̃turaːʒ] *nm* circle of friends, following, environment.
entourer [ɑ̃ture] *vt* to surround, encircle, encompass.
entournure [ɑ̃turnyːr] *nf* armhole.
entracte [ɑ̃trakt] *nm* interval.
entraide [ɑ̃trɛ(ː)d] mutual aid.
s'entraider [sɑ̃trɛde] *vr* to help one another.
entrailles [ɑ̃trɑːj] *nf pl* entrails, bowels, feeling.
entrain [ɑ̃trɛ̃] *nm* spirit, dash, zest, whole-heartedness.
entraînant [ɑ̃trɛnɑ̃] *a* stirring, rousing, catchy.
entraînement [ɑ̃trɛnmɑ̃] *nm* dragging away, enticing away, enthusiasm, catchiness, training.
entraîner [ɑ̃trɛne] *vt* to drag, carry away, entail, involve, lead astray, train, coach; *vr* to train, get into training.
entraîneur [ɑ̃trɛnœːr] *nm* trainer, coach.
entrave [ɑ̃trɑːv] *nf* fetter, shackle, obstacle, hobble.
entraver [ɑ̃trɑve] *vt* to fetter, shackle, hobble, hamper, clog.
entre [ɑ̃ːtr] *prep* between, among(st).
entrebâillement [ɑ̃trəbajmɑ̃] *nm* chink, gap, slit, narrow opening.
entrebâiller [ɑ̃trəbɑje] *vt* to half-open, set ajar.
s'entrechoquer [sɑ̃trəʃɔke] *vr* to clash, collide, clink.
entrecôte [ɑ̃trəkɔt] *nf* (rib-)steak.
entrecouper [ɑ̃trəkupe] *vt* to intersect, interrupt; *vr* to intersect, be interrupted.
entrecroiser [ɑ̃trəkrwaze] *vt* to intersect, cross; *vr* to intersect.
entre-deux [ɑ̃trədø] *nm* space between, partition, insertion.
entrée [ɑ̃tre] *nf* entry, entrance, way in, admission, inlet, import duty, entrée; **— interdite** no admittance.
entrefaite [ɑ̃trəfɛt] *nf* **sur ces —s** meanwhile.
entrefilet [ɑ̃trəfilɛ] *nm* paragraph.
entregent [ɑ̃trəʒɑ̃] *nm* tact, gumption.
entrelacement [ɑ̃trəlasmɑ̃] *nm* interlacing, interweaving, intertwining.
entrelacer [ɑ̃trəlase] *vtr* to interlace, intertwine.
entrelarder [ɑ̃trəlarde] *vt* to lard, interlard.
entremêler [ɑ̃trəmɛle] *vt* to intermingle, intervene.
entremets [ɑ̃trəmɛ] *nm* sweet.
entremetteur, -euse [ɑ̃trəmɛtœːr, øːz] *n* intermediary, go-between, procurer.
s'entremettre [sɑ̃trəmɛtr] *vr* to intervene, act as a go-between.
entremise [ɑ̃trəmiːz] *nf* intervention, mediation, medium, agency.
entrepont [ɑ̃trəpɔ̃] *nm* between-decks.
entreposer [ɑ̃trəpoze] *vt* to bond, warehouse, store.
entreposeur [ɑ̃trəpozœːr] *nm* warehouseman.
entrepôt [ɑ̃trəpo] *nm* bonded warehouse, mart, emporium.
entreprendre [ɑ̃trəprɑ̃ːdr] *vt* to undertake, contract for, take on.
entrepreneur, -euse [ɑ̃trəprənœːr, øːz] *n* contractor; **— en bâtiments** builder, building contractor; **— de pompes funèbres** undertaker.
entreprise [ɑ̃trəpriːz] *nf* enterprise, undertaking, concern.
entrer [ɑ̃tre] *vt* to bring in; *vi* to enter, come in, go in.
entresol [ɑ̃trəsɔl] *nm* entresol, mezzanine.
entre-temps [ɑ̃trətɑ̃] *nm* interval.
entretenir [ɑ̃trətniːr] *vt* to maintain, keep (up), support, talk to, entertain; *vr* to keep oneself, converse; **s'— la main** to keep one's hand in.
entretien [ɑ̃trətjɛ̃] *nm* maintenance, (up)keep, support, conversation, interview.
entrevoir [ɑ̃trəvwaːr] *vt* to catch a glimpse of, glimpse, begin to see, foresee vaguely.
entrevue [ɑ̃trəvy] *nf* interview, conference.
entr'ouvert [ɑ̃truvɛr] *a* half-open, ajar, (*chasm*) gaping.
entr'ouvrir [ɑ̃truvriːr] *vt* to half-open; *vr* to gape.

énumération [enymerasjɔ̃] *nf* enumeration, counting up.
énumérer [enymere] *vt* to enumerate, count up, detail.
envahir [ɑ̃vaiːr] *vt* to invade, overrun, spread over.
envahisseur [ɑ̃vaisœːr] *nm* invader.
envaser [ɑ̃vaze] *vt* to silt up, choke up; *vr* to silt up, settle down in the mud.
enveloppe [ɑ̃vlɔp] *nf* envelope, cover, wrapping, sheath, outward appearance.
envelopper [ɑ̃vlɔpe] *vt* to envelop, wrap, cover, surround, shroud.
envenimer [ɑ̃vnime] *vt* to poison, inflame, embitter, aggravate; *vr* to fester, grow more bitter.
envergure [ɑ̃vɛrgyːr] *nf* breadth, span, scope; **de grande** — far-reaching.
envers [ɑ̃vɛːr] *prep* towards; *nm* reverse, wrong side; **à l'**— inside out, wrong way up.
envi [ɑ̃vi] *nm* **à l'**— vying with one another.
enviable [ɑ̃vjabl] *a* enviable.
envie [ɑ̃vi] *nf* desire, longing, inclination, envy; **avoir — de** to want (to); **porter — à** to envy.
envier [ɑ̃vje] *vt* to envy, begrudge, long for, covet, be envious of.
envieux, -euse [ɑ̃vjø, øːz] *a* envious, jaundiced.
environ [ɑ̃virɔ] *ad* about; *nm pl* neighbourhood, outskirts, surroundings.
environner [ɑ̃virɔne] *vt* to surround.
envisager [ɑ̃visaʒe] *vt* to look at, face, view, foresee, anticipate.
envoi [ɑ̃vwa] *nm* sending, forwarding, consignment.
envol [ɑ̃vɔl] *nm* taking wing, taking off, take-off.
s'envoler [sɑ̃vɔle] *vr* to fly away, off, take flight.
envoûtement [ɑ̃vutmɑ̃] *nm* (casting of a) spell, hoodoo, passion, craze.
envoûter [ɑ̃vute] *vt* to put a spell, a hoodoo on, hold enthralled.
envoyé [ɑ̃vwaje] *nm* envoy, representative.
envoyer [ɑ̃vwaje] *vt* to send, dispatch; — **chercher** to send for; — **dire** to send word; — **promener** to send about one's business.
épagneul [epaɲœl] *n* spaniel.
épais, -aisse [epɛ, ɛːs] *a* thick, dense.
épaisseur [epɛsœːr] *nf* thickness, density.
épaissir [epɛsiːr] *vt* to thicken, make dense; *vr* to thicken, grow dense, stout.
épanchement [epɑ̃ʃmɑ̃] *nm* pouring out, effusion, outpouring.
épancher [epɑ̃ʃe] *vt* to pour out, pour forth; *vr* to pour out one's heart, expand, unburden oneself.
épandre [epɑ̃ːdr] *vt* to spread, shed; *vr* to spread.
épanoui [epanwi] *a* in full bloom, beaming, wreathed in smiles.
épanouir [epanwiːr] *vt* to make (*sth*) open, bring forth, — out; *vr* to open out, bloom, light up, beam.
épanouissement [epanwismɑ̃] *nm* opening up, blossoming.
épargne [eparɲ] *nf* economy, thrift, saving.
épargner [eparɲe] *vt* to save, economize, be sparing of, spare.
éparpiller [eparpije] *vtr* to scatter, disperse.
épars [epaːr] *a* scattered, stray, scant.
épatant [epatɑ̃] *a* (*fam*) great, splendid, terrific.
épate [epat] *nf* **faire de l'**— to show off.
épater [epate] *vt* astound, startle, stagger; to break the foot of.
épaule [epoːl] *nf* shoulder; **hausser les —s** to shrug one's shoulders.
épauler [epole] *vt* to shoulder; *vi* (*rifle*) to aim.
épaulette [epolɛt] *nf* shoulder-strap, epaulette.
épave [epaːv] *nf* wreck, waif, unclaimed object; *pl* flotsam, jetsam, wreckage.
épée [epe] *nf* sword.
épeler [eple] *vt* to spell.
éperdu [epɛrdy] *a* distracted, mad.
éperon [eprɔ̃] *nm* spur, buttress.
éperonner [eprɔne] *vt* to spur, urge on.
épervier [epɛrvje] *nm* sparrowhawk, fishing net.
éphémère [efemɛːr] *a* ephemeral, short-lived, fleeting; *nf* mayfly.
épi [epi] *nm* (*corn*) ear, cluster.
épice [epis] *nf* spice; **pain d'**— (type of) gingerbread.
épicé [epise] *a* spiced, seasoned, spicy.
épicer [epise] *vt* to spice, season.
épicerie [episri] *nf* spices, groceries, grocer's shop.
épicier, -ière [episje, jɛːr] *n* grocer.
épicurien, -ienne [epikyrjɛ̃, jɛn] *a* epicurean; *n* epicure, sybarite.
épicurisme [epikyrism] *nm* epicureanism.
épidémie [epidemi] *nf* epidemic.
épidémique [epidemik] *a* epidemic (al).
épiderme [epidɛrm] *nm* epiderm(is).
épier [epje] *vt* to spy upon, watch for, listen for.
épigramme [epigram] *nf* epigram.
épilepsie [epilɛpsi] *nf* epilepsy.
épiler [epile] *vt* to remove superfluous hair from, pluck.
épilogue [epilɔg] *nm* epilogue.
épiloguer [epilɔge] *vt* to criticize, find fault with; *vi* to carp.
épinard [epinaːr] *nm* spinach.
épine [epin] *nf* thorn-bush, thorn, prickle.
épinette [epinɛt] *nf* spruce, virginal, spinet.

épineux, -euse [epinø, ø:z] *a* thorny, prickly, knotty, ticklish, tricky.
épingle [epɛ̃:gl] *nf* pin; **— de nourrice** safety-pin; **— à linge** clothes-peg; **tiré à quatre —s** spruce, dapper.
épingler [epɛ̃gle] *vt* to pin, fasten with a pin.
épique [epik] *a* epic.
épiscopal [episkɔpal] *a* episcopal.
épiscopat [episkɔpa] *nm* episcopate.
épisode [epizɔd] *nm* episode.
épistolaire [epistɔlɛ:r] *a* epistolary.
épitaphe [epitaf] *nf* epitaph.
épithète [epitɛt] *nf* epithet, adjective.
épître [epi:tr] *nf* epistle.
éploré [eplɔre] *a* tearful, in tears, weeping.
éplucher [eplyʃe] *vt* to clean, peel, sift, examine.
épluchures [eplyʃy:r] *nf pl* peelings, refuse.
épointer [epwɛ̃te] *vt* to blunt, break the point of.
éponge [epɔ̃:ʒ] *nf* sponge.
éponger [epɔ̃ʒe] *vt* to mop, sponge, dab, mop up.
épopée [epɔpe] *nf* epic.
époque [epɔk] *nf* epoch, era, age, period, time; **faire —** to mark an epoch, be a landmark.
s'époumoner [sepumɔne] *vr* to talk, shout, till one is out of breath.
épousailles [epuzɑ:j] *nf pl* wedding.
épouser [epuze] *vt* to marry, wed.
épousseter [epuste] *vt* to dust, beat.
époussette [epusɛt] *nf* feather-duster.
épouvantable [epuvɑ̃tabl] *a* dreadful, appalling.
épouvantail [epuvɑ̃ta:j] *nm* scarecrow, bogy.
épouvante [epuvɑ̃:t] *nf* terror, dread, fright.
épouvanter [epuvɑ̃te] *vt* to terrify; *vr* to be terror-stricken, take fright.
époux, -ouse [epu, u:z] *n* husband, wife.
s'éprendre [seprɑ̃:dr] *vr* to fall in love (with **de**), take a fancy (to **de**).
épreuve [eprœ:v] *nf* proof, test, trial, ordeal, print, impression, examination paper; **à l'— de** proof against; **à toute —** foolproof.
éprouvé [epruve] *a* well-tried, sorely tried, stricken.
éprouver [epruve] *vt* to test, try, feel, suffer.
éprouvette [epruvɛt] *nf* test-tube, gauge.
épuisement [epɥizmɑ̃] *nm* exhaustion, distress, depletion, using up, emptying.
épuiser [epɥize] *vt* to exhaust, use up, tire out.
épuisette [epɥizɛt] *nf* scoop, landing-net.
épuration [epyrasjɔ̃] *nf* purification, purging, expurgation, filtering.
épurer [epyre] *vt* to purify, filter.
équarrir [ekari:r] *vt* to square, broach, cut up.
équateur [ekwatœ:r] *nm* equator.
équation [ekwasjɔ̃] *nf* equation.
équerre [ekɛ:r] *nf* square, angle-iron, bevel.
équerrer [ekɛre] *vt* to square, bevel.
équestre [ekɛstr] *a* equestrian.
équilibre [ekilibr] *nm* equilibrium, balance, stability.
équilibrer [ekilibre] *vtr* to balance.
équilibriste [ekilibrist] *n* equilibrist, acrobat, tight-rope walker.
équinoxe [ekinɔks] *nm* equinox.
équipage [ekipa:ʒ] *nm* crew, company, retinue, train, carriage and horses, apparel, rig-out, equipment; **maître d'—** master of the hounds, coxswain.
équipe [ekip] *nf* squad, gang, team, crew, shift, train (of barges); **chef d'—** foreman.
équipée [ekipe] *nf* escapade, frolic, lark.
équipement [ekipmɑ̃] *nm* equipment, accoutrement, outfit, fitting out (up).
équiper [ekipe] *vt* to equip, appoint, fit out, man.
équipier [ekipje] *nm* one of a squad, member of a team.
équitable [ekitabl] *a* just, fair.
équitation [ekitasjɔ̃] *nf* horsemanship, riding.
équité [ekite] *nf* equity, fairness, justness.
équivalent [ekivalɑ̃] *a nm* equivalent.
équivaloir [ekivalwa:r] *vi* to be equal, be equivalent, be tantamount.
équivoque [ekivɔk] *a* ambiguous, equivocal, doubtful; *nf* ambiguity.
équivoquer [ekivɔke] *vi* to equivocate, quibble.
érable [ɛrabl] *nm* maple.
érafler [erafle] *vt* to scratch, graze, score.
éraflure [erɑfly:r] *nf* scratch, graze.
éraillement [erɑjmɑ̃] *nm* fraying, grazing, hoarseness.
érailler [erɑje] *vt* to unravel, graze, roughen; *vr* to fray, become hoarse.
ère [ɛ:r] *nf* era, period, epoch.
érection [erɛksjɔ̃] *nf* putting up.
éreintant [erɛ̃tɑ̃] *a* back-breaking, killing.
éreinter [erɛ̃te] *vt* to break the back of, wear out, knock about, slate; *vr* to wear oneself out, slave.
ergot [ɛrgo] *nm* spur, dewclaw, ergot; **se dresser sur ses —s** to get on one's high horse.
ergotage [ɛrgɔtɑ:ʒ] *nm* cavilling, quibbling.
ergoter [ɛrgɔte] *vi* to cavil, quibble haggle.
ergoteur, -euse [ɛrgɔtœ:r, ø:z] *a* cavilling, quibbling; *n* quibbler.

ériger [eriʒe] *vt* to erect, put up, set up; *vr* to set oneself up (as **en**).
ermitage [ɛrmita:ʒ] *nm* hermitage.
ermite [ɛrmit] *nm* hermit.
éroder [erɔde] *vt* to erode, eat away.
erosion [erɔzjɔ̃] *nf* erosion.
érotique [erɔtik] *a* erotic.
érotisme [erɔtism] *nm* erotism.
errements [ɛrmɑ̃] *nm pl* erring ways.
errer [ɛre] *vt* to wander, roam, ramble.
erreur [ɛrœ:r] *nf* error, mistake, slip, fallacy.
erroné [ɛrɔne] *a* erroneous, false, mistaken.
éructer [erykte] *vi* to belch.
érudit [erydi] *a* learned, scholarly, erudite; *nm* scholar scientist
érudition [erydisjɔ̃] *nf* learning, scholarship.
éruption [erypsjɔ̃] *nf* eruption.
ès [ɛs] = en + les; **docteur — sciences**, doctor of science.
escabeau [ɛskabo] *nm* stool, steps.
escadre [ɛska:dr] *nf* (*naut*) squadron.
escadrille [ɛskadri:j] *nf* (*naut*) flotilla, (*av*) squadron.
escadron [ɛskadrɔ̃] *nm* (*cavalry*) squadron.
escalade [ɛskalad] *nf* climb(ing), scaling.
escalader [ɛskalade] *vt* to climb, scale.
escale [ɛskal] *nf* port of call, call; **faire — à** to put in at; **sans —** non-stop.
escalier [ɛskalje] *nm* staircase, stairs; **— de service** backstairs; **— roulant** escalator; **il a l'esprit de l'—** he has never a ready answer.
escalope [ɛskalɔp] *nf* cutlet.
escamotable [eskamotabl] *a* concealable, retractable.
escamotage [ɛskamɔta:ʒ] *nm* sleight of hand, conjuring theft, pinching.
escamoter [ɛskamɔte] *vt* to conjure away, whisk away, hide, evade, pinch; (*av*) retract undercarriage.
escamoteur [ɛskamɔtœ:r] *nm* conjuror.
escampette [ɛskɑ̃pɛt] *nf* **prendre la poudre d'—** to clear off, decamp.
escapade [ɛskapad] *nf* escapade, adventure, prank.
escarbille [ɛskarbi:j] *nf* cinder, clinker.
escarbot [ɛskarbo] *nm* cockchafer, blackbeetle.
escarboucle [ɛskarbukl] *nf* carbuncle.
escargot [ɛskargo] *nm* snail.
escarmouche [ɛskarmuʃ] *nf* skirmish.
escarpé [ɛskarpe] *a* steep, sheer, precipitous.
escarpement [ɛskarpəmɑ̃] *nm* escarpment.
escarpin [ɛskarpɛ̃] *nm* dancing-shoe, pump.
escarpolette [ɛskarpɔlɛt] *nf* swing.
escarre [ɛska:r] *nf* bedsore, scab.
escient [ɛsjɑ̃] *nm* knowledge; **à mon —** to my knowledge; **à son —** wittingly.
s'esclaffer [sɛsklafe] *vr* to burst out laughing, guffaw.
esclandre [ɛsklɑ̃:dr] *nm* scandal.
esclavage [ɛsklava:ʒ] *nm* slavery, bondage.
esclave [ɛskla:v] *n* slave.
escompte [ɛskɔ̃:t] *nm* discount, rebate.
escompter [ɛskɔ̃te] *vt* to discount, allow for anticipate.
escorte [ɛskɔrt] *nf* escort, convoy.
escorter [ɛskɔrte] *vt* to escort.
escouade [ɛskwad] *nf* squad, section.
escrime [ɛskrim] *nf* fencing, swordsmanship skirmishing.
escrimer [ɛskrime] *vi* to fence; *vr* to try hard, spar.
escrimeur [ɛskrimœ:r] *nm* fencer, swordsman
escroc [ɛskro] *nm* swindler, crook.
escroquer [ɛskrɔke] *vt* to rob, swindle cheat.
escroquerie [ɛskrɔkri] *nf* swindling, swindle.
ésotérique [esɔterik] *a* esoteric.
espace [ɛspas] *nm* space, interval.
espacer [ɛspase] *vt* to space (out); *vr* to become more and more isolated, grow fewer and fewer.
espadrille [ɛspadri:j] *nf* rope-soled canvas shoe.
Espagne [ɛspaɲ] *nf* Spain.
espagnol [ɛspaɲɔl] *a* Spanish; *n* Spaniard.
espagnolette [ɛspaɲɔlɛt] *nf* window-catch.
espèce [ɛspɛs] *nf* kind, sort, species; *pl* cash
espérance [ɛspɛrɑ̃:s] *nf* hope, expectation.
espérer [ɛspere] *vt* to hope (for).
espiègle [ɛspjɛgl] *a* mischievous, arch, roguish.
espièglerie [ɛspjɛgləri] *nf* mischievousness roguishness, trick, prank.
espion -onne [ɛspjɔ̃, ɔn] *n* spy.
espionnage [ɛspjɔna:ʒ] *nm* espionage spying.
espionner [ɛspjɔne] *vt* to spy (on).
esplanade [ɛsplanad] *nf* esplanade, parade.
espoir [ɛspwa:r] *nm* hope.
esprit [ɛspri] *nm* spirit, ghost, soul, mind, wit.
esquif [ɛskif] *nm* skiff.
esquimau -aude [ɛskimo] *an* Eskimo.
esquinter [ɛskɛ̃te] *vt* to exhaust, run down slate.
esquisse [ɛskis] *nf* sketch, draft, outline.
esquisser [ɛskise] *vt* to sketch, draft, outline.
esquiver [ɛskive] *vt* to evade, dodge, shirk; *vr* to slip away, dodge (off) abscond.

essai [ɛsɛ] *nm* trial, test, experiment, attempt, try, sample, essay; **à l'—** on trial, on approval; **coup d'—** first attempt, trial shot.
essaim [ɛsɛ̃] *nm* swarm, cluster, hive.
essaimer [eseme] *vi* to swarm.
essayage [esɛjɑːʒ] *nm* fitting.
essayer [esɛje] *vt* to test, try, try on, fit, attempt, assay; *vr* to try one's hand.
essence [ɛsɑ̃ːs] *nf* essence, extract, petrol; **poste d'—** filling-station.
essentiel, -elle [ɛsɑ̃sjɛl] *a* essential, crucial, key; *n* the main thing, burden.
essieu [esjø] *nm* axle.
essor [ɛsɔːr] *nm* flight, rise, scope.
essoreuse [esɔrøːz] *nf* mangle, wringer, spin-drier.
essoufflé [esufle] *a* breathless, out of breath.
essoufflement [esufləmɑ̃] *nm* breathlessness.
essouffler [esufle] *vt* to wind, put out of breath; *vr* to get breathless, winded.
essuie-glace [esɥiglas] *nm* windscreen wiper.
essuie-mains [esɥimɛ̃] *nm* towel.
essuie-pieds [esɥipje] *nm* doormat.
essuyer [esɥije] *vt* to wipe (up), clean, meet with.
est [ɛst] *nm* east.
estacade [ɛstakad] *nf* line of piles, pier, boom, stockade.
estafette [ɛstafɛt] *nf* courier, dispatch-rider.
estafilade [ɛstafilad] *nf* slash, gash, rent.
estaminet [ɛstaminɛ] *nm* café, bar, public-house.
estampe [ɛstɑ̃ːp] *nf* print, engraving.
estamper [ɛstɑ̃pe] *vt* to stamp, emboss, diddle, sting.
estampille [ɛstɑ̃piːj] *nf* stamp, trade-mark, endorsement.
esthète [ɛstɛt] *n* aesthete.
esthétique [ɛstetik] *a* aesthetic.
estimateur, -trice [ɛstimatœːr, tris] *n* valuator.
estimation [ɛstimasjɔ̃] *nf* valuation, valuing, estimate.
estime [ɛstim] *nf* esteem, regard, estimation, reckoning.
estimer [ɛstime] *vt* to estimate, valuate, calculate, guess, consider, deem, value, esteem.
estival [ɛstival] *a* summer, estival.
estivant [ɛstivɑ̃] *n* summer visitor, holiday-maker.
estoc [ɛstɔk] *nm* stock, point of sword.
estocade [ɛstɔkad] *nf* thrust.
estomac [ɛstɔma] *nm* stomach.
estomaquer [ɛstɔmake] *vt* to take s.o.'s breath away, stagger.
estompé [ɛstɔ̃pe] *a* blurred, soft, hazy.
estomper [ɛstɔ̃pe] *vt* to stump, shade off, soften the outlines of.
estrade [ɛstrad] *nf* platform, stage, dais.
estropier [ɛstrɔpje] *vt* to maim, cripple spoil, murder.
estuaire [ɛstɥɛːr] *nm* estuary, firth.
estudiantin [ɛstydjɑ̃tɛ̃] *a* student.
et [e] *cj* and; **et . . . et** both . . . and; **et vous?** what about you? do you? are you?; **— alors!** so what!
étable [etabl] *nf* cattle-shed, byre.
établi [etabli] *nm* (work-)bench.
établir [etabliːr] *vt* to establish, put up, set up, install, fix, draw up, lay down; *vr* to establish oneself, settle.
établissement [etablismɑ̃] *nm* establishment, setting up, installing, drawing up, laying down.
étage [etaːʒ] *nm* story, floor, tier, layer, rank.
étager [etaʒe] *vt* to arrange in tiers, terrace, stagger; *vr* to be tiered, terraced.
étagère [etaʒɛːr] *nf* rack, shelves.
étai [etɛ] *nm* stay, prop, strut, mainstay.
étain [etɛ̃] *nm* tin, pewter.
étal [etal] *nm* butcher's stall, shop.
étalage [etalaːʒ] *nm* show, display, window-dressing, show-window; **faire — de** to display, show off, flaunt.
étaler [etale] *vt* to display, spread out, lay out, exhibit, show off, air; *vr* to stretch (oneself out), sprawl, enlarge (upon), expatiate (on).
étalon [etalɔ̃] *nm* standard, stallion.
étalonner [etalɔne] *vt* to stamp, mark, standardize.
étamer [etame] *vt* to tinplate, silver, galvanize.
étameur [etamœːr] *nm* tinsmith.
étamine [etamin] *nf* coarse muslin, gauze, bunting, sieve, strainer, stamen.
étampe [etɑ̃ːp] *nf* stamp, die, punch.
étamper [etɑ̃pe] *vt* to stamp, mark, punch.
étanche [etɑ̃ːʃ] *a* impervious, tight, insulated; **— à l'air (à l'eau)** air-(water)tight.
étancher [etɑ̃ʃe] *vt* to stanch, stop (flow of), quench, make water(air) tight.
étançonner [etɑ̃sɔne] *vt* to prop up, shore up.
étang [etɑ̃] *nm* pond, pool.
étape [etap] *nf* stage, stopping-place, a day's march.
état [eta] *nm* state, condition, order, list, statement, profession; **mettre qn en — de** to enable s.o. to; **être dans tous ses —s** to be in a great state.
étatisme [etatism] *nm* state control.
état-major [etamaʒɔːr] *nm* general staff, headquarters.
étau [eto] *nm* (*tec*) vice.
étayer [etɛje] *vt* to prop up, shore up, support; *vr* to brace oneself.
été [ete] *nm* summer.

éteignoir [etɛɲwaːr] *nm* damper, extinguisher.
éteindre [etɛ̃ːdr] *vt* to extinguish, put out, switch off, dim; *vr* to go out, die (out, away, down), fade (away).
éteint [etɛ̃] *a* extinguished, extinct, dim, faint, dull, dead.
étendard [etɑ̃daːr] *nm* standard, flag, colours.
étendre [etɑ̃ːdr] *vt* to stretch, spread, extend, enlarge; *vr* to stretch oneself out, lie down, extend, spread, dwell (upon), hold forth (on).
étendu [etɑ̃dy] *a* extensive, wide, far-reaching.
étendue [etɑ̃dy] *nf* extent, size, expanse, stretch.
éternel, -elle [etɛrnɛl] *a* eternal, everlasting, endless.
éterniser [etɛrnize] *vt* to perpetuate, drag (out, on); *vr* to drag on and on.
éternité [etɛrnite] *nf* eternity.
éternuement [etɛrnymɑ̃] *nm* sneeze, sneezing.
éternuer [etɛrnɥe] *vt* to sneeze.
éthéré [etere] *a* ethereal.
éthique [etik] *a* ethical; *nf* ethics.
ethnique [ɛtnik] *a* ethnical, ethnological.
étinceler [etɛ̃sle] *vi* to sparkle, glitter, flash.
étincelle [etɛ̃sɛl] *nf* spark, flash.
étincellement [etɛ̃sɛlmɑ̃] *nm* sparkling, glittering, twinkling
étioler [etjɔle] *vt* to blanch, make wilt, weaken; *vr* to blanch, wilt.
étique [etik] *a* emaciated, skinny, gaunt.
étiqueter [etikte] *vt* to label, ticket, docket.
étiquette [etikɛt] *nf* label, ticket, docket, etiquette, ceremonial; **— à œillets** tie-on label; **— gommée** stick-on label.
étoffe [etɔf] *nf* material, cloth, fabric, stuff, makings.
étoffé [etɔfe] *a* ample, rich, stuffed, stout, meaty.
étoile [etwal] *nf* star, asterisk; **dormir à la belle —** to sleep in the open.
étole [etɔl] *nf* stole.
étonnement [etɔnmɑ̃] *nm* surprise, astonishment.
étonner [etɔne] *vt* to surprise, astonish, amaze; *vr* to be surprised.
étouffant [etufɑ̃] *a* stifling, stuffy, sultry, airless.
étouffement [etufmɑ̃] *nm* choking, suffocation, attack of breathlessness.
étouffer [etufe] *vti* to suffocate, choke; *vi* damp, stifle, deaden, smother, hush up.
étoupe [etup] *nf* tow, oakum.
étourderie [eturdəri] *nf* thoughtlessness, giddiness.
étourdi [eturdi] *a* scatterbrained, hare-brained, dizzy, giddy; *n* scatterbrain.
étourdir [eturdiːr] *vt* to daze, bemuse, make one's head reel, deafen, astound.
étourdissement [eturdismɑ̃] *nm* giddiness, dizziness.
étourneau [eturno] *nm* starling, scatterbrain.
étrange [etrɑ̃ːʒ] *a* strange, queer, odd.
étranger, -ère [etrɑ̃ʒe, ɛːr] *a* foreign, alien, unfamiliar, irrelevant; *n* foreigner, alien, stranger; *nm* abroad.
étranglement [etrɑ̃gləmɑ̃] *nm* strangulation, constriction, narrows, narrowing, bottleneck.
étrangler [etrɑ̃gle] *vt* to throttle, strangle, choke, constrict; *vi* to choke; *vr* to narrow, gulp.
étrave [etraːv] *nf* (*naut*) bow, stem.
être [ɛːtr] *vi* to be, exist; *nm* being, existence, creature; **il est à écrire** he is busy writing; **où en êtes-vous?** how far have you got? **il n'en est rien** nothing of the kind; **le chapeau est à lui** the hat is his; **comme si de rien n'était** as if nothing had happened.
étreindre [etrɛ̃ːdr] *vt* to embrace, clasp, grasp, wring.
étreinte [etrɛ̃ːt] *nf* embrace, hug, clasp, grip, clutch.
étrenne [etrɛn] *nf* New Year's gift.
étrenner [etrɛne] *vt* to be the first to buy from, use for the first time, handsel.
étrier [etrie] *nm* stirrup; **coup de l'—** stirrup-cup.
étrille [etriːj] *nf* curry-comb.
étriller [etrije] *vt* to curry-comb, thrash, give a drubbing to.
étriper [etripe] *vt* to gut, clean, disembowel.
étriqué [etrike] *a* tight, skimped, cramped.
étroit [etrwa] *a* narrow, tight, close, hidebound.
étroitesse [etrwatɛs] *nf* narrowness, tightness, closeness.
étude [etyd] *nf* study, research, prep. (lessons), office, chambers; **à l'—** under consideration; **faire ses —s à** to be educated at.
étudiant [etydjɑ̃] *n* student, undergraduate.
étudié [etydje] *a* studied, affected, deliberate.
étudier [etydje] *vt* to study, read, investigate; *vr* to strive, make a point (of).
étui [etɥi] *nm* case, box.
étuve [etyːv] *nf* sweating-room, drying-room.
étuver [etyve] *vt* to dry, heat, stew, steam, jug.
étymologie [etimɔlɔʒi] *nf* etymology.
étymologique [etimɔlɔʒik] *a* etymological.
étymologiste [etimɔlɔʒist] *n* etymologist.

eucharistie [økaristi] *nf* Eucharist, Lord's Supper.
eunuque [ønyk] *nm* eunuch.
euphémisme [øfemism] *nm* euphemism.
euphonie [øfɔni] *nf* euphony.
Europe [ørɔp] *nf* Europe.
européen, -enne [ørɔpeɛ̃, ɛn] *an* European.
euthanasie [øtanazi] *nf* euthanasia.
évacuation [evakɥasjɔ̃] *nf* clearing, withdrawal, vacating.
évacué [evakɥe] *n* evacuee.
évacuer [evakɥe] *vt* to evacuate, empty, withdraw, vacate.
évadé [evade] *a* escaped; *n* escaped prisoner.
s'évader [sevade] *vr* to escape, run away, break out.
évaluation [evalɥasjɔ̃] *nf* valuation, assessment, estimate, appraisal.
évaluer [evalɥe] *vt* to valuate, assess, appraise.
évangile [evɑ̃ʒil] *nm* gospel.
évanouir [evanwiːr] *vr* to vanish, disappear, faint.
évanouissement [evanwismɑ̃] *nm* disappearance, fading away, swoon.
évaporation [evapɔrasjɔ̃] *nf* evaporation, frivolousness.
évaporé [evapɔre] *a* giddy, lightheaded.
évaporer [evapɔre] *vr* to evaporate, pass off, become silly and frivolous.
évasement [evɑzmɑ̃] *nm* widening out, flare, bell-mouth.
évaser [evɑze] *vtr* to open out, widen, flare.
évasif, -ive [evazif, iːv] *a* evasive.
évasion [evazjɔ̃] *nf* escape, evasion.
évêché [eveʃe] *nm* bishopric, bishop's palace.
éveil [evɛːj] *nm* awakening, wide-awake state, alert, alarm.
éveillé [evɛje] *a* awake, alert, bright, alive.
éveiller [evɛje] *vt* to wake up, awake, arouse; *vr* to wake up, awaken.
événement [evɛnmɑ̃] *nm* event, incident, happening, occurrence; **dans l'—** as it transpired; **attendre l'—** to await the outcome.
éventail [evɑ̃taːj] *nm* fan.
éventaire [evɑ̃tɛːr] *nm* flat basket.
éventé [evɑ̃te] *a* flat, stale, musty.
éventer [evɑ̃te] *vt* to air, fan, catch the scent of, get wind of; *vr* to fan oneself, go flat, go stale.
éventrer [evɑ̃tre] *vt* to disembowel, gut, smash open.
éventualité [evɑ̃tɥalite] *nf* eventuality, contingency, possibility.
éventuel, -elle [evɑ̃tɥɛl] *ad* contingent, possible.
éventuellement [evɑ̃tɥɛlmɑ̃] *ad* possibly, should the occasion arise.
évêque [evɛːk] *nm* bishop.
s'évertuer [sevɛrtɥe] *vr* to strive, make every effort.
éviction [eviksjɔ̃] *nf* eviction.
évidemment [evidamɑ̃] *ad* evidently, obviously.
évidence [evidɑ̃ːs] *nf* obviousness, conspicuousness; **se rendre à l'—** to accept the facts; **être en —** to be to the fore, in the limelight.
évident [evidɑ̃] *a* evident, obvious, clear.
évider [evide] *vt* to hollow out, groove, cut away.
évier [evje] *nm* sink.
évincer [evɛ̃se] to evict, turn out.
évitement [evitmɑ̃] *nm* avoiding, shunting, loop.
éviter [evite] *vt* to avoid, shun, evade, save (from).
évocateur, -trice [evɔkatœːr, tris] *a* evocative, picturesque.
évocation [evɔkasjɔ̃] *nf* evocation, conjuring up, calling to mind.
évoluer [evɔlɥe] *vi* to manœuvre, evolve, revolve.
évolution [evɔlysjɔ̃] *nf* evolution, manœuvre.
évoquer [evɔke] *vt* to evoke, call forth, conjure up, call to mind.
exacerber [ɛgzasɛrbe] *vt* to exacerbate.
exact [ɛgzakt] *a* accurate, punctual, strict, express.
exactitude [ɛgzaktityd] *nf* exactness, accuracy, punctuality.
exagération [ɛgzaʒɛrasjɔ̃] *nf* exaggeration, overstatement.
exagérer [ɛgzaʒere] *vt* to exaggerate, overrate, magnify, overdo, go too far.
exaltation [ɛgzaltasjɔ̃] *nf* exaltation, extolling, excitement.
exalté [ɛgzalte] *a* passionate, elated, impassioned, hot-headed, quixotic.
exalter [ɛgzalte] *vt* to exalt, extol, excite, uplift; *vr* to grow enthusiastic, excited.
examen [ɛgzamɛ̃] *nm* examination, inspection, scrutiny; **se présenter à un —** to sit an examination.
examinateur, -trice [ɛgzaminatœːr, tris] *n* examiner.
examiner [ɛgzamine] *vt* to examine, inspect, scrutinize.
exaspération [ɛgzasperasjɔ̃] *nf* annoyance, aggravation.
exaspérer [ɛgzaspere] *vt* to exasperate, aggravate; *vr* to become exasperated.
exaucer [ɛgzose] *vt* to fulfil, grant.
excavation [ɛkskavasjɔ̃] *nf* excavation, digging out.
excédent [ɛksedɑ̃] *nm* surplus, excess.
excéder [ɛksede] *vt* to exceed, go beyond, overstrain, tire out, exasperate.
excellence [ɛksɛlɑ̃ːs] *nf* excellence.
excellent [ɛksɛlɑ̃] *a* excellent.
exceller [ɛksɛle] *vi* to excel.
excentricité [ɛksɑ̃trisite] *nf* eccentricity, oddity.

excentrique [ɛksɑ̃trik] *a* eccentric, odd, outlying; *n* eccentric character.
excepté [eksɛpte] *prep* except, but, barring.
excepter [eksɛpte] *vt* to except, exclude.
exception [eksɛpsjɔ̃] *nf* exception; **sauf —** with certain exceptions.
exceptionnel, -elle [eksɛpsjɔnɛl] *a* exceptional.
excès [eksɛ] *nm* excess; **à l'—** to excess, to a fault, over-.
excessif, -ive [eksesif, iːv] *a* excessive, undue.
excessivement [eksesivmɑ̃] *a* exceedingly, over-.
excitabilité [eksitabilite] *nf* excitability.
excitant [eksitɑ̃] *a* stimulating, exciting, hectic; *nm* stimulant.
excitation [eksitasjɔ̃] *nf* excitation, stimulation, incitement.
exciter [eksite] *vt* to excite, stimulate, arouse, urge, incite, spur (on); *vr* to get worked up, roused.
exclamatif, -ive [ɛksklamatif, iːv] *a* exclamative, exclamatory.
exclamation [ɛksklamasjɔ̃] *nf* exclamation.
s'exclamer [sɛksklame] *vr* to exclaim.
exclure [ɛksklyːr] *vt* to exclude, leave out, debar.
exclusif, -ive [ɛksklyzif, iːv] *a* exclusive, sole.
exclusion [ɛksklyzjɔ̃] *nf* exclusion.
exclusivité [ɛksklyzivite] *nf* exclusiveness, sole rights.
excommunier [ɛkskɔmynje] *vt* to excommunicate.
excrément [ɛskremɑ̃] *nm* excrement, scum.
excursion [ɛkskyrsjɔ̃] *nf* excursion, trip, outing, raid.
excursionniste [ɛkskyrsjɔnist] *nm* excursionist, tripper.
excusable [ɛkskyzabl] *a* pardonable.
excuse [ɛkskyːz] *nf* excuse, apology.
excuser [ɛkskyze] *vt* to excuse, pardon, make excuses for; *vr* to apologize, excuse oneself; **se faire —** to withdraw, call off.
exécrable [egzɛkrabl] *a* execrable, abominable.
exécration [egzɛkrasjɔ̃] *nf* execration, loathing.
exécrer [egzekre] *vt* to execrate, loathe.
exécutable [egzekytabl] *a* feasible, practicable.
exécutant [egzekytɑ̃] *n* executant, performer.
exécuter [egzekyte] *vt* to execute, carry out perform, enforce; *vr* to comply.
exécuteur, -trice [egzekytœːr, tris] *n* executor, -trix.
exécutif, -ive [egzekytif, iːv] *a* executive.
exécution [egzekysjɔ̃] *nf* execution, accomplishment, performance, enforcement; **mettre à —** to put into effect, carry out.
exemplaire [egzɑ̃plɛːr] *a* exemplary; *nm* specimen, copy.
exemple [egzɑ̃ːpl] *nm* example, precedent, instance, lesson; **par —** for example, fancy that!
exempt [egzɑ̃] *a* exempt, free.
exempter [egzɑ̃te] *vt* to exempt, excuse; *vr* to get out (of).
exemption [egzɑ̃sjɔ̃] *nf* exemption, immunity.
exercé [egzɛrse] *a* trained, practised.
exercer [egzɛrse] *vt* to exercise, exert, carry on, drill, train; *vr* to be exerted, practise.
exercice [egzɛrsis] *nm* drill, training practice, exercise, carrying out; financial year; **entrer en —** to take up one's duties; **en —** practising, acting.
exhalaison [egzalɛzɔ̃] *nf* exhalation, odour.
exhalation [egzalasjɔ̃] *nf* exhalation, exhaling.
exhaler [egzale] *vt* to exhale, emit, vent, pour forth.
exhaustif [ɛgzostif] *a* exhaustive.
exhiber [egzibe] *vt* to exhibit, show, flaunt; *vr* to make an exhibition of oneself.
exhibition [egzibisjɔ̃] *nf* show, showing.
exhorter [egzɔrte] *vt* to exhort, urge.
exhumer [egzyme] *vt* to disinter, unearth, exhume.
exigeant [egziʒɑ̃] *a* exacting, hard to please.
exigence [egziʒɑ̃ːs] *nf* demand, requirement.
exiger [egziʒe] *vt* to exact, demand, require, call for.
exigu, -uë [egzigy] *a* tiny, slender, scant, exiguous.
exiguïté [egzigɥite] *nf* smallness, scantiness, exiguity.
exil [egzil] *nm* exile.
exilé [egzile] *n* exile.
exiler [egzile] *vt* to exile, banish.
existence [egzistɑ̃ːs] *nf* existence, life, subsistence; *pl* stock on hand.
exister [egziste] *vi* to exist, live, be extant.
exode [ɛgzɔd] *nm* exodus.
exonérer [ɛgzɔnere] *vt* to exonerate, exempt.
exorbitant [ɛgzɔrbitɑ̃] *a* exorbitant, extortionate.
exorciser [ɛgzɔrsize] *vt* to exorcize.
exotique [ɛgzɔtik] *a* exotic.
expansif, -ive [ɛkspɑ̃sif] *a* expansive, effusive, forthcoming.
expansion [ɛkspɑ̃sjɔ̃] *nf* expansion, expansiveness.
expatriation [ɛkspatriasjɔ̃] *nf* expatriation.
expatrier [ɛkspatrie] *vt* to expatriate; *vr* to leave one's country.
expectative [ɛkspɛktatiːv] *nf* expectation, expectancy.

expectorer [ɛkspɛktɔre] *vi* to expectorate, spit.
expédient [ɛkspedjɑ̃] *a nm* expedient; *nm* device, way.
expédier [ɛkspedje] *vt* to dispatch, send off, expedite, hurry through, get rid of.
expéditeur, -trice [ɛkspeditœːr, tris] *n* sender shipper consigner.
expédition [ɛkspedisjɔ̃] *nf* dispatch, shipping, consignment expedition.
expéditionnaire [ɛkspedisjɔnɛːr] *a* expeditionary; *nm* forwarding agent.
expérience [ɛksperjɑ̃ːs] *nf* experience, experiment, test.
expérimental [ɛksperimɑ̃tal] *a* experimental, applied.
expérimentateur, -trice [ɛksperimɑ̃tatœːr, tris] *n* experimenter.
expérimentation [ɛksperimɑ̃tasjɔ̃] *nf* experimenting.
expérimenté [ɛksperimɑ̃te] *a* experienced, skilled.
expérimenter [ɛksperimɑ̃te] *vt* to test, try; *vi* to experiment.
expert [ɛkspɛːr] *a* expert skilled; *nm* expert, valuator.
expert-comptable [ɛkspɛrkɔ̃tabl] *nm* chartered accountant, auditor.
expertise [ɛkspɛrtiːz] *nf* survey, valuation, assessment.
expertiser [ɛkspɛrtize] *vt* to value, assess, survey.
expiation [ɛkspjasjɔ̃] *nf* expiation.
expier [ɛkspie] *vt* to expiate, atone for.
expiration [ɛkspirasjɔ̃] *nf* breathing out, expiry.
expirer [ɛkspire] *vi* to expire, to die.
explicatif, -ive [ɛksplikatif, iːv] *a* explanatory.
explication [ɛksplikasjɔ̃] *nf* explanation.
explicite [ɛksplisit] *a* explicit, clear.
expliquer [ɛksplike] *vt* to explain, expound, elucidate, account for; *vr* to explain oneself, have it out (with **avec**).
exploit [ɛksplwa] *nm* deed, feat, writ.
exploitation [ɛksplwatasjɔ̃] *nf* exploitation cultivation, working, trading upon; — **des mines** mining.
exploiter [ɛksplwate] *vt* to exploit, cultivate, work, take advantage of.
explorateur, -trice [ɛksplɔratœːr, tris] *a* exploring; *n* explorer.
exploration [ɛksplɔrasjɔ̃] *nf* exploration.
explorer [ɛksplɔre] *vt* to explore.
exploser [ɛksploze] *vi* to explode, blow up.
explosible [ɛksplozibl] *a* (high) explosive.
explosif, -ive [ɛksplozif, iːv] *a nm* explosive.
explosion [ɛksplozjɔ̃] *nf* explosion.
exportateur, -trice [ɛkspɔrtatœːr, tris] *a* exporting; *n* exporter.
exportation [ɛkspɔrtasjɔ̃] *nf* exportation; *pl* exports, export trade.
exporter [ɛkspɔrte] *vt* to export.
exposant [ɛkspozɑ̃] *n* exhibitor, petitioner.
exposé [ɛkspoze] *a* exposed, open; *nm* account, statement.
exposer [ɛkspoze] *vt* to exhibit, display show, explain, expose, expound, lay bare.
exposition [ɛkspozisjɔ̃] *nf* exhibition, display, show, exposure, statement.
exprès, -esse [ɛksprɛ, ɛːs] *a* express, clear explicit; *ad* expressly, on purpose.
expressément [ɛksprɛsemɑ̃] *ad* expressly.
express [ɛksprɛːs] *nm* express train, repeating rifle.
expressif, -ive [ɛksprɛsif, iːv] *a* expressive, emphatic.
expression [ɛksprɛsjɔ̃] *nf* expression, squeezing, manifestation (of feeling), (turn of) phrase.
exprimer [ɛksprime] *vt* to express, voice, show, squeeze, press; *vr* to express oneself.
expropriation [ɛksprɔpriasjɔ̃] *nf* expropriation.
exproprier [ɛksprɔprie] *vt* to expropriate, dispossess.
expulser [ɛkspylse] *vt* to expel, drive out, evict. eject.
expulsion [ɛkspylsjɔ̃] *nf* expulsion, eviction, ejection.
expurger [ɛkspyrge] *vt* to expurgate, bowdlerize.
exquis [ɛkski] *a* exquisite.
exsangue [ɛksɑ̃ːg] *a* bloodless.
extase [ɛkstɑːz] *nf* ecstasy, rapture, trance.
s'extasier [sɛkstazje] *vr* to go into raptures.
extatique [ɛkstatik] *a* ecstatic, rapturous.
extensible [ɛkstɑ̃sibl] *a* extensible, expanding.
extension [ɛkstɑ̃sjɔ̃] *nf* stretching, spread, extent.
exténuation [ɛkstenɥasjɔ̃] *nf* extenuation, exhaustion.
exténuer [ɛkstenɥe] *vt* to extenuate, exhaust, wear out; *vr* to wear oneself out.
extérieur [ɛksterjœːr] *a* exterior, outer, external; *nm* outside, exterior, outward appearance.
exterminer [ɛkstɛrmine] *vt* to exterminate, wipe out, annihilate; *vr* to kill oneself.
externat [ɛkstɛrna] *nm* day-school, out-patients' department.
externe [ɛkstɛrn] *a* external, outside, outward; *n* day-pupil, non-resident medical student.
extincteur, -trice [ɛkstɛ̃ktœːr, tris] *a* extinguishing; *nm* fire-extinguisher.
extinction [ɛkstɛ̃ksjɔ̃] *nf* extinction, putting out, suppression, quenching, loss.
extirper [ɛkstirpe] *vt* to extirpate,

eradicate, root out, (*corn*) remove.
extorquer [ɛkstɔrke] *vt* to extort, squeeze (out of).
extorsion [ɛkstɔrsjɔ̃] *nf* extortion.
extra [ɛkstra] *a nm* extra.
extraction [ɛkstraksjɔ̃] *nf* extraction, getting (out), origin.
extradition [ɛkstradisjɔ̃] *nf* extradition.
extraire [ɛkstrɛːr] *vt* to extract, draw (out).
extrait [ɛkstrɛ] *nm* extract, abstract, excerpt, essence; — **de mariage, de naissance** marriage, birth, certificate.
extraordinaire [ɛkstr(a)ɔrdinɛːr] *a* extraordinary, unusual; **par** — for once in a while.
extra-sensoriel [ɛkstrasɑ̃sɔrjɛl] *a* extrasensory.
extravagance [ɛkstravagɑ̃ːs] *nf* folly, wild act or statement, fantasy.
extravagant [ɛkstravagɑ̃] *a* extravagant, foolish, immoderate, farfetched, tall.
extrême [ɛkstrɛːm] *a* extreme, far, farthest, drastic, dire; *nm* extreme limit.
extrême-onction [ɛkstrɛmɔ̃ksjɔ̃] *nf* extreme unction.
extrémiste [ɛkstremist] *n* extremist.
extrémité [ɛkstremite] *nf* extremity, end, point, tip.
exubérance [egzyberɑ̃ːs] *nf* exuberance, boisterousness, superabundance, ebullience.
exubérant [egzyberɑ̃] *a* exuberant, high spirited, buoyant, ebullient, superabundant.
exultation [egzyltasjɔ̃] *nf* exultation, elation.
exulter [egzylte] *vi* to exult, rejoice, be elated.

F

fable [fɑːbl] *nf* fable, tale; **la — de la ville** laughing-stock.
fabricant [fabrikɑ̃] *n* manufacturer, maker.
fabricateur, -trice [fabrikatœːr, tris] *n* fabricator, forger.
fabrication [fabrikasjɔ̃] *nf* making, manufacture, forging, fabrication; — **en série** mass production.
fabrique [fabrik] *nf* factory, works; **marque de** — trade-mark; **conseil de** — church council.
fabriquer [fabrike] *vt* to manufacture, make, fabricate, invent; **qu'est-ce qu'il fabrique là?** what is he up to?
fabuleux, -euse [fabylø, øːz] *a* fabulous, prodigious.
façade [fasad] *nf* façade, front, face, figurehead; **de** — sham, superficial.
face [fas] *nf* face, aspect; **faire — à** to face up to, cope with; **en — de** opposite; — **à** facing.
face-à-main [fasamɛ̃] *nm* lorgnette.
facétie [fasesi] *nf* joke, jest.
facétieux, -euse [fasesjø, øːz] *a* facetious, jocular.
facette [fasɛt] *nf* facet, aspect.
fâché [fɑʃe] *a* angry, cross, annoyed, sorry.
fâcher [fɑʃe] *vt* to anger, make angry, grieve; *vr* to get angry.
fâcherie [fɑʃri] *nf* tiff, bickering.
fâcheux, -euse [fɑʃø, øːz] *a* annoying, tiresome, unfortunate, unwelcome.
facile [fasil] *a* easy, facile, ready, accommodating.
facilité [fasilite] *nf* easiness, ease, readiness, facility.
faciliter [fasilite] *vt* to facilitate, make easier.
façon [fasɔ̃] *nf* manner, fashion, way, making, workmanship; *pl* fuss, ado, ceremony; **on travaille à** — customer's own materials made up; **à** — bespoke, made to measure; **de — à** so as to; **de — que** so that.
faconde [fakɔ̃ːd] *nf* gift of the gab, glibness.
façonner [fasɔne] *vt* to shape, fashion, work, mould.
façonnier, -ière [fasɔnje, jɛːr] *a* ceremonious, fussy; *nm* jobbing tailor.
fac-similé [faksimile] *nm* facsimile.
factage [faktaːʒ] *nm* transport, carriage, delivery.
facteur, -trice [faktœːr, tris] *n* maker of musical instruments, carrier, postman; *nm* factor.
factice [faktis] *a* artificial, imitation, sham, dummy.
factieux, -euse [faksjø, øːz] *a* factious, seditious.
faction [faksjɔ̃] *nf* guard, sentry-duty, faction; **faire** — to be on guard.
factionnaire [faksjɔnɛːr] *nm* sentry, guard.
factorerie [faktɔrəri] *nf* trading station.
facture [faktyːr] *nf* bill, invoice, workmanship, treatment.
facturer [faktyre] *vt* to invoice.
facultatif, -ive [fakyltatif, iːv] *a* optional.
faculté [fakylte] *nf* option, power, property, ability, faculty, university.
fadaise [fadɛːz] *nf* silly remark; *pl* nonsense.
fade [fad] *a* insipid, tasteless, wishy-washy, tame.
fadeur [fadœːr] *nf* insipidity, colourlessness, lifelessness, tameness.
fagot [fago] *nm* faggot, bundle of firewood; **sentir le** — to smack of heresy.
fagoté [fagɔte] *a* **mal** — shabbily dressed, dowdy.
faiblard [fɛblaːr] *a* weakish.
faible [fɛbl] *a* feeble, weak, faint.

slender, scanty; *nm* weakness, liking.
faiblesse [fɛblɛs] *nf* feebleness, weakness, frailty, failing.
faiblir [fɛbliːr] *vi* to weaken, grow weak(er), fail, faulter.
faïence [fajɑ̃ːs] *nf* crockery, delft, earthenware.
failli [faji] *nm* bankrupt.
faillibilité [fajibilite] *nf* fallibility.
faillible [fajibl] *a* fallible.
faillir [fajiːr] *vi* to fail; **il faillit tomber** he almost fell.
faillite [fajit] *nf* failure, bankruptcy; **faire** — to go bankrupt, fail.
faim [fɛ̃] *nf* hunger; **avoir** — to be hungry.
fainéant [fɛneɑ̃] *a* idle, lazy; *n* lazybones.
fainéanter [fɛneɑ̃te] *vi* to idle, laze about, loaf.
fainéantise [fɛneɑ̃tiːz] *nf* idleness, sloth.
faire [fɛːr] *vt* to make, do, get, be *etc*; **il n'y a rien à** — there is nothing can be done about it; **cela ne fait rien** it does not matter; **c'est bien fait** it serves you right; **c'en est fait de lui** he is done for; **il ne fait que de partir** he has just gone; **faites-le monter** show him up; **je lui ai fait écrire la lettre** I got him to write the letter; **cela fait très chic** that looks very smart; *vr* to become, to form, get accustomed, to mature; **il se fit un silence** silence fell, ensued; **comment se fait-il que vous ne l'ayez pas fait?** how does it come about that you did not do it?
faire-part [fɛrpaːr] *nm* card, letter.
faisable [fəzabl] *a* feasible.
faisan [fɛzɑ̃] *nm* pheasant.
faisandé [fɛzɑ̃de] *a* (*meat*) high.
faisceau [fɛso] *nm* bundle, pile, cluster, (*light*) beam.
faiseur, -euse [fəzœːr, øːz] *n* maker, doer, boaster.
fait [fɛ] *a* fully grown, developed; *nm* deed, act, fact, exploit; **—s et gestes** doings; **prendre sur le** — to catch in the act; **dire son — à qn** to give s.o. some home-truths; **arriver au** — to come to the point; **mettre qn au** — to give s.o. all the facts; **de** — actual(ly); **en** — as a matter of fact, actually; **en — de** as regards, in the way of.
fait-divers [fɛdivɛːr] *nm* news item.
faîte [fɛt] *nm* top, summit, ridge, cope.
falaise [falɛːz] *nf* cliff.
falbalas [falbalɑ] *nm pl* furbelows, flounces.
fallacieux, -euse [falasjø, øːz] *a* fallacious, deceitful, deceptive.
falloir [falwaːr] *v imp* to be necessary, must, need, take, require; *vr* **s'en** — to be lacking, be far from; **il lui faut une voiture** he needs a car; **il m'a fallu une heure pour le faire** it took me an hour to do it; **il nous faut le faire** we must do it; **tant s'en faut qu'il ait tort** he is far from being wrong.
falot [falo] *nm* lantern; *a* dull, tame.
falsificateur, -trice [falsifikatœːr, tris] *n* falsifier, forger.
falsification [falsifikasjɔ̃] *nf* forgery, forging, adulteration.
falsifier [falsifje] *vt* to falsify, adulterate, debase, doctor.
famé [fame] *a* **bien (mal)** — of good (evil) repute.
famélique [famelik] *a* starving; *n* starveling.
fameux, -euse [famø, øːz] *a* famous, topping, rare, tiptop.
familial [familjal] *a* family.
familiariser [familjarize] *vt* to familiarize, acquaint; *vr* to make oneself become, familiar (with **avec**).
familiarité [familjarite] *nf* familiarity.
familier, -ière [familje] *a* familiar, well-known, conversant; *n* regular visitor.
famille [famiːj] *nf* family.
famine [famin] *nf* famine, starvation.
fanal [fanal] *nm* lantern, beacon.
fanatique [fanatik] *a* fanatical; *n* fanatic.
fanatisme [fanatism] *nm* fanaticism.
faner [fane] *vt* to wither, (*hay*) toss; *vr* to wither, wilt, fade.
faneur, -euse [fanœːr, øːz] *n* haymaker.
faneuse [fanøːz] *nf* tedder.
fanfare [fɑ̃faːr] *nf* flourish, brass band.
fanfaron, -onne [fɑ̃farɔ̃, ɔn] *a* boasting; *n* braggart.
fanfaronnade [fɑ̃farɔnad] *nf* brag, bluster.
fange [fɑ̃ːʒ] *nf* mud, mire, filth.
fangeux [fɑ̃ʒø] *a* filthy, abject.
fanion [fanjɔ̃] *nm* flag.
fanon [fanɔ̃] *nm* dewlap, wattle, fetlock.
fantaisie [fɑ̃tɛzi] *nf* imagination, fancy, whim, freak, fantasia; **de** — fanciful; **articles de** — fancy goods.
fantaisiste [fɑ̃tɛzist] *a* fanciful, whimsical.
fantasmagorique [fɑ̃tasmagɔrik] *a* weird, fantastic.
fantasque [fɑ̃task] *a* capricious, quaint, odd, temperamental.
fantassin [fɑ̃tasɛ̃] *nm* infantryman.
fantastique [fɑ̃tastik] *a* fanciful, fantastic, eerie.
fantoche [fɑ̃tɔʃ] *nm* puppet, marionette.
fantôme [fɑ̃toːm] *nm* ghost, phantom.
faon [fɑ̃] *nm* fawn.
faraud [faro] *a* dressed up, cocky.
farce [fars] *nf* farce, trick, **joke**, stuffing, forcemeat.

farceur, -euse [farsœːr, øːz] *n* wag, humorist, practical joker.
farcir [farsiːr] *vt* to stuff.
fard [faːr] *nm* rouge, make-up, paint, deceit, pretence.
fardeau [fardo] *nm* load, burden.
farder [farde] *vt* to rouge, make up, disguise; *vr* to make up.
farfouiller [farfuje] *vti* to rummage (in, about), fumble.
faribole [faribɔl] *nf* idle story, nonsense.
farine [farin] *nf* flour, meal; **fleur de —** wheat flour; **— de manioc** garri, cassava flour.
farineux, -euse [farinø, øːz] *a* floury, mealy.
farouche [faruʃ] *a* fierce, wild, grim, shy, unsociable.
fascicule [fasikyl] *nm* fascicle, instalment, part, bunch.
fascinateur, -trice [fasinatœːr, tris] *a* fascinating, glamorous.
fascination [fasinasjɔ̃] *nf* charm.
fasciner [fasine] *vt* to fascinate, bewitch.
fascisme [fas(s)ism] *nm* fascism.
fasciste [fas(s)ist] *an* fascist.
faste [fast] *nm* pomp, show, ostentation.
fastidieux, -euse [fastidjø, øːz] *a* boring, tedious, dull.
fastueux, -euse [fastɥø, øːz] *a* showy, ostentatious.
fat [fat] *a* foppish; *nm* fop.
fatal [fatal] *a* fatal, fateful, inevitable; **femme —e** vamp.
fatalisme [fatalism] *nm* fatalism.
fatalité [fatalite] *nf* fatality, fate, calamity.
fatidique [fatidik] *a* fateful, prophetical.
fatigant [fatigɑ̃] *a* tiring, tiresome, irksome.
fatigue [fatig] *nf* fatigue, weariness, wear and tear.
fatiguer [fatige] *vt* to tire, fag, strain; *vr* to get tired, tire oneself; **— un poisson** to play a fish.
fatras [fatrɑ] *nm* jumble rubbish.
fatuité [fatɥite] *nf* fatuity, self-conceit, foppishness.
faubourg [fobuːr] *nm* suburb, outskirts.
faubourien, -ienne [foburjɛ̃, jɛn] *a* suburban.
fauché [foʃe] *a* stony-broke.
faucher [foʃe] *vt* to mow, reap, cut.
faucheur, -euse [foʃœːr, øːz] *n* reaper, mower.
faucheuse [foʃøːz] *nf* reaper, mowing-machine.
faucille [fosiːj] *nf* sickle.
faucon [fokɔ̃] *nm* falcon, hawk.
fauconnerie [fokɔnri] *nf* falconry, hawking, hawk-house.
faufiler [fofile] *vt* to baste, tack (on), insert, slip in; *vr* to pick one's way, slip (in, out), sneak (in, out).
faune [foːn] *nm* faun; *nf* fauna.
faussaire [fosɛːr] *n* forger.
fausser [fose] *vt* to buckle, warp, falsify, pervert.
fausset [fose] *nf* falsetto, spigot.
fausseté [foste] *nf* falsity, duplicity, falsehood.
faute [foːt] *nf* mistake, fault, offence, lack, want, foul; **— de** for want of failing.
fauteuil [fotœːj] *nm* easy-chair, armchair.
fauteur, -trice [fotœːr, tris] *n* abettor, instigator.
fautif, -ive [fotif, iːv] *a* faulty, wrong, at fault.
fauve [foːv] *a* fawn-coloured, tawny; *nm* fawn (colour), deer, wild beast.
fauvette [fovɛt] *nf* warbler.
faux, fausse [fo, foːs] *a* false, wrong, inaccurate, insincere, treacherous, sham, bogus; *ad* false(ly); *nm* false, fake, forgery, fabrication; *nf* scythe.
faux-filet [fofilɛ] *nm* sirloin.
faux-fuyant [fofɥijɑ̃] *nm* subterfuge, dodge.
faux-monnayeur [fomɔnɛjœːr] *nm* coiner, forger.
faveur [favœːr] *nf* favour, boon, kindness, grace; **billet de —** complimentary ticket.
favorable [favɔrabl] *a* favourable, auspicious.
favori, -ite [favɔri, it] *a* favourite; *nm pl* whiskers.
favoriser [favɔrize] *vt* to favour, encourage, promote.
fébrile [febril] *a* febrile, feverish.
fécond [fekɔ̃] *a* fertile, fruitful, prolific, rich.
féconder [fekɔ̃de] *vt* to fecundate.
fécondité [fekɔ̃dite] *nf* fertility, fruitfulness.
fécule [fekyl] *nf* starch.
fédération [federasjɔ̃] *nf* federation.
fédérer [federe] *vtr* to federate.
fée [fe] *nf* fairy.
féerie [feri] *nf* fairyland, enchantment.
féerique [ferik] *a* fairylike.
feindre [fɛ̃ːdr] *vt* to pretend, simulate, sham, feign.
feinte [fɛ̃t] *nf* feint, pretence, sham.
fêlé [fele] *a* cracked, mad.
fêler [fele] *vtr* to crack.
félicitations [felisitasjɔ̃] *nf pl* congratulations.
felicité [felisite] *nf* bliss, happiness, felicity.
féliciter [felisite] *vt* to congratulate, compliment; *vr* to be pleased (about, with **de**).
félin [felɛ̃] *a* eline, catlike.
fêlure [felyːr] *nf* crack, split, rift, flaw.
femelle [fəmɛl] *a nf* female, she-, hen-, cow-.
féminin [feminɛ̃] *a* feminine, female; *nm* feminine gender.
femme [fam] *nf* woman, female, wife; **— de ménage** charwoman.

fémur [femy:r] *nm* femur.
fenaison [fənɛzɔ̃] *nf* haymaking.
fendre [fɑ̃:dr] *vtr* to split, cleave, rend.
fenêtre [f(ə)nɛ:tr] *nf* window.
fenouil [fənu:j] *nm* fennel.
fente [fɑ̃:t] *nf* crack, split, cleft, chink, crevice, slot.
féodal [feɔdal] *a* feudal.
féodalité [feɔdalite] *nf* feudal system.
fer [fɛ:r] *nm* iron, sword, shoe; *pl* chains, irons, fetters; (*fig*) **de —** hard, inflexible; **— rouge** brand; **— à repasser** flat-iron; **— à friser** curling tongs.
fer-blanc [fɛrblɑ̃] *nm* tin.
ferblanterie [fɛrblɑ̃tri] *nf* tinplate, tinsmith's shop.
ferblantier [fɛrblɑ̃tje] *nm* tinsmith.
férié [ferje] *a* **jour —** holiday.
férir [feri:r] *vt* to strike.
fermage [fɛrma:ʒ] *nm* rent.
ferme [fɛrm] *a* firm, solid, steady; *ad* firmly, hard; *nf* farm, lease.
fermé [fɛrme] *a* closed, exclusive, expressionless, hidebound, blind; **être — à qch** to have no appreciation of sth.
fermentation [fɛrmɑ̃tasjɔ̃] *nf* fermentation, unrest.
fermenter [fɛrmɑ̃te] *vi* to ferment, be in a ferment.
fermer [fɛrme] *vt* to close, shut, fasten, turn off switch off; *vir* to shut, to close.
fermeté [fɛrməte] *nf* firmness, steadiness, resolution.
fermeture [fɛrməty:r] *nf* shutting, close, closing(-down); **— éclair** zip-fastener.
fermier, -ière [fɛrmje, jɛ:r] *n* farmer, farmer's wife, tenant, lessee.
fermoir [fɛrmwa:r] *nm* clasp, fastener, hasp.
féroce [ferɔs] *a* wild, savage, fierce, ferocious.
férocité [ferɔsite] *nf* ferocity, fierceness, savagery.
ferraille [fɛra:j] *nf* scrap-iron.
ferrant [fɛrɑ̃] *a* **maréchal —** farrier, shoesmith.
ferré [fɛre] *a* iron-shod, hob-nailed, good (at **en**); **voie —e** railway line.
ferrer [fɛre] *vt* to bind with iron, shoe, (*fish*) strike.
ferronnerie [fɛrɔnri] *nf* iron-foundry, ironmongery.
ferronnier [fɛrɔnje] *nm* ironworker, ironmonger.
ferroviaire [fɛrɔvjɛ:r] *a* railway; **réseau —** railway system.
ferrure [fɛry:r] *nf* piece of iron work, iron fitting, shoeing.
fertile [fɛrtil] *a* fruitful, rich.
fertiliser [fɛrtilize] *vt* to fertilize, make fruitful.
fertilité [fɛrtilite] *nf* fertility, fruitfulness.
féru [fery] *a* enamoured, struck (with **de**).
férule [feryl] *nf* ferrule, rod.
fervent [fɛrvɑ̃] *a* fervent, ardent; *n* enthusiast, fan.
ferveur [fɛrvœ:r] *nf* fervour, ardour, enthusiasm.
fesse [fɛs] *nf* buttock.
fessée [fɛse] *nf* spanking, flogging, thrashing, whipping.
fesser [fɛse] *vt* to spank, whip.
festin [fɛstɛ̃] *nm* banquet, feast.
feston [fɛstɔ̃] *nm* festoon, scallop.
festonner [fɛstɔne] *vt* to festoon, scallop.
festoyer [fɛstwaje] *vti* to feast.
fêtard [fɛta:r] *n* reveller.
fête [fɛ:t] *nf* feast, festival, holiday, festivity, treat, entertainment; **faire la —** to celebrate, go on the spree.
Fête-Dieu [fɛtdjø] *nf* Corpus Christi.
fêter [fɛte] *vt* to observe as a holiday, celebrate, entertain.
fétiche [fetiʃ] *nm* fetish, mascot.
fétide [fetid] *a* fetid, stinking.
fétu [fety] *nm* straw, wisp, jot.
feu [fø] *nm* fire, heat, light, beacon, ardour, spirit; *a* late, deceased, dead; **— roulant** drum-fire; **donner du — à qn** to give a light to s.o.; **faire long —** to peter out; **n'y voir que du —** to be taken in; **— d'artifice** fireworks.
feuillage [fœja:ʒ] *nm* foliage.
feuille [fœ:j] *nf* leaf, sheet; **— de présence** time-sheet.
feuillée [fœje] *nf* foliage.
feuillet [fœjɛ] *nm* (*book*) leaf, sheet, plate.
feuilleter [fœjte] *vt* to divide into sheets, turn over, thumb.
feuilleton [fœjtɔ̃] *nm* feuilleton, article, serial story.
feuillu [fœjy] *a* leafy.
feutre [fø:tr] *nm* felt, felt hat, padding.
feutrer [føtre] *vt* to felt, cover with felt.
fève [fɛ:v] *nf* bean, broad-bean.
février [fevrie] *nm* February.
fiacre [fjakr] *nm* cab, hackney-carriage.
fiançailles [fjɑ̃sa:j] *nf pl* engagement, betrothal.
fiancé [fjɑ̃se] *n* fiancé(e), betrothed.
fiancer [fjɑ̃se] *vt* to betroth; *vr* to become engaged.
fiasco [fjasko] *nm* fiasco; **faire —** to fizzle out, flop.
fibre [fibr] *nf* fibre, grain.
fibreux, -euse [fibrø, ø:z] *a* fibrous, stringy.
ficeler [fisle] *vt* to tie up.
ficelle [fisɛl] *nf* string.
fiche [fiʃ] *nf* pin, slip of paper, form, index-card, chit.
ficher [fiʃe] *vt* to fix, drive in, do, give; **— le camp** to clear out; *vr* **se — de qn** to pull s.o.'s leg; **je m'en fiche** I don't care (a damn).
fichier [fiʃje] *nm* card-index, card-index cabinet.

fichu [fiʃy] *nm* neckerchief, shawl, fichu.
fictif, -ive [fiktif, i:v] *a* fictitious, imaginary.
fiction [fiksjɔ̃] *nf* fiction, invention.
fidèle [fidɛl] *a* faithful, true, loyal.
fidélité [fidelite] *nf* fidelity, loyalty, allegiance.
fiduciaire [fidysjɛ:r] *a* fiduciary; *nm* trustee.
fieffé [fjɛfe] *a* given in fief, double-dyed, arrant, arch.
fiel [fjɛl] *nm* gall, malice.
fier, fière [fjɛ:r] *a* proud, haughty, fine, arrant.
se fier [səfje] *vr* to trust, rely, confide in (à).
fierté [fjɛrte] *nf* pride, haughtiness.
fièvre [fjɛ:vr] *nf* fever, heat; **avoir un peu de** — to have a slight temperature; — **paludéenne** ague, malaria.
fiévreux, -euse [fjevrø, ø:z] *a* feverish, fevered, hectic.
fifre [fifr] *nm* fife.
figer [fiʒe] *vt* to congeal, coagulate, clot, fix; *vr* to curdle, congeal, set; **il resta figé** he stood rooted to the spot.
fignoler [fiɲɔle] *vt* to fiddle, finick over; *vi* to fiddle about.
figue [fig] *nf* fig.
figuier [figje] *nm* fig-tree.
figurant [figyrɑ̃] *n* walker-on, extra.
figuratif, -ive [figyratif, i:v] *a* figurative.
figure [figy:r] *nf* figure, shape, face; **faire** — to cut a figure, figure (as de).
figuré [figyre] *a* figured, figurative; *ad* **au** — figuratively.
figurer [figyre] *vt* to represent; *vi* to look, appear, put up a show; *vr* to fancy, imagine, picture.
fil [fil] *nm* thread, yarn, wire, grain, edge, current, clue; — **de la vierge** gossamer; **de — en aiguille** bit by bit, gradually; **au — de l'eau** with the stream.
filage [fila:ʒ] *nm* spinning.
filament [filamɑ̃] *nm* filament, fibre.
filandreux, -euse [filɑ̃drø, ø:z] *a* stringy, long-winded.
filant [filɑ̃] *a* gluey, ropy; **étoile —e** shooting-star.
filasse [filas] *nf* tow, oakum.
filateur [filatœ:r] *nm* mill-owner, spinner, shadower.
filature [filaty:r] *nf* spinning-mill, spinning, shadowing.
file [fil] *nf* file, rank; **chef de** — leader; **à la** — in single file.
filer [file] *vt* to spin, prolong, pay out, shadow; *vi* to flow gently, fly, tear along, buzz off; — **à l'anglaise** to take French leave; — **vingt nœuds** to do twenty knots.
filet [filɛ] *nm* thread, fillet, net, thin stream, streak.
fileur, -euse [filœ:r, ø:z] *n* spinner.
filial [filjal] *a* filial.
filiale [filjal] *nf* branch, branch-shop, -company.
filière [filjɛ:r] *nf* draw-plate, die; — **à vis** screw-plate; **passer par la** — to work one's way up; — **administrative** official channels.
filigrane [filigran] *nm* filigree, watermark.
fille [fi:j] *nf* daughter; **jeune** — girl; **petite** — little girl; **vieille** — spinster, old maid; — **d'honneur** bridesmaid; — **de salle** waitress; — (**publique**) prostitute.
fillette [fijɛt] *nf* little girl.
filleul [fijœl] *n* godchild.
film [film] *nm* film, picture; **tourner un** — to make a film; — **sonore** talkie.
filmer [filme] *vt* to film.
filon [filɔ̃] *nm* vein, seam.
filou [filu] *nm* pickpocket, thief, rogue.
filouterie [filutri] *nf* cheating, swindle.
fils [fis] *nm* son, boy.
filtration [filtrasjɔ̃] *nf* filtration, percolation.
filtre [filtr] *nm* filter, strainer.
filtrer [filtre] *vt* to strain, filter; *vi* to percolate, filter, seep; — **un poste** to by-pass a station.
fin [fɛ̃] *a* fine, delicate, keen, subtle, choice; *nf* end, conclusion, close, aim, purpose, object; **mener à bonne** — to bring to a successful conclusion; **en — de compte** finally.
final, -als [final] *a* final, last; *nm* finale.
finale [final] *nf* end of syllable, final (round).
finalité [finalite] *nf* finality.
finance [finɑ̃:s] *nf* finance; **ministre des —s** Chancellor of the Exchequer; **ministère des —s** exchequer, treasury.
financer [finɑ̃se] *vt* to finance.
financier, -ière [finɑ̃sje, jɛ:r] *a* financial; *nm* financier.
finasser [finase] *vi* to dodge, fox, finesse.
finaud [fino] *a* wily, cunning, foxy; *n* wily bird.
finesse [finɛs] *nf* fineness, delicacy, astuteness, discrimination, artful dodge.
fini [fini] *a* finished, ended, over, accomplished, done for, gone, finite; *nm* finish, perfection.
finir [fini:r] *vt* to finish, conclude, end; **cela n'en finit pas** there is no end to it; **en — avec** to have done with.
finlandais [fɛ̃lɑ̃dɛ] *a* Finnish; *n* Finn.
Finlande [fɛ̃lɑ̃:d] *nf* Finland.
fiole [fjɔl] *nf* phial, flask.
fioritures [fjɔrity:r] *nf pl* flourish(es), ornamentation.

firmament [firmamɑ̃] *nm* firmament, heavens.
firme [firm] *nf* firm.
fisc [fisk] *nm* treasury, exchequer, inland revenue.
fiscal [fiskal] *a* fiscal.
fission [fisjɔ̃] *nf* — **nucléaire** nuclear fission.
fissure [fis(s)yːr] *nf* fissure, cleft.
fissurer [fis(s)yre] *vtr* to crack, split.
fixage [fiksaːʒ] *nm* fixing, fastening.
fixatif [fiksatif] *nm* fixative, hair cream.
fixe [fiks] *a* fixed, firm, steady, settled.
fixé [fikse] *a* fixed, stated, fast; **être — sur** to be clear about.
fixe-chaussettes [fiks(ə)ʃosɛt] *nm* sock suspender, (*US*) garter.
fixement [fiksəmɑ̃] *ad* fixedly, steadily, hard.
fixer [fikse] *vt* to fix, fasten, hold, determine, gaze at, stare at; *vr* to settle down.
flacon [flakɔ̃] *nm* bottle, flask, flagon.
flageller [flaʒɛlle] *vt* to scourge, flog.
flageoler [flaʒɔle] *vi* to tremble, shake.
flageolet [flaʒɔlɛ] *nm* flageolet, kidney-bean.
flagorner [flagɔrne] *vt* to flatter, toady to.
flagorneur, -euse [flagɔrnœːr, øːz] *n* flatterer, toady.
flagrant [flagrɑ̃] *a* flagrant, glaring; **pris en — délit** caught redhanded.
flair [flɛːr] *nm* scent, flair.
flairer [flɛre] *vt* to scent, smell (out), sniff.
flamant [flamɑ̃] *nm* flamingo.
flambant [flɑ̃bɑ̃] *a* blazing, roaring, flaming; — **neuf** brand new.
flambeau [flɑ̃bo] *nm* torch, candlestick.
flambée [flɑ̃be] *nf* blazing fire, blaze.
flamber [flɑ̃be] *vt* to singe; *vi* to blaze, flame, kindle.
flamboyant [flɑ̃bwajɑ̃] *a* flaming, blazing, flashing, brilliant.
flamboyer [flɑ̃bwaje] *vi* to blaze, flash, glow.
flamme [flɑːm] *nf* flame, passion, fire, pennant.
flammèche [flamɛʃ] *nf* spark.
flan [flɑ̃] *nm* flan, (*tec*) mould.
flanc [flɑ̃] *nm* flank, side; **tirer au —** to swing the lead, shirk, dodge the column.
flancher [flɑ̃ʃe] *vi* to flinch, falter.
flanelle [flanɛl] *nf* flannel.
flâner [flɑne] *vi* to stroll, dawdle, lounge about, idle.
flânerie [flɑnri] *nf* stroll, idling, dawdling.
flâneur, -euse [flɑnœːr, øːz] *n* stroller, idler, dawdler.
flanquer [flɑ̃ke] *vt* to flank, support, throw, chuck.
flaque [flak] *nf* puddle, pool.
flasque [flask] *a* flabby, backboneless, spineless, limp.
flatter [flate] *vt* to flatter, blandish, stroke, delight; *vr* to flatter oneself, pride oneself.
flatterie [flatri] *nf* flattery.
flatteur, -euse [flatœːr, øːz] *a* flattering, pleasing, fond; *n* flatterer
flatueux, -euse [flatɥø, øːz] *a* flatulent, windy.
flatulence [flatylɑ̃ːs] *nf* flatulence.
fléau [fleo] *nm* flail, scourge, plague, beam.
flèche [flɛʃ] *nf* arrow, dart, spire, pole, indicator; **faire — de tout bois** to make use of every means.
fléchir [fleʃiːr] *vt* to bend, bow, move to pity; *vi* to give way, sag, falter.
flegmatique [flɛgmatik] *a* phlegmatic, stolid.
flegme [flɛgm] *nm* phlegm, stolidness.
flemmard [flɛmaːr] *a* lazy; *n* slacker, loafer, sluggard.
flemme [flɛm] *nf* laziness.
flétrir [fletriːr] *vt* to fade, wither, brand, sully; *vr* to wither, fade.
flétrissure [fletrisyːr] *nf* fading, withering; stigma.
fleur [flœːr] *nf* flower, bloom, blossom, heyday; **fine —** flower, pick; **à — de** on the surface of.
fleurer [flœre] *vi* to smell of, be redolent of.
fleuret [flœrɛ] *nm* foil.
fleuri [flœri] *a* in bloom, flower, flowery, florid.
fleurir [flœriːr] *vt* to adorn with flowers; *vi* to flower, bloom, flourish.
fleuriste [flœrist] *n* florist.
fleuve [flœːv] *nm* river.
flexible [flɛksibl] *a* flexible, pliant, pliable; *nm* flex.
flexion [flɛksjɔ̃] *nf* bending, buckling.
flibustier [flibystje] *nm* buccaneer, pirate.
flic [flik] *nm* bobby, cop.
flirt [flœrt] *nm* flirtation, flirting, flirt, boy-, girlfriend.
flirter [flœrte] *vi* to flirt.
flocon [flɔkɔ̃] *nm* flake, tuft.
floconneux, -euse [flɔkɔnø, øːz] *a* fleecy, fluffy.
floraison [flɔrɛzɔ̃] *nm* blossoming, flowering (time).
floral [flɔral] *a* floral.
flore [flɔːr] *nf* flora.
florissant [flɔrisɑ̃] *a* flourishing, prosperous.
flot [flo] *nm* wave, billow, surge, flood; *pl* sea; **à —** afloat; **à —s** in streams, in torrents.
flottaison [flɔtɛzɔ̃] *nf* water-line.
flottant [flɔtɑ̃] *a* floating, full, wide, irresolute.
flotte [flɔt] *nf* fleet, float, (*fam*) water.
flottement [flɔtmɑ̃] *nm* floating, swaying, fluctuation, hesitation.

flotter [flɔte] *vi* to float, wave, waft, waver, fluctuate.
flotteur [flɔtœ:r] *nm* raftsman, float.
flotille [flɔti:j] *nf* flotilla.
flou [flu] *a* blurred, hazy, fluffy.
fluorescent [flyɔrɛs(s)ɑ̃] *a* fluorescent.
fluctuer [flytɥe] *vi* to fluctuate.
fluet, -ette [flyɛ, ɛt] *a* slender, thin, delicate, spindly.
fluide [flyid] *a nm* fluid, liquid.
fluidité [flyidite] *nf* fluidity.
flûte [fly:t] *nf* flute, flutist, long loaf, tall champagne glass.
flûté [flyte] *a* flute-like, reed-like.
flûtiste [flytist] *nm* flautist.
flux [fly] *nm* flow, flood, rush.
fluxion [flyksjɔ̃] *nf* inflammation, swelling; — **de poitrine** pneumonia.
foc [fɔk] *nm* jib, stay-sail.
foi [fwa] *nf* faith, trust, belief, confidence, credit.
foie [fwa] *nm* liver; **crise de** — bilious attack.
foin [fwɛ̃] *nm* hay.
foire [fwa:r] *nf* fair, market.
foireux [fwarø] *a* cowardly.
fois [fwa] *nf* time, occasion; **à la** — at a time, at the same time, both.
foison [fwazɔ̃] *nf* plenty, abundance.
foisonner [fwazɔne] *vi* to abound, multiply.
folâtre [fɔlɑ:tr] *a* playful, frisky sportive.
folâtrer [fɔlɑtrɛ] *vi* to romp, gambol, frisk.
folichon, -onne [fɔliʃɔ̃, ɔn] *a* playful, frisky.
folie [fɔli] *nf* folly, piece of folly, madness, craze.
follet, -ette [fɔlɛ, ɛt] *a* merry, gay; **feu** — will o' the wisp.
fomenter [fɔmɑ̃te] *vt* to foment, stir up.
foncé [fɔ̃se] *a* (*colour*) dark, deep.
foncer [fɔ̃se] *vt* to sink (*shaft*), drive in, bottom, darken; *vi* to rush, charge.
foncier, -ière [fɔ̃sje, jɛ:r] *a* land(ed), fundamental, ground.
fonction [fɔ̃ksjɔ̃] *nf* function, office; **faire** — **de** to act as.
fonctionnaire [fɔ̃ksjɔnɛ:r] *nm* civil servant.
fonctionnement [fɔ̃ksiɔnmɑ̃] *nm* functioning, working, behaviour.
fonctionner [fɔ̃ksjɔne] *vi* to function, work, act, run.
fond [fɔ̃] *nm* bottom, back, far end, depth, foundation, background, substance; **à** — thoroughly, up to the hilt; **au** — at heart at bottom; **article de** — leading article; **course de** — long-distance race.
fondamental [fɔ̃damɑ̃tal] *a* basic, fundamental.
fondateur, -trice [fɔ̃datœ:r, tris] *n* founder, promoter.
fondation [fɔ̃dasjɔ̃] *nf* foundation, founding.
fondement [fɔ̃dmɑ̃] *nm* foundation, base, grounds, reliance.
fondé [fɔ̃de] *a* founded, entitled, justified; *nm* — **de pouvoir** proxy, attorney.
fonder [fɔ̃de] *vt* to institute, found, lay the foundations of, base, set up; *vr* to place reliance (on **sur**), base one's reasons (on **sur**) be based.
fonderie [fɔ̃dri] *nf* foundry, smelting works, smelting.
fondeur [fɔ̃dœ:r] *nm* smelter, founder.
fondre [fɔ̃:dr] *vt* to smelt, cast, melt, fuse, dissolve; *vi* melt, dissolve, pounce, fall upon; *vr* to blend, melt.
fondrière [fɔ̃driɛ:r] *nf* bog, quagmire.
fonds [fɔ̃] *nm* land, stock, fund, means; **acheter un** — to buy a business; — **publics** government stocks; — **consolidés** consols; **rentrer dans ses** — to get one's money back.
fondu [fɔ̃dy] *nm* fading in and out (of film), melted (butter), molten (metal), cast (bronze), well-blended (colours); —**e** *nf* fondue.
fontaine [fɔ̃tɛn] *nf* fountain, spring.
fonte [fɔ̃:t] *nf* smelting, casting, cast iron, melting; — **brute** pig-iron.
fonts [fɔ̃] *nm pl* font.
football [futbɔl] *nm* football.
footing [futiŋ] *nm* walking, hiking.
for [fɔ:r] *nm* **dans son** — **intérieur** in his inmost heart.
forage [fɔra:ʒ] *nm* sinking, boring, (*min*) drilling.
forain [fɔrɛ̃] *a* itinerant, travelling, *n* pedlar, stall-keeper, travelling showman.
forçat [fɔrsa] *nm* convict.
force [fɔrs] *nf* power, might, strength, prime, compulsion; *pl* strength, spring, shears; *ad* many, a lot of; **à** — **de** by (means of); — **leur fut d'accepter** they could do nothing but agree.
forcé [fɔrse] *a* forced, strained; **travaux** —**s** penal servitude.
forcément [fɔrsemɑ̃] *ad* necessarily, perforce.
forcené [fɔrsəne] *a* frenzied, frantic, desperate.
forcer [fɔrse] *vt* to force, compel, break open, strain.
forcir [fɔrsi:r] *vi* to fill out.
forer [fɔre] *vt* to sink, bore, (*min*) drill.
forestier, -ière [fɔrɛstje, jɛ:r] *a* forest, forestry; *n* forester, ranger.
foret [fɔrɛ] *nm* drill, broach, brace-bit, gimlet.
forêt [fɔrɛ] *nf* forest.
foreuse [fɔrø:z] *nf* drill.
forfait [fɔrfɛ] *nm* serious crime; contract; forfeit; **déclarer** — to scratch, call off.
forfaiture [fɔrfɛty:r] *nf* maladministration, breach.
forfanterie [fɔrfɑ̃tri] *nf* bragging, boasting.

forge [fɔrʒ] *nf* forge, smithy, ironworks.
forger [fɔrʒe] *vt* to forge, counterfeit, invent, coin.
forgeron [fɔrʒərɔ̃] *nm* blacksmith.
forgeur, -euse [fɔrʒœːr, øːz] *n* forger, inventor, fabricator (of news), coiner (of words).
formaliser [fɔrmalize] *vt* to give offence to; *vr* to take offence (at **de**).
formalisme [fɔrmalism] *nm* conventionality.
formaliste [fɔrmalist] *a* formal, stiff, ceremonious, conventional.
formalité [fɔrmalite] *nf* formality, (matter of) form, ceremony, ceremoniousness.
format [fɔrma] *nm* format, size.
formation [fɔrmasjɔ̃] *nf* formation, moulding, forming, training.
forme [fɔrm] *nf* form shape, figure, mould, last, boot-tree; **pour la —** as a matter of form; **être en —** to be in form, be fit.
formel, -elle [fɔrmɛl, ɛl] *a* strict, formal, definite.
former [fɔrme] *vt* to shape, form, create, mould, train; *vr* to take shape, set; **le train se forme à Dijon** the train starts from Dijon.
formidable [fɔrmidabl] *a* fearsome, terrific, stupendous.
formule [fɔrmyl] *nf* formula, form.
formuler [fɔrmyle] *vt* to formulate, draft, put into words, state.
forniquer [fɔrnike] *vi* to fornicate.
fort [fɔːr] *a* strong, large, stout, solid, loud, violent; *ad* very, hard, loud, fast; *nm* strong part, strong man, fort; **c'est plus — que moi** I can't help it; **le plus — c'est que** the best (worst) of it is . . .; **se faire — de** to undertake to; **vous y allez un peu —** you are going a bit too far; **au — de l'hiver** in the dead of winter.
forteresse [fɔrtərɛs] *nf* fortress, stronghold.
fortifiant [fɔrtifjɑ̃] *a* fortifying, invigorating, bracing; *nm* tonic.
fortification [fɔrtifikasjɔ̃] *nf* fortification, fortifying.
fortifier [fɔrtifje] *vt* to fortify, strengthen, invigorate; *vr* to grow stronger.
fortuit [fɔrtɥi] *a* chance, fortuitous, casual, accidental.
fortuité [fɔrtɥite] *nf* fortuitousness, casual nature.
fortune [fɔrtyn] *nf* fortune, (piece of) luck; **de —** makeshift; **dîner à la — du pot** to take pot luck; **homme à bonnes —s** lady's man, ladykiller.
fortuné [fɔrtyne] *a* fortunate, well-off, wealthy.
fosse [foːs] *nf* hole, pit, grave; **— d'aisances** cesspool.
fossé [fose] *nm* ditch, drain, moat.
fossette [fosɛt, fɔsɛt] *nf* dimple.
fossile [fɔsil] *nm* fossil.
fossoyer [foswaje, fɔswaje] *vt* to trench, ditch.
fossoyeur [foswajœːr, fɔswajœːr] *nm* grave-digger.
fou, fol, folle [fu, fɔl, fɔl] *a* mad, insane, foolish, silly, frantic, frenzied; *n* lunatic, madman, madwoman, fool, (*chess*) bishop; **être — de** to be beside oneself with; **succès —** terrific success, hit; **monde —** enormous crowd.
foudre [fudr] *nf* thunderbolt, lightning; **coup de —** thunderbolt, bolt from the blue, love at first sight.
foudroyant [fudrwajɑ̃] *a* crushing, overwhelming, smashing, lightning.
foudroyé [fudrwaje] *a* blasted, dumbfounded.
foudroyer [fudrwaje] *vt* to blast, strike down.
fouet [fwɛ] *nm* whip, lash, whisk; **coup de —** cut, fillip.
fouetter [fwɛte] *vt* to whip, flog, whisk, lash; *vi* to batter (against), flap.
fougère [fuʒɛːr] *nf* fern, bracken.
fougue [fug] *nf* dash. fire.
fougueux, -euse [fugø, øːz] *a* spirited, dashing mettlesome, fiery.
fouille [fuːj] *nf* excavation, searching.
fouiller [fuje] *vt* to excavate, dig, search, ransack, rifle; *vi* to rummage.
fouillis [fuji] *nm* confusion, jumble, muddle.
fouine [fwin] *nf* stone-marten.
fouiner [fwine] *vi* to ferret, nose about, interfere.
fouir [fwiːr] *vt* to dig, burrow.
foulard [fulaːr] *nm* silk handkerchief, foulard, neckerchief, scarf.
foule [ful] *nf* crowd, throng, mob.
foulée [fule] *nf* tread, stride; *pl* spoor, track.
fouler [fule] *vt* to crush, tread on, (*ankle*) sprain.
foulure [fulyːr] *nf* sprain, wrench.
four [fuːr] *nm* oven, kiln; failure; **faire —** to be a flop.
fourbe [furb] *a* crafty; *n* rascal, knave, double-dealer.
fourberie [furbəri] *nf* double-dealing, deceit, cheating, treachery.
fourbir [furbir] *vt* to polish, rub up.
fourbu [furby] *a* foundered, dead-beat, done.
fourche [furʃ] *nf* fork, pitchfork; **faire —** (*of roads*) to fork.
fourcher [furʃe] *vt* to fork; *vi* to branch off, fork; **la langue lui a fourché** he made a slip of the tongue.
fourchette [furʃɛt] *nf* (table) fork, wishbone; **c'est une bonne —** he is fond of his food.
fourchu [furʃy] *a* forked, cloven.
fourgon [furgɔ̃] *nm* van, truck, wagon, poker, rake.

fourgonner [furgɔne] *vti* to poke, rake.
fourmi [furmi] *nm* ant; **avoir des —s dans le bras** to have pins and needles in one's arm.
fourmilier [furmilje] *nm* anteater.
fourmilière [furmiljɛːr] *nf* anthill, ants' nest.
fourmillement [furmijmɑ̃] *nm* tingling, prickly feeling, swarming.
fourmiller [furmije] *vi* to swarm, teem, tingle.
fournaise [furnɛːz] *nf* furnace.
fourneau [furno] *nm* furnace, stove, (*pipe*) bowl; **haut —** blast furnace.
fournée [furne] *nf* batch (of loaves).
fourni [furni] *a* stocked, plentiful, thick.
fournil [furni] *nm* bakehouse.
fourniment [furnimɑ̃] *nm* equipment, accoutrement.
fournir [furniːr] *vt* to supply, provide, furnish; *vr* to provide oneself (with **de**).
fournisseur, -euse [furnisœːr, øːz] *n* purveyor, supplier, caterer, tradesman.
fourniture [furnityːr] *nf* supplying, providing; *pl* supplies, requisites.
fourrage [furaːʒ] *nm* fodder, forage.
fourrager [furaʒe] *vt* to pillage; *vi* to forage, rummage.
fourragère [furaʒɛːr] *nf* lanyard; forage wagon.
fourré [fure] *a* fur-lined; *n* thicket.
fourreau [furo] *nm* scabbard, case, sheath, sleeve.
fourrer [fure] *vt* to line with fur, cram, stuff, poke, stick; *vr* to thrust oneself, butt (into **dans**).
fourre-tout [furtu] *nm* hold-all.
fourreur [furœːr] *nm* furrier.
fourrier [furje] *nm* quarter-master.
fourrure [furyːr] *nf* fur, lining.
fourvoyer [furvwaje] *vt* to mislead, lead astray; *vr* to lose one's way, go wrong.
foyer [fwaje] *nm* hearth, firebox, seat, home, centre.
frac [frak] *nm* dress-coat.
fracas [frakɑ] *nm* din, uproar, crash, clash.
fracasser [frakase] *vtr* to shatter, smash.
fraction [fraksjɔ̃] *nf* fraction.
fracture [fraktyːr] *nf* fracture, break, breaking open.
fracturer [fraktyre] *vt* to fracture, force; *vr* to break, fracture.
fragile [fraʒil] *a* fragile, flimsy, frail, breakable, brittle.
fragilité [fraʒilite] *nf* fragility, frailty, weakness.
fragment [fragmɑ̃] *nm* fragment, chip, snatch.
fragmentaire [fragmɑ̃tɛːr] *a* fragmentary.
fragmenter [fragmɑ̃te] *vt* to divide into fragments.
frai [frɛ] *nm* spawn(ing).
fraîcheur [frɛʃœːr] *nf* cool(ness), chilliness, freshness.
fraîchir [frɛʃiːr] *vi* to grow cooler, freshen.
frais, fraîche [frɛ, frɛʃ] *a* cool, fresh, recent, new, new-laid; *nm* coolness, cool air; **prendre le —** to take the air.
frais [frɛ] *nm pl* expenses, charge, outlay, cost; **faux —** incidental expenses; **— divers** sundries.
fraise [frɛːz] *nf* strawberry; ruff; milling cutter.
fraiser [frɛze] *vt* to plait, frill, mill.
framboise [frɑ̃bwaːz] *nf* raspberry.
franc, franche [frɑ̃, frɑ̃ːʃ] *a* free, frank, downright, open, honest, candid, above-board; *ad* frankly, candidly; *nm* (*coin*) franc; **jouer — jeu** to play fair, play the game; **corps —** volunteer corps.
français [frɑ̃sɛ] *a* French; *n* Frenchman, Frenchwoman.
France [frɑ̃ːs] *nf* France.
franchement [frɑ̃ʃmɑ̃] *ad* frankly, candidly, really, downright.
franchir [frɑ̃ʃiːr] *vt* to jump (over), clear, cross.
franchise [frɑ̃ʃiːz] *nf* freedom, immunity, frankness, straightforwardness.
franciser [frɑ̃size] *vt* to gallicize, frenchify.
franc-maçon [frɑ̃masɔ̃] *nm* freemason.
franc-maçonnerie [frɑ̃masɔ̃nri] *nf* freemasonry.
franco [frɑ̃ko] *ad* free, carriage-free, duty paid.
franc-parler [frɑ̃parle] *nm* frankness, plain-speaking.
franc-tireur [frɑ̃tirœːr] *nm* sniper, sharpshooter, freelance (journalist).
frange [frɑ̃ːʒ] *nf* fringe.
franquette [frɑ̃kɛt] *nf* **à la bonne —** simply, without fuss.
frappant [frapɑ̃] *a* striking, impressive.
frappe [frap] *nf* minting, striking, impression.
frapper [frape] *vt* to strike, smite, knock, insist, stamp, mint; **— le champagne** to ice champagne.
frasque [frask] *nf* escapade, prank, trick.
fraternel, -elle [fratɛrnɛl, ɛl] *a* fraternal, brotherly.
fraterniser [fratɛrnize] *vi* to fraternize.
fraternité [fratɛrnite] *nf* fraternity, brotherhood.
fratricide [fratrisid] *a* fratricidal; *nm* fratricide.
fraude [froːd] *nf* fraud, fraudulence, deceit, deception; **passer en —** to smuggle in, out.
frauder [frode] *vt* to defraud, swindle; *vi* to cheat.
fraudeur, -euse [frodœːr, øːz] *n* smuggler, defrauder.

frauduleux, -euse [frodylø, øːz] *a* fraudulent.
frayer [frɛje] *vt* open up, clear; *vi* to spawn, associate (with **avec**).
frayeur [frɛjœːr] *nf* fear, fright, dread.
fredaine [frədɛn] *nf* escapade, prank.
fredonner [frədɔne] *vt* to hum.
frégate [frɛgat] *nf* frigate.
frein [frɛ̃] *nm* bit, brake, curb; **serrer (desserrer) le —** to put on (release) the brake; **ronger son —** to champ at the bit, fret; **sans —** unbridled.
freiner [frɛne] *vt* to brake, check; *vi* to brake.
frelater [frəlate] *vt* to adulterate, water down.
frêle [frɛːl] *a* frail, delicate, weak, spare.
frelon [frəlɔ̃] *nm* hornet, drone.
frémir [fremiːr] *vi* to quiver, rustle, tremble, flutter.
frémissement [fremismɑ̃] *nm* quivering, rustling, shaking, quaking.
frêne [frɛːn] *nm* ash-tree.
frénésie [frenezi] *nf* frenzy, madness.
frénétique [frenetik] *a* frantic, frenzied.
fréquence [frekɑ̃ːs] *nf* frequency, prevalence, rate.
fréquent [frekɑ̃] *a* frequent, quick.
fréquentation [frekɑ̃tasjɔ̃] *nf* frequenting.
fréquenter [frekɑ̃te] *vt* to frequent, haunt, associate with; *vi* to visit, go to.
frère [frɛːr] *nm* brother, friar.
fresque [frɛsk] *nf* fresco.
fret [frɛ] *nm* freight, chartering, load.
fréter [frete] *vt* to freight, charter.
frétillant [fretijɑ̃] *a* frisky, lively.
frétiller [fretije] *vi* to wag, wriggle, quiver.
fretin [frətɛ̃] *nm* (*of fish*) fry; **menu** — small fry.
frette [frɛt] *nf* hoop, band.
fretter [frɛte] *vt* to hoop.
friable [friabl] *a* crumbly, friable.
friand [friɑ̃] *a* fond of (good things); **morceau** — titbit.
friandise [friɑ̃diːz] *nf* fondness for good food, titbit; *pl* sweets.
fricassée [frikase] *nf* fricassee, hash.
friche [friʃ] *nf* waste land, fallow land.
fricoter [frikɔte] *vti* to stew, cook.
friction [friksjɔ̃] *nf* friction, rubbing, massage, rub-down, dry shampoo.
frictionner [friksjɔne] *vt* to rub, massage, rub down, give a dry shampoo to.
frigide [friʒid] *a* frigid.
frigo [frigo] *nm* fridge.
frigorifier [frigɔrifje] *vt* to chill, refrigerate.
frigorifique [frigɔrifik] *a* chilling, refrigerating; *nm* cold store, frozen meat, refrigerator.
frileux, -euse [frilø, øːz] *a* sensitive to the cold, chilly.
frimas [frimɑ] *nm* hoarfrost, rime.
frime [frim] *nf* pretence, sham, eyewash.
frimousse [frimus] *nf* face of child, girl, cat.
fringale [frɛ̃gal] *nf* **avoir la —** to be ravenous.
fringant [frɛ̃gɑ̃] *a* lively, frisky, spruce, smart.
friper [fripe] *vt* to crush, crumple; *vr* to get crushed.
fripier, -ière [fripje, jɛːr] *n* old-clothes dealer.
fripon, -onne [fripɔ̃, ɔn] *a* roguish; *n* rogue, rascal, hussy.
friponnerie [fripɔnri] *nf* roguery.
fripouille [fripuːj] *nf* rotter, bad egg, cad.
frire [friːr] *vti* to fry.
frit [fri] *a* fried; **(pommes de terres) —es** chips, (*US*) French fried (potatoes).
frise [friːz] *nf* frieze.
frisé [frize] *a* curly, frizzy.
friser [frize] *vt* to curl, frizz, skim, graze, verge on; *vi* to curl, be curly.
frisoir [frizwaːr] *nm* curling-tongs, curling-pin.
frisson [frisɔ̃] *nm* shudder, thrill, shiver, tremor.
frissonnement [frisɔnmɑ̃] *nm* shudder(ing), shiver(ing).
frissonner [frisɔne] *vt* to shudder, shiver, quiver.
friture [frityːr] *nf* frying, fry; *pl* crackling noises, atmospherics.
frivole [frivɔl] *a* frivolous, empty, flimsy.
frivolité [frivɔlite] *nf* frivolity, emptiness, trifle.
froc [frɔk] *nm* monk's cowl, habit, gown.
froid [frwa] *a* cold, chilly, cool, frigid, unimpressed; *nm* cold, chill, coldness, coolness; **il fait —** it is cold; **il a —** he is cold; **— de loup** bitter cold; **prendre —** to catch cold; **battre — à** to cold-shoulder.
froideur [frwadœːr] *nf* coldness, chilliness, frigidity.
froissement [frwasmɑ̃] *nm* crumpling, bruising, rustle, causing offence.
froisser [frwase] *vt* to bruise, crumple, jostle, offend, ruffle; *vr* to take offence, become crumpled.
frôler [frole] *vt* to graze, brush (against).
fromage [frɔmaːʒ] *nm* cheese; **— de tête** brawn.
fromager [frɔmaʒe] *nm* silk cotton tree.
froment [frɔmɑ̃] *nm* wheat.
fronce [frɔ̃ːs] *nf* gather, pucker.
froncement [frɔ̃smɑ̃] *nm* puckering, wrinkling.
froncer [frɔ̃se] *vt* to pucker, wrinkle, gather; **— les sourcils** to knit one's brows, frown, scowl.

frondaison [frɔ̃dɛzɔ̃] *nf* foliation, foliage.
fronde [frɔ̃:d] *nf* catapult, sling, frond.
fronder [frɔ̃de] *vt* to sling, criticize, jeer at.
frondeur, -euse [frɔ̃dœ:r, ø:z] *a* critical, always against authority; *n* slinger, critic, scoffer.
front [frɔ̃] *nm* brow, forehead, face, front, cheek, effrontery; **de —** abreast.
frontière [frɔ̃tjɛ:r] *nf* frontier, border, line, boundary.
frontispice [frɔ̃tispis] *nm* title page, frontispiece.
fronton [frɔ̃tɔ̃] *nm* pediment, fronton, ornamental front.
frottement [frɔtmɑ̃] *nm* rubbing, chafing, friction
frotter [frɔte] *vt* to rub, polish, chafe, (*match*) strike; *vi* to rub; *vr* to rub, come up (against **à**), keep company (with **à**).
frottoir [frɔtwa:r] *nm* polisher, scrubbing brush.
frou-frou [frufru] *nm* rustle, swish.
frousse [frus] *nf* funk.
fructifier [fryktifje] *vi* to fructify, bear fruit.
fructueux, -euse [fryktɥø, ø:z] *a* fruitful, profitable.
frugal [frygal] *a* frugal, thrifty.
frugalité [frygalite] *nf* frugality.
fruit [frɥi] *nm* fruit, *pl* fruits, advantages benefits; **— sec** (*person*) failure.
fruiterie [frɥitri] *nf* fruit trade, fruiterer's, greengrocer's shop.
fruitier -ière [frɥitje, jɛ:r] *a* fruit; *n* fruiterer, greengrocer.
frusques [frysk] *nf pl* togs, clothes.
fruste [fryst] *a* worn, defaced, rough, coarse.
frustrer [frystre] *vt* to frustrate, deprive, do (out of **de**).
fugace [fygas] *a* fleeting, transient.
fugacité [fygasite] *nf* transience.
fugitif, -ive [fyʒitif, i:v] *a* fleeting, passing; *n* fugitive.
fugue [fyg] *nf* fugue, escapade, flying visit, jaunt.
fuir [fɥi:r] *vt* to run away from, shun, avoid; *vi* to flee, run away, recede, leak.
fuite [fɥit] *nf* flight, escape, leak(age).
fulgurant [fylgyrɑ̃] *a* flashing, striking.
fuligineux, -euse [fyliʒinø, ø:z] *a* soot-coloured, sooty.
fulminer [fylmine] *vt* to fulminate; *vi* to inveigh.
fume-cigarette [fymsigarɛt] *nm* cigarette-holder.
fumée [fyme] *nf* smoke steam; *pl* fumes.
fumer [fyme] *vt* to smoke, cure, manure; *vi* to smoke, fume, steam.
fumet [fymɛ] *nm* smell, bouquet, aroma, scent.
fumeur, -euse [fymœ:r, ø:z] *n* smoker, curer.
fumeux, -euse [fymø, ø:z] *a* smoky, smoking, heady hazy.
fumier [fymje] *nm* dung, manure, dunghill, stable-litter.
fumigation [fymigasjɔ̃] *nf* fumigation.
fumiger [fymiʒe] *vt* to fumigate.
fumiste [fymist] *nm* stove-setter, practical joker, hoaxer, leg-puller.
fumisterie [fymistri] *nf* stove-setting, hoax. practical joke, leg-pulling.
fumoir [fymwa:r] *nm* smoke-room.
funambule [fynɑ̃byl] *n* tight-rope walker.
funambulesque [fynɑ̃bylɛsk] *a* fantastic, queer.
funèbre [fynɛbr] *a* funeral, funereal, dismal.
funérailles [fynɛrɑ:j] *nf pl* funeral.
funéraire [fynerɛ:r] *a* funeral, funerary.
funeste [fynɛst] *a* fatal, deadly, disastrous, baleful.
funiculaire [fynikylɛ:r] *a* funicular; *nm* cable-railway.
fur [fy:r] *cj* **au — et à mesure que** (gradually) as, in proportion as; *ad* **au — et à mesure** gradually as one goes along.
furet [fyrɛ] *nm* ferret, Nosy Parker.
fureter [fyrte] *vi* to ferret. pry, cast about.
fureur [fyrœ:r] *nf* fury, rage, madness, passion. craze; **faire —** to be all the rage.
furibond [fyribɔ̃] *a* furious.
furie [fyri] *nf* fury, rage passion.
furieux, -euse [fyrjø, jø:z] *a* furious, wild, raging, in a rage.
furoncle [fyrɔ̃:kl] *nm* boil.
furtif, -ive [fyrtif, i:v] *a* stealthy covert furtive, secret, sneaking.
fusain [fyzɛ̃] *nm* spindletree, charcoal sketch.
fuseau [fyzo] *nm* spindle, bobbin.
fusée [fyze] *nf* spindle, fuse, rocket; **— à pétard** maroon; **— éclairante** flare; **— porte-amarre** rocket apparatus.
fuselage [fyzla:ʒ] *nm* fuselage.
fuseler [fyzle] *vt* to taper.
fuser [fyze] *vi* to fuse, melt, run, spread.
fusible [fyzibl] *a* fusible, easily melted.
fusil [fyzi] *nm* gun, rifle, steel; **coup de —** gunshot, report; **attraper un coup de —** to get stung overcharged.
fusilier [fyzilje] *nm* fusilier; **— marin** marine.
fusillade [fyzijad] *nf* firing, volley.
fusiller [fyzije] *vt* to shoot. execute.
fusion [fyzjɔ̃] *nf* fusion, melting, smelting union, amalgamation.
fusionner [fyzjɔne] *vti* to merge, unite amalgamate.

fustiger [fystiʒe] *vt* to flog, thrash.
fût [fy] *nm* stock, shaft, handle, barrel, cask, bole.
futaie [fytɛ] *nf* wood, forest, very large tree.
futaille [fytɑ:j] *nf* cask, barrel, tun.
futé [fyte] *a* crafty, smart.
futile [fytil] *a* futile, frivolous, trivial.
futilité [fytilite] *nf* futility, triviality.
futur [fyty:r] *a* future, to come; *nm* future tense; *n* future husband, wife.
fuyant [fɥijɑ̃] *a* fleeing, fleeting, receding, elusive, shifty.
fuyard [fɥija:r] *n* fugitive, runaway.

G

gabardine [gabardin] *nf* raincoat, gaberdine.
gabarit [gabari] *nm* gauge, templet, model, mould, stamp.
gabegie [gabʒi] *nf* dishonesty, underhand dealings, muddle, mismanagement.
gabier [gabje] *nm* topman, seaman.
gâche [gɑ:ʃ] *nf* staple, wall-hook.
gâcher [gɑʃe] *vt* to mix, waste, spoil, bungle, make a mess of.
gâchette [gaʃɛt] *nf* trigger.
gâchis [gɑʃi] *nm* wet mortar, mud, slush, mess.
gaffe [gaf] *nf* boat-hook, gaff, blunder, bloomer.
gaffer [gafe] *vt* to hook, gaff; *vi* blunder.
gaga [gaga] *a* doddering; *nm* dodderer.
gage [ga:ʒ] *nm* pledge, pawn, security, token, forfeit; *pl* wages, pay.
gager [gaʒe] *vt* to wager, bet, pay, hire.
gageure [gaʒy:r] *nf* wager, bet.
gagnant [gaɲɑ̃] *a* winning; *n* winner.
gagne-pain [gɑɲpɛ̃] *nm* livelihood, bread-winner.
gagner [gaɲe] *vt* to earn, gain, win (over), get, reach, overtake, catch up (on); *vr* to be catching, be infectious.
gai [ge, gɛ] *a* gay, merry, blithe, cheerful, bright.
gaieté [gete, gɛte] *nf* gaiety mirth, merriment, cheerfulness.
gaillard [gaja:r] *a* strong, stalwart, hearty, merry, spicy; *nm* fellow, fine, jolly fellow; — **d'avant** forecastle; — **d'arrière** quarter-deck; **—e** *nf* wench, strapping, bold young woman.
gaillardise [gajardi:z] *nf* jollity, gaiety; *pl* broad humour, suggestive stories.
gain [gɛ̃] *nm* gain, profit, earnings, winning(s); — **de cause** decision in one's favour.
gaine [gɛ:n] *nf* case, cover, sheath, corset.
gala [gala] *nm* gala, fête.
galamment [galamɑ̃] *ad* gallantly, courteously, bravely.
galant [galɑ̃] *a* attentive to women, gay, amatory; **intrigue —e** love-affair; — **homme** gentleman; *nm* lover, ladies' man.
galanterie [galɑ̃tri] *nf* attention to women, love affair, compliment, gift.
galbe [galb] *nm* contour, outline, figure.
gale [gal] *nf* itch, scabies, mange, scab.
galère [galɛ:r] *nf* galley.
galerie [galri] *nf* gallery, arcade, balcony circle.
galet [galɛ] *nm* pebble, shingle, roller, pulley.
galette [galɛt] *nf* cake, ship's biscuit; (*fam*) money, dough.
galeux, -euse [galø, ø:z] *a* itchy, mangy scabby; **brebis —se** black sheep.
galimatias [galimatjɑ] *nm* nonsense, gibberish.
Galles [gal] *nm* **pays de** — Wales.
gallois [galwa] *a nm* Welsh; *n* Welshman.
galon [galɔ̃] *nm* braid, stripe, band.
galonner [galɔne] *vt* to trim with braid lace.
galop [galo] *nm* gallop.
galoper [galɔpe] *vti* to gallop.
galopin [galɔpɛ̃] *nm* urchin, young scamp.
galvaniser [galvanize] *vt* to galvanize.
galvauder [galvode] *vt* to botch, besmirch; *vr* to sully one's name.
gambade [gɑ̃bad] *nf* gambol, caper.
gambader [gɑ̃bade] *vi* to gambol, caper, romp.
gamelle [gamɛl] *nf* tin-can, mess-tin dixie.
gamin [gamɛ̃] *nm* urchin, youngster, nipper; **—e** *nf* (pert) little girl.
gamme [gam] *nf* gamut, scale, range.
gammée [game] *a* **croix** — swastika.
ganache [ganaʃ] *nf* lower jaw; duffer, old fogey
gangrène [gɑ̃grɛn] *nf* gangrene, canker.
gangrener [gɑ̃grəne] *vt* to gangrene, canker; *vr* to mortify, become cankered.
gangreneux, -euse [gɑ̃grənø, ø:z] *a* gangrenous, cankerous.
ganse [gɑ̃:s] *nf* braid, gimp, piping, loop.
gant [gɑ̃] *nm* glove, gauntlet.
gantelé [gɑ̃tle] *a* gauntleted, mailed.
ganter [gɑ̃te] *vt* to glove, *vr* to put on one's gloves.
ganterie [gɑ̃tri] *nf* glove-making, -factory -shop.
gantier [gɑ̃tje] *nm* glover.

garage [gara:ʒ] *nm* garage, shed, depot, storage, parking, shunting; **voie de —** siding.

garagiste [garaʒist] *nm* garage-keeper, proprietor.

garant [garɑ̃] *nm* guarantor, surety, bail, authority, warrant, guarantee.

garantie [garɑ̃ti] *nf* guarantee, pledge, security, safeguard, underwriting.

garantir [garɑ̃ti:r] *vt* to guarantee, warrant, vouch for, underwrite, shield, insure.

garçon [garsɔ̃] *nm* boy, lad, son, young man, chap, fellow, bachelor, servant, assistant, waiter; **— d'honneur** groomsman, best man; **— manqué** tomboy.

garçonnet [garsɔnɛ] *nm* little boy.

garçonnière [garsɔnjɛ:r] *nf* bachelor's, single man's flat.

garde [gard] *nf* guardianship, care, guard, watch(ing), keeping, charge, flyleaf, the Guards; **prendre —** to take care, beware (**à** of), be careful (**à** of), to take good care (**à** to), be careful not (**de** to); **sans y prendre —** inadvertently; *nm* keeper, guard, watchman, guardsman.

garde-à-vous [gardavu] *nm* **au —** at attention.

garde-barrière [gardbarjɛ:r] *n* (level-crossing) gatekeeper.

garde-boue [gardəbu] *nm* mudguard, splash board.

garde-champêtre [gardʃɑ̃pɛtr] *nm* village policeman.

garde-chasse [gardəʃas] *nm* gamekeeper.

garde-corps [gardəkɔr] *nm* parapet, balustrade, rail.

garde-feu [gardəfø] *nm* fireguard, fender.

garde-fou [gardəfu] *nm* parapet, rail(ing).

garde-malade [gardmalad] *n* nurse.

garde-manger [gardmɑ̃ʒe] *nm* larder, pantry.

garder [garde] *vt* to guard, protect, look after, preserve, keep, remain in, observe, respect; *vr* to protect oneself, beware (**de** of), take care not (**de** to), refrain (**de** from).

garde-robe [gardərɔb] *nf* wardrobe, clothes.

gardeur, -euse [gardœ:r, ø:z] *n* keeper, herdsman.

gardien, -ienne [gardjɛ̃, jɛn] *n* guardian, caretaker, warder, attendant, goalkeeper; **— de la paix** policeman.

gare [ga:r] *excl* look out! take care! mind!; *nf* station; **— maritime** harbour station.

garer [gare] *vt* to shunt, garage, park; *vr* to stand aside, take cover, pull to one side, shunt.

se gargariser [səgargarize] *vr* to gargle.

gargarisme [gargarism] *nm* gargle.

gargouille [gargu:j] *nf* gargoyle.

garnement [garnəmɑ̃] *nm* **mauvais —** scamp, rascal.

garni [garni] *a* well-filled, garnished, furnished; *nm* furnished room(s).

garnir [garni:r] *vt* to furnish, provide, fill, stock, fit out, trim, garnish, garrison.

garnison [garnizɔ̃] *nf* garrison.

garniture [garnity:r] *nf* fittings, furnishings, trimming(s), decoration, lining, lagging, packing.

garrotter [garɔte] *vt* to strangle, to bind tightly.

gars [gɑ] *nm* boy, lad, young fellow.

Gascogne [gaskɔɲ] *nf* Gascony.

gascon, -onne [gaskɔ̃, ɔn] *an* Gascon.

gaspiller [gaspije] *vt* to waste, squander, spoil.

gastrique [gastrik] *a* gastric.

gastronome [gastrɔnɔm] *nm* gastronome.

gastronomie [gastrɔnɔmi] *nf* gastronomy.

gastronomique [gastrɔnɔmik] *a* gastronomical.

gâteau [gɑto] *nm* cake, tart; **— de miel** honeycomb.

gâter [gɑte] *vt* to spoil, pamper, damage, taint, mar; *vr* to deteriorate; **enfant gâté** spoilt child.

gâterie [gɑtri] *nf* excessive indulgence, spoiling; *pl* treats, dainties, delicacies.

gâteux, -euse [gɑtø, ø:z] *a* senile, in one's dotage; *n* dotard.

gauche [go:ʃ] *a* left, warped, clumsy, awkward; *nf* left.

gaucher [goʃe] *a* left-handed; *n* left-hander.

gaucherie [goʃri] *nf* clumsiness, awkwardness.

gauchir [goʃi:r] *vti* to warp, buckle.

gaudriole [godriɔl] *nf* broad joke.

gaufre [go:fr] *nf* waffle.

gaufrer [gofrer] *vt* to crimp, emboss, crinkle.

gaufrette [gofrɛt] *nf* water biscuit.

gaule [go:l] *nf* pole, stick, fishing-rod.

gaulois [golwa] *a* Gallic; **esprit —** free, broad, Gallic wit; *n* Gaul.

gauloiserie [golwazri] *nf* broad, free joke.

se gausser [səgose] *vr* to poke fun (**de** at), taunt.

gaver [gave] *vt* to cram, stuff; *vr* to gorge.

gaz [gɑ:z] *nm* gas; *pl* flatulence, wind; **à pleins —** flat out.

gaze [gɑ:z] *nf* gauze.

gazelle [gazɛl] *nf* gazelle.

gazer [gɑze] *vt* to cover with gauze, gloss over, tone down, veil, gas; *vi* to speed, cause ructions, go well.

gazeux, -euse [gɑzø, ø:z] *a* gaseous, aerated, gassy.

gazogène [gazɔʒɛn] *a* gas-producing; *nm* gazogene, gas-generator.

gazomètre [gazɔmɛtr] *nm* gasometer.
gazon [gazɔ̃] *nm* grass, turf, sod, lawn, green.
gazouillement [gazujmɑ̃] *nm* twittering, warbling, babbling, prattling.
gazouiller [gazuje] *vi* to twitter, warble, babble, prattle.
geai [ʒe] *nm* jay.
géant [ʒeɑ̃] *a* gigantic, giant; *n* giant, giantess.
geignard [ʒɛɲaːr] *a* whining, fretful; *nm* whiner, sniveller.
geindre [ʒɛ̃dr] *vi* to whine, whimper.
gélatine [ʒelatin] *nf* gelatine.
gelé [ʒ(ə)le] *a* frozen, frostbitten.
gelée [ʒ(ə)le] *nf* frost, jelly.
geler [ʒ(ə)le] *vti* to freeze; *vr* to freeze, solidify.
gelure [ʒəlyːr] *nf* frostbite.
gémir [ʒemiːr] *vi* to moan, groan, wail.
gémissement [ʒemismɑ̃] *nm* moan(ing), groan(ing), wail(ing).
gênant [ʒɛnɑ̃] *a* in the way, awkward, embarrassing.
gencive [ʒɑ̃siːv] *nf* gum.
gendarme [ʒɑ̃darm] *nm* gendarme, policeman.
gendre [ʒɑ̃ːdr] *nm* son-in-law.
gêne [ʒɛn] *nf* embarrassment, discomfort, constraint, want, straitened circumstances; **sans** — free and easy.
gêné [ʒene] *a* embarrassed, ill at ease, awkward, hard up.
généalogie [ʒenealɔʒi] *nf* genealogy, pedigree.
généalogique [ʒenealɔʒik] *a* genealogical, family.
gêner [ʒene] *vt* to cramp, constrain, pinch, hamper, inconvenience, embarrass; *vr* to inconvenience oneself; **ne pas se** — not to put oneself out, to make oneself at home.
général [ʒeneral] *a* general, prevailing; *nm* general; — **de division** major-general; — **de brigade** brigadier-general.
généralement [ʒeneralmɑ̃] *ad* generally.
généralisation [ʒeneralizasjɔ̃] *nf* generalization.
généraliser [ʒeneralize] *vt* to generalize; *vr* to become general, spread.
généralissime [ʒeneralisim] *nm* generalissimo, commander-in-chief.
généralité [ʒeneralite] *nf* generality.
générateur, -trice [ʒeneratœːr, tris] *a* generating, generative; *nm* generator.
génération [ʒenerasjɔ̃] *nf* generation.
généreux, -euse [ʒenerø, øːz] *a* generous.
générique [ʒenerik] *a* generic; *nm* (*film*) credits.
générosité [ʒenerɔzite] *nf* generosity.
genèse [ʒənɛːz] *nf* genesis.
genêt [ʒ(ə)nɛ] *nm* (*bot*) broom.
genévrier [ʒənevrie] *nm* juniper.
génial [ʒenjal] *a* inspired, bright, brilliant.
génie [ʒeni] *nm* genius, spirit, (army) engineers; — **civil engineering.**
genièvre [ʒənjɛːvr] *nm* juniper, gin.
génisse [ʒenis] *nf* heifer.
genou [ʒənu] *nm* knee.
genre [ʒɑ̃ːr] *nm* kind, sort, type, genus, family, style.
gens [ʒɑ̃] *n pl* people, folk(s), men, servants.
gentiane [ʒɑ̃sjan] *nf* gentian.
gentil, -ille [ʒɑ̃ti, iːj] *a* nice, pretty, kind, sweet, good.
gentilhomme [ʒɑ̃tijɔm] *nm* nobleman.
gentillesse [ʒɑ̃tijɛs] *nf* prettiness, graciousness, kindness; *pl* nice things.
gentiment [ʒɑ̃timɑ̃] *ad* nicely, prettily, sweetly.
géographie [ʒeɔgrafi] *nf* geography.
géographique [ʒeɔgrafik] *a* geographical.
geôle [ʒoːl] *nf* gaol, prison.
geôlier [ʒolje] *nm* gaoler, warder.
géologie [ʒeɔlɔʒi] *nf* geology.
géologue [ʒeɔlɔg] *nm* geologist.
géométrie [ʒeɔmetri] *nf* geometry.
géométrique [ʒeɔmetrik] *a* geometrical.
gérance [ʒɛrɑ̃ːs] *nf* management, managership.
géranium [ʒeranjɔm] *nm* geranium.
gérant [ʒɛrɑ̃] *n* manager(ess), director, managing-.
gerbe [ʒɛrb] *nf* sheaf, spray, shower.
gerçure [ʒɛrsyːr] *nf* chap, crack, fissure.
gérer [ʒere] *vt* to manage.
germain [ʒɛrmɛ̃] *a* full, first.
germanique [ʒɛrmanik] *a* Germanic.
germe [ʒɛrm] *nm* germ, (*potato*) eye, seed.
germer [ʒɛrme] *vi* to germinate, sprout, shoot.
germination [ʒɛrminasjɔ̃] *nf* germination.
gésier [ʒezje] *nm* gizzard.
gésir [ʒeziːr] *vi* to lie.
geste [ʒɛst] *nm* gesture, movement, motion, wave.
gesticuler [ʒɛstikyle] *vi* to gesticulate.
gestion [ʒɛstjɔ̃] *nf* management, administration, care.
gibecière [ʒipsjɛːr] *nf* game-bag, satchel.
giberne [ʒibɛrn] *nf* wallet, pouch, satchel.
gibier [ʒibje] *nm* game.
giboulée [ʒibule] *nf* (hail) shower.
giboyeux, -euse [ʒibwajø, øːz] *a* well stocked with game.
giclement [ʒikləmɑ̃] *nm* splashing, spirting.
gicler [ʒikle] *vi* to splash (up), squelch, spurt (out).
gicleur [ʒiklœːr] *nm* spray, jet.
gifle [ʒifl] *nf* slap, smack, cuff.

gifler [ʒifle] *vt* to slap, smack.
gigantesque [ʒigɑ̃tɛsk] *a* gigantic, huge.
gigot [ʒigo] *nm* leg of mutton.
gigue [ʒig] *nf* jig.
gilet [ʒilɛ] *nm* waistcoat, vest, jacket; — **tricoté** cardigan.
gingembre [ʒɛ̃ʒɑ̃:br] *nm* ginger.
girafe [ʒiraf] *nf* giraffe.
giratoire [ʒiratwa:r] *a* gyratory, roundabout.
girofle [ʒirɔfl] *nm* clove.
giroflée [ʒirɔfle] *nf* stock, wall-flower.
giron [ʒirɔ̃] *nm* lap.
girouette [ʒirwɛt] *nf* weathercock, turncoat.
gisant [ʒizɑ̃] *a* lying, recumbent.
gisement [ʒizmɑ̃] *nm* layer, seam, stratum, bearing.
gîte [ʒit] *nm* resting-place, lair, home, shelter, bed, seam, leg of beef.
givre [ʒi:vr] *nm* hoarfrost.
glabre [glɑ:br] *a* smooth, hairless, clean-shaven.
glace [glas] *nf* ice, glass, mirror, window, icing, ice-cream.
glacé [glase] *a* frozen, icy, chilled, stony, iced, glossy.
glacer [glase] *vt* to freeze, chill, ice, glaze.
glacial [glasjal] *a* icy, frozen, frigid, stony.
glacier [glasje] *nm* glacier, ice-cream vendor, manufacturer of mirrors.
glacière [glasjɛ:r] *nf* ice-house, ice-box, freezer.
glacis [glasi] *nm* slope, bank, glaze.
glaçon [glasɔ̃] *nm* block of ice, ice-floe, icicle.
gladiateur [gladjatœ:r] *nm* gladiator.
glaïeul [glajœl] *nm* gladiolus.
glaise [glɛ:z] *nf* clay.
glaive [glɛv] *nm* sword, sword-fish.
gland [glɑ̃] *nm* acorn, tassel.
glande [glɑ̃:d] *nf* gland.
glaner [glane] *vt* to glean.
glaneur, -euse [glanœ:r, ø:z] *n* gleaner.
glapir [glapi:r] *vi* to yelp, yap, (*fox*) bark.
glas [glɑ] *nm* knell, passing-bell.
glauque [glo:k] *a* glaucous, sea-green.
glissade [glisad] *nf* slip, slide, sliding.
glissant [glisɑ̃] *a* slippery, sliding.
glissement [glismɑ̃] *nm* sliding, slip, gliding, glide.
glisser [glise] *vi* to slip, skid, slide, glide, pass over; *vt* to slip; *vr* to glide, creep, steal into (**dans**).
glisseur, -euse [glisœ:r, ø:z] *n* slider; *nm* speedboat, glider.
glissière [glisjɛ:r] *nf* groove, slide, shoot; **à —s** sliding.
global [glɔbal] *a* total, inclusive, lump.
globe [glɔb] *nm* globe, orb, ball.
globulaire [glɔbylɛ:r] *a* globular.
globule [glɔbyl] *nm* globule.
gloire [glwa:r] *nf* glory, fame, boast, pride, halo.
glorieux, -euse [glɔrjø, ø:z] *a* glorious, proud, conceited, boastful; *nm* braggart.
glorifier [glɔrifje] *vt* to glorify, praise; *vr* to boast.
gloriole [glɔrjɔl] *nf* notoriety, vain-glory, credit.
glose [glo:z] *nf* gloss, note, comment, criticism.
gloser [gloze] *vt* to gloss, criticize.
glossaire [glɔsɛ:r] *nm* glossary.
glouglou [gluglu] *nm* gurgle, gobble-gobble.
glousser [gluse] *vi* to cluck, gobble, gurgle, chuckle.
glouton, -onne [glutɔ̃, ɔn] *a* greedy, gluttonous; *n* glutton.
gloutonnerie [glutɔnri] *nf* gluttony.
glu [gly] *nf* bird-lime.
gluant [glyɑ̃] *a* gluey, sticky.
glutineux [glytinø] *a* glutinous.
glycérine [gliserin] *nf* glycerine.
glycine [glisin] *nf* wistaria.
go [go] *ad* **tout de —** straight off.
gobelet [gɔblɛ] *nm* goblet, cup, tumbler.
gobe-mouches [gɔbmuʃ] *nm* fly-catcher, ninny, wiseacre.
gober [gɔbe] *vt* to swallow, gulp down; *vr* to fancy oneself.
gobeur, -euse [gɔbœ:r, ø:z] *n* conceited person.
godasses [gɔdas] *nfpl* boots.
godet [gɔdɛ] *nm* mug, cup, flare, gore.
godille [gɔdi:j] *nf* scull.
godiller [gɔdije] *vi* to scull.
goéland [gɔelɑ̃] *nm* seagull.
goélette [gɔelɛt] *nf* schooner.
goémon [gɔemɔ̃] *nm* seaweed.
goguenard [gɔgna:r] *a* bantering, joking, jeering.
goinfre [gwɛ̃:fr] *nm* glutton.
goinfrerie [gwɛ̃frəri] *nf* gluttony, guzzling.
goitre [gwa:tr] *nm* goitre.
golf [gɔlf] *nm* golf, golf-course.
golfe [gɔlf] *nm* gulf, bay.
gombo [gɔ̃bɔ] *nm* okro.
gomme [gɔm] *nf* gum, (india)rubber, eraser.
gommeux, -euse [gɔmø, ø:z] *a* gummy, sticky; *nm* pretentious man, dude.
gond [gɔ̃] *nm* hinge.
gondolant [gɔ̃dɔlɑ̃] *a* funny, killing.
gondole [gɔ̃dɔl] *nf* gondola.
gondoler [gɔ̃dɔle] *vi* to warp, buckle, sag; *vr* to warp, buckle, shake with laughter.
gondolier [gɔ̃dɔlje] *nm* gondolier.
gonflage [gɔ̃fla:ʒ] *nm* inflation, tyre-pressure.
gonflement [gɔ̃fləmɑ̃] *nm* inflating, inflation, distension.
gonfler [gɔ̃fle] *vt* to swell, inflate, blow up; *vir* to swell, become distended.

gonfleur [gɔ̃flœ:r] *nm* inflator, air-pump.
goret [gɔrɛ] *nm* piglet.
gorge [gɔrʒ] *nf* throat, gullet, breast, gorge, (*mountain*) pass; **rire à — déployée** to laugh heartily; **rendre —** to disgorge; **faire des —s chaudes de** to laugh heartily at the expense of.
gorgée [gɔrʒe] *nf* mouthful, gulp.
gorger [gɔrʒe] *vt* to stuff, gorge.
gorille [gɔri:j] *nm* gorilla.
gosier [gozje] *nm* throat, gullet.
gosse [gɔs] *n* youngster, child, kid.
gothique [gɔtik] *a* gothic.
goudron [gudrɔ̃] *nm* tar.
goudronner [gudrɔne] *vt* to tar, spray with tar.
gouffre [gufr] *nm* gulf, abyss, chasm.
goujat [guʒa] *nm* boor, cad, blackguard.
goujaterie [guʒatri] *nf* boorishness, churlish act.
goujon [guʒɔ̃] *nm* gudgeon, stud, pin.
goulet [gulɛ] *nm* gully, narrows, narrow channel.
goulot [gulo] *nm* (bottle)neck.
goulu [guly] *a* greedy, gluttonous.
goupille [gupi:j] *nf* (linch)pin.
goupillon [gupijɔ̃] *nm* holy-water sprinkler.
gourde [gurd] *nf* gourd, water-bottle, flask, fool.
gourdin [gurdɛ̃] *nm* cudgel.
gourmand [gurmɑ̃] *a* greedy, very fond (of); *n* gourmand, glutton.
gourmander [gurmɑ̃de] *vi* to guzzle; *vt* to scold.
gourmandise [gurmɑ̃di:z] *nf* greediness, gluttony; *pl* sweet things.
gourme [gurm] *nf* impetigo, wild oats.
gourmet [gurmɛ] *nm* epicure.
gousse [gus] *nf* pod, shell; **— d'ail** clove of garlic.
gousset [gusɛ] *nm* waistcoat pocket, gusset.
goût [gu] *nm* taste, flavour, relish, liking, style, manner.
goûter [gute] *vt* to taste, enjoy, relish, take a snack between meals; *nm* (afternoon) snack, tea.
goutte [gut] *nf* drop, drip, dram, splash, spot, sip, gout.
goutteux, -euse [gutø, ø:z] *a* gouty.
gouttière [gutjɛ:r] *nf* gutter, rain-pipe, spout.
gouvernail [guvɛrna:j] *nm* rudder, helm.
gouvernante [guvɛrnɑ̃:t] *nf* governess, housekeeper.
gouverne [guvɛrn] *nf* guidance, direction, steering; *pl* controls.
gouvernement [guvɛrnəmɑ̃] *nm* government.
gouverner [guvɛrne] *vt* to govern, control, steer.
gouverneur [guvɛrnœ:r] *nm* governor.
goyavier [gwajavje] *nm* guava tree.
grabuge [graby:ʒ] *nm* quarrel, row.
grâce [grɑs] *nf* grace, gracefulness, favour, pardon, mercy; **de bonne, de mauvaise —** willingly, unwillingly; **— à** thanks to.
gracier [grasje] *vt* to pardon, reprieve.
gracieux, -euse [grasjø, ø:z] *a* graceful, gracious, free.
gracile [grasil] *a* slim, slender.
gradation [gradasjɔ̃] *nf* gradation.
grade [grad] *nm* grade, rank, degree.
gradé [grade] *nm* noncommissioned officer.
gradin [gradɛ̃] *nm* step, tier.
graduel, -elle [gradɥɛl] *a* gradual.
graduer [gradɥe] *vt* to graduate, grade.
grain [grɛ̃] *nm* grain, corn, berry, bean, particle, speck, squall; **— de beauté** beauty spot, mole; **— de plomb** pellet; **— de raisin** grape.
graine [grɛn] *nf* seed.
grainetier [grɛntje] *nm* seedsman, corn-chandler.
graissage [grɛsa:ʒ] *nm* greasing, lubrication.
graisse [grɛ:s] *nf* grease, fat; **— de rognon** suet; **— de rôti** dripping.
graisser [grɛse] *vt* to grease, lubricate.
graisseux, -euse [grɛsø, ø:z] *a* greasy, oily, fatty.
grammaire [gramɛ:r] *nf* grammar.
grammairien, -ienne [grammɛrjɛ̃, jɛn] *nm* grammarian.
grammatical [grammatikal] *a* grammatical.
gramme [gram] *nm* gram(me).
gramophone [gramɔfɔn] *nm* gramophone.
grand [grɑ̃] *a* tall, large, big, main, great, noble, high, grown up, grand; **en —** on a large scale, full size; *nm* grandee; *pl* grown-ups, great ones.
grand'chose [grɑ̃ʃo:z] *pr* much.
grandement [grɑ̃dmɑ̃] *ad* greatly, largely, grandly, ample, high.
grandeur [grɑ̃dœ:r] *nf* size, height, magnitude, grandeur, Highness.
grandiloquence [grɑ̃dilɔkɑ̃:s] *nf* grandiloquence.
grandiose [grɑ̃djo:z] *a* grandiose, imposing.
grandir [grɑ̃di:r] *vi* to grow (up, tall); *vt* to increase, make taller, magnify.
grand'mère [grɑ̃mɛ:r] *nf* grandmother.
grand'messe [grɑ̃mɛs] *nf* high mass.
grand'peine [grɑ̃pɛn] *ad* **à —** with great difficulty.
grand-père [grɑ̃pɛ:r] *nm* grandfather.
grand'route [grɑ̃rut] *nf* highway, high road, main road.
grand'rue [grɑ̃ry] *nf* main street, high street.
grands-parents [grɑ̃parɑ̃] *nm pl* grandparents.
grange [grɑ̃:ʒ] *nf* barn.

granit [grani(t)] *nm* granite.
graphique [grafik] *a* graphic; *nm* diagram, graph.
graphite [grafit] *nm* graphite, plumbago.
grappe [grap] *nf* bunch, cluster.
grappin [grapɛ̃] *nm* grapnel, hook, grab; *pl* climbing-irons.
gras, -se [grɑ, grɑːs] *a* fat(ty), fatted, rich, oily, greasy, thick, ribald, heavy; **faire** — to eat meat; **jour** — meat day; *nm* fat.
grassement [grɑsmɑ̃] *ad* generously.
grasset, -ette [grɑsɛ, ɛt] *a* plump, fattish, chubby.
grasseyer [grɑsɛje] *vi* to burr, roll one's 'r's.
grassouillet, -ette [grɑsuje, ɛt] *a* plump, chubby.
gratification [gratifikasjɔ̃] *n f* bonus, gratuity.
gratifier [gratifje] *vt* to bestow, confer.
gratin [gratɛ̃] *nm* burnt part, upper ten; **au** — with bread-crumbs and grated cheese.
gratiné [gratine] *a* with bread-crumbs.
gratis [gratis] *ad* gratis, free (of charge).
gratitude [gratityd] *nf* gratitude, gratefulness.
gratte-ciel [gratsjɛl] *nm* skyscraper.
gratte-pieds [gratpje] *nm* scraper.
gratter [grate] *vt* to scratch, scrape (out).
gratuit [gratɥi] *a* gratuitous, free, uncalled for.
gratuité [gratɥite] *nf* gratuitousness.
grave [graːv] *a* grave, solemn, serious, low-pitched.
graveleux, -euse [gravlø, øːz] *a* gritty, ribald.
graver [grave] *vt* to engrave, cut, carve; — **à l'eau-forte** to etch.
graveur [gravœːr] *nm* engraver, carver.
gravier [gravjɛ] *nm* gravel, grit.
gravir [graviːr] *vt* to climb .
gravitation [gravitasjɔ̃] *nf* gravitation.
gravité [gravite] *nf* gravity, severity, seriousness, weight, low pitch.
graviter [gravite] *vi* to gravitate, revolve.
gravure [gravyːr] *nf* engraving, print, illustration; — **à l'eau-forte** etching; — **sur bois** wood-cut.
gré [gre] *nm* liking, taste, will; **au — de** according to, at the mercy of; **bon —, mal —** willy-nilly; **de — à —** by mutual consent; **de — ou de force** by fair means or foul; **savoir — à** to be grateful to; **savoir mauvais — à** to be angry with.
grec, grecque [grɛk] *a nm* Greek; *n* Greek.
Grèce [grɛs] *nf* Greece.
gredin [grədɛ̃] *nm* rogue.
gréement [gremɑ̃] *nm* rigging, gear.
gréer [gree] *vt* to rig, sling.
greffe [grɛf] *nf* graft, grafting.
greffer [grɛfe] *vt* to graft.
greffier [grɛfje] *nm* clerk of court.
grêle [grɛːl] *a* small, slender, thin, high-pitched; *nf* hail, shower.
grêlé [grɛle] *a* pock-marked.
grêler [grɛle] *v imp* to hail.
grêlon [grɛlɔ̃] *nm* hailstone.
grelot [grəlo] *nm* bell.
grelotter [grəlɔte] *vi* to tremble, shake, shiver.
grenade [grənad] *nf* pomegranate, grenade; — **à main** hand-grenade; — **sous-marine** depth-charge.
grenadine [grənadin] *nf* grenadine.
grenier [grənje] *nm* granary, loft, attic, garret.
grenouille [grənuːj] *nf* frog, funds.
grès [grɛ] *nm* sandstone.
grésiller [grezije] *vi* to crackle, sputter, sizzle.
grève [grɛːv] *nf* beach, shore, strand, strike; **se mettre en** — to go on strike; **faire** — to be on strike; — **de solidarité** strike in sympathy; — **perlée** go-slow; — **sur le tas** sit-down strike; — **de zèle** work to rule.
grever [grəve] *vt* to burden, mortgage
gréviste [grevist] *n* striker.
gri(s)-gri(s) [grigri] *nm* amulet.
gribouillage [gribujaːʒ] *nm* scrawl, scribble.
gribouiller [gribuje] *vt* to scrawl, scribble.
grief [griɛf] *nm* grievance.
grièvement [griɛvmɑ̃] *ad* severely, seriously, deeply.
griffe [grif] *nf* claw, talon, clip, facsimile signature, writing; *pl* clutches.
griffer [grife] *vt* to scratch, claw, stamp.
griffonnage [grifɔnaːʒ] *nm* scrawl, scribble.
griffonner [grifɔne] *vt* to scrawl, scribble.
grignoter [griɲɔte] *vt* nibble, pick at.
grigou [grigu] *nm* skinflint, miser.
gril [gri] *nm* gridiron, grill.
grillade [grijad] *nf* grilled meat, grill.
grillage [grijaːʒ] *nm* grilling, toasting, roasting, grating, netting, lattice-work.
grille [griːj] *nf* grating, railings, iron-barred gate, entrance gate, grid.
griller [grije] *vt* to grill, toast, roast, scorch, rail in, grate.
grillon [grijɔ̃] *nm* (*insect*) cricket.
grimace [grimas] *nf* grimace, wry face.
grimacer [grimase] *vi* to grimace, make faces.
grimacier, -ière [grimasje, jɛːr] *a* grimacing, grinning, simpering.
se grimer [səgrime] *vr* to make up (one's face).

grimper [grɛ̃pe] *vti* to climb.
grimpeur, -euse [grɛ̃pœːr, øːz] *a* climbing; *n* climber.
grincer [grɛ̃se] *vi* to grate, grind, gnash, creak.
grincheux, -euse [grɛ̃ʃø, øːz] *a* grumpy, surly; *n* grumbler.
griot [grio] *nm* storyteller, praise singer.
grippe [grip] *nf* dislike, influenza.
grippé [gripe] *a* suffering from influenza.
grippe-sou [gripsu] *nm* skinflint, miser.
gris [gri] *a* grey, dull, cloudy, intoxicated.
grisâtre [grizɑːtr] *a* greyish.
griser [grize] *vt* to make tipsy, intoxicate; *vr* to become intoxicated, be carried away (with **de**).
griserie [grizri] *nf* tipsiness, intoxication, rapture.
grisonner [grizɔne] *vi* to turn grey.
grisou [grizu] *nm* firedamp.
grive [griːv] *nf* thrush.
grivois [grivwa] *a* broad, ribald, licentious.
grivoiserie [grivwazri] *nf* ribald, broad joke.
grog [grɔg] *nm* grog, toddy.
grognard [grɔɲaːr] *a* grumbling; *n* grumbler.
grognement [grɔɲəmɑ̃] *nm* grunt (ing), growl(ing), grumbling.
grogner [grɔɲe] *vi* to grunt, growl, snarl, grumble.
grognon [grɔɲɔ̃] *a* grumbling, querulous; *n* grumbler.
groin [grwɛ̃] *nm* snout.
grommeler [grɔmle] *vi* to grumble, mutter.
grondement [grɔ̃dmɑ̃] *nm* growl (ing), snarl(ing), rumble, roaring.
gronder [grɔ̃de] *vi* to growl, snarl, rumble, mutter, roar, grumble; *vt* to scold, rebuke.
gronderie [grɔ̃dri] *nf* scolding.
grondeur, -euse [grɔ̃dœːr, øːz] *a* grumbling, scolding; *n* grumbler, scold.
groom [grum] *nm* groom, page(boy).
gros, -se [gro, groːs] *a* big, large, heavy, stout, thick, coarse, plain, rough, loud, gruff, gross, pregnant; — **bonnets** bigwigs; — **mots** bad language; *nm* bulk, mass, chief part, hardest part; **en** — in bulk, wholesale.
groseille [grozɛːj] *nf* currant (red, white); — **à maquereau** gooseberry.
groseillier [grozɛje] *nm* currant-bush.
grossesse [grosɛs] *nf* pregnancy.
grosseur [grosœːr] *nf* size, bulk, thickness, swelling.
grossier, -ière [grosjɛ, jɛːr] *a* coarse, rough, gross, vulgar, rude.
grossièreté [grosjɛrte] *nf* coarseness, roughness, rudeness, offensive remark.
grossir [grosiːr] *vt* to enlarge, magnify; *vi* to increase, swell, grow bigger.
grossissement [grosismɑ̃] *nm* increase, swelling, magnifying, enlargement.
grotesque [grɔtɛsk] *a* ludicrous.
grotte [grɔt] *nf* grotto.
grouiller [gruje] *vi* to swarm, be alive (with **de**); *vr* to get a move on, hurry up.
groupe [grup] *nm* group, clump, cluster, party.
groupement [grupmɑ̃] *nm* grouping, group.
grouper [grupe] *vt* to group, arrange; *vr* to form a group, gather.
gruau [gryo] *nm* wheat flour; — **d'avoine** oatmeal, gruel.
grue [gry] *nf* crane, prostitute.
gruger [gryʒe] *vt* to fleece, plunder, sponge on.
grumeau [grymo] *nm* clot, lump.
gué [ge] *nm* ford.
guenille [gəniːj] *nf* rag, tatter.
guenon [gənɔ̃] *nf* she-monkey, ugly woman.
guêpe [gɛːp] *nf* wasp; — **maçonne** mason wasp.
guêpier [gepje] *nm* wasps' nest, hornets' nest.
guère [gɛːr] *ad* hardly (any, ever), barely, not much, not many, but little, but few.
guéridon [geridɔ̃] *nm* pedestal table, occasional table.
guérilla [gerija, -illa] *nf* guerrilla.
guérir [geriːr] *vt* to cure, heal; *vi* to recover, heal.
guérison [gerizɔ̃] *nf* recovery, cure, healing.
guérissable [gerisɑbl] *a* curable.
guérite [gerit] *nf* sentry-box, signal-box.
guerre [gɛːr] *nf* war(fare), fighting, strife, quarrel, feud; — **d'usure** war of attrition; — **de mouvement** open warfare; — **de position** trench warfare; — **éclair** blitz war; **de bonne** — quite fair; **de** — **lasse** for the sake of peace.
guerrier, -ière [gɛrje, jɛːr] *a* warlike, war-; *nm* warrior.
guerroyer [gɛrwaje] *vi* to wage war.
guet [gɛ] *nm* watch, look-out.
guet-apens [gɛtapɑ̃] *nm* ambush, trap.
guêtre [gɛːtr] *nf* gaiter, spat.
guetter [gɛte] *vt* to lie in wait for, watch, be on the look-out for, listen for.
guetteur [gɛtœːr] *nm* lookout (man).
gueule [gœl] *nf* mouth, muzzle, face, mug; **ta** —! shut up! **casser la** — **à qn** to knock s.o.'s face in; **avoir la** — **de bois** to feel parched after excess of alcohol.
gueuler [gœle] *vti* to bawl, shout.
gueuleton [gœltɔ̃] *nm* blow-out, binge, tuck-in.

gueux, -euse [gø, øːz] *a* poor, beggarly; *n* beggar.
gui [gi] *nm* mistletoe.
guichet [giʃɛ] *nm* wicket-gate, grating, turnstile, barrier, pay-desk, booking-office window.
guide [gid] *nm* guide, conductor, guidebook; *nf* rein.
guider [gide] *vt* to guide, conduct, drive, steer.
guidon [gidɔ̃] *nm* handlebar, mark flag, pennant, (*on gun*) foresight.
guigne [giɲ] *nf* gean; bad luck.
guigner [giɲe] *vt* to peep at, cast an eye over, to leer, ogle.
guignol [giɲɔl] *nm* Punch and Judy show, Punch.
guillemets [gijmɛ] *nm pl* inverted commas, quotation marks.
guilleret, -ette [gijrɛ, ɛt] *a* lively, gay, perky, broad.
guillotine [gijɔtin] *nf* guillotine.
guillotiner [gijɔtine] *vt* to guillotine.
guimauve [gimoːv] *nf* marshmallow.
guimbarde [gɛ̃bard] *nf* Jew's harp, ramshackle vehicle.
guimpe [gɛ̃ːp] *nf* wimple, blouse front.
guindé [gɛ̃de] *a* stiff, strained, starchy.
guingois [gɛ̃gwa] *nm* crookedness, skew, twistedness; **de —** askew, awry.
guinguette [gɛ̃gɛt] *nf* suburban tavern with music and dancing.
guipure [gipyːr] *nf* guipure, point-lace, pillow-lace.
guirlande [girlɑ̃ːd] *nf* garland, festoon.
guirlander [girlɑ̃de] *vt* to garland, festoon.
guise [giːz] *nf* way, manner; **à sa —** as one pleases; **en — de** by way of.
guitare [gitaːr] *nf* guitar.
guttural [gytyral] *a* guttural.
gymnaste [ʒimnast] *nm* gymnast.
gymnastique [ʒimnastik] *a* gymnastic; **au pas —** at the double; *nf* gymnastics.
gynécologue [ʒinekɔlɔg] *n* gynecologist.
gypse [ʒips] *nm* gypsum, plaster of Paris.
gyroscope [ʒirɔskɔp] *nm* gyroscope.

H

The asterisk denotes that the initial h, which is never pronounced, is aspirate, i.e. there is no liaison or elision.

habile [abil] *a* clever, skilful, smart.
habileté [abilte] *nf* cleverness, skill, skilfulness, capability, smartness.
habillé [abije] *a* dressed (up), clad, smart, dressy.
habillement [abijmɑ̃] *nm* clothing, clothes, dress.
habiller [abije] *vt* to dress, clothe; *vr* to dress, put one's clothes on.
habilleur, -euse [abijœːr, øːz] *n* dresser.
habit [abi] *nm* dress, coat, evening-dress; *pl* clothes.
habitable [abitabl] *a* (in)habitable.
habitant [abitɑ̃] *nm* inhabitant, dweller, resident, occupier; **loger chez l'—** to billet privately.
habitation [abitasjɔ̃] *nf* dwelling, residence, abode.
habiter [abite] *vt* to inhabit, live in, occupy; *vi* to live, reside, dwell.
habitude [abityd] *nf* habit, custom, use, practice, wont, knack; **d'—** usually; **comme d'—** as usual.
habitué [abitɥe] *nm* regular attendant, frequenter, regular customer.
habituel, -elle [abitɥɛl] *a* usual, habitual, customary.
habituer [abitɥe] *vt* to accustom, get into the habit; *vr* to get used, grow accustomed.
***hâbleur** [ɑblœːr] *nm* braggart, boaster.
***hache** [aʃ] *nf* axe, hatchet.
***haché** [aʃe] *a* staccato, jerky, minced.
***hacher** [aʃe] *vt* to chop (up), hash, hack, mince.
***hachis** [aʃi] *nm* minced meat, mince, hash.
***hachoir** [aʃwaːr] *nm* chopper, mincer, chopping-board.
***hagard** [agaːr] *a* haggard, wild, drawn.
***haie** [ɛ] *nf* hedge(row), hurdle, line.
***haillon** [ajɔ̃] *nm* rag, tatter.
***haine** [ɛn] *nf* hatred, aversion.
***haineux, -euse** [ɛnø, øːz] *a* full of hatred.
***haïr** [aiːr] *vt* to hate, detest, loathe.
***haïssable** [aisabl] *a* hateful, detestable.
***halage** [ɑlaːʒ] *nm* towing.
***hâle** [ɑːl] *nm* sunburn, tan.
***hâlé** [ɑle] *a* sunburnt, tanned, weather-beaten.
haleine [alɛn] *nf* breath, wind; **travail de longue —** work requiring a long effort; **tenir en —** to keep in suspense.
haler [ɑle] *vt* to tow, pull, heave, haul up, in.
***hâler** [ɑle] *vt* to sunburn, tan, brown.
***haleter** [alte] *vi* to pant, gasp for breath.
***hall** [al, ɔl] *nm* (entrance) hall, hotel lounge.
***halle** [al] *nf* (covered) market.
***hallebarde** [albard] *nf* halberd; **il pleut des —s** it's raining cats and dogs.
***hallier** [alje] *nm* thicket.
hallucination [al(l)ysinasjɔ̃] *nf* hallucination.
***halte** [alt] *nf* stop, halt.
haltère [altɛːr] *nm* dumb-bell.
***hamac** [amak] *nm* hammock.

***hameau** [amo] *nm* hamlet.
hameçon [amsɔ̃] *nm* hook, bait.
***hampe** [ɑ̃:p] *nf* staff, pole, handle, shaft.
***hanche** [ɑ̃:ʃ] *nf* hip, haunch.
***handicaper** [ɑ̃dikape] *vt* to handicap.
***hangar** [ɑ̃ga:r] *nm* shed, outhouse.
***hanneton** [antɔ̃] *nm* cockchafer.
***hanter** [ɑ̃te] *vt* to frequent, haunt.
***hantise** [ɑ̃ti:z] *nf* obsession.
***happer** [ape] *vt* to snap up, catch, seize.
***haranguer** [arɑ̃ge] *vt* to harangue, lecture.
***haras** [arɑ] *nm* stud farm, stud.
harasser [arase] *vt* to exhaust, wear out.
***harceler** [arsəle] *vt* to harass, worry, harry, pester.
***hardes** [ard] *nf pl* old clothes, get-up, gear.
***hardi** [ardi] *a* bold, daring, fearless, rash, forward.
***hardiesse** [ardjɛs] *nf* boldness, daring, fearlessness, forwardness, impudence.
***hareng** [arɑ̃] *nm* herring; — **salé et fumé** kipper; — **saur** red herring.
***hargneux** [arnjø] *a* snarling, ill-tempered, peevish, snappish.
***haricot** [ariko] *nm* kidney bean, haricot bean; **—s verts** french beans.
harmonie [armɔni] *nf* harmony, accord, band; **en** — harmoniously, in keeping.
harmonieux, -euse [armɔnjø, ø:z] *a* harmonious, melodious.
harmonique [armɔnik] *a nm* harmonic.
harmoniser [armɔnize] *vt* to harmonize, attune; *vr* to be in keeping , tone in.
***harnachement** [arnaʃmɑ̃] *nm* harnessing, trappings.
***harnais** [arnɛ] *nm* harness, gear, tackle.
***harpe** [arp] *nf* harp.
***harpie** [arpi] *nf* harpy, shrew.
***harpiste** [arpist] *n* harpist.
***harpon** [arpɔ̃] *nm* harpoon.
***harponner** [arpɔne] *vt* to harpoon.
***hasard** [aza:r] *nm* chance, luck, accident, risk, hazard; **au** — at random; **à tout** — on the off chance.
***hasarder** [azarde] *vt* to hazard, risk, venture; *vr* to take risks, venture.
***hasardeux, -euse** [azardø, ø:z] *a* hazardous, risky, daring.
***hâte** [ɑ:t] *nf* haste, hurry; **avoir — de** to be in a hurry to, be eager to; **à la** — hastily, hurriedly.
***hâter** [ɑte] *vt* to hasten, hurry on, quicken; *vr* to hurry, make haste.
***hâtif, -ive** [ɑtif, i:v] *a* hasty, hurried, early, premature.
***hausse** [o:s] *nf* rise, rising, elevation, range, sight; **jouer à la** — to speculate on a rise.
***haussement** [osmɑ̃] *nm* raising, lifting, shrug(ging).
***hausser** [ose] *vt* to raise, lift, shrug; *vi* to rise.
***haussier** [osje] *nm* (*Stock Exchange*) bull.
***haut** [o] *a* **high,** tall, lofty, raised, loud, upper, higher, important, remote; *ad* high, up, above, aloud, back; — **les mains** hands up; *nm* height, top, head; **en** — above, aloft, upstairs; **de — en bas** from top to bottom, downward, up and down; **les —s et les bas** ups and downs.
***hautain** [otɛ̃] *a* haughty.
***hautbois** [obwa] *nm* oboe.
***hauteur** [otœ:r] *nf* height, elevation, altitude, eminence, hill(top), haughtiness, loftiness, pitch (of note); **à la — de** level with, equal to.
***haut-le-cœur** [oləkœ:r] *nm* heave, retch.
***haut-le-corps** [oləkɔ:r] *nm* start, jump.
***haut-parleur** [oparlœ:r] *nm* loud-speaker.
***hauturier, -ière** [otyrje, jɛ:r] *a* of the high seas; **pilote** — deep-sea pilot.
***hâve** [ɑ:v] *a* hollow, gaunt.
***havre** [ɑ:vr] *nm* haven, harbour.
***havresac** [ɑvrəsak] *nm* knapsack.
***hé** [e] *excl* hi! hullo! I say!
hebdomadaire [ɛbdɔmadɛ:r] *a nm* weekly.
héberger [ebɛrʒe] *vt* to harbour, lodge, put up, shelter.
hébéter [ebete] *vt* to daze, dull, stupefy, bewilder.
hébreu [ebrø] *a nm* Hebrew.
hécatombe [ekatɔ̃:b] *nf* hecatomb, slaughter.
hégémonie [eʒemɔni] *nf* hegemony.
***hein** [ɛ̃] *excl* eh! what!
hélas [elɑ:s] *excl* alas!
***héler** [ele] *vt* to hail, call.
hélice [elis] *nf* spiral, propellor, (*of ship*) screw.
hélicoptère [elikɔptɛ:r] *nm* helicopter.
héliotrope [eljɔtrɔp] *a nm* heliotrope, sunflower.
hellénique [ɛlenik] *a* Hellenic.
helvétique [ɛlvetik] *a* Swiss.
hémicycle [emisikl] *nm* hemicycle.
hémisphère [emisfɛ:r] *nm* hemisphere.
hémorragie [emɔraʒi] *nf* haemorrhage, bleeding.
hémorroïdes [emɔrɔid] *nf pl* piles.
***hennir** [ɛni:r] *vi* to neigh, whinny.
héraldique [eraldik] *a* heraldic; *nf* heraldry.
***héraut** [ero] *nm* herald.
herbage [ɛrba:ʒ] *nm* grassland, pasture, greens.
herbe [ɛrb] *nf* herb, plant, weed, grass; **en** — budding, in embryo.
herbeux, -euse [ɛrbø, ø:z] *a* grassy.
herbivore [ɛrbivɔ:r] *a* herbivorous.

herboriser [ɛrbɔrize] *vi* to herborize, botanize.
herboriste [ɛrbɔrist] *n* herbalist.
herculéen, -enne [ɛrkyleɛ̃, ɛn] *a* herculean.
héréditaire [ereditɛːr] *a* hereditary.
hérédité [eredite] *nf* heredity, right of inheritance.
hérésie [erezi] *nf* heresy.
hérétique [eretik] *a* heretical; *n* heretic.
***hérissé** [erise] *a* bristly, prickly, bristling.
***hérisser** [erise] *vt* to bristle (up), ruffle; *vr* to bristle, stand on end.
***hérisson** [erisɔ̃] *nm* hedgehog, (sea)urchin.
héritage [eritaːʒ] *nm* inheritance, heritage.
hériter [erite] *vti* to inherit.
héritier, -ière [eritje, jɛːr *n* heir, heiress.
hermétique [ɛrmetik] *a* hermetically sealed, tight.
hermine [ɛrmin] *nf* stoat, ermine.
herniaire [ɛrnjɛːr] *a* hernial; **bandage** — truss.
***hernie** [ɛrni] *nf* hernia, rupture.
héroïne [erɔin] *nf* heroine.
héroïque [erɔik] *a* heroic.
héroïsme [erɔism] *nm* heroism.
***héron** [erɔ̃] *nm* heron.
***héros** [ero] *nm* hero.
***herse** [ɛrs] *nf* harrow, portcullis.
hésitation [ezitasjɔ̃] *nf* hesitation.
hésiter [ezite] *vi* to hesitate, falter.
hétéroclite [eterɔklit] *a* odd, queer.
hétérodoxe [eterɔdɔks] *a* heterodox.
hétérogène [eterɔʒɛn] *a* heterogeneous, mixed.
***hêtre** [ɛːtr] *nm* beech.
heure [œːr] *nf* hour, time, o'clock; **la dernière** — stop-press news; **de bonne** — early, in good time; **sur l'**— at once; **tout à l'**— just now, a few minutes ago, presently; **à tout à l'**— see you later; **à la bonne** — that's right, well done!
heureusement [œrøzmɑ̃] *ad* happily, luckily.
heureux, -euse [œrø, øːz] *a* happy, pleased, lucky, successful, blessed.
***heurt** [œːr] *nm* knock, shock, bump; **sans heurt** smoothly.
***heurter** [œrte] *vt* to knock against, run against, shock; *vr* to run (into), knock up (against), collide.
***heurtoir** [œrtwaːr] *nm* doorknocker, buffer.
hévéa [evea] *nm* rubber tree.
hexagone [ɛksagɔn] *a* hexagonal; *nm* hexagon.
***hibou** [ibu] *nm* owl.
***hideur** [idœːr] *nf* hideousness.
***hideux, -euse** [idø, øːz] *a* hideous.
hier [iɛːr] *ad* yesterday.
***hiérarchie** [jɛrarʃi] *nf* hierarchy.
***hiérarchique** [jɛrarʃik] *a* hierarchical; **par voie** — through official channels.
hiéroglyphe [jerɔglif] *nm* hieroglyph.
hilarité [ilarite] *nf* hilarity, merriment.
hindou [ɛ̃du] *an* Hindu.
hippique [ippik] *a* horse, equine; **concours** — horse-show.
hippodrome [ip(p)ɔdrɔm] *nm* racecourse.
hippopotame [ippɔpɔtam] *nm* hippopotamus.
hirondelle [irɔ̃dɛl] *nf* swallow.
hirsute [irsyt] *a* hairy, hirsute, shaggy.
***hisser** [ise] *vt* to hoist (up), pull up, run up; *vr* to pull oneself up, raise oneself.
histoire [istwaːr] *nf* history, story, tale; **faire des —s** to make a fuss; **— de s'amuser** just for a lark.
historien, -ienne [istɔrjɛ̃, jɛn] *n* historian.
historique [istɔrik] *a* historic(al); *nm* statement, account.
hiver [ivɛːr] *nm* winter.
hivernant [ivɛrnɑ̃] *a* wintering; *nm* winter visitor.
hiverner [ivɛrne] *vi* to (lie up for) winter, hibernate.
***hocher** [ɔʃe] *vt* to shake, nod.
hoirie [wari] *nf* succession, inheritance.
***hollandais** [ɔlɑ̃dɛ] *a nm* Dutch; *n* Dutchman, Dutchwoman.
***Hollande** [ɔlɑ̃ːd] *nf* Holland.
holocauste [ɔlɔkɔst] *nm* holocaust, sacrifice.
***homard** [ɔmaːr] *nm* lobster.
homicide [ɔmisid] *a* homicidal; *n* homicide; *nm* homicide (crime).
hommage [ɔmaːʒ] *nm* tribute, token of esteem; *pl* respects.
hommasse [ɔmas] *a* masculine, mannish.
homme [ɔm] *nm* man, mankind, husband
homogène [ɔmɔʒɛn] *a* homogeneous.
homologuer [ɔmɔlɔge] *vt* to confirm, endorse, ratify, prove, record.
homonyme [ɔmɔnim] *nm* homonym, namesake.
homosexuel [ɔmɔsɛksɥɛl] *a* homosexual.
***Hongrie** [ɔ̃gri] *nf* Hungary.
***hongrois** [ɔ̃grwa] *a nm* Hungarian.
honnête [ɔnɛt] *a* honest upright decent, well-bred, seemly, reasonable.
honnêteté [ɔnɛtte] *nf* honesty, uprightness, decency, courtesy.
honneur [ɔnœːr] *nm* honour, credit; **faire — à** to honour, meet.
honorable [ɔnɔrabl] *a* honourable, respectable.
honoraire [ɔnɔrɛːr] *a* honorary; *nm pl* fees, honorarium.
honorer [ɔnɔre] *vt* to honour, respect, favour, do credit to.
honorifique [ɔnɔrifik] *a* honorary, honorific.

***honte** [ɔ̃:t] *nf* shame, disgrace, scandal; **avoir** — to be ashamed; **faire** — **à** to put to shame, disgrace.
***honteux, -euse** [ɔ̃tø, ø:z] *a* ashamed, shamefaced, bashful, disgraceful.
hôpital [ɔpital] *nm* hospital, infirmary.
***hoquet** [ɔkɛ] *nm* hiccup, gasp.
horaire [ɔrɛ:r] *nm* timetable.
***horde** [ɔrd] *nf* horde.
horizon [ɔrizɔ̃] *nm* horizon.
horizontal [ɔrizɔ̃tal] *a* horizontal.
horloge [ɔrlɔ:ʒ] *nf* clock.
horloger [ɔrlɔʒe] *nm* clock and watchmaker.
horlogerie [ɔrlɔʒri] *nf* clock and watchmaking, clockwork.
***hormis** [ɔrmi] *prep* except, but, save.
hormone [ɔrmɔn] *nf* hormone.
horreur [ɔrrœ:r] *nf* horror, abhorrence; *pl* horrid things, atrocities.
horrible [ɔrribl] *a* horrid, frightful.
horrifier [ɔrrifje] *vt* to horrify.
horrifique [ɔrrifik] *a* horrific, hair-raising.
horripilant [orripilɑ̃] *a* hair-raising.
horripiler [ɔrripile] *vt* to make someone's flesh creep, irritate.
***hors** [ɔ:r] *prep* out of, outside, except, all but; — **de** out(side) of; — **de combat** out of action, disabled; **être** — **de soi** to be beside oneself.
***hors-bord** [ɔrbɔ:r] *nm* outboard motor boat.
***hors-d'œuvre** [ɔrdø:vr] *nm* extraneous matter, hors-d'œuvre.
hortensia [ɔrtɑ̃sja] *nm* hydrangea.
horticole [ɔrtikɔl] *a* horticultural, flower-.
horticulteur [ɔrtikyltœ:r] *nm* horticulturist.
horticulture [ɔrtikylty:r] *nf* horticulture.
hospice [ɔspis] *nm* hospice, home, asylum, poorhouse.
hospitalier, -ière [ɔspitalje, jɛ:r] *a* hospitable.
hospitaliser [ɔspitalize] *vt* to send, admit to a hospital, a poorhouse.
hospitalité [ɔspitalite] *nf* hospitality.
hostie [ɔsti] *nf* (Eucharistic) host.
hostile [ɔstil] *a* adverse, inimical, unfriendly.
hostilité [ɔstilite] *nf* hostility, enmity.
hôte, -esse [o:t, otɛs] *n* host, hostess, landlord, landlady, guest, visitor, inmate, dweller.
hôtel [otɛl] *nm* hotel, mansion, townhouse; — **de ville** town hall; — **des postes** general post office; — **des ventes** auction rooms; — **meublé, garni** lodging house, furnished apartments.
hôtel-Dieu [otɛldjø] *nm* hospital.
hôtelier, -ière [otəlje, jɛ:r] *n* hotelkeeper, landlord.
hôtellerie [otɛlri] *nf* inn, restaurant, hotel trade.
***hotte** [ɔt] *nf* basket (carried on back), hod.
***houblon** [ublɔ̃] *nm* (*bot*) hop(s).
***houblonnière** [ublɔnjɛ:r] *nf* hop-field.
***houe** [u] *nf* hoe.
***houille** [u:j] *nf* coal; — **blanche** hydro-electric power.
***houiller, -ère** [uje, jɛ:r] *a* coal (bearing).
***houillère** [ujɛ:r] *nf* coalmine, pit, colliery.
***houle** [ul] *nf* swell, surge, hearing.
***houlette** [ulɛt] *nf* crook (*shepherd's, of umbrella*), crozier, trowel.
***houleux, -euse** [ulø, ø:z] *a* stormy, surging.
***houppe** [up] *nf* tuft, bunch, crest, powder-puff.
***houppé** [upe] *a* tufted, crested.
***houppette** [upɛt] *nf* small tuft, powder-puff.
***houspiller** [uspije] *vt* to hustle, jostle, maul, abuse.
***housse** [us] *nf* cover(ing), dust-sheet, horse-cloth.
***houx** [u] *nm* holly.
***hoyau** [wajo] *nm* hoe.
***hublot** [yblo] *nm* scuttle, porthole.
***huche** [yʃ] *nf* trough, bin.
***hue** [y] *excl* gee-up!
***huée** [ye] *nf* boo(ing), hoot(ing), jeer(ing).
***huer** [ye] *vi* to shout, whoop; *vt* to boo, hoot.
huile [ɥil] *nf* oil; — **de copra** coconut oil.
huiler [ɥile] *vt* to oil.
huileux, -euse [ɥilø, ø:z] *a* oily, greasy.
huilier [ɥilje] *nm* oilcan, oil and vinegar cruet.
huis [ɥi] *nm* **à** — **clos** in camera, behind closed doors.
huissier [ɥisje] *nm* usher, bailiff, sheriff's officer.
***huit** [ɥit] *a* eight; — **jours** week; **d'aujourd'hui en** — this day week; **donner ses** — **jours** to give a week's notice; *nm* eight, eighth.
***huitaine** [ɥitɛn] *nf* (about) eight, week.
***huitième** [ɥitjɛm] *a nm* eighth.
huître [ɥi:tr] *nf* oyster.
humain [ymɛ̃] *a* human, humane.
humaniser [ymanize] *vt* to humanize; *vr* to become more humane.
humanitaire [ymanitɛ:r] *a* humanitarian, humane.
humanité [ymanite] *nf* humanity.
humble [œ̃:bl] *a* humble, lowly.
humecter [ymɛkte] *vt* to moisten, damp, wet.
***humer** [yme] *vt* to suck in, (up), breathe in, sniff.
humeur [ymœ:r] *nf* humour, mood, temper, ill-humour.
humide [ymid] *a* damp, humid, moist, wet.
humidité [ymidite] *nf* damp(ness),

humidity, moisture, moistness; **craint l'—** to be kept dry.
humiliation [ymiljasjɔ̃] *nf* affront.
humilier [ymilje] *vt* to humiliate, humble.
humilité [ymilite] *nf* humility, humbleness.
humoriste [ymɔrist] *a* humorous; *nm* humorist.
humoristique [ymɔristik] *a* humorous.
humour [ymu:r] *nm* humour.
***hune** [yn] *nf* top; **— de vigie** crow's nest.
***hunier** [ynje] *nm* topsail.
***huppe** [yp] *nf* tuft, crest.
***huppé** [ype] *a* tufted, crested, (*fam*) well-dressed.
***hure** [y:r] *nf* head, brawn, potted head.
***hurlement** [yrləmɑ̃] *nm* howl(ing), yell(ing).
***hurler** [yrle] *vi* to howl, yell, roar; *vt* to bawl out.
***hutte** [yt] *nf* hut, shed.
hybride [ibrid] *a nm* hybrid.
hydrate [idrat] *nm* hydrate.
hydraulique [idrɔlik] *a* hydraulic, water-; *nf* hydraulics.
hydravion [idravjɔ̃] *nm* sea-plane.
hydrogène [idrɔʒɛn] *nm* hydrogen; **bombe à —** hydrogen bomb.
hydroglisseur [idrɔglisœ:r] *nm* speed-boat.
hydrophile [idrɔfil] *a* absorbent.
hydrophobie [idrɔfɔbi] *nf* hydrophobia, rabies.
hydropisie [idrɔpizi] *nf* dropsy.
hyène [jɛn] *nf* hyena.
hygiène [iʒjɛn] *nf* hygiene, health, sanitation.
hygiénique [iʒjenik] *a* hygienic, healthy, sanitary; **papier —** toilet paper.
hymne [im(n)] *nm* song, (national) anthem; *nf* hymn.
hyperbole [ipɛrbɔl] *nf* hyperbole, exaggeration.
hypnose [ipno:z] *nf* hypnosis, trance.
hypnotiser [ipnɔtize] *vt* to hypnotize.
hypnotisme [ipnɔtism] *nm* hypnotism.
hypocondriaque [ipɔkɔ̃driak] *an* hypochondriac.
hypocrisie [ipɔkrizi] *nf* hypocrisy, cant.
hypocrite [ipɔkrit] *a* hypocritical; *n* hypocrite.
hypodermique [ipɔdɛrmik] *a* hypodermic.
hypothécaire [ipɔtekɛ:r] *a* mortgage; *nm* mortgagee.
hypothèque [ipɔtɛk] *nf* mortgage.
hypothéquer [ipɔteke] *vt* to mortgage.
hypothèse [ipɔtɛ:z] *nf* hypothesis, assumption.
hystérie [isteri] *nf* hysteria.
hystérique [isterik] *a* hysteric(al).

I

ici [isi] *ad* here, now; **par —** this way; **d'— huit jours** a week today; **d'— là** between now and then; **d'— peu** before long; **jusqu'—** hitherto, as far as this; **— bas** here below.
iconoclaste [ikɔnɔklast] *a* iconoclastic; *nm* iconoclast.
idéal [ideal] *a nm* ideal.
idéaliser [idealize] *vt* to idealize.
idéalisme [idealism] *nm* idealism.
idéaliste [idealist] *a* idealistic; *n* idealist.
idée [ide] *nf* idea, thought, notion, fancy, mind; **il lui est venu à l'— que** it occurred to him that; **— fixe** obsession.
identification [idɑ̃tifikasjɔ̃] *nf* identification.
identifier [idɑ̃tifje] *vt* to identify.
identique [idɑ̃tik] *a* identical.
identité [idɑ̃tite] *nf* identity.
idéologie [ideɔlɔʒi] *nf* ideology.
idéologue [ideɔlɔg] *a* ideological; *nm* ideologue.
idiomatique [idjɔmatik] *a* idiomatic.
idiome [idjɔm] *nm* language, idiom.
idiosyncrasie [idjɔsɛ̃krasi] *nf* idiosyncrasy.
idiot [idjo] *a* idiot(ic), senseless; *n* idiot, silly ass.
idiotie [idjɔsi] *nf* idiocy, imbecility, stupidity.
idiotisme [idjɔtism] *nm* idiom, idiomatic expression, idiocy.
idolâtre [idɔlɑ:tr] *a* idolatrous; *n* idolater, idolatress.
idolâtrer [idɔlatre] *vt* to idolize, worship.
idolâtrie [idɔlatri] *nf* idolatry.
idole [idɔl] *nf* idol, image, god.
idylle [idil] *nf* idyll.
idyllique [idilik] *a* idyllic.
if [if] *nm* yew(tree).
igname [iɲam] *nf* yam.
ignare [iɲa:r] *a* ignorant, uneducated; *n* ignoramus.
ignoble [iɲɔbl] *a* vile, base.
ignominie [iɲɔmini] *nf* ignominy, shame.
ignominieux, -euse [iɲɔminjø, ø:z] *a* ignominious, disgraceful.
ignorance [iɲɔrɑ̃:s] *nf* ignorance.
ignorant [iɲɔrɑ̃] *a* ignorant; *n* ignoramus.
ignorer [iɲɔre] *vt* to be ignorant of, not to know, to be unaware of.
il, ils [il] *pn* he, it, they, there.
île [il, i:l] *nf* island, isle.
illégal [illɛgal] *a* illegal.
illégalité [illɛgalite] *nf* illegality, unlawfulness.
illégitime [illeʒitim] *a* illegitimate, unlawful, unreasonable.
illégitimité [illeʒitimite] *nf* illegitimacy, unlawfulness.
illettré [illɛtre] *a* illiterate, uneducated.
illicite [illisit] *a* illicit, unlawful.

illimité [illimite] *a* unlimited, boundless.
illisibilité [illizibilite] *nf* illegibility.
illisible [illizibl] *a* illegible, unreadable.
illogique [illoʒik] *a* illogical, inconsistent.
illogisme [illɔʒism] *nm* illogicality, inconsistency.
illumination [illyminasjɔ̃] *nf* illumination, lighting, understanding; *pl* lights, illuminations.
illuminer [illymine] *vt* to illuminate, enlighten, throw light on.
illusion [illyzjɔ̃] *nf* illusion, delusion.
illusionniste [illyzjɔnist] *n* illusionist, conjurer.
illusoire [illyzwaːr] *a* illusory.
illustration [illystrasjɔ̃] *nf* illustrating, illustration.
illustre [illystr] *a* illustrated, made famous, renowned.
illustré [illystre] *nm* picture-paper, illustrated newspaper.
illustrer [illystre] *vt* to make famous, illustrate; *vr* to win renown
îlot [ilo] *nm* islet.
image [imaːʒ] *nf* image, picture, likeness, simile, metaphor, reflection; **faire** — to be vivid.
imagé [imaʒe] *a* full of imagery, picturesque.
imaginaire [imaʒinɛːr] *a* imaginary.
imagination [imaʒinasjɔ̃] *nf* imagination, fancy, invention.
imaginer [imaʒine] *vtr* to imagine, fancy, picture; *vt* invent, devise.
imbattable [ɛ̃batabl] *a* unbeatable, invincible.
imbécile [ɛ̃besil] *a* imbecile, half-witted, silly; *n* fool, half-wit.
imbécilité [ɛ̃besilite] *nf* imbecility, silliness.
imberbe [ɛ̃bɛrb] *a* beardless.
imbiber [ɛ̃bibe] *vt* to imbibe, absorb, soak, impregnate, steep; *vr* to become absorbed, soak in, absorb.
imbrisable [ɛ̃brizabl] *a* unbreakable.
imbu [ɛ̃by] *a* soaked, steeped (**de** in).
imbuvable [ɛ̃byvabl] *a* undrinkable; (*of person*) unbearable.
imitateur, -trice [imitatœːr, tris] *a* imitative; *n* imitator.
imitation [imitasjɔ̃] *nf* copy, copying, mimicking, impersonation.
imiter [imite] *vt* to imitate, copy, mimic.
immaculé [imakyle] *a* immaculate, pure, spotless.
immangeable [imɑ̃nʒabl] *a* uneatable.
immanquablement [imɑ̃kabləmɑ̃] *ad* inevitably, without fail.
immatériel, -elle [immaterjɛl] *a* immaterial, incorporeal.
immatriculation [immatrikylasjɔ̃] *nf* matriculation, enrolling, registration; **plaque d'—** number plate.
immatriculer [immatrikyle] *vtr* to register, enrol, matriculate.
immaturité [immatyrite] *nf* immaturity.
immédiat [immedja] *a* immediate, direct, urgent.
immémorial [immemɔrjal] *a* immemorial.
immense [immɑ̃ːs] *a* immense, vast, huge.
immensité [immɑ̃site] *nf* vastness.
immerger [imɛrʒe] *vt* to immerse, plunge, dip.
immérité [immerite] *a* unmerited, undeserved.
immersion [immɛrsjɔ̃] *nf* immersion, dipping, submersion.
immeuble [immœbl] *a* real, fixed; *nm* real estate, house, tenement, premises.
immigrant [immigrɑ̃] *an* immigrant.
immigré [immigre] *n* immigrant, settler.
imminence [imminɑ̃ːs] *nf* imminence.
imminent [imminɑ̃] *a* imminent.
immiscer [immise] *vt* to mix up, involve; *vr* to get involved, interfere.
immixtion [immiksjɔ̃] *nf* interference.
immobile [immɔbil] *a* motionless, still, immovable.
immobilier, -ière [immɔbilje, jɛːr] *a* real (*estate*), building (*society*).
immobiliser [immɔbilize] *vt* to immobilize, tie up, convert into real estate.
immobilité [immɔbilite] *nf* immobility.
immodéré [immɔdere] *a* immoderate, excessive.
immodeste [immɔdɛst] *a* immodest, shameless.
immoler [immɔle] *vt* to sacrifice, immolate.
immonde [immɔ̃ːd] *a* filthy, foul.
immondices [immɔ̃dis] *nf pl* dirt, refuse, filth.
immoral [immɔral] *a* immoral.
immoralité [immɔralite] *nf* immorality, immoral act.
immortaliser [immɔrtalize] *vt* to immortalize.
immortalité [immɔrtalite] *nf* immortality.
immortel, -elle [immɔrtɛl] *a* immortal, undying.
immuable [immɥabl] *a* unalterable, unchanging.
immuniser [immynize] *vt* to immunize.
immunité [immynite] *nf* immunity.
immutabilité [immytabilite] *nf* immutability.
impact [ɛ̃pakt] *nm* impact.
impair [ɛ̃pɛːr] *a* odd, uneven; *nm* blunder, bloomer.
impalpable [ɛ̃palpabl] *a* intangible.
impardonnable [ɛ̃pardɔnabl] *a* unpardonable, unforgivable.
imparfait [ɛ̃parfɛ] *a* imperfect, defective, incomplete.

impartial [ɛ̃parsjal] *a* impartial, unprejudiced.
impassable [ɛ̃pasabl] *a* impassable, unfordable.
impasse [ɛ̃pɑːs] *nf* blind-alley, dilemma, fix, deadlock, (*cards*) finesse.
impassibilité [ɛ̃pasibilite] *nf* impassiveness.
impassible [ɛ̃pasibl] *a* impassive, unmoved, callous.
impatience [ɛ̃pasjɑ̃ːs] *nf* impatience, eagerness.
impatient [ɛ̃pasjɑ̃] *a* impatient, anxious, eager.
impatienter [ɛ̃pasjɑ̃te] *vt* to make impatient; *vr* to lose patience.
impayable [ɛ̃pɛjabl] *a* invaluable, priceless, terribly funny.
impeccable [ɛ̃pɛkabl] *a* faultless, flawless.
impécunieux [ɛ̃pekynjø] *a* impecunious.
impénétrable [ɛ̃penɛtrabl] *a* impenetrable, impervious, inscrutable.
impénitence [ɛ̃penitɑ̃ːs] *nf* impenitence, obduracy.
impénitent [ɛ̃penitɑ̃] *a* obdurate, unrepentant.
impératif, -ive [ɛ̃pɛratif, iːv] *a* imperative, imperious; *nm* imperative.
impératrice [ɛ̃pɛratris] *nf* empress.
imperceptible [ɛ̃pɛrsɛptibl] *a* imperceptible, inaudible.
imperfection [ɛ̃perfɛksjɔ̃] *nf* imperfection, defectiveness, incompleteness, flaw.
impérial [ɛ̃perjal] *a* imperial.
impériale [ɛ̃perjal] *nf* top-deck, top, imperial, double-decker bus.
impérialisme [ɛ̃perjalism] *nm* imperialism.
impérieux [ɛ̃perjø, øːz] *a* imperious, peremptory, domineering, urgent.
impérissable [ɛ̃perisabl] *a* imperishable.
imperméabiliser [ɛ̃pɛrmeabilize] *vt* to proof, make waterproof.
imperméable [ɛ̃pɛrmeabl] *a* impervious; *nm* waterproof.
impersonnel, -elle [ɛ̃pɛrsɔnɛl] *a* impersonal.
impertinence [ɛ̃pɛrtinɑ̃ːs] *nf* impertinence.
impertinent [ɛ̃pɛrtinɑ̃] *a* impertinent, rude.
imperturbable [ɛ̃pɛrtyrbabl] *a* cool, calm and collected.
impétueux [ɛ̃petɥø, -øːz] *a* impetuous, impulsive.
impétuosité [ɛ̃petɥozite] *nf* impetuosity, impulsiveness.
impie [ɛ̃pi] *a* impious, blasphemous.
impiété [ɛ̃pjete] *nf* impiety, ungodliness, blasphemy.
impitoyable [ɛ̃pitwajabl] *a* pitiless, ruthless.
implacabilité [ɛ̃plakabilite] *nf* implacability, relentlessness.
implacable [ɛ̃plakabl] *a* implacable, relentless.
implanter [ɛ̃plɑ̃te] *vt* to plant, implant; *vr* to take root, take hold.
implicite [ɛ̃plisit] *a* implicit, absolute.
impliquer [ɛ̃plike] *vt* to implicate, involve.
implorer [ɛ̃plɔre] *vt* to implore, entreat, beseech.
impoli [ɛ̃pɔli] *a* impolite, unmannerly.
impolitesse [ɛ̃pɔlitɛs] *nf* unmannerliness, rude act, word.
impolitique [ɛ̃pɔlitik] *a* impolitic, ill-advised.
impondérable [ɛ̃pɔ̃dɛrabl] *a* imponderable.
impopulaire [ɛ̃pɔpylɛːr] *a* unpopular.
impopularité [ɛ̃pɔpylarite] *nf* unpopularity.
importance [ɛ̃pɔrtɑ̃ːs] *nf* importance, moment, magnitude.
important [ɛ̃pɔrtɑ̃] *a* important, large, extensive, considerable, self-important; *nm* the main thing.
importateur, -trice [ɛ̃pɔrtatœːr, tris] *a* importing; *n* importer.
importation [ɛ̃pɔrtasjɔ̃] *nf* importing, import.
importer [ɛ̃pɔrte] *vt* to import; *vi* to be important, matter; **n'importe** never mind, it does not matter; **n'importe qui, quoi, comment, quand** anyone, anything, anyhow, anytime.
importun [ɛ̃pɔrtœ̃] *a* importunate, tiresome, unwelcome; *n* intruder, nuisance.
importuner [ɛ̃pɔrtyne] *vt* to importune, bother, trouble, dun.
importunité [ɛ̃pɔrtynite] *nf* importunity.
imposable [ɛ̃pozabl] *a* taxable, ratable, assessable.
imposant [ɛ̃pozɑ̃] *a* imposing, impressive.
imposé [ɛ̃poze] *n* ratepayer, taxpayer.
imposer [ɛ̃poze] *vt* to impose, set, prescribe, enforce, tax, rate; *vi* to command respect; *vr* to assert oneself, force oneself, itself (upon), be imperative; **en — à** to impose upon, take in, overawe.
imposition [ɛ̃pɔzisjɔ̃] *nf* imposition, imposing, setting, prescribing, taxation, rates.
impossibilité [ɛ̃pɔsibilite] *nf* impossibility.
impossible [ɛ̃pɔsibl] *a* impossible.
imposteur [ɛ̃pɔstœːr] *nm* imposter, hypocrite.
imposture [ɛ̃pɔstyːr] *nf* imposture, sham, swindle.
impôt [ɛ̃po] *nm* tax, duty; **frapper d'un —** to tax.
impotence [ɛ̃pɔtɑ̃ːs] *nf* helplessness, infirmity.

impotent [ɛ̃pɔtɑ̃] *a* infirm, helpless, crippled; *n* cripple, invalid.
impracticable [ɛ̃pratikabl] *a* impracticable, unfeasible, (*road*) impassable.
imprécation [ɛ̃prɛkasjɔ̃] *nf* imprecation, curse.
imprécis [ɛ̃presi] *a* vague, inaccurate.
imprécision [ɛ̃presizjɔ̃] *nf* vagueness, inaccuracy.
imprégner [ɛ̃preɲe] *vt* to impregnate, saturate; *vr* to become saturated, soak up.
imprenable [ɛ̃prənabl] *a* impregnable.
impression [ɛ̃prɛsjɔ̃] *nf* impression, stamp(ing), print(ing).
impressionnable [ɛ̃prɛsjɔnabl] *a* impressionable, nervous, sensitive.
impressionnant [ɛ̃prɛsjɔnɑ̃] *a* impressive.
impressionner [ɛ̃prɛsjɔne] *vt* to impress, make an impression on, move; *vr* to be moved, get nervous.
impressionisme [ɛ̃prɛsjɔnism] *nm* impressionism.
imprévoyable [ɛ̃prevwajabl] *a* unforeseeable.
imprévoyance [ɛ̃prevwajɑ̃:s] *n* lack of foresight.
imprévoyant [ɛ̃prevwajɑ̃] *a* shortsighted, improvident.
imprévu [ɛ̃prevy] *a* unforeseen, unexpected; *nm* unexpected, emergency.
imprimé [ɛ̃prime] *nm* printed matter, paper, form, leaflet; **envoyer en** — to send by book-post.
imprimer [ɛ̃prime] *vt* to (im)print, impress, stamp.
imprimerie [ɛ̃primri] *nf* printing, printing house, press.
imprimeur [ɛ̃primœ:r] *nm* printer.
improbabilité [ɛ̃prɔbabilite] *nf* improbability, unlikelihood.
improbable [ɛ̃prɔbabl] *a* improbable, unlikely.
improbité [ɛ̃prɔbite] *nf* dishonesty.
improductif, -ive [ɛ̃prɔdyktif, i:v] *a* unproductive.
impromptu [ɛ̃prɔ̃(p)ty] *a* extempore; *ad* without preparation; *nm* impromptu.
impropriété [ɛ̃prɔpriete] *nf* impropriety, unsuitableness, incorrectness.
improvisation [ɛ̃prɔvizasjɔ̃] *nf* improvisation, extemporization.
improvisé [ɛ̃prɔvize] *a* improvised, extempore, makeshift.
improviser [ɛ̃prɔvize] *vt* to improvise, put together, make up; *vi* to speak extempore.
improviste (à l') [alɛ̃prɔvist] *ad* unexpected(ly).
imprudence [ɛ̃prydɑ̃:s] *nf* rashness, indiscretion.
impudence [ɛ̃pydɑ̃:s] *nf* insolence, (piece of) impudence.
impudent [ɛ̃pydɑ̃] *a* impudent, insolent, shameless.
impudicité [ɛ̃pydisite] *nf* lewdness, immodesty.
impudique [ɛ̃pydik] *a* lewd, immodest, unchaste.
impuissance [ɛ̃pɥisɑ̃:s] *nf* helplessness, powerlessness, impotence.
impuissant [ɛ̃pɥisɑ̃] *a* helpless, powerless, impotence, futile.
impulsif, -ive [ɛ̃pylsif, i:v] *a* impulsive.
impulsion [ɛ̃pylsjɔ̃] *nf* impulse, impetus.
impunément [ɛ̃pynemɑ̃] *ad* with impunity.
impunité [ɛ̃pynite] *nf* impunity.
impur [ɛ̃py:r] *a* impure, unchaste, unclean, foul.
impureté [ɛ̃pyrte] *nf* impurity, foulness.
imputable [ɛ̃pytabl] *a* imputable, attributable, chargeable.
imputation [ɛ̃pytasjɔ̃] *nf* imputation, charge, attribution.
imputer [ɛ̃pyte] *vt* to impute, ascribe, charge.
inabordable [inabɔrdabl] *a* inaccessible, prohibitive.
inacceptable [inakseptabl] *a* unacceptable.
inaccessible [inaksɛsibl] *a* inaccessible, unapproachable.
inaccoutumé [inakutyme] *a* unaccustomed, unusual, unwonted.
inachevé [inaʃve] *a* unfinished, incomplete.
inactif, -ive [inaktif, i:v] *a* inactive, inert.
inaction [inaksjɔ̃] *nf* inaction, inertia.
inactivité [inaktivite] *nf* inactivity, inertness.
inadmissible [inadmisibl] *a* inadmissible, who has failed in written examination.
inadvertance [inadvɛrtɑ̃:s] *nf* inadvertance, oversight, mistake.
inadvertant [inadvɛrtɑ̃] *a* careless.
inaliénable [inaljenabl] *a* inalienable, untransferable.
inaltérable [inalterabl] *a* unalterable, unfailing.
inamovible [inamɔvibl] *a* irremovable, fixed, held for life.
inanimé [inanime] *a* lifeless, inanimate, unconscious.
inanité [inanite] *nf* inanity, inane remark.
inanition [inanisjɔ̃] *nf* starvation, inanition.
inaperçu [inapɛrsy] *a* unnoticed, unseen.
inapparent [inaparɑ̃] *a* unapparent.
inapplication [inaplikasjɔ̃] *nf* lack of diligence, of assiduity.
inappliqué [inaplike] *a* inattentive, careless, unapplied.
inappréciable [inapresjabl] *a* inappreciable, not perceptible, invaluable.

inapprivoisé [inaprivwaze] *a* untamed, wild.
inapte [inapt] *a* unfit, unsuited, inapt, unemployable
inaptitude [inaptityd] *nf* unfitness.
inarticulé [inartikyle] *a* inarticulate, not jointed.
inassouvi [inasuvi] *a* unappeased, unsatisfied.
inassouvissable [inasuvisabl] *a* insatiable.
inattaquable [inatakabl] *a* unassailable, unquestionable.
inattendu [inatɑ̃dy] *a* unexpected, unlooked for.
inattentif, -ive [inatɑ̃tif, i:v] *a* inattentive, careless, unobservant.
inattention [inatɑ̃sjɔ̃] *nf* inattention, carelessness.
inaugural [inogyral] *a* inaugural, opening.
inauguration [inogyrasjɔ̃] *nf* opening, unveiling.
inaugurer [inogyre] *vt* to inaugurate, open, unveil.
inavouable [inavwabl] *a* shameful, foul, low.
incalculable [ɛ̃kalkylabl] *a* incalculable, countless.
incandescence [ɛ̃kɑ̃dɛssɑ̃:s] *nf* white heat.
incantation [ɛ̃kɑ̃tasjɔ̃] *nf* incantation.
incapable [ɛ̃kapabl] *a* inefficient, unfit, unable.
incapacité [ɛ̃kapasite] *nf* incapacity, inefficiency, inability, disablement.
incarcérer [ɛ̃karsere] *vt* to incarcerate, imprison.
incarnadin [ɛ̃karnadɛ̃] *a* incarnadine, rosy, pink.
incarnat [ɛ̃karna] *a* rosy, pink, flesh coloured; *nm* rosiness, rosy hue.
incarnation [ɛ̃karnasjɔ̃] *nf* embodiment.
incarné [ɛ̃karne] *a* incarnate, ingrowing.
incarner [ɛ̃karne] *vt* to incarnate, embody, be the incarnation of.
incartade [ɛ̃kartad] *nf* outburst, tirade, prank.
incendiaire [ɛ̃sɑ̃djɛ:r] *a* incendiary, inflammatory; *n* incendiary.
incendie [ɛ̃sɑ̃di] *nm* fire, conflagration, burning; **échelle à** — fire-escape; **pompe à** — fire-engine; **poste d'**— fire-station.
incendier [ɛ̃sɑ̃dje] *vt* to set on fire, burn down.
incertain [ɛ̃sɛrtɛ̃] *a* uncertain, doubtful, unreliable.
incertitude [ɛ̃sɛrtityd] *nf* uncertainty, doubt.
incessamment [ɛ̃sɛsamɑ̃] *ad* immediately.
incessant [ɛ̃sɛsɑ̃] *a* unceasing, ceaseless.
inceste [ɛ̃sɛst] *nm* incest.
incestueux, -euse [ɛ̃sɛstɥø, ø:z] *a* incestuous.
incidence [ɛ̃sidɑ̃:s] *nf* incidence.
incident [ɛ̃sidɑ̃] *a* parenthetical, incidental; *nm* incident, occurrence.
incinérateur [ɛ̃sinɛratœ:r] *nm* incinerator.
incinérer [ɛ̃sinere] *vt* to incinerate, cremate.
incisif [ɛ̃sisif] *a* incisive.
incision [ɛ̃sizjɔ̃] *nf* incision, cutting, lancing, tapping.
inciter [ɛ̃site] *vt* to incite, urge.
incivilisé [ɛ̃sivilize] *a* uncivilized.
incivilité [ɛ̃sivilite] *nf* incivility, (piece of) rudeness.
inclassable [ɛ̃klɑsabl] *a* unclassifiable, nondescript.
inclémence [ɛ̃klɛmɑ̃:s] *nf* inclemency
inclinaison [ɛ̃klinɛzɔ̃] *nf* inclination, incline, gradient, tilt, slope.
inclination [ɛ̃klinasjɔ̃] *nf* inclination, bending, bow, nod, bent.
incliner [ɛ̃kline] *vt* to incline, slope, bow, tilt, dip, predispose; *vi* to be predisposed, inclined; *vr* to slope, slant, bow, give way.
inclure [ɛ̃kly:r] *vt* to enclose.
inclus [ɛ̃kly] *a* including.
inclusif, -ive [ɛ̃klyzif, i:v] *a* inclusive.
inclusion [ɛ̃klyzjɔ̃] *nf* inclusion, enclosing.
incohérence [ɛ̃kɔɛrɑ̃:s] *nf* incoherence, disjointedness
incohérent [ɛ̃kɔɛrɑ̃] *a* incoherent, disjointed.
incolore [ɛ̃kɔlɔ:r] *a* colourless.
incomber [ɛ̃kɔ̃be] *vi* to fall, devolve, be incumbent.
incombustible [ɛ̃kɔ̃bystibl] *a* incombustible, uninflammable.
incomestible [ɛ̃kɔmɛstibl] *a* inedible.
incommensurable [ɛ̃kɔm(m)ɑ̃syrabl] *a* incommensurable, incommensurate, immeasurable.
incommode [ɛ̃kɔmɔd] *a* inconvenient, uncomfortable, awkward, tiresome.
incommoder [ɛ̃kɔmɔde] *vt* to inconvenience, upset, disagree with.
incommodité [ɛ̃kɔmɔdite] *nf* inconvenience, discomfort.
incomparable [ɛ̃kɔ̃parabl] *a* incomparable, matchless.
incompatible [ɛ̃kɔ̃patibl] *a* incompatible.
incompétence [ɛ̃kɔ̃pɛtɑ̃:s] *nf* incompetence, inefficiency.
incompétent [ɛ̃kɔ̃pɛtɑ̃] *a* incompetent, inefficient, unqualified.
incompréhensible [ɛ̃kɔ̃preɑ̃sibl] *a* incomprehensible.
incompréhension [ɛ̃kɔ̃preɑ̃sjɔ̃] *nf* obtuseness, want of understanding.
incompris [ɛ̃kɔ̃pri] *a* misunderstood, not appreciated.
inconcevable [ɛ̃kɔ̃s(ə)vabl] *a* inconceivable, unthinkable.
inconciliable [ɛ̃kɔ̃siljabl] *a* irreconcilable, incompatible.

inconduite [ɛ̃kɔ̃dɥit] *nf* bad living, misconduct.

incongru [ɛ̃kɔ̃gry] *a* incongruous, unseemly, stupid.

incongruité [ɛ̃kɔ̃gryite] *nf* incongruity, unseemliness, stupid remark.

inconnu [ɛ̃kɔny] *a* unknown; *n* stranger, unknown person; *nm* (the) unknown.

inconscience [ɛ̃kɔ̃sjɑ̃:s] *nf* unconsciousness, want of principle.

inconscient [ɛ̃kɔ̃sjɑ̃] *a* unconscious, unaware; *nm* subconscious mind.

inconséquent [ɛ̃kɔ̃sekɑ̃] *a* inconsistent, irresponsible, illogical.

inconsidéré [ɛ̃kɔ̃sidere] *a* inconsiderate, thoughtless, heedless.

inconsistant [ɛ̃kɔ̃sistɑ̃] *a* soft, flabby.

inconsolable [ɛ̃kɔ̃sɔlabl] *a* inconsolable.

inconstance [ɛ̃kɔ̃stɑ̃:s] *nf* inconstancy, fickleness, changeableness.

inconstant [ɛ̃kɔ̃stɑ̃] *a* inconstant, fickle, changeable.

incontestable [ɛ̃kɔ̃testabl] *a* indisputable, beyond question.

incontesté [ɛ̃kɔ̃teste] *a* undisputed.

incontinent [ɛ̃kɔ̃tinɑ̃] *a* incontinent; *ad* straightway, forthwith.

incontrôlable [ɛ̃kɔ̃trolabl] *a* not verifiable, unable to be checked.

inconvenance [ɛ̃kɔvnɑ̃:s] *nf* unsuitability, impropriety, unseemliness, improper act or word.

inconvenant [ɛ̃kɔ̃vnɑ̃] *a* improper, unseemly.

inconvénient [ɛ̃kɔvenjɑ̃] *nm* disadvantage, drawback, objection.

incorporer [ɛ̃kɔrpɔre] *vt* to incorporate, embody.

incorrect [ɛ̃kɔr(r)ɛkt] *a* wrong, ill-mannered.

incorrection [ɛ̃kɔr(r)ɛksjɔ̃] *nf* incorrectness, inaccuracy, ill-bred act.

incorrigible [ɛ̃kɔr(r)iʒibl] *a* incorrigible, hopeless.

incorruptible [ɛ̃kɔr(r)yptibl] *a* incorruptible.

incrédibilité [ɛ̃kredibilite] *nf* incredibility.

incrédule [ɛ̃kredyl] *a* incredulous; *n* unbeliever.

incrédulité [ɛ̃kredylite] *nf* incredulity.

incriminer [ɛ̃krimine] *vt* to incriminate, accuse.

incroyable [ɛ̃krwajabl] *a* incredible, unbelievable.

incroyant [ɛ̃krwajɑ̃] *a* unbelieving; *n* unbeliever.

incrustation [ɛ̃krystasjɔ̃] *nf* incrustation, inlaying, inlaid work, furring.

incruster [ɛ̃kryste] *vt* to incrust, fur, inlay; *vr* to become incrusted, furred up.

incubation [ɛ̃kybasjɔ̃] *nf* incubation, hatching.

inculpable [ɛ̃kylpabl] *a* chargeable, indictable.

inculpation [ɛ̃kylpasjɔ̃] *nf* charge, indictment.

inculpé [ɛ̃kylpe] *n* accused, defendant.

inculper [ɛ̃kylpe] *vt* to charge, indict.

inculquer [ɛ̃kylke] *vt* to inculcate, instil.

inculte [ɛ̃kylt] *a* uncultivated, wild, uncultured.

incurable [ɛ̃kyrabl] *a* incurable.

incurie [ɛ̃kyri] *nf* carelessness, negligence.

incuriosité [ɛ̃kyrjɔzite] *nf* want of curiosity.

incursion [ɛ̃kyrsjɔ̃] *nf* inroad, raid

Inde [ɛ̃:d] *nf* India; *pl* Indies.

indébrouillable [ɛ̃debrujabl] *a* tangled, inextricable.

indécence [ɛ̃desɑ̃:s] *nf* immodesty, indecency.

indécent [ɛ̃desɑ̃] *a* immodest, indecent, improper.

indéchiffrable [ɛ̃deʃifrabl] *a* undecipherable, illegible, unintelligible.

indécis [ɛ̃desi] *a* undecided, irresolute, doubtful, open, vague.

indécision [ɛ̃desizjɔ̃] *nf* indecision, irresolution.

indéfendable [ɛ̃defɑ̃dabl] *a* indefensible.

indéfini [ɛ̃defini] *a* indefinite, undefined.

indéfinissable [ɛ̃definisabl] *a* indefinable.

indélébile [ɛ̃delebil] *a* indelible.

indélicat [ɛ̃delika] *a* indelicate, tactless.

indélicatesse [ɛ̃delikatɛs] *nf* indelicacy, tactlessness, coarse act or remark.

indémaillable [ɛ̃demajabl] *a* ladder-proof.

indemne [ɛ̃demn] *a* undamaged, unhurt.

indemniser [ɛ̃dɛmnize] *vt* to compensate, indemnify.

indemnité [ɛ̃dɛmnite] *nf* indemnity, compensation, grant, allowance; — **de chômage** dole.

indéniable [ɛ̃denjabl] *a* undeniable.

indépendance [ɛ̃depɑ̃dɑ̃:s] *nf* independence.

indépendant [ɛ̃depɑ̃dɑ̃] *a* independent, unattached, self-contained.

indescriptible [ɛ̃dɛskriptibl] *a* indescribable.

indésirable [ɛ̃dezirabl] *a* undesirable, objectionable.

indestructible [ɛ̃dɛstryktibl] *a* indestructible.

indéterminé [ɛ̃detɛrmine] *a* irresolute, indefinite, indeterminate.

index [ɛ̃dɛks] *nm* forefinger, index, indicator.

indicateur, -trice [ɛ̃dikatœ:r, tris] *a* indicatory; *nm* time-table, gauge, indicator, detector, informer; **poteau** — signpost.

indicatif, -ive [ɛ̃dikatif, i:v] *a*

indicative; *nm* indicative (mood), signature tune.
indication [ɛ̃dikasjɔ̃] *nf* indication, information, sign, clue, pointing out; *pl* instructions, directions.
indice [ɛ̃dis] *nm* sign, mark, indication, clue.
indicible [ɛ̃disibl] *a* unspeakable, indescribable.
indien, -ienne [ɛ̃djɛ̃, jɛn] *an* Indian
indienne [ɛ̃djɛn] *nf* chintz, print, overarm stroke.
indifférence [ɛ̃diferɑ̃:s] *nf* indifference, apathy.
indifférent [ɛ̃diferɑ̃] *a* apathetic, immaterial, all the same.
indigence [ɛ̃diʒɑ̃:s] *nf* want, poverty.
indigène [ɛ̃diʒɛn] *a* indigenous, native; *n* native.
indigent [ɛ̃diʒɑ̃] *a* indigent, needy.
indigeste [ɛ̃diʒɛst] *a* indigestible, heavy, undigested.
indigestion [ɛ̃diʒɛstjɔ̃] *nf* attack of indigestion.
indignation [ɛ̃diɲasjɔ̃] *nf* indignation.
indigne [ɛ̃diɲ] *a* unworthy, undeserving, vile.
indigné [ɛ̃diɲe] *a* indignant.
indigner [ɛ̃diɲe] *vt* to make indignant; *vr* to be, to become, indignant.
indignité [ɛ̃diɲite] *nf* indignity, unworthiness, infamy.
indiquer [ɛ̃dike] *vt* to indicate, point (to, out), show, appoint; **c'était indiqué** it was the obvious thing to do.
indirect [ɛ̃dirɛkt] *a* indirect, devious.
indiscipliné [ɛ̃disipline] *a* unruly, undisciplined.
indiscret, -ète [ɛ̃diskrɛ, ɛt] *a* indiscreet, unguarded, tactless, prying.
indiscrétion [ɛ̃diskresjɔ̃] *nf* indiscretion, tactless remark or action.
indiscutable [ɛ̃diskytabl] *a* unquestionable, indisputable.
indispensable [ɛ̃dispɑ̃sabl] *a* indispensable, necessary, essential, requisite.
indisponibilité [ɛ̃dispɔnibilite] *nf* unavailability.
indisposé [ɛ̃dispoze] *a* indisposed, unwell, ill-disposed.
indisposer [ɛ̃dispoze] *vt* to upset, disagree with, make unwell, antagonize.
indisposition [ɛ̃dispɔzisjɔ̃] *nf* indisposition.
indissoluble [ɛ̃dissɔlybl] *a* insoluble (*chem*), indissoluble.
indistinct [ɛ̃distɛ̃(:kt)] *a* indistinct, faint, blurred.
individu [ɛ̃dividy] *nm* individual, fellow, character.
individualiser [ɛ̃dividɥalize] *vt* to individualize, specify.
individuel, -elle [ɛ̃dividɥɛl] *a* individual, personal.
indivisible [ɛ̃divizibl] *a* indivisible.
Indochine [ɛ̃dɔʃin] *nf* Indo-China.
indocile [ɛ̃dɔsil] *a* intractable, wilful, disobedient.
indolence [ɛ̃dɔlɑ̃:s] *nf* apathy.
indolent [ɛ̃dɔlɑ̃] *a* indolent, slack, slothful.
indomptable [ɛ̃dɔ̃tabl] *a* untamable, ungovernable, unmanageable, invincible.
indu [ɛ̃dy] *a* not due, undue, unwarranted, unreasonable
indubitable [ɛ̃dybitabl] *a* unquestionable.
induire [ɛ̃dɥi:r] *vt* to induce, tempt.
indulgence [ɛ̃dylʒɑ̃:s] *nf* indulgence, forbearance, leniency.
indulgent [ɛ̃dylʒɑ̃] *a* forbearing, lenient.
indûment [ɛ̃dymɑ̃] *ad* unduly.
industrialiser [ɛ̃dystrialize] *vt* to industrialize.
industrialisme [ɛ̃dystrialism] *nm* industrialism.
industrie [ɛ̃dystri] *nf* industry, trade, activity, industriousness; **vivre d'—** to live by one's wits.
industriel, -ielle [ɛ̃dystriɛl] *a* industrial; *nm* industrialist, manufacturer.
industrieux, -euse [ɛ̃dystriø, ø:z] *a* industrious, active.
inébranlable [inebrɑ̃labl] *a* unshakeable, steadfast, unswerving.
inédit [inedi] *a* unpublished, new.
ineffable [inefabl] *a* ineffable, unutterable.
ineffaçable [inefasabl] *a* indelible.
inefficace [inefikas] *a* ineffective, ineffectual.
inefficacité [inefikasite] *nf* inefficacy, ineffectiveness, ineffectualness.
inégal [inegal] *a* unequal, uneven, irregular, unsteady.
inégalité [inegalite] *nf* inequality, unevenness, roughness, unsteadiness.
inéligible [ineliʒibl] *a* ineligible.
inéluctable [inelyktabl] *a* inevitable.
inénarrable [inenarabl] *a* indescribable, beyond words.
inepte [inɛpt] *a* inept, foolish, stupid, futile.
ineptie [inɛpsi] *nf* ineptitude, stupid remark.
inépuisable [inepɥizabl] *a* inexhaustible, abundant.
inéquitable [inekitabl] *a* unfair.
inerte [inɛrt] *a* inert, dull, sluggish, listless.
inespéré [inɛspere] *a* unexpected, unhoped-for.
inestimable [inɛstimabl] *a* priceless, invaluable.
inévitable [inevitabl] *a* inevitable.
inexact [inɛgzakt] *a* inexact, inaccurate, unpunctual.
inexactitude [inɛgzaktityd] *nf* inaccuracy, unpunctuality.
inexcusable [inɛkskyzabl] *a* unpardonable, unwarranted.

inexécutable [inεgzekytabl] *a* impracticable.
inexercé [inεgzεrse] *a* unexercised, unpractised.
inexistant [inεgzistɑ̃] *a* non-existent.
inexorable [inεgzɔrabl] *a* inexorable.
inexpérience [inεksperjɑ̃:s] *nf* inexperience.
inexpérimenté [inεksperimɑ̃te] *a* inexperienced, unpractised, untried, raw.
inexplicable [inεksplikabl] *a* inexplicable, unaccountable.
inexpliqué [inεksplike] *a* unexplained, unaccounted for.
inexploité [inεksplwate] *a* unworked, undeveloped.
inexpressif, -ive [inεkspresif, i:v] *a* expressionless.
inexprimable [inεksprimabl] *a* inexpressible, beyond words.
inextricable [inεkstrikabl] *a* inextricable.
infaillibilité [ε̃fajibilite] *nf* infallibility.
infaillible [ε̃fajibl] *a* infallible, sure, unerring.
infâme [ε̃fɑ:m] *a* infamous, foul.
infamie [ε̃fami] infamy, foul deed or word.
infanterie [ε̃fɑ̃tri] *nf* infantry.
infatigable [ε̃fatigabl] *a* tireless, untiring, indefatigable.
infatuation [ε̃fatɥasjɔ̃] *nf* self-conceit, infatuation.
infécond [ε̃fekɔ̃] *a* barren, sterile, unfruitful.
infécondité [ε̃fekɔ̃dite] *nf* sterility, barrenness.
infect [ε̃fεkt] *a* stinking, tainted, rotten, foul.
infecter [ε̃fεkte] *vt* to infect, taint, stink of.
infectieux, -euse [ε̃fεksjø, ø:z] *a* infectious.
infection [ε̃fεksjɔ̃] *nf* infection, contamination, stink.
s'inféoder [sε̃feɔde] *vr* to give one's support, join.
inférer [ε̃fere] *vt* to infer.
inférieur [ε̃ferjœ:r] *a* inferior, lower; *n* inferior.
infériorité [ε̃ferjɔrite] *nf* inferiority.
infernal [ε̃fεrnal] *a* infernal, devilish, diabolical.
infertile [ε̃fεrtil] *a* barren, infertile, unfruitful.
infester [ε̃fεste] *vt* to infest, overrun.
infidèle [ε̃fidεl] *a* unfaithful, faithless, false; *n* infidel, unbeliever.
infidélité [ε̃fidelite] *nf* infidelity, unfaithfulness.
infiltration [ε̃filtrasjɔ̃] *nf* infiltration, percolation.
s'infiltrer [sε̃filtre] *vr* to infiltrate, seep, soak in.
infime [ε̃fim] *a* lowly, mean, tiny.
infini [ε̃fini] *a* infinite, endless, boundless, countless; *nm* infinite, infinity.
infiniment [ε̃finimɑ̃] *ad* infinitely.
infinité [ε̃finite] *nf* infinity, infinitude, countless number.
infirme [ε̃firm] *a* infirm, disabled, crippled, feeble; *n* cripple, invalid.
infirmer [ε̃firme] *vt* to weaken, invalidate, quash.
infirmerie [ε̃firməri] *nf* infirmary, sick-room.
infirmier, -ière [ε̃firmje, ε:r] *n* (male) nurse, hospital orderly.
infirmité [ε̃firmite] *nf* infirmity, weakness, disability.
inflammation [ε̃flamasjɔ̃] *nf* inflammation.
inflation [ε̃flasjɔ̃] *nf* inflation.
inflexible [ε̃flεksibl] *a* inflexible, unbending, rigid.
inflexion [ε̃flεksjɔ̃] *nf* inflection, modulation.
infliger [ε̃fliʒe] *vt* to inflict.
influence [ε̃flyɑ̃:s] *nf* influence, effect, sway.
influencer [ε̃flyɑ̃se] *vt* to influence, sway.
influent [ε̃flyɑ̃] *a* influential.
influer [ε̃flye] *vi* to have an influence, an effect.
informateur, -trice [ε̃fɔrmatœ:r, tris] *n* informant.
information [ε̃fɔrmasjɔ̃] *nf* inquiry, preliminary investigation; *pl* news bulletin.
informe [ε̃fɔrm] *a* shapeless, ill-formed, misshapen; (*jur*) irregular.
informer [ε̃fɔrme] *vt* to inform, apprise; *vi* to inform (against **contre**); *vr* to make inquiries.
infortune [ε̃fɔrtyn] *nf* misfortune.
infortuné [ε̃fɔrtyne] *a* unfortunate, unlucky.
infraction [ε̃fraksjɔ̃] *nf* infringement, breach.
infranchissable [ε̃frɑ̃ʃisabl] *a* impassable, insuperable.
infructueux, -euse [ε̃fryktɥø, ø:z] *a* unsuccessful, barren, fruitless.
infuser [ε̃fyse] *vt* to infuse, steep; *vr* to infuse, brew.
infusion [ε̃fyzjɔ̃] *nf* infusion.
ingambe [ε̃gɑ̃:b] *a* active.
s'ingénier [sε̃ʒenje] *vr* to contrive, use all one's wits.
ingénieur [ε̃ʒenjœ:r] *nm* engineer.
ingénieux, -euse [ε̃ʒenjø, ø:z] *a* ingenious, clever.
ingéniosité [ε̃ʒenjɔzite] *nf* ingenuity, ingeniousness.
ingénu [ε̃ʒeny] *a* ingenuous, simple, artless, unsophisticated.
ingénuité [ε̃ʒenɥite] *nf* ingenuousness, simplicity.
s'ingérer [sε̃ʒere] *vr* to interfere, meddle (with **dans**).
ingouvernable [ε̃guvεrnabl] *a* unmanageable, uncontrollable.
ingrat [ε̃gra] *an* ungrateful, thankless, unprofitable, barren.
ingratitude [ε̃gratityd] *nf* ingratitude, thanklessness.

ingrédient [ɛ̃gredjɑ̃] *nm* ingredient.
inguérissable [ɛ̃gerisabl] *a* incurable.
ingurgiter [ɛ̃gyrʒite] *vt* to gulp down, swallow.
inhabile [inabil] *a* awkward, unskilled, clumsy.
inhabitable [inabitabl] *a* uninhabitable.
inhabité [inabite] *a* uninhabited, untenanted, vacant.
inhabituel(le) [inabitɥɛl] *a* unusual, unwonted.
inharmonieux, -euse [inarmɔnjø, øːz] *a* discordant, unmusical.
inhérent [inerɑ̃] *a* inherent.
inhibition [inibisjɔ̃] *nf* inhibition.
inhospitalier, -ière [inɔspitalje, jɛːr] *a* inhospitable.
inhumain [inymɛ̃] *a* inhuman, heartless.
inhumer [inyme] *vt* to bury, inter.
inimaginable [inimaʒinabl] *a* unimaginable, unthinkable.
inimitable [inimitabl] *a* inimitable, peerless.
inimitié [inimitje] *nf* enmity, ill-will, ill-feeling.
ininflammable [inɛ̃flamabl] *a* fireproof.
inintelligent [inɛ̃tɛliʒɑ̃] *a* unintelligent, obtuse.
inintelligible [inɛ̃tɛliʒibl] *a* unintelligible.
ininterrompu [inɛ̃terɔ̃py] *a* uninterrupted, unbroken.
iniquité [inikite] *nf* injustice, wickedness.
initial [inisjal] *a* initial, starting.
initiale [inisjal] *nf* initial (letter).
initiateur, -trice [inisjatœːr, tris] *n* initiator.
initiative [inisjatiːv] *nf* initiative, push; **syndicat d'—** information bureau.
initier [inisje] *vt* to initiate.
injecter [ɛ̃ʒɛkte] *vt* to inject; *vr* to become bloodshot.
injection [ɛ̃ʒɛksjɔ̃] *nf* injection.
injonction [ɛ̃ʒɔ̃ksjɔ̃] *nf* injunction, behest.
injudicieux, -euse [ɛ̃ʒydisjø, øːz] *a* injudicious.
injure [ɛ̃ʒyːr] *nf* insult, wrong.
injurier [ɛ̃ʒyrje] *vt* to insult, call names, abuse.
injurieux, -euse [ɛ̃ʒyrjø, øːz] *a* insulting, abusive.
injuste [ɛ̃ʒyst] *a* unfair, unjust.
injustice [ɛ̃ʒystis] *nf* injustice, unfairness, wrong.
injustifiable [ɛ̃ʒystifjabl] *a* unjustifiable.
inlassable [ɛ̃lɑsabl] *a* untiring, tireless.
innavigable [inavigabl] *a* unnavigable, unseaworthy.
inné [inne] *a* innate, inborn.
innocence [inɔsɑ̃ːs] *nf* innocence, harmlessness.
innocent [inɔsɑ̃] *a* innocent, simple, guileless, harmless; *n* half-wit, idiot.
innocenter [inɔsɑ̃te] *vt* to clear, declare innocent.
innocuité [innɔkɥite] *nf* innocuousness, harmlessness.
innombrable [innɔ̃brabl] *a* countless, innumerable.
innover [innɔve] *vt* to innovate; *vi* to break new ground.
inobservation [inɔpsɛrvasjɔ̃] *nf* disregard, breach.
inobservé [inɔpsɛrve] *a* unnoticed, unobserved.
inoccupé [inɔkype] *a* unoccupied, idle, vacant.
inoculer [inɔkyle] *vt* to inoculate, inject.
inodore [inɔdɔr] *a* odourless, scentless.
inoffensif, -ive [inɔfɑ̃sif, iːv] *a* inoffensive, harmless.
inondation [inɔ̃dasjɔ̃] *nf* flood.
inonder [inɔ̃de] *vt* to flood, inundate; **être inondé de** to be flooded with, soaked in.
inopiné [inɔpine] *a* unexpected, unforeseen.
inopportun [inɔpɔrtœ̃] *a* inopportune, unseasonable, ill-timed.
inopportunité [inɔpɔrtynite] *nf* inopportuneness, unseasonableness.
inoubliable [inubliabl] *a* unforgettable.
inouï [inui, -w-] *a* unheard of, outrageous.
inoxydable [inɔksidabl] *a* rustproof, stainless; *nm* stainless steel.
inqualifiable [ɛ̃kalifjabl] *a* unspeakable.
inquiet, -ète [ɛ̃kjɛ, ɛt] *a* anxious, uneasy, concerned.
inquiéter [ɛ̃kjete] *vt* to make anxious, disturb, disquiet, alarm; *vr* to worry, grow anxious.
inquiétude [ɛ̃kjetyd] *nf* anxiety, misgivings.
insaisissable [ɛ̃sɛzisabl] *a* elusive, imperceptible.
insalissable [ɛ̃salisabl] *a* dirtproof.
insalubre [ɛ̃salybr] *a* unhealthy, insanitary.
insanité [ɛ̃sanite] *nf* insanity; *pl* (*fam*) nonsense.
insatiable [ɛ̃sasjabl] *a* insatiable, unquenchable.
inscription [ɛ̃skripsjɔ̃] *nf* inscription, writing down, enrolment; **droit d'—** entrance fee, registration fee.
inscrire [ɛ̃skriːr] *vt* to inscribe, write down, enrol, register; *vr* to enrol, put down one's name.
insecte [ɛ̃sɛkt] *nm* insect.
insécurité [ɛ̃sekyrite] *nf* insecurity.
insensé [ɛ̃sɑ̃se] *a* mad, senseless, wild, crazy.
insensibiliser [ɛ̃sɑ̃sibilize] *vt* to anaesthetize.
insensibilité [ɛ̃sɑ̃sibilite] *nf* insensibility, callousness, lack of feeling.

insensible [ɛ̃sɑ̃sibl] *a* insensitive, callous, unfeeling, imperceptible.
inséparable [ɛ̃separabl] *a* inseparable.
insérer [ɛ̃sere] *vt* to insert.
insidieux, -euse [ɛ̃sidjø, øːz] *a* insidious.
insigne [ɛ̃siɲ] *a* distinguished, signal, notorious; *nm* badge, emblem; *pl* insignia.
insignifiance [ɛ̃siɲifjɑ̃ːs] *nf* insignificance.
insignifiant [ɛ̃siɲifjɑ̃] *a* insignificant, trivial, meaningless.
insinuation [ɛ̃sinɥasjɔ̃] *nf* insinuation, innuendo, insertion.
insinuer [ɛ̃sinɥe] *vt* to insinuate, hint at, insert; *vr* to steal, slip, creep (into **dans**).
insipide [ɛ̃sipid] *a* insipid, tasteless, dull, flat.
insistance [ɛ̃sistɑ̃ːs] *nf* insistence, persistence.
insister [ɛ̃siste] *vi* to insist, persist; — **sur** stress.
insociable [ɛ̃sɔsjabl] *a* unsociable.
insolation [ɛ̃sɔlasjɔ̃] *nf* insolation, sunstroke.
insolence [ɛ̃sɔlɑ̃ːs] *nf* insolence, impertinence.
insolent [ɛ̃sɔlɑ̃] *an* insolent, impudent, impertinent.
insolite [ɛ̃sɔlit] *a* unusual, strange.
insoluble [ɛ̃sɔlybl] *a* insoluble, unsolvable.
insolvabilité [ɛ̃sɔlvabilite] *nf* insolvency.
insolvable [ɛ̃sɔlvabl] *a* insolvent.
insomnie [ɛ̃sɔmni] *nf* insomnia, sleeplessness.
insondable [ɛ̃sɔ̃dabl] *a* fathomless, bottomless, unfathomable.
insonore [ɛ̃sɔnɔːr] *a* soundproof.
insouciance [ɛ̃susjɑ̃ːs] *nf* unconcern, casualness.
insouciant [ɛ̃susjɑ̃] *a* care-free, heedless.
insoucieux -euse [ɛ̃susjø. øːz] *a* heedless, regardless.
insoumis [ɛ̃sumi] *a* unsubdued, unruly, refractory.
insoumission [ɛ̃sumisjɔ̃] *nf* insubordination.
insoupçonnable [ɛ̃supsɔnabl] *a* beyond suspicion.
insoutenable [ɛ̃sutnabl] *a* untenable, indefensible.
inspecter [ɛ̃spɛkte] *vt* to inspect, examine.
inspecteur, -trice [ɛ̃spɛktœːr, tris] *n* inspector, inspectress, examiner, overseer.
inspection [ɛ̃spɛksjɔ̃] *nf* inspection, examination, survey.
inspiration [ɛ̃spirasjɔ̃] *nf* inspiration, breathing in.
inspirer [ɛ̃spire] *vt* to inspire, breathe in, prompt; *vr* to find inspiration (in **de**).
instabilité [ɛ̃stabilite] *nf* instability, unsteadiness, uncertainty, fickleness.
instable [ɛ̃stabl] *a* unstable, unsteady, unreliable.
installation [ɛ̃stalasjɔ̃] *nf* setting up, fittings, plant.
installer [ɛ̃stale] *vt* to install, fit up, equip; *vr* to settle down, move in.
instamment [ɛ̃stamɑ̃] *ad* earnestly, urgently.
instance [ɛ̃stɑ̃ːs] *nf* solicitation, lawsuit; *pl* entreaties, requests.
instant [ɛ̃stɑ̃] *a* urgent, pressing; *nm* instant, moment; **à l'—** at once, a moment ago; **par —s** off and on.
instantané [ɛ̃stɑ̃tane] *a* instantaneous; *nm* snapshot.
instar [ɛ̃staːr] *prep* **à l'— de** after the manner of, like.
instigateur, -trice [ɛ̃stigatœːr, tris] *n* instigator.
instigation [ɛ̃stigasjɔ̃] *nf* instigation, incitement.
instinct [ɛ̃stɛ̃] *nm* instinct.
instinctif, -ive [ɛ̃stɛ̃ktif, iːv] *a* instinctive.
instituer [ɛ̃stitɥe] *vt* to institute, set up, appoint.
institut [ɛ̃stity] *nm* institute, institution.
instituteur, -trice [ɛ̃stitytœːr, tris] *n* primary school-teacher, founder.
institution [ɛ̃stitysjɔ̃] *nf* setting up, institution, establishment.
instructeur [ɛ̃stryktœːr] *nm* instructor; **sergent** — drill sergeant.
instructif, -ive [ɛ̃stryktif, iːv] *a* instructive.
instruction [ɛ̃stryksjɔ̃] *nf* education, training, (*jur*) preliminary investigation; *pl* directions, orders.
instruire [ɛ̃strɥiːr] *vt* to instruct, train, (*jur*) investigate, inform.
instruit [ɛ̃strɥi] *a* educated, learned, trained.
instrument [ɛ̃strymɑ̃] *nm* instrument, tool.
instrumentation [ɛ̃strymɑ̃tasjɔ̃] *nf* instrumentation, orchestration.
instrumenter [ɛ̃strymɑ̃te] *vt* to score, orchestrate; *vi* to order proceedings to be taken.
insu [ɛ̃sy] *nm* **à l'— de** without the knowledge of; **à son** — without his knowing.
insubmersible [ɛ̃sybmɛrsibl] *a* unsinkable.
insubordination [ɛ̃sybɔrdinasjɔ̃] *nf* insubordination.
insuccès [ɛ̃syksɛ] *nm* failure.
insuffisance [ɛ̃syfizɑ̃ːs] *nf* insufficiency, shortage, inadequacy, incompetence.
insuffisant [ɛ̃syfizɑ̃] *a* insufficient, inadequate, incompetent.
insulaire [ɛ̃sylɛːr] *a* insular; *n* islander.
insularité [ɛ̃sylarite] *nf* insularity.
insulte [ɛ̃sylt] *nf* insult.
insulter [ɛ̃sylte] *vt* to insult; *vi* to be an insult to.

insupportable [ɛ̃sypɔrtabl] *a* unbearable, insufferable, intolerable.
insurgé [ɛ̃syrʒe] *n* rebel, insurgent.
s'insurger [sɛ̃syrʒe] *vr* to revolt, rise in revolt.
insurmontable [ɛ̃syrmɔ̃tabl] *a* insuperable.
insurrection [ɛ̃syrrɛksjɔ̃] *nf* rebellion, insurrection.
intact [ɛ̃takt] *a* intact, whole, undamaged.
intangible [ɛ̃tɑ̃ʒibl] *a* intangible, inviolable.
intarissable [ɛ̃tarisabl] *a* inexhaustible, endless.
intégral [ɛ̃tɛgral] *a* integral, full, complete.
intégrant [ɛ̃tɛgrɑ̃] *a* integral.
intègre [ɛ̃tɛgr] *a* upright, honest, just.
intégrer [ɛ̃tegre] *vt* integrate.
intégrité [ɛ̃tegrite] *nf* integrity, honesty, entirety.
intellectuel, -elle [ɛ̃tɛl(l)ɛktɥɛl] *a* intellectual, mental; *n* intellectual, highbrow.
intelligence [ɛ̃tɛl(l)iʒɑ̃ːs] *nf* intelligence, intellect, understanding; **vivre en bonne — avec** to live on good terms with; **être d'— avec** to be in league with.
intelligent [ɛ̃tɛl(l)iʒɑ̃] *a* intelligent, clever.
intelligible [ɛ̃tɛl(l)iʒibl] *a* audible, understandable.
intempérance [ɛ̃tɑ̃perɑ̃ːs] *nf* intemperance, licence.
intempérant [ɛ̃tɑ̃pɛrɑ̃] *a* intemperate.
intempérie [ɛ̃tɑ̃peri] *nf* inclemency (of weather).
intempestif, -ive [ɛ̃tɑ̃pɛstif, iːv] *a* unseasonable, inopportune.
intenable [ɛ̃tnabl] *a* untenable.
intendance [ɛ̃tɑ̃dɑ̃ːs] *nf* stewardship, commissariat, Army Service Corps, supply depot, finance office.
intendant [ɛ̃tɑ̃dɑ̃] *nm* steward (of household); bursar; **— général** quartermaster general.
intense [ɛ̃tɑ̃ːs] *a* intense, intensive, severe.
intensité [ɛ̃tɑ̃site] *nf* intensity, strength.
intenter [ɛ̃tɑ̃te] *vt* **— un procès** to bring an action.
intention [ɛ̃tɑ̃sjɔ̃] *nf* intention, purpose; **à votre —** for you, meant for you.
intentionné [ɛ̃tɑ̃sjɔne] *a* intentioned, meaning, disposed.
intentionnel, -elle [ɛ̃tɑ̃sjɔnɛl] *a* intentional.
inter [ɛ̃tɛːr] *nm (telephone)* trunks.
intercaler [ɛ̃tɛrkale] *vt* to insert, add.
intercéder [ɛ̃tɛrsede] *vi* to intercede.
intercepter [ɛ̃tɛrsɛpte] *vt* to intercept, cut off.
interception [ɛ̃tɛrsɛpsjɔ̃] *nf* interception, tackle.
intercession [ɛ̃tɛrsɛsjɔ̃] *nf* intercession.
interchangeable [ɛ̃tɛrʃɑ̃ʒabl] *a* interchangeable.
interdiction [ɛ̃tɛrdiksjɔ̃] *nf* interdiction, prohibition.
interdire [ɛ̃tɛrdiːr] *vt* to prohibit, forbid, ban, suspend, nonplus, take aback.
interdit [ɛ̃tɛrdi] *a* suspended, forbidden, taken aback, nonplussed; *nm* interdict; **sens —** no entry.
intéressant [ɛ̃terɛsɑ̃] *a* interesting.
intéressé [ɛ̃terɛse] *a* interested, concerned, selfish.
intéresser [ɛ̃terɛse] *vt* to interest, concern; *vr* to be interested, take an interest.
intérêt [ɛ̃terɛ] *nm* interest, advantage, stake; **avoir — à le faire** to be to one's interest to do it; **porter — à** to take an interest in.
interférer [ɛ̃tɛrfere] *vt* to interfere.
intérieur [ɛ̃terjœːr] *a* interior, inward, home, domestic, inland; *nm* inside, interior, home, house, inside-forward; **à l'—** inside.
intérim [ɛ̃terim] *nm* interim.
interjection [ɛ̃tɛrʒɛksjɔ̃] *nf* interjection.
interligne [ɛ̃tɛrliɲ] *nm* space between two lines.
interlocuteur, -trice [ɛ̃tɛrlɔkytœːr, tris] *n* interlocutor, speaker.
interloquer [ɛ̃tɛrlɔke] *vt* to disconcert, take aback; *vr* to become embarrassed.
intermède [ɛ̃tɛrmɛd] *nm* interlude.
intermédiaire [ɛ̃tɛrmedjɛːr] *a* intermediate, intervening, middle; *nm* intermediary, agency, agent, go-between, middleman.
interminable [ɛ̃tɛrminabl] *a* never-ending, endless.
intermittent [ɛ̃tɛrmittɑ̃] *a* intermittent, irregular.
internat [ɛ̃tɛrna] *nm* boarding-school.
international, -e, -aux [ɛ̃tɛrnasjɔnal, o] *a* international; *nf* the International.
interne [ɛ̃tɛrn] *a* internal, interior, inner, inward; *n* boarder, resident doctor.
interner [ɛ̃tɛrne] *vt* to intern, confine.
interpellation [ɛ̃tɛrpɛl(l)asjɔ̃] *nf* question, interruption, challenge.
interpeller [ɛ̃tɛrpɛl(l)e] *vt* to call upon s.o. for an explanation, challenge.
interplanétaire [ɛ̃tɛrplanetɛːr] *a* interplanetary.
interpoler [ɛ̃tɛrpɔle] *vt* to interpolate.
interposer [ɛ̃tɛrpoze] *vt* to interpose, place between; *vr* to intervene.
interprétation [ɛ̃tɛrpretasjɔ̃] *nf* interpretation, rendering.
interprète [ɛ̃tɛrprɛt] *n* interpreter, player, actor.

interpréter [ɛ̃tɛrprete] *vt* to interpret, expound, render.
interrogateur, -trice [ɛ̃tɛrɔgatœːr, tris] *a* inquiring, questioning; *n* interrogator, examiner.
interrogatif, -ive [ɛ̃tɛrɔgatif, iːv] *a* interrogative.
interrogation [ɛ̃tɛrɔgasjɔ̃] *nf* interrogation, question(ing), oral test; **point d'—** question mark.
interrogatoire [ɛ̃tɛrɔgatwaːr] *nm* interrogation, cross-examination.
interroger [ɛ̃tɛrɔʒe] *vt* to interrogate, question.
interrompre [ɛ̃tɛrɔ̃ːpr] *vt* to interrupt, break (off), stop.
interrupteur [ɛ̃tɛryptœːr] *nm* switch, cut-out.
interruption [ɛ̃tɛrypsjɔ̃] *nf* interruption, breaking off, switching off.
intersection [ɛ̃tɛrseksjɔ̃] *nf* intersection.
interstice [ɛ̃tɛrstis] *nm* chink.
interurbain [ɛ̃tɛryrbɛ̃] *a* interurban, trunk (call).
intervalle [ɛ̃tɛrval] *nm* interval, space, distance, period.
intervenir [ɛ̃tɛrvəniːr] *vi* to intervene, interfere.
intervention [ɛ̃tɛrvɑ̃sjɔ̃] *nf* intervention.
interversion [ɛ̃tɛrvɛrsjɔ̃] *nf* inversion.
intervertir [ɛ̃tɛrvertiːr] *vt* to invert, reverse.
interviewer [ɛ̃tɛrvju(v)e] *vt* to interview.
intestin [ɛ̃tɛstɛ̃] *a* internal, civil; *nm* intestine.
intimation [ɛ̃timasjɔ̃] *nf* notification, notice.
intime [ɛ̃tim] *a* intimate, inner, inmost.
intimer [ɛ̃time] *vt* to notify.
intimider [ɛ̃timide] *vt* to intimidate, frighten.
intimité [ɛ̃timite] *nf* intimacy, privacy.
intituler [ɛ̃tityle] *vi* to entitle.
intolérable [ɛ̃tɔlɛrabl] *a* intolerable, unbearable.
intolérance [ɛ̃tɔlɛrɑ̃ːs] *nf* intolerance.
intolérant [ɛ̃tɔlɛrɑ̃] *a* intolerant.
intonation [ɛ̃tɔnasjɔ̃] *nf* intonation, pitch.
intoxication [ɛ̃tɔksikasjɔ̃] *nf* poisoning.
intoxiquer [ɛ̃tɔksike] *vt* to poison.
intraduisible [ɛ̃tradɥizibl] *a* untranslatable.
intraitable [ɛ̃trɛtabl] *a* unmanageable, uncompromising.
intransigeance [ɛ̃trɑ̃siʒɑ̃ːs] *nf* strictness, intolerance.
intransigeant [ɛ̃trɑ̃siʒɑ̃] *a* uncompromising, unbending, adamant.
intransportable [ɛ̃trɑ̃spɔrtabl] *a* not fit to travel.
intrépide [ɛ̃trepid] *a* intrepid, fearless, dauntless.
intrépidité [ɛ̃trepidite] *nf* fearlessness, dauntlessness.
intrigant [ɛ̃trigɑ̃] *a* intriguing, scheming; *n* intriguer, schemer.
intrigue [ɛ̃trig] *nf* intrigue, scheme, plot.
intriguer [ɛ̃trige] *vt* to intrigue, puzzle; *vi* to plot, scheme.
intrinsèque [ɛ̃trɛ̃sɛk] *a* intrinsic.
introduction [ɛ̃trɔdyksjɔ̃] *nf* introduction, bringing in, admission.
introduire [ɛ̃trɔdɥiːr] *vt* to introduce, put in, show in; *vr* to enter, get in.
introniser [ɛ̃trɔnize] *vt* to enthrone, establish.
introspection [ɛ̃trɔspɛksjɔ̃] *nf* introspection.
introuvable [ɛ̃truvabl] *a* not to be found, untraceable.
intrus [ɛ̃try] *a* intruding; *n* intruder.
intrusion [ɛ̃tryzjɔ̃] *nf* intrusion, trespass.
intuition [ɛ̃tɥisjɔ̃] *nf* intuition.
inusité [inyzite] *a* unusual.
inutile [inytil] *a* useless, vain, unavailing, needless.
inutilisable [inytilizabl] *a* useless, unserviceable.
inutilité [inytilite] *nf* uselessness.
invalide [ɛ̃valid] *a* infirm, disabled, invalid; *nm* disabled soldier.
invalider [ɛ̃valide] *vt* to invalidate, declare void, *(elected member)* unseat.
invalidité [ɛ̃validite] *nf* disablement, disability, invalidity.
invariable [ɛ̃varjabl] *a* invariable, unchanging.
invasion [ɛ̃vazjɔ̃] *nf* invasion.
invective [ɛ̃vɛktiːv] *nf* invective.
invectiver [ɛ̃vɛktive] *vt* to abuse, call s.o. names; *vi* to revile (**contre**).
invendable [ɛ̃vɑ̃dabl] *a* unsaleable.
inventaire [ɛ̃vɑ̃tɛːr] *nm* inventory; **dresser l'—** to take stock.
inventer [ɛ̃vɑ̃te] *vt* to invent, devise, discover, make up.
inventeur [ɛ̃vɑ̃tœːr] *nm* inventor, discoverer.
invention [ɛ̃vɑ̃sjɔ̃] *nf* invention, inventiveness, device, made-up story.
inventorier [ɛ̃vɑ̃tɔrje] *vt* to make a list of, inventory.
inverse [ɛ̃vɛrs] *a* inverse, inverted, opposite; *nm* opposite, reverse.
inversion [ɛ̃vɛrsjɔ̃] *nf* inversion, reversal.
invertir [ɛ̃vɛrtiːr] *vt* to invert, reverse.
investigateur, -trice [ɛ̃vɛstigatœːr, tris] *a* investigating, searching; *n* investigator.
investir [ɛ̃vɛstiːr] *vt* to invest, entrust; beleaguer.
investiture [ɛ̃vɛstityːr] *nf* nomination, induction.
invétéré [ɛ̃vetere] *a* inveterate, deep-rooted, hardened, confirmed.
invincible [ɛ̃vɛ̃sibl] *a* invincible, insuperable.

inviolable [ɛ̃vjɔlabl] *a* inviolable, sacred.
invisibilité [ɛ̃vizibilite] *nf* invisibility.
invisible [ɛ̃vizibl] *a* invisible, never to be seen.
invitation [ɛ̃vitasjɔ̃] *nf* invitation.
invite [ɛ̃vit] *nf* invitation, inducement, (*cards*) lead.
invité [ɛ̃vite] *n* guest.
inviter [ɛ̃vite] *vt* to invite, ask, call for.
involontaire [ɛ̃vɔlɔ̃tɛːr] *a* involuntary, unintentional.
invoquer [ɛ̃vɔke] *vt* to invoke, call upon, bring forward.
invraisemblable [ɛ̃vrɛsɑ̃blabl] *a* unlikely, improbable, extraordinary.
invraisemblance [ɛ̃vrɛsɑ̃blɑ̃ːs] *nf* unlikelihood, improbability.
invulnérable [ɛ̃vylnɛrabl] *a* invulnerable.
iode [jɔd, iɔd] *nm* iodine.
irascible [irassibl] *a* crusty, quick-tempered.
iris [iris] *nm* iris.
irisé [irize] *a* iridescent, rainbow-coloured.
irlandais [irlɑ̃dɛ] *an* Irish, Irishman, Irishwoman.
Irlande [irlɑ̃ːd] *nf* Ireland.
ironie [irɔni] *nf* irony.
ironique [irɔnik] *a* ironical.
irradier [irradje] *vi* to radiate, spread, irradiate.
irraisonnable [irrɛzɔnabl] *a* irrational.
irrecevable [irrəsəvabl] *a* inadmissible.
irréconciliable [irrekɔ̃siljabl] *a* irreconcilable.
irrécusable [irrekyzabl] *a* irrefutable, unimpeachable.
irréel, -elle [irreɛl] *a* unreal.
irréfléchi [irrefleʃi] *a* unconsidered, thoughtless.
irréflexion [irreflɛksjɔ̃] *nf* thoughtlessness.
irréfutable [irrefytabl] *a* irrefutable, indisputable.
irrégularité [irregylarite] *nf* irregularity, unsteadiness, unpunctuality.
irrégulier, -ière [irregylje, jɛːr] *a* irregular, loose (*life*).
irrémédiable [irremedjabl] *a* irremediable, irreparable.
irremplaçable [irrɑ̃plasabl] *a* irreplaceable.
irréparable [irreparabl] *a* irreparable, irretrievable.
irrépressible [irrepresibl] *a* irrepressible.
irréprochable [irreprɔʃabl] *a* irreproachable, faultless, impeccable.
irrésistible [irrezistibl] *a* irresistible.
irrésolu [irrezɔly] *a* irresolute, unsteady, unsolved.
irrésolution [irrezɔlysjɔ̃] *nf* hesitancy, uncertainty, wavering.
irrespectueux, -euse [irrɛspɛktɥø, øːz] *a* disrespectful.
irresponsable [irrɛspɔ̃sabl] *a* irresponsible.
irrévérencieux, -euse [irreverɑ̃sjø, øːz] *a* irreverent, disrespectful.
irrévocable [irrevɔkabl] *a* irrevocable, binding.
irrigation [irrigasjɔ̃] *nf* irrigation.
irriguer [irrige] *vt* to irrigate.
irritable [irritabl] *a* irritable, short-tempered, sensitive, jumpy.
irritation [irritasjɔ̃] *nf* irritation.
irriter [irrite] *vt* to irritate, annoy, rouse, inflame; *vr* to become angry, inflamed.
irruption [irrypsjɔ̃] *nf* irruption, inrush, raid.
islandais [islɑ̃dɛ] *a* Icelandic; *n* Icelander.
Islande [islɑ̃ːd] *nf* Iceland.
isolateur, -trice [izɔlatœːr, tris] *a* insulating; *nm* insulator.
isolement [izɔlmɑ̃] *nm* isolation, loneliness, insulation.
isolé [izɔle] *a* isolated, lonely, insulated.
isoler [izɔle] *vt* to isolate, insulate.
issu [isy] *a* sprung (from), descended (from).
issue [isy] *nf* issue, outlet exit, end, conclusion.
isthme [ism] *nm* isthmus.
Italie [itali] *nf* Italy.
italien, -ienne [italjɛ̃, jɛn] *an* Italian.
italique [italik] *a* italic; *nm* italics.
item [itɛm] *ad* likewise.
itinéraire [itinerɛːr] *nm* itinerary, route.
itinérant [itinɛrɑ̃] *a* itinerant.
ivoire [ivwaːr] *nm* ivory.
ivraie [ivrɛ] *nf* tares, chaff.
ivre [iːvr] *a* drunk, tipsy, intoxicated, wild, mad.
ivresse [ivrɛs] *nf* intoxication, rapture.
ivrogne [ivrɔɲ] *a* drunken; *nm* drunkard, drunk man, sot.
ivrognerie [ivrɔɲri] *nf* drunkenness.

J

jabot [ʒabo] *nm* crop, jabot, ruffle, frill.
jacasser [ʒakase] *vi* to chatter, jabber.
jachère [ʒaʃɛːr] *nf* untilled land, fallow.
jacinthe [ʒasɛ̃t] *nf* hyacinth.
Jacques [ʒɑːk] James.
jacquet [ʒakɛ] *nm* backgammon.
jactance [ʒaktɑ̃ːs] *nf* boasting, brag, boastfulness.
jadis [ʒadis] *ad* once, formerly, in bygone days.
jaillir [ʒajiːr] *vi* to spout, gush (out), spurt, flash.

jaillissement [ʒajismɑ̃] *nm* spouting, gushing.
jais [ʒɛ] *nm* jet.
jalon [ʒalɔ̃] *nm* surveyor's staff, rod; landmark.
jalonner [ʒalɔne] *vt* to stake out, mark out, blaze.
jalouser [ʒaluze] *vt* to be jealous of, envy.
jalousie [ʒaluzi] *nf* jealousy, venetian blind, shutter.
jaloux, -ouse [ʒalu, uːz] *a* jealous, anxious.
jamais [ʒamɛ] *ad* ever, never; **ne . . . jamais** never.
jambage [ʒɑ̃baːʒ] *nm* jamb, leg, downstroke.
jambe [ʒɑ̃ːb] *nf* leg, strut; **prendre ses —s à son cou** to take to one's heels; **à toutes —s** as fast as one can.
jambière [ʒɑ̃bjɛːr] *nf* elastic stocking; *pl* leggings, shin-guards, waterproof overtrousers.
jambon [ʒɑ̃bɔ̃] *nm* ham.
jansénisme [ʒɑ̃senism] *nm* Jansenism.
jante [ʒɑ̃ːt] *nf* rim.
janvier [ʒɑ̃vje] *nm* January.
Japon [ʒapɔ̃] *nm* Japan.
japonais [ʒapɔnɛ] *an* Japanese.
jappement [ʒapmɑ̃] *nm* yelping, yapping.
japper [ʒape] *vi* to yelp, yap.
jaquette [ʒakɛt] *nf* (woman's) jacket, morning coat.
jardin [ʒardɛ̃] *nm* garden; **— public** public park; **— potager** kitchen garden; **— d'enfants** kindergarten.
jardinage [ʒardinaːʒ] *nm* gardening.
jardiner [ʒardine] *vi* to garden.
jardinière [ʒardinjɛːr] *nf* flower-stand, window box, market-gardener's cart, mixed vegetables.
jargon [ʒargɔ̃] *nm* jargon, gibberish.
jarre [ʒaːr] *nf* earthenware jar.
jarret [ʒarɛ] *nm* hough, ham, hock
jarretelle [ʒartɛl] *nf* suspender, (*US*) garter; **porte-jarretelles** *nm* suspender belt, (*US*) garter belt.
jars [ʒaːr] *nm* gander.
jaser [ʒaze] *vi* to chatter.
jaseur, -euse [ʒazœːr, øːz] *a* talkative; *n* chatterbox.
jasmin [ʒasmɛ̃] *nm* jasmine.
jaspe [ʒasp] *nm* jasper.
jasper [ʒaspe] *vt* to mottle, marble.
jatte [ʒat] *nf* bowl, basin, pan.
jauge [ʒoːʒ] *nf* gauge, tonnage, dipstick.
jauger [ʒoʒe] *vt* to gauge, measure, draw.
jaunâtre [ʒonɑːtr] *a* yellowish.
jaune [ʒoːn] *a nm* yellow; (*slang*) blackleg; **— d'œuf** yolk (of an egg); **rire —** to smile wryly.
jaunir [ʒoniːr] *vt* to make yellow; *vi* to turn yellow.
jaunisse [ʒonis] *nf* jaundice.
javel [ʒavɛl] *nm* **eau de —** (type of) bleach.
javelle [ʒavɛl] *nf* bundle, swath.
javelot [ʒavlo] *nm* javelin.
je [ʒə] *pn* I.
jésuite [ʒezɥit] *nm* Jesuit.
jet [ʒɛ] *nm* throw(ing), cast, jet spurt, ray, shoot; **— d'eau** fountain; **d'un seul —** in one piece, at one attempt.
jetée [ʒəte] *nf* jetty, pier.
jeter [ʒəte] *vt* to throw (away), cast, fling, utter; *vr* to throw oneself, attack, fall (upon **sur**), flow (into **dans**).
jeton [ʒətɔ̃] *nm* counter, token.
jeu [ʒø] *nm* game, playing, acting, gambling, stake(s), child's play; **— de cartes** pack of cards; **— de mot** pun; **— de société** parlour game; **ce n'est pas de —** it is not fair (play); **prendre du —** to work loose; **hors —** offside.
jeudi [ʒødi] *nm* Thursday.
jeun [ʒœ̃] *ad* **à —** fasting, on an empty stomach.
jeune [ʒœn] *a* young, youthful, junior.
jeûne [ʒøːn] *nm* fast(ing).
jeûner [ʒøne] *vi* to fast.
jeunesse [ʒœnɛs] *nf* youth, boyhood, girlhood, youthfulness, young people.
joaillerie [ʒwajri] *nf* jeweller's trade, jewellery.
joaillier, -ière [ʒwaje, jɛːr] *n* jeweller.
jobard [ʒobaːr] *nm* simpleton, dupe mug.
joie [ʒwa] *nf* joy, gladness, mirth, merriment; **à cœur —** to one's heart's content; **feu de —** bonfire.
joindre [ʒwɛ̃ːdr] *vtr* to join, unite, combine, add.
joint [ʒwɛ̃] *nm* joint, join.
jointoyer [ʒwɛ̃twaje] *vt* to point.
jointure [ʒwɛ̃tyːr] *nf* join, joint.
joli [ʒɔli] *a* pretty, fine, nice; **c'est du —!** what a mess!
joliment [ʒɔlimɑ̃] *ad* prettily, nicely, awfully.
jonc [ʒɔ̃] *nm* rush, reed, cane.
joncher [ʒɔ̃ʃe] *vt* to strew, litter.
jonction [ʒɔ̃ksjɔ̃] *nf* junction, joining.
jongler [ʒɔ̃gle] *vi* to juggle.
jonglerie [ʒɔ̃gləri] *nf* jugglery, juggling.
jongleur [ʒɔ̃glœːr] *nm* juggler, tumbler.
jonquille [ʒɔ̃kiːj] *nf* jonquil, daffodil.
joue [ʒu] *nf* cheek; **mettre en —** to aim (at).
jouer [ʒwe] *vt* to play, stake, back, act, feign, cheat; *vi* to play, gamble, work, be loose; *vr* to make fun (of **de**); **faire —** to work, set in motion.
jouet [ʒwɛ] *nm* toy, plaything.
joueur, -euse [ʒwœːr, øːz] *a* fond of play, fond of gambling; *n* player, performer, gambler; **être beau —** to be a (good) sport.
joufflu [ʒufly] *a* chubby.

joug [ʒug] *nm* yoke.
jouir [ʒwiːr] *vi* (**de**) to enjoy.
jouissance [ʒwisɑ̃ːs] *nf* pleasure, enjoyment, possession.
jouisseur, -euse [ʒwisœːr, øːz] *n* pleasure-seeker, sensualist.
joujou [ʒuʒu] *nm* toy.
jour [ʒuːr] *nm* day, daylight, light, opening; **en plein** — in broad daylight; **mettre au** — to bring to light; **sous un autre** — in another light; **de** — **en** — from day to day.
journal [ʒurnal] *nm* newspaper, diary; — **de bord** logbook.
journalier, -ière [ʒurnalje, jɛːr] *a* daily; *n* day-labourer.
journalisme [ʒurnalism] *nm* journalism.
journaliste [ʒurnalist] *n* journalist, reporter.
journée [ʒurne] *nf* day, day's work day's pay.
journellement [ʒurnɛlmɑ̃] *ad* daily, every day.
joute [ʒut] *nf* joust, tilting.
jouter [ʒute] *vi* to tilt, joust, fight.
jovial [ʒɔvjal] *a* jovial, jolly.
jovialité [ʒɔvjalite] *nf* joviality, jollity.
joyau [ʒwajo] *nm* jewel.
joyeux, -euse [ʒwajø, øːz] *a* joyous, joyful, merry.
jubilation [ʒybilasjɔ̃] *nf* glee.
jubilé [ʒybile] *nm* jubilee.
jubiler [ʒybile] *vi* to be gleeful, to gloat.
jucher [ʒyʃe] *vti* to perch; *vr* to roost, perch.
juchoir [ʒyʃwaːr] *nm* perch, roosting-place.
judas [ʒyda] *nm* traitor, spy-hole.
judiciaire [ʒydisjɛːr] *a* judicial, legal.
judicieux, -euse [ʒydisjø, øːz] *a* judicious, sensible.
juge [ʒyːʒ] *nm* judge, umpire; — **d'instruction** examining magistrate; — **de paix** magistrate.
jugé [ʒyʒe] *nm* **au** — by guesswork.
jugement [ʒyʒmɑ̃] *nm* judgment, trial, sentence, opinion, discrimination.
jugeote [ʒyʒɔt] *nf* common sense, gumption.
juger [ʒyʒe] *vt* to judge, try, sentence, deem, imagine; *vi* to form an opinion of, imagine.
jugulaire [ʒygylɛːr] *a* jugular; *nf* jugular vein, chin-strap.
juif, -ive [ʒɥif, ʒɥiːv] *a* Jewish; *n* Jew, Jewess.
juillet [ʒɥije] *nm* July.
juin [ʒɥɛ̃] *nm* June.
juiverie [ʒɥivri] *nf* Jewry, ghetto.
jujube [ʒyʒyb] *nm* jujube.
jumeau, -elle [ʒymo, ɛl] *an* twin.
jumeler [ʒymle] *vt* to arrange in pairs.
jumelles [ʒymɛl] *nf pl* opera-glasses, field-glasses, binoculars.
jument [ʒymɑ̃] *nf* mare.
jungle [ʒɔ̃ːgl] *nf* jungle.
jupe [ʒyp] *nf* skirt.
jupe-culotte [ʒypkylɔt] *nf* divided skirt.
jupon [ʒypɔ̃] *nm* petticoat, underskirt.
juré [ʒyre] *a* sworn; *nm* juryman, juror; *pl* jury.
jurer [ʒyre] *vt* to vow, pledge, swear; *vi* to curse, swear, (*colours*) clash.
juridiction [ʒyridiksjɔ̃] *nf* jurisdiction.
juridique [ʒyridik] *a* juridical, legal, judicial.
juriste [ʒyrist] *nm* jurist.
juron [ʒyrɔ̃] *nm* oath, curse, swear-word.
jury [ʒyri] *nm* jury, examining board, selection committee.
jus [ʒy] *nm* juice, gravy.
jusque [ʒysk(ə)] *prep* up to, as far as, until, even; **jusqu'ici** so far, until now; **—-là** up to that point, until then; **jusqu'à ce que** until.
juste [ʒyst] *a* just, fair, right, righteous, accurate, tight, scanty; *ad* just, exactly, accurately, barely; **au** — exactly; **comme de** — as is only right.
justement [ʒystəmɑ̃] *ad* justly, precisely, just; as a matter of fact.
justesse [ʒystɛs] *nf* correctness, accuracy, exactness, soundness; **de** — only just, just in time.
justice [ʒystis] *nf* justice, fairness, law; **se faire** — to take the law into one's own hands, to kill oneself.
justicier [ʒystisje] *nm* justiciary.
justifiable [ʒystifjabl] *a* justifiable.
justification [ʒystifikasjɔ̃] *nf* justification, vindication.
justifier [ʒystifje] *vt* to justify, warrant, vindicate, clear; *vr* to justify, vindicate, clear oneself.
jute [ʒyt] *nm* jute.
juteux, -euse [ʒytø, øːz] *a* juicy.
juvénile [ʒyvenil] *a* juvenile, youthful.
juxtaposer [ʒykstapoze] *vt* to place side by side.

K

kangourou [kɑ̃guru] *nm* kangaroo.
kapokier [kapɔkje] *nm* silk cotton tree.
karité [karite] *nm* shea butter.
képi [kepi] *nm* peaked cap.
kermesse [kɛrmɛs] *nf* fair.
kif-kif [kifkif] *a inv* (*fam*) likewise.
kilogramme [kilɔgram] *nm* kilogram.
kilomètre [kilɔmɛtr] *nm* kilometre.
kilométrique [kilɔmetrik] *a* kilometric; **borne** — milestone.
kiosque [kjɔsk] *nm* kiosk, stall, stand, conning-tower.
klaxon [klaksɔ̃] *nm* motor horn.

klaxonner [klaksɔne] *vi* to sound the horn.
kleptomane [klɛptɔman] *an* kleptomaniac.
kolatier [kɔlatje] *nm* kola nut tree.
krack [krak] *nm* (financial) crash, failure.
kyrielle [kirjɛl] *nf* rigmarole, string.

L

l' see **le.**
la [la] *def art pn f* see **le.**
la [la] *nm* musical note A.
là [la] *ad* there, then, that; *excl* there now! **c'est — la question** that is the question; **d'ici —** in the meantime; **oh — —!** oh, I say!
là-bas [labɑ] *ad* over there, yonder.
labeur [labœːr] *nm* labour, hard work.
labial [labjal] *a* labial.
laboratoire [labɔratwaːr] *nm* laboratory.
laborieux, -euse [labɔrjø, øːz] *a* laborious, hard-working, arduous, hard, slow.
labour [labuːr] *nm pl* ploughed land.
labourable [laburabl] *a* arable.
labourage [laburaːʒ] *nm* ploughing, tilling.
labourer [labure] *vt* to till, plough (up), furrow.
laboureur [laburœːr *nm* ploughman.
labyrinthe [labirɛ̃ːt] *nm* labyrinth, maze.
lac [lak] *nm* lake, (*Scot*) loch.
lacer [lase] *vt* to lace (up); *vr* to lace oneself up.
lacérer [lasere] *vt* to lacerate, slash, tear.
lacet [lasɛ] *nm* lace, noose, snare; **en —** winding.
lâchage [lɑʃaːʒ] *nm* releasing, dropping.
lâche [lɑːʃ] *a* cowardly, loose, lax, slack; *n* coward.
lâchement [lɑʃmɑ̃] *ad* in a cowardly way.
lâcher [lɑʃe] *vt* to release, drop, let go, let fly, let loose, let out, set free, divulge, blab out; **— pied** to give ground, give way; **— prise** to let go (one's hold); *nm* release.
lâcheté [lɑʃte] *nf* cowardice, craven, cowardly action.
lacis [lasi] *nm* network.
laconique [lakɔnik] *a* laconic.
lacrymogène [lakrimɔʒɛn] *a* **gaz —** tear gas.
lacté [lakte] *a* milky, lacteal.
lacune [lakyn] *nf* lacuna, gap, break, blank.
là-dedans [ladədɑ̃] *ad* in there, within, in it, in them.
là-dehors [ladəɔːr] *ad* outside, without.
là-dessous [latsu] *ad* under there, under that, under it, under them, underneath.
là-dessus [latsy] *ad* on that, on it, on them, thereupon.
ladre [lɑːdr] *a* mean, stingy; *nm* miser, skinflint.
ladrerie [lɑdrəri] *nf* meanness, niggardliness.
lagune [lagyn] *nf* lagoon.
là-haut [lao] *ad* up there.
laïciser [laisize] *vt* to secularize.
laid [lɛ] *a* ugly, despicable.
laideron, -onne [lɛdrɔ̃, ɔn] *n* plain person.
laideur [lɛdœːr] *nf* ugliness, meanness.
lainage [lɛnaːʒ] *nm* woollen article, fleece; *pl* woollen goods.
laine [lɛn] *nf* wool; **— filée** yarn; **— peignée** worsted.
lainerie [lɛnri] *nf* woollen mill, -trade, wool-shop.
laineux, -euse [lɛnø, øːz] *a* woolly, fleecy.
lainier, -ière [lenje, jɛːr] *a* **industrie lainière** wool trade; *n* woollen-goods manufacturer.
laïque [laik] *a* lay, secular; *nm* layman.
laisse [lɛs] *nf* leash, lead.
laissé-pour-compte [lɛsepuːrkɔ̃ːt] *nm* returned goods, rejects, unsold stock.
laisser [lɛse] *vt* to leave, let, allow; **se — faire** to submit; **— là quelque-chose** to give up doing something; **ne pas — de faire** not to fail to do, to do nevertheless.
laisser-aller [lɛseale] *nm* untidiness, carelessness, neglect.
laisser-faire [lɛsefɛːr] *nm* non-interference, non-resistance.
laissez-passer [lɛsepɑse] *nm* pass, permit.
lait [lɛ] *nm* milk; **frère, sœur de —** foster-brother, sister.
laitage [lɛtaːʒ] *nm* dairy produce, milk foods.
laiterie [lɛtri] *nf* dairy.
laiteux, -euse [lɛtø, øːz] *a* milky.
laitier, -ière [lɛtje, jɛːr] *a* dairy-, milk-; *n* dairyman, milkman, milkmaid, dairymaid; *nm* slag, dross.
laiton [lɛtɔ̃] *nm* brass.
laitue [lɛty] *nf* lettuce.
laïus [lajyːs] *nm* (*fam*) speech.
lama [lama] *nm* (*animal*) llama; (*priest*) lama.
lambeau [lɑ̃bo] *nm* scrap, shred, rag, tatter.
lambin [lɑ̃bɛ̃] *a* (*fam*) slow, sluggish; *n* slow-coach.
lambris [lɑ̃bri] *nm* wainscoting, panelling, panelled ceiling.
lambrissage [lɑ̃brisɑːʒ] *nm* wainscoting, panelling.
lame [lam] *nf* blade, strip, slat, wave; **— de fond** groundswell.
lamé [lame] *a* spangled.
lamentable [lamɑ̃tabl] *a* pitiful,

woeful, lamentable, deplorable.
lamentation [lamɑ̃tasjɔ̃] *nf* lament(ation), wail(ing).
se lamenter [səlamɑ̃te] *vr* to lament, wail.
laminer [lamine] *vt* to laminate, roll, calender.
laminoir [laminwa:r] *nm* rolling-mill, roller, calender.
lampadaire [lɑ̃padɛ:r] *nm* standard lamp, candelabrum.
lampe [lɑ̃:p] *nf* lamp, light, torch, valve.
lamper [lɑ̃pe] *vt* to gulp, swig.
lampion [lɑ̃pjɔ̃] *nm* fairy light, Chinese lantern.
lampiste [lɑ̃pist] *n* lampman.
lampisterie [lɑ̃pistəri] *nf* lamp-room, lamp works.
lance [lɑ̃:s] *n* spear, lance, nozzle.
lancé [lɑ̃se] *a* under way, flying; **un homme** — a man who has made his name.
lance-bombes [lɑ̃sbɔ̃:b] *nm* trench mortar, bomb rack.
lance-flammes [lɑ̃sflɑ:m] *nm* flame-thrower.
lancement [lɑ̃smɑ̃] *nm* throwing, putting, launching, floating, promoting.
lance-pierres [lɑ̃spjɛ:r] *nm* catapult.
lancer [lɑ̃se] *vt* to throw, cast, drop (*bombs*), launch, float, start, set (on, going, on one's feet), put on the market; *vr* to rush, dash, launch (out), plunge.
lance-torpille [lɑ̃stɔrpi:j] *nm* torpedo-tube.
lancette [lɑ̃sɛt] *nf* lancet.
lancier [lɑ̃sje] *nm* lancer.
lancinant [lɑ̃sinɑ̃] *a* shooting, throbbing.
lande [lɑ̃:d] *nf* heath, moor.
langage [lɑ̃ga:ʒ] *nm* language, speech, talk.
lange [lɑ̃:ʒ] *nf* baby's napkin; *pl* swaddling-clothes.
langoureux, -euse [lɑ̃gurø, ø:z] *a* languorous, languid.
langouste [lɑ̃gust] *nf* (spiny) lobster.
langue [lɑ̃:g] *nf* tongue, language, speech; — **vivante** modern language; — **verte** slang; **mauvaise** — mischief-maker, slandermonger; **donner sa — aux chats** to give it up.
languette [lɑ̃gɛt] *nf* strip, tongue.
langueur [lɑ̃gœ:r] *nf* languor, listlessness.
languir [lɑ̃gi:r] *vi* to languish, pine.
languissant [lɑ̃gisɑ̃] *a* listless, languid, dull.
lanière [lanjɛ:r] *nf* strip, strap, thong, lash.
lanterne [lɑ̃tɛrn] *nf* lantern, lamp, light.
lapalissade [lapalisad] *nf* truism, obvious remark.
laper [lape] *vt* to lap (up).
lapidaire [lapidɛ:r] *a* lapidary, concise; *nm* lapidary.
lapider [lapide] *vt* to throw stones at, vilify.
lapin [lapɛ̃] *nm* rabbit, coney; — **de garenne** wild rabbit; **poser un** — to fail to turn up.
laps [laps] *nm* lapse, space of time.
lapsus [lapsy:s] *nm* lapse, mistake, slip.
laquais [lakɛ] *nm* lackey, footman.
laque [lak] *nf* lake, hair-lacquer; — **en écailles** shellac; *nm* lacquer.
laquer [lake] *vt* to lacquer, japan, enamel.
laquelle *rel pn see* **lequel.**
larbin [larbɛ̃] *nm* flunkey.
larcin [larsɛ̃] *nm* larceny, petty theft.
lard [la:r] *nm* fat, bacon.
larder [larde] *vt* to lard, inflict, shower, interlard.
large [larʒ] *a* broad, wide, ample, liberal, generous; *nm* space, open sea, breadth; **au** — out at sea; **prendre le** — to put to sea, make off; **au — de** off.
largesse [larʒɛs] *nf* liberality, generosity, largess(e).
largeur [larʒœ:r] *nf* breadth, broadness, width.
larguer [large] *vt* to loose, cast off, unfurl, release.
larme [larm] *nf* tear, drop.
larmoyant [larmwajɑ̃] *a* tearful, maudlin.
larmoyer [larmwaje] *vi* to snivel, shed tears, (*eyes*) water.
larron [larɔ̃] *nm* thief.
larve [larv] *nf* larva, grub.
laryngite [larɛ̃ʒit] *nf* laryngitis.
larynx [larɛ̃:ks] *nm* larynx.
las, lasse [lɑ, lɑ:s] *a* tired, weary.
lascif, -ive [lasif, i:v] *a* lewd.
lasser [lɑse] *vt* to tire, weary; *vr* to grow tired, weary.
lassitude [lɑsityd] *nf* weariness.
latent [latɑ̃] *a* latent.
latéral [lateral] *a* lateral, side-cross-.
latin [latɛ̃] *a nm* Latin; — **de cuisine** dog-Latin.
latitude [latityd] *nf* latitude, scope.
latte [lat] *nf* lath, slat.
lattis [lati] *nm* lathing, lattice-work.
lauréat [lɔrea, -at] *nm* laureate, prize-winner.
laurier [lɔrje] *nm* laurel, bay.
laurier-rose [lɔrjero:z] *nm* oleander.
lavabo [lavabo] *nm* wash-hand basin, lavatory.
lavande [lavɑ̃:d] *nf* lavender.
lavandière [lavɑ̃djɛ:r] *nf* washer-woman.
lave [la:v] *nf* lava.
lavement [lavmɑ̃] *nm* rectal injection, enema.
laver [lave] *vt* to wash, bathe; *vr* to wash (oneself), have a wash; — **la tête à qn** to give s.o. a good wigging, dressing-down.
lavette [lavɛt] *nf* mop, dish-cloth.

laveur, -euse [lavœːr, øːz] *n* washer, washerwoman, washer-up.
lavis [lavi] *nm* washing, wash-tint, wash-drawing.
lavoir [lavwaːr] *nm* wash-house, washing board.
laxatif, -ive [laksatif, iːv] *a nm* laxative, aperient.
layette [lɛjɛt] *nf* layette, outfit of baby linen.
lazzi [lazi, ladzi] *nm pl* jeers.
le, la, l', les [lə, la, l, lɛ] *def art* the, a (*often untranslated*); *pn* him, her, it, them; *neut pn* so (*often untranslated*).
léché [leʃe] *a* finicking, over-polished.
lécher [leʃe] *vt* to lick.
lécheur, -euse [leʃœːr, øːz] *n* toady, parasite.
leçon [ləsɔ̃] *nf* lesson; **— de choses** object-lesson; **faire la — à qn** to lecture, drill s.o.
lecteur, -trice [lɛktœːr, tris] *n* reader, (foreign) assistant in French university.
lecture [lɛktyːr] *nf* reading, perusal; **salle de —** reading room.
ledit, ladite, lesdits, lesdites [lədi, ladit, ledi, ledit] *a* the aforesaid.
légal [legal] *a* legal, lawful.
légaliser [legalize] *vt* to attest, authenticate, legalize.
légalité [legalite] *nf* legality, lawfulness.
légataire [legatɛːr] *nm* legatee, heir.
légation [legasjɔ̃] *nf* legation.
légendaire [leʒɑ̃dɛːr] *a* legendary.
légende [leʒɑ̃ːd] *nf* legend, inscription, caption, key.
léger, -ère [leʒe, ɛːr] *a* light, agile, flighty, frivolous, slight, mild, weak; *ad* **à la légère** lightly, scantily, without due reflection.
légèreté [leʒɛrte] *nf* lightness, fickleness, levity, agility, mildness, weakness.
légion [leʒjɔ̃] *nf* legion.
législateur, -trice [leʒislatœːr, tris] *a* legislative; *n* legislator, lawgiver.
législatif, -ive [leʒislatif, iːv] *a* legislative.
législation [leʒislasjɔ̃] *nf* legislation, laws.
législature [leʒislatyːr] *nf* legislature, legislative body.
légitime [leʒitim] *a* legitimate, lawful, justifiable, sound.
légitimer [leʒitime] *vt* to legitimate, legitimatize, justify.
legs [lɛ] *nm* legacy, bequest.
léguer [lege] *vt* to bequeath, leave, will.
légume [legym] *nm* vegetable; **grosse —** bigwig.
lendemain [lɑ̃dmɛ̃] *nm* next day, day after, morrow; **sans —** short-lived; **du jour au —** very quickly, from one day to the next.
lénifiant [lenifjɑ̃] *a* soothing, relaxing.
lent [lɑ̃] *a* slow, lingering.
lenteur [lɑ̃tœːr] *nf* slowness, dilatoriness.
lentille [lɑ̃tiːj] *nf* lentil, lens.
léopard [leɔpaːr] *nm* leopard.
lèpre [lɛpr] *nf* leprosy.
lépreux, -euse [leprø, øːz] *a* leprous; *n* leper.
lequel, laquelle, lesquels, lesquelles [ləkɛl, lakɛl, lekɛl] *rel pn* who, whom, which; *inter pn* which (one).
léser [leze] *vt* to injure, wrong.
lésiner [lezine] *vi* to be mean, close-fisted, haggle (over).
lésion [lezjɔ̃] *nf* lesion, injury, wrong.
lessive [lɛsiːv] *nf* wash(ing).
lessiver [lɛsive] *vt* to wash, scrub.
lessiveuse [lɛsivøːz] *nf* clothes boiler, copper.
lest [lɛst] *nm* ballast.
leste [lɛst] *a* light, nimble, smart, flippant, free, spicy (*humour*).
léthargie [letarʒi] *nf* lethargy.
léthargique [letarʒik] *a* lethargic, dull.
lettre [lɛtr] *nf* letter, note; *pl* literature, letters; **— de change** bill of exchange; **— de voiture** consignment note; **au pied de la —** literally; **écrire quelque chose en toutes —s** to write something out in full.
lettré [lɛtre] *a* lettered, literate, well-read; *nm* scholar.
leu [lø] *nm* **à la queue — —** in single file.
leur [lœ(ː)r] *pos a* their; *pos pn* **le, la —, les —s** theirs; *nm* their own; *pl* their own people; *pn dat* (to) them.
leurre [lœːr] *nm* lure, decoy, bait, allurement, catch.
leurrer [lœre] *vt* to lure, decoy, allure, entice; *vr* to be taken in.
levain [ləvɛ̃] *nm* leaven, yeast.
levant [ləvɑ̃] *a* rising (*sun*); *nm* east, orient.
levé [ləve] *a* raised, up, out of bed; **voter à main —e** vote by show of hands; *nm* survey.
levée [ləve] *nf* lifting, adjourning, collection, levy, embankment, (*cards*) trick.
lever [ləve] *vt* to raise, lift (up), collect, levy, remove, cut off, (*camp*) strike, adjourn, (*anchor*) weigh, (*survey*) effect; *vi* to shoot, rise; *vr* to stand up, get up, rise, (*day*) dawn; *nm* rising, levee, survey; **— de rideau** curtain-raiser; **— du soleil** sunrise.
levier [ləvje] *nm* lever, crowbar; **— de commande** control lever.
lèvre [lɛːvr] *nf* lip, rim; **du bout des —s** forced, disdainful.
lévrier [levrie] *nm* greyhound.
levure [ləvyːr] *nf* yeast.
lexicographe [lɛksikɔgraf] *nm* lexicographer.
lexique [lɛksik] *nm* lexicon, glossary.

lézard [lezaːr] *nm* lizard; **faire le —** to bask in the sun.
lézarde [lezard] *nf* crevice, crack, chink.
lézarder [lezarde] *vt* to crack, split; *vir* to lounge, sun oneself.
liaison [ljɛzɔ̃] *nf* joining, binding, connection, linking, liaison, slur, (*mus*) tie.
liant [ljɑ̃] *a* friendly, engaging, responsive, flexible, pliant; *nm* friendly disposition, flexibility.
liasse [ljas] *nf* bundle, wad.
libation [libasjɔ̃] *nf* libation, drinking.
libelle [libɛl] *nm* lampoon, libel.
libeller [libɛlle] *vt* to draw up.
libellule [libɛllyl] *nf* dragonfly.
libéral [liberal] *an* liberal, broad, generous.
libéralité [liberalite] *nf* liberality, generosity.
libérateur, -trice [liberatœːr, tris] *a* liberating; *n* liberator.
libération [liberasjɔ̃] *nf* liberation, release, discharge.
libérer [libere] *vt* to liberate, release, free, discharge.
liberté [libɛrte] *nf* liberty, freedom.
libertin [libɛrtɛ̃] *a* licentious, dissolute, wayward; *n* libertine, rake, free-thinker.
libertinage [libɛrtinaːʒ] *nm* dissolute ways.
libraire [librɛːr] *nm* bookseller.
librairie [librɛri] *nf* book-trade, bookshop.
libre [libr] *a* free, clear, open, disengaged, unoccupied, vacant, for hire.
libre-échange [libreʃɑ̃ːʒ] *nm* free-trade.
libre-service [librəsɛrvis] *nm* self-service.
licence [lisɑ̃ːs] *nf* licence, excessive liberty, permission, certificate, bachelor's degree.
licencié [lisɑ̃sje] *nm* licentiate, licensee, licence-holder; **— ès lettres** (*approx*) B.A.; **— en droit** (*approx*) Ll.B.; **— ès sciences** (*approx*) B.Sc.
licencier [lisɑ̃sje] *vt* to disband, sack, dismiss.
licencieux, -euse [lisɑ̃sjø, øːz] *a* licentious.
licite [lisit] *a* licit, lawful.
licorne [likɔrn] *nf* unicorn.
licou [liku] *nm* halter.
lie [li] *nf* lees, dregs.
lié [lje] *a* bound, tied, friendly, intimate.
liebig [libig] *nm* beef extract.
liège [ljɛːʒ] *nm* cork.
lien [ljɛ̃] *nm* bond, tie.
lier [lje] *vt* to bind, tie (up), link, join, (*sauce*) thicken; **— amitié avec qn** to strike up an acquaintance with s.o.; *vr* to become friendly, intimate (with **avec**).
lierre [ljɛːr] *nm* ivy.
lieu [ljø] *nm* place, spot, scene; *pl* premises; **en premier, dernier —** firstly, lastly; **avoir —** to take place, have every reason (to); **donner —** to give rise (to **à**); **tenir —** to take the place (of **de**); **au — de** instead of.
lieue [ljø] *nf* league.
lieuse [ljøːz] *nf* (mechanical) binder.
lieutenant [ljøtnɑ̃] *nm* lieutenant, mate; **— de vaisseau** lieutenant-commander.
lièvre [ljɛːvr] *nm* hare; **mémoire de —** memory like a sieve.
liftier, -ière [liftje, jɛːr] *n* lift-man, -boy, -girl, -attendant.
ligaturer [ligatyre] *vt* to tie up, bind, ligature.
ligne [liɲ] *nf* line, cord, row; **hors —** outstanding, out of the common; **à la —** new paragraph.
lignée [liɲe] *nf* issue, stock, descendants.
lignite [liɲit] *nf* lignite.
ligoter [ligɔte] *vt* to bind, tie up.
ligue [lig] *nf* league.
liguer [lige] *vt* to league; *vr* to form a league.
lilas [lilɑ] *a nm* lilac.
limace [limas] *nf* slug.
limaçon [limasɔ̃] *nm* snail; **en —** spiral.
limande [limɑ̃ːd] *nf* dab.
lime [lim] *nf* file.
limer [lime] *vt* to file (up, off, down), (*verses*) polish.
limier [limje] *nm* bloodhound.
limitation [limitasjɔ̃] *nf* restriction.
limite [limit] *nf* limit, boundary; *pl* bounds; *a* maximum.
limiter [limite] *vt* to limit, mark the bounds of.
limitrophe [limitrɔf] *a* adjacent, bordering.
limoger [limɔʒe] *vt* to relegate.
limon [limɔ̃] *nm* mud, silt, lime.
limonade [limɔnad] *nf* lemonade.
limoneux, -euse [limɔnø, øːz] *a* muddy.
limpide [lɛ̃pid] *a* limpid.
limpidité [lɛ̃pidite] *nm* limpidity, clarity.
lin [lɛ̃] *nm* flax, linseed, linen.
linceul [lɛ̃sœl] *nm* shroud.
linéaire [lineɛːr] *a* linear.
linéal [lineal] *a* lineal.
linéament [lineamɑ̃] *nm* lineament, feature.
linge [lɛ̃ːʒ] *nm* linen.
lingère [lɛ̃ʒɛːr] *nf* sewing-maid.
lingerie [lɛ̃ʒri] *nf* underwear, linen-room.
linguiste [lɛ̃gɥist] *n* linguist.
linguistique [lɛ̃gɥistik] *a* linguistic; *nf* linguistics.
linoléum [linɔleɔm] *nm* linoleum.
linon [linɔ̃] *nm* lawn, buckram.
linotte [linɔt] *nf* linnet; **tête de —** feather-brained person.
linteau [lɛ̃to] *nm* lintel.
lion, -onne [ljɔ̃, ɔn] *n* lion, lioness.

lionceau [ljɔ̃so] *nm* lion cub.
lippu [lipy] *a* thick-lipped.
liquéfier [likefje] *vt* to liquefy.
liqueur [likœːr] *nm* liquor, drink, liqueur, liquid.
liquidation [likidasjɔ̃] *nf* liquidation, settlement, clearing, selling off.
liquide [likid] *a* liquid, ready; *nm* liquid.
liquider [likide] *vt* to liquidate, settle, sell off, finish off.
liquoreux, -euse [likɔrø, øːz] *a* liqueur-like, sweet.
lire [liːr] *vt* to read.
lis [lis] *nm* lily.
liséré [lizere] *nm* border, edge, piping, binding.
lisérer [lizere] *vt* to border, edge, pipe.
liseron [lizrɔ̃] *nm* bindweed.
liseur, -euse [lizœːr, øːz] *a* reading; *n* reader.
liseuse [lizøːz] *nf* dust-jacket, book-marker, bed-jacket.
lisibilité [lizibilite] *nf* legibility.
lisible [lizibl] *a* legible.
lisière [lizjɛːr] *nf* edge, border, selvedge, list, leading-strings.
lisse [lis] *a* smooth, polished.
lisser [lise] *vt* to smooth, polish, preen.
liste [list] *nf* list, roster, register.
lit [li] *nm* bed, layer, bottom; **— de sangle** camp-bed; **enfant du second —** child of the second marriage.
litanie [litani] *nf* litany, rigmarole.
lit-armoire [liarmwaːr] *nm* box-bed.
literie [litri] *nf* bedding.
lithographie [litɔgrafi] *nf* lithograph(y).
litière [litjɛːr] *nf* litter.
litige [litiːʒ] *nm* litigation, lawsuit; **en —** under dispute.
litigieux, -euse [litiʒjø, øːz] *a* litigious.
litre [litr] *nm* litre.
littéraire [literɛːr] *a* literary.
littéral [literal] *a* literal, written.
littérateur [literatœːr] *nm* man of letters.
littérature [literatyːr] *nf* literature.
littoral [litɔral] *a* littoral, coastal; *nm* seaboard.
liturgie [lityrʒi] *nf* liturgy.
liturgique [lityrʒik] *a* liturgical.
livide [livid] *a* livid, ghastly.
livraison [livrɛzɔ̃] *nf* delivery, part, instalment; **à —** on delivery.
livre [liːvr] *nf* pound; *nm* book; **— de poche** paperback.
livrée [livre] *nf* livery.
livrer [livre] *vt* to deliver, surrender, give up, hand over; **— bataille** to give, join battle; *vr* to give oneself up, confide (in à), indulge (in), take (to).
livresque [livrɛsk] *a* book, bookish.
livret [livrɛ] *nm* small book, booklet, handbook, libretto.
livreur, -euse [livrœːr, øːz] *n* delivery-man, -boy, -girl.
lobe [lɔb] *nm* lobe, flap.
local [lɔkal] *a* local; *nm* premises, building, quarters.
localiser [lɔkalize] *vt* to localize, locate.
localité [lɔkalite] *nf* locality, place, spot.
locataire [lɔkatɛːr] *n* tenant, lessee, lodger.
location [lɔkasjɔ̃] *nf* hiring, letting, renting, booking; **en —** on hire; **agent de —** house-agent.
locomotive [lɔkɔmɔtiv] *nf* locomotive, engine.
locomotion [lɔkɔmosjɔ̃] *nf* locomotion.
locution [lɔkysjɔ̃] *nf* expression, phrase.
lof [lɔf] *nm* (*naut*) windward side.
logarithme [lɔgaritm] *nm* logarithm.
loge [lɔːʒ] *nf* lodge, box, dressing-room.
logement [lɔʒmɑ̃] *nm* lodging(s), accommodation, billet(ing), housing.
loger [lɔʒe] *vi* to lodge, live, be billeted; *vt* to lodge, house, billet, stable, put, place; *vr* to lodge, find a home, a place.
logeur, -euse [lɔʒœːr, øz] *n* landlord -lady.
logique [lɔʒik] *a* logical, reasoned; *nf* logic.
logis [lɔʒi] *nm* dwelling, home, lodgings, accommodation.
loi [lwa] *nf* law, act, rule; **projet de —** bill.
loin [lwɛ̃] *ad* far, a long way off; **au —** in the distance, far and wide; **de —** from a distance; **de — en —** at long intervals, now and then.
lointain [lwɛ̃tɛ̃] *a* distant, far-off; *nm* distance.
loir [lwaːr] *nm* dormouse.
loisible [lwazibl] *a* permissible, convenient.
loisir [lwaziːr] *nm* leisure, spare time.
londonien, -enne [lɔ̃dɔnjɛ̃, jɛn] *n* Londoner.
Londres [lɔ̃ːdr] *nm* London.
long [lɔ̃] *a* long, lengthy, slow; *nm* length; **à la longue** in the long run; **de — en large** up and down, to and fro; **le — de** along(side); **tout le — du jour** the whole day long; **en dire —** to speak volumes; **en savoir —** to know a lot.
longe [lɔ̃ːʒ] *nf* halter.
longer [lɔ̃ʒe] *vt* to skirt, hug, run alongside.
longeron [lɔ̃ʒrɔ̃] *nm* girder, beam, tail-boom, spar.
longévité [lɔ̃ʒevite] *nf* longevity, expectation of life.
longitude [lɔ̃ʒityd] *nf* longitude.
longtemps [lɔ̃tɑ̃] *ad* long, a long time.
longuement [lɔ̃gmɑ̃] *ad* for a long time, at length.

longueur [lɔ̃gœ:r] *nf* length; *pl* tedious passages; **tirer en —** to drag on, spin out.
longue-vue [lɔ̃gvy] *nf* telescope, field-glass.
looping [lupiŋ] *nm* **faire du —** to loop the loop.
lopin [lɔpɛ̃] *nm* plot, allotment.
loquace [lɔkwas] *a* loquacious, talkative.
loquacité [lɔkwasite] *nf* loquacity, talkativeness.
loque [lɔk] *nf* rag.
loquet [lɔkɛ] *nm* latch.
loqueteux, -euse [lɔktø, ø:z] *a* tattered, ragged.
lorgnade [lɔrɲad] *nf* sidelong glance.
lorgner [lɔrɲe] *vt* to cast a (sidelong) glance at, have a covetous eye on, make eyes at, ogle.
lorgnette [lɔrɲɛt] *nf* opera-glasses.
lorgnon [lɔrɲɔ̃] *nm* eyeglasses, pince-nez.
loriot [lɔrjo] *nm* oriole.
lors [lɔ:r] *ad* **depuis, dès —** from that time, ever since then; **— même que** even when; **— de** at the time of.
lorsque [lɔrsk(ə)] *cj* when.
losange [lɔzɑ̃:ʒ] *nm* lozenge; **en —** diamond-shaped.
lot [lo] *nm* share, portion, lot, prize; **gros —** first prize.
loterie [lɔtri] *nf* lottery, raffle, draw.
lotion [losjɔ̃] *nf* lotion.
lotir [lɔti:r] *vt* to divide into lots, sort out, allot.
lotissement [lɔtismɑ̃] *nm* dividing into lots, selling in lots, building site, housing estate.
lotte [lɔt] *nf* burbot.
louable [lwabl, lu-] *a* praiseworthy, commendable.
louage [lwa:ʒ, lu-] *nm* hire, hiring, letting out.
louange [lwɑ̃:ʒ] *nf* praise.
louche [luʃ] *a* ambiguous, suspicious, queer; *nf* ladle.
loucher [luʃe] *vi* to squint, (*fam*) to look enviously (at **sur**).
louer [lwe, lue] *vt* to hire (out), let (out), rent, reserve, praise, commend; *vr* to engage, hire oneself, be pleased, satisfied (with), congratulate oneself (upon **de**).
loueur, -euse [lwœ:r, lu-, ø:z] *n* hirer, renter.
loufoque [lufɔk] *a* cracked, dippy.
loulou [lulu] *nm* pomeranian dog.
loup [lu] *nm* wolf, black velvet mask, flaw, error; **à pas de —** stealthily; **avoir une faim de —** to be ravenously hungry; **un froid de —** bitter cold; **quand on parle du —, on en voit la queue** talk of the devil and he's sure to appear; **— de mer** old salt, sea dog.
loup-cervier [lusɛrvje] *nm* lynx.
loupe [lup] *nf* lens, magnifying glass, wen.
louper [lupe] *vt* to bungle, make a mess of.
loup-garou [lugaru] *nm* werewolf.
lourd [lu:r] *a* heavy, ponderous, ungainly, dull(witted), close, sultry.
lourdaud [lurdo] *a* loutish, clumsy, dullwitted; *n* lout, blockhead.
lourdeur [lurdœ:r] *nf* heaviness, ponderousness, ungainliness, dullness, sultriness.
loustic [lustik] *nm* joker, wag.
loutre [lutr] *nf* otter.
louve [lu:v] *nf* she-wolf.
louveteau [luvto] *nm* wolf-cub.
louvoyer [luvwaje] *vi* to tack, manoeuvre.
loyal [lwajal] *a* loyal, true, upright, fair.
loyauté [lwajote] *nf* loyalty, fidelity, uprightness, honesty, fairness.
loyer [lwaje] *nm* rent.
lubie [lybi] *nf* whim, fad.
lubricité [lybrisite] *nf* lewdness.
lubrifiant [lybrifjɑ̃] *a* lubricating; *nm* lubricant.
lubrique [lybrik] *a* lewd.
lucarne [lykarn] *nf* attic window, skylight.
lucide [lysid] *a* lucid, clear.
lucidité [lysidite] *nf* lucidity, clearness.
luciole [lysjɔl] *nf* fire-fly.
lucratif, -ive [lykratif, i:v] *a* lucrative, profitable.
luette [lɥɛt] *nf* uvula.
lueur [lɥœ:r] *nf* gleam, glimmer, light.
luge [ly:ʒ] *nf* toboggan.
lugubre [lygy:br] *a* lugubrious, gloomy, dismal.
lui [lɥi] *pers pn dat* (to) him, her, it, from him, her, it; *disj pn* he, him; **—-même** himself.
luire [lɥi:r] *vi* to shine, gleam.
luisant [lɥizɑ̃] *a* shining, gleaming; *nm* gloss, sheen.
lumière [lymjɛ:r] *nf* light; *pl* understanding, knowledge, enlightenment.
lumignon [lymiɲɔ̃] *nm* candle-end, dim light.
lumineux, -euse [lyminø, ø:z] *a* luminous, bright.
luminosité [lyminozite] *nf* luminosity.
lunaire [lynɛ:r] *a* lunar.
lunatique [lynatik] *a* whimsical, capricious, moody.
lundi [lœ̃di] *nm* Monday.
lune [lyn] *nf* moon; **clair de —** moonlight; **être dans la —** to be wool-gathering; **— de miel** honeymoon.
lunetier [lyntje] *nm* spectacle-maker, optician.
lunette [lynɛt] *nf* telescope, wishbone, (w.c.) seat; *pl* spectacles, goggles.
lupin [lypɛ̃] *nm* lupin.
lurette [lyrɛt] *nf* **il y a belle —** a long time ago.

luron, -onne [lyrɔ̃, ɔn] *n* strapping lad (lass), gay chap, tomboy.
lustre [lystr] *nm* polish, gloss, chandelier, period of five years.
lustrer [lystre] *vt* to polish (up), gloss, glaze.
lustrine [lystrin] *nf* cotton lustre.
luth [lyt] *nm* lute.
luthier [lytje] *nm* violin-maker.
lutin [lytɛ̃] *a* mischievous; *nm* sprite, imp.
lutiner [lytine] *vt* to tease, torment.
lutrin [lytrɛ̃] *nm* lectern.
lutte [lyt] *nf* struggle, contest, strife, wrestling; **de haute** — by force (of arms), hard-won.
lutter [lyte] *vi* to struggle, compete, fight, wrestle.
luxe [lyks] *nm* luxury, profusion superfluity; **de** — first-class, luxury.
luxer [lykse] *vt* to dislocate, put out of joint.
luxueux, -euse [lyksɥø, ø:z] *a* luxurious, sumptuous.
luxure [lyksy:r] *nf* lewdness.
luxurieux, -euse [lyksyrjø, ø:z] *a* lewd, lustful.
luzerne [lyzɛrn] *nf* lucerne.
lycée [lise] *nm* secondary school.
lycéen, -enne [liseɛ̃, ɛn] *n* pupil, schoolboy, -girl.
lymphatique [lɛ̃fatik] *a* lymphatic.
lyncher [lɛ̃ʃe] *vt* to lynch.
lynx [lɛ̃ks] *nm* lynx.
lyre [li:r] *nf* lyre.
lyrique [lirik] *a* lyric(al); *nm* lyric poet.
lyrisme [lirism] *nm* lyricism, enthusiasm.
lys [lis] *nm* lily.

M

ma [ma] *af* see **mon.**
maboul [mabul] *a* dippy, cracked, mad.
macabre [makɑ:br] *a* grim, gruesome; **danse** — Dance of Death.
macadamiser [makadamize] *vt* to macadamize.
macaron [makarɔ̃] *nm* macaroon, rosette.
macaroni [makarɔni] *nm* macaroni.
macédoine [masedwan] *nf* salad, hotch-potch.
macérer [masere] *vt* to macerate, steep, mortify.
mâchefer [mɑʃfɛ:r] *nm* clinker, slag, dross.
mâché [mɑʃe] *a* chewed, worn, ragged, frayed.
mâcher [mɑʃe] *vt* to chew, munch, champ; **ne pas** — **ses mots** not to mince one's words.
machiavélique [makjavelik] *a* Machiavellian.
mâchicoulis [mɑʃikuli] *nm* machicolation.
machin [maʃɛ̃] *nm* thing, contraption, thingummy.
machinal [maʃinal] *a* mechanical.
machinateur, -trice [maʃinatœ:r, tris] *n* machinator, schemer, intriguer.
machination [maʃinasjɔ̃] *nf* machination, plot.
machine [maʃin] *nf* machine, engine, contraption; *pl* machinery; — **à écrire** typewriter; **fait à la** — machine made.
machine-outil [maʃinuti] *n* machine-tool.
machiner [maʃine] *vt* to plot, scheme.
machinerie [maʃinri] *nf* machine construction, machinery, plant, engine-room.
machinisme [maʃinism] *nm* mechanism, (use of) machinery.
machiniste [maʃinist] *nm* stage-hand.
mâchoire [mɑʃwa:r] *nf* jaw, jaw-bone.
mâchonner [mɑʃɔne] *vt* to chew, munch, mumble.
maçon [masɔ̃] *nm* mason, bricklayer.
maçonner [masɔne] *vt* to build, face with stone, brick up.
maçonnerie [masɔnri] *nf* masonry, stonework.
maçonnique [masɔnik] *a* masonic.
macule [makyl] *nf* stain, blemish, spot.
maculer [makyle] *vti* to stain, spot, blur.
madame [madam] *nf* Mrs, madam.
madeleine [madlɛn] *nf* sponge-cake.
mademoiselle [madmwazɛl] *nf* Miss.
madone [madɔn] *nf* Madonna.
madré [mɑdre] *a* wily, mottled; *n* wily bird.
madrier [madrie] *nm* beam, joist, thick plank.
madrigal [madrigal] *nm* madrigal.
madrilène [madrilɛn] *a* of Madrid.
magasin [magazɛ̃] *nm* shop, store, warehouse, magazine.
magasinage [magazina:ʒ] *nm* storing, warehouse dues.
magasinier [magazinje] *nm* warehouseman, storekeeper.
magazine [magazin] *nm* magazine.
mage [ma:ʒ] *nm* seer; *pl* wise men.
magicien, -ienne [maʒisjɛ̃, ɛn] *n* magician, wizard.
magie [maʒi] *nf* magic, wizardry.
magique [maʒik] *a* magic(al).
magistral [maʒistral] *a* magisterial, masterly.
magistrat [maʒistra] *nm* magistrate, judge.
magistrature [maʒistraty:r] *nf* magistracy.
magnanerie [maɲanri] *nf* rearing-house for silkworms, sericulture.
magnanime [maɲanim] *a* magnanimous great-hearted.

magnanimité [maɲanimite] *nf* magnanimity.
magnésie [maɲezi] *nf* magnesia.
magnétique [maɲetik] *a* magnetic.
magnétiser [maɲetize] *vt* to magnetize, hypnotize, mesmerize.
magnétisme [maɲetism] *nm* magnetism, hypnotism, mesmerism.
magnéto [maɲeto] *nm* magneto.
magnétophone [maɲetɔfɔn] *nm* tape-recorder.
magnificence [maɲifisɑ̃:s] *nf* magnificence, splendour, liberality, munificence.
magnifier [maɲifje] *vt* to glorify, exalt.
magnifique [maɲifik] *a* magnificent, sumptuous, grand.
magot [mago] *nm* small ape, grotesque porcelain figure, ugly man, (*money*) hoard.
mahométan [maɔmetɑ̃] *a* Mohammedan, Moslem.
mai [mɛ] *nm* May.
maigre [mɛ:gr] *a* thin, lean, scanty, frugal, meagre, poor; *nm* lean (of meat); **faire —** to fast; **jour —** fast-day; **repas —** meatless meal.
maigreur [mɛgrœ:r] *nf* leanness, thinness, scantiness.
maigrir [mɛgri:r] *vt* to make thin (ner), thin down; *vi* to grow thin, lose weight.
mail [ma:j] *nm* avenue, public walk, mall.
maille [mɑ:j] *nf* mesh, link, stitch, speckle; **cotte de —s** coat of mail.
maillet [majɛ] *nm* mallet.
maillon [mɑjɔ̃] *nm* link, shackle; **— tournant** swivel.
maillot [majo] *nm* swaddling-clothes, jersey, singlet, tights; **— de bain** bathing-costume.
main [mɛ̃] *nf* hand, handwriting, (*cards*) hand, quire; **— courante** handrail; **coup de —** surprise attack, helping hand; **sous la —** to, at hand; **à pleines —s** liberally, in handfuls; **fait à la —** handmade; **se faire la —** to get one's hand in; **avoir perdu la —** to be out of practice; **gagner haut la —** to win hands down; **ne pas y aller de — morte** to go at it; **avoir la — dure** to be a martinet; **en venir aux —s** to come to blows; **mettre la dernière — à** to put the finishing touch to.
main d'œuvre [mɛ̃dœ:vr] *nf* manpower, labour.
main-forte [mɛ̃fɔrt] *nf* help, assistance.
mainmise [mɛ̃mi:z] *nf* seizure.
mainmorte [mɛ̃mɔrt] *nf* mortmain.
maint [mɛ̃] *a* many a; **à —es reprises** many a time.
maintenant [mɛ̃tnɑ̃] *ad* now; **dès —** from now on, even now.
maintenir [mɛ̃tni:r] *vt* to support, hold up, maintain, uphold; *vr* to keep, continue, hold one's own.
maintien [mɛ̃tjɛ̃] *nm* maintenance, keeping, demeanour, bearing.
maire [mɛ:r] *nm* mayor.
mairie [mɛri] *nf* town hall, municipal buildings.
mais [mɛ] but; *excl* why! *adv* more; **je n'en peux —** I can't help it.
maïs [mais] *nm* maize, Indian corn.
maison [mɛzɔ̃] *nf* house, household, family, dynasty, firm; **— de santé** nursing-home; **— de fous** lunatic asylum; **— de correction** reformatory; **garder la —** to stay indoors, at home.
maisonnée [mɛzɔne] *nf* household, family.
maisonnette [mɛzɔnɛt] *nf* cottage, small house.
maître, -esse [mɛ:tr, mɛtrɛs] *a* principal, main, chief, out and out, utter; *n* master, mistress; **— de conférences** lecturer; **— d'équipage** boatswain; **premier —** chief petty officer; **— d'hôtel** butler, head-waiter, chief steward; **maîtresse femme** capable woman.
maître-autel [mɛtrotɛl] *nm* high altar.
maîtrise [mɛtri:z] *nf* command, mastery, control, self-control; choir-school.
maîtriser [mɛtrize] *vt* to master, curb, subdue; *vr* to keep control of oneself.
majesté [maʒɛste] *nf* majesty, grandeur.
majestueux, -euse [maʒɛstɥø, ø:z] *a* majestic, stately.
majeur [maʒœ:r] *a* major, greater, chief, important, of age; **force —e** absolute necessity, compulsion.
major [maʒɔ:r] *nm* regimental adjutant, medical officer.
majoration [maʒɔrasjɔ̃] *nf* overvaluation, increase, additional charge.
majordome [maʒɔrdɔm] *nm* majordomo, steward.
majorer [maʒɔre] *vt* to overvalue, raise, put up the price of, make an additional charge.
majorité [maʒɔrite] *nf* majority, coming of age.
majuscule [maʒyskyl] *a nf* capital (letter).
mal [mal] *nm* evil, wrong, harm, hurt, ache, malady, difficulty, trouble; *ad* badly, ill; **— lui en a pris** he had cause to rue it; **prendre en —** to take amiss; **avoir — au cœur** to feel sick; **avoir — à la tête** to have a headache; **se trouver —** to feel faint; **avoir le — du pays** to be homesick; **se donner du — pour** to take pains to; **tant bien que —** somehow or other; **pas — de** a good lot of, a good many; **elle n'est pas —** she is not bad looking; **on est très — ici** we are very uncomfortable here.

malade [malad] *a* ill, sick, upset, sore, painful; *n* invalid, sick person, patient; **se faire porter** — to report sick.
maladie [maladi] *nf* illness, complaint, ailment, disease, disorder.
maladif, -ive [maladif, i:v] *a* sickly, unhealthy.
maladresse [maladrɛs] *nf* awkwardness, clumsiness, lack of skill, slip, blunder.
maladroit [maladrwa] *a* clumsy, unskilful; *n* blunderer.
malaise [malɛ:z] *nm* discomfort, faintness, indisposition, uneasiness.
malappris [malapri] *a* uncouth; *n* ill-bred person.
malavisé [malavize] *a* indiscreet, unwise, rash.
malchance [malʃɑ̃:s] *nf* (piece of) bad luck.
malchanceux, -euse [malʃɑ̃sø, ø:z] *a* unlucky, unfortunate.
maldonne [maldɔn] *nf* misdeal.
mâle [mɑ:l] *a* male, manly, he-, dog-, cock-, buck-; *nm* male.
malédiction [malediksjɔ̃] *nf* curse.
maléfice [malefis] *nm* evil spell.
maléfique [malefik] *a* evil, baleful, maleficent.
malencontreux, -euse [malɑ̃kɔ̃trø, ø:z] *a* untoward, unlucky, tiresome.
malentendu [malɑ̃tɑ̃dy] *nm* misunderstanding.
malfaçon [malfasɔ̃] *nf* bad workmanship.
malfaisant [malfəzɑ̃] *a* evil, harmful.
malfaiteur, -trice [malfɛtœ:r, tris] *n* malefactor, evil-doer.
malfamé [malfame] *a* of ill repute.
malgache [malgaʃ] *an* Madagascan.
malgré [malgre] *prep* in spite of, notwithstanding; *cj* — **que** in spite of, although.
malhabile [malabil] *a* awkward, clumsy.
malheur [malœ:r] *nm* misfortune, ill luck; **jouer de** — to be out of luck.
malheureux, -euse [malœrø, ø:z] *a* unhappy, wretched, unfortunate, unlucky.
malhonnête [malɔnɛt] *a* dishonest, rude, improper.
malhonnêteté [malənɛtte] *nf* dishonesty, dishonest action, rudeness, rude remark.
malice [malis] *nf* malice, spitefulness, mischievousness, roguishness, trick; **n'y pas entendre** — to mean no harm.
malicieux, -euse [malisjø, ø:z] *a* mischievous, naughty.
malignité [maliɲite] *nf* spite, malignancy.
malin, -igne [malɛ̃, iɲ] *a* malicious, mischievous, sly, shrewd, malignant; **ce n'est pas** — that's easy enough.
malingre [malɛ̃:gr] *a* sickly, weakly, puny.
malintentionné [malɛ̃tɑ̃sjɔne] *a* ill-disposed, evil-minded.
malle [mal] *nf* trunk, box; **faire sa** — to pack one's trunk.
malléable [maleabl] *a* malleable, pliable, soft.
malle-poste [malpɔst] *nf* mail coach.
mallette [malɛt] *nf* small trunk.
malmener [malməne] *vt* to ill-treat, ill-use, treat roughly, put through it.
malodorant [malɔdɔrɑ̃] *a* evil-smelling.
malotru [malɔtry] *a* ill-bred, coarse; *nm* boor, lout.
malpeigné [malpɛɲe] *n* slut, slovenly person.
malpropre [malprɔpr] *a* dirty, untidy, indecent, dishonest.
malpropreté [malprɔprəte] *nf* dirtiness, untidiness, unsavouriness, dishonesty.
malsain [malsɛ̃] *a* unhealthy, unwholesome, corrupting.
malséant [malseɑ̃] *a* unseemly, unbecoming.
malt [malt] *nm* malt.
maltraiter [maltrɛte] *vt* to ill-treat.
malveillance [malvɛjɑ̃:s] *nf* malevolence, spitefulness, foul play.
malveillant [malvɛjɑ̃] *a* malevolent, spiteful.
malvenu [malvəny] *a* ill-advised, unjustified.
malversation [malvɛrsasjɔ̃] *nf* embezzlement.
maman [mamɑ̃] *nf* mummy, mama.
mamelle [mamɛl] *nf* breast, udder.
mamelon [mamlɔ̃] *nf* nipple, teat, rounded hillock.
mammifère [mamifɛ:r] *nm* mammal.
mamour [mamu:r] *nm* my love; *pl* **faire des —s à quelqu'un** to cuddle, coax someone.
manche [mɑ̃:ʃ] *nf* sleeve, hose-pipe, game, set, round, heat; **la Manche** the English Channel; *nm* handle, shaft, stock, joy-stick.
mancheron [mɑ̃ʃrɔ̃] *nm* handle (*of plough*), short sleeve.
manchette [mɑ̃ʃɛt] *nf* cuff, wristband, newspaper headline, marginal note; *pl* handcuffs.
manchon [mɑ̃ʃɔ̃] *nm* muff, socket, sleeve, casing, gas-mantle.
manchot [mɑ̃ʃo] *an* one-armed (person); penguin.
mandarine [mɑ̃darin] *nf* tangerine.
mandat [mɑ̃da] *nm* mandate, commission, money order, warrant; — **de comparution** summons.
mandataire [mɑ̃datɛ:r] *n* mandatory, agent, proxy.
mandat-poste [mɑ̃dapɔst] *nm* postal order.
mander [mɑ̃de] *vt* to send for, summon, send word to; *vi* to report.
mandibule [mɑ̃dibyl] *nf* mandible.
mandoline [mɑ̃dɔlin] *nf* mandolin(e).

mandragore [mɑ̃dragɔːr] *nf* mandragora, mandrake.
manège [manɛːʒ] *nm* training of horses, horsemanship, riding-school, trick, little game; — **de chevaux de bois** roundabout, merry-go-round.
manette [manɛt] *nf* hand lever, handle.
manganèse [mɑ̃ganɛːz] *nm* manganese.
mangeable [mɑ̃ʒabl] *a* eatable, edible.
mangeaille [mɑ̃zaːj] *nf* food, grub.
mangeoire [mɑ̃ʒwaːr] *nf* manger, trough.
manger [mɑ̃ʒe] *vt* to eat (up, away, into), squander; *nm* food; **donner à — à** to feed, give sth to eat to.
mange-tout [mɑ̃ʒtu] *nm* spendthrift, string-bean.
mangouste [mɑ̃gust] *nf* mongoose.
mangue [mɑ̃ːg] *nf* mango.
maniable [manjabl] *a* manageable, easily handled, handy.
maniaque [manjak] *a* raving mad, faddy; *n* maniac, crank.
manie [mani] *nf* mania, craze, fad.
maniement [manimɑ̃] *nm* handling; — **d'armes** rifle drill.
manier [manje] *vt* to handle, ply, wield, control, feel.
manière [manjɛːr] *nf* manner, way; *pl* manners, affected airs; **à sa —** in his own way; **à la — de** after, in the manner of; **de cette —** in this way; **d'une — ou d'une autre** somehow or other; **en — de** by way of; **arranger qn de la belle —** to give s.o. a thorough dressing-down.
maniéré [manjere] *a* affected, mincing.
maniérisme [manjerism] *nm* mannerism.
manifestant [manifestɑ̃] *n* demonstrator.
manifestation [manifestasjɔ̃] *nf* (public) demonstration, manifestation.
manifeste [manifest] *a* manifest, obvious, evident, patent; *nm* manifesto.
manifester [manifeste] *vt* to manifest, display, reveal, show, express; *vi* to demonstrate; *vr* to show, reveal itself, appear, become apparent.
manigance [manigɑ̃ːs] *nf* intrigue, scheme, game; *pl* underhand work, trickery.
manigancer [manigɑ̃se] *vt* to plot, scheme, arrange, be up to.
manille [maniːj] *nf* ankle-ring, shackle, manille.
manioc [manjɔk] *nm* cassava.
manipulateur, -trice [manipylatœːr, tris] *n* manipulator.
manipuler [manipyle] *vt* to manipulate, operate, handle, arrange.
manitou [manitu] *nm* **le grand —** the big boss.
manivelle [manivɛl] *nf* handle, crank, starting-handle.
manne [man] *nf* manna, basket, hamper.
mannequin [mankɛ̃] *nm* small hamper, manikin, dummy, mannequin.
manœuvrable [manœvrabl] *a* easily handled.
manœuvre [manœːvr] *nf* working, handling, manœuvre, drill, shunting, scheme, move; *nm* labourer.
manœuvrer [manœvre] *vt* to work, operate, handle, manœuvre, shunt; *vi* to manœuvre, scheme.
manoir [manwaːr] *nm* manor, country house.
manomètre [manɔmɛtr] *nm* pressure-gauge.
manquant [mɑ̃kɑ̃] *a* missing, wanting, absent; *n* absentee.
manque [mɑ̃ːk] *nm* lack, want, shortage, deficiency, breach; — **de mémoire** forgetfulness; **à la —** dud.
manqué [mɑ̃ke] *a* unsuccessful, missed, wasted; **un garçon —** tomboy.
manquement [mɑ̃kmɑ̃] *nm* failure, omission, breach, oversight, lapse.
manquer [mɑ̃ke] *vt* to miss, waste; *vi* to be short (of **de**), lack, run short, be missing, fail; **il manqua (de) tomber** he almost fell; — **à sa parole** to break one's word; **il leur manque** they miss him; **ne pas — de** to be sure to.
mansarde [mɑ̃sard] *nf* attic, garret.
mansardé [mɑ̃sarde] *a* with sloping ceiling, roof.
mansuétude [mɑ̃sɥetyd] *nf* gentleness.
mante [mɑ̃ːt] *nf* mantis; — **religieuse** praying mantis.
manteau [mɑ̃to] *nm* coat, cloak, mantle; mantelpiece.
manucure [manykyːr] *n* manicurist.
manuel, -elle [manɥɛl] *a* manual; *nm* handbook.
manufacture [manyfaktyːr] *nf* factory, works.
manufacturer [manyfaktyre] *vt* to manufacture.
manufacturier, -ière [manyfaktyrje, jɛːr] *a* manufacturing; *n* manufacturer.
manuscrit [manyskri] *nm* manuscript.
manutention [manytɑ̃sjɔ̃] *nf* administration, handling, stores.
mappemonde [mapmɔ̃ːd] *nf* map of the world.
maquereau [makro] *nm* mackerel.
maquette [makɛt] *nf* clay model, model, dummy, mock-up.
maquignon, -onne [makiɲɔ̃, ɔn] *n* horse-dealer, shady dealer, jobber.
maquignonnage [makiɲɔnaːʒ] *nm* horse-dealing, faking, shady dealing.
maquignonner [makiɲɔne] *vt* to doctor, arrange, fix.

maquillage [makija:ʒ] *nm* make-up, making-up.
maquiller [makije] *vt* to make up, fake up, doctor, cook; *vr* to make up.
maquis [maki] *nm* bush, scrub; Resistance Movement.
maquisard [makiza:r] *n* member of the Resistance Movement.
maraîcher, -ère [marɛʃe, ɛ:r] *a* market-gardening; *n* market gardener.
marais [marɛ] *nm* marsh, bog; floating vote; — **salant** salt-pan.
marasme [marasm] *nm* wasting, stagnation, depression.
marâtre [marɑ:tr] *nf* stepmother, hard-hearted mother.
maraude [maro:d] *nf* marauding, looting, plundering; **être en** — to be on the scrounge, prowl.
marbre [marbr] *nm* marble.
marbrer [marbre] *vt* to marble, vein, mottle, blotch.
marbrier [marbrie] *nm* monumental mason.
marbrure [marbry:r] *nf* marbling, veining, mottling, blotch.
marc [ma:r] *nm* residue; — **de café** coffee grounds.
marcassin [markasɛ̃] *nm* young wild boar.
marchand [marʃɑ̃] *a* commercial, trading, merchant; *n* shopkeeper, tradesman, dealer; **valeur —e** market value; — **des quatre saisons** hawker, costermonger.
marchander [marʃɑ̃de] *vt* to bargain, haggle over, be sparing of, grudge.
marchandise [marʃɑ̃di:z] *nf* merchandise, commodity, wares, goods.
marche [marʃ] *nf* walk(ing), gait, march(ing), working, running, progress, course, step, stair; **en** — moving, running, under way; **mettre en** — to get going, start up; **faire — arrière** to reverse, go astern.
marché [marʃe] *nm* market, bargain, deal(ing), contract; **(à) bon** — cheap(ly); **par-dessus le** — into the bargain; **faire bon — de** to attach little value to.
marchepied [marʃəpje] *nm* step, running-board.
marcher [marʃe] *vi* to walk, tread, go, run, work, get along; **il ne marche pas** he is not having any, he won't do as he is told; **faire — qn** to make s.o. do as he is told, pull s.o.'s leg.
marcheur, -euse [marʃœ:r, ø:z] *n* walker; **vieux** — old rake.
mardi [mardi] *nm* Tuesday; — **gras** Shrove Tuesday.
mare [ma:r] *nf* pool, pond.
marécage [marɛka:ʒ] *nm* marsh (land), swamp.
marécageux, -euse [marɛkaʒø, ø:z] *a* marshy, swampy, boggy.
maréchal [marɛʃal] *nm* marshal; — **ferrant** farrier, shoesmith; — **des logis** sergeant; — **de France** field-marshal.
marée [mare] *nf* tide, fresh fish; — **montante** flood tide; — **descendante** ebb tide; **arriver comme — en carême** to come at the right time; **train de** — fish-train.
marelle [marɛl] *nf* hopscotch.
mareyeur, -euse [marɛjœ:r, ø:z] *n* fish merchant, fish porter.
margarine [margarin] *nf* margarine.
marge [marʒ] *nf* margin, edge, border, fringe.
margelle [marʒɛl] *nf* edge.
marguerite [margərit] *nf* daisy, marguerite.
marguillier [margije] *nm* church-warden.
mari [mari] *nm* husband.
mariage [marja:ʒ] *nm* marriage, matrimony.
Marie [mari] Mary.
marié [marje] *a* married; *n* bridegroom, bride.
marier [marje] *vt* to marry, give in marriage, unite, blend, cross; *vr* to get married, marry, harmonize.
marie-salope [marisalɔp] *nf* dredger, slut.
marigot [marigo] *nm* small stream.
marin [marɛ̃] *a* marine, sea-; *nm* sailor, seaman, seafaring man; **avoir le pied** — to be a good sailor; **se faire** — to go to sea; — **d'eau douce** landlubber.
marinade [marinad] *nf* pickle, brine.
marine [marin] *nf* navy, seamanship, seascape; — **marchande** merchant service; **bleu** — navy blue.
mariner [marine] *vt* to pickle, souse, marinate; *vi* to be in pickle.
marinier, -ière [marinje, jɛ:r] *a* naval, marine; *nm* bargee, waterman.
marionnette [marjɔnɛt] *nf* marionnette, puppet.
maritime [maritim] *a* maritime, naval, seaside, sea(borne); **agent** — shipping agent; **courtier** — shipbroker.
marivaudage [marivoda:ʒ] *nm* affected, flippant conversation, mild flirtation.
marlou [marlu] *nm* pimp.
marmaille [marma:j] *nf* (*fam*) brats, children.
marmelade [marməlad] *nf* compote, marmalade.
marmite [marmit] *nf* pot, pan, camp-kettle, heavy shell; — **de géants** pothole.
marmiter [marmite] *vt* to shell, bombard.
marmiton [marmitɔ̃] *nm* cook's boy, scullion.
marmonner [marmɔne] *vt* to mutter, mumble.
marmot [marmo] *nm* brat, child.

marmotte [marmɔt] *nf* marmot, kerchief.
marmotter [marmɔte] *vt* to mumble, mutter.
marne [marn] *nf* marl.
Maroc [marɔk] *nm* Morocco.
marocain [marɔkɛ̃] *an* Moroccan.
maroquinerie [marɔkinri] *nf* (morocco-) leather trade, goods, shop.
marotte [marɔt] *nf* cap and bells, bauble, hobby, fad.
marquant [markɑ̃] *a* outstanding, notable.
marque [mark] *nf* mark, stamp, make, token, proof, marker, tally, score, scoring; **— de fabrique** trade-mark; **— déposée** registered trade-mark; **vin de —** first class wine; **personnage de —** prominent person.
marqué [marke] *a* marked, pronounced, appointed.
marquer [marke] *vt* to mark, put a mark on, show, note down, record, score; *vi* to stand out, make one's mark; **elle marque bien** she is a good-looker; **— son âge** to look one's age; **— les points** to keep the score; **— le pas** to mark time.
marqueter [markəte] *vt* to speckle, spot, inlay.
marqueterie [markətri] *nf* marquetry, inlaid-work.
marqueur, -euse [markœːr, øːz] *n* marker, stamper, scorer.
marquis [marki] *nm* marquis, marquess.
marquise [markiːz] *nf* marchioness; awning, glass porch, marquee.
marraine [marɛn] *nf* godmother, sponsor.
marrant [marɑ̃] *a* terribly funny, killing.
marre [maːr] *nf* **j'en ai —** I'm fed up.
marrer [mare] *vr* to split one's sides with laughing.
marron, -onne [marɔ̃, ɔn] *a* chestnut-coloured; unlicensed, quack, sham; *nm* chestnut.
marronnier [marɔnje] *nm* chestnut-tree.
mars [mars] *nm* March, Mars; **champ de —** parade-ground.
marsouin [marswɛ̃] *nm* porpoise, colonial infantry soldier.
marteau [marto] *nm* hammer, door-knocker.
marteler [martəle] *vt* to hammer (out); *vi* to knock.
martial [marsjal] *a* martial, warlike, soldierlike.
martinet [martinɛ] *nm* strap, whip, swift.
martingale [martɛ̃gal] *nf* martingale, half-belt.
martin-pêcheur [martɛ̃pɛʃœːr] *nm* kingfisher.
martre [martr] *nm* marten, sable.
martyr [martiːr] *n* martyr.
martyre [martiːr] *nm* martyrdom.
martyriser [martirize] *vt* to martyr, torture.
marxisme [marksism] *nm* marxism.
mascarade [maskarad] *nf* masquerade.
mascaret [maskarɛ] *nm* bore, tidal wave.
mascotte [maskɔt] *nf* mascot, charm.
masculin [maskylɛ̃] *a* masculine, male, mannish; *nm* masculine gender.
masque [mask] *nm* mask, features, expression, masque.
masquer [maske] *vt* to mask, hide, screen, disguise; **virage masqué** blind corner.
massacre [masakr] *nm* massacre, slaughter; **jeu de —** Aunt Sally (game).
massacrer [masakre] *vt* to massacre, slaughter, butcher, spoil; **être d'une humeur massacrante** to be in a vile temper.
massage [masaːʒ] *nm* massage, rubbing down.
masse [mas] *nf* mass, bulk, crowd, mace, sledge-hammer.
masser [mase] *vt* to mass, massage, rub down; *vr* to mass, throng together.
masseur, -euse [masœːr, øːz] *n* masseur, masseuse.
massif, -ive [masif, iːv] *a* solid, massive, bulky; *nm* clump, group, range.
massue [masy] *nf* club, bludgeon.
mastic [mastik] *nm* mastic, putty, cement.
mastication [mastikasjɔ̃] *nf* mastication, chewing.
mastiquer [mastike] *vt* to masticate, chew, putty, fill with cement.
m'as-tu-vu [matyvy] *nm* swanky, show-off.
masure [mazyːr] *nf* hovel, tumble-down house.
mat [mat] *a* dull, unpolished, mat, checkmated; *nm* checkmate.
mât [mɑ] *nm* mast, pole, strut; **— de cocagne** greasy pole.
match [matʃ] *nm* match; **— de sélection** trial match.
matelas [matlɑ] *nm* mattress.
matelasser [matlase] *vt* to pad, cushion; **porte matelassée** baize-covered door.
matelot [matlo] *nm* sailor, seaman; **— de première (deuxième) classe** leading (able) seaman.
mater [mate] *vt* to dull, mat, checkmate, humble.
matérialiser [materjalize] *vtr* to materialize.
matérialiste [materjalist] *a* materialistic; *n* materialist.
matériaux [materjo] *nm pl* material(s).
matériel, -elle [materjɛl] *a* material, sensual, physical; *nm* material, plant, implements, equipment; **— roulant** rolling stock.

maternel, -elle [matɛrnɛl] *a* maternal, mother(ly); **école —le** infant school.
maternité [matɛrnite] *nf* maternity, motherhood, maternity hospital.
mathématicien, -ienne [matematisjɛ̃, jɛn] *n* mathematician.
mathématique [matematik] *a* mathematical; *nf pl* mathematics.
matière [matjɛːr] *nf* matter, substance, material, subject.
matin [matɛ̃] *nm* morning; **de grand, de bon** — early in the morning.
mâtin [mɑtɛ̃] *nm* mastiff.
matinal [matinal] *a* morning, early rising; **il est** — he is up early.
matinée [matine] *nf* morning, matinee; **faire la grasse** — to lie late in bed.
matines [matin] *nf pl* matins.
matineux, -euse [matinø, øːz] *a* early rising; **il est** — he gets up early.
matois [matwa] *a* sly, crafty, cunning; *n* cunning person; **fin** — sly, wily, bird.
matou [matu] *nm* tom-cat.
matraque [matrak] *nf* bludgeon.
matrice [matris] *nf* matrix, womb, mould, die.
matricide [matrisid] *a* matricidal; *n* matricide.
matricule [matrikyl] *nf* register, roll, registration (certificate); *nm* (registration) number; **plaque** — number plate.
matriculer [matrikyle] *vt* to enrol, enter in a register, stamp a number on.
matrimonial [matrimɔnjal] *a* matrimonial.
maturation [matyrasjɔ̃] *nf* maturation, ripening.
mâture [mɑtyːr] *nf* masts; **dans la** — aloft.
maturément [matyremɑ̃] *ad* after due deliberation.
maturité [matyrite] *nf* maturity, ripeness, mellowness.
maudire [modiːr] *vt* to curse.
maudit [modi] *a* cursed, damned, damnable, confounded.
maugréer [mogree] *vi* to curse, (fret and) fume.
mausolée [mozɔle] *nm* mausoleum.
maussade [mosad] *a* glum, sullen, dismal, dull.
mauvais [mɔvɛ] *a* bad, wrong, poor, nasty; *ad* **sentir** — to have a bad smell; **il fait** — the weather is bad.
mauve [moːv] *a nm* mauve.
mauviette [mɔvjɛt] *nf* chit, softy.
maxime [maksim] *nf* maxim.
maximum [maksimɔm] *a nm* maximum.
mazout [mazu] *nm* fuel oil.
me [m(ə)] *pn* me, to me, myself, to myself.
méandre [meɑ̃ːdr] *nm* meander, bend, winding.
mécanicien, -ienne [mekanisjɛ̃, jɛn] *a* mechanical; *n* mechanic, machinist, engineer, engine-driver.
mécanique [mekanik] *a* mechanical, clockwork; *nf* mechanics, machinery, mechanism.
mécanisation [mekanizasjɔ̃] *nf* mechanization.
mécaniser [mekanize] *vt* to mechanize.
mécanisme [mekanism] *nm* mechanism, machinery, works, technique.
mécano [mekano] *nm* (*fam*) mechanic.
méchanceté [meʃɑ̃ste] *nf* wickedness, spitefulness, naughtiness, ill-natured word or act.
méchant [meʃɑ̃] *a* wicked, bad, naughty, ill-natured, spiteful, vicious, wretched, sorry.
mèche [mɛʃ] *nf* wick, fuse, match, (*hair*) lock, wisp, gimlet, spindle, drill; **éventer la** — to give the game away; **être de** — **avec** to be in league with.
mécompte [mekɔ̃ːt] *nm* miscalculation, error, misjudgment, disappointment.
méconnaissable [mekɔnɛsabl] *a* unrecognizable.
méconnaissance [mekɔnɛsɑ̃ːs] *nf* refusal to recognize or appreciate, ignoring, disavowal.
méconnaître [mekɔnɛːtr] *vt* to fail (refuse) to recognize, not to appreciate, to ignore, misunderstand, disavow.
mécontent [mekɔ̃tɑ̃] *a* discontented, displeased, dissatisfied.
mécontentement [mekɔ̃tɑ̃tmɑ̃] *nm* discontent, dissatisfaction.
mécontenter [mekɔ̃tɑ̃te] *vt* to displease, dissatisfy, annoy.
mécréant [mekreɑ̃] *a* misbelieving, unbelieving; *n* infidel.
médaille [medaːj] *nf* medal, badge; **revers de la** — other side of the picture.
médaillon [medajɔ̃] *nm* medallion, locket, inset.
médecin [medsɛ̃] *nm* doctor, physician.
médecine [medsin] *nf* medicine.
médiateur, -trice [medjatœːr, tris] *a* mediatory, mediating; *n* mediator.
médiation [medjasjɔ̃] *nf* mediation.
médical [medikal] *a* medical.
médicament [medikamɑ̃] *nm* medicine, medicament.
médicinal [medisinal] *a* medicinal.
médiéval [medjeval] *a* medieval.
médiocre [medjɔkr] *a* mediocre, moderate, second-rate; *nm* mediocrity.
médiocrité [medjɔkrite] *nf* mediocrity, feebleness, nonentity.
médire [mediːr] *vi* to slander, speak ill of.
médisance [medizɑ̃ːs] *nf* calumny, scandal.

médisant [medizɑ̃] *a* slanderous, calumnious, backbiting; *n* slanderer.
méditatif, -ive [meditatif, i:v] *a* meditative.
méditation [meditasjɔ̃] *nf* meditation, contemplation.
méditer [medite] *vt* to contemplate, ponder; *vi* to meditate, muse.
Méditerranée [mediterane] *nf* Mediterranean.
méditerranéen, -enne [mediteraneɛ̃, ɛn] *a* Mediterranean.
médium [medjɔm] *nm* medium.
médius [medjys] *nm* middle finger.
méduse [medy:z] *nf* jellyfish.
méduser [medyze] *vt* to petrify, paralyse.
méfait [mefɛ] *nm* misdeed; *pl* damage.
méfiance [mefjɑ̃:s] *nf* distrust, mistrust, suspicion.
méfiant [mefjɑ̃] *a* distrustful, suspicious.
se méfier [səmefje] *vr* to distrust, mistrust, be watchful, be on one's guard.
mégalomanie [megalɔmani] *nf* megalomania.
mégaphone [megafɔn] *nm* megaphone.
mégarde [megard] *ad* **par —** inadvertently.
mégère [meʒɛ:r] *nf* shrew.
mégot [mego] *nm* cigarette-end.
méhari [meari] *nm* racing camel.
meilleur [mɛjœ:r] *a* better, best; *comp sup of* **bon**; *nm* best, best thing.
mélancolie [melɑ̃kɔli] *nf* melancholy, dejection, melancholia, sadness.
mélange [melɑ̃:ʒ] *nm* mixing, mingling, blending, mixture, blend.
mélanger [melɑ̃ʒe] *vtr* to mix, mingle, blend.
mélasse [melas] *nf* molasses, treacle.
mêlée [mele] *nf* conflict, fray, scuffle, scrum, scrimmage; **demi de —** scrum-half.
mêler [mele] *vt* to mix, mingle, blend, tangle, involve, implicate, shuffle; *vr* to mix, mingle, interfere, meddle.
mélèze [melɛ:z] *nm* larch.
méli-mélo [melimelo] *nm* jumble.
mélodie [melɔdi] *nf* melody, tune, harmony, song.
mélodieux, -euse [melɔdjø, ø:z] *a* melodious, tuneful, harmonious.
mélodique [melɔdik] *a* melodic.
mélodramatique [melɔdramatik] *a* melodramatic.
mélodrame [melɔdram] *nm* melodrama.
mélomane [melɔman] *a* music-loving; *n* music-lover.
melon [məlɔ̃] *nm* melon, bowler hat.
mélopée [melɔpe] *nf* art of recitative, chant, singsong.
membrane [mɑ̃bran] *nf* membrane, web.
membre [mɑ̃:br] *nm* member, limb.
membré [mɑ̃:bre] *a* -limbed.
membrure [mɑ̃bry:r] *nf* limbs, framework.
même [mɛm] *a* same, very, -self; *ad* even; **de lui —** of his own accord; **de —** likewise; **il en est de — de lui** it is the same with him; **tout de —** all the same; **à — la bouteille** out of the bottle; **revenir au —** to come to the same thing; **à — de** in a position to.
mémento [memɛ̃to] *nm* memorandum, notebook, memento, synopsis.
mémoire [memwa:r] *nm* memoir, paper, memorial, bill, account; *nf* memory, recollection.
mémorable [memɔrabl] *a* memorable, eventful.
mémorandum [memɔrɑ̃dɔm] *nm* memorandum, notebook.
mémorial [memɔrjal] *nm* memorial, memoirs, daybook.
menaçant [mənasɑ̃] *a* threatening, menacing.
menace [mənas] *nf* threat, menace; *pl* intimidation.
menacer [mənase] *vt* to threaten, menace; **— ruine** to be falling to pieces; **— qn du poing** to shake one's fist at s.o.
ménage [mena:ʒ] *nm* household, family, married couple, housekeeping, housework; **se mettre en —** to set up house; **faire bon — ensemble** to get on well together; **femme de —** housekeeper, charwoman.
ménagement [menaʒmɑ̃] *nm* consideration, caution, care.
ménager [menaʒe] *vt* to be sparing of, save, humour, spare, arrange, contrive; *vr* to take care of oneself.
ménager, -ère [menaʒe, jɛ:r] *a* domestic, house-, thrifty, careful, housewifely; **Arts M—s** Ideal Home Exhibition; *nf* housewife, housekeeper, canteen of cutlery.
ménagerie [menaʒri] *nf* menagerie.
mendiant [mɑ̃djɑ̃] *a* begging, mendicant; *n* beggar.
mendicité [mɑ̃disite] *nf* begging, beggary.
mendier [mɑ̃dje] *vt* to beg (for); *vi* to beg.
menée [məne] *nf* track, intrigue; *pl* manœuvres.
mener [məne] *vt* to lead, take, drive, steer, manage, control; **— à bonne fin** to carry through; **n'en pas — large** to feel small.
ménétrier [menetrie] *nm* (strolling) fiddler.
meneur, -euse [mənœ:r, ø:z] *n* leader, agitator, ringleader.
méningite [menɛ̃ʒit] *nf* meningitis.
menotte [mənɔt] *nf* tiny hand; *pl* handcuffs, manacles.
menotter [mənɔte] *vt* to manacle, handcuff.
mensonge [mɑ̃sɔ̃:ʒ] *nm* lie, falsehood, illusion.

mensonger, -ère [mɑ̃sɔ̃ʒe, ɛːr] *a* lying, deceitful, illusory.
mensualité [mɑ̃sɥalite] *nf* monthly payment.
mensuel, -elle [mɑ̃sɥɛl] *a* monthly.
mensuration [mɑ̃syrasjɔ̃] *nf* measurement, measuring, mensuration.
mental [mɑ̃tal] *a* mental.
mentalité [mɑ̃talite] *nf* mentality.
menterie [mɑ̃tri] *nf* fib, tale, story.
menteur, -euse [mɑ̃tœːr, øːz] *a* lying, deceptive, false; *n* liar.
menthe [mɑ̃ːt] *nf* mint, peppermint.
mention [mɑ̃sjɔ̃] *nf* endorsement; **reçu avec —** passed with distinction; **faire — de** to mention.
mentionner [mɑ̃sjɔne] *vt* to mention, speak of.
mentir [mɑ̃tiːr] *vi* to lie, tell lies.
menton [mɑ̃tɔ̃] *nm* chin.
mentonnière [mɑ̃tonjɛːr] *nf* chinstrap, chinpiece, chinrest.
mentor [mɛ̃tɔːr] *nm* mentor, tutor, guide.
menu [məny] *a* small, tiny, fine, minute, slight, trifling, petty; *ad* small, fine; *nm* menu, bill of fare; **par le —** in detail.
menuet [mənɥɛ] *nm* minuet.
menuiserie [mənɥizri] *nf* carpentry, woodwork.
menuisier [mənɥizje] *nm* joiner, carpenter.
méplat [mepla] *a* flat; *nm* flat part, plane.
se méprendre [səmeprɑ̃ːdr] *vr* to be mistaken, make a mistake (about **sur**); **il n'y a pas à s'y —** there is no mistake about it.
mépris [mepri] *nm* scorn, contempt.
méprisable [meprizabl] *a* contemptible, despicable.
méprisant [meprizɑ̃] *a* contemptuous, scornful.
méprise [mepriːz] *nf* error, mistake, misapprehension.
mépriser [meprize] *vt* to despise, scorn.
mer [mɛːr] *nf* sea; **en pleine —** on the high seas; **prendre la —** to put out to sea; **mettre à la —** to lower (a boat).
mercantile [mɛrkɑ̃til] *a* commercial, money-grabbing, mercenary.
mercantilisme [mɛrkɑ̃tilism] *nm* profiteering, commercialism.
mercenaire [mɛrsənɛːr] *an* mercenary.
mercerie [mɛrsəri] *nf* haberdashery.
merci [mɛrsi] *nf* mercy; *ad* thanks, thank you, no thanks, no thank you.
mercier, -ière [mɛrsje, jɛːr] *n* haberdasher.
mercredi [mɛrcrədi] *nm* Wednesday; **— des Cendres** Ash Wednesday.
mercure [mɛrkyːr] *nm* mercury, quicksilver.
mercuriale [mɛrkyrjal] *nf* market price-list, reprimand.
merde [mɛrd] *nf* shit, excrement.
mère [mɛːr] *nf* mother, source; *a* main.
méridien, -ienne [meridjɛ̃, jɛn] *a* meridian, meridional; *nm* meridian; *nf* meridian line.
méridional [meridjɔnal] *a* meridional, Southern; *n* Southerner.
meringue [mərɛ̃g] *nf* meringue.
mérinos [merinɔs] *nm* merino.
merisier [mərizje] *nm* wild cherry-tree.
méritant [meritɑ̃] *a* deserving, meritorious, worthy.
mérite [merit] *nm* merit, worth, credit, ability.
mériter [merite] *vt* to deserve, merit, earn.
méritoire [meritwaːr] *a* deserving, worthy, meritorious.
merlan [mɛrlɑ̃] *nm* whiting; (*fam*) barber.
merle [mɛrl] *nm* blackbird.
merluche [mɛrlyʃ] *nf* hake, dried cod.
merrain [mɛrɛ̃] *nm* caskwood.
merveille [mɛrvɛːj] *nf* marvel, wonder; **à —** wonderfully well, excellently.
merveilleux, -euse [mɛrvɛjø, øːz] *a* marvellous, wonderful; *nm* supernatural.
mes [me] *a pl* see **mon**.
mésalliance [mezaljɑ̃ːs] *nf* misalliance, unsuitable marriage.
se mésallier [səmezalje] *vr* to marry beneath one.
mésange [mezɑ̃ːʒ] *nf* tit; **— charbonnière** tomtit, great tit.
mésaventure [mezavɑ̃tyːr] *nf* misadventure, mishap.
mésentente [mezɑ̃tɑ̃t] *nf* misunderstanding, disagreement.
mésestime [mezɛstim] *nf* low esteem, poor opinion.
mésestimer [mezɛstime] *vt* to underestimate, have a poor opinion of.
mésintelligence [mezɛ̃tɛliʒɑ̃ːs] *nf* misunderstanding, disagreement, discord.
mesquin [mɛskɛ̃] *a* mean, petty, shabby, paltry.
mesquinerie [mɛskinri] *nf* meanness, pettiness, shabbiness, paltriness, stinginess, mean action.
mess [mɛs] *nm* officers' mess.
message [mɛsaːʒ] *nm* message.
messager, -ère [mɛsaʒe, ɛr] *n* messenger, carrier.
messagerie [mɛsaʒri] *nf* freight trade; **les —s** central newsagency; **— maritime** shipping office.
messe [mɛs] *nf* mass; **— des morts** requiem mass.
messie [mɛsi] *nm* Messiah.
mesure [məzyːr] *nf* measure, standard (size), gauge, extent, bounds, moderation; *pl* measures, steps; **en — de** in a position to; **donner sa —** to show what one can

do; **dépasser la** — to overstep the mark; **fait sur** — made to measure; **à — que** as.
mesure-étalon [məzyretalɔ̃] *nf* standard measure.
mesuré [məzyre] *a* measured, moderate, restrained.
mesurer [məzyre] *vt* to measure (out, off), judge, calculate; *vr* to measure oneself (with), tackle; — **qn des yeux** to eye s.o. up and down.
métairie [metɛri] *nf* small farm.
métal [metal] *nm* metal.
métallique [metallik] *a* metallic; **toile** — wire gauze.
métalliser [metallize] *vt* to metallize, plate.
métallurgie [metallyrʒi] *nf* metallurgy.
métallurgiste [metallyrʒist] *nm* metallurgist, metal-worker.
métamorphose [mɛtamɔrfoz] *nf* metamorphosis, transformation.
métaphore [mɛtafɔːr] *nf* metaphor.
métaphorique [mɛtafɔrik] *a* metaphorical.
métaphysicien, -ienne [mɛtafizisjɛ̃, jɛn] *n* metaphysician.
métaphysique [mɛtafizik] *a* metaphysical; *nf* metaphysics.
métayer, -ère [metɛje, jɛːr] *n* farmer, share-cropper.
métempsychose [mɛtɑ̃psikoːz] *nf* metempsychosis, transmigration of souls.
météore [meteɔːr] *nm* meteor.
météorologie [meteɔrɔlɔʒi] *nf* meteorology.
météorologique [meteɔrolɔʒik] *a* meteorological; **bulletin** — weather report.
métèque [metɛk] *nm* (*pej*) foreigner.
méthode [metɔd] *nf* method, system, orderliness, primer.
méthodique [metɔdik] *a* methodical.
méticuleux, -euse [metikylø, øːz] *a* meticulous, particular, punctilious.
métier [metje] *nm* trade, profession, craft(smanship), loom; **homme de** — craftsman; — **manuel** handicraft; **sur le** — on the stocks, in preparation.
métis, -isse [metis] *a* half-bred, cross-bred, mongrel; *n* half-cast, half-breed, mongrel.
métisser [metise] *vt* to cross(breed).
métrage [mɛtraːʒ] *nm* measuring, metric area or volume, length; **(film à) court** — a short.
mètre [mɛtr] *nm* metre, rule; — **à ruban** tape-measure.
métrique [metrik] *a* metric(al); *nf* metrics, prosody.
métro [metro] *nm* underground (railway), tube.
métropole [metrɔpɔl] *nf* metropolis, mother country.
métropolitain [metrɔpɔlitɛ̃] *a* metropolitan, home-; *nm* underground (railway).
mets [mɛ] *nm* dish, food.
mettable [mɛtabl] *a* wearable.
metteur, -euse [mɛtœːr, øːz] *n* — **en scène** producer, director.
mettre [mɛtr] *vt* to put (up, on), place, set (up), lay, wear; *vr* to go, stand, sit, put on; **se — à** to begin, set about; **mettons qu'il l'ait fait** suppose he did do it; **se — en colère** to get angry; —**en scène** to produce (*a play*).
meuble [mœbl] *a* movable; *nm* piece or suite of furniture; *pl* furniture.
meublé [mœble] *a* furnished, stocked; *nm* furnished room(s).
meubler [mœble] *vt* to furnish, stock; *vr* to furnish (one's house).
meugler [møgle] *vi* to low.
meule [møːl] *nf* millstone, stack, rick.
meuler [møle] *vt* to grind.
meulière [møljɛːr] *nf* millstone, -quarry.
meunerie [mønri] *nf* milling, milling-trade.
meunier, -ière [mønje, jɛːr] *n* miller.
meurtre [mœrtr] *nm* murder.
meurtrier, -ière [mœrtrie, iɛːr] *a* murderous, deadly; *n* murderer, murderess.
meurtrière [mœrtriɛːr] *nf* loophole.
meurtrir [mœrtriːr] *vt* to bruise, batter.
meurtrissure [mœrtrisyːr] *nf* bruise.
meute [møːt] *nf* pack, mob, crowd.
mexicain [mɛksikɛ̃] *an* Mexican.
Mexique [mɛksik] *nm* Mexico.
mi [mi] *ad* half, semi, mid-; **à la — -septembre** in mid-September; **à — -chemin** half way; **à — -côte** half way up; **à — -corps** to the waist; *nm* note E.
miasme [mjasm] *nm* miasma.
miauler [mjole] *vi* to mew, caterwaul.
mi-carême [mikarɛm] *nm* Mid-Lent.
miche [miʃ] *nf* round loaf.
Michel [miʃɛl] Michael.
micmac [mikmak] *nm* trickery, scheming.
micocoulier [mikɔkulje] *nm* nettle-tree.
micro [mikro] *nm* mike, microphone.
microbe [mikrɔb] *nm* microbe, germ.
microbicide [mikrɔbisid] *a* germ-killing; *nm* germ-killer.
microcosme [mikrɔkɔsm] *nm* microcosm.
microscope [mikrɔskɔp] *nm* microscope.
microsillon [mikrɔsijɔ̃] *nm* long-playing record.
midi [midi] *nm* noon, midday, south; **chercher — à quatorze heures** to see difficulties when there are none.

midinette [midinɛt] *nf* workgirl, young dressmaker.
mie [mi] *nf* crumb, soft part of a loaf.
miel [mjɛl] *nm* honey.
mielleux, -euse [mjɛlø, øːz] *a* honeyed, sugary, bland.
mien, mienne [mjɛ̃, mjɛn] *pos pn* **le(s) —(s), la mienne, les miennes** mine; *nm* my own; *pl* my own people.
miette [mjɛt] *nf* crumb, morsel, tiny bit, atom.
mieux [mjø] *ad* better, (the) best, *comp sup of* **bien**; *nm* best thing, improvement; **de — en —** better and better; **à qui — —** one more than the other; **c'est on ne peut —** it could not be better; **faire de son —** to do one's best; **être au — avec** to be on the best terms with; **tant —!** all the better!
mièvre [mjɛːvr] *a* affected, pretty-pretty, delicate.
mièvrerie [mjɛvrəri] *nf* affectation, insipid prettiness.
mignard [miɲaːr] *a* affected, simpering, mincing, pretty-pretty.
mignardise [miɲardiːz] *nf* affectation, mincing manner, prettiness, garden pink.
mignon, -onne [miɲɔ̃, ɔn] *a* dainty, sweet, tiny; *n* darling, pet, favourite; **péché —** besetting sin.
mignonnette [miɲɔnɛt] *nf* mignonette lace, coarsely ground pepper, London pride.
migraine [migrɛn] *nf* migraine, sick headache.
migrateur, -trice [migratœːr, tris] *a* migratory, migrant.
migration [migrasjɔ̃] *nf* migration.
mijaurée [miʒɔre] *nf* affected woman.
mijoter [miʒɔte] *vt* to stew slowly, let simmer, plot; *vi* to stew, simmer; *vr* to simmer.
mil [mil] *a* thousand.
milan [milɑ̃] *nm* kite.
milice [milis] *nf* militia.
milieu [miljø] *nm* middle, midst, environment, circle, set, class, mean, middle course; **au beau — de** right in the middle of; **juste —** happy medium.
militaire [militɛːr] *a* military, soldierlike; *nm* soldier.
militant [militɑ̃] *an* militant (supporter).
militariser [militarize] *vt* to militarize.
militer [milite] *vi* to militate, tell.
mille [mil] *a* thousand; *nm* thousand; mile; **avoir des — et des cents** to have tons of money.
mille-feuille [milfœːj] *nf* flaky pastry, yarrow.
millénaire [millenɛːr] *a* millenial; *nm* thousand years.
millénium [millenjɔm] *nm* millenium.
mille-pattes [milpat] *nm* centipede.
millésime [mil(l)ezim] *nm* date (*coin*), year of manufacture, of vintage.
millet [mijɛ] *nm* millet.
milliardaire [miljardɛːr] *a nm* multimillionaire.
millier [milje] *nm* thousand.
milligramme [milligram] *nm* milligramme.
millimètre [mil(l)imɛtr] *nm* millimetre.
million [miljɔ̃] *nm* million.
millionnaire [miljɔnɛːr] *an* millionaire(ss).
mime [mim] *nm* mimic, mime.
mimique [mimik] *a* mimic; *nf* mimicry.
mimosa [mimoza] *nm* mimosa.
minable [minabl] *a* shabby, seedy-looking, pitiable.
minaret [minarɛ] *nm* minaret.
minauder [minode] *vi* to smirk, simper, mince.
minaudier, -ière [minodje, jɛːr] *a* smirking, simpering, mincing, affected.
mince [mɛ̃ːs] *a* thin, slim, slight, scanty; *excl* **— alors!** dash it all, well I never!
minceur [mɛ̃sœːr] *nf* thinness, slimness.
mine [min] *nf* appearance, look, mine, lead; **— de plomb** graphite; **de bonne (mauvaise) —** prepossessing (evil-looking); **avoir bonne (mauvaise) —** to look well (ill); **faire — de** to make as if to; **faire bonne — à** to be pleasant to; **cela ne paie pas de —** it is not much to look at.
miner [mine] *vt* to (under)mine, sap.
minerai [minrɛ] *nm* ore.
minéral [mineral] *a nm* mineral.
minet, -ette [minɛ, ɛt] *n* pussy.
mineur, -eure [minœːr] *a* minor, underage, lesser; *n* minor; *nm* miner, sapper.
miniature [minjatyːr] *nf* miniature, small scale.
minier, -ière [minje, jɛːr] *a* mining.
minime [minim] *a* small, trifling, trivial.
minimum [minimɔm] *a nm* minimum.
ministère [ministɛːr] *nm* ministry, office, government; **— des Affaires Etrangères** Foreign Office; **— de l'Intérieur** Home Office; **— de l'Armement** Ministry of Supply; **— de la Guerre** War Office.
ministériel, -elle [ministerjɛl] *a* ministerial, cabinet.
ministre [ministr] *nm* minister, clergyman; **premier —** Prime Minister; **— des Affaires Etrangères** Foreign Secretary; **— de l'Intérieur** Home Secretary; **— des Finances** Chancellor of the Exchequer.
minois [minwa] *nm* pretty face.

minorité [minɔrite] *nf* minority, infancy.
minoterie [minɔtri] *nf* flour-mill, -milling.
minotier [minɔtje] *nm* miller.
minuit [minɥi] *nm* midnight.
minuscule [minyskyl] *a* small, tiny, diminutive, minute.
minute [minyt] *nf* minute, record, draft; *excl* not so fast! hold on! **réparations à la** — repairs while you wait.
minuter [minyte] *vt* to minute, record, enter, draw up.
minuterie [minytri] *nf* staircase switch.
minutie [minysi] *nf* minute detail, trifle, fussiness over detail, thoroughness.
minutieux, -euse [minysjø, ø:z] *a* minute, detailed, thorough, meticulous.
mioche [mjɔʃ] *n* (*fam*) small child, kid.
mi-parti [miparti] *a* half and half, parti-coloured.
mirabelle [mirabɛl] *nf* mirabelle plum.
miracle [mirakl] *nm* miracle, wonder.
miraculeux, -euse [mirakylø, ø:z] *a* miraculous, marvellous, wonderful.
mirage [mira:ʒ] *nm* mirage.
mire [mi:r] *nf* aiming, sight, surveyor's pole, (*TV*) test pattern; **point de** — cynosure.
mirer [mire] *vt* to sight, aim at, have one's eye on, examine; *vr* to look at oneself, admire oneself.
mirifique [mirifik] *a* amazing, wonderful.
mirobolant [mirɔbɔlɑ̃] *a* amazing, astounding.
miroir [mirwa:r] *nm* mirror, looking-glass, speculum; **œufs au** — eggs cooked in butter.
miroiter [mirwate] *vi* to gleam, sparkle, shimmer; **faire** — **qch** to dazzle, entice with sth.
misaine [mizɛn] *nf* foresail; **mât de** — foremast.
misanthrope [mizɑ̃trɔp] *a* misanthropic; *nm* misanthrope, misanthropist.
misanthropie [mizɑ̃trɔpi] *nf* misanthropy.
mise [miz] *nf* putting, setting, placing, stake, bid, dress; — **à l'eau** launching; — **en scène** setting, staging; — **en retraite** pensioning; — **en plis** setting (of hair); — **en marche** starting up; **cela n'est pas de** — that is not done, (worn, permissible).
miser [mize] *vt* to stake, gamble, lay, bid.
misérable [mizɛrabl] *a* wretched, miserable, despicable; *n* wretch, scoundrel.
misère [mizɛ:r] *nf* misery, poverty, want, distress, trouble, worry, wretchedness, shabbiness, trifle; **crier** — to plead poverty, be shabby; **faire des** — **à** to tease unmercifully.
miséreux, -euse [mizerø, ø:z] *an* destitute, poverty-stricken (person).
miséricorde [mizerikɔrd] *nf* mercy; *excl* goodness gracious!
miséricordieux, -euse [mizerikɔrdjø, ø:z] *a* merciful.
misogyne [mizɔʒin] *a* misogynous; *nm* misogynist, woman-hater.
misogynie [mizɔʒini] *nf* misogyny.
missel [misɛl] *nm* missal.
missile [misil] *nm* missile.
mission [misjɔ̃] *nf* mission; **en** — on a mission.
missionnaire [misjɔnɛ:r] *nm* missionary.
missive [misi:v] *nf* missive.
mistral [mistral] *nm* mistral (wind).
mitaine [mitɛn] *nf* mitten.
mite [mit] *nf* moth, mite.
mité [mite] *a* moth-eaten.
mi-temps [mitɑ̃] *nf* half-time, interval, half.
miteux, -euse [mitø, ø:z] *a* shabby, seedy-looking.
mitigation [mitigasjɔ̃] *nf* mitigation.
mitiger [mitiʒe] *vt* to mitigate.
mitonner [mitɔne] *vt* to let simmer, concoct: *vi* to simmer.
mitoyen, -enne [mitwajɛ̃, ɛn] *a* dividing, intermediate.
mitraille [mitrɑ:j] *nf* grapeshot; (*fam*) coppers.
mitrailler [mitrɑje] *vt* to machine-gun, (*fam*) take shots of; — **de questions** to fire questions at.
mitraillette [mitrajɛt] *nf* tommy-gun.
mitrailleur [mitrajœ:r] *nm* machine-gunner; **fusil** — automatic rifle, bren-gun; **fusilier** — bren-gunner.
mitrailleuse [mitrajø:z] *nf* machine-gun.
mitre [mitr] *nf* mitre, chimney-pot, chimney-cowl.
mi-vitesse [mivitɛs] *ad* **à** — at half-speed.
mi-voix [mivwa] *ad* **à** — under one's breath, in an undertone.
mixte [mikst] *a* mixed, composite, joint.
mixture [miksty:r] *nf* mixture.
mnémonique [mnemɔnik] *a* mnemonic; *nf* mnemonics.
mobile [mɔbil] *a* mobile, moving, movable, detachable, changeable, unstable; *nm* moving body, motive, motive power.
mobilier, -ière [mɔbilje, jɛ:r] *a* movable, personal; *nm* (suite of) furniture.
mobilisable [mɔbilizabl] *a* mobilizable, available.
mobilisation [mɔbilizasjɔ̃] *nf* mobilization, liquidation.
mobiliser [mɔbilize] *vt* to mobilize, call up, liquidate.

mobilité [mɔbilite] *nf* mobility, instability.
mocassin [mɔkasɛ̃] *nm* moccasin.
moche [mɔʃ] *a* (*fam*) ugly, lousy, rotten.
modalité [mɔdalite] *nf* modality; *pl* clauses, terms.
mode [mɔd] *nf* fashion, manner, vogue; *pl* millinery, fashions; *nm* mood, mode, method; **à la —** in fashion; **magasin de —s** milliner's shop; **— d'emploi** directions for use.
modèle [mɔdɛl] *a* model, exemplary; *nm* model, pattern; **prendre — sur** to model oneself on.
modelé [mɔdle] *nm* relief, modelling.
modeler [mɔdle] *vt* to model, fashion, shape, mould; *vr* to model oneself.
modérateur, -trice [mɔdɛratœːr, tris] *a* moderating, restraining; *n* moderator; *nm* regulator, governor, control.
modération [mɔdɛrasjɔ̃] *nf* moderation, temperance, restraint, mitigation, reduction.
modéré [mɔdere] *a* moderate, restrained temperate.
modérer [mɔdere] *vt* to moderate, restrain, temper, control, regulate, mitigate, reduce; *vr* to control oneself, calm down, abate.
moderne [mɔdɛrn] *a* modern.
moderniser [mɔdɛrnize] *vt* to modernize.
modeste [mɔdɛst] *a* modest, quiet, retiring, unpretentious.
modestie [mɔdɛsti] *nf* modesty, unpretentiousness.
modicité [mɔdisite] *nf* moderateness, reasonableness, slenderness (of means).
modificateur, -trice [mɔdifikatœːr, tris] *a* modifying; *n* modifier.
modificatif, -ive [mɔdifikatif, iːv] *a* modifying, modal.
modification [mɔdifikasjɔ̃] *nf* modification, change, alteration.
modifier [mɔdifje] *vt* to modify, change, alter.
modique [mɔdik] *a* moderate, slender, reasonable.
modiste [mɔdist] *n* milliner, modiste.
modulation [mɔdylasjɔ̃] *nf* modulation, inflexion.
module [mɔdyl] *nm* module, unit, modulus
moduler [mɔdyle] *vti* to modulate.
moelle [mwal] *nf* marrow, substance, pith, medulla; **jusqu'à la —** to the backbone, to the core.
moelleux, -euse [mwalø, øːz] *a* mellow, velvety, soft; *nm* mellowness, velvetiness, softness.
moellon [mwalɔ̃] *nm* quarry stone.
mœurs [mœrs] *nf pl* customs, habits, manners, morals.
moi [mwa] *pn* I, me; *nm* self, ego; **moi-même** myself; **à moi!** help! **un ami à —** a friend of mine; **de vous à —** between you and me.
moignon [mwaɲɔ̃] *nm* stump.
moindre [mwɛ̃ːdr] *a* lesser, least, *comp sup of* **petit.**
moine [mwan] *nm* monk, friar.
moineau [mwano] *nm* sparrow.
moins [mwɛ̃] *ad* less, not so (much, many), (the) least, *comp sup of* **peu;** *prep* less, minus; **— de** less than; **au — at least; du —** at least, at any rate; **pas le — du monde** not in the least; **en — de rien** in no time, in a jiffy; **à — de** unless, barring; **à — que** unless; **rien — que** anything but, nothing less than.
moins-value [mwɛ̃valy] *nf* depreciation.
moire [mwaːr] *nf* watered silk.
moiré [mware] *a* moiré, watered.
mois [mwa] *nm* month.
moïse [mɔiːz] *nm* wicker cradle.
moisir [mwaziːr] *vt* to mildew, make mouldy; *vi* to mildew, go mouldy, vegetate.
moisi [mwazi] *a* mildewed, mouldy, musty fusty; *nm* mildew, mould; **sentir le —** to have a musty smell.
moisissure [mwazisyːr] *nf* mildew, mouldiness, mustiness.
moisson [mwasɔ̃] *nf* harvest, harvest-time, crop.
moissonner [mwasɔne] *vt* to harvest, gather (in), reap.
moissonneur, -euse [mwasɔnœːr, øːz] *n* harvester, reaper.
moissonneuse [mwasɔnøːz] *nf* reaping-machine; **— -batteuse** combine-harvester.
moite [mwat] *a* moist, damp, clammy.
moiteur [mwatœːr] *nf* moistness, clamminess.
moitié [mwatje] *nf* half, (*fam*) better half; **plus grand de —** half as big again; **se mettre de — avec** to go halves with; **couper par —** to cut in halves; **— —** fifty-fifty.
molaire [mɔlɛːr] *a nf* molar.
môle [moːl] *nm* mole, breakwater.
molécule [mɔlekyl] *nf* molecule.
moleskine [mɔlɛskin] *nf* imitation leather, rexine.
molester [mɔlɛste] *vt* to molest.
molette [mɔlɛt] *nf* small pestle, knob, (*of spur*) rowel, trimmer.
mollasse [mɔlas] *a* soft, flabby, spineless, apathetic.
mollesse [mɔlɛs] *nf* softness, flabbiness, indolence, apathy.
mollet, -ette [mɔlɛ, ɛt] *a* softish; *nm* (*leg*) calf; **œuf —** soft-boiled egg.
molletière [mɔltjɛːr] *nf* puttee.
molleton [mɔltɔ̃] *nm* flannel, swansdown.
mollir [mɔliːr] *vt* to ease, slacken; *vi* to become soft, abate, slacken, weaken.
mollusque [mɔlysk] *nm* mollusc, spineless person, vegetable.
môme [moːm] *n* (*fam*) kid.
moment [mɔmɑ̃] *nm* moment,

momentum; **en ce** — at the moment, just now; **sur le** — on the spur of the moment, for a moment; **d'un** — **à l'autre** any moment; **à tout** — constantly; **du** — **que** from the time when, seeing that.
momentané [mɔmɑ̃tane] *a* momentary.
momie [mɔmi] *nf* mummy.
mon, ma, mes [mɔ̃, ma, me] *a* my; **un de mes amis** a friend of mine.
monacal [mɔnakal] *a* monastic, monkish.
monarchie [mɔnarʃi] *nf* monarchy.
monarchiste [mɔnarʃist] *an* monarchist.
monarque [mɔnark] *nm* monarch.
monastère [mɔnastɛːr] *nm* monastery.
monastique [mɔnastik] *a* monastic.
monceau [mɔ̃so] *nm* heap, pile.
mondain [mɔ̃dɛ̃] *a* worldly, society, fashionable; *n* man about town, society woman.
mondanité [mɔ̃danite] *nf* worldliness, mundaneness; *pl* social events, society news.
monde [mɔ̃ːd] *nm* world, society, company, crowd, people; **tout le** — everybody; **homme du** — society man, socialite; **beau** — society; **aller dans le** — to move in society, go out; **avoir du** — to have company; **être le mieux du** — **avec** to be on the best of terms with; **savoir son** — to know how to behave in company.
mondial [mɔ̃djal] *a* world-, worldwide.
monégasque [mɔnegask] *an* of Monaco.
monétaire [mɔnetɛːr] *a* monetary, financial.
monétiser [mɔnetize] *vt* to mint.
moniteur, -trice [mɔnitœːr, tris] *n* monitor, instructor, supervisor, coach.
monnaie [mɔnɛ] *nf* money, currency, change; — **du pape** honesty (flower); **rendre à qn la** — **de sa pièce** to pay s.o. back in his own coin.
monnayer [mɔnɛje] *vt* to coin, mint, exploit.
monnayeur [mɔnɛjœːr] *nm* minter; **faux** — counterfeiter, coiner.
monocle [mɔnɔkl] *nm* monocle.
monogame [mɔnɔgam] *a* monogamous.
monogramme [mɔnɔgram] *nm* monogram.
monographie [mɔnɔgrafi] *nm* monograph.
monolithe [mɔnɔlit] *a* monolithic; *nm* monolith.
monologue [mɔnɔlɔg] *nm* monologue, soliloquy.
monologuer [mɔnɔlɔge] *vi* to soliloquize.
monôme [mɔnoːm] *nm* monomial, procession of students in single file.
monoplan [mɔnɔplɑ̃] *nm* monoplane.
monopole [mɔnɔpɔl] *nm* monopoly.
monopoliser [mɔnɔpɔlize] *vt* to monopolize.
monoprix [mɔnɔpri] *nm* = Marks and Spencer.
monorail [mɔnɔraːj] *a nm* monorail.
monosyllabe [mɔnɔsillab] *a* monosyllabic; *nm* monosyllable.
monosyllabique [mɔnɔsillabik] *a* monosyllabic.
monotone [mɔnɔtɔn] *a* monotonous, dreary, dull.
monotonie [mɔnɔtɔni] *nf* monotony, sameness, dullness.
monseigneur [mɔ̃sɛɲœːr] *nm* His (Your) Grace, His (Your) Lordship, His (Your) Royal Highness, my Lord; **pince** — *nm* jemmy.
monsieur [m(ə)sjø] *nm* Mr, master, sir, gentleman.
monstre [mɔ̃ːstr] *a* (*fam*) huge, monstrous, colossal; *nm* monster, monstrosity.
monstrueux, -euse [mɔ̃stryø, øːz] *a* monstrous, colossal, gigantic, unnatural, scandalous.
mont [mɔ̃] *nm* mount, mountain; **par —s et par vaux** up hill and down dale.
montage [mɔ̃taːʒ] *nm* carrying up, assembling, equipping, fitting up (on, out), setting, staging, producing, editing.
montagnard [mɔ̃taɲaːr] *a* highland, mountain; *n* highlander, mountain-dweller.
montagne [mɔ̃taɲ] *nf* mountain(s); **—s russes** scenic railway.
montagneux, -euse [mɔ̃taɲø, øːz] *a* mountainous.
montant [mɔ̃tɑ̃] *a* rising, climbing, uphill, high-necked; *nm* post, upright, pole, amount, total, pungency.
mont-de-piété [mɔ̃dəpjete] *nm* pawnbroker's office, shop.
monte [mɔ̃ːt] *nf* mating (season), mount(ing), horsemanship.
monte-charge [mɔ̃tʃarʒ] *nm* hoist.
monte-plats [mɔ̃tpla] *nm* service-lift.
monté [mɔ̃te] *a* mounted, fitted, equipped, stocked; **coup** — put-up job, frame-up; **être** — **contre** have a grudge against.
montée [mɔ̃te] *nf* rise, gradient, slope, climb(ing).
monter [mɔ̃te] *vt* to climb, go up, mount, ride, bring up, carry up, take up, assemble, fit up (out, on), set (up), produce, stage; *vi* to climb, go (come) up, ascend, come (to), rise, get in; *vr* to amount; **se** — **la tête** to get excited; **je l'ai fait** — **à côté de moi** I gave him a lift.
monteur, -euse [mɔ̃tœːr, øːz] *n* mounter, setter, fitter, producer, editor.

monticule [mɔ̃tikyl] *nm* hillock, hummock.
montrable [mɔ̃trabl] *a* presentable, fit to be seen.
montre [mɔ̃:tr] *nf* watch, display, show, show-case; — **-bracelet** wrist-watch; **faire — de** to display, show; **mettre qch en —** to display sth. in the window.
montrer [mɔ̃tre] *vt* to show (how to), display, point out, prove; *vr* to appear, prove, turn out (to be).
montreur, -euse [mɔ̃trœ:r, o:z] *n* showman, -woman.
montueux, -euse [mɔ̃tɥø, ø:z] *a* hilly.
monture [mɔ̃ty:r] *nf* mount, setting, frame, handle.
monument [mɔnymɑ̃] *nm* monument, memorial, historic building.
monumental [mɔnymɑ̃tal] *a* monumental, colossal.
se moquer [səmɔke] *vr* to make fun (of **de**), laugh at; **il s'en moque** he doesn't care.
moquerie [mɔkri] *nf* mockery, derision, scoffing.
moquette [mɔkɛt] *nf* moquette.
moqueur, -euse [mɔkœ:r, ø:z] *a* mocking, derisive, scoffing; *n* scoffer.
moral [mɔral] *a* ethical, moral, intellectual, mental; *nm* morale, mind; **remonter le — à qn** to raise s.o.'s spirits, buck s.o. up.
morale [mɔral] *nf* moral, morals, ethics, moral philosophy, preachifying; **faire la — à qn** to sermonize, lecture.
moralisateur, -trice [mɔralizatœ:r, tris] *a* moralizing, edifying; *n* moralizer.
moraliser [mɔralize] *vt* to sermonize, raise the morals of, lecture; *vi* to moralize.
moraliste [mɔralist] *n* moralist.
moralité [mɔralite] *nf* morality, morals, moral (lesson).
moratoire [mɔratwa:r] *a* moratory.
morbide [mɔrbid] *a* morbid.
morbidité [mɔrbidite] *nf* morbidity, morbidness.
morceau [mɔrso] *nm* morsel, piece, bit, scrap.
morceler [mɔrsəle] *vt* to cut into small pieces, break up.
morcellement [mɔrsɛlmɑ̃] *nm* cutting up, breaking up, dismemberment.
mordant [mɔrdɑ̃] *a* caustic, biting, pungent, piercing, corrosive; *nm* mordancy, pungency.
mordicus [mɔrdikys] *ad* tenaciously, stoutly.
mordiller [mɔrdije] *vt* to nibble, snap playfully at.
mordoré [mɔrdɔre] *a* bronze; *nm* bronze colour.
mordre [mɔrdr] *vt* to bite; *vi* to bite, catch, take (to **à**); **s'en — les doigts** to be sorry for it.
mordu [mɔrdy] *a* mad (on **de**); *n* fan.
morfondre [mɔrfɔ̃:dr] *vt* to chill to the bone; *vr* to freeze, be bored, wait impatiently.
morganatique [mɔrganatik] *a* morganatic.
morgue [mɔrg] *nf* pride, arrogance, mortuary.
moribond [mɔribɔ̃] *a* moribund, dying.
moricaud [mɔriko] *a* dark-skinned, swarthy; *n* blackamoor, darky.
morigéner [mɔriʒene] *vt* to lecture, haul over the coals.
morne [mɔrn] *a* dismal, dreary, gloomy, dull.
morose [mɔro:z] *a* morose, surly, gloomy.
morosité [mɔrɔzite] *nf* surliness, gloominess.
morphine [mɔrfin] *nf* morphia, morphine.
morphinomane [mɔrfinɔman] *n* morphia addict, drug addict.
morphologie [mɔrfɔlɔʒi] *nf* morphology.
mors [mɔ:r] *nm* bit, chap, joint.
morse [mɔrs] *nm* walrus, morse code.
morsure [mɔrsy:r] *nf* bite.
mort [mɔ:r] *a* dead, deceased, spent; *nf* death; *n* dead man, dead woman, dummy; **arrêt de —** death-sentence; **avoir la — dans l'âme** to be sick at heart; **se donner la —** to take one's life; **point —** neutral, deadlock; **nature —e** still life; **eau —e** stagnant water; **faire le —** to pretend to be dead, lie low, (*bridge*) be dummy.
mortadelle [mɔrtadɛl] *nf* Polony sausage.
mortaise [mɔrtɛ:z] *nf* slot, mortise.
mortalité [mɔrtalite] *nf* mortality.
morte-eau [mɔrto] *nf* neap tide.
mortel, -elle [mɔrtɛl] *a* mortal, fatal, deadly, (*fam*) deadly dull.
morte-saison [mɔrtsɛzɔ̃] *nf* slack season, off season.
mortier [mɔrtje] *nm* mortar, mortar-board.
mortifier [mɔrtifje] *vt* to hang (game), mortify, hurt.
mort-né [mɔrne] *a* stillborn.
mortuaire [mɔrtɥɛ:r] *a* mortuary, burial, funeral; **drap —** pall.
morue [mɔry] *nf* cod.
morutier [mɔrytje] *nm* cod-fishing boat, cod-fisher.
morve [mɔrv] *nf* glanders, nasal mucus.
morveux, -euse [mɔrvø, ø:z] *a* glandered, snotty; *n* (*fam*) brat.
mosaïque [mɔzaik] *a nf* mosaic.
mosquée [mɔske] *nf* mosque.
mot [mo] *nm* word, term, saying; **bon —** witticism; **— de passe (ralliement)** pass word, catchword; **— d'ordre** watchword, directive; **— pour —** word for word; **—s croisés** crossword puzzle; **comprendre à demi-—** to take the hint.

motard [mɔtaːr] *nm* speed-cop, (*US*) courtesy cop.
motet [mɔtɛ] *nm* motet, anthem.
moteur, -trice [mɔtœːr, tris] *a* motive, driving; *nm* motor, engine.
motif, -ive [mɔtif, iːv] *a* motive; *nm* reason, motive, cause, grounds, theme, pattern, design.
motion [mɔsjɔ̃] *nf* motion, proposal.
motiver [mɔtive] *vt* to motivate, warrant, give cause for, give the reason for.
moto [mɔto] *nf* motorcycle, motorbike.
motocycliste [mɔtɔsiklist] *nm* motor cyclist.
motorisé [mɔtɔrize] *a* fitted with a motor, motorized.
motte [mɔt] *nf* mound, lump, clod, pat; — **de gazon** turf.
motus [mɔtys] *excl* mum's the word!
mou, molle [mu, mɔl] *a* soft, flabby, feeble, limp, slack, close; *nm* slack (*of rope*), lights (*animal lungs*).
mouchard [muʃar] *nm* sneak, spy, informer, telltale.
moucharder [muʃarde] *vt* to spy on, inform against, nark; *vi* to spy.
mouche [muʃ] *nf* fly, speck, spot, bull's eye, beauty-spot; — **bleue** blue-bottle; **bateau** — river steamer; **faire** — to score a bull; **prendre la** — to take the huff.
moucher [muʃe] *vt* to wipe (s.o.'s) nose, snuff, trim, (*fam*) tell off; *vr* to blow one's nose; **il ne se mouche pas du pied** he thinks a lot of himself.
moucheron [muʃrɔ̃] *nm* gnat, midge.
moucheté [muʃte] *a* speckled, flecked, brindle(d).
moucheture [muʃtyːr] *nf* speckle, spot, fleck.
mouchoir [muʃwaːr] *nm* handkerchief, kerchief.
moudre [mudr] *vt* to grind, mill.
moue [mu] *nf* pout; **faire la** — to pout.
mouette [mwɛt] *nf* seagull.
mouflard [muflaːr] *n* fat-faced, heavy-jowled person.
moufle [mufl] *nf* mitten, pulley-block, clamp, muffle-furnace.
mouflon [muflɔ̃] *nm* moufflon, wild sheep.
mouillage [mujaːʒ] *nm* wetting, damping, moistening, mooring, anchorage, watering-down.
mouiller [muje] *vt* to wet, damp, moisten, anchor, moor, lay (*mines*); *vr* to get wet, fill (*eyes*); **poule mouillée** cissy, milksop.
mouilleur [mujœːr] *nm* damper; — **de mines** minelayer.
moulage [mulaːʒ] *nm* milling, grinding, moulding, casting.
moule [mul] *nm* mould, cast, matrix, shape, baking tin; *nf* mussel, blockhead.
moulé [mule] *a* moulded, well-proportioned, copperplate; *nm* print.
mouler [mule] *vt* to mould, cast, fit closely.
mouleur [mulœːr] *nm* moulder, caster.
moulin [mulɛ̃] *nm* mill; **jeter son bonnet par-dessus les —s** to throw propriety to the winds.
moulinet [mulinɛ] *nm* turnstile, current-meter, (fishing) reel; **faire le** — to twirl one's stick.
moulure [mulyːr] *nf* moulding.
mourant [murɑ̃] *a* dying, feeble; *n* dying person.
mourir [muriːr] *vi* to die (away); *vr* to be dying, fade (away, out); **c'était à — de rire** it was killingly funny.
mouron [murɔ̃] *nm* chickweed; — **rouge** scarlet pimpernel.
mousquetaire [muskətɛːr] *nm* musketeer.
mousse [mus] *nm* ship's boy, cabin-boy; *nf* moss, froth, foam, cream, lather.
mousseline [muslin] *nf* muslin; — **de soie** chiffon; **gâteau** — sponge cake; **pommes** — mashed potatoes.
mousser [muse] *vi* to froth, foam, effervesce, lather.
mousseux, -euse [musø, øːz] *a* foaming, frothy, sparkling, fizzy.
mousson [musɔ̃] *nm* monsoon.
moussu [musy] *a* mossy, moss-grown.
moustache [mustaʃ] *nf* moustache; *pl* whiskers.
moustachu [mustaʃy] *a* having a moustache, whiskered.
moustiquaire [mustikɛːr] *nf* mosquito net.
moustique [mustik] *nm* mosquito, gnat.
moutard [mutaːr] *nm* small boy, youngster, nipper.
moutarde [mutard] *nf* mustard.
moutardier [mutardje] *nm* mustard-pot, mustard-maker.
mouton [mutɔ̃] *nm* sheep, mutton, sheepskin, (*fam*) nark; *pl* white-horses (*waves*).
moutonnant [mutɔnɑ̃] *a* foam-flecked.
moutonner [mutɔne] *vi* foam, be covered with white horses.
moutonneux, -euse [mutɔnø, øːz] *a* foaming.
mouture [mutyːr] *nf* milling, grinding, milling dues, (*cereals, coffee*) ground mixture, rehash.
mouvant [muvɑ̃] *a* moving, unstable, changeable; **sables —s** quick-sands.
mouvement [muvmɑ̃] *nm* movement, motion, change, action, impulse, outburst, thrill, stir, traffic; **de son propre** — of one's own accord; **être dans le** — to be in the swim.
mouvementé [muvmɑ̃te] *a* lively,

exciting, thrilling, eventful, animated.

mouvoir [muvwa:r] *vt* to move, drive, propel, move to action, prompt; *vr* to move.

moyen, -enne [mwajẽ, jɛn] *a* medium, average, mean, middle; *nm* means, way, course; *pl* resources, ability; **— âge** Middle Ages; **il n'y a pas —** it can't be done; **au — de** by means of; **employer les grands —s** to take drastic measures.

moyennant [mwajɛnɑ̃] *prep* for, at (price); **— que** on condition that; **— argent** for a consideration.

moyenne [mwajɛn] *nf* average, mean, pass mark; **en —** on an average.

moyeu [mwajø] *nm* hub, nave, boss.

mû [my] *a* driven, propelled.

muable [mɥabl] *a* changeable, unstable.

mue [my] *nf* moulting, slough(ing), casting of skin or coat, moulting time, breaking of the voice, coop.

muer [mɥe] *vi* to moult, cast skin or coat, slough, break; *vr* **se — en** to change into.

muet, -ette [mɥɛ, ɛt] *a* mute, dumb, silent, unsounded; *n* mute, dumb person.

mufle [myfl] *nm* muzzle, snout, nose, mug, fathead, swine.

muflerie [myfləri] *nf* vulgar behaviour, mean trick.

mugir [myʒi:r] *vi* to low, bellow, roar, moan, howl.

mugissement [myʒismɑ̃] *nm* lowing, bellowing, roaring, moaning.

muguet [mygɛ] *nm* lily of the valley.

muid [mɥi] *nm* hogshead.

mulâtre [mylɑ:tr] *a* mulatto, half-cast; *n* (*f* **mulâtresse**) mulatto.

mule [myl] *nf* (she-)mule; bedroom slipper, mule.

mulet [mylɛ] *nm* (he-)mule; grey mullet.

muletier [myltje] *nm* muleteer, mule-driver.

mulot [mylo] *nm* field mouse.

multicolore [myltikɔlɔ:r] *a* multi-coloured.

multiple [myltipl] *a* multiple, multifarious, manifold; *nm* multiple.

multiplicateur, -trice [myltiplikatœ:r, tris] *a* multiplying; *nm* multiplier.

multiplication [myltiplikasjɔ̃] *nf* multiplication.

multiplicité [myltiplisite] *nf* multiplicity, multifariousness.

multiplier [myltiplie] *vti* to multiply; *vr* to be on the increase, be everywhere at once.

multitude [myltityd] *nf* multitude, crowd.

municipal [mynisipal] *a* municipal; **conseil —** town-council; **conseiller —** town-councillor; **loi —e** bye-law.

municipalité [mynisipalite] *nf* municipality, town-council.

munificence [mynifisɑ̃:s] *nf* munificence, bounty.

munificent [mynifisɑ̃] *a* munificent, bountiful.

munir [myni:r] *vt* to provide, supply, furnish, fit.

munition [mynisjɔ̃] *nf* munitioning, provisioning; *pl* ammunition, munitions.

munitionner [mynisjɔne] *vt* to munition, supply.

muqueux, -euse [mykø, ø:z] *a* mucous.

mur [my:r] *nm* wall; **mettre qn au pied du —** to corner s.o.

mûr [my:r] *a* ripe, mature, mellow.

mûraie [myrɛ] *nf* mulberry plantation.

muraille [myrɑ:j] *nf* wall, rampart, barrier, (*of ship*) side.

mural [myral] *a* mural, wall-.

mûre [my:r] *nf* mulberry; **— sauvage** blackberry.

murer [myre] *vt* to wall in, brick up, block up.

mûrier [myrje] *nm* mulberry bush; **— sauvage** blackberry bush, bramble bush.

mûrir [myri:r] *vt* to ripen, mature, develop; *vi* to grow ripe, reach maturity.

murmure [myrmy:r] *nm* murmur (ing), whisper, babbling.

murmurer [myrmyre] *vti* to murmur, whisper.

musaraigne [myzarɛɲ] *nf* shrew-mouse.

musarder [myzarde] *vi* to idle, moon about, dawdle.

musc [mysk] *nm* musk.

muscade [myskad] *nf* nutmeg.

muscat [myska] *nm* muscat grape, muscatel (wine).

muscle [myskl] *nm* muscle.

musclé [myskle] *a* muscular, brawny

musculature [myskylaty:r] *nf* musculation.

muse [my:z] *nf* muse.

museau [myzo] *nm* muzzle, snout; (*fam*) mug.

musée [myze] *nm* museum; **— de peinture** picture-gallery.

museler [myzle] *vt* to muzzle.

muselière [myzəljɛ:r] *nf* muzzle.

muser [myze] *vi* to idle, moon about, trifle.

muserolle [myzrɔl] *nf* noseband.

musette [myzɛt] *nf* bagpipe, nose-bag, haversack, school-bag; **bal —** dance with accordion band.

musical [myzikal] *a* musical.

musicien, -enne [myzisjẽ, jɛn] *a* musical; *n* musician, bandsman.

musicomane [myzikɔman] *n* music-lover.

musique [myzik] *nf* music, band.

musqué [myske] *a* musk-scented, affected.

musulman [myzylmɑ̃] *an* Moslem, Mohammedan.

mutabilité [mytabilite] *nf* mutability.
mutation [mytasjɔ̃] *nf* mutation, change, transfer.
mutilation [mytilasjɔ̃] *nf* mutilation, defacement.
mutilé [mytile] *a* mutilated, maimed; *nm* disabled soldier.
mutiler [mytile] *vt* to mutilate, maim, deface.
mutin [mytɛ̃] *a* unruly, roguish, arch, *nm* mutineer.
se mutiner [səmytine] *vr* to rebel, mutiny, refuse to obey.
mutinerie [mytinri] *nf* unruliness, mutiny.
mutisme [mytism] *nm* muteness, dumbness.
mutualité [mytɥalite] *nf* mutuality, (system of) friendly societies.
mutuel, -elle [mytɥɛl] *a* mutual; **société de secours** — friendly society.
myope [mjɔp] *a* short-sighted.
myopie [mjɔpi] *nf* short-sightedness.
myosotis [mjɔzɔtis] *nm* forget-me-not.
myriade [mirjad] *nf* myriad.
myrrhe [miːr] *nf* myrrh.
myrte [mirt] *nm* myrtle.
mystère [mistɛːr] *nm* mystery, mystery play; **il n'en fait pas** — he makes no bones about it, no secret of it.
mystérieux, -euse [misterjø, øːz] *a* mysterious, weird, eerie, uncanny.
mysticisme [mistisism] *nm* mysticism.
mystificateur, -trice [mistifikatœːr, tris] *a* mystifying; *n* hoaxer, leg-puller.
mystification [mistifikasjɔ̃] *nf* mystification, hoax, leg-pull.
mystifier [mistifje] *vt* to mystify, hoax, pull s.o.'s leg.
mystique [mistik] *a* mystical; *n* mystic.
mythe [mit] *nm* myth, legend.
mythique [mitik] *a* mythical, legendary.
mythologie [mitɔlɔʒi] *nf* mythology.
mythologique [mitɔlɔʒik] *a* mythological.

N

nabot [nabo] *n* midget, dwarf.
nacelle [nasɛl] *nf* skiff, gondola.
nacre [nakr] *nf* mother of pearl.
nacré [nakre] *a* pearly.
naevus [nevyːs] *nm* birthmark, mole.
nage [naːʒ] *nf* swimming, rowing, sculling, stroke; **en** — bathed in perspiration.
nageoire [naʒwaːr] *nf* fin, float.
nager [naʒe] *vi* to swim, float, row, scull.
nageur, -euse [naʒœːr, øːz] *n* swimmer, oarsman.
naguère [nageːr] *ad* not long since, a little while ago.
naïf, -ïve [naif, iːv] *a* artless, ingenuous, unaffected.
nain [nɛ̃] *an* dwarf.
naissance [nɛsɑ̃ːs] *nf* birth, descent, root, rise, dawn.
naissant [nɛsɑ̃] *a* newborn, dawning, budding, incipient, nascent.
naître [nɛːtr] *vi* to be born, spring up, grow, originate; **faire** — to give rise to, arouse; **à** — unborn.
naïveté [naivte] *nf* artlessness, ingenuousness.
nantir [nɑ̃tiːr] *vt* to give security to, provide.
naphthaline [naftalin] *nf* mothballs, naphthalene.
nappe [nap] *nf* tablecloth, cover, cloth, sheet (*of water*).
napperon [naprɔ̃] *nm* traycloth, napkin.
narcisse [narsis] *nm* narcissus.
narcotique [narkɔtik] *a nm* narcotic.
narguer [narge] *vt* to flout.
narine [narin] *nf* nostril.
narquois [narkwa] *a* quizzical, waggish.
narrateur, -trice [narratœːr, tris] *n* narrator, teller.
narratif, -ive [narratif, iːv] *a* narrative.
narration [narrasjɔ̃] *nf* narration, story, narrative.
nasal [nazal] *a* nasal.
naseau [nazo] *nm* nostril.
nasillard [nazijaːr] *a* nasal, through one's nose, with a nasal twang.
nasiller [nazije] *vi* to speak through one's nose.
nasse [nas] *nf* net, trap, eel-pot.
natal [natal] *a* native, natal, birth-.
natalité [natalite] *nf* birth-rate.
natation [natasjɔ̃] *nf* swimming.
natif, -ive [natif, iːv] *a* native, inborn.
nation [nasjɔ̃] *nf* nation.
national [nasjɔnal] *a nm* national; **route—e** main road.
nationaliser [nasjɔnalize] *vt* to nationalize.
nationalisme [nasjɔnalism] *nm* nationalism.
nationalité [nasjɔnalite] *nf* nationality.
nativité [nativite] *nf* nativity.
natte [nat] *nf* mat(ting), plait, braid.
naturalisation [natyralizasjɔ̃] *nf* naturalization.
naturaliser [natyralize] *vt* to naturalize.
naturaliste [natyralist] *a* naturalistic; *n* naturalist.
nature [natyːr] *nf* nature, kind, character, disposition; — **morte** still-life; **grandeur** — life-size; *a* plain, natural; **café** — black coffee.
naturel, -elle [natyrɛl] *a* natural, unaffected, illegitimate; *nm* disposition, naturalness, simplicity.

naufrage [nofra:ʒ] *nm* shipwreck; **faire** — to be shipwrecked.
naufragé [nofraʒe] *a* shipwrecked; *n* castaway.
nauséabond [nozeabɔ̃] *a* nauseous, foul.
nausée [noze] *nf* nausea, sickness, disgust.
nautique [notik] *a* nautical, aquatic.
naval [naval] *a* naval, sea-.
navet [navɛ] *nm* turnip; (*fam*) rubbish, daub.
navette [navɛt] *nf* shuttle, incense box; rape seed; **faire la** — go to and fro.
navigable [navigabl] *a* navigable, seaworthy.
navigateur [navigatœ:r] *nm* navigator, seafarer; *a* seafaring.
navigation [navigasjɔ̃] *nf* navigation, sailing, shipping.
naviguer [navige] *vti* to navigate, sail.
navire [navi:r] *nm* ship, vessel, boat.
navrant [navrɑ̃] *a* heartbreaking, -rending.
navrer [navre] *vt* to break one's heart, grieve.
ne [n(ə)] *neg ad used mostly with* **pas, point,** *etc*, not.
néanmoins [neɑ̃nmwɛ̃] *ad* nevertheless, notwithstanding, yet, still.
néant [neɑ̃] *nm* nothing(ness), worthlessness, nought.
nébuleux, -euse [nebylø, ø:z] *a* nebulous, cloudy, hazy.
nécessaire [nesɛsɛ:r] *a* necessary, needful, required, requisite; *nm* necessaries, what is necessary, bag, case, outfit.
nécessité [nesɛsite] *nf* necessity, straitened circumstances.
nécessiter [nesɛsite] *vt* to necessitate, entail.
nécessiteux, -euse [nesɛsitø, ø:z] *a* necessitous, needy.
nécrologie [nekrɔlɔʒi] *nf* obituary notice.
nécromancien, -ienne [nekrɔmɑ̃sjɛ̃, jɛn] *n* necromancer.
nectarine [nɛktarin] *nf* nectarine peach.
nef [nɛf] *nf* nave.
néfaste [nefast] *a* luckless, baneful, ill-fated, evil.
nèfle [nɛfl] *nf* medlar.
négatif, -ive [negatif, i:v] *a nm* negative.
négligé [negliʒe] *a* neglected, careless, slovenly; *nm* undress, négligé, déshabillé.
négligeable [negliʒabl] *a* negligible.
négligence [negliʒɑ̃:s] *nf* negligence, neglect, carelessness.
négligent [negliʒɑ̃] *a* negligent, careless, neglectful, off-hand.
négliger [negliʒe] *vt* to neglect, be neglectful of, disregard, leave undone; *vr* to neglect oneself, be careless of one's appearance.
négoce [negɔs] *nm* trade, business.
négociable [negɔsjabl] *a* negotiable, transferable.
négociant [negɔsjɑ̃] *n* trader, merchant.
négociation [negɔsjasjɔ̃] *nf* negotiation, transaction, treaty, dealing.
négocier [negɔsje] *vt* to negotiate.
nègre [nɛ:gr] *nm* negro, (*fam*) nigger; hackwriter; *a* negro; **parler petit** — to speak pidgin.
négresse [negrɛs] *nf* negress.
neige [nɛ:ʒ] *nf* snow; — **fondue** sleet, slush; **œufs à la** — floating islands; **tempête de** — snowstorm.
neiger [nɛʒe] *vi* to snow.
neigeux, -euse [neʒø, ø:z] *a* snowy, snow-covered.
nénufar, nénuphar [nenyfa:r] *nm* water-lily.
néologisme [neɔlɔʒism] *nm* neologism.
néophyte [neɔfit] *nm* neophyte, beginner.
néo-zélandais [neozelɑ̃dɛ] *an* New Zealander, from New Zealand.
néphrite [nefrit] *nf* nephritis.
népotisme [nepɔtism] *nm* nepotism.
nerf [nɛ:r] *nm* nerve, sinew, (*fig*) energy, stamina; *pl* hysterics; **porter sur les** — **à qn** to get on s.o.'s nerves.
nerveux, -euse [nɛrvø, ø:z] *a* excitable, highly-strung, sinewy, nervous.
nervosité [nɛrvozite] *nf* irritability, nerves.
nervure [nɛrvy:r] *nf* rib, nervure, vein.
net, nette [nɛt] *a* clean, clear, distinct, plain, sharp, fair, (*of prices*) net; **mettre au** — to make a fair copy of; **faire place nette** to clear out; *ad* plainly, flatly, clearly, dead.
netteté [nɛt(ə)te] *nf* cleanness, cleanliness, distinctness, downrightness.
nettoyage [nɛtwaja:ʒ] *nm* cleaning, cleansing.
nettoyer [nɛtwaje] *vt* to clean (out), clear, mop up.
nettoyeur, -euse [nɛtwajœ:r, ø:z] *n* cleaner.
neuf [nœf] *a nm* nine, ninth.
neuf, neuve [nœf, nœ:v] *a* new; **à** — anew, like new; **quoi de** — what is the news? what's new?
neurasthénie [nørasteni] *nf* neurasthenia.
neutraliser [nøtralize] *vt* to neutralize, counteract.
neutralité [nøtralite] *nf* neutrality.
neutre [nø:tr] *a nm* neuter; *a* neutral; **zone** — no man's land.
neuvième [nœvjɛm] *a nm* ninth.
neveu [n(ə)vø] *nm* nephew.
névralgie [nevralʒi] *nf* neuralgia.
névrite [nevrit] *nf* neuritis.
névrose [nevro:z] *nf* neurosis.
névrosé [nevroze] *an* neurotic, neurasthenic.

nez [ne] *nm* nose, face, nose-piece, sense of smell.
ni [ni] *cj* nor, or, neither . . . nor.
niais [niɛ, njɛ] *a* simple, foolish, silly; *n* fool, simpleton.
niaiserie [niɛzri, njɛ-] *nf* silliness, foolishness; *pl* nonsense.
niche [niʃ] *nf* niche, recess, dog-kennel, trick, prank.
nichée [niʃe] *nf* nest(ful), brood.
nicher [niʃe] *vi* to nest; *vt* to put, lodge; *vr* to build a nest, nestle, lodge.
nid [ni] *nm* nest.
nièce [njɛs] *nf* niece.
nier [nie, nje] *vt* to deny, plead not guilty.
nigaud [nigo] *a* silly; *n* simpleton, booby, fool.
nimbe [nɛ̃ːb] *nm* nimbus, halo.
se nipper [sənipe] *vr* to rig oneself out.
nippes [nip] *nf pl* (old) clothes, things.
nique [nik] *nf* **faire la — à** to pull a face at, turn up one's nose.
nitouche [nituʃ] *nf* **sainte —** little prude.
nitrate [nitrat] *nm* nitrate.
niveau [nivo] *nm* level, standard; **passage à —** level crossing.
niveler [nivle] *vt* to level, even up, survey.
nobiliaire [nɔbiljeːr] *n* peerage (-book, -list).
noble [nɔbl] *a* noble, lofty, high-minded; *n* noble(man, woman).
noblesse [nɔblɛs] *nf* nobility, noble birth, nobleness.
noce [nɔs] *nf* wedding, wedding-party; **voyage de —s** honeymoon; **faire la —** to live it up.
noceur, -euse [nɔsœːr, øːz] *n* fast liver, dissolute man, rake.
nocif, -ive [nɔsif, iːv] *a* noxious, injurious.
noctambule [nɔktɑ̃byl] *nm* sleep-walker, night-prowler.
nocturne [nɔktyrn] *a* nocturnal, night-; *nm* nocturne.
Noël [nɔɛl] *nm* Christmas, Christmas carol.
nœud [nø] *nm* knot, bow, bond, crux.
noir [nwaːr] *a* black, swarthy, dark, gloomy, dirty, base, foul; *nm* black, black man, bull's eye; **broyer du —** to be in the dumps.
noire [nwaːr] *nf* crotchet, black ball.
noirâtre [nwarɑːtr] *a* blackish, darkish.
noirceur [nwarsœːr] *nf* blackness, darkness, smut, base action.
noircir [nwarsiːr] *vi* to grow black; *vt* to blacken, darken, sully.
noisetier [nwaztje] *nm* hazel tree.
noisette [nwazɛt] *nf* hazel-nut; *a* hazel, nut-brown.
noix [nwɑ] *nf* walnut, nut.
nom [nɔ̃] *nm* name, noun; **— de famille** surname; **petit —** Christian, pet name; **— de guerre** assumed name; **qui n'a pas de —** beyond words, unspeakable.
nomade [nɔmad] *a* nomadic, wandering
nombre [nɔ̃ːbr] *nm* number.
nombrer [nɔ̃bre] *vt* to count, number.
nombreux, -euse [nɔ̃brø, øːz] *a* numerous, many.
nombril [nɔ̃bri] *nm* navel.
nominatif, -ive [nɔminatif, iːv] *a* nominal, registered; *nm* nominative.
nomination [nɔminasjɔ̃] *nf* appointment, nomination.
nommément [nɔmemɑ̃] *ad* namely, by name.
nommer [nɔme] *vt* to name, call, mention by name, appoint, nominate, elect; *vr* to be called, give one's name.
non [nɔ̃] *ad* no, not; non-, un-, in-; *nm* no; **faire signe que —** to shake one's head.
nonagénaire [nɔnaʒeneːr] *n* nonagenarian.
nonchalance [nɔ̃ʃalɑ̃ːs] *nf* nonchalance, unconcern.
non-lieu [nɔ̃ljø] *nm* no case.
nonne [nɔn] *nf* nun.
nonobstant [nɔnɔbstɑ̃] *prep* notwithstanding; *ad* nevertheless.
nonpareil, -eille [nɔ̃pareːj] *a* matchless.
non-sens [nɔ̃sɑ̃ːs] *nm* meaningless sentence, remark.
non-valeur [nɔ̃valœːr] *nf* valueless object, bad debt, worthless security, unproductiveness, inefficient person, non-effective unit.
nord [nɔːr] *nm* north; *a* north, northern; **perdre le —** be all at sea.
nord-est [nɔr(d)ɛst] *nm* north-east.
nordique [nɔrdik] *a* Nordic.
nord-ouest [nor(d)wɛst] *nm* north-west.
normal [nɔrmal] *a* normal, standard, average.
normalien, -ienne [nɔrmaljɛ̃, jɛn] *n* student at the *Ecole Normale Supérieure.*
normand [nɔrmɑ̃] *a* Norman, non-committal, shrewd; *n* Norman.
Normandie [nɔrmɑ̃di] *nf* Normandy.
norme [nɔrm] *nf* norm, standard.
Norvège [nɔrvɛːʒ] *nf* Norway.
norvégien, -ienne [nɔrveʒjɛ̃, jɛn] *an* Norwegian.
nostalgie [nɔstalʒi] *nf* nostalgia, home-sickness.
notable [nɔtabl] *a* notable, considerable, eminent.
notaire [nɔteːr] *nm* notary, solicitor.
notamment [nɔtamɑ̃] *ad* notably, especially, among others.
note [nɔt] *nf* note, memorandum, mark, bill, account; **changer de —** to change one's tune; **forcer la —** to lay it on, overdo it.

noté [nɔte] *a* **bien, mal —** of good, bad, reputation.
noter [nɔte] *vt* to note, take a note of, write down.
notice [nɔtis] *nf* notice, account, review.
notification [nɔtifikasjɔ̃] *nf* notification, intimation.
notifier [nɔtifje] *vt* to notify, intimate.
notion [nɔsjɔ̃] *nf* notion, idea.
notoire [nɔtwa:r] *a* well-known, notorious.
notoriété [nɔtɔrjete] *nf* notoriety, repute; **— publique** common knowledge.
notre, nos [nɔtr, no] *pos a* our.
nôtre [no:tr] *pos pn* **le, la —, les —s** ours; *nm* ours, our own; *pl* our own people *etc.*
nouer [nwe, nue] *vt* to tie (up), knot; *vr* to become knotted, become stiff; **— conversation avec** to enter into conversation with.
noueux, -euse [nuø, ø:z] *a* knotty, gnarled, stiff.
nougat [nugɑ] *nm* nougat.
nouilles [nu:j] *nf pl* ribbon vermicelli, noodles.
nounou [nunu] *nf* nanny, children's nurse.
nourri [nuri] *a* fed, nourished, furnished, copious, full, sustained, prolonged.
nourrice [nuris] *nf* (wet) nurse; auxiliary tank, feed-pipe.
nourricier, -ière [nurisje, jɛ:r] *a* nutritious, nutritive, foster-.
nourrir [nuri:r] *vt* to nourish, feed, suckle, nurse, rear, maintain, board, foster, cherish, fill out.
nourrissant [nurisɑ̃] *a* nourishing, nutritious.
nourrisson [nurisɔ̃] *nm* baby at the breast, infant, foster-child.
nourriture [nurity:r] *nf* food, board, feeding.
nous [nu] *pn* we, us, ourselves, each other; **à —** ours.
nouveau, -elle [nuvo, ɛl] *a* new, recent, fresh, another, further, second; **du —** something new; **de —** again; **à —** afresh, anew.
nouveau-né [nuvone] *an* new-born (child).
nouveauté [nuvote] *nf* novelty, change, innovation, new publication, play *etc*; *pl* new styles, latest fashions; **magasin de —s** drapery store.
nouvelle [nuvɛl] *nf* piece of news, short story.
nouvellement [nuvɛlmɑ̃] *ad* newly, lately.
Nouvelle-Zélande [nuvelzelɑ̃d] *nf* New Zealand.
nouvelliste [nuvɛlist] *nm* short-story writer.
novateur, -trice [nɔvatœ:r, tris] *n* innovator.
novembre [nɔvɑ̃:br] *nm* November.
novice [nɔvis] *a* inexperienced, new, fresh, unpractised; *n* novice, beginner, probationer, apprentice.
noviciat [nɔvisja] *nm* novitiate, probationary period, apprenticeship.
noyade [nwajad] *nf* drowning.
noyau [nwajo] *nm* stone, kernel, nucleus, cell, hub, core.
noyautage [nwajota:ʒ] *nm* (communist) infiltration.
noyé [nwaje] *a* drowned, flooded, sunken, choked, suffused; *n* drowned, drowning man, woman.
noyer [nwaje] *nm* walnut-tree.
noyer [nwaje] *vt* to drown, sink, flood, swamp, (*fish*) play; *vr* to drown, be drowned.
nu [ny] *a* naked, nude, bare, plain; *nm* nude; **à —** uncovered, exposed, bareback.
nuage [nɥa:ʒ] *nm* cloud, haze, drop (of milk in tea).
nuageux, -euse [nɥaʒø, ø:z] *a* cloudy, overcast, hazy.
nuance [nɥɑ̃:s] *nf* shade, hue, tinge, slight suggestion.
nuancer [nɥɑ̃se] *vt* to blend, shade, vary.
nubile [nybil] *a* nubile; **âge —** age of consent.
nucléaire [nykleɛ:r] *a* nuclear.
nudisme [nydism] *nm* nudism.
nudité [nydite] *nf* nudity, nakedness, bareness.
nue [ny] *nf* cloud.
nuée [nɥe] *nf* (large) cloud, swarm, host, shower.
nuire [nɥi:r] *vt* to harm, hurt, injure, prejudice.
nuisible [nɥizibl] *a* harmful, injurious.
nuit [nɥi] *nf* night, dark(ness); **cette —** last night, tonight; **à la — tombante** at nightfall.
nul, nulle [nyl] *a* no, not one, not any, worthless, of no account, null, invalid, non-existent; **course nulle** dead heat; **partie nulle** draw, drawn game; **nulle part** nowhere; *pn* no one, none, nobody.
nullement [nylmɑ̃] *ad* not at all, by no means, in no way.
nullité [nyllite] *nf* nullity, invalidity, emptiness, incapacity, nonentity.
nûment [nymɑ̃] *ad* frankly; without embellishment.
numéral [nymeral] *a nm* numeral.
numérique [nymerik] *a* numerical.
numéro [nymero] *nm* number, item, turn; **c'est un —** he is a character.
nuptial [nypsjal] *a* nuptial, bridal, wedding-.
nuque [nyk] *nf* nape of the neck.
nutritif, -ive [nytritif, i:v] *a* nutritious, nourishing, food-.
nymphe [nɛ̃:f] *nf* nymph.

O

obéir [ɔbeiːr] *vt* to obey, comply (with **à**).
obéissance [ɔbeisɑ̃ːs] *nf* obedience, submission.
obéissant [ɔbeisɑ̃] *a* obedient, dutiful.
obélisque [ɔbelisk] *nm* obelisk.
obèse [ɔbɛːz] *a* fat, corpulent, stout.
obésité [ɔbezite] *nf* obesity, corpulence.
objecter [ɔbʒɛkte] *vt* to raise (as) an objection.
objecteur [ɔbʒɛktœːr] *nm* (conscientious) objector.
objectif, -ive [ɔbʒɛktif, iːv] *a* objective; *nm* objective, target, lens.
objection [ɔbʒɛksjɔ̃] *nf* objection.
objet [ɔbʒɛ] *nm* object, thing, aim, purpose, subject.
obligation [ɔbligasjɔ̃] *nf* obligation, duty, agreement, bond, debenture.
obligatoire [ɔbligatwaːr] *a* obligatory, compulsory, binding.
obligé [ɔbliʒe] *a* obliged, bound, indispensable, inevitable, grateful.
obligeance [ɔbliʒɑ̃ːs] *nf* obligingness, kindness.
obliger [ɔbliʒe] *vt* to oblige, compel, do (s.o.) a favour.
oblique [ɔblik] *a* oblique, slanting, indirect, underhand.
obliquer [ɔblike] *vi* to edge, slant, turn off (*direction*).
oblitération [ɔbliterasjɔ̃] *nf* obliteration, cancelling.
oblitérer [ɔblitere] *vt* to obliterate, cancel.
obole [ɔbɔl] *nf* mite.
obscène [ɔpsɛ(ː)n] *a* obscene.
obscénité [ɔpsenite] *nf* obscenity.
obscur [ɔpskyːr] *a* obscure, indistinct, unknown, dark.
obscurcir [ɔpskyrsiːr] *vt* to obscure, darken, dim, make unintelligible; *vr* to grow dark, become obscure, dim.
obscurcissement [ɔpskyrsismɑ̃] *nm* darkening, growing dim, blackout.
obscurité [ɔpskyrite] *nf* obscurity, darkness, dimness, unintelligibility.
obséder [ɔpsede] *vt* to obsess, haunt, worry.
obsèques [ɔpsɛk] *nf pl* obsequies, funeral.
obséquieux, -euse [ɔpsekjø, øːz] *a* obsequious.
observance [ɔpsɛrvɑ̃ːs] *nf* observance.
observateur, -trice [ɔpsɛrvatœːr, tris] *a* observant, observing; *n* observer.
observation [ɔpsɛrvasjɔ̃] *nf* observation, remark, comment, reprimand, observance.
observatoire [ɔpsɛrvwatwaːr] *nm* observatory.
observer [ɔpsɛrve] *vt* to observe, keep (to) watch, note; **faire —** to point out; *vr* to be careful, discreet.
obsession [ɔpsɛsjɔ̃] *nf* obsession.
obstacle [ɔpstakl] *nm* obstacle, impediment.
obstination [ɔpstinasjɔ̃] *nf* obstinacy.
obstiné [ɔpstine] *a* obstinate, stubborn.
obstruction [ɔpstryksjɔ̃] *nf* obstruction, blocking, choking.
obstruer [ɔpstrɥe] *vt* to obstruct, block, choke; *vr* to become blocked, choked.
obtempérer [ɔptɑ̃pere] *vt* to comply (with **à**).
obtenir [ɔptəniːr] *vt* to obtain, get, procure, achieve.
obtention [ɔptɑ̃sjɔ̃] *nf* obtaining.
obtus [ɔpty] *a* obtuse, dull, blunt.
obus [ɔby(ːs)] *nm* shell.
obusier [ɔbyzje] *nm* howitzer.
oc [ɔk] *ad* **langue d'—** dialect of South of France.
occasion [ɔkazjɔ̃, -kɑ-] *nf* occasion, opportunity, motive, bargain; **à l'—** when the opportunity occurs, in case of need, once in a while, on the occasion (of **de**), with regard (to **de**), **d'—** second-hand.
occasionner [ɔkazjɔne, -kɑ-] *vt* to occasion, give rise to.
occident [ɔksidɑ̃] *nm* west.
occidental [ɔksidɑ̃tal] *a* west(ern).
occlusion [ɔklyzjɔ̃] *nf* occlusion, closing, obstruction.
occulte [ɔkylt] *a* occult, hidden
occupant [ɔkypɑ̃] *a* occupying; *n* occupying (power, army *etc*), occupier.
occupation [ɔkypasjɔ̃] *nf* occupation, occupancy, business, employment.
occupé [ɔkype] *a* occupied, busy, engaged.
occuper [ɔkype] *vt* to occupy, inhabit, fill, hold, employ; *vr* to keep oneself busy, go in (for **de**), turn one's attention (to **de**), attend (to **de**); **occupez-vous de ce qui vous regarde** mind your own business.
occurrence [ɔkyrɑ̃ːs] *nf* occurrence, event; **en l'—** under the circumstances.
océan [ɔseɑ̃] *nm* ocean.
océanique [ɔseanik] *a* ocean(ic).
ocre [ɔkr] *nf* ochre.
octave [ɔktaːv] *nf* octave.
octobre [ɔktɔbr] *nm* October.
octogénaire [ɔktɔʒenɛːr] *an* octogenarian.
octogone [ɔktɔgɔn] *a* octagonal; *nm* octagon.
octroi [ɔktrwa] *nm* concession, toll-house.
octroyer [ɔktrwaje] *vt* to concede, grant, allow, bestow.
oculaire [ɔkylɛːr] *a* ocular, eye-; *nm* eyepiece.
oculiste [ɔkylist] *nm* oculist.
ode [ɔd] *nf* ode.
odeur [odœːr] *nf* odour, smell, scent.

odieux, -euse [ɔdjø, øːz] *a* odious, hateful, heinous; *nm* odiousness, odium.
odorant [ɔdɔrɑ̃] *a* sweet-smelling.
odorat [ɔdɔra] *nm* sense of smell.
œil [œːj] *nm, pl* **yeux** [jø] eye, sight, look; **regarder dans le blanc des yeux** to look full in the face; **cela saute aux yeux** it is obvious; **coûter les yeux de la tête** to cost an outrageous price; **à l'—** on tick, free; **à vue d'—** visibly, at a glance; **coup d'—**view, glance; **faire de l'—à** to give the glad eye to, wink at.
œillade [œjad] *nf* glance; *pl* sheep's eyes.
œillère [œjɛːr] *nf* blinker, eye-bath, eye-tooth.
œillet [œjɛ] *nm* eyelet, pink, carnation; **— de poète** sweet-william.
œsophage [ezɔfaːʒ] *nm* œsophagus, gullet.
œuf [œf] *nm* egg; *pl* spawn, roe; **— dur** hard-boiled egg; **— sur le plat** egg fried in butter; **faire d'un — un bœuf** to make a mountain out of a molehill.
œuvre [œːvr] *nf* work; **— de bienfaisance** charitable society, charity; **mettre en —** to put in hand, bring into play; *nm* works.
offensant [ɔfɑ̃sɑ̃] *a* offensive, objectionable.
offense [ɔfɑ̃ːs] *nf* offence.
offenser [ɔfɑ̃se] *vt* to offend, injure, be offensive to; *vr* to take offence.
offensif, -ive [ɔfɑ̃sif, iːv] *a* offensive.
office [ɔfis] *nm* office, functions, service, worship, department; **faire — de** to act as; **d'—** officially, automatically; **— des morts** burial-service; *nf* pantry, servants' hall.
officiel, -elle [ɔfisjɛl] *a* official, formal.
officier [ɔfisje] *nm* officer; **— de l'état civil** registrar; *vi* to officiate.
officieux, -euse [ofisjø, øːz] *a* officious, semi-official; **à titre —** unofficially; *n* busybody.
officine [ɔfisin] *nf* chemist's shop, den, hotbed.
offrande [ɔfrɑ̃ːd] *nf* offering.
offrant [ɔfrɑ̃] *a nm* **le plus —** the highest bidder.
offre [ɔfr] *nf* offer, tender; **l'— et la demande** supply and demand.
offrir [ɔfriːr] *vt* to offer, proffer, stand, bid, afford, put up; *vr* to offer oneself, present itself.
offusquer [ɔfyske] *vt* to offend, shock; *vr* to take offence (at **de**).
ogival [ɔʒival] *a* pointed, ogival, gothic.
ogive [ɔʒiːv] *nf* ogive, pointed arch.
ogre, -esse [ɔgr, ɔgrɛs] *n* ogre, ogress.
oie [wa] *nf* goose.
oignon [ɔɲɔ̃] *nm* onion, bulb, bunion.
oindre [wɛ̃ːdr] *vt* to oil, anoint.
oiseau [wazo] *nm* bird, individual: **à vol d'—** as the crow flies.
oiseau-mouche [wazomuʃ] *nm* humming-bird.
oiselet [wazlɛ] *nm* small bird.
oiseleur [wazlœːr] *nm* bird-catcher.
oiseux, -euse [wazø, øːz] *a* idle, useless, trifling.
oisif, -ive [wazif, iːv] *a* idle; *n* idler.
oisillon [wazijɔ̃] *nm* fledgling.
oisiveté [wazivte] *nf* idleness.
oison [wazɔ̃] *nm* gosling, simpleton.
oléagineux, -euse [ɔleaʒinø, øːz] *a* oleaginous, oily, oil.
olfactif, -ive [ɔlfaktif, iːv] *a* olfactory.
oligarchie [ɔligarʃi] *nf* oligarchy.
olivâtre [ɔlivɑːtr] *a* olive-hued, sallow.
olive [ɔliːv] *a* olive-green, -shaped; *nf* olive.
olivier [ɔlivje] *nm* olive-tree, -wood.
Olympe [ɔlɛ̃ːp] *nm* Olympus.
olympique [ɔlɛ̃pik] *a* Olympic.
ombilical [ɔ̃bilikal] *a* umbilical, navel.
ombrage [ɔ̃braːʒ] *nm* shade, umbrage.
ombrager [ɔ̃braʒe] *vt* to shade, overshadow.
ombrageux, -euse [ɔ̃braʒø, øːz] *a* touchy, (*horse*) shy.
ombre [ɔ̃ːbr] *nf* shade, shadow, darkness, ghost.
ombrelle [ɔ̃brɛl] *nf* sunshade, parasol.
ombreux, -euse [ɔ̃brø, øːz] *a* shady.
omelette [ɔmlɛt] *nf* omelette; **— aux fines herbes** savoury omelette.
omettre [ɔmɛtr] *vt* to omit.
omission [ɔmisjɔ̃] *nf* omission.
omnibus [ɔmnibyːs] *nm* (omni)bus; **train —** slow train.
omnipotence [ɔmnipɔtɑ̃ːs] *nf* omnipotence.
omnivore [ɔmnivɔːr] *a* omnivorous.
omoplate [ɔmoplat] *nf* shoulder-blade.
on [ɔ̃] *pn* one, people, a man, we, you, they; **— demande** wanted; **— dit** it is said; **— ne passe pas** no thoroughfare.
oncle [ɔ̃ːkl] *nm* uncle.
onction [ɔ̃ksjɔ̃] *nf* oiling, anointing, unction, unctuousness.
onctueux, -euse [ɔ̃ktɥø, øːz] *a* unctuous, oily, greasy.
onde [ɔ̃ːd] *nf* wave, ocean, water.
ondé [ɔ̃de] *a* wavy, waved, watered.
ondée [ɔ̃de] *nf* heavy shower.
on-dit [ɔ̃di] *nm pl* hearsay, idle talk.
ondoyant [ɔ̃dwajɑ̃] *a* undulating, waving.
ondoyer [ɔ̃dwaje] *vi* to undulate, wave, sway.
ondulant [ɔ̃dylɑ̃] *a* undulating, waving, flowing.
ondulation [ɔ̃dylasjɔ̃] *nf* undulation, wave.
ondulé [ɔ̃dyle] *a* wavy, undulating, corrugated.
onduler [ɔ̃dyle] *vi* to undulate; *vt*

to corrugate, wave; **se faire —** to have one's hair waved.
onéreux, -euse [ɔnerø, øːz] *a* onerous, heavy.
ongle [ɔ̃ːgl] *nm* nail, claw, talon; **se faire les —s** to trim one's nails.
onglée [ɔ̃gle] *nf* numbness, tingling (of the fingers).
onglet [ɔ̃glɛ] *nm* guard, tab.
onguent [ɔ̃gɑ̃] *nm* ointment, salve.
onomatopée [ɔnɔmatɔpe] *nf* onomatopœia.
onyx [ɔniks] *nm* onyx.
onze [ɔ̃ːz] *a nm* eleven, eleventh.
onzième [ɔ̃zjɛm] *an* eleventh.
opacité [ɔpasite] *nf* opacity.
opale [ɔpal] *nf* opal.
opaque [ɔpak] *a* opaque.
opéra [ɔpera] *nm* opera, opera-house.
opérateur [ɔperatœːr] *nm* operator, cameraman.
opération [ɔperasjɔ̃] *nf* operation, process, transaction; **salle d'—** operating-theatre.
opératoire [ɔperatwaːr] *a* operative.
opéré [ɔpere] *n* person operated upon, surgical case.
opérer [ɔpere] *vt* to operate, perform an operation on, effect, work, carry out, make; **se faire —** to undergo an operation.
opérette [ɔperɛt] *nf* operetta, light opera, musical comedy.
ophtalmique [ɔftalmik] *a* ophthalmic.
opiner [ɔpine] *vi* to express an opinion, vote; **— du bonnet** to nod approval.
opiniâtre [ɔpinjɑːtr] *a* obstinate, opinionated, stubborn, dogged, persistent.
opiniâtrer [ɔpinjɑtre] *vr* to be obstinate, persist (in **à**).
opiniâtreté [ɔpinjɑtrəte] *nf* obstinacy.
opinion [ɔpinjɔ̃] *nf* opinion, view.
opium [ɔpjɔm] *nm* opium.
opportun [ɔpɔrtœ̃] *a* opportune, timely, advisable.
opportunisme [ɔpɔrtynism] *nm* opportunism.
opportuniste [ɔpɔrtynist] *n* opportunist, time-server.
opportunité [ɔpɔrtynite] *nf* opportuneness, timeliness, advisability.
opposé [ɔpoze] *a* opposed, opposite, opposing; *nm* contrary, opposite, reverse; **à l'— de** contrary to.
opposition [ɔpozisjɔ̃] *nf* opposition, objection, injunction, contrast; **par — à** as opposed to, in contradiction to.
oppresser [ɔprɛse] *vt* to oppress.
oppresseur [ɔprɛsœːr] *a* oppressive, tyrannical; *nm* oppressor.
oppressif, -ive [ɔprɛsif, iv] *a* oppressive.
oppression [ɔprɛsjɔ̃] *nf* oppression.
opprimer [ɔprime] *vt* to oppress.
opprobe [ɔprɔbr] *nm* opprobrium, disgrace.
opter [ɔpte] *vt* to choose, decide (in favour of **pour**).
opticien [ɔptisjɛ̃] *nm* optician.
optimisme [ɔptimism] *nm* optimism.
optimiste [ɔptimist] *a* optimistic; *n* optimist.
option [ɔpsjɔ̃] *nf* choice, option
optique [ɔptik] *a* optic, visual, optical; *nf* optics.
opulence [ɔpylɑ̃ːs] *nf* opulence, affluence.
opulent [ɔpylɑ̃] *a* opulent, affluent, rich.
opuscule [ɔpyskyl] *nm* pamphlet.
or [ɔːr] *nm* gold; **à prix d'—** at an exorbitant price; **affaire d'—** good bargain, good thing; *cj* now.
oracle [ɔraːkl] *nm* oracle.
orage [ɔraːʒ] *nm* (thunder)storm.
orageux, -euse [ɔraʒø, øːz] *a* stormy, thundery.
oraison [ɔrɛzɔ̃] *nf* oration, prayer.
oral [ɔral] *a* oral, verbal; *nm* oral examination, viva.
orange [ɔrɑ̃ːʒ] *nf* orange.
orangé [ɔrɑ̃ʒe] *a* orange(-coloured).
orangeade [ɔrɑ̃ʒad] *nf* orange squash.
oranger [ɔrɑ̃ʒe] *nm* orange-tree; **fleur(s) d'—** orange-flower, -blossom.
orangerie [ɔrɑ̃ʒri] *nf* orange-grove, -greenhouse.
orang-outan(g) [ɔrɑ̃utɑ̃] *nm* orang-outang.
orateur [ɔratœːr] *nm* orator, speaker.
oratoire [ɔratwaːr] *a* oratorical; *nm* chapel, oratory.
orbe [ɔrb] *nm* orb, globe, heavenly body.
orbite [ɔrbit] *nf* orbit, socket.
orchestration [ɔrkɛstrasjɔ̃] *nf* orchestration.
orchestre [ɔrkɛstr] *nm* orchestra; **chef d'—** conductor.
orchestrer [ɔrkɛstre] *vt* to orchestrate, score.
orchidée [ɔrkide] *nf* orchid.
ordinaire [ɔrdinɛːr] *a* usual, common, ordinary, vulgar; **vin —** table wine; *nm* custom, wont, normal habit, daily fare; **d'—** as a rule; **comme d'—** as usual.
ordinal [ɔrdinal] *a* ordinal.
ordinateur [ɔrdinatœːr] *nm* computer.
ordonnance [ɔrdɔnɑ̃ːs] *nf* order arrangement, ordinance, regulation, ruling orderly, batman, medical prescription; **officier d'—** orderly officer, aide-de-camp.
ordonné [ɔrdɔne] *a* orderly, tidy, methodical.
ordonner [ɔrdɔne] *vt* to arrange, order, command, prescribe, ordain.
ordre [ɔrdr] *nm* order, method, discipline, class, character, command, warrant; **mettre en —** to put in order; **à l'—!** order! **— du jour**

order of the day, agenda; **cité à l'— du jour** mentioned in dispatches; **passer à l'— du jour** to proceed with the business; **jusqu'à nouvel —** until further notice; **billet à —** promissory note.
ordure [ɔrdyːr] *nf* dirt, filth(iness); *pl* rubbish, refuse; **boîte à —s** dustbin.
ordurier, -ière [ɔrdyrje, jɛːr] *a* filthy, obscene.
oreille [ɔrɛːj] *nf* ear, lug; **avoir l'— dure** to be hard of hearing; **avoir de l'—** to have a good ear; **dresser l'—** to prick up one's ears; **se faire tirer l'—** to have to be asked twice; **faire la sourde —** to turn a deaf ear; **rebattre les —s à qn** to din in s.o.'s ears.
oreiller [ɔrɛje] *nm* pillow.
oreillon [ɔrɛjɔ̃] *nm* earflap; *pl* mumps.
ores [ɔːr] *ad* **d'— et déjà** here and now.
orfèvre [ɔrfɛːvr] *nm* goldsmith.
orfèvrerie [ɔrfɛvrəri] *nf* goldsmith's craft, shop, (gold, silver) plate.
orfraie [ɔrfrɛ] *nf* sea-hawk.
organdi [ɔrgɑ̃di] *nm* organdie.
organe [ɔrgan] *nm* organ, agency, mouthpiece.
organique [ɔrganik] *a* organic.
organisateur, -trice [ɔrganizatœːr, tris] *a* organizing; *n* organizer.
organisation [ɔrganizasjɔ̃] *nf* organization, organizing, constitution, body.
organiser [ɔrganize] *vt* to organize, arrange.
organisme [ɔrganism] *nm* organism, constitution, system.
organiste [ɔrganist] *nm* organist.
orge [ɔrʒ] *nf* barley.
orgelet [ɔrʒəlɛ] *nm* sty.
orgie [ɔrʒi] *nf* orgy, riot.
orgue [ɔrg] *nm* (*pl* is *f*) organ; **— de Barbarie** barrel-organ.
orgueil [ɔrgœːj] *nm* pride.
orgueilleux, -euse [ɔrgœjø, øːz] *a* proud.
orient [ɔrjɑ̃] *nm* orient, east.
oriental [ɔrjɑ̃tal] *a* eastern, east, oriental; *n* Oriental.
orientation [ɔrjɑ̃tasjɔ̃] *nf* orientation, guidance, direction, trend.
orienter [ɔrjɑ̃te] *vt* to orient, guide, direct, point, take the bearings of; *vr* to find one's bearings, turn (to).
orifice [ɔrifis] *nm* opening, orifice.
originaire [ɔriʒinɛːr] *a* original, native, originating.
originairement [ɔriʒinɛrmɑ̃] *ad* originally.
original [ɔriʒinal] *a* original, first, novel, odd; *nm* original, top copy, eccentric.
originalement [ɔriʒinalmɑ̃] *ad* in an original manner, oddly.
originalité [ɔriʒinalite] *nf* originality, eccentricity.
origine [ɔriʒin] *nf* origin, beginning, extraction, source; **à l'—** originally.
originel, -elle [ɔriʒinɛl] *a* original, primordial; **péché —** original sin.
oripeau [ɔripo] *nm* tinsel; *pl* gaudy finery.
orme [ɔrm] *nm* elm-tree.
ornement [ɔrnəmɑ̃] *nm* ornament, adornment.
ornemental [ɔrnəmɑ̃tal] *a* ornamental, decorative.
ornementer [ɔrnəmɑ̃te] *vt* to ornament.
orner [ɔrne] *vt* to ornament, adorn.
ornière [ɔrnjɛːr] *nf* rut, groove.
ornithologie [ɔrnitɔlɔʒi] *nf* ornithology.
orphelin [ɔrfəlɛ̃] *a* orphan(ed); *n* orphan; **— de mère** motherless.
orphelinat [ɔrfəlina] *nm* orphanage.
orteil [ɔrtɛːj] *nm* toe.
orthodoxe [ɔrtɔdɔks] *a* orthodox, conventional.
orthodoxie [ɔrtɔdɔksi] *nf* orthodoxy.
orthographe [ɔrtɔgraf] *nf* spelling.
orthographier [ɔrtɔgrafje] *vt* to spell.
ortie [ɔrti] *nf* nettle.
os [ɔs; *pl* o] *nm* bone; **trempé jusqu'aux —** soaked to the skin.
oscillateur [ɔsil(l)atœːr] *nm* oscillator.
oscillation [ɔsil(l)asjɔ̃] *nf* oscillation, fluctuation.
osciller [osije, ɔsile] *vi* to oscillate, swing, flicker, fluctuate, waver.
osé [oze] *a* daring, bold.
oseille [ɔzɛːj, o-] *nf* sorrel.
oser [oze] *vt* to dare.
osier [osje] *nm* osier; **panier d'—** wicker-basket.
ossature [ɔssatyːr] *nf* frame(work), skeleton.
osselet [ɔslɛ] *nm* knuckle-bone.
ossements [ɔsmɑ̃, os-] *nm pl* bones.
osseux, -euse [ɔsø, øːz] *a* bony.
ossifier [ɔssifje] *vt* to ossify; *vr* to harden.
ossuaire [ɔssɥɛːr] *nm* charnel-house.
ostensible [ɔstɑ̃sibl] *a* ostensible.
ostensoir [ɔstɑ̃swaːr] *nm* monstrance.
ostentation [ɔstɑ̃tasjɔ̃] *nf* ostentation, show.
ostraciser [ɔstrasize] *vt* to ostracize.
ostréiculture [ɔstreikyltyːr] *nf* oyster-breeding.
otage [ɔtaːʒ] *nm* hostage.
ôter [ote] *vt* to remove, take away, take off; *vr* to remove oneself.
otite [ɔtit] *nf* otitis.
ottomane [ɔt(t)ɔman] *nf* divan, ottoman.
ou [u] *cj* or; **— . . . —** either . . . or.
où [u] *ad inter* where?; *rel* where, in which, to which, when; **n'importe —** anywhere; **d'—?** whence? where? where from? **d'— vient que . . .?** how does it happen that . . .? **jusqu'—?** how far? **partout —** wherever.

ouailles [wɑːj] *nf pl* flock.
ouate [wat] *nf* wadding, cotton wool.
ouaté [wate] *a* padded, quilted, fleecy, soft.
ouater [wate] *vt* to pad, line with wadding, quilt.
oubli [ubli] *nm* forgetfulness, oblivion, omission, oversight; **par** — inadvertently.
oublie [ubli] *nf* cone, wafer.
oublier [ublie] *vt* to forget, neglect, overlook; *vr* to be unmindful of oneself, forget oneself.
oubliettes [ubliɛt] *nf pl* dungeon.
oublieux, -euse [ubliø, øːz] *a* forgetful, oblivious.
oued [wɛd] *nm* watercourse, wadi.
ouest [wɛst] *a* west(ern); *nm* west.
ouf [uf] *excl* ah! phew!
oui [wi] *ad* yes, ay(e); **je crois que** — I think so.
ouï-dire [widiːr] *nm* hearsay.
ouïe [wi] *nf* (sense of) hearing; *pl* gills.
ouïr [wiːr, uiːr] *vt* to hear.
ouragan [uragɑ̃] *nm* hurricane.
ourdir [urdiːr] *vt* to warp, hatch, (*plot*) weave.
ourler [urle] *vt* to hem.
ourlet [urlɛ] *nm* hem, edge.
ours [urs] *nm* bear; — **blanc** polar bear; — **en peluche** teddy-bear; — **mal léché** unlicked cub, boorish fellow; **il ne faut pas vendre la peau de l'— avant de l'avoir tué** don't count your chickens before they are hatched.
oursin [ursɛ̃] *nm* sea-urchin.
ourson [ursɔ̃] *nm* bear's cub.
ouste [ust] *excl* **allez —!** off you go! hop it!
outil [uti] *nm* tool.
outillage [utijaːʒ] *nm* tools, gear, plant; — **national** national capital equipment.
outiller [utije] *vt* to equip, fit out, provide with tools, equip with plant.
outrage [utraːʒ] *nm* outrage, offence, contempt.
outrageant [utraʒɑ̃] *a* outrageous, insulting.
outrager [utraʒe] *vt* to outrage, insult, offend.
outrance [utrɑ̃ːs] *nf* excess; **à** — to the utmost, to the bitter end
outre [uːtr] *prep* beyond, in addition to, ultra-; *ad* **passer** — to go on, take no notice (of), disregard; **en** — besides, over and above; **en — de** in addition to; **d'— en** — through and through; — **que** apart from the fact that.
outré [utre] *a* exaggerated, overdone.
outrecuidance [utrəkɥidɑ̃ːs] *nf* presumptuousness.
outre-Manche [utrəmɑ̃ːʃ] *ad* across the Channel.
outre-mer [utrəmɛːr] *ad* beyond the sea(s), oversea(s).
outrepasser [utrəpɑse] *vt* to exceed, go beyond.
outrer [utre] *vt* to exaggerate, overdo, carry to excess, revolt, provoke beyond measure.
ouvert [uvɛːr] *a* open, gaping, unfortified, frank; **grand** — wide open.
ouvertement [uvɛrtəmɑ̃] *ad* openly, frankly.
ouverture [uvɛrtyːr] *nf* opening, outbreak, overture, aperture, gap, width, span; **heures d'—** business hours, visiting hours.
ouvrable [uvrabl] *a* workable, working.
ouvrage [uvraːʒ] *nm* work, workmanship.
ouvragé [uvraʒe] *a* worked, wrought.
ouvrager [uvraʒe] *vt* to work, figure.
ouvrant [uvrɑ̃] *a* opening; *nm* leaf (of door).
ouvre-boîtes [uvrəbwat] *nm* tin opener, can opener.
ouvre-bouteilles [uvrəbutɛːj] *nm* bottle-opener, can opener.
ouvrer [uvre] *vt* to work.
ouvreuse [uvrøːz] *nf* usher(ette).
ouvrier, -ière [uvrie, ɛːr] *a* working, labour; *n* worker, workman, operative, labourer, hand; *f* factory girl.
ouvrir [uvriːr] *vt* to open, turn (on), draw back, cut (through, open), lance, begin, start; *vi* to open (onto **sur**); *vr* to open, begin, open one's heart.
ovaire [ɔvɛːr] *nm* ovary.
ovale [ɔval] *a nm* oval.
ovation [ɔvasjɔ̃] *nf* ovation, acclamation.
oxydable [ɔksidabl] *a* oxidizable, liable to rust.
oxyde [ɔksid] *nm* oxide.
oxygène [ɔksiʒɛn] *nm* oxygen.
oxygéné [ɔksiʒene] *a* oxygenated; **eau —e** peroxide of hydrogen; **cheveux —s** peroxided hair.
ozone [ɔzɔn, -oːn] *nm* ozone.

P

pacage [pakaːʒ] *nm* pasture, grazing.
pachyderme [paʃidɛrm, paki-] *a* thick-skinned; *nm* pachyderm.
pacificateur, -trice [pasifikatœːr, tris] *a* pacifying; *n* peace-maker.
pacification [pasifikasjɔ̃] *nf* pacification, peace-making.
pacifier [pasifje] *vt* to pacify, appease, quieten, calm down.
pacifique [pasifik] *a* pacific, peaceful.
pacifisme [pasifism] *nm* pacifism.
pacotille [pakɔtiːj] *nf* cheap goods; **de** — tawdry.
pacte [pakt] *nm* pact.
pactiser [paktize] *vi* to come to terms, treat.
pagaie [pagɛ] *nf* paddle.

pagaïe [paga:j] *nf* rush, disorder, chaos.
paganisme [paganism] *nm* paganism.
pagayer [pageje] *vti* to paddle.
page [pa:ʒ] *nf* page; *nm* page(boy); **à la** — up to date.
pagination [paʒinasjɔ̃] *nf* paging, pagination.
pagne [paɲ] *nm* loincloth, (*Africa*) cloth (*toga*).
païen, -enne [pajɛ̃, jɛn] *a nf* pagan, heathen.
paillard [paja:r] *a* lewd, ribald.
paillardise [pajardi:z] *nf* ribaldry, ribald joke.
paillasse [pajas] *nf* straw mattress, palliasse.
paillasson [pajasɔ̃] *nm* (door)mat, matting.
paille [pɑ:j] *nf* straw, chaff, mote, flaw; **feu de** — flash in the pan; **homme de** — figurehead.
pailleter [pajte] *vt* to spangle.
paillette [pajɛt] *nf* spangle, flaw, flash, flake.
paillotte [pɑjɔt] *nf* straw, reed hut.
pain [pɛ̃] *nm* bread, loaf; **petit** — roll; — **de savon** cake of soap; **cela se vend comme du** — **frais** that sells like hot cakes; **pour une bouchée de** — for a mere song.
pair [pɛ:r] *a* equal, even; *nm* equal, peer, par; **être au** — to have board and lodging but unpaid; **aller de** — **avec** to be in keeping with; **marcher de** — **avec** to keep abreast of; **traiter qn de** — **à égal** to treat someone as an equal.
paire [pɛ:r] *nf* pair, brace.
pairie [pɛri] *nf* peerage.
paisible [pɛzibl] *a* peaceful, quiet.
paître [pɛ:tr] *vt* to pasture, graze, crop; *vi* to browse, graze; **envoyer** — **qn** to send s.o. about his business.
paix [pɛ] *nf* peace(fulness), quiet (ness).
palabrer [palabre] *vi* to palaver.
palace [palas] *nm* magnificent hotel.
palais [palɛ] *nm* palace, palate; **P— de Justice** law-courts.
palan [palɑ̃] *nm* pulley-block, tackle.
palatal [palatal] *a* palatal.
pale [pal] *nf* blade, sluice.
pâle [pɑ:l] *a* pale, pallid, wan.
palefrenier [palfrənje] *nm* groom, ostler.
palet [palɛ] *nm* quoit, puck.
paletot [palto] *nm* coat, overcoat.
palette [palɛt] *nf* palette, bat, blade; **roue à** —**s** paddle-wheel.
pâleur [pɑlœ:r] *nf* pallor, paleness.
palier [palje] *nm* landing, stairhead, stage, level stretch.
pâlir [pɑli:r] *vt* to make pale; *vi* to turn pale, grow dim.
palissade [palisad] *nf* palisade, fence, stockade.
palissandre [palisɑ̃:dr] *nm* rosewood.
palliatif, -ive [palljatif, i:v] *a nm* palliative.
palmarès [palmarɛ:s] *nm* prize list, honours list.
palme [palm] *nf* palm(-branch); **noix de** — palm nut.
palmier [palmje] *nm* palm-tree.
palonnier [palɔnje] *nm* swing-bar, rudder-bar.
pâlot, -otte [pɑlo, ɔt] *a* palish, drawn.
palpable [palpabl] *a* palpable, obvious.
palpabilité [palpabilite] *nf* palpability, obviousness.
palper [palpe] *vt* to feel, finger.
palpitant [palpitɑ̃] *a* quivering, throbbing, fluttering, exciting.
palpiter [palpite] *vi* to palpitate, quiver, throb, flutter.
paludéen, -enne [palydeɛ̃, ɛn] *a* marsh.
paludisme [palydism] *nm* malaria.
pâmer [pɑme] *vir* to faint, swoon; **se** — **d'admiration devant** to go into raptures over.
pâmoison [pɑmwazɔ̃] *nf* swoon, faint.
pamphlet [pɑ̃flɛ] *nm* pamphlet, lampoon.
pamphlétaire [pɑ̃fletɛ:r] *nm* pamphleteer.
pamplemousse [pɑ̃pləmus] *nf* grapefruit.
pampre [pɑ̃:pr] *nm* vine-branch.
pan [pɑ̃] *nm* skirt, tail, flap, side, bit.
pan! [pɑ̃] *excl* bang!
panacée [panase] *nf* panacea.
panache [panaʃ] *nm* plume, tuft, trail, wreath, somersault; **avoir du** — to have style; **avoir son** — to be slightly intoxicated.
panaché [panaʃe] *a* plumed, mixed, motley; **bière** —**e** shandy.
panade [panad] *nf* **être dans la** — to be in a fix, to be in want.
panard [pana:r] *nm* (*fam*) foot.
panaris [panari] *nm* whitlow.
pancarte [pɑ̃kart] *nf* bill, placard.
panégyrique [paneʒirik] *a* eulogistic; *nm* panegyric.
paner [pane] *vt* to cover with breadcrumbs.
panier [panje] *nm* basket, hamper; — **à salade** salad shaker, black Maria; — **percé** spendthrift.
panique [panik] *a nf* panic.
panne [pan] *nf* plush, fat, breakdown; **en** — hove to, stranded, broken down; **rester en** — **d'essence** to run out of petrol.
panneau [pano] *nm* panel, board, hoarding, trap.
panoplie [panɔpli] *nf* panoply, suit of armour.
panorama [panɔrama] *nm* panorama.
panoramique [panɔramik] *a* panoramic.
panse [pɑ̃:s] *nf* paunch.

pansement [pɑ̃smɑ̃] *nm* dressing.
panser [pɑ̃se] *vt* to dress, groom, rub down.
pansu [pɑ̃sy] *a* pot-bellied.
pantalon [pɑ̃talɔ̃] *nm* trousers, knickers.
pantelant [pɑ̃tlɑ̃] *a* panting.
panthéisme [pɑ̃teism] *nm* pantheism.
panthère [pɑ̃tɛːr] *nf* panther.
pantin [pɑ̃tɛ̃] *nm* jumping-jack, puppet, nobody.
pantois [pɑ̃twa] *a* flabbergasted, speechless.
pantomime [pɑ̃tɔmim] *nf* pantomime, dumb show.
pantoufle [pɑ̃tufl] *nf* slipper.
panure [panyːr] *nf* bread-crumbs.
paon, -onne [pɑ̃, pan] *n* peacock, -hen.
papa [papa] *nm* daddy, papa; **à la** — unhurriedly; **de** — old-fashioned.
papauté [papote] *nf* papacy.
papaye [papɛ] *nf* pawpaw.
pape [pap] *nm* Pope.
papelard [paplaːr] *a nmf* sanctimonious (person).
paperasse [papras] *nf* official paper, old paper, red tape.
paperassier, -ière [paprasje, jɛːr] *a* who likes to accumulate papers, bureaucratic.
papeterie [paptri] *nf* paper manufacture, trade, mill, stationer's shop.
papetier, -ière [paptje, jɛːr] *n* paper-manufacturer, stationer.
papier [papje] *nm* paper, document; — **à lettres** notepaper; — **de soie** tissue paper; — **peint** wallpaper; — **hygiénique** toilet paper.
papillon [papijɔ̃] *nm* butterfly, moth, leaflet, inset, ticket.
papillonner [papijɔne] *vi* to flit, flutter about.
papillote [papijɔt] *nf* curl paper, sweet paper, (*cook*) papillote.
papilloter [papijɔte] *vt* to put into curl papers; *vi* to flicker, blink.
papyrus [papiryːs] *nm* papyrus.
pâque [pɑːk] *nf* Passover.
paquebot [pakbo] *nm* steamer, liner, packet-boat.
pâquerette [pɑkrɛt] *nf* daisy.
Pâques [pɑːk] *nm* Easter; *nf pl* Easter sacrament; — **fleuries** Palm Sunday.
paquet [pakɛ] *nm* parcel, package, bundle; — **de mer** mass of sea water, heavy sea.
par [par] *prep* by, through, for, with, in, from, out, over, about, on, out of; — **où a-t-il passé?** which way did he go? — **ici (là)** this way (that way); — **trop difficile** far too difficult; **—-ci, —-là** here and there.
parabole [parabɔl] *nf* parable, parabola.
parabolique [parabɔlik] *a* parabolic.
parachever [paraʃve] *vt* to finish off, complete.
parachute [paraʃyt] *nm* parachute.
parachutiste [paraʃytist] *n* parachutist, paratrooper.
parade [parad] *nf* parade, show, display, parry.
paradis [paradi] *nm* paradise, heaven, gallery.
paradoxal [paradɔksal] *a* paradoxical.
paradoxe [paradɔks] *nm* paradox.
paraffine [parafin] *nf* (liquid) paraffin.
parage [paraːʒ] *nm* trimming, birth, lineage; *pl* regions, parts, latitudes.
paragraphe [paragraf] *nm* paragraph.
paraître [parɛːtr] *vi* to appear, seem, look, be published, show; **il y paraît** that is quite obvious; **à ce qu'il me paraît** as far as I can judge.
parallèle [parallɛl] *a nm* parallel, comparison.
parallélogramme [parallelɔgram] *nm* parallelogram.
paralyser [paralize] *vt* to paralyse, cripple.
paralysie [paralizi] *nf* paralysis.
paralytique [paralitik] *a nmf* paralytic.
parangon [parɑ̃gɔ̃] *nm* paragon, flawless gem.
parapet [parapɛ] *nm* parapet.
paraphe [paraf] *nm* flourish, initial.
parapher [parafe] *vt* to initial.
paraphrase [parafrɑːz] *nf* paraphrase.
paraphraser [parafrɑze] *vt* to paraphrase.
parapluie [paraplɥi] *nm* umbrella.
parasite [parazit] *a* parasitic; *nm* parasite; *pl* (*radio*) interference.
parasol [parasɔl] *nm* sunshade, parasol.
paratonnerre [paratɔnɛːr] *nm* lightning conductor.
paratyphoïde [paratifɔid] *a nf* paratyphoid.
paravent [paravɑ̃] *nm* folding-screen.
parbleu [parblø] *excl* I should think so! rather!
parc [park] *nm* park, pen, paddock, carpark; — **à huîtres** oyster bed.
parcage [parkaːʒ] *nm* penning, (*cars*) parking.
parcelle [parsɛl] *nf* particle, scrap, plot.
parce que [pars(ə)kə] *cj* because.
parchemin [parʃəmɛ̃] *nm* parchment, vellum.
parcimonie [parsimɔni] *nf* parsimony, meanness.
parcimonieux, -euse [parsimɔnjø, øːz] *a* parsimonious, niggardly.
parcourir [parkuriːr] *vt* to go through, travel over (through), read through, glance through, cover.

parcours [parku:r] *nm* distance, mileage, run, course.
par-dessous [pardəsu] *prep* under, beneath; *ad* underneath, under it, them.
par-dessus [pardəsy] *prep* over; *ad* over it, them, on top (of it, them); *nm* overcoat.
par-devant [pardəvɑ̃] *prep* before, in the presence of.
pardon [pardɔ̃] *nm* pardon, forgiveness, pilgrimage.
pardonner [pardɔne] *vt* to forgive, pardon, excuse.
pare-boue [parbu] *nm* mudguard.
pare-brise [parbri:z] *nm* windscreen.
pare-choc [parʃɔk] *nm* bumper.
pareil, -eille [parɛ:j] *a* similar, like, same, equal, such; *nmf* peer, equal, match; **rendre la —le à qn** to get even with s.o.
pareillement [parɛjmɑ̃] *ad* likewise, also.
parement [parmɑ̃] *nm* cuff, altar cloth, facing, kerbstone.
parent [parɑ̃] *nm* relative, kinsman; *pl* parents, relations.
parenté [parɑ̃te] *nf* relationship, kinship.
parenthèse [parɑ̃tɛ:z] *nf* parenthesis, digression, bracket; **entre —s** in parentheses, by the way.
parer [pare] *vt* to adorn, deck out, trim, pare, ward off; *vi* **— à qch** to guard against sth.
paresse [parɛs] *nf* laziness, sloth, sluggishness.
paresser [parɛse] *vi* to idle, laze.
paresseux, -euse [parɛsø, ø:z] *a* lazy, idle, sluggish; *n* lazybones.
parfaire [parfɛ:r] *vt* to finish off, complete.
parfait [parfɛ] *a* perfect, real; *nm* perfect tense.
parfaitement [parfɛtmɑ̃] *ad* perfectly, absolutely, exactly, quite so.
parfois [parfwa] *ad* sometimes, occasionally, at times.
parfum [parfœ̃] *nm* perfume, scent, flavour.
parfumé [parfyme] *a* perfumed, scented, fragrant, flavoured.
parfumerie [parfymri] *nf* perfumery.
pari [pari] *nm* bet, wager; **— mutuel** totalizator.
paria [parja] *nm* outcast.
parier [parje] *vt* to bet, lay wager.
parieur, -euse [parjœ:r, ø:z] *n* backer, punter.
parisien, -ienne [parizjɛ̃, jɛn] *nmf* Parisian, from Paris.
paritaire [paritɛ:r] *a* **représentation —** equal representation.
parité [parite] *nf* parity, equality, evenness.
parjure [parʒy:r] *a* perjured; *n* perjurer; *nm* perjury.
parlant [parlɑ̃] *a* talking; **film —** talkie.
parlement [parləmɑ̃] *nm* parliament.
parlementaire [parləmɑ̃tɛ:r] *a* parliamentary; **drapeau —** flag of truce.
parlementer [parləmɑ̃te] *vi* to parley.
parler [parle] *vti* to speak, talk; *nm* speech, speaking; **tu parles!** not half!
parleur, -euse [parlœ:r, ø:z] *n* speaker, talker.
parloir [parlwa:r] *nm* parlour.
parmi [parmi] *prep* among(st), amid(st).
Parnasse [parnɑ:s] *nf* Parnassus.
parodie [parɔdi] *nf* parody, skit.
parodier [parɔdje] *vt* to parody, do a skit on.
paroi [parwa] *nf* partition, wall, lining.
paroisse [parwas] *nf* parish.
paroissial [parwasjal] *a* parochial.
paroissien, -enne [parwasjɛ̃, jɛn] *a* parochial; *n* parishioner; *nm* prayer-book.
parole [parɔl] *nf* word, remark, parole, promise, (power of) speech; **porter la — to be the spokesman.**
paroxysme [parɔksism] *nm* paroxysm, fit, outburst.
parquer [parke] *vt* to pen up, imprison, park.
parquet [parkɛ] *nm* floor(ing), public prosecutor's department.
parqueter [parkəte] *vt* to parquet, floor.
parqueterie [parkətri] *nf* laying of floors, parquetry.
parrain [parɛ̃] *nm* godfather, sponsor.
parricide [parisid] *a* parricidal; *nm* parricide.
parsemer [parsəme] *vt* to sprinkle, strew, dot.
part [pa:r] *nf* share, portion, part; **billet de faire —** invitation, intimation (*wedding*, *funeral*); **prendre — à** to take part in, join in; **faire — de qch à qn** to acquaint s.o. with sth; **de — en —** through and through; **de — et d'autre** on both sides; **d'une —, d'autre —** on the one hand, on the other hand; **à —** aside, except for.
partage [parta:ʒ] *nm* sharing, portion, allotment.
partager [partaʒe] *vt* to divide, share (out), apportion.
partance [partɑ̃:s] *nf* departure; **en —** (outward) bound, outgoing.
partant [partɑ̃] *a* departing; *nm pl* departing guests, starters; *ad* therefore.
partenaire [partənɛ:r] *nmf* partner.
parterre [partɛ:r] *nm* flower-bed, pit.
parti [parti] *nm* party, side, advantage, decision, course, match; **se ranger du — de** to side with; **en prendre son —** to make the best of it; **tirer — de** to take advantage of;

— **pris** prejudice; *a* gone, away, tipsy.
partial [parsjal] *a* partial, prejudiced.
partialité [parsjalite] *nf* partiality, prejudice.
participation [partisipasjɔ̃] *nf* participation, share.
participe [partisip] *nm* participle.
participer [partisipe] *vi* to participate, share; — **de** to partake of, have something of.
particulariser [partikylarize] *vt* to particularize, specify; *vr* to be different from others.
particularité [partikylarite] *nf* particularity, peculiarity.
particule [partikyl] *nf* particle.
particulier, -ière [partikylje, jɛːr] *a* particular, peculiar, special, personal, private; *n* private individual.
partie [parti] *nf* part, party, game; **faire — de** to belong to, be part of; **se mettre de la —** to join in; **prendre à —** to call to account.
partiel [parsjɛl] *a* partial.
partir [partiːr] *vi* to depart, leave, set off, go away, start; — **(d'un éclat) de rire** to burst out laughing.
partisan [partizɑ̃] *nm* partisan, supporter, follower, guerrilla soldier.
partition [partisjɔ̃] *nf* partition, score.
partout [partu] *ad* everywhere; — **où** wherever.
parure [paryːr] *nf* adorning, ornament, dress, set of jewellery.
parution [parysjɔ̃] *nf* appearance, publication.
parvenir [parvəniːr] *vi* to arrive, reach, attain, manage, succeed.
parvenu [parvəny] *n* upstart.
parvis [parvi] *nm* parvis, square.
pas [pɑ] *ad* not; *nm* step, pace, tread, threshold, strait, pass; **mauvais —** awkward predicament; **à deux — d'ici** nearby, just round the corner; **au —** at walking pace, dead slow; **prendre le — sur** to take precedence over.
passable [pɑsabl] *a* passable, fair.
passage [pɑsaːʒ] *nm* passage, way through, passing, crossing, transition; **être de —** to be passing through; — **interdit** no thoroughfare.
passager, -ère [pɑsaʒe, ɛːr] *a* fleeting, short-lived; *n* passenger.
passant [pɑsɑ̃] *a* busy; *n* passer-by.
passe [pɑːs] *nf* pass(ing), channel, permit, thrust; **en — de** in a fair way to.
passementerie [pɑsmɑ̃tri] *nf* lace (trade), trimmings.
passe-montagne [pɑsmɔ̃taɲ] *nm* Balaclava (helmet).
passe-partout [pɑspartu] *nm* master-, (skeleton-)key.
passe-passe [pɑspɑs] *nm* sleight of hand.
passeport [pɑspɔːr] *nm* passport.
passé [pɑse] *a* past, over, faded; *nm* past.
passer [pɑse] *vt* to pass, hand, cross, ferry across, exceed, excuse, spend, strain, slip on; *vi* to pass (on, over, off, by, through), fade, call, to be shown, be promoted; *vr* to happen, take place, go off, be spent; — **un examen** to sit an examination; **faire —** to hand round; **se faire — pour** to pose as; **se — de** to do without.
passereau [pɑsro] *nm* sparrow.
passerelle [pɑsrɛl] *nf* foot-bridge, (*ship*) bridge, gangway.
passe-temps [pɑstɑ̃] *nm* pastime.
passeur, -euse [pɑsœːr, øːz] *n* ferryman (woman).
passible [pasibl] *a* liable.
passif, -ive [pasif, iːv] *a* passive; *nm* debit, liabilities, passive.
passion [pɑsjɔ̃] *nf* passion.
passionnel, -elle [pɑsjɔnɛl] *a* concerning the passions, caused by jealousy.
passionné [pɑsjɔne] *a* passionate, enthusiastic; *nmf* enthusiast.
passionner [pɑsjɔne] *vt* to impassion, thrill, excite, fill with enthusiasm; *vr* to become passionately fond (of **pour**), be enthusiastic (over **pour**).
passivité [pasivite] *nf* passivity.
passoire [pɑswaːr] *nf* strainer.
pastel [pastɛl] *nm* crayon, pastel (drawing).
pastèque [pastɛk] *nf* water-melon.
pasteur [pastœːr] *nm* shepherd, pastor, minister.
pasteuriser [pastœrize] *vt* to pasteurize.
pastiche [pastiʃ] *nm* pastiche, parody.
pastille [pastiːj] *nf* lozenge, drop, (rubber) patch.
pastis [pastis] *nm* aniseed aperitif, a muddle.
pastoral [pastɔral] *a* pastoral.
pat [pat] *a nm* stalemate.
pataquès [patakɛːs] *nm* faulty liaison.
patate [patat] *nf* (sweet) potato, (*fam*) spud.
patati [patati] **et — et patata** and so on and so forth.
pataud [pato] *a* clumsy, boorish.
patauger [patoʒe] *vi* to splash, flounder, paddle.
pâte [pɑːt] *nf* paste, dough, fufu (*W. African*); *pl* noodles, spaghetti *etc*; **être de la — des héros** to be of the stuff that heroes are made of; **quelle bonne — d'homme** what a decent chap.
pâté [pɑte] *nm* pie, blot, block.
patée [pɑte] *nf* mash, food.
patelin [patlɛ̃] *a* glib, wheedling; *nm* village.
patenôtre [patnoːtr] *nf* Lord's prayer.

patent [patɑ̃] *a* patent, obvious.
patente [patɑ̃:t] *nf* licence.
patenter [patɑ̃te] *vt* to license; **faire** — to patent.
patère [patɛ:r] *nf* (hat-) coat-peg.
paterne [patɛrn] *a* patronizing.
paternel, -elle [patɛrnɛl] *a* paternal, fatherly.
paternité [patɛrnite] *nf* paternity, fatherhood.
pâteux, -euse [pɑtø, ø:z] *a* doughy, thick, coated.
pathétique [patetik] *a* pathetic, touching; *nm* pathos.
pathologie [patɔlɔʒi] *nf* pathology.
pathos [patɔs] *nm* bathos.
patibulaire [patibylɛ:r] *a* of the gallows, hangdog.
patiemment [pasjamɑ̃] *ad* patiently.
patience [pasjɑ̃:s] *nf* patience.
patient [pasjɑ̃] *a* patient, long-suffering; *n* patient.
patienter [pasjɑ̃te] *vi* to have patience.
patin [patɛ̃] *nm* skate, runner, skid; **—s à roulettes** roller skates.
patine [patin] *nf* patina.
patiner [patine] *vi* to skate, slip.
patineur, -euse [patinœ:r, ø:z] *n* skater.
patinoire [patinwa:r] *nf* skating-rink.
pâtir [pɑti:r] *vi* to suffer.
pâtisserie [pɑtisri] *nf* pastry (-making), cake-shop, tea-room; *pl* cakes.
pâtissier, -ière [pɑtisje, jɛ:r] *n* pastry-cook, tea-room proprietor.
patois [patwa] *nm* patois, dialect, lingo.
patraque [patrak] *a* out of sorts, seedy, rotten.
pâtre [pɑ:tr] *nm* herdsman, shepherd.
patriarche [patriarʃ] *nm* patriarch.
patrie [patri] *nf* native land, fatherland.
patrimoine [patrimwan] *nm* patrimony, heritage.
patriote [patriɔt] *a* patriotic; *nmf* patriot.
patriotique [patriɔtik] *a* patriotic.
patriotisme [patriɔtism] *nm* patriotism.
patron, -onne [patrɔ̃, ɔn] *n* patron, patron saint, protector, head, boss, skipper; *nm* pattern, model.
patronal [patrɔnal] *a* of a patron saint, of employers.
patronat [patrɔna] *nm* (body of) employers.
patronner [patrɔne] *vt* to patronize, support.
patrouille [patru:j] *nf* patrol.
patrouiller [patruje] *vi* to patrol.
patte [pat] *nf* paw, foot, leg, tab, flap; — **de mouches** scrawl.
patte-d'oie [patdwa] *nf* crossroads; *pl* crow's feet, wrinkles.
patt mouille [patmu:j] *f* damp cloth (*for ironing*).
pâturage [pɑtyra:ʒ] *nm* grazing, pasture.
pâture [pɑty:r] *nf* food, pasture.
paturon [patyrɔ̃] *nm* pastern.
paume [po:m] *nf* palm (of hand), tennis.
paupière [popjɛ:r] *nf* eyelid.
paupiette [popjɛt] *nf* (meat) olive.
pause [po:z] *nf* pause, interval, rest; **—café** tea-break.
pauvre [po:vr] *a* poor, scanty, sorry, wretched, shabby; *n* poor man, woman.
pauvresse [povrɛs] *nf* poor woman.
pauvreté [povrəte] *nf* poverty, want.
se pavaner [səpavane] *vr* to strut (about).
pavé [pave] *nm* pavement, paved road, paving-stone, slab; **battre le** — to walk the streets; **prendre le haut du** — to assume lordly airs.
pavillon [pavijɔ̃] *nm* pavilion, lodge, flag, ear- (mouth)piece, bell (of brass instrument); — **de jardin** summer-house.
pavoiser [pavwaze] *vt* to deck with flags, bunting.
pavot [pavo] *nm* poppy.
payable [pɛjabl] *a* payable.
payant [pɛjɑ̃] *a* paying; *n* payer.
paye [pɛ:j] *nf* pay, wages.
payement [pɛjmɑ̃] *nm* payment.
payer [pɛje] *vt* to pay (for), stand, treat; *vi* to pay; — **d'audace** to brazen it out, put a bold face on it; — **de mots** to put off with fine talk; **se — la tête de qn** to take a rise out of s.o.; **il est payé pour le savoir** he knows it to his cost.
payeur, -euse [pɛjœ:r, ø:z] *n* payer, teller, paymaster.
pays [pe(j)i] *nm* country, land, district, locality; *n* (*f* **payse**) fellow-countryman, -woman.
paysage [peiza:ʒ] *nm* landscape, scenery.
paysagiste [peizaʒist] *nm* landscape painter.
paysan, -anne [peizɑ̃, an] *an* peasant; *n* countryman.
péage [pea:ʒ] *nm* toll.
peau [po] *nf* skin, hide, peel; **avoir qn dans la** — to be head over heels in love with s.o.; **faire** — **neuve** to cast its skin, turn over a new leaf.
peau-rouge [poru:ʒ] *nm* redskin, Red Indian.
peccadille [pɛkadi:j] *nf* peccadillo.
pêche [pɛʃ] *nf* fishing, fishery, catch, peach.
péché [peʃe] *nm* sin.
pécher [peʃe] *vi* to sin.
pêcher [peʃe] *vt* to fish for, fish up; *vi* to fish.
pêcherie [pɛʃri] *nf* fishery, fishing-ground.
pécheur, -eresse [peʃœ:r, peʃrɛs] *a* sinning; *n* sinner.
pêcheur, -euse [pɛʃœ:r, ø:z] *a* fishing; *n* fisher, fisherman, -woman; — **à la ligne** angler.

péculateur [pekylatœ:r] *nm* peculator, embezzler.
pécule [pekyl] *nf* savings, nest-egg, gratuity.
pécuniaire [pekynjɛ:r] *a* pecuniary.
pédagogie [pɛdagɔʒi] *nf* pedagogy.
pédagogique [pɛdagɔʒik] *a* pedagogic.
pédale [pɛdal] *nf* pedal, treadle.
pédaler [pɛdale] *vi* to pedal, cycle.
pédant [pɛdɑ̃] *a* pedantic; *n* pedant.
pédicure [pediky:r] *n* chiropodist.
pègre [pɛ:gr] *nf* underworld.
peigne [pɛɲ] *nm* comb, card.
peigné [pɛɲe] *a* combed; **bien —** well-groomed; **mal —** unkempt, tousled.
peignée [pɛɲe] *nf* drubbing.
peigner [pɛɲe] *vt* to comb (out), card, dress down.
peignoir [pɛɲwa:r] *nm* (woman's) dressing-gown, wrap.
peindre [pɛ̃:dr] *vt* to paint, depict.
peine [pɛn] *nf* penalty, punishment, affliction, sorrow, trouble, difficulty; **homme de —** labourer; **en être pour sa —** to have one's trouble for nothing; **à —** hardly scarcely.
peiner [pɛne] *vt* to vex, grieve, pain; *vi* toil, drudge.
peintre [pɛ̃:tr] *nm* painter, artist.
peinture [pɛ̃ty:r] *nf* painting, picture, paint.
péjoratif, -ive [peʒɔratif, i:v] *a* pejorative.
pelage [pəla:ʒ] *nm* coat, fur, wool.
pêle-mêle [pɛlmɛl] *ad* pell-mell, helter-skelter; *nm* jumble.
peler [p(ə)le] *vt* to peel, skin; *vi* to peel off.
pèlerin [pɛlrɛ̃] *n* pilgrim.
pèlerine [pɛlrin] *nf* cape.
pèlerinage [pɛlrina:ʒ] *nm* pilgrimage.
pélican [pelikɑ̃] *nm* pelican.
pelisse [p(ə)lis] *nf* pelisse, fur-lined coat.
pelle [pɛl] *nf* shovel, scoop.
pelleter [pɛlte] *vt* to shovel.
pelleterie [pɛltri] *nf* fur-trade, furriery.
pelletier, -ière [pɛltje, jɛ:r] *n* furrier.
pellicule [pɛlikyl] *nf* pellicle, skin, film; *pl* dandruff.
pelote [plɔt] *nf* ball, wad, pincushion, pelota.
peloton [plɔtɔ̃] *nm* ball, group, squad, platoon.
pelotonner [plɔtɔne] *vt* to wind into a ball; *vr* to curl up, huddle together.
pelouse [plu:z] *nf* lawn, green, public enclosure.
peluche [plyʃ] *nf* plush, shag.
pelure [ply:r] *nf* peel, skin, rind; **papier —** copy paper.
pénal [penal] *a* penal.
pénalité [penalite] *nf* penalty.
penaud [pəno] *a* crestfallen, sheepish, abashed.
penchant [pɑ̃ʃɑ̃] *nm* slope, tendency.
penché [pɑ̃ʃe] *a* leaning, stooping.
pencher [pɑ̃ʃe] *vt* to bend, tilt; *vi* to lean, incline; *vr* to stoop, bend, lean.
pendable [pɑ̃dabl] *a* hanging, abominable.
pendaison [pɑ̃dɛzɔ̃] *nf* hanging.
pendant [pɑ̃dɑ̃] *a* hanging, pending, baggy; *nm* pendant, counterpoint; *prep* during, for; *cj* — **que** while, whilst.
pendeloque [pɑ̃dlɔk] *nf* pendant, drop, shred.
penderie [pɑ̃dri] *nf* wardrobe.
pendre [pɑ̃:dr] *vt* to hang, hang up; *vi* to hang (down).
pendu [pɑ̃dy] *a* hanged, hanging.
pendule [pɑ̃dyl] *nf* clock; *nm* pendulum, balancer.
pêne [pɛ:n] *nm* bolt, latch.
pénétrable [penɛtrabl] *a* penetrable.
pénétrant [penɛtrɑ̃] *a* penetrating, piercing, keen.
pénétration [penɛtrasjɔ̃] *nf* penetration, shrewdness, insight, perspicacity.
pénétré [penetre] *a* penetrated, imbued, full, earnest.
pénétrer [penetre] *vt* to penetrate, pierce, imbue, see through; *vi* to penetrate, enter, break (into); *vr* to become imbued, impregnated.
pénible [penibl] *a* painful, distressing, hard.
péniche [peniʃ] *nf* barge, lighter.
péninsule [penɛ̃syl] *nf* peninsula.
pénitence [penitɑ̃:s] *nf* penitence, repentance, penance, disgrace.
pénitencier [penitɑ̃sje] *nm* penitentiary.
pénitent [penitɑ̃] *an* penitent.
pénitentiaire [penitɑ̃sjɛ:r] *a* penitentiary.
penne [pɛn] *nf* quill, feather.
pénombre [penɔ̃:br] *nf* half-light, semi-darkness.
pensant [pɑ̃sɑ̃] *a* thinking; **bien —** orthodox, right-thinking, moral; **mal —** unorthodox, evil-thinking.
pensée [pɑ̃se] *nf* thought, idea, pansy.
penser [pɑ̃se] *vti* to think; **— à faire qch** to remember to do sth; **— le voir** to expect to see him; **il pensa mourir** he almost died; **vous n'y pensez pas** you don't mean it.
penseur, -euse [pɑ̃sœ:r, ø:z] *n* thinker.
pensif, -ive [pɑ̃sif, i:v] *a* pensive, thoughtful.
pension [pɑ̃sjɔ̃] *nf* pension, allowance, board and lodging, boarding-house, -school; **prendre — chez** to board, lodge with; **— de famille** residential hotel.
pensionnaire [pɑ̃sjɔnɛ:r] *n* pensioner, boarder, inmate.
pensionnat [pɑ̃sjɔna] *nm* boarding-school, hostel.
pensum [pɛ̃sɔm] *nm* imposition, unpleasant task.

pentagonal [pɛ̃tagɔnal] *a* pentagonal.
pentagone [pɛ̃tagɔn] *a* pentagonal; *nm* pentagon.
pente [pɑ̃:t] *nf* slope, gradient, bent.
Pentecôte [pɑ̃tko:t] *nf* Whitsuntide.
pénurie [penyri] *nf* scarcity, shortage, poverty.
pépère [pepɛ:r] *a* first-class, easy; *nm* granddad, old chap.
pépier [pepje] *vi* to peep, chirp.
pépin [pepɛ̃] *nm* pip, stone, umbrella, (*fam*) hitch, trouble.
pépinière [pepinjɛ:r] *nf* nursery.
pepiniériste [pepinjerist] *nm* nurseryman.
pépite [pepit] *nf* nugget.
percale [pɛrkal] *nf* percale, chintz.
perçant [pɛrsɑ̃] *a* piercing, keen, shrill.
perce-neige [pɛrsnɛ:ʒ] *nm or f inv* snowdrop.
perce-oreille [pɛrsɔrɛ:j] *nm* earwig.
percepteur, -trice [pɛrsɛptœ:r, tris] *n* tax-collector.
perceptible [pɛrsɛptibl] *a* perceptible, audible, collectible.
perceptif, -ive [pɛrsɛptif, i:v] *a* perceptive.
perception [pɛrsɛpsjɔ̃] *nf* perception, collection, tax-office.
percée [pɛrse] *nf* cutting, opening, vista, break(through).
percer [pɛrse] *vt* to pierce, hole, go through, break through, broach, bore; *vi* to come through, break through.
perceuse [pɛrsø:z] *nf* drill.
percevable [pɛrsəvabl] *a* perceivable, leviable.
percevoir [pɛrsəvwa:r] *vt* to perceive, discern, collect.
perche [pɛrʃ] *nf* pole, rod, perch, lanky person.
percher [pɛrʃe] *vi* to roost, perch; *vr* to perch, alight
percheron [pɛrʃərɔ̃] *nm* percheron, draught horse.
perchoir [pɛrʃwa:r] *nm* perch, roost.
perclus [pɛrkly] *a* stiff, crippled, paralysed.
perçoir [pɛrswa:r] *nm* gimlet, awl, broach.
percolateur [pɛrkɔlatœ:r] *nm* percolator.
percussion [pɛrkysjɔ̃] *nf* percussion.
percutant [pɛrkytɑ̃] *a* percussive, percussion.
percuter [pɛrkyte] *vt* to strike, tap.
perdant [pɛrdɑ̃] *a* losing; *n* loser.
perdition [pɛrdisjɔ̃] *nf* perdition; **en —** sinking, on the road to ruin.
perdre [pɛrdr] *vt* to lose, waste, ruin. *vi* to lose, deteriorate; *vr* to get lost, go to waste, disappear; **il s'y perd** he can't make anything of it.
perdu [pɛrdy] *a* lost, ruined, doomed, wasted, spare, distracted; **à corps —** recklessly.
perdreau [pɛrdro] *nm* young partridge.
perdrix [pɛrdri] *nf* partridge.
père [pɛr] *nm* father, senior.
péremptoire [pɛrɑ̃ptwa:r] *a* peremptory, final.
pérennité [perɛnnite] *nf* perenniality.
perfectible [pɛrfɛktibl] *a* perfectible.
perfection [pɛrfɛksjɔ̃] *nf* perfection, faultlessness.
perfectionnement [pɛrfɛksjɔnmɑ̃] *nm* perfecting, improving.
perfectionner [pɛrfɛksjɔne] *vt* to perfect, improve.
perfide [pɛrfid] *a* perfidious, treacherous.
perfidie [pɛrfidi] *nf* (act of) perfidy, perfidiousness.
perforant [pɛrfɔrɑ̃] *a* perforating, armour-piercing.
perforateur, -trice [pɛrfɔratœ:r, tris] *a* perforating.
perforatrice [pɛrfɔratris] *nf* drill.
perforation [pɛrfɔrasjɔ̃] *nf* perforation, drilling.
performance [pɛrfɔrmɑ̃:s] *nf* performance.
péricliter [periklite] *vi* to be shaky, in jeopardy.
péril [peril] *nm* peril, risk, danger.
périlleux, -euse [perijø, ø:z] *a* perilous, hazardous; **saut —** somersault.
périmé [perime] *a* out of date, not valid, expired.
périmètre [perimɛtr] *nm* perimeter.
période [perjɔd] *nf* period, era, spell.
périodique [perjɔdik] *a* periodical, recurring; *nm* periodical.
péripétie [peripesi] *nf* vicissitude, change.
périphérie [periferi] *nf* periphery, circumference.
périphrase [perifra:z] *nf* periphrasis.
périr [peri:r] *vi* to perish, die, be lost.
périscope [periskɔp] *nm* periscope.
périssable [perisabl] *a* perishable, mortal.
périssoire [periswa:r] *nf* canoe, skiff.
péristyle [peristil] *nm* peristyle.
péritonite [peritɔnit] *nf* peritonitis.
perle [pɛrl] *nf* pearl, bead, drop.
perler [pɛrle] *vt* to pearl, husk; *vi* to form in beads.
permanence [pɛrmanɑ̃:s] *nf* permanence; **en —** continuous, permanent(ly).
permanent [pɛrmanɑ̃] *a* continuous, standing.
permanente [pɛrmanɑ̃t] *nf* permanent wave.
perméable [pɛrmeabl] *a* permeable, pervious.
permettre [pɛrmɛtr] *vt* to permit, allow, enable; *vr* to take the liberty, indulge (in **de**).
permis [pɛrmi] *a* permitted, allowed, permissible; *nm* permit, licence.
permission [pɛrmisjɔ̃] *nf* permission, leave, pass.

permissionnaire [pɛrmisjɔnɛːr] *nm* person, soldier on leave.
permutation [pɛrmytasjɔ̃] *nf* permutation, exchange.
permuter [pɛrmyte] *vt* to exchange, permute.
pernicieux, -euse [pɛrnisjø, øːz] *a* pernicious, hurtful.
pérorer [perɔre] *vi* to deliver a harangue, expatiate.
perpendiculaire [pɛrpɑ̃dikylɛːr] *a* *nf* perpendicular.
perpétrer [pɛrpetre] *vt* to perpetrate.
perpétuel, -elle [pɛrpetɥɛl] *a* perpetual, endless.
perpétuer [pɛrpetɥe] *vt* to perpetuate; *vr* to last.
perpetuité [pɛrpetɥite] *nf* perpetuity; **à —** in perpetuity, for life.
perplexe [pɛrplɛks] *a* perplexed, at a loss, perplexing.
perplexité [pɛrplɛksite] *nf* perplexity, confusion.
perquisition [pɛrkizisjɔ̃] *nf* search, inquiry.
perquisitionner [pɛrkizisjɔne] *vi* to search.
perron [pɛrɔ̃] *nm* (flight of) steps.
perroquet [pɛrɔkɛ] *nm* parrot.
perruche [pɛryʃ] *nf* hen-parrot, parakeet.
perruque [pɛryk] *nf* wig, fogey.
perruquier, -ière [pɛrykje, jɛːr] *n* wigmaker.
pers [pɛːr] *a* bluish-green.
persan [pɛrsɑ̃] *an* Persian.
Perse [pɛrs] *nf* Persia.
persécuter [pɛrsekyte] *vt* to persecute, plague, dun.
persécution [pɛrsekysjɔ̃] *nf* persecution, pestering
persévérance [pɛrseverɑ̃ːs] *nf* perseverance, doggedness, steadfastness.
persévérant [pɛrseverɑ̃] *a* persevering, dogged.
persévérer [pɛrsevere] *vi* to persevere, persist.
persienne [pɛrsjɛn] *nf* venetian blind, shutter.
persiflage [pɛrsiflaːʒ] *nm* persiflage, banter, chaff.
persil [pɛrsi] *nm* parsley.
persillé [pɛrsije] *a* blue-moulded, spotted with fat.
persistance [pɛrsistɑ̃ːs] *nf* persistence, continuance, doggedness
persistant [pɛrsistɑ̃] *a* persistent, dogged, steady.
persister [pɛrsiste] *vi* to persist, continue.
personnage [pɛrsɔnaːʒ] *nm* personage, character, individual, notability.
personnalité [pɛrsɔnalite] *nf* personality, personal remark, person of note
personne [pɛrsɔn] *nf* person, individual; *pn* anyone, anybody, no one, nobod
personnel, -elle [pɛrsɔnɛl] *a* personal, not transferable; *nm* personnel, staff.
personnification [pɛrsɔnifikasjɔ̃] *nf* personification.
personnifier [pɛrsɔnifje] *vt* to personify.
perspective [pɛrspɛktiːv] *nf* perspective, prospect, outlook, vista.
perspicace [pɛrspikas] *a* perspicacious, astute.
perspicacité [pɛrspikasite] *nf* perspicacity, insight, astuteness.
persuader [pɛrsɥade] *vt* to persuade, convince, induce.
persuasif, -ive [pɛrsɥazif, iːv] *a* persuasive.
persuasion [pɛrsɥazjɔ̃] *nf* persuasion, conviction.
perte [pɛrt] *nf* loss, waste, ruin; **à — de vue** as far as the eye can see.
pertinence [pɛrtinɑ̃ːs] *nf* pertinence, pertinency, relevancy.
pertinent [pɛrtinɑ̃] *a* pertinent, relevant.
perturbation [pɛrtyrbasjɔ̃] *nf* perturbation, disturbance, trepidation.
pervenche [pɛrvɑ̃ːʃ] *nf* periwinkle.
pervers [pɛrvɛːr] *a* perverse, depraved.
perversion [pɛrvɛrsjɔ̃] *nf* perversion, corruption.
perversité [pɛrvɛrsite] *nf* perversity, depravity.
pervertir [pɛrvɛrtiːr] *vt* to pervert, corrupt; *vr* to become depraved, corrupted.
pesage [pəzaːʒ] *nm* weighing, paddock.
pesant [pəzɑ̃] *a* heavy, ponderous; *nm* weight.
pesanteur [pəzɑ̃tœːr] *nf* weight, heaviness.
pesée [pəze] *nf* weighing, leverage.
pèse-lettres [pɛzlɛtr] *nm* letter-balance.
peser [pəze] *vt* to weigh, ponder; *vi* to weigh, hang heavy, be a burden (to **sur**), stress.
pessimisme [pɛsimism] *nm* pessimism, despondency.
pessimiste [pɛsimist] *a* pessimistic; *n* pessimist.
peste [pɛst] *nf* plague, pestilence, pest.
pester [pɛste] *vi* to curse, storm (at **contre**).
pestifère [pɛstifɛːr] *a* pestiferous, pestilential.
pet [pɛ] *nm* fart; **— de nonne** fritter.
pétale [pɛtal] *nm* petal.
pétarade [pɛtarad] *nf* crackling, backfire, succession of bangs.
pétarader [pɛtarade] *vi* to make a succession of bangs, backfire.
pétard [pɛtaːr] *nm* detonator, blast, squib, fog-signal.
péter [pete] *vi* to fart, pop, bang, crackle, come off.
pétiller [petije] *vi* to spark(le), fizz, bubble, crackle.

petit [pəti] *a* small, little, tiny, petty; *n* little boy, girl, pup, kitten, cub, whelp.
petit-beurre [pətibœːr] *nm* biscuit.
petite-fille [pətitfiːj] *nf* granddaughter.
petitement [pətitmɑ̃] *ad* in a limited way, pettily, half-heartedly.
petitesse [pətitɛs] *nf* smallness, tininess, pettiness, mean act, thing.
petit-fils [pətifis] *nm* grandson.
petit-gris [pətigri] *nm* squirrel (fur).
pétition [petisjɔ̃] *nf* petition.
pétitionner [petisjɔne] *vi* to make a petition.
petit-lait [pətilɛ] *nm* whey.
petit-maître [pətimɛtr] *nm* fop, dandy.
petits-enfants [pətizɑ̃fɑ̃] *nm pl* grandchildren.
pétrifier [petrifje] *vt* to petrify; *vr* to be petrified, turn into stone.
pétrin [petrɛ̃] *nm* kneading-trough; **dans le** — in the soup, in a fix.
pétrir [petriːr] *vt* to knead, mould, shape; **pétri d'orgueil** bursting with pride.
pétrole [petrɔl] *nm* petroleum, paraffin, oil.
pétrolier [petrɔlje] *a* oil; *nm* oil-tanker.
pétrolifère [petrɔlifɛːr] *a* oil(bearing).
pétulance [petylɑ̃ːs] *nf* liveliness, impulsiveness.
peu [pø] *ad* little, not much, few, not many, not very, dis-, un-, -less; **un** — a little, rather, just; — **à** — little by little; **avant** —, **d'ici** — before long; **à** — **près** almost; **quelque** — not a little, somewhat; **pour** — **que** however little.
peuplade [pœplad] *nf* tribe.
peuple [pœpl] *nm* people, nation, masses; **petit** — lower classes.
peupler [pœple] *vt* to populate, stock, throng; *vr* to become populous, peopled.
peuplier [pøplie] *nm* poplar.
peur [pœːr] *nf* fear, fright; **avoir une** — **bleue** to be in a blue funk; **à faire** — frightfully; **faire** — **à** to frighten; **de** — **que** lest, for fear that.
peureux, -euse [pœrø, øːz] *a* timorous, timid.
peut-être [pøtɛːtr] *ad* perhaps, maybe.
phacochère [fakɔʃɛːr] *nm* warthog.
phalange [falɑ̃ːʒ] *nf* phalanx, finger, toe-joint; host.
phalène [falɛn] *nf* moth.
pharamineux, -euse [faraminø, øːz] *a* colossal, terrific.
phare [faːr] *nm* lighthouse, beacon, headlight.
pharmaceutique [farmasøtik] *a* pharmaceutic(al).
pharmacie [farmasi] *nf* pharmacy, chemist's shop, dispensary; **armoire à** — medicine-chest.
pharmacien, -enne [farmasjɛ̃, jɛn] *n* chemist, druggist.
pharyngite [farɛ̃ʒit] *nf* pharyngitis.
phase [fɑːz] *n* phase, stage, phasis.
phénique [fenik] *a* carbolic.
phénix [feniks] *nm* phœnix, paragon.
phénoménal [fenɔmenal] *a* phenomenal.
phénomène [fenɔmɛn] *nm* phenomenon, freak, marvel.
philanthrope [filɑ̃trɔp] *nm* philanthropist.
philanthropie [filɑ̃trɔpi] *nf* philanthropy.
philatéliste [filatelist] *n* philatelist, stamp-collector.
philistin [filistɛ̃] *an* Philistine.
philologie [filɔlɔʒi] *nf* philology.
philosophe [filɔzɔf] *a* philosophical; *n* philosopher.
philosophie [filɔzofi] *nf* philosophy.
philosophique [filɔzɔfik] *a* philosophical.
phobie [fɔbi] *nf* phobia.
phonétique [fɔnetik] *a* phonetic; *nf* phonetics.
phonologie [fɔnɔlɔʒi] *nf* phonology, phonemics.
phoque [fɔk] *nm* seal.
phosphate [fɔsfat] *nm* phosphate.
phosphore [fɔsfɔːr] *nm* phosphorus.
phosphorescence [fɔsfɔrɛssɑ̃ːs] *nf* phosphorescence.
photo [fɔto] *nf* photo.
photogénique [fɔtɔʒenik] *a* photogenic.
photographe [fɔtɔgraf] *nm* photographer.
photographie [fɔtɔgrafi] *nf* photography, photograph.
photographier [fɔtɔgrafje] *vt* to photograph.
phrase [frɑːz] *nf* sentence, phrase; **faire des** —**s** to use flowery language.
phraseur, -euse [frɑzœːr, øːz] *n* wordy speaker, empty talker.
phtisie [ftizi] *nf* phthisis, consumption.
phtisique [ftizik] *an* consumptive.
physicien, -enne [fizisjɛ̃, jɛn] *n* physicist, natural philosopher.
physiologie [fizjɔlɔʒi] *nf* physiology.
physiologique [fizjɔlɔʒik] *a* physiological.
physionomie [fizjɔnɔmi] *nf* physiognomy, countenance.
physique [fizik] *a* physical, bodily; *nm* physique; *nf* physics, natural philosophy.
piaffer [pjafe] *vi* to prance, paw the ground, swagger.
piailler [pjɑje] *vi* to cheep, squeal, squall.
pianiste [pjanist] *n* pianist.
piano [pjano] *nm* piano; — **à queue** grand piano.
pianoter [pjanɔte] *vi* to strum, drum, tap.

piauler [pjole] *vi* to cheep, whimper.
piaule [pjol] *nf* digs.
pic [pik] *nm* pick(axe), peak, woodpecker; **à —** sheer, steep(ly), at the right moment.
pichenette [piʃnɛt] *nf* flick, fillip.
picorer [pikɔre] *vt* to steal, pilfer; *vi* to scratch about for food, pick.
picoter [pikɔte] *vt* to peck (at), prick, sting; *vi* prickle, smart, tingle.
pic-vert [pivɛːr] *nm* green woodpecker.
pie [pi] *a* piebald; *n* piebald horse; *nf* magpie.
pièce [pjɛs] *nf* piece, part, patch, room, coin, document, cask; **— de théâtre** play; **— d'eau** ornamental lake; **de toutes —s** completely, out of nothing; **travailler à la —** to do piece-work; **trois francs la —** three francs a piece.
pied [pje] *nm* foot(ing), base, leg (*chair*), stem, scale; **— de laitue** head of lettuce; **au — levé** offhand, at a moment's notice; **sur —** afoot, up; **perdre —** to lose one's footing, to get out of one's depth; **lever le —** to clear out, elope.
pied-à-terre [pjetatɛːr] *nm* occasional residence.
pied-d'alouette [pjedalwɛt] *nm* larkspur.
piédestal [pjedɛstal] *nm* pedestal.
piège [pjɛʒ] *nm* snare, trap; **tendre un —** to set a trap.
pierraille [pjɛrɑːj] *nf* rubble, road-metal.
pierre [pjɛːr] *nf* stone; **c'est une — dans votre jardin** it is a dig at you.
Pierre [pjɛːr] Peter.
pierreries [pjɛrəri] *nf pl* jewels, gems.
pierreux, -euse [pjɛrø, øːz] *a* stony, gritty.
piété [pjete] *nf* piety, godliness.
piétiner [pjetine] *vt* to trample (down), tread, stamp on; *vi* to stamp; **— sur place** to mark time.
piéton [pjetɔ̃] *nm* pedestrian.
piètre [pjɛtr] *a* poor, paltry, sorry.
pieu [pjø] *nm* post, stake, pile, (*fam*) bed.
pieuvre [pjœːvr] *nf* octopus.
pieux, -euse [pjø, øːz] *a* pious, religious, reverent.
pige [piːʒ] *nf* measuring rod.
pigeon, -onne [piʒɔ̃, ɔn] *n* pigeon, greenhorn.
pigeonnier [piʒɔnje] *nm* dovecote.
piger [piʒe] *vt* to look at, twig, understand, catch; *vi* to understand, get it.
pigment [pigmɑ̃] *nm* pigment.
pignon [piɲɔ̃] *nm* gable, pinion.
pignouf [piɲuːf] *nm* lout, skinflint.
pile [pil] *nf* pile, heap, battery, pier, thrashing; **— ou face** heads or tails; **s'arrêter —** to stop dead.
piler [pile] *vt* to crush, pound.
pilier [pilje] *nm* pillar, column, shaft.
pillage [pijaːʒ] *nm* pillage, looting, ransacking.
piller [pije] *vt* to pillage, loot, plunder, ransack, rifle.
pilon [pilɔ̃] *nm* pestle, steam-hammer, (*fam*) drumstick.
pilori [pilɔri] *nm* pillory.
pilot [pilo] *nm* pile.
pilotage [pilɔtaːʒ] *nm* pile-driving, piloting, driving.
pilote [pilɔt] *nm* pilot.
piloter [pilɔte] *vt* to pilot, fly, drive.
pilotis [pilɔti] *nm* pile (*foundation*).
pilule [pilyl] *nf* pill.
pimbêche [pɛ̃bɛʃ] *nf* unpleasant, supercilious woman, sour puss, catty woman.
piment [pimɑ̃] *nm* spice, red pepper.
pimenter [pimɑ̃te] *vt* to season, spice.
pimpant [pɛ̃pɑ̃] *a* spruce.
pin [pɛ̃] *nm* pine, fir-tree.
pinacle [pinakl] *nm* pinnacle.
pinard [pinaːr] *nm* wine.
pince [pɛ̃ːs] *nf* pincers, tongs, pliers, forceps, tweezers, clip, peg, claw, grip; **— monseigneur** jemmy.
pinceau [pɛ̃so] *nm* (paint)brush.
pincé [pɛ̃se] *a* supercilious, huffy, prim; *nm* pizzicato.
pincée [pɛ̃se] *nf* pinch.
pince-nez [pɛ̃sne] *nm* eye-glasses, pince-nez.
pincer [pɛ̃se] *vt* to pinch, nip (off), pluck, nab, grip; **— les lèvres** to purse one's mouth.
pince-sans-rire [pɛ̃sɑ̃riːr] *nm* person with a dry sense of humour.
pingouin [pɛ̃gwɛ̃] *nm* penguin, auk.
pingre [pɛ̃ːgr] *a* stingy, mean; *nm* skinflint, screw.
pinson [pɛ̃sɔ̃] *nm* finch, chaffinch.
pintade [pɛ̃tad] *nf* guinea-fowl.
pioche [pjɔʃ] *nf* pickaxe, mattock.
piocher [pjɔʃe] *vt* to dig (with a pick), swot (up).
piocheur, -euse [pjɔʃœːr, øːz] *nm* pickman, navvy, digger; *n* swot.
piolet [pjɔlɛ] *nm* ice-axe.
pion [pjɔ̃] *nm* pawn, (*draughts*) piece; monitor.
pioncer [pjɔ̃se] *vi* to sleep, snooze.
pionnier [pjɔnje] *nm* pioneer.
pipe [pip] *nf* pipe, tube.
pipeau [pipo] *nm* reed-pipe, bird-call.
piper [pipe] *vt* to lure, decoy.
pipi [pipi] *nm* **faire —** to piddle, pee.
piquant [pikɑ̃] *a* stinging, prickly, cutting, pungent, piquant, spicy, tart; *nm* prickle, quill, pungency, point.
pique [pik] *nm* spade(s) (*cards*); *n* pike, spite.
piqué [pike] *a* quilted, padded, (worm)eaten, spotted, dotty, staccato; *nm* pique, quilting, nose-dive; **bombarder en —** to dive-bomb; **pas — des vers** first rate.

pique-assiette [pikasjɛt] *nm* sponger.
pique-nique [piknik] *nm* picnic; **faire (un)** — to picnic
piquer [pike] *vt* to prick, bite, sting, make smart, excite, spur, stitch, nettle, dive, give an injection to; — **une tête** to take a header; *vr* to prick oneself, to get nettled, excited, become eaten up (with **de**), to pride oneself (on **de**).
piquet [pikɛ] *nm* stake, peg, picket, (*cards*) piquet.
piqueter [pikte] *vt* to stake (out), peg out, picket, spot, dot.
piquette [pikɛt] *nf* poor wine.
piqueur, -euse [pikœːr, øːz] *n* whipper-in, huntsman.
piqûre [pikyːr] *nf* sting, bite, prick, injection, stitching.
pirate [pirat] *nm* pirate.
pire [piːr] *a* worse, worst; *comp sup of* **mauvais**; *nm* worst, worst of it.
pirogue [pirɔg] *nf* canoe, surf boat.
pirouette [pirwɛt] *nf* pirouette, whirligig.
pirouetter [pirwɛte] *vi* to pirouette.
pis [pis] *nm* udder, dug, pap; *ad* worse, worst; *comp sup* of **mal**; **de mal en** — from bad to worse.
pis-aller [pizale] *nm* makeshift, last resource; **au** — at the worst.
piscine [pissin] *nf* swimming-bath, -pool.
pisé [pize] *nm* puddled clay.
pissenlit [pisɑ̃li] dandelion.
pissotière [pisɔtjɛːr] *nf* public urinal.
pistache [pistaʃ] *nf* pistachio (nut).
piste [pist] *nf* track, trail, race-track, rink, floor; — **de décollage** runway; **route à double** — dual carriageway; — **sonore** sound track; **faire fausse** — to be on the wrong track.
pistolet [pistolɛ] *nm* pistol.
piston [pistɔ̃] *nm* piston, ram, valve, influence.
pistonner [pistɔne] *vt* to push (on), use one's influence for, help on.
pitance [pitɑ̃ːs] *nf* allowance, pittance.
piteux, -euse [pitø, øːz] *a* piteous, sorry; **faire piteuse mine** to look woe-begone.
pitié [pitje] *nf* pity, mercy, compassion; **avec** — compassionately; **elle lui fait** — he is sorry for her; **prendre qn en** — to take pity on s.o.
piton [pitɔ̃] *nm* eyebolt, peak.
pitoyable [pitwajabl] *a* pitiful, piteous, wretched.
pitre [piːtr] *nm* clown.
pittoresque [pittɔrɛsk] *a* picturesque, graphic; *nm* picturesqueness.
pivert [pivɛr] *nm* green woodpecker.
pivoine [pivwan] *nf* peony.
pivot [pivo] *nm* pivot, pin, swivel.
pivoter [pivɔte] *vi* to pivot, swivel, hinge, turn.
placage [plakaːʒ] *nm* plating, veneering.
placard [plakaːr] *nm* cupboard, bill, poster, panel.
placarder [plakarde] *vt* to post up, stick bills on.
place [plas] *nf* place, seat, post, job, room, square; **faire** — **à** to make room, way, for; — **forte** fortress.
placement [plasmɑ̃] *nm* investing, investment, placing, sale, employment.
placer [plase] *vt* to place, put, find a seat (a post) for, invest, sell; *vr* to take up one's position, take a seat, get a post.
placet [plasɛ] *nm* petition.
placidité [plasidite] *nf* placidity.
plafond [plafɔ̃] *nm* ceiling, maximum.
plafonnier [plafɔnje] *nm* ceiling light.
plage [plaːʒ] *nf* beach, shore, seaside resort.
plagiaire [plaʒjɛːr] *a nm* plagiarist.
plagiat [plaʒja] *nm* plagiarism.
plagier [plaʒje] *vt* to plagiarize.
plaid [plɛ] *nm* plaid, travelling-rug.
plaider [plɛde] *vti* to plead, argue.
plaideur, -euse [plɛdœr, øːz] *n* suitor, litigant.
plaidoirie [plɛdwari] *nf* pleading, speech.
plaidoyer [plɛdwaje] *nm* speech for the defence.
plaie [plɛ] *nf* wound, sore, evil.
plaignant [plɛɲɑ̃] *n* plaintiff, prosecutor.
plain-chant [plɛ̃ʃɑ̃] *nm* plainsong.
plaindre [plɛ̃ːdr] *vt* to pity, be sorry for; *vr* to complain.
plaine [plɛn] *nf* plain, flat country, open country.
plain-pied [plɛ̃pje] *ad* **de** — level, on one floor, smoothly, straight.
plainte [plɛ̃ːt] *nf* complaint, moan, lament; **porter** — **contre** to make a complaint against.
plaintif, -ive [plɛ̃tif, iːv] *a* plaintive, doleful, mournful.
plaire [plɛːr] *vt* to please, appeal to; *vr* to take pleasure, thrive, like it, be happy; **s'il vous plaît** please; **plaît-il?** I beg your pardon?
plaisance [plɛzɑ̃ːs] *nf* **maison de** — country seat; **bateau de** — pleasure boat.
plaisant [plɛzɑ̃] *a* funny, amusing; *nm* joker, wag; **mauvais** — practical joker.
plaisanter [plɛzɑ̃te] *vi* to joke, jest; *vt* to banter, chaff.
plaisanterie [plɛzɑ̃tri] *nf* joke, jest(ing); **entendre la** — to be able to take a joke.
plaisir [plɛziːr] *nm* pleasure, enjoyment, favour; **à** — without reason, freely; **au** — I hope we shall meet again; **par** — for the fun of the thing; **partie de** — pleasure-trip, -party, outing, picnic.
plan [plɑ̃] *a* even, flat, level; *nm* plane, plan, scheme, draft; **gros** —

close-up; **premier** — foreground; **en** — in the lurch.
planche [plɑ̃:ʃ] *nf* plank, board, shelf, plate, engraving; *pl* boards, stage; — **de bord** dashboard; — **de salut** sheet-anchor, last hope; **faire la** — to float on one's back.
planchéier [plɑ̃ʃeje] *vt* to floor, board (over).
plancher [plɑ̃ʃe] *nm* floor(ing), floor-board.
planer [plane] *vt* to plane, smooth; *vi* to hover, glide, soar.
planète [planɛt] *nf* planet.
planeur [planœːr] *nm* glider.
planquer [plɑ̃ke] *(fam) vt* to hide; *vr* to take cover.
plant [plɑ̃] *nm* plantation, patch, sapling, seedling.
plantain [plɑ̃tɛ̃] *nm* plantain.
plantation [plɑ̃tasjɔ̃] *nf* planting, plantation.
plante [plɑ̃ːt] *nf* plant, sole (of foot); **jardin des —s** botanical gardens.
planter [plɑ̃te] *vt* to plant, set, fix, stick; *vr* to station oneself, stand; — **là** to leave in the lurch.
planteur [plɑ̃tœːr] *nm* planter, grower.
planton [plɑ̃tɔ̃] *nm* orderly.
plantureux, -euse [plɑ̃tyrø, øːz] *a* abundant, copious, rich, lush.
plaquage [plakaːʒ] *nm* throwing over, (rugby) tackle.
plaque [plak] *nf* sheet, plate, slab, tablet, plaque, disk.
plaqué [plake] *a* plated, veneered; *nm* veneered wood, plated metal, electroplate.
plaquer [plake] *vt* to plate, veneer, plaster, throw over, drop, tackle, lay flat; *vr* to lie down flat, pancake.
plaquette [plakɛt] *nf* tablet, booklet.
plastique [plastik] *a* plastic; *nf* (art of) modelling, plastic art, plastic.
plastron [plastrɔ̃] *nm* breast-plate, shirt-front.
plastronner [plastrɔne] *vi* to swagger, strut, pose.
plat [pla] *a* flat, level, dull, tame; *nm* flat, dish, course, flat-racing; **à** — flat, run down, all in; **faire du** — **à** to toady to, fawn upon; **à** — **ventre** flat on the ground.
platane [platan] *nm* plane-tree.
plat-bord [plabɔːr] *nm* gunwale.
plateau [plato] *nm* tray, plateau, platform, turntable.
plate-bande [platbɑ̃ːd] *nf* flowerbed.
plate-forme [platfɔrm] *nf* platform, footplate.
platine [platin] *nm* platinum.
platiner [platine] *vt* to platinum-plate.
platitude [platityd] *nf* platitude, dullness.
plâtras [plɑtrɑ] *nm* broken plaster, rubbish.
plâtre [plɑːtr] *nm* plaster; *pl* plaster-work.
plâtrer [plɑtre] *vt* to plaster (up).
plausible [plozibl] *a* plausible.
plébiscite [plebissit] *nm* plebiscite.
plein [plɛ̃] *a* full, big, solid; **en** — right in the middle (of), out and out; *nm* **avoir son** — to be fully loaded; **battre son** — to be in full swing; **faire le** — to fill up (with **de**).
plénière [plenjɛːr] *a* pleniary, full, complete.
plénipotentiaire [plenipɔtɑ̃sjɛːr] *a nm* plenipotentiary.
plénitude [plenityd] *nf* plenitude, fullness.
pléonastique [pleɔnastik] *a* pleonastic.
pleurard [plœraːr] *a* tearful, snivelling; *n* sniveller.
pleurer [plœre] *vt* to weep for, mourn (for); *vi* weep, cry, drip.
pleurésie [plœrezi] *nf* pleurisy.
pleureur, -euse [plœrœːr, øːz] *a* tearful, whimpering; *n* whimperer, mourner.
pleurnicher [plœrniʃe] *vi* to whine, snivel.
pleutre [pløːtr] *nm* coward.
pleuvoir [plœvwaːr] *vi* to rain; — **à verse** to pour.
pli [pli] *nm* fold, pleat, crease, pucker, envelope, cover, note, habit, trick.
pliant [pliɑ̃] *a* pliant, flexible, collapsible; *nm* camp-stool, folding chair.
plie [pli] *nf* plaice.
plier [plie] *vt* to fold (up), bend; *vi* to bend, give way; *vr* to submit, yield.
plinthe [plɛ̃ːt] *nf* plinth, skirting-board.
plissé [plise] *a* pleated; *nm* pleats, pleating.
plissement [plismɑ̃] *nm* pleating, creasing, crumpling.
plisser [plise] *vt* to pleat, crumple, crease, corrugate.
plomb [plɔ̃] *nm* lead, shot, fuse; **de** — leaden; **à** — vertical(ly); **fil à** — plumbline; **faire sauter les —s** to blow the fuses.
plombage [plɔ̃baːʒ] *nm* leading, stopping, *(tooth)* filling.
plombagine [plɔ̃baʒin] *nf* blacklead, graphite.
plomber [plɔ̃be] *vt* to (cover with) lead, stop *(tooth)*.
plomberie [plɔ̃bri] *nf* plumbing, plumber's shop, lead-works.
plombier [plɔ̃bje] *nm* plumber, lead-worker.
plongeoir [plɔ̃ʒwaːr] *nm* diving-board.
plongeon [plɔ̃ʒɔ̃] *nm* dive, plunge, diver.
plongée [plɔ̃ʒe] *nf* dive, plunge.
plonger [plɔ̃ʒe] *vt* to plunge, immerse, thrust; *vi* to dive, plunge, dip; *vr* to immerse oneself, devote oneself (to **dans**).

plongeur, -euse [plɔ̃ʒœːr, øːz] *a* diving; *n* diver, bottlewasher, dishwasher.
ploutocrate [plutɔkrat] *nm* plutocrat.
ployer [plwaje] *vt* to bend; *vi* to give way, bow.
pluie [plɥi] *nf* rain.
plumage [plymaːʒ] *nm* plumage, feathers.
plumard [plymaːr] *nm* (*fam*) bed.
plume [plym] *nf* feather, quill, pen, nib.
plumeau [plymo] *vt* feather duster.
plumer [plyme] *vt* to pluck, fleece.
plumet [plymɛ] *nm* plume, ostrich feather.
plumier [plymje] *nm* pencil-case.
plupart (la) [(la)plypaːr] *nf* (the) most, greatest or greater part, majority; **pour la** — mostly.
plural [plyral] *a* plural.
pluralité [plyralite] *nf* plurality, multiplicity.
pluriel, -elle [plyrjɛl] *a nm* plural.
plus [ply(s)] *ad* more, most, plus, in addition; *nm* more, most; — **(et)** — the more . . . the more; **tant et** — any amount; — **de** more, more than, no more; **ne . . . plus** no more, no longer, not now, not again; **de** — more, besides; **en** — extra, into the bargain; **en** — **de** over and above; **non** — either; **tout au** — at the very most.
plusieurs [plyzjœːr] *a pn* several.
plus-que-parfait [plyskəparfɛ] *nm* pluperfect.
plus-value [plyvaly] *nf* appreciation, increase (in value).
plutôt [plyto] *ad* rather, sooner, on the whole.
pluvier [plyvje] *nm* plover.
pluvieux, -euse [plyvjø, øːz] *a* rainy, wet.
pneu [pnø] *nm* tyre.
pneumatique [pnømatik] *a* pneumatic, air-; *nm* tyre, express letter.
pneumonie [pnømɔni] *nf* pneumonia.
pochard [pɔʃaːr] *n* boozer.
poche [pɔʃ] *nf* pocket, pouch, bag; **acheter chat en** — to buy a pig in a poke; **y être de sa** — to be out of pocket.
pocher [pɔʃe] *vt* to poach, dash off; *vi* to get baggy, to crease; — **l'œil à qn** to give s.o. a black eye.
pochette [pɔʃɛt] *nf* small pocket, handbag, fancy handkerchief, small fiddle.
pochoir [pɔʃwaːr] *nm* stencil.
poêle [pwaːl, pwal] *nm* stove, pall; *nf* frying pan.
poème [pɔɛːm] *nm* poem.
poésie [pɔezi] *nf* poetry, poem.
poète [pɔɛt] *a* poetic; *nm* poet.
poétique [pɔetik] *a* poetic(al); *nf* poetics.
pognon [pɔɲɔ̃] *nm* money, dough.
poids [pwɑ] *nm* weight, burden, importance; **prendre du** — to put on weight.
poignant [pwaɲɑ̃] *a* poignant, soul-stirring.
poignard [pwaɲaːr] *nm* dagger.
poignarder [pwaɲarde] *vt* to stab.
poigne [pwaɲ] *nf* grip, energy, firmness, drive.
poignée [pwaɲe] *nf* handful, handle; — **de main** handshake.
poignet [pwaɲɛ] *nm* wrist, cuff, wrist-band.
poil [pwal] *nm* hair, fur, coat, bristle, nap; **à** — naked, hairy; **au** —! wonderful! **reprendre du** — **de la bête** to take a hair of the dog that bit you.
poilu [pwaly] *a* hairy, shaggy; *nm* soldier, tommy.
poinçon [pwɛ̃sɔ̃] *nm* awl, piercer, punch, stamp.
poinçonner [pwɛ̃sɔne] *vt* to pierce, punch, stamp.
poindre [pwɛ̃ːdr] *vi* to dawn, break, come up.
poing [pwɛ̃] *nm* fist, hand; **coup de** — punch; **dormir à** —**s fermés** to sleep like a log.
point [pwɛ̃] *ad* not, not at all; *nm* point, speck, dot, mark, stitch, full stop; **à** — done to a turn; **à** — **nommé** in the nick of time; **de tous** —**s** in all respects; **mettre au** — to focus, tune up, adjust, clarify, perfect; **mise au** — focusing, tuning up, clarification; **faire le** — to take one's bearings, take stock of one's position.
pointage [pwɛ̃taːʒ] *nm* checking, ticking off, sighting.
pointe [pwɛ̃ːt] *nf* point, tip, top, head, touch, tinge, twinge, quip; — **sèche** etching-needle, dry-point etching; — **du jour** daybreak; **heures de** — rush hours; **pousser une** — **jusqu'à** to push on to, take a walk over to; **en** — pointed.
pointer [pwɛ̃te] *vt* to prick, stab, sharpen, tick off, check, point, aim; *vi* to appear, soar, rise, sprout.
pointeur [pwɛ̃tœːr] *nm* checker, time-keeper, gun-layer, scorer.
pointillé [pwɛ̃tije] *a* dotted, stippled; *nm* dotted line, stippling.
pointiller [pwɛ̃tije] *vt* to dot, stipple, pester, annoy; *vi* to cavil, quibble.
pointilleux, -euse [pwɛ̃tijø, øːz] *a* captious, critical.
pointu [pwɛ̃ty] *a* pointed, sharp, angular.
pointure [pwɛ̃tyːr] *nf* size.
poire [pwaːr] *nf* pear, bulb; (*fam*) mug; **garder une** — **pour la soif** to put something by for a rainy day.
poireau [pwaro] *nm* leek.
poireauter [pwarote] *vi* to hang about (waiting).
poirier [pwarje] *nm* pear-tree.

pois [pwa] *nm* pea, spot; **petits —** green peas; **— de senteur** sweet peas; **— chiches** chick peas.
poison [pwazɔ̃] *nm* poison.
poissard [pwasaːr] *a* vulgar, coarse.
poisse [pwas] *nf* bad luck.
poisser [pwase] *vt* to coat with pitch, wax, make sticky.
poisson [pwasɔ̃] *nm* fish; **— rouge** goldfish; **— d'avril** April fool.
poissonnerie [pwasɔnri] *nf* fish-market, fish-shop.
poissonneux, -euse [pwasɔnø, øːz] *a* full of fish, stocked with fish.
poissonnier, -ière [pwasɔnje, jɛːr] *n* fishmonger, fishwife.
poissonnière [pwasɔnjɛːr] *nf* fish-kettle.
poitevin, -e [pwatvɛ̃, in] *a* from Poitou or Poitiers.
poitrail [pwatrɑːj] *nm* chest, breast (strap).
poitrinaire [pwatrinɛːr] *an* consumptive.
poitrine [pwatrin] *nf* chest, breast, bosom, brisket.
poivre [pwaːvr] *nm* pepper, spiciness.
poivré [pwavre] *a* peppery, spicy.
poivrier [pwavrie] *nm* pepper-pot, pepper-plant.
poivron [pwavrɔ̃] *nm* Jamaica pepper, capsicum.
poivrot [pwavro] *nm* boozer, drunkard.
poix [pwa] *nf* pitch, wax.
polaire [pɔlɛːr] *a* polar.
polariser [pɔlarize] *vt* to polarize; *vr* to have a one-track mind.
pôle [poːl] *nm* pole.
polémique [pɔlemik] *a* polemic(al); *nf* controversy.
polémiste [pɔlemist] *nm* polemist.
poli [pɔli] *a* polished, glossy, polite; *nm* polish, gloss.
policer [pɔlise] *vt* to organize, establish order in.
police [pɔlis] *nf* police, policing, policy; **salle de —** guard-room; **faire la —** to keep order.
polichinelle [pɔliʃinɛl] *nf* punch, turncoat, puppet, buffoon; **théâtre de —** Punch and Judy show; **secret de —** open secret.
policier, -ière [pɔlisje, jɛːr] *a* police; *nm* detective; **roman —** detective story.
polir [pɔliːr] *vt* to polish.
polisson, -onne [pɔlisɔ̃, ɔn] *a* ribald, naughty; *n* scamp, rascal, scapegrace.
polissonnerie [pɔlisɔnri] *nf* naughtiness, smutty remark.
politesse [pɔlitɛs] *nf* politeness, courtesy, manners.
politicien, -enne [pɔlitisjɛ̃, jɛn] *n* politician.
politique [pɔlitik] *a* political, politic, diplomatic; *nm* politician; *nf* politics, policy,
pollen [pɔllɛn] *nm* pollen.
polluer [pɔllɥe] *vt* to pollute, defile.
pollution [pɔlysjɔ̃] *nf* pollution, defilement.
Pologne [pɔlɔɲ] *nf* Poland.
polonais [pɔlɔnɛ] *a nm* Polish; *n* Pole.
poltron, -onne [pɔltrɔ̃, ɔn] *a* cowardly, timid; *n* coward.
polycopié [pɔlikɔpje] *nm* cyclostyled lecture.
polycopier [pɔlikɔpje] *vt* to cyclostyle, stencil.
polygame [pɔligam] *a* polygamous; *n* polygamist.
polyglotte [pɔliglɔt] *an* polyglot.
polygone [pɔligɔn] *nm* polygon, experimental range.
polype [pɔlip] *nm* polyp, polypus.
polytechnicien [pɔlitɛknisjɛ̃] *nm* student of the *Ecole polytechnique.*
pombe [pɔ̃ːb] *nm* millet beer.
pommade [pɔmad] *nf* pomade, hair-cream, ointment, lip-salve.
pomme [pɔm] *nf* apple, knob, head; **— de terre** potato; **— d'arrosoir** rose of a watering-can; **— de pin** fir-cone; **tomber dans les —** to pass out.
pommeau [pɔmo] *nm* pommel.
pommeler [pɔmle] *vr* to become dappled, mottled.
pommette [pɔmɛt] *nf* knob, cheek-bone.
pommier [pɔmje] *nm* apple-tree.
pompe [pɔ̃ːp] *nf* pump, pomp, display; **— à incendie** fire-engine; **entrepreneur de —s funèbres** undertaker.
pomper [pɔ̃pe] *vt* to pump, suck up.
pompette [pɔ̃pɛt] *a* slightly tipsy.
pompeux, -euse [pɔ̃pø, øːz] *a* pompous, turgid.
pompier [pɔ̃pje] *nm* fireman, pump-maker; *a* uninspired.
pomponner [pɔ̃pɔne] *vt* to adorn, titivate; *vr* to deck oneself out, titivate.
ponce [pɔ̃ːs] *nf* **pierre —** pumice-stone.
poncer [pɔ̃se] *vt* to pumice, sand-paper, pounce.
poncif [pɔ̃sif] *nm* pounced drawing, conventional work, commonplace effect, image *etc.*
ponctionner [pɔ̃ksjɔne] *vt* to tap, puncture.
ponctualité [pɔ̃ktɥalite] *nf* punctuality.
ponctuation [pɔ̃ktɥasjɔ̃] *nf* punctuation.
ponctuel, -elle [pɔ̃ktɥɛl] *a* punctual.
ponctuer [pɔ̃ktɥe] *vt* to punctuate, emphasize, dot.
pondération [pɔ̃derasjɔ̃] *nf* balance, level-headedness.
pondéré [pɔ̃dere] *a* thoughtful, level-headed.
pondre [pɔ̃ːdr] *vt* to lay, produce.
pont [pɔ̃] *nm* bridge, deck, axle; **— levis** drawbridge; **— roulant** gantry;

faire le — to take the intervening day(s) off.
ponte [pɔ̃:t] *nf* laying, eggs laid.
pontife [pɔ̃tif] *nm* pontiff, pundit.
pontifier [pɔ̃tifje] *vi* to lay down the law, dogmatize.
ponton [pɔ̃tɔ̃] *nm* landing-stage, ramp.
popote [pɔpɔt] *nf* kitchen, restaurant, cooking, mess.
populace [pɔpylas] *nf* riff-raff, rabble, mob.
populacier, -ière [pɔpylasje, jɛ:r] *a* vulgar, common.
populaire [pɔpylɛ:r] *a* popular, vulgar; **chanson —** folksong, street song.
populariser [pɔpylarize] *vt* to popularize.
popularité [pɔpylarite] *nf* popularity.
population [pɔpylasjɔ̃] *nf* population.
populeux, -euse [pɔpylø, ø:z] *a* populous.
porc [pɔ:r] *nm* pig, swine, pork.
porcelaine [pɔrsəlɛn] *nf* porcelain, china.
porc-épic [pɔrkepik] *nm* porcupine.
porche [pɔrʃ] *nm* porch.
porcherie [pɔrʃəri] *nf* pigsty, piggery.
pore [pɔ:r] *nm* pore.
poreux, -euse [pɔrø, ø:z] *a* porous.
pornographie [pɔrnɔgrafi] *nf* pornography.
porphyre [pɔrfi:r] *nm* porphyry, slab.
port [pɔ:r] *nm* port, harbour, haven, carriage, postage, carrying, bearing; **se mettre au — d'armes** to shoulder arms; **— dû** carriage forward.
portable [pɔrtabl] *a* portable, presentable, wearable.
portage [pɔrta:ʒ] *nm* porterage, carrying, transport, portage.
portail [pɔrta:j] *nm* portal, door.
portant [pɔrtɑ̃] *a* carrying, bearing; **être bien (mal) portant** to be well (ill).
portatif, -ive [pɔrtatif, i:v] *a* portable.
porte [pɔrt] *nf* door, gate(way); **— battante** swing-door; **— tambour** revolving door; **— cochère** carriage entrance; **mettre à la —** to turn (put) s.o. out; **écouter aux —s** to eavesdrop.
porte-affiches [pɔrtafiʃ] *nm* notice-board.
porte-amarre [pɔrtama:r] *nm* line-rocket.
porte-avions [pɔrtavjɔ̃] *nm* aircraft carrier.
porte-bagages [pɔrtbaga:ʒ] *nm* luggage-rack.
porte-bonheur [pɔrtbɔnœ:r] *nm* charm, mascot.
porte-clefs [pɔrtkle] *nm* keyring.
porte-documents [pɔrtdɔkymɑ̃] *nm* attaché-case.
portée [pɔrte] *nf* litter, brood, range, reach, scope, span; **à — de la voix** within call; **d'une grande —** far-reaching.
portefaix [pɔrtəfɛ] *nm* porter.
porte-fenêtre [pɔrtfənɛ:tr] *nf* french window.
portefeuille [pɔrtəfœ:j] *nm* portfolio, pocket-book, wallet, letter-case.
porte-flambeau [pɔrtflɑ̃bo] *nm* torch-bearer.
portemanteau [pɔrtmɑ̃to] *nm* coatstand.
porte-mine [pɔrtəmin] *nm* propelling pencil.
porte-monnaie [pɔrtmɔnɛ] *nm* purse.
porte-parole [pɔrtparɔl] *nm* spokesman, mouthpiece
porte-plume [pɔrtəplym] *nm* pen (holder).
porter [pɔrte] *vt* to carry, bear, wear, take, inscribe, produce, bring (in), induce; *vi* bear, carry, hit (home), tell; *vr* to go, proceed, be; **— un coup** to deal, aim a blow; **— manquant** to post as missing; **il me porte sur les nerfs** he gets on my nerves; **se — candidat** to stand as candidate; **se — bien** to be well.
porte-serviettes [pɔrtsɛrvjɛt] *nm* towel-rail.
porteur, -euse [pɔrtœ:r, ø:z] *n* porter, bearer, carrier.
porte-voix [pɔrtəvwa] *nm* megaphone.
portier, -ière [pɔrtje, jɛ:r] *n* doorkeeper, gate-keeper.
portière [pɔrtjɛ:r] *nf* door.
portillon [pɔrtijɔ̃] *nm* sidegate, wicket-gate.
portion [pɔrsjɔ̃] *nf* portion, helping, share.
portique [pɔrtik] *nm* porch, portico.
porto [pɔrto] *nm* port (wine).
portrait [pɔrtrɛ] *nm* portrait, likeness; **— en pied** full-length portrait.
portraitiste [pɔrtrɛtist] *nm* portrait-painter.
portugais [pɔrtygɛ] *an* Portuguese.
Portugal [pɔrtygal] *nm* Portugal.
pose [po:z] *nf* pose, attitude, posing, affectation, (time) exposure, laying, posting.
posé [poze] *a* sitting, sedate, staid, steady.
poser [poze] *vt* to put (down), place, lay (down), set, fix up, admit, suppose; *vi* to pose, sit, rest; *vr* to settle, alight, set oneself up (as **en**).
poseur, -euse [pozœ:r, ø:z] *n* poseur, snob, layer.
positif, -ive [pɔzitif, i:v] *a* positive, actual, matter-of-fact; *nm* positive.
position [pɔzisjɔ̃] *nf* position, situation, site, status, posture, post.
possédant [pɔsedɑ̃] *a* **classes —es** propertied classes.
possédé [pɔsede] *a* possessed; *n* person possessed, maniac.

posséder [pɔsede] *vt* to possess, own, know thoroughly; *vr* to contain oneself.
possesseur [pɔsɛsœːr] *nm* possessor, owner.
possessif, -ive [pɔsɛsif, iːv] *a nm* possessive.
possession [pɔsɛsjɔ̃] *nf* possession, ownership.
possibilité [pɔsibilite] *nf* possibility, feasibility.
possible [pɔsibl] *a* possible, feasible; *nm* possible, utmost; **pas** — not really! well I never!
postal [pɔstal] *a* postal.
poste [pɔst] *nm* post, job, appointment, station; — **de T.S.F.** wireless set, -station; *nf* post, post office; **mettre une lettre à la** — to post a letter.
poster [pɔste] *vt* to post, station; *vr* to take up a position.
postérieur [pɔsterjœːr] *a* posterior, subsequent, rear, back; *nm* posterior, bottom.
postérité [pɔsterite] *nf* posterity, issue.
posthume [pɔstym] *a* posthumous.
postiche [pɔstiʃ] *a* false, imitation, sham, dummy.
postillon [pɔstijɔ̃] *nm* postillon; **envoyer des —s** to splutter.
postscolaire [pɔstskɔlɛːr] *a* further (education), after-school.
postulant [pɔstylɑ̃] *n* applicant, candidate.
postuler [pɔstyle] *vt* to apply for, solicit.
posture [pɔstyːr] *nf* posture, position, attitude.
pot [po] *nm* pot, jar, jug, mug, tankard; **payer les —s cassés** to pay the damage.
potable [pɔtabl] *a* drinkable.
potache [pɔtaʃ] *nm* schoolboy, pupil.
potage [pɔtaːʒ] *nm* soup.
potager, -ère [pɔtaʒe, ɛːr] *a* for the pot; *nm* kitchen-garden.
potasse [pɔtas] *nf* potash.
potasser [pɔtase] *vt* to swot up (for); *vi* to swot.
pot-au-feu [pɔtofø] *a* homely, plain; *nm* stock-pot, soup with boiled beef.
pot-de-vin [podvɛ̃] *nm* bribe.
poteau [pɔto] *nm* post, pole; — **d'arrivée** winning-post; — **de départ** starting-post.
potelé [pɔtle] *a* chubby, plump.
potence [pɔtɑ̃ːs] *nf* gibbet, gallows, jib, derrick.
potentiel, -elle [pɔtɑ̃sjɛl] *a* potential; *nm* potentialities.
poterie [pɔtri] *nf* pottery.
poterne [pɔtɛrn] *nf* postern.
potiche [pɔtiʃ] *nf* (Chinese) porcelain vase.
potier, -ière [pɔtje, jɛːr] *n* potter.
potin [pɔtɛ̃] *nm* piece of gossip, (*fam*) noise; *pl* tittle-tattle.
potiron [pɔtirɔ̃] *nm* pumpkin.
pou [pu] *nm* louse.
poubelle [pubɛl] *nf* dustbin.
pouce [pus] *nm* thumb, big toe, inch; **manger sur le** — to take a snack.
poucet [pusɛ] *nm* **le petit** — Tom Thumb.
poucier [pusje] *nm* thumb-stall, -piece.
poudre [puːdr] *nf* powder, dust; — **aux yeux** bluff, eyewash.
poudrer [pudre] *vt* to powder, dust; *vr* to put on powder.
poudreux, -euse [pudrø, øːz] *a* dusty, powdery.
poudrier [pudrie] *nm* powder-box, compact.
poudrière [pudriɛːr] *nf* powder-horn, magazine.
poudroyer [pudrwaje] *vt* to cover with dust; *vi* to form clouds of dust.
pouf [puf] *nm* pouf, puff.
pouffer [pufe] *vir* **(se)** — **de rire** to roar with laughter.
pouilleux, -euse [pujø, øːz] *a* lousy, verminous.
poulailler [pulaje] *nm* hen-house, -roost, (*theatre fam*) the gods.
poulain [pulɛ̃] *nm* colt, foal, pony-skin, skid.
poularde [pulard] *nf* fowl.
poule [pul] *nf* hen, fowl, pool, sweepstake; tart; — **d'eau** moorhen; — **mouillée** coward, chicken.
poulet [pulɛ] *nm* chick(en), love-letter.
poulette [pulɛt] *nf* pullet.
pouliche [puliʃ] *nf* filly.
poulie [puli] *nf* pulley, block.
poulpe [pulp] *nm* octopus.
pouls [pu] *nm* pulse.
poumon [pumɔ̃] *nm* lung; **crier à pleins —s** to shout at the top of one's voice; **respirer à pleins —s** to take a deep breath.
poupe [pup] *nf* poop, stern.
poupée [pupe] *nf* doll, (tailor's) dummy, puppet.
poupon, -onne [pupɔ̃, ɔn] *n* baby, baby-faced boy, girl.
pouponnière [pupɔnjɛːr] *nf* day-nursery.
pour [puːr] *prep* for, on behalf of, in favour of, because of, for the sake of, instead of, as, to, by, in order to, with regard to, although; — **que** in order that, so that; — **dix francs (de)** ten francs worth (of); **je n'y suis** — **rien** I have nothing to do with it; **il en a** — **une heure** it will take him an hour; — **ce qui est de l'argent** as far as the money is concerned.
pourboire [purbwaːr] *nm* tip, gratuity.
pourceau [purso] *nm* hog, swine, pig.
pour-cent [pursɑ̃] *nm* (rate) per cent.
pourcentage [pursɑ̃taːʒ] *nm* percentage.

pourchasser [purʃase] *vt* to pursue.
pourlécher [purleʃe] *vt* to lick round; *vr* to run one's tongue over one's lips.
pourparler [purparle] *nm* parley, negotiation.
pourpoint [purpwɛ̃] *nm* doublet.
pourpre [purpr] *a nm* deep red, crimson; *nf* purple.
pourquoi [purkwa] *cj adv* why?
pourri [puri] *a* rotten, bad.
pourrir [puriːr] *vt* to rot; *vir* to decay, rot, go bad.
pourriture [purityːr] *nf* rotting, rot(tenness).
poursuite [pursɥit] *nf* pursuit, tracking (down); *pl* proceedings, prosecution, suing.
poursuivant [pursɥivɑ̃] *n* prosecutor, plaintiff.
poursuivre [pursɥiːvr] *vt* to pursue, chase, prosecute, carry on, continue, dog; *vr* to continue, go on.
pourtant [purtɑ̃] *ad* however, yet, still.
pourtour [purtuːr] *nm* circumference, periphery, precincts, area.
pourvoir [purvwaːr] *vt* to provide (for, with **de**,) make provision (for **à**), furnish, supply, equip.
pourvoyeur, -euse [purvwajœːr, øːz] *n* purveyor, caterer, provider.
pousse [pus] *nf* growth, shoot.
poussé [puse] *a* thorough, exhaustive, deep.
pousse-café [puskafe] *nm* liqueur (after coffee), chaser.
poussée [puse] *nf* push(ing), shove, thrust, pressure.
pousse-pousse [puspus] *nm* rickshaw, go-cart (*of child*).
pousser [puse] *vt* to push (on), thrust, shove, urge (on), drive, impel, prompt, utter; *vi* to grow, shoot, push (on, forward); *vr* to push oneself forward.
poussier [pusje] *nm* coal-dust.
poussière [pusjɛːr] *nf* dust.
poussiéreux, -euse [pusjerø, øːz] *a* dusty.
poussif, -ive [pusif, iːv] *a* broken-winded, wheezy.
poussin [pusɛ̃] *nm* chick.
poutre [puːtr] *nf* beam, joist, girder.
poutrelle [putrɛl] *nf* small beam, girder, spar.
pouvoir [puvwaːr] *nm* power, influence, authority, power of attorney; *vt* to be able, can, manage, to be allowed, may, might *etc*; *vr* ro be possible; **il n'en peut plus** he is worn out; **on n'y peut rien** it can't be helped, nothing can be done about it; **c'est on ne peut plus difficile** nothing could be more difficult.
prairie [prɛri] *nf* meadow, field, grassland.
praline [pralin] *nf* burnt almond.
praliner [praline] *vt* to bake in sugar, crust.
praticabilité [pratikabilite] *nf* practicability, feasibility.
praticable [pratikabl] *a* practicable, feasible, passable.
praticien, -enne [pratisjɛ̃, jɛn] *n* practitioner, expert; *a* practising.
pratiquant [pratikɑ̃] *a* practising.
pratique [pratik] *a* practical, useful; *nf* practice, practical knowledge, experience, association, custom; *pl* practises, dealings.
pratiquer [pratike] *vti* to practise; *vt* put into practice, employ, make, associate with.
pré [pre] *nm* meadow.
préalable [prealabl] *a* previous, preliminary; **au** — previously, to begin with.
préambule [preɑ̃byl] *nm* preamble (to **de**).
préau [preo] *nm* yard, covered playground.
préavis [preavi] *nm* (previous) notice, warning.
précaire [prekɛːr] *a* precarious, shaky.
précaution [prekosjɔ̃] *nf* (pre) caution, care, wariness.
précautionneux, -euse [prekosjɔ̃nø, øːz] *a* cautious, wary, guarded.
précédent [presedɑ̃] *a* preceding, previous; *nm* precedent.
précéder [presede] *vt* to precede, take precedence over; *vi* to have precedence.
précepte [presɛpt] *nm* precept.
précepteur, -trice [presɛptœːr, tris] *n* tutor, governess.
prêche [prɛːʃ] *nm* sermon.
prêcher [preʃe] *vt* to preach (to), recommend; *vi* to preach; — **d'exemple** to practice what one preaches; — **pour son saint** to talk in one's own interests.
prêchi-prêcha [prɛʃiprɛʃa] *nm* going on and on, preachifying.
précieux, -euse [presjø, øːz] *a* precious, valuable, affected.
préciosité [presjosite] *nf* preciosity, affectation.
précipice [presipis] *nm* precipice.
précipitamment [presipitamɑ̃] *ad* precipitately, hurriedly, headlong.
précipitation [presipitasjɔ̃] *nf* precipitancy, overhastiness, precipitation.
précipité [presipite] *a* precipitate, rushed, hurried, headlong; *nm* precipitate.
précipiter [presipite] *vt* to precipitate, rush, hurry, hurl down, into; *vr* to rush, dash, bolt.
précis [presi] *a* precise, definite, accurate; *nm* précis, summary.
précisément [presizemɑ̃] *ad* precisely, just, exactly, as a matter of fact.
préciser [presize] *vt* to state exactly, specify; *vi* to be precise, more explicit.

précision [presizjɔ̃] *nf* precision, accuracy, preciseness; *pl* fuller particulars.
précoce [prekɔs] *a* precocious, early.
précocité [prekɔsite] *nf* precociousness, earliness.
préconçu [prekɔ̃sy] *a* preconceived.
préconiser [prekɔnize] *vt* to advocate.
précurseur [prekyrsœːr] *nm* forerunner, precursor.
prédécesseur [predesɛsœːr] *nm* predecessor.
prédestiner [predɛstine] *vt* to predestine, foredoom, fix beforehand.
prédicateur [predikatœːr] *nm* preacher.
prédiction [prediksjɔ̃] *nf* prediction, foretelling.
prédilection [predilɛksjɔ̃] *nf* liking, fondness.
prédire [prediːr] *vt* to predict, foretell, forecast.
prédisposer [predispoze] *vt* to predispose, prejudice.
prédisposition [predispozisjɔ̃] *nf* predisposition, prejudice, propensity.
prédominance [predɔminɑ̃ːs] *nf* predominance, prevalence, supremacy.
prédominer [predɔmine] *vi* to predominate, prevail.
prééminence [preeminɑ̃ːs] *nf* pre-eminence, superiority.
prééminent [preeminɑ̃] *a* pre-eminent, outstanding.
préface [prɛfas] *nf* preface.
préfacer [prɛfase] *vt* to write a preface for.
préfectoral [prefɛktɔral] *a* prefectoral, of a prefect.
préfecture [prefɛktyːr] *nf* prefecture, prefect's house or office; — **de police** Paris police headquarters.
préférable [prefɛrabl] *a* preferable, better.
préférence [prefɛrɑ̃ːs] *nf* preference, priority.
préférer [prefere] *vt* to prefer, like better.
préfet [prefɛ] *nm* prefect; — **de police** chief commissioner of the Paris police.
préfixe [prefiks] *nm* prefix.
préfixer [prefikse] *vt* to settle beforehand, prefix.
préhistorique [preistɔrik] *a* prehistoric.
préjudice [preʒydis] *nm* injury, detriment, prejudice; **porter — à qn** to harm, injure, hurt.
préjudiciable [preʒydisjabl] *a* prejudicial, injurious, detrimental.
préjugé [preʒyʒe] *nm* prejudice, preconceived idea.
préjuger [preʒyʒe] *vti* to judge beforehand.
se prélasser [səprɛlase] *vr* to lounge, loll, laze.
prélat [prɛla] *nm* prelate.
prélèvement [prelɛvmɑ̃] *nm* deduction, levy.
prélever [prelve] *vt* to deduct, levy.
préliminaire [prelimineːr] *a nm* preliminary.
prélude [prelyd] *nm* prelude.
prématuré [prematyre] *a* premature, untimely.
préméditer [premedite] *vt* to premeditate.
prémices [premis] *nf pl* first fruits.
premier, -ière [prəmje, jɛːr] *a* first, foremost, early, original; — **rôle** leading part, lead; — **venu** first comer, anybody; **du — coup** first shot, at the first attempt; *nm* **au —** first floor; **jeune —** juvenile lead.
première [prəmjɛːr] *nf* first night, first performance, first class, sixth form.
prémisse [premis] *nf* premise, premiss.
prémonition [premɔnisjɔ̃] *nf* premonition.
prémunir [premyniːr] *vt* to (fore) warn; *vr* to provide.
prendre [prɑ̃ːdr] *vt* to take (up, on, in), pick up, grasp, catch, assume; *vi* to freeze, seize, congeal, set, catch on; *vr* to catch, get caught, begin, clutch, cling; **à tout —** on the whole; **bien lui en a pris de partir** it was a good thing for him that he left; **s'en — à** to attack, blame; **se — d'amitié pour** to take a liking to; **cela ne prend pas** that won't take a trick; **s'y prendre** to set about it.
prénom [prenɔ̃] *nm* first name Christian name.
préoccupation [preɔkypasjɔ̃] *nf* preoccupation, anxiety, concern, care.
préoccuper [preɔkype] *vt* to preoccupy, worry, engross; *vr* to attend, see (to **de**).
préparatif [prɛparatif] *nm* preparation.
préparation [prɛparasjɔ̃] *nf* preparing, preparation.
préparatoire [prɛparatwaːr] *a* preparatory.
préparer [prɛpare] *vt* to prepare, get ready, read for; *vr* to get ready, prepare, brew.
prépondérance [prepɔ̃dɛrɑ̃ːs] *nf* preponderance, prevalency.
prépondérant [prepɔ̃dɛrɑ̃] *a* preponderant, predominant; **voix —** casting vote.
préposé [prepoze] *n* person in charge.
préposer [prepoze] *vt* to appoint.
préposition [prepɔzisjɔ̃] *nf* preposition.
prérogative [prerɔgatiːv] *nf* prerogative, privilege.
près [prɛ] *ad* near, near-by, close by; *prep* — **de** near, close to, by, on, about; **à beaucoup —** by far; **à peu —** nearly, about; **à cela —** with

that exception; **de — closely**, at a short distance; **il n'est pas à cent francs — 100 francs more** or less does not matter **to him.**

présage [preza:ʒ] *nm* **presage**, foreboding, omen.

présager [prezaʒe] *vt* **to** presage, predict, portend.

pré-salé [presale] *nm* **mutton**, sheep (fattened in fields **near the** sea).

presbyte [prɛzbit] *a* **long-sighted.**

presbytère [prɛzbitɛ:r] *nm* presbytery, rectory, manse.

prescience [presjɑ̃:s] *nf* prescience, foreknowledge.

prescription [prɛskripsjɔ̃] *nf* prescription, regulation, direction.

prescrire [prɛskri:r] *vt* to prescribe, stipulate, ordain.

préséance [preseɑ̃:s] *nf* precedence, priority.

présence [prezɑ̃:s] *nf* presence, attendance; **faire acte de —** to put in an appearance.

présent [prezɑ̃] *a* present, ready; *nm* present (time or tense), gift.

présentable [prezɑ̃tabl] *a* presentable.

présentation [prezɑ̃tasjɔ̃] *nf* presentation, introduction, get-up.

présenter [prezɑ̃te] *vt* to present, introduce, show; *vr* to introduce oneself, appear, call, arise, occur; **le livre présente bien** the book is attractively got up; **se bien —** to look promising, well.

préservatif, -ive [preservatif, i:v] *a nm* preservative, preventive.

préservation [prezɛrvasjɔ̃] *nf* preservation, protection, saving.

préserver [prezɛrve] *vt* to preserve, protect, save.

présidence [prezidɑ̃:s] *nf* presidency, president's house, chairmanship.

président [prezidɑ̃] *n* president, chairman.

présidentiel, -elle [prezidɑ̃sjɛl] *a* presidential, of the president.

présider [prezide] *vt* to preside over; *vi* to preside, be in the chair.

présomptif, -ive [prezɔ̃ptif, i:v] *a* presumptive, apparent.

présomption [prezɔ̃psjɔ̃] *nf* presumption, presumptuousness.

présomptueux, -euse [presɔ̃ptɥø, ø:z] *a* presumptuous, presuming, forward.

presque [prɛsk] *ad* nearly, almost, hardly.

presqu'île [prɛskil] *nf* peninsula.

pressant [prɛsɑ̃] *a* pressing, urgent.

presse [prɛ:s] *nf* crowd, throng, hurry, press(ing-machine), press, newspapers; **sous —** printing; **heures de — rush hours.**

pressé [prɛse] *a* pressed, squeezed, crowded, hurried, in a hurry, urgent.

pressentiment [presɑ̃timɑ̃] *nm* presentiment, forewarning, feeling.

presser [prɛse] *vt* to press, squeeze, hasten, hurry (on), quicken, beset; *vi* to be urgent, press; *vr* to hurry (up), crowd.

pression [prɛsjɔ̃] *nf* pressure, tension; **bière à la —** draught beer; **bouton —** press-stud.

pressoir [prɛswa:r] *nm* wine-, cider-press.

pressurer [prɛsyre] *vt* to press (out), squeeze.

prestance [prɛstɑ̃:s] *nf* fine presence.

prestation [prɛstasjɔ̃] *nf* loan, lending, prestation; **— de serment** taking an oath.

preste [prɛst] *a* nimble, alert, quick.

prestidigitateur [prɛstidiʒitatœ:r] *nm* conjuror.

prestidigitation [prɛstidiʒitasjɔ̃] *nf* conjuring, sleight of hand.

prestige [prɛsti:ʒ] *nm* prestige, fascination.

prestigieux, -euse [prɛstiʒjø, ø:z] *a* amazing, marvellous, spellbinding.

présumer [prezyme] *vt* to presume, assume; **trop — de** to overrate.

présupposer [presypoze] *vt* to presuppose, take for granted.

prêt [prɛ] *a* ready, prepared; *nm* loan, lending.

prêt-bail [prɛbaj] *nm* lend-lease.

prétendant [prɛtɑ̃dɑ̃] *n* candidate, applicant, claimant; *nm* suitor.

prétendre [prɛtɑ̃:dr] *vt* to claim, require, intend, state, maintain, aspire.

prétendu [prɛtɑ̃dy] *a* alleged, so-called, would-be; *n* intended.

prétentieux, -euse [prɛtɑ̃sjø, ø:z] *a* pretentious, snobbish, conceited.

prétention [prɛtɑ̃sjɔ̃] *nf* pretension, claim, aspiration, self-conceit.

prêter [prɛte] *vt* to lend, ascribe, attribute; *vi* lend itself (to **à**), give scope (for **à**); *vr* to fall in (with **à**), be a party (to **à**), indulge (in **à**).

prêteur, -euse [prɛtœ:r, ø:z] *a* (given to) lending; *n* lender; **— sur gages** pawnbroker.

prétexte [pretɛkst] *nm* pretext, excuse; **sous aucun —** on no account.

prétexter [pretɛkste] *vt* to pretext, plead, make the excuse of.

prêtre [prɛ:tr] *nm* priest.

prêtrise [prɛtri:z] *nf* priesthood.

preuve [prœ:v] *nf* proof, token, evidence; **faire — de** to show, display; **faire ses —s** to survive the test, show what one can do.

prévaloir [prɛvalwa:r] *vi* to prevail; *vr* to avail oneself, take advantage (of **de**).

prévenance [prevnɑ̃:s] *nf* attention, kindness.

prévenant [prevnɑ̃] *a* attentive, considerate, prepossessing.

prévenir [prevni:r] *vt* to prevent, avert, anticipate, inform, warn, tell, prejudice.

prévenu [prevny] *a* prejudiced, biased; *n* accused.
préventif, -ive [prevɑ̃tif, iːv] *a* preventive, deterrent.
prévention [prevɑ̃sjɔ̃] *nf* prejudice, detention.
prévision [previzjɔ̃] *nf* forecast(ing), expectation, anticipation, likelihood.
prévoir [prevwaːr] *vt* to foresee, forecast, provide for.
prévoyance [prevwajɑ̃ːs] *nf* foresight, forethought.
prévoyant [prevwajɑ̃] *a* foreseeing, far-sighted.
prie-Dieu [pridjø] *nm* prayer-stool.
prier [prie] *vt* to pray, beg, request, ask, invite; **sans se faire —** without having to be coaxed, readily; **je vous en prie** please do, don't mention it.
prière [priɛːr] *nf* prayer, entreaty, request; **— de ne pas fumer** please do not smoke.
prieur [priœːr] *n* prior, prioress.
prieuré [priœre] *nm* priory.
primaire [primɛːr] *a* primary.
primat [prima] *nm* primate.
primauté [primote] *nf* primacy, pre-eminence.
prime [prim] *a* first, earliest; *nf* premium, bonus, option, subsidy, reward, free gift; **de — saut** on the first impulse; **faire —** to be at a premium.
primer [prime] *vt* to surpass, outdo, award a prize, bonus to, to give a subsidy, bounty, to.
prime-sautier, -ière [primsotje, jɛːr] *a* impulsive, spontaneous.
primeur [primœːr] *nf* newness, freshness; *pl* early vegetables.
primevère [primvɛːr] *nf* primrose, primula.
primitif, -ive [primitif, iːv] *a* primitive, earliest, original; **les —s** the early masters.
primordial [primɔrdjal] *a* primordial, primeval, of prime importance.
prince [prɛ̃ːs] *nm* prince.
princesse [prɛ̃sɛs] *nf* princess; **aux frais de la —** at the expense of the state, free, gratis.
princier, -ière [prɛ̃sje, jɛːr] *a* princely.
principal [prɛ̃sipal] *a* principal, chief; *nm* chief, head(master), main thing.
principauté [prɛ̃sipote] *nf* principality.
principe [prɛ̃sip] *nm* principle; **sans —s** unscrupulous; **dès le —** from the beginning.
printanier, -ière [prɛ̃tanje, jɛːr] *a* spring(-like).
printemps [prɛ̃tɑ̃] *nm* spring(time).
priorité [priɔrite] *nf* priority.
prise [priːz] *nf* hold, grip, capture, taking, pinch, prize, setting; **— d'air** air-intake; **— d'eau** hydrant, cock; **— de courant** plug; **— de vues** filming, shooting; **donner — à** to leave oneself open to; **en venir aux —s** to come to grips; **lâcher —** to let go.
priser [prize] *vt* to snuff (up), value, prize; *vi* to take snuff.
prisme [prism] *nm* prism.
prison [prizɔ̃] *nf* prison, gaol, imprisonment.
prisonnier, -ière [prizɔnje, jɛːr] *a* captive; *n* prisoner.
privation [privasjɔ̃] *nf* (de)privation, hardship.
privé [prive] *a* private, privy; *nm* private life.
priver [prive] *vt* to deprive; *vr* to deny oneself.
privilège [privilɛːʒ] *nm* privilege, prerogative, preference.
privilégié [privileʒje] *a* privileged, licensed, preference.
prix [pri] *nm* price, prize, reward, value, cost; **— de revient** cost price; **— du trajet** fare; **au — de** at the price of, compared with; **de —** expensive; **attacher beaucoup de — à** to set a high value on.
probabilité [prɔbabilite] *nf* probability, likelihood.
probable [prɔbabl] *a* probable, likely.
probant [prɔbɑ̃] *a* conclusive, convincing.
probe [prɔb] *a* upright, honest.
probité [prɔbite] *nf* integrity, probity.
problématique [prɔblematik] *a* problematical.
problème [prɔblɛm] *nm* problem.
procédé [prɔsede] *nm* process, method, proceeding, conduct, dealing, tip; **bons —s** civilities, fair dealings.
procéder [prɔsede] *vi* to proceed, originate (in **de**), take proceedings.
procédure [prɔsedyːr] *nf* procedure, proceedings.
procès [prɔsɛ] *nm* (legal) action, proceedings, case; **sans autre forme de —** without further ado, at once.
procession [prɔsɛsjɔ̃] *nf* procession.
processus [prɔsɛssyːs] *nm* process, method.
procès-verbal [prɔsɛvɛrbal] *nm* minutes, report, particulars; **dresser un — à qn** to take s.o.'s name and address.
prochain [prɔʃɛ̃] *a* next, nearest, neighbouring, approaching; *n* neighbour.
prochainement [prɔʃɛnmɑ̃] *ad* shortly.
proche [prɔʃ] *a* near, at hand; *ad* near.
proclamation [prɔklamasjɔ̃] *nf* proclamation.
proclamer [prɔklame] *vt* to proclaim, declare.
procréer [prɔkree] *vt* to procreate, beget.

procurer [prɔkyre] *vtr* to procure, get, obtain.
procureur, -atrice [prɔkyrœːr, prɔkyratris] *n* procurator, proxy, agent; *nm* attorney.
prodigalité [prɔdigalite] *nf* prodigality, extravagance, lavishness.
prodige [prɔdiːʒ] *nm* prodigy, marvel.
prodigieux, -euse [prɔdiʒjø, øːz] *a* prodigious.
prodigue [prɔdig] *a* prodigal, lavish, profuse, thriftless; *n* waster, prodigal.
prodiguer [prɔdige] *vt* to be prodigal of, be lavish of, waste; *vr* to strive to please, make o.s. cheap.
producteur, -trice [prɔdyktœːr, tris] *a* productive; *n* producer.
productif, -ive [prɔdyktif, iːv] *a* productive.
production [prɔdyksjɔ̃] *nf* product(ion), generation, yield, output.
productivité [prɔdyktivite] *nf* productivity, productiveness.
produire [prɔdɥiːr] *vt* to produce, bear, yield, bring out, forward; *vr* to occur.
produit [prɔdɥi] *nm* product, produce, takings; — **secondaire** by-product.
proéminence [prɔeminɑ̃ːs] *nf* prominence, protuberance.
profane [prɔfan] *a* profane, lay; *n* layman, outsider.
profaner [prɔfane] *vt* to desecrate, misuse.
proférer [prɔfere] *vt* to utter, speak.
professer [prɔfɛse] *vt* to profess, teach.
professeur [prɔfɛsœːr] *nm* professor, teacher.
profession [prɔfɛsjɔ̃] *nf* profession, occupation, trade.
professionnel, -elle [prɔfɛsjɔnɛl] *an* professional; *a* vocational; **enseignement** — vocational training.
professorat [prɔfɛsɔra] *nm* teaching profession, professorship, body of teachers.
profil [prɔfil] *nm* profile, section.
profiler [prɔfile] *vt* to draw in profile, in section, shape; *vr* to be outlined, stand out.
profit [prɔfi] *nm* profit, advantage, benefit.
profiter [prɔfite] *vi* to profit, be profitable, take advantage (of **de**).
profiteur [prɔfitœːr] *nm* profiteer.
profond [prɔfɔ̃] *a* deep, profound, deep-seated; *nm* depth.
profondeur [prɔfɔ̃dœːr] *nf* depth, profundity.
profusion [prɔfyzjɔ̃] *nf* profusion, abundance.
progéniture [prɔʒenityːr] *nf* progeny, offspring.
programme [prɔgram] *nm* programme, syllabus, curriculum.
progrès [prɔgrɛ] *nm* progress, improvement, headway.
progresser [prɔgrɛse] *vi* to progress, make headway.
progressif, -ive [prɔgrɛsif, iːv] *a* progressive, gradual.
progression [prɔgrɛsjɔ̃] *nf* progress(ion).
prohiber [prɔibe] *vt* to prohibit, forbid.
prohibitif, -ive [prɔibitif, iːv] *a* prohibitive.
proie [prwa] *nf* prey, quarry; **en — à** a prey to.
projecteur [proʒɛktœːr] *nm* projector, searchlight, spotlight.
projectile [proʒɛktil] *nm* projectile, missile.
projection [prɔʒɛksjɔ̃] *nf* projection, throwing out, beam, lantern slide.
projet [prɔʒɛ] *nm* project, scheme, plan, draft; — **de loi** bill.
projeter [prɔʒəte] *vt* to project, throw, plan; *vr* to be thrown, stand out.
prolétaire [prɔletɛːr] *an* proletarian.
prolifique [prɔlifik] *a* prolific.
prolixe [prɔliks] *a* prolix, verbose.
prolixité [prɔliksite] *nf* prolixity, wordiness.
prologue [prɔlɔg] *nm* prologue.
prolongation [prɔlɔ̃gasjɔ̃] *nf* prolongation, protraction, extension; *pl* extra time.
prolongement [prɔlɔ̃ʒmɑ̃] *nm* prolongation, lengthening, extension.
prolonger [prɔlɔ̃ʒe] *vt* to prolong, protract, extend; *vr* to be prolonged, continue.
promenade [prɔmnad] *nf* walk(ing), outing, ramble, public walk; — **en auto** car ride, drive; — **en bateau** sail; **emmener en** — to take for a walk.
promener [prɔmne] *vt* to take for a walk, a sail, a run, take about; *vr* to go for a walk *etc*; **envoyer — qn** to send s.o. about his business.
promeneur, -euse [prɔmnœːr, øːz] *nmf* walker, rambler.
promenoir [prɔm(ə)nwaːr] *nm* lounge, lobby, promenade.
promesse [prɔmɛs] *nf* promise.
prometteur, -euse [prɔmɛtœːr, øːz] *a* promising, full of promise(s).
promettre [prɔmɛtr] *vt* to promise, look promising
promiscuité [prɔmiskɥite] *nf* promiscuity.
promontoire [prɔmɔ̃twaːr] *nm* promontory, headland.
promoteur, -trice [prɔmɔtœːr, tris] *a* promoting; *n* promoter.
promotion [prɔmɔsjɔ̃] *nf* promotion.
prompt [prɔ̃] *a* prompt, quick, hasty, ready.
promptitude [prɔ̃tityd] *nf* promptitude, readiness.
promulguer [prɔmylge] *vt* to promulgate, issue.
prôner [prone] *vt* to praise, extol.
pronom [prɔnɔ̃] *nm* pronoun.

prononcer [prɔnɔ̃se] *vt* to pronounce, say, mention, deliver; *vr* to declare one's opinion, decision, speak out.
prononciation [prɔnɔ̃sjasjɔ̃] *nf* pronunciation, utterance, delivery.
pronostic [prɔnɔstik] *nm* prognostic (ation), forecast.
pronostiquer [prɔnɔstike] *vt* to forecast.
propagande [prɔpagɑ̃:d] *nf* propaganda, publicity.
propagation [prɔpagasjɔ̃] *nf* propagation, spreading
propager [prɔpaʒe] *vtr* to propagate, spread.
propension [prɔpɑ̃sjɔ̃] *nf* propensity.
prophète, prophétesse [prɔfɛ:t, prɔfetɛs] *n* prophet, prophetess.
prophétie [prɔfesi] *nf* prophecy, prophesying.
prophétiser [prɔfetize] *vt* to prophesy, foretell.
propice [prɔpis] *a* propitious, favourable.
proportion [prɔpɔrsjɔ̃] *nf* proportion, ratio; *pl* size; **toute — gardée** within limits.
proportionné [prɔpɔrsjɔne] *a* proportionate, proportioned.
proportionnel, -elle [prɔpɔrsjɔnɛl] *a* proportional.
proportionner [prɔpɔrsjɔne] *vt* to proportion, adapt.
propos [prɔpo] *nm* purpose, remark matter, subject; *pl* talk; **à —** by the way, appropriate(ly), opportune(ly); **mal à —** untimely.
proposer [prɔpoze] *vt* to propose, suggest; *vr* to come forward, propose (to).
proposition [prɔpozisjɔ̃] *nf* proposition, proposal, motion, clause.
propre [prɔpr] *a* own, very; suitable (for **à**); peculiar (to **à**); proper; clean, neat; *nm* characteristic, peculiarity; **au —** in the literal sense.
proprement [prɔprəmɑ̃] *ad* properly, nicely, neatly, appropriately.
propreté [prɔprəte] *nf* clean(li)ness, tidiness.
propriétaire [prɔprietɛ:r] *n* owner, proprietor, landlord, -lady.
propriété [prɔpriete] *nf* property, estate, ownership, propriety.
propulser [prɔpylse] *vt* to propel.
propulseur [prɔpylsœ:r] *a* propelling; *nm* propeller.
propulsion [prɔpylsjɔ̃] *nf* propulsion, drive.
prorogation [prɔrɔgasjɔ̃] *nf* prorogation, delay, extension
proroger [prɔrɔʒe] *vt* to adjourn, extend, delay.
prosaïque [prɔzaik] *a* prosaic, pedestrian.
prosateur, -trice [prɔzatœ:r, tris] *n* prose writer.
proscription [prɔskripsjɔ̃] *nf* proscription, outlawing, banishment.
proscrire [prɔskri:r] *vt* to proscribe, outlaw, banish.
proscrit [prɔskri] *a* outlawed; *n* outlaw.
prose [pro:z] *nf* prose.
prospecter [prɔspɛkte] *vt* to prospect, circularize.
prospectus [prɔspɛkty:s] *nm* prospectus, handbill.
prospère [prɔspɛ:r] *a* prosperous, flourishing, favourable.
prospérer [prɔspere] *vi* to prosper, thrive.
prospérité [prɔsperite] *nf* prosperity.
prosterné [prɔstɛrne] *a* prostrate, prone.
se prosterner [səprɔstɛrne] *vr* to prostrate oneself, grovel.
prostituée [prɔstitɥe] *nf* prostitute, whore.
prostré [prɔstre] *a* prostrate(d), exhausted.
protagoniste [prɔtagɔnist] *nm* protagonist.
protecteur, -trice [prɔtɛktœ:r, tris] *a* protective, patronizing; *n* protector, protectress, patron(ess).
protection [prɔtɛksjɔ̃] *nf* protection, patronage.
protégé [prɔteʒe] *n* protégé(e), ward.
protéger [prɔteʒe] *vt* to protect, patronize, be a patron of.
protéine [prɔtein] *nf* protein.
protestant [prɔtɛstɑ̃] *n* Protestant.
protestation [prɔtɛstasjɔ̃] *nf* protestation, protest.
protester [prɔtɛste] *vti* to protest.
protêt [prɔtɛ] *nm* protest.
protocole [prɔtɔkɔl] *nm* protocol, correct procedure, etiquette.
protubérance [prɔtyberɑ̃:s] *nf* protuberance, projection, bump.
proue [pru] *nf* prow, bows.
prouesse [pruɛs] *nf* prowess, exploit.
prouver [pruve] *vt* to prove, give proof of.
provenance [prɔvnɑ̃:s] *nf* origin, produce; **en — de** coming from.
provençal [prɔvɑ̃sal] *an* Provençal.
Provence [prɔvɑ̃:s] *nf* Provence.
provende [prɔvɑ̃:d] *nf* provender, fodder, supplies.
provenir [prɔvni:r] *vi* to originate, come, arise.
proverbe [prɔvɛrb] *nm* proverb.
proverbial [prɔvɛrbjal] *a* proverbial.
providence [prɔvidɑ̃:s] *nf* providence.
providentiel, -elle [prɔvidɑ̃sjɛl] *a* providential.
province [prɔvɛ̃:s] *nf* province(s).
provincial [prɔvɛ̃sjal] *a* provincial.
proviseur [prɔvizœ:r] *nm* headmaster (of lycée).
provision [prɔvizjɔ̃] *nf* provision, supply, reserve, stock.
provisoire [prɔvizwa:r] *a* temporary, provisional; **à titre —** provisionally, temporarily.
provocant [prɔvɔkɑ̃] *a* provocative.

provocateur, -trice [prɔvɔkatœːr, tris] *a* provocative; *n* instigator, inciter.
provocation [prɔvɔkasjɔ̃] *nf* provocation, instigation, inciting, challenge.
provoquer [prɔvɔke] *vt* to provoke, arouse, cause, incite, challenge.
proxénète [prɔksenɛt] *n* procurer, procuress.
proximité [prɔksimite] *nf* proximity, nearness.
prude [pryd] *a* prudish; *nf* prude.
prudence [prydɑ̃ːs] *nf* prudence, caution, carefulness.
prudent [prydɑ̃] *a* prudent, careful, cautious.
prune [pryn] *nf* plum; **jouer pour des —s** to play for the fun of the thing.
pruneau [pryno] *nm* prune.
prunelle [prynɛl] *nf* sloe, pupil, apple (of eye).
prunier [prynje] *nm* plum-tree.
Prusse [prys] *nf* Prussia.
prussien, -enne [prysjɛ̃, jɛn] *an* Prussian.
psalmodier [psalmɔdje] *vt* to intone, chant, drone; *vi* to chant.
psaume [psoːm] *nm* psalm.
psautier [psotje] *nm* psalter.
pseudonyme [psødɔnim] *a* pseudonymous; *nm* pseudonym, assumed name.
psychanalyse [psikanaliːz] *nf* psychoanalysis.
psyché [psiʃe] *nf* cheval-mirror.
psychiatrie [psikjatri] *nf* psychiatry.
psychique [psiʃik] *a* psychic.
psychologie [psikɔlɔʒi] *nf* psychology.
psychologique [psikɔlɔʒik] *a* psychological.
psychologue [psikɔlɔg] *nm* psychologist.
psychose [psikoːz] *nf* psychosis.
puanteur [pɥɑ̃tœːr] *nf* stink, stench.
puberté [pybɛrte] *nf* puberty.
public, -ique [pyblik] *a nm* public.
publication [pyblikasjɔ̃] *nf* publication, publishing.
publiciste [pyblisist] *nm* publicist.
publicité [pyblisite] *nf* publicity, advertising; **faire de la —** to advertise.
publier [pyblie] *vt* to publish, proclaim.
puce [pys] *nf* flea; **mettre la — à l'oreille de qn** to arouse s.o.'s suspicions, start s.o. thinking.
pucelle [pysɛl] *nf* virgin, maid(en).
pudeur [pydœːr] *nf* modesty, decorousness, decency.
pudibond [pydibɔ̃] *a* prudish, easily shocked.
pudibonderie [pydibɔ̃dri] *nf* prudishness.
pudique [pydik] *a* modest, chaste, virtuous.
puer [pɥe] *vi* to stink, smell.
puéril [pɥeril] *a* puerile, childish.
puérilité [pɥerilite] *nf* puerility, childishness, childish statement.
pugilat [pyʒila] *nm* boxing, fight.
pugiliste [pyʒilist] *nm* pugilist, boxer.
puîné [pɥine] *a* younger.
puis [pɥi] *ad* then, next, afterwards; **et — après** what about it, what next?
puisard [pɥizaːr] *nm* cesspool, sump.
puiser [pɥize] *vt* to draw, take.
puisette [pɥizɛt] *nf* scoop, ladle.
puisque [pɥisk(ə)] *cj* as, since.
puissance [pɥisɑ̃ːs] *nf* power, strength, force.
puissant [pɥisɑ̃] *a* powerful, strong, mighty, potent.
puits [pɥi] *nm* well, shaft, pit, fount.
pulluler [pyllyle] *vi* to multiply rapidly, teem, swarm.
pulmonaire [pylmɔnɛːr] *a* pulmonary.
pulpe [pylp] *nf* pulp.
pulper [pylpe] *vt* to pulp.
pulpeux, -euse [pylpø, øːz] *a* pulpy.
pulsation [pylsasjɔ̃] *nf* pulsation, throb(bing).
pulvérisateur [pylverizatœːr] *nm* pulverizer, atomizer.
pulvériser [pylverize] *vt* to pulverize, grind (down), spray, atomize.
punaise [pynɛːz] *nf* bug, drawing-pin.
punir [pyniːr] *vt* to punish.
punition [pynisjɔ̃] *nf* punishment, punishing.
pupille [pypil] *n* ward; *nf* pupil (of eye).
pupitre [pypiːtr] *nm* desk, stand, rack.
pur [pyːr] *a* pure, clear, sheer, mere, genuine.
purée [pyre] *nf* purée, thick soup, mash; **— de pommes de terre** mashed potatoes; **être dans la —** to be hard-up.
pureté [pyrte] *nf* pureness, purity, clearness.
purgatif, -ive [pyrgatif, iːv] *a nm* purgative.
purgatoire [pyrgatwaːr] *nm* purgatory.
purge [pyrʒ] *nf* purge, purgative, draining, cleaning.
purger [pyrʒe] *vt* to purge, clean (out), cleanse, clear; *vr* to take medicine; **— sa peine** to serve one's sentence.
purificateur, -trice [pyrifikatœːr, tris] *a* purifying, cleansing; *n* purifier, cleanser.
purification [pyrifikasjɔ̃] *nf* purification.
purifier [pyrifje] *vt* to purify, cleanse, refine; *vr* to clear, become pure.
purin [pyrɛ̃] *nm* liquid manure.
puritanisme [pyritanism] *nm* puritanism.

pur-sang [pyrsɑ̃] *nm* thoroughbred.
pus [py] *nm* pus, matter.
pusillanime [pyzillanim] *a* pusillanimous, faint-hearted.
pustule [pystyl] *nf* pustule, pimple.
putain [pytɛ̃] *nf* whore.
putatif, -ive [pytatif, iːv] *a* putative, supposed.
putois [pytwa] *nm* pole-cat, skunk.
putréfaction [pytrɛfaksjɔ̃] *nf* putrefaction.
putréfier [pytrefye] *vtr* to putrefy, rot.
putride [pytrid] *a* putrid, tainted.
pygmée [pigme] *n* pygmy.
pyjama [piʒama] *nm* pyjamas.
pylône [piloːn] *nm* pylon, mast, pole.
pyorrhée [pjɔre] *nf* pyorrhea.
pyramide [piramid] *nf* pyramid.
pyromane [pirɔman] *n* pyromaniac.
python [pitɔ̃] *nm* python.

Q

quadragénaire [kwadraʒenɛːr] *an* quadragenarian.
quadrangulaire [kwadrɑ̃gylɛːr] *a* quadrangular.
quadrilatéral [kwadrilatɛral] *a* quadrilateral.
quadriller [kadrije] *vt* to rule in squares, cross-rule.
quadrupède [kwadrypɛd] *a* four-footed; *nm* quadruped.
quadrupler [kwadryple] *vt* to quadruple.
quai [ke] *nm* quay, wharf, embankment, platform.
qualificatif, -ive [kalifikatif, iːv] *a* qualifying.
qualification [kalifikasjɔ̃] *nf* qualifying, title.
qualifier [kalifje] *vt* to qualify, call, describe.
qualité [kalite] *nf* quality, property, capacity, qualification, rank; **en — de** as, in the capacity of.
quand [kɑ̃] *cj ad* when; **— même** *cj* even if; *ad* all the same.
quant [kɑ̃t] *ad* **— à** as for, as to, as regards.
quantième [kɑ̃tjɛm] *nm* day of the month.
quantité [kɑ̃tite] *nf* quantity, amount, lot.
quarantaine [karɑ̃tɛn] *nf* (about) forty, quarantine.
quarante [karɑ̃ːt] *anm* forty.
quarantième [karɑ̃tjɛm] *anm* fortieth.
quart [kaːr] *nm* quarter, quarter of a litre, watch; **être de —**, to be on watch, on duty.
quarteron [kart(ə)rɔ̃] *an* quadroon.
quartier [kartje] *nm* quarter, part, portion, district, ward, quarters; **— général** headquarters.
quartier-maître [kartjemɛːtr] *nm* quartermaster, leading seaman.
quasi [kazi] *ad* quasi, almost, all but.
quasiment [kazimɑ̃] *ad* as it were.
quatorze [katɔrz] *anm* fourteen, fourteenth.
quatorzième [katɔrzjɛm] *anm* fourteenth.
quatrain [katrɛ̃] *nm* quatrain.
quatre [katr] *anm* four, fourth; **se mettre en quatre,** to do all one can.
quatre-vingt-dix [katrəvɛ̃dis] *anm* ninety.
quatre-vingts [katrəvɛ̃] *anm* eighty.
quatrième [katriɛm] fourth.
quatuor [kwatɥɔːr] *nm (mus)* quartet.
que [k(ə)] *cj* that, but; *ad* than, as, how, how many; **ne . . . que,** only; **(soit) — . . . (soit) — . . . ,** whether . . . or; **qu'il parle,** let him speak; *pr* that, whom, which, what; **qu'est-ce qui? qu'est-ce que?** what?
Québec [kebɛk] *nm* Quebec.
quel, -le [kɛl] *a* what, which, who, what a; **— que** whoever, whatever.
quelconque [kɛlkɔ̃k] *a* any, some, whatever, commonplace, ordinary.
quelque [kɛlk(ə)] *a* some, any; *pl* some, a few; **— . . . qui, que** whatever, whatsoever; *ad* some, about; **— . . . que** *ad* however
quelque chose [kɛlkəʃoːz] *pn* something, anything.
quelquefois [kɛlkəfwa] *ad* sometimes.
quelque part [kɛlkəpaːr] *ad* somewhere.
quelqu'un, quelqu'une [kɛlkœ̃, kɛlkyn] *pn* someone, anyone, one; *pl* some, a few.
quémander [kemɑ̃de] *vi* to beg; *vt* to solicit, beg for.
qu'en dira-t-on [kɑ̃diratɔ̃] *nm* what people will say, gossip.
quenelle [kənɛl] *nf* fish ball, force-meat ball.
quenouille [kənuːj] *nf* distaff.
querelle [kərɛl] *nf* quarrel, row.
quereller [kərɛle] *vt* to quarrel with; *vr* to quarrel.
querelleur, -euse [kərɛlœːr, øːz] *a* quarrelsome; *n* quarreller, wrangler.
question [kɛstjɔ̃] *nf* question, query, matter, point.
questionnaire [kɛstjɔnɛːr] *nm* list of questions.
questionner [kɛstjɔne] *vt* to question.
quête [kɛːt] *nf* search, quest, collection.
quêter [kɛte] *vt* to search for, collect.
queue [kø] *nf* tail, end, train, stalk, stem, rear, queue, file, cue; **finir en — de poisson** to peter out; **piano à —** grand piano; **en, à la —** in the rear.
queue d'aronde [kødarɔ̃ːd] *nf* dovetail.
queue-de-pie [kødpi] *nf* tails, evening dress.
queue-de-rat [kødra] *nf* small taper.
qui [ki] *pn* who, whom, which, that;

— **que** who(so)ever, whom(so)ever; — **que ce soit** anyone; — **est-ce que?** whom?
quiconque [kikɔ̃:k] *pn* who(so)ever, anyone who.
quiétude [kɥietyd, kje] *nf* quietude.
quignon [kiɲɔ̃] *nm* hunk, chunk.
quille [ki:j] *nf* skittle, ninepin, keel.
quincaillerie [kɛ̃kajri] *nf* ironmongery.
quincaillier [kɛ̃kaje] *nm* ironmonger.
quinine [kinin] *nf* quinine.
quinquennal [kɥɛ̃kɥɛnnal] *a* quinquennial, five-year.
quintal [kɛ̃tal] *nm* quintal, 100 kilogrammes.
quinte [kɛ̃:t] *nf* (*mus*) fifth; fit of bad temper; — **de toux** fit of coughing.
quintessence [kɛ̃tɛssɑ̃:s] *nf* quintessence.
quintette [k(ɥ)ɛ̃tɛt] *nm* quintet.
quinteux, -euse [kɛ̃tø, ø:z] *a* fitful, restive, fretful.
quintupler [k(ɥ)ɛ̃typle] *vti* to increase fivefold.
quinzaine [kɛ̃zɛn] *nf* (about) fifteen, fortnight.
quinze [kɛ̃:z] *a nm* fifteen, fifteenth; — **jours** fortnight.
quinzième [kɛ̃zjɛm] *a nm* fifteenth.
quiproquo [kiprɔko] *nm* mistake, misunderstanding.
quittance [kitɑ̃:s] *nf* receipt, discharge.
quitte [kit] *a* quit, rid, free (of); **en être — pour la peur** to get off with a fright; — **à** even though, at the risk of.
quitter [kite] *vt* to quit, leave; **ne quittez pas!** hold the line!
qui-vive [kivi:v] *nm* challenge; **sur le** — on the alert.
quoi [kwa] *pn* what, which; **avoir de — vivre** to have enough to live on; **il n'y a pas de** — don't mention it; **de — écrire** writing materials; **sans** — otherwise; — **qui, que** whatever; — **qu'il en soit** be that as it may; — **que ce soit** anything whatever; **à — bon?** what's the use?
quoique [kwak(ə)] *cj* (al)though.
quolibet [kɔlibɛ] *nm* gibe.
quotidien, -enne [kɔtidjɛ̃, jɛn] *a* daily, everyday; *nm* daily paper.

R

rabâcher [rabɑʃe] *vti* to repeat over and over again.
rabais [rabɛ] *nm* reduction, rebate, allowance; **au** — at a reduced price.
rabaisser [rabese] *vt* to lower, reduce, belittle, humble.
rabat-joie [rabaʒwa] *n* killjoy, spoilsport.
rabatteur, -euse [rabatœ:r, ø:z] *n* tout; *nm* beater.
rabattre [rabatr] *vt* to lower, bring down, turn down, take down, reduce, beat (up); *vi* to turn off; **en** — to climb down; *vr* to fold (down), fall back.
rabbin [rabɛ̃] *nm* rabbi.
rabiot [rabjo] *nm* surplus, buckshee, extra (work).
râble [rɑ:bl] *nm* back, saddle (of hare).
râblé [rɑble] *a* broadbacked, strapping.
rabot [rabo] *nm* plane.
raboter [rabɔte] *vt* to plane, polish.
raboteux, -euse [rabɔtø, øz] *a* rough, bumpy.
rabougrir [rabugri:r] *vt* to stunt; *vir* to become stunted.
rabougrissement [rabugrismɑ̃] *nm* stuntedness.
rabrouer [rabrue] *vt* to scold, rebuke, rebuff, snub.
racaille [rakɑ:j] *nf* rabble, riff-raff, trash.
raccommodage [rakɔmɔda:ʒ] *nm* mend(ing), repair(ing), darn(ing).
raccommodement [rakɔmɔdmɑ̃] *nm* reconciliation.
raccommoder [rakɔmɔde] *vt* to mend, repair, darn, reconcile; *vr* to make it up.
raccord [rakɔ:r] *nm* join, joint, link, connection.
raccorder [rakɔrde] *vt* to join, link up, connect, bring into line; *vr* to fit together.
raccourci [rakursi] *a* short(ened), abridged; **à bras —(s)** with might and main, with a vengeance; *nm* abridgement, foreshortening, short cut; **en** — in miniature, in short.
raccourcir [rakursi:r] *vt* to shorten, curtail, foreshorten; *vir* to grow shorter, draw in.
raccroc [rakro] *nm* fluke.
raccrocher [rakrɔʃe] *vt* to hook up, hang up, get hold of again; *vr* to clutch, catch on, recover, cling.
race [ras] *nf* race, descent, strain, stock, breed; **avoir de la** — to be pure-bred, pedigreed; **bon chien chasse de** — what's bred in the bone comes out in the flesh.
racé [rase] *a* thoroughbred.
rachat [raʃa] *a* repurchase, redemption.
rachetable [raʃtabl] *a* redeemable.
racheter [raʃte] *vt* to repurchase, buy back, redeem, ransom, retrieve, atone for.
rachitique [raʃitik] *a* rachitic, rickety.
racine [rasin] *nf* root.
racisme [rasism] *nm* colour bar, colour prejudice.
raclée [rɑkle] *nf* thrashing.
racler [rɑkle] *vt* to scrape, rake, rasp; **se — la gorge** to clear one's throat.
racloir [rɑklwa:r] *nf* scraper.

racoler [rakɔle] *vt* to recruit, enlist, tout for.
racoleur [rakɔlœːr] *nm* recruiting-sergeant, tout.
racontars [rakɔ̃taːr] *nm pl* gossip, tittle-tattle.
raconter [rakɔ̃te] *vt* to relate, tell (about), recount; *vi* to tell a story; **en** — to exaggerate, spin a yarn
raconteur, -euse [rakɔ̃tœːr, øːz] *n* (story-)teller, narrator.
racornir [rakɔrniːr] *vtr* to harden, toughen.
rade [rad] *nf* roadstead, roads.
radeau [rado] *nm* raft.
radiateur [radjatœːr] *a* radiating; *nm* radiator.
radiation [radjasjɔ̃] *nf* erasure, cancellation, striking off, radiation.
radical [radikal] *a nm* radical.
radier [radje] *vt* to erase, cancel, strike off, radiate.
radieux, -euse [radjø, øːz] *a* radiant, beaming.
radio [radjo] *nf* wireless, X-rays; **par** — broadcast; *nm* wireless message, wireless operator.
radio-actif [radjoaktif, iːv] *a* radio-active.
radio-diffusion [radjɔdifyzjɔ̃] *nf* broadcast(ing).
radiogramme [radjɔgram] *nm* wireless message, X-ray photograph.
radiographie [radjɔgrafi] *nf* radiography.
radiologie [radjɔlɔʒi] *nf* radiology.
radio-reportage [radjɔrəpɔrtaːʒ] *nm* running commentary.
radiotélégraphie [radjɔtelegrafi] *nf* wireless telegraphy.
radiothérapie [radjɔterapi] *nf* radiotherapy.
radis [radi] *nm* radish.
radium [radjɔm] *nm* radium.
radotage [radɔtaːʒ] *nm* drivel, twaddle.
radoter [radɔte] *vi* to drivel, talk nonsense.
radoteur, -euse [radɔtœːr, øːz] *n* dotard.
radoub [radu] *nm* repair, refitting; **en** — in dry dock.
radoucir [radusiːr] *vt* to calm, soften, mollify; *vr* to grow milder.
rafale [rafal] *nf* squall, gust, burst.
raffermir [rafermiːr] *vt* to harden, strengthen, fortify; *vr* to harden, improve, be restored.
raffiné [rafine] *a* refined, subtle, fine, polished.
raffiner [rafine] *vt* to refine; *vi* to be too subtle; *vr* to become refined.
raffinerie [rafinri] *nf* refinery.
raffoler [rafɔle] *vi* to be very fond (of **de**), dote (upon **de**), be mad (on **de**).
rafistoler [rafistɔle] *vt* to patch up, do up.
rafle [rɑːfl] *nf* raid, clean sweep, round-up.
rafler [rɑfle] *vt* to make a clean sweep of, round up, comb out.
rafraîchir [rafrɛʃiːr] *vt* to refresh, cool, freshen up, touch up, trim, brush up; *vr* to turn cooler, have sth to drink, rest.
rafraîchissement [rafrɛʃismɑ̃] *nm* refreshing, cooling, freshening up, brushing up; *pl* refreshments.
ragaillardir [ragajardiːr] *vtr* to cheer up, revive.
rage [raːʒ] *nf* rage, madness, rabies, mania, passion; — **de dents** violent attack of toothache; **faire** — to rage.
rager [raʒe] *vi* to rage; **faire** — **qn** to make s.o. wild.
rageur, -euse [raʒœːr, øːz] *a* hot-tempered, passionate.
ragot [rago] *nm* gossip.
ragoût [ragu] *nm* stew.
rahat-loukoum [raatlukum] *nm* Turkish delight.
raid [rɛd] *nm* raid, long-distance flight, l.-d. run.
raide [rɛd] *a* stiff, taut, unbending, steep; **coup** — stinging blow; **c'est un peu** —! that's a bit thick! — **mort** stone-dead.
raideur [rɛdœːr] *nf* stiffness, tightness, steepness; **avec** — stiffly, arrogantly.
raidir [rɛdiːr] *vt* to stiffen, tighten; *vr* to stiffen, brace oneself, steel oneself.
raie [rɛ] *nf* line, stroke, streak, stripe, parting, ridge, ray, (*fish*) skate.
railler [rɑje] *vt* to jeer at, laugh at; *vi* to joke; *vr* to make fun (of **de**), scoff (at **de**).
raillerie [rɑjri] *nf* raillery, banter, joke.
railleur, -euse [rɑjœːr, øːz] *a* bantering, mocking; *n* joker, scoffer.
rainure [rɛnyːr] *nf* groove, slot, channel.
rais [rɛ] *nm* spoke.
raisin [rɛzɛ̃] *nm* grape; —**s secs** raisins; —**s de Corinthe** currants.
raison [rɛzɔ̃] *nf* reason, motive, right mind, sense(s), satisfaction, ratio; **avoir** — to be right; **avoir** — **de qn, de qch** to get the better of s.o., sth; **se faire une** — to make the best of it; **à** — **de** at the rate of.
raisonnable [rɛzɔnabl] *a* reasonable, fair, adequate.
raisonnement [rɛzɔnmɑ̃] *nm* reasoning, argument.
raisonner [rɛzɔne] *vi* to reason, argue; *vt* to reason with, study.
raisonneur, -euse [rɛzɔnœːr, øːz] *a* reasoning, argumentative; *n* reasoner, arguer.
rajeunir [raʒœniːr] *vt* to rejuvenate, make (s.o. look) younger, renovate; *vi* to get younger.
rajuster [raʒyste] *vt* to readjust, put straight.

râle [rɑːl] *nm* rattle (in the throat).
ralenti [ralɑ̃ti] *a* slow(er); *nm* slow motion; **au —** dead slow; **mettre au —** to slow down, throttle down.
ralentir [ralɑ̃tiːr] *vti* to slacken, slow down.
râler [rɑle] *vi* to rattle, be at one's last gasp, be furious.
ralliement [ralimɑ̃] *nm* rally(ing); **mot de —** password.
rallier [ralje] *vt* to rally, rejoin, win over; *vr* to rally, join.
rallonge [ralɔ̃ːʒ] *nf* extension piece, extra leaf.
rallonger [ralɔ̃ʒe] *vt* to lengthen, let down.
rallye [rali] *nm* race-meeting, rally.
ramage [ramaːʒ] *nm* floral design, warbling, singing.
ramassé [ramɑse] *a* thickset, stocky, compact.
ramasser [ramɑse] *vt* to gather, collect, pick up; *vr* to gather, crouch.
rame [ram] *nf* oar, ream, string, train.
rameau [ramo] *nm* branch, bough; **le dimanche des R—x** Palm Sunday.
ramener [ramne] *vt* to bring back, bring round, reduce, pull down, restore.
ramer [rame] *vi* to row, pull.
rameur [ramœːr] *n* rower, oarsman.
ramier [ramje] *nm* wood pigeon.
ramification [ramifikasjɔ̃] *nf* ramification, branch(ing).
se ramifier [səramifje] *vr* to branch out.
ramollir [ramɔliːr] *vt* to soften, enervate; *vr* to soften, grow soft (-headed).
ramollissement [ramɔlismɑ̃] *nm* softening.
ramoner [ramɔne] *vt* to sweep, rake out.
ramoneur [ramɔnœːr] *nm* (chimney-) sweep.
rampe [rɑ̃ːp] *nf* slope, gradient, handrail, footlights, ramp.
ramper [rɑ̃pe] *vi* to creep, crawl, grovel, cringe.
rancart [rɑ̃kaːr] *nm* **mettre au —** to cast aside.
rance [rɑ̃ːs] *a* rancid.
rancir [rɑ̃siːr] *vi* to become rancid.
rancœur [rɑ̃kœːr] *nf* rancour, bitterness, resentment.
rançon [rɑ̃sɔ̃] *nf* ransom.
rancune [rɑ̃kyn] *nf* rancour, grudge, spite, ill-feeling.
rancunier, -ière [rɑ̃kynje, jɛːr] *a* vindictive, spiteful.
randonnée [rɑ̃dɔne] *nf* tour, run, excursion.
rang [rɑ̃] *nm* row, line, rank, status; **rompre les —s** to disperse, dismiss; **de premier —** first-class.
rangé [rɑ̃ʒe] *a* orderly, well-ordered, steady, staid; **bataille —e** pitched battle.
rangée [rɑ̃ʒe] *nf* row, line.
ranger [rɑ̃ʒe] *vt* to arrange, draw up, put away, tidy, keep back, rank, range; *vr* to draw up, settle down, fall in (with **à**); **se — du côté de** to side with; **se — de côté** to stand aside.
ranimer [ranime] *vt* to revive, rekindle, stir up; *vr* to come to life again.
rapace [rapas] *a* rapacious.
rapacité [rapasite] *nf* rapaciousness.
rapatrier [rapatrie] *vt* to repatriate.
râpe [rɑːp] *nf* rasp, file, grater.
râpé [rɑpe] *a* grated, shabby, threadbare.
râper [rɑpe] *vt* to rasp, grate, wear out.
rapetasser [raptase] *vt* to patch (up).
rapetisser [raptise] *vt* to shorten, make smaller; *vir* to shrink, shorten.
rapide [rapid] *a* rapid, quick, swift, steep; *nm* rapid, express train.
rapidité [rapidite] *nf* rapidity, swiftness, steepness.
rapiécer [rapjese] *vt* to patch.
rapin [rapɛ̃] *nm* (*fam*) art student.
rappareiller [rapareje] *vt* to match.
rapparier [raparje] *vt* to match.
rappel [rapɛl] *nm* recall, call(ing), reminder, repeal.
rappeler [raple] *vt* to recall, call back, remind, repeal; *vr* to recall, remember; **rappelez-moi à son bon souvenir** remember me kindly to him.
rapport [rapɔːr] *nm* return, yield, profit, report, relation, connection, contact; *pl* relations, terms; **en — avec** in keeping with; **par — à** with regard to; **sous ce —** in this respect.
rapporter [rapɔrte] *vt* to bring back, bring in, yield, report, tell tales, revoke, refer; *vr* to agree, tally, fit together, refer, relate; **s'en — à** to rely on, to leave it to, go by.
rapporteur, -euse [rapɔrtœːr, øːz] *n* tale bearer; *nm* reporter, recorder, protractor.
rapproché [raprɔʃe] *a* near, close (-set), related.
rapprochement [raprɔʃmɑ̃] *nm* bringing together, reconciling, comparing, nearness, reconciliation.
rapprocher [raprɔʃe] *vt* to bring together, bring near(er), draw up, compare, reconcile; *vr* to draw near(er), become reconciled.
rapt [rapt] *nm* kidnapping, abduction.
raquette [rakɛt] *nf* racket, snowshoe, prickly pear.
rare [rɑːr] *a* rare, unusual, sparse.
rarement [rarmɑ̃] *ad* seldom, rarely.
rareté [rarte] *nf* rarity, scarcity, unusualness, rare happening, curiosity.
ras [rɑ] *a* close-cropped, close-shaven, bare; **en —e campagne** in the open country; **faire table —e**

de to make a clean sweep of; **à, au — de** level with, flush with, up to.
rasade [razad] *nf* bumper.
rase-mottes [razmɔt] *nm* **voler à —** to hedge-hop.
raser [raze] *vt* to shave, bore, raze to the ground, skim (over, along), hug; *vr* to shave, be bored; **se faire —** to have a shave.
rasoir [razwa:r] *nm* razor; **qu'il est —!** how boring, tiresome he is!
rassasier [rasazje] *vt* to satisfy, satiate, surfeit; *vr* to eat one's fill.
rassemblement [rasɑ̃bləmɑ̃] *nm* assembling, gathering, fall-in, crowd.
rassembler [rasɑ̃ble] *vtr* to assemble, gather together, muster.
rasséréner [raserene] *vt* to clear (up); *vr* to clear up, brighten up.
rassis [rasi] *a* settled, staid, sane, stale.
rassurer [rasyre] *vt* to reassure, strengthen; *vr* to feel reassured, set one's mind at rest.
rat [ra] *nm* rat, miser; **— de bibliothèque** bookworm; **— de cave** exciseman, wax taper; **— d'église** excessively pious person; **— d'hôtel** hotel thief; **mort aux —s** rat-poison.
ratatiné [ratatine] *a* shrivelled, wizened.
rate [rat] *nf* spleen; **ne pas se fouler la —** to take things easy.
raté [rate] *a* miscarried, bungled, muffed; *n* failure, misfire.
râteau [rato] *nm* rake, cue-rest.
râteler [ratle] *vt* to rake up.
râtelier [ratəlje] *nm* rack, denture.
rater [rate] *vi* to miscarry, misfire, fail; *vt* to miss, fail, foozle, muff.
ratière [ratjɛ:r] *nf* rat-trap.
ratifier [ratifje] *vt* to ratify.
ration [rasjɔ̃] *nf* ration, allowance.
rationnel, -elle [rasjɔnɛl] *a* rational.
rationnement [rasjɔnmɑ̃] *nm* rationing.
rationner [rasjɔne] *vt* to ration (out).
ratisser [ratise] *vt* to rake.
ratissoire [ratiswa:r] *nf* rake, hoe, scraper.
rattacher [rataʃe] *vt* to (re)fasten, tie up, bind, connect; *vr* to be connected (with **à**), fastened (to **à**).
rattraper [ratrape] *vt* to recapture, catch (again, up), overtake, recover; *vr* to save oneself, recoup oneself, make it up.
rature [raty:r] *nf* erasure.
raturer [ratyre] *vt* to erase, cross out.
rauque [ro:k] *a* raucous, hoarse, harsh.
ravage [rava:ʒ] *nm* (*usu pl*) havoc.
ravager [ravaʒe] *vt* to devastate, lay waste.
ravaler [ravale] *vt* to swallow (again, down), disparage, roughcast; *vr* to lower oneself; **— ses paroles** to eat one's words.
ravauder [ravode] *vt* to mend, darn.
ravi [ravi] *a* delighted, overjoyed, enraptured.
ravigoter [ravigɔte] *vtr* to revive, buck up.
ravin [ravɛ̃] *nm* ravine.
raviner [ravine] *vt* to gully, cut up, rut.
ravir [ravi:r] *vt* to ravish, carry off, enrapture, delight; **à —** ravishingly, delightfully.
se raviser [səravize] *vr* to change one's mind.
ravissant [ravisɑ̃] *a* lovely, delightful, bewitching, ravishing.
ravitaillement [ravitajmɑ̃] *nm* revictualling, supply(ing); **service du —** Army Service Corps.
ravitailler [ravitaje] *vtr* to revictual; *vt* to supply.
ravitailleur [ravitajœ:r] *nm* carrier, supply-ship.
raviver [ravive] *vtr* to revive, brighten.
rayer [rɛje] *vt* to scratch, rule, stripe, delete, strike off.
rayon [rɛjɔ̃] *nm* ray, beam, radius, drill, row, shelf, counter, department; **— visuel** line of sight; **— de miel** honeycomb; **chef de —** shop-walker, buyer.
rayonne [rɛjɔn] *nf* rayon.
rayonnement [rɛjɔnmɑ̃] *nm* radiation, radiance.
rayonner [rɛjɔne] *vi* to radiate, beam, be radiant.
rayure [rɛjy:r] *nf* scratch, stripe, erasure, striking off.
raz [ra] *nm* strong current; **— de marée** tide-race, tidal wave.
ré [re] *nm* the note D, D string.
réactif [reaktif, i:v] *a* **papier —** litmus paper.
réacteur [reaktœ:r] *nm* reactor, (*aut*) choke.
réaction [reaksjɔ̃] *nf* reaction; **avion à —** jet-plane.
réactionnaire [reaksjɔnɛ:r] *an* reactionary.
réagir [reaʒi:r] *vi* to react.
réalisation [realizasjɔ̃] *nf* realization, carrying into effect, selling out.
réaliser [realize] *vt* to realize, carry out, sell out; *vr* to materialize, be realized.
réalisme [realism] *nm* realism.
réaliste [realist] *a* realistic; *n* realist.
réalité [realite] *nf* reality.
réarmement [rearməmɑ̃] *nm* re-arming, refitting.
réassurer [reasyre] *vt* to reassure, reinsure.
rébarbatif, -ive [rebarbatif, i:v] *a* forbidding, grim, crabbed, repulsive.
rebattre [rəbatr] *vt* to beat again, reshuffle; **— les oreilles à qn** to repeat the same thing over and over again to s.o.
rebattu [rəbaty] *a* hackneyed, trite.
rebelle [rəbɛl] *a* rebellious, obstinate; *n* rebel.

rébellion [rebɛljɔ̃] *nf* rebellion, rising.
reboiser [rəbwɑze] *vt* to retimber, (re)afforest.
rebondi [rəbɔ̃di] *a* plump, chubby, rounded.
rebondir [rəbɔ̃diːr] *vi* to rebound, bounce, start up all over again.
rebord [rəbɔːr] *nm* edge, hem, border, rim, flange.
rebours [rəbuːr] *nm* wrong way, contrary; **à, au** — against the grain, backwards, the wrong way.
rebouteur [rəbutœːr] *nm* bone-setter.
rebrousse-poil [rəbruspwal] *ad* **à** — the wrong way, against the nap or hair.
rebuffade [rəbyfad] *nf* rebuff.
rébus [rebyːs] *nm* puzzle, riddle.
rebut [rəby] *nm* scrap, waste, rubbish, scum; *pl* rejects; **bureau des —s** returned-letter office.
rebutant [rəbytɑ̃] *a* discouraging, irksome, repulsive, forbidding
rebuter [rəbyte] *vt* to rebuff, repulse, discourage; *vr* to become discouraged, jib.
récalcitrant [rekalsitrɑ̃] *a* recalcitrant, refractory.
recaler [rəkale] *vt* to fail.
récapituler [rekapityle] *vt* to recapitulate.
recéler [rəsele] *vt* to conceal, hide, receive (stolen goods).
receleur, -euse [rəslœːr, øːz] *n* receiver, fence.
récemment [resamɑ̃] *ad* recently, lately.
recensement [rəsɑ̃smɑ̃] *nm* census, counting.
recenser [rəsɑ̃se] *vt* to take the census of, count, check off.
récent [resɑ̃] *a* recent, fresh, late.
récépissé [resepise] *nm* receipt.
réceptacle [resɛptakl] *nm* receptacle.
récepteur, -trice [resɛptœːr, tris] *a* receiving; *nm* receiver.
réception [resɛpsjɔ̃] *nf* receipt, reception, admission, welcome, receiving desk; **accuser — de** to acknowledge receipt of; **avis, (accusé) de** — advice (acknowledgement) of delivery; **jour de** — at-home day.
recette [rəsɛt] *nf* receipt(s), takings, gate-money, recipe.
receveur, -euse [rəsəvœːr, øːz] *n* receiver, addressee, tax-collector, conductor, -tress; — **des Postes** postmaster.
recevoir [rəsəvwaːr] *vt* to receive, get, entertain, welcome, take in (*boarders*), accept, admit; *vi* be at home.
rechange [rəʃɑ̃ːʒ] *nm* replacement, spare, change, refill; *a* **de** — spare.
réchapper [reʃape] *vi* to escape, recover.
recharger [rəʃarʒe] *vt* to recharge, reload.
réchaud [reʃo] *nm* portable stove, (gas-)ring, hot-plate.
réchauffé [reʃofe] *nm* warmed-up dish, rehash.
réchauffer [reʃofe] *vt* to reheat, warm up, stir up.
rêche [rɛʃ] *a* harsh, rough, crabbed, sour.
recherche [rəʃɛrʃ] *nf* search, pursuit, studied refinement; *pl* research.
recherché [rəʃɛrʃe] *a* in great demand, choice, mannered, affected, studied.
rechercher [rəʃɛrʃe] *vt* to search (for, into), seek.
rechigner [rəʃiɲe] *vi* to look surly, jib (at **à, devant**).
rechute [rəʃyt] *nf* relapse.
récidiver [residive] *vi* to offend again, recur.
récidiviste [residivist] *n* old offender.
récif [resif] *nm* reef.
récipient [resipjɑ̃] *nm* receiver, container, vessel.
réciprocité [resiprɔsite] *nf* reprocity.
réciproque [resiprɔk] *a* reciprocal, mutual; *nf* the like.
réciproquement [resiprɔkmɑ̃] *ad* reciprocally, vice-versa, mutually.
récit [resi] *nm* recital, account, story, narrative.
récitation [resitasjɔ̃] *nf* reciting, recitation.
réciter [resite] *vt* to recite, say.
réclamation [reklɑmasjɔ̃] *nf* complaint, claim.
réclame [reklɑːm] *nf* publicity, advertising, advertisement, sign.
réclamer [reklɑme] *vi* to complain, protest; *vt* to claim, demand back, beg for, call (out) for; *vr* — **de qn** to quote s.o. as one's authority, to use s.o.'s name.
reclus [rəkly] *n* recluse.
réclusion [reklyzjɔ̃] *nf* reclusion, seclusion.
recoin [rəkwɛ̃] *nm* nook, recess.
récolte [rekɔlt] *nf* harvest(ing), crop(s).
récolter [rekɔlte] *vt* to harvest, gather (in).
recommandation [rəkɔmɑ̃dasjɔ̃] *nf* recommendation, advice; **lettre de** — letter of introduction, testimonial.
recommander [rəkomɑ̃de] *vt* to (re)commend, advise, register.
recommencer [rəkɔmɑ̃se] *vti* to recommence, begin again.
récompense [rekɔ̃pɑ̃ːs] *nf* recompense, reward, prize.
récompenser [rekɔ̃pɑ̃se] *vt* to recompense, reward, requite.
réconciliation [rekɔ̃siljasjɔ̃] *nf* reconciliation.
réconcilier [rekɔ̃silje] *vt* to reconcile; *vr* to make it up, make one's peace, become friends again.
reconduire [rəkɔ̃dɥiːr] *vt* to accompany back, escort, see home, show out.

réconfort [rekɔ̃fɔ:r] *nm* comfort, consolation.
réconforter [rekɔ̃fɔrte] *vt* to comfort, console, fortify, refresh; *vr* to cheer up.
reconnaissance [rəkɔnɛsɑ̃:s] *nf* recognition, acknowledgment, admission, reconnoitring, reconnaissance, gratitude, thankfulness.
reconnaissant [rəkɔnɛsɑ̃] *a* grateful, thankful.
reconnaître [rəkɔnɛ:tr] *vt* to recognize, acknowledge, reconnoitre; *vr* to acknowledge, get one's bearings; **ne plus s'y** — to be quite lost, bewildered.
reconstituant [rəkɔ̃stitɥɑ̃] *a nm* restorative.
record [rəkɔ:r] *nm* record.
recourbé [rəkurbe] *a* bent (back, down, round), curved, crooked.
recourir [rəkuri:r] *vi* to run (again, back), have recourse (to **à**), appeal (to **à**).
recours [rəku:r] *nm* recourse, resort, claim, appeal.
recouvrement [rəkuvrəmɑ̃] *nm* recovery, collection, recovering, cover (ing), overlapping.
recouvrer [rəkuvre] *vt* to recover, regain, collect.
recouvrir [rəkuvri:r] *vt* to recover, cover (over), overlap; *vr* to become overcast.
récréation [rekreasjɔ̃] *nf* recreation, amusement, relaxation, playtime; **cour de** — playground; **en** — at play.
récréer [rekree] *vt* to enliven, refresh, entertain, amuse; *vr* to take some recreation.
se récrier [sərekrie] *vr* to cry out, exclaim, protest.
récriminer [rekrimine] *vi* to recriminate.
se recroqueviller [sərəkrɔkvije] *vr* to curl (up, in), shrivel (up).
recru [rəkry] *a* — **de fatigue** worn out, dead tired.
recrudescence [rəkrydɛssɑ̃:s] *nf* recrudescence.
recrue [rəkry] *nf* recruit.
recruter [rəkryte] *vt* to recruit, enlist.
rectangle [rɛktɑ̃:gl] *a* right-angled; *nm* rectangle.
rectangulaire [rɛktɑ̃gylɛ:r] *a* rectangular.
recteur [rɛktœ:r] *nm* rector.
rectification [rɛktifikasjɔ̃] *nf* rectification, rectifying, straightening, (re)adjustment.
rectifier [rɛktifje] *vt* to rectify, straighten, adjust.
rectiligne [rɛktiliɲ] *a* rectilinear.
rectitude [rɛktityd] *nf* straightness, rectitude.
reçu [rəsy] *pp* of **recevoir**; *nm* receipt.
recueil [rəkœ:j] *nm* collection.
recueillement [rəkœjmɑ̃] *nm* meditation, composure, concentration.
recueilli [rəkœji] *a* meditative, rapt, concentrated, still.
recueillir [rəkœji:r] *vt* to gather, collect, take in; *vr* to collect one's thoughts, commune with oneself.
recul [rekyl] *nm* recoil, backward movement, room to move back.
reculade [rəkylad] *nf* backward movement, withdrawal.
reculé [rəkyle] *a* remote.
reculer [rəkyle] *vi* to move back, draw back; *vt* to move back, postpone.
reculons [rəkylɔ̃] *ad* **à** — backwards.
récupérer [rekypere] *vt* to recover, recoup, salvage; *vr* to recuperate.
récurer [rekyre] *vt* to scour.
récuser [rekyze] *vt* to challenge, take exception to; *vr* to refuse to give an opinion, disclaim competence, decline.
rédacteur, -trice [redaktœ:r, tris] *n* writer, editor.
rédaction [redaksjɔ̃] *nf* writing, editing, editorial staff, newspaper office, composition, wording.
reddition [rɛddisjɔ̃] *nf* surrender.
rédempteur, -trice [redɑ̃ptœ:r, tris] *a* redeeming; *n* redeemer.
rédemption [redɑ̃psjɔ̃] *nf* redemption.
redevable [rədvabl] *a* indebted, obliged.
redevance [rədvɑ̃:s] *nf* rent, tax, due.
rédiger [rediʒe] *vt* to draft, write, edit.
redingote [rədɛ̃gɔt] *nf* frock-coat.
redire [rədi:r] *vt* to repeat; **trouver à** — **à** to find fault with.
redite [rədit] *nf* repetition.
redondance [rədɔ̃dɑ̃:s] *nf* redundance.
redoubler [rəduble] *vt* to redouble, reline, repeat (*a class*); *vi* to redouble.
redoutable [rədutabl] *a* formidable.
redoute [rədut] *nf* redoubt.
redouter [rədute] *vt* to dread.
redressement [rədrɛsmɑ̃] *nm* setting up again, righting, rectifying, straightening, redress.
redresser [rədrɛse] *vt* to set upright again, right, rectify, straighten; *vr* to sit up again, draw oneself up, right oneself.
réductible [redyktibl] *a* reducible.
réduction [redyksjɔ̃] *nf* reduction, cut, conquest.
réduire [redɥi:r] *vt* to reduce; *vr* to be reduced, confine oneself to, boil down.
réduit [redɥi] *nm* retreat, hovel, redoubt.
rééducation [reedykasjɔ̃] *nf* **centre de** — probation centre, borstal.
réel, -elle [reɛl] *a* real, actual; *nm* reality.

réexpédier [reekspedje] *vt* to forward, retransmit.
réfaction [refaksjɔ̃] *nf* rebate, allowance.
refaire [rəfɛːr] *vt* to remake, do again, make again, repair, take in; *vr* to recuperate.
réfection [refɛksjɔ̃] *nf* remaking, repairing.
réfectoire [refɛktwaːr] *nm* dining-hall.
référence [referɑ̃ːs] *nf* reference.
référer [refere] *vt* to refer, ascribe; *vir* to refer (to **à**).
refiler [rəfile] *vt* to fob off, pass on.
réfléchi [refleʃi] *a* thoughtful, considered, reflexive.
réfléchir [refleʃiːr] *vt* to reflect, throw back; *vi* to reflect, consider; *vr* to be reflected.
reflet [rəflɛ] *nm* reflection, gleam.
refléter [rəflete] *vt* to reflect, throw back.
réflexe [reflɛks] *a nm* reflex.
réflexion [reflɛksjɔ̃] *nf* reflection, thought, remark.
refluer [rəflye] *vi* to ebb, surge back.
reflux [rəfly] *nm* ebb(-tide), surging back
refondre [rəfɔ̃ːdr] *vt* to recast, reorganize.
refonte [rəfɔ̃ːt] *nf* recasting, reorganization.
réformateur, -trice [refɔrmatœːr, tris] *a* reforming; *n* reformer.
réformation [refɔrmasjɔ̃] *nf* reformation.
réforme [refɔrm] *nf* reform, reformation, discharge.
réformer [refɔrme] *vt* to reform, discharge (as unfit).
réformé [refɔrme] *n* protestant, disabled soldier.
refoulement [rəfulmɑ̃] *nm* forcing back, repression.
refouler [rəfule] *vt* to drive back, repress.
réfractaire [refraktɛːr] *an* refractory, insubordinate.
réfracter [refrakte] *vt* to refract; *vr* to be refracted.
refrain [rəfrɛ̃] *nm* refrain, theme, chorus.
refréner [rəfrene] *vt* to restrain, curb.
réfrigérant [refriʒerɑ̃] *nm* refrigerator, cooler.
réfrigérer [refriʒere] *vt* to refrigerate, cool, chill.
refroidir [rəfrwadiːr] *vt* to chill, cool, damp; *vir* to grow cold, cool down.
refroidissement [rəfrwadismɑ̃] *nm* cooling (down), chill.
refuge [rəfyːʒ] *nm* shelter, refuge, traffic island.
réfugié [refyʒje] *n* refugee.
se réfugier [sərefyʒje] *vr* to take refuge.
refus [rəfy] *nm* refusal; **ce n'est pas de** — it is not to be refused.
refuser [rəfyze] *vtr* to refuse; *vt* to reject, fail, turn away, grudge.
réfuter [refyte] *vt* to refute, disprove.
regagner [rəgaɲe] *vt* to regain, recover, get back to.
regain [rəgɛ̃] *nm* aftercrop, renewal, fresh lease.
régal [regal] *nm* feast, treat.
régaler [regale] *vt* to entertain, treat.
regard [rəgaːr] *nm* look, glance, gaze; **au — de** compared with; **en — de** opposite.
regardant [rəgardɑ̃] *a* particular, mean, stingy.
regarder [rəgarde] *vt* to look at, consider, concern, watch; *vi* to look (on to **sur**), be particular (about **à**).
régate [regat] *nf* regatta, boater.
régence [reʒɑ̃ːs] *nf* regency, fob chain, necktie.
régénérer [reʒenere] *vt* to regenerate.
régent [reʒɑ̃] *n* regent, governor.
régenter [reʒɑ̃te] *vt* to lord it over, domineer.
régie [reʒi] *nf* management, stewardship, excise.
regimber [rəʒɛ̃be] *vi* to kick, jib (at **contre**).
régime [reʒim] *nm* diet, government, administration, system, rules, flow, bunch, object.
régiment [reʒimɑ̃] *nm* regiment.
région [reʒjɔ̃] *nf* region, district.
régional [reʒjɔnal] *a* regional, local.
régir [reʒiːr] *vt* to govern, manage.
régisseur [reʒisœːr] *nm* agent, steward, stage-manager.
registre [rəʒistr] *nm* register, account-book.
réglage [reglaːʒ] *nm* ruling, adjusting, turning.
règle [rɛgl] *nf* rule, ruler; **en —** in order; *pl* menses, period.
réglé [regle] *a* ruled, regular, steady.
règlement [rɛgləmɑ̃] *nm* regulation, settlement, rule.
réglementaire [rɛgləmɑ̃tɛːr] *a* statutory, regulation.
réglementer [rɛgləmɑ̃te] *vt* to make rules for, regulate.
régler [regle] *vt* to rule, order, adjust, settle; *vr* to model oneself (on **sur**).
réglisse [reglis] *nf* liquorice.
règne [rɛɲ] *nm* reign, sway, kingdom.
régner [reɲe] *vi* to reign, prevail.
regorger [rəgɔrʒe] *vt* to disgorge; *vi* to overflow (with **de**), abound (in **de**).
régression [regrɛsjɔ̃] *nf* regression, recession, drop.
regret [rəgrɛ] *nm* regret, sorrow; **à —** regretfully; **être au — (de)** to be sorry.
regretter [rəgrɛte] *vt* to regret, be sorry (for), miss.
régulariser [regylarize] *vt* to regularize, put in order.

régularité [regylarite] *nf* regularity, steadiness, punctuality.
régulateur, -trice [regylatœːr, tris] *a* regulating; *nm* regulator, governor, throttle.
régulier, -ière [regylje, ɛːr] *a* regular, steady, punctual.
réhabiliter [reabilite] *vt* to rehabilitate, discharge.
rehausser [rəose] *vt* to raise, heighten, enhance, accentuate, bring out.
rein [rɛ̃] *nm* kidney; *pl* back.
reine [rɛn] *nf* queen.
reine-claude [rɛnkloːd] *nf* greengage.
réintégrer [reɛ̃tegre] *vt* to reinstate, take up again.
réitérer [reitere] *vt* to repeat, reiterate.
rejaillir [rəʒajiːr] *vi* to gush out, be reflected come back (upon **sur**).
rejet [rəʒɛ] *nm* rejection, throwing up (out).
rejeter [rəʒ(ə)te] *vt* to reject, throw (back, out); *vr* to fall back (on **sur**).
rejeton [rəʒtɔ̃] *nm* shoot, offspring.
rejoindre [reʒwɛ̃ːdr] *vt* to (re)join, overtake; *vr* to meet (again).
réjouir [reʒwiːr] *vt* to delight, hearten, amuse; *vr* to rejoice, be delighted.
réjouissance [reʒwisɑ̃ːs] *nf* rejoicing, merrymaking.
relâche [rəlɑːʃ] *nm* relaxation, respite, no performance; *nf* (port of) call.
relâchement [rəlɑʃmɑ̃] *nm* slackening, relaxing, relaxation, looseness.
relâcher [rəlɑʃe] *vt* to slacken, loosen, relax, release; *vr* to slacken, get loose, abate, grow lax, milder.
relais [rəlɛ] *nm* relay, stage, shift, posting-house.
relancer [rəlɑ̃se] *vt* to throw back; to go after (s.o.); to be at (s.o.); restart.
relater [rəlate] *vt* to relate, report.
relatif, -ive [rəlatif, iːv] *a* relative, relating (to **à**).
relation [rəlasjɔ̃] *nf* relation, contact, connection, account.
relaxer [rəlakse] *vt* to release; *vr* to relax.
relayer [rəlɛje] *vt* to relay, relieve; *vi* to change horses.
relent [rəlɑ̃] *nm* stale smell, mustiness.
relève [rəlɛːv] *nf* relief, changing (of guard).
relevé [rəlve] *a* lofty, spicy; *nm* statement, account.
relever [rəlve] *vt* to raise up (again), turn up, pick up, relieve, set off, point out; *vi* to be dependent (on **de**); *vr* to rise (again), recover.
relief [rəljɛf] *nm* relief, prominence.
relier [rəlje] *vt* to bind (again), join, connect.
relieur, -euse [rəljœːr, øːz] *n* bookbinder.
religieux, -euse [rəliʒjø, øːz] *a* religious; *n* monk, nun.
religion [rəliʒjɔ̃] *nf* religion.
reliquaire [rəlikɛːr] *nm* shrine.
reliquat [rəlika] *nm* remainder, after-effects.
relique [rəlik] *nf* relic.
reliure [rəljyːr] *nf* (book)binding.
reluire [rəlɥiːr] *vi* to shine, gleam.
reluquer [rəlyke] *vt* to eye.
remailler [rəmɑje] *vt* to remesh, mend.
remanier [rəmanje] *vt* to rehandle, recast.
remarquable [rəmarkabl] *a* remarkable (for **par**).
remarque [rəmark] *nf* remark.
remarquer [rəmarke] *vt* to remark, notice.
rembarrer [rɑ̃bare] *vt* to tell off, snub.
remblai [rɑ̃blɛ] *nm* embankment.
rembourrer [rɑ̃bure] *vt* to stuff, pad.
rembourser [rɑ̃burse] *vt* to refund, repay.
rembrunir [rɑ̃bryniːr] *vtr* to darken, become sad; *vt* to sadden.
remède [rəmɛd] *nm* remedy, cure.
remédier [rəmedje] *vt* — **à** to remedy.
remembrement [rəmɑ̃brəmɑ̃] *nm* reallocation of land.
remémorer [rəmemɔre] *vt* to remind (of); *vr* to remember.
remerciement [rəmɛrsimɑ̃] *nm* thanks.
remercier [rəmɛrsje] *vt* to thank, dismiss, decline.
remettre [rəmɛtr] *vt* to put back (again), hand (over, in), remit, postpone; *vr* to recover, begin; **s'en — à qn** to rely on s.o., leave it to s.o.
remise [rəmiːz] *nf* putting back, off, remittance, delivery, rebate, shed.
rémission [remisjɔ̃] *nf* remission, pardon.
remonter [rəmɔ̃te] *vt* to go up (again), carry up, pull up, wind up, buck up; *vi* to go up again, remount, go back (to **à**); *vr* to cheer up, regain strength.
remonte-pente [rəmɔ̃tpɑ̃ːt] *nm* ski-lift.
remontoir [rəmɔ̃twaːr] *nm* winder, key.
remontrance [rəmɔ̃trɑ̃ːs] *nf* remonstrance.
remontrer [rəmɔ̃tre] *vt* to show again; **en — à** to remonstrate with, outdo.
remords [rəmɔːr] *nm* remorse.
remorque [rəmɔrk] *nf* tow(ing), tow-line, trailer.
remorqueur [rəmɔrke] *nm* tug (-boat).
rémouleur [remulœːr] *nm* knife-grinder.
remous [rəmu] *nm* eddy, backwash.
rempart [rɑ̃paːr] *nm* rampart.

remplaçant [rɑ̃plasɑ̃] *n* substitute.
remplacement [rɑ̃plasmɑ̃] *nm* replacing, substitution.
remplacer [rɑ̃plase] *vt* to replace, deputize for.
rempli [rɑ̃pli] *nm* tuck.
remplir [rɑ̃pliːr] *vtr* to fill (up, in); *vt* fulfil, occupy.
remporter [rɑ̃pɔrte] *vt* to carry away, gain, win.
remuant [rəmɥɑ̃] *a* stirring, restless.
remue-ménage [rəmymenaːʒ] *nm* bustle, stir.
remuer [rəmɥe] *vti* to move, stir.
rémunérateur, -trice [remyneratœːr, tris] *a* remunerative, paying.
rémunération [remynerasjɔ̃] *nf* remuneration.
renâcler [rənɑkle] *vi* to snort, hang back.
renaissance [rənɛsɑ̃ːs] *nf* rebirth, revival.
renaître [rənɛːtr] *vi* to be born again, revive, reappear.
renard [rənaːr] *n* fox, vixen.
renchérir [rɑ̃ʃeriːr] *vt* to raise the price of; *vi* to rise in price, outbid, outdo.
rencontre [rɑ̃kɔ̃ːtr] *nf* meeting, encounter, collision, occasion; **de** — chance.
rencontrer [rɑ̃kɔ̃tre] *vt* to meet (with), run across; *vr* to meet, collide, agree.
rendement [rɑ̃dmɑ̃] *nm* yield, output, profit, efficiency.
rendez-vous [rɑ̃devu] *nm* appointment, meeting-place.
rendre [rɑ̃ːdr] *vt* to give back (up, out), yield, deliver, surrender, make; *vr* to proceed, go, surrender, yield.
rêne [rɛn] *nf* rein.
renégat [rənɛga] *n* renegade.
renfermé [rɑ̃fɛrme] *a* uncommunicative, reticent; *nm* musty smell.
renfermer [rɑ̃fɛrme] *vt* to shut up (again), lock up, include, contain.
renfler [rɑ̃fle] *vti* to swell (out).
renflouer [rɑ̃flue] *vt* to refloat.
renfoncement [rɑ̃fɔ̃smɑ̃] *nm* cavity, recess, knocking in.
renfoncer [rɑ̃fɔ̃se] *vt* to drive in, pull down.
renforcer [rɑ̃fɔrse] *vt* to reinforce, strengthen; *vir* to become stronger.
renfort [rɑ̃fɔːr] *nm* reinforcement(s).
se renfrogner [sərɑ̃frɔɲe] *vr* to frown, scowl.
rengaine [rɑ̃gɛːn] *nf* old story, old refrain, catchword.
rengainer [rɑ̃gɛne] *vt* to sheathe.
se rengorger [sərɑ̃gɔrʒe] *vr* to puff oneself out, swagger.
renier [rənje] *vt* to disown, repudiate.
renifler [rənifle] *vti* to sniff.
renne [rɛn] *nm* reindeer.
renom [rənɔ̃] *nm* renown, fame, repute.
renommé [rənɔme] *a* celebrated, famous.
renommée [rənɔme] *nf* fame, good name.
renoncement [rənɔ̃smɑ̃] *nm* renouncing, self-denial.
renoncer [rənɔ̃se] *vt* to renounce.
renoncule [rənɔ̃kyl] *nf* buttercup.
renouer [rənwe] *vt* to join again; to resume, renew.
renouveau [rənuvo] *nm* springtime, renewal.
renouveler [r(ə)nuvle] *vt* to renew, renovate; *vr* to be renewed, recur.
rénovation [renɔvasjɔ̃] *nf* renovation, revival.
renseignement [rɑ̃sɛɲmɑ̃] *nm* (piece of) information.
renseigner [rɑ̃sɛɲe] *vt* to inform; *vr* to inquire (about **sur**), find out.
rente [rɑ̃ːt] *nf* unearned income, pension.
rentier, -ière [rɑ̃tje, jɛːr] *n* person of private means, stock-holder.
rentrée [rɑ̃tre] *nf* return, reopening, gathering (in).
rentrer [rɑ̃tre] *vt* to bring (take, get, pull) in; *vi* to come (go) in (again), come (go) home, reopen.
renverse [rɑ̃vɛrs] *nf* change, turn; **à la** — backwards.
renversement [rɑ̃vɛrsəmɑ̃] *nm* overturning, overthrow, reversal, inversion.
renverser [rɑ̃vɛrse] *vt* to knock over (down), overthrow, spill, reverse, invert, flabbergast; *vr* to overturn, recline.
renvoi [rɑ̃vwa] *nm* sending back, reflecting, dismissal, reference, putting off, belch.
renvoyer [rɑ̃vwaje] *vt* to send back, reflect, dismiss, refer, defer.
repaire [rəpɛːr] *nm* lair, den, haunt.
repaître [rəpɛːtr] *vtr* to feed.
répandre [repɑ̃ːdr] *vt* to spread, pour out, shed, scatter; *vr* to (be) spread, spill.
répandu [repɑ̃dy] *a* widespread, well-known.
réparation [reparasjɔ̃] *nf* repair(ing), reparation, amends.
réparer [repare] *vt* to mend, repair, redress, restore.
repartie [rəparti] *nf* repartee, retort.
repartir [rəpartiːr] *vi* to set out again, retort.
répartir [rəpartiːr] *vi* to distribute, divide, allot.
répartition [repartisjɔ̃] *nf* distribution, sharing out, allotment.
repas [rəpɑ] *nm* meal.
repasser [rəpɑse] *vt* to pass again, cross again, go over, iron, sharpen; *vi* to pass again, call back.
repêcher [rəpɛʃe] *vt* to fish out (again), pick up, rescue; *vr* to get another chance (examination).
repentir [rəpɑ̃tiːr] *nm* repentance; *vr* to repent, rue.
répercussion [repɛrkysjɔ̃] *nf* repercussion.

répercuter [reperkyte] *vtr* to reverberate, reflect.
repère [rəpɛ:r] *nm* **point de —** reference, guide, landmark.
repérer [rəpere] *vt* to locate, spot; *vr* to take one's bearings.
répertoire [repertwa:r] *nm* repertory, list, collection.
répéter [repete] *vt* to repeat, rehearse; *vr* to recur.
répétiteur, -trice [repetitœ:r, tris] *n* assistant-teacher, private tutor, chorus master.
répétition [repetisjɔ̃] *nf* repetition, rehearsal, private lesson; **— générale** dress rehearsal.
répit [repi] *nm* respite.
repli [rəpli] *nm* fold, crease, bend, coil, withdrawal.
replier [rəplie] *vtr* to fold up, turn in (back), coil up; *vr* to wind, withdraw.
réplique [replik] *nf* ready answer, cue, replica.
répliquer [replike] *vi* to retort.
répondre [repɔ̃:dr] *vt* to answer, reply, respond, comply; *vi* to answer, be answerable (for **de**), correspond (to **à**), come up (to **à**).
réponse [repɔ̃:s] *nf* answer.
report [rəpɔ:r] *nm* carrying-forward, amount brought forward.
reportage [rəpɔrta:ʒ] *nm* report(ing).
reporter [rəpɔrte] *vt* to carry (take) back, bring forward; *vr* to refer.
reporter [rəpɔrtœ:r, tɛ:r] *nm* reporter.
repos [rəpo] *nm* rest, peace.
reposé [rəpoze] *a* refreshed, calm; **à tête —e** at leisure, quietly.
reposer [rəpoze] *vt* to replace, put back, rest; *vi* to rest, lie; *vr* to rest, alight again, rely (on **sur**).
reposoir [rəpozwa:r] *nm* resting-place, temporary altar.
repoussant [rəpusɑ̃] *a* repulsive.
repousser [rəpuse] *vt* to push away (back off), reject, repel; *vi* to grow again, recoil.
repoussoir [rəpuswa:r] *nm* foil, punch.
répréhensible [repreɑ̃sibl] *a* reprehensible.
reprendre [rəprɑ̃:dr] *vt* to recapture, take back, recover, resume, reprove, correct; *vi* to begin again, set (in) again; *vr* to correct oneself, pull oneself together.
représailles [rəpreza:j] *nf pl* reprisals.
représentant [rəprezɑ̃tɑ̃] *an* representative.
représentatif, -ive [rəprezɑ̃tatif, i:v] *a* representative.
représentation [rəprezɑ̃tasjɔ̃] *nf* representation, performance, agency, protest.
représenter [rəprezɑ̃te] *vt* to represent, portray, perform, act, reintroduce; *vi* to put up a show, have a fine appearance; *vr* to present oneself again, recur, describe oneself (as **comme**).
répression [represjɔ̃] *nf* repression.
réprimande [reprimɑ̃:d] *nf* reproof, reprimand.
réprimander [reprimɑ̃de] *vt* to reprove, reprimand.
réprimer [reprime] *vt* to repress quell, curb.
repris [rəpri] *n* **— de justice** old offender.
reprise [rəpri:z] *nf* recapture, taking back, resumption, revival, acceleration, darn(ing), round; **à plusieurs —** several times.
repriser [rəprize] *vt* to darn, mend.
réprobateur, -trice [reprɔbatœ:r, tris] *a* reproachful, reproving.
réprobation [reprɔbasjɔ̃] *nf* reprobation.
reproche [rəprɔʃ] *nm* reproach, blame.
reprocher [rəprɔʃe] *vt* to reproach (with), begrudge, cast up.
reproduction [rəprɔdyksjɔ̃] *nf* reproduction, copy.
reproduire [rəprɔdɥi:r] *vt* to reproduce; *vr* to breed, recur.
réprouver [repruve] *vt* to disapprove of, reprobate.
reptile [rɛptil] *a nm* reptile.
repu [repy] *a* satiated.
républicain [repyblikɛ̃] *an* republican.
république [repyblik] *nf* republic.
répudier [repydje] *vt* to repudiate, renounce.
répugnance [repyɲɑ̃:s] *nf* repugnance, loathing, reluctance.
répugnant [repyɲɑ̃] *a* repugnant, loathsome.
répugner [repyɲe] *vi* to be repugnant, loathe, be reluctant.
répulsion [repylsjɔ̃] *nf* repulsion.
réputation [repytasjɔ̃] *nf* reputation, repute, name.
réputé [repyte] *a* of repute, well-known.
requérir [rəkeri:r] *vt* to ask (for), demand, summon.
requête [rəkɛ:t] *nf* request, petition.
requin [rəkɛ̃] *nm* shark.
requinquer [rəkɛ̃ke] *vt* to smarten up, repair; *vr* to smarten oneself up, recover.
requis [rəki] *a* requisite, necessary.
réquisition [rekizisjɔ̃] *nf* requisition (ing).
réquisitionner [rekizisjɔne] *vt* to requisition.
réquisitoire [rekizitwa:r] *nm* indictment, charge.
rescapé [rɛskape] *a* rescued; *n* survivor.
rescinder [rɛssɛ̃de] *vt* to annul, rescind.
rescousse [rɛskus] *nf* rescue.
réseau [rezo] *nm* net(work), system.
réséda [resɛda] *nm* mignonette.

réservation [rezɛrvasjɔ̃] *nf* reservation.
réserve [rezɛrv] *nf* reserve, reservation, aloofness, caution; **de —** spare, reserve.
réservé [rezɛrve] *a* reserved, cautious, aloof, private.
réserver [rezɛrve] *vt* to reserve, save, set aside.
réserviste [rezɛrvist] *nm* reservist.
réservoir [rezɛrvwa:r] *nm* reservoir, tank.
résidence [rezidɑ̃:s] *nf* residence, abode.
résider [rezide] *vi* to reside, live, lie.
résidu [rezidy] *nm* residue, balance.
résignation [reziɲasjɔ̃] *nf* resignation.
résigner [reziɲe] *vt* to resign, give up.
résilier [rezilje] *vt* to cancel, annul.
résille [rezi:j] *nf* hair-net, snood.
résine [rezin] *nf* resin.
résistance [rezistɑ̃:s] *nf* resistance, opposition, endurance, strength; **pièce de —** main dish, feature.
résistant [rezistɑ̃] *a* resistant, strong, fast.
résister [reziste] *vt* to resist, withstand; *vi* to be fast.
résolu [rezɔly] *a* resolute.
résolution [rezɔlysjɔ̃] *nf* resolve, determination, solution, cancelling.
résonance [rezɔnɑ̃:s] *nf* resonance.
résonner [rezɔne] *vi* to resound, clang, ring.
résoudre [rezu:dr] *vt* to resolve, decide, (dis)solve, settle; *vr* to decide, dissolve.
respect [rɛspɛ] *nm* respect.
respectable [rɛspɛktabl] *a* respectable.
respecter [rɛspɛkte] *vt* to respect, have regard for.
respectif, -ive [rɛspɛktif, i:v] *a* respective.
respectueux, -euse [rɛspɛktɥø, ø:z] *a* respectful.
respiration [rɛspirasjɔ̃] *nf* breathing.
respirer [rɛspire] *vt* to breathe (in), inhale; *vi* to breathe.
resplendir [rɛsplɑ̃di:r] *vi* to shine, glow, be resplendent.
responsabilité [rɛspɔ̃sabilite] *nf* responsibility, liability.
responsable [rɛspɔ̃sabl] *a* responsible.
resquilleur, -euse [rɛskijœ:r, ø:z] *n* gatecrasher, wangler.
ressac [rəsak] *nm* undertow, surf.
ressaisir [rəsɛzi:r] *vt* to seize again; *vr* to pull oneself together, recover one's self-control.
ressasser [rəsɑse] *vt* repeat, harp on, resift.
ressemblance [rəsɑ̃blɑ̃:s] *nf* resemblance, likeness.
ressemblant [rəsɑ̃blɑ̃] *a* (a)like.
ressembler [rəsɑ̃ble] *vt* to resemble, be like.
ressentiment [rəsɑ̃timɑ̃] *nm* resentment.
ressentir [rəsɑ̃ti:r] *vt* to feel; *vr* to feel the effects (of **de**).
resserrement [rəsɛrmɑ̃] *nm* contraction, tightness; **— du cœur** pang.
resserrer [rəsɛre] *vt* to contract, tighten, draw tight; *vr* to contract, shrink, narrow, retrench.
ressort [rəsɔ:r] *nm* spring, resilience, line, province, resort.
ressortir [rəsɔrti:r] *vt* to bring out again; *vi* to come, (go) out again, stand out, follow (from **de**), belong (to **à**); **faire —** to bring out.
ressortissant [rəsɔrtisɑ̃] *nm* national.
ressource [rəsurs] *nf* resource(fulness), expedient; **en dernière —** in the last resort.
ressusciter [resysite] *vti* to resuscitate, revive.
restant [rɛstɑ̃] *a* remaining, left; *nm* rest, remainder.
restaurant [rɛstɔrɑ̃] *nm* restaurant.
restaurateur, -trice [rɛstɔratœ:r, tris] *n* restorer; *nm* restaurant-keeper.
restauration [rɛstɔrasjɔ̃] *nf* restoring, restoration.
restaurer [rɛstɔre] *vt* to restore, refresh; *vr* to take refreshment, build oneself up.
reste [rɛst] *nm* remainder, rest; *pl* remains, traces, scraps; **au (du) —** moreover; **de —** left.
rester [rɛste] *vi* to remain, stay, keep, stand, be left.
restituer [rɛstitɥe] *vt* to restore, return.
restitution [rɛstitysjɔ̃] *nf* restitution, restoration, refunding.
restreindre [rɛstrɛ̃:dr] *vt* to restrict, limit; *vr* to restrict oneself, retrench.
restriction [rɛstriksjɔ̃] *nf* restriction, limitation.
résultat [rezylta] *nm* result, outcome.
résulter [rezylte] *vi* to result, be the result (of **de**).
résumé [rezyme] *nm* summary; **en —** in brief.
résumer [rezyme] *vtr* to sum up.
résurrection [rezyrɛksjɔ̃] *nf* resurrection, revival.
rétablir [retabli:r] *vt* to re-establish, restore, reinstate; *vr* to recover, re-establish oneself.
rétablissement [retablismɑ̃] *nm* re-establishment, restoration, reinstatement, recovery.
retaper [rətape] *vt* to do up, mend; *vr* to recover.
retard [rəta:r] *nm* delay, lateness; **en —** late, in arrears.
retardataire [rətardatɛ:r] *a* late, backward; *n* laggard, straggler.
retarder [rətarde] *vt* to delay, make late, put back; *vi* to be late, lag.
retenir [rətni:r] *vt* to hold (back), retain, detain, restrain, reserve; *vr*

to refrain (from **de**), restrain oneself.
retentir [rətɑ̃tiːr] *vi* to echo, reverberate, resound.
retentissement [rətɑ̃tismɑ̃] *nm* reverberation, repercussion.
retenue [rətny] *nf* withholding, deduction, restraint, detention, discretion.
réticence [retisɑ̃ːs] *nf* reserve, reticence.
rétif, -ive [retif, iːv] *a* stubborn.
retiré [rətire] *a* retired, remote.
retirer [rətire] *vt* to withdraw, obtain, remove; *vr* to retire, recede.
retomber [rətɔ̃be] *vi* to fall back, droop, hang down.
rétorquer [retɔrke] *vt* to retort, cast back.
retors [rətɔːr] *a* twisted, bent, crafty, sly.
retouche [rətuʃ] *nf* retouch(ing), small alteration.
retoucher [rətuʃe] *vt* to touch up.
retour [rətuːr] *nm* return, turn, recurrence, change.
retourner [rəturne] *vt* to turn (inside out), turn (back, down, over, round, up), return; *vi* to return, go back; *vr* to turn round, over.
retracer [rətrase] *vt* to retrace, recall.
rétracter [retrakte] *vtr* to retract, withdraw.
retrait [rətrɛ] *nm* withdrawal, shrinkage, recess.
retraite [rətrɛt] *nf* retreat, retirement, refuge, tattoo.
retraité, -e [rətrɛte] *nmf* pensioner.
retranchement [rətrɑ̃ʃmɑ̃] *nm* cutting off (down, out), entrenchment.
retrancher [rətrɑ̃ʃe] *vt* to cut off (out, down); *vr* to entrench oneself, cut down one's expenses.
rétrécissement [retresismɑ̃] *nm* narrowing, shrinking.
rétrécir [retresiːr] *vtir* to narrow, shrink, contract.
rétribuer [retribɥe] *vt* to remunerate, pay.
rétribution [retribysjɔ̃] *nf* remuneration, reward.
rétrograde [retrɔgrad] *a* retrograde, backward.
rétrograder [retrɔgrade] *vt* to reduce in rank; *vi* to go back, change down.
rétrospectif, -ive [retrɔspɛktif, iːv] *a* retrospective.
retrousser [rətruse] *vt* to turn up, roll up, tuck up; **nez retroussé** snub nose.
rétroviseur [retrɔvizœːr] *nm* driving-mirror.
réunion [reynjɔ̃] *nf* reunion, meeting, joining.
réunir [reyniːr] *vt* to reunite, collect, gather; *vr* to unite, meet.
réussi [reysi] *a* successful.
réussir [reysiːr] *vt* to make a success of; *vi* to succeed, be successful.
réussite [reysit] *nf* success, outcome, (*cards*) patience.
revaloir [rəvalwaːr] *vt* to pay back.
revanche [rəvɑ̃ːʃ] *nf* revenge, return game; **en** — in return, on the other hand.
rêvasser [rɛvase] *vi* to daydream.
rêve [rɛːv] *nm* dream.
revêche [rəvɛʃ] *a* rough, difficult, cantankerous.
réveil [revɛːj] *nm* awakening.
réveille-matin [revɛjmatɛ̃] *nm* alarm-clock.
réveiller [revɛje] *vtr* to wake (up), revive.
réveillon [revɛjɔ̃] *nm* midnight party (at Christmas, New Year).
révélateur, -trice [revɛlatœːr, tris] *a* revealing, telltale.
révélation [revɛlasjɔ̃] *nf* revelation, disclosure.
révéler [revele] *vt* to reveal, disclose.
revenant [rəvnɑ̃] *nm* ghost.
revendeur, -euse [rəvɑ̃dœːr, øːz] *n* retailer, second-hand dealer.
revendication [rəvɑ̃dikasjɔ̃] *nf* claim(ing).
revendiquer [rəvɑ̃dike] *vt* to claim.
revenir [rəvniːr] *vi* to come back, amount (to **à**), recover (from **de**), go back on; **en** — to get over it; **faire** — (*cooking*) to brown.
revenu [rəvny] *nm* income, revenue.
rêver [rɛve] *vt* to dream (of); *vi* to dream, ponder.
réverbère [reverbɛːr] *nm* street-lamp, reflector.
réverbérer [reverbere] *vt* to reverberate, reflect; *vi* to be reverberated, reflected.
révérence [reverɑ̃ːs] *nf* reverence, bow, curtsy.
révérencieux, -euse [reverɑ̃sjø, øːz] *a* ceremonious, deferential.
révérer [revere] *vt* to revere.
rêverie [rɛvri] *nf* dreaming, musing.
revers [rəvɛːr] *nm* reverse, back, lapel, turn-up; backhand.
revêtement [rəvɛtmɑ̃] *nm* coating, facing, casing, surface, revetment.
revêtir [rəvɛtiːr] *vt* to (re)clothe, dress, invest, coat, face, put on.
rêveur, -euse [rɛvœːr, øːz] *a* dreaming, dreamy; *n* dreamer.
revient [rəvjɛ̃] *nm* **prix de** — cost price.
revirement [rəvirmɑ̃] *nm* veering, sudden change.
réviser [revize] *vt* to revise, examine, overhaul.
révision [revizjɔ̃] *nf* revision, inspection, overhaul(ing); **conseil de** — recruiting board.
revivre [rəviːvr] *vt* to relive; *vi* to live again, revive.
révocation [revɔkasjɔ̃] *nf* revocation, repeal, dismissal.
revoir [rəvwaːr] *vt* to see again, revise; **au** — good-bye.

révolte [revɔlt] *nf* revolt.
révolté [revɔlte] *n* rebel.
révolter [revɔlte] *vt* to revolt, shock, disgust; *vr* to revolt, rebel.
révolu [revɔly] *a* completed, past, ended.
révolution [revɔlysjɔ̃] *nf* revolution, complete change.
révolutionnaire [revɔlysjɔnɛːr] *an* revolutionary.
révolutionner [revɔlysjɔne] *vt* to revolutionize.
revolver [revɔlvɛːr] *nm* revolver.
révoquer [revɔke] *vt* to revoke, repeal, dismiss.
revue [rəvy] *nf* revue, inspection.
rez-de-chaussée [redʃose] *nm* ground floor.
rhabiller [rabije] *vt* to reclothe, repair; *vr* to dress oneself again, buy new clothes.
rhénan [renɑ̃] *a* Rhenish, of the Rhine.
rhétorique [retɔrik] *nf* rhetoric.
rhinocéros [rinɔserɔs] *nm* rhinoceros, rhinoceros beetle.
rhubarbe [rybarb] *nf* rhubarb.
rhum [rɔm] *nm* rum.
rhumatisant [rymatizɑ̃] *an* rheumatic(ky) (person).
rhumatisme [rymatism] *nm* rheumatism.
rhume [rym] *nm* cold; **— de cerveau** cold in the head.
riant [rjɑ̃] *a* laughing, smiling, pleasant.
ribambelle [ribɑ̃bɛl] *nf* (*fam*) long string.
ricaner [rikane] *vi* to sneer, laugh derisively.
riche [riʃ] *a* rich, wealthy, valuable.
richesse [riʃɛs] *nf* richness, wealth, fertility.
ricin [risɛ̃] *nm* castor-oil plant; **huile de —** castor oil.
ricocher [rikɔʃe] *vi* to ricochet, glance off, rebound.
ricochet [rikɔʃɛ] *nm* rebound, ricochet.
rictus [riktyːs] *nm* grin.
ride [rid] *nf* wrinkle, ripple.
ridé [ride] *a* wrinkled, shrivelled, corrugated.
rideau [rido] *nm* curtain, screen, veil.
ridelle [ridɛl] *nf* rail, rack.
rider [ride] *vtr* to wrinkle, pucker, shrivel, ripple.
ridicule [ridikyl] *a* ridiculous, ludicrous; *nm* ridiculousness, absurdity.
ridiculiser [ridikylize] *vt* to ridicule.
rien [rjɛ̃] *pn* nothing, not anything; *nm* trifle, just a little; **comme si de — n'était** as if nothing had happened; **il n'en fera —** he will do nothing of the kind; **il n'y est pour —** he has (had) nothing to do with it; **cela ne fait —** it does not matter.
rieur, -euse [rjœːr, øːz] *a* laughing, gay; *n* laughter.
riflard [riflaːr] *nm* paring chisel, file.
rigide [riʒid] *a* tense, rigid, stiff.
rigidité [riʒidite] *nf* tenseness, rigidity, stiffness.
rigolade [rigɔlad] *nf* fun, joke, lark.
rigole [rigɔl] *nf* gutter, drain, channel.
rigoler [rigɔle] *vi* to laugh, have some fun.
rigolo, -ote [rigɔlo, ɔt] *a* funny, comical, queer; *n* wag.
rigoureux, -euse [rigurø, øːz] *a* rigorous, harsh, severe, strict.
rigueur [rigœːr] *nf* rigour, severity, harshness, strictness; **à la —** if need be, at a pinch; **être de —** to be obligatory.
rillettes [rijɛt] *nf pl* potted minced pork.
rime [rim] *nf* rhyme.
rimer [rime] *vt* to put into rhyme; *vi* to rhyme, write verse; **cela ne rime à rien** there is no sense in it.
rinçage [rɛ̃saːʒ] *nm* rinse, rinsing.
rincée [rɛ̃se] *nf* drubbing.
rincer [rɛ̃se] *vt* to rinse (out); **se — la dalle** to wet one's whistle.
riquiqui [rikiki] *a* undersized (*pers or thing*), runt, shrimp.
ripaille [ripɑːj] *nf* feasting, carousing.
riposte [ripɔst] *nf* retort, counter (stroke), riposte.
riposter [ripɔste] *vi* to retort, counter, riposte.
rire [riːr] *vi* to laugh, joke, smile; *vr* to laugh (at **de**); *nm* laughter, laugh(ing); **vous voulez —!** you are joking! **pour —** for fun, make-believe; **fou —** *nm* giggle.
ris [ri] *nm* laugh(ter), reef; **— de veau** sweetbread.
risée [rize] *nf* laughing-stock, jeer.
risible [rizibl] *a* laughable, comical, ludicrous.
risque [risk] *nm* risk; **à ses —s et périls** at one's own risk.
risquer [riske] *vt* to risk, venture; *vr* to take a risk, venture.
ristourner [risturne] *vt* to repay, return.
rite [rit] *nm* rite.
rituel, -elle [ritɥɛl] *a nm* ritual.
rivage [rivaːʒ] *nm* bank, shore, side.
rival [rival] *an* rival.
rivaliser [rivalize] *vi* to vie (with), emulate.
rivalité [rivalite] *nf* rivalry.
rive [riːv] *nf* shore, bank, side, edge.
river [rive] *vt* to rivet, clinch.
riverain [rivrɛ̃] *a* water-, river-, wayside; *n* riverside resident.
rivet [rivɛ] *nm* rivet.
rivière [rivjɛːr] *nf* river, stream.
rixe [riks] *nf* brawl, scuffle.
riz [ri] *nm* rice.
rizière [rizjɛːr] *nf* rice-field.
robe [rɔb] *nf* dress, frock, gown, coat, skin; **— de chambre** dressing-gown.

robinet [rɔbinɛ] *nm* tap, cock, (*US*) faucet.
robot [rɔbo] *nm* robot; **portrait-—** identikit.
robuste [rɔbyst] *a* robust, strong, hardy, sturdy.
roc [rɔk] *nm* rock.
rocaille [rɔkaːj] *nf* rock.
rocailleux, -euse [rɔkajø, øːz] *a* rocky, stony, rugged.
roche [rɔʃ] *nf* rock, boulder.
rocher [rɔʃe] *nm* rock, crag.
rochet [rɔʃɛ] *nm* ratchet.
rocheux, -euse [rɔʃø, øːz] *a* rocky, stony.
rococo [rɔkɔko] *a nm* rococo, baroque.
rodage [rɔdaːʒ] *nm* running in.
rôder [rode] *vi* to prowl, roam.
rôdeur, -euse [rodœːr, øːz] *a* prowling; *n* prowler, vagrant.
rogatons [rɔgatɔ̃] *nm pl* scraps.
rogner [rɔɲe] *vt* to clip, trim, pare.
rognon [rɔɲɔ̃] *nm* kidney.
rognures [rɔɲyːr] *nf pl* clippings, trimmings, parings.
rogomme [rɔgɔm] *nm* liquor; **voix de —** husky, throaty voice.
rogue [rɔg] *a* haughty, arrogant.
roi [rwa] *nm* king; **fêtes des —s** Twelfth Night; **tirer les —s** to celebrate Twelfth Night.
roide, roideur, roidir [rwad] *see* **raide, raideur, raidir.**
roitelet [rwatlɛ] *nm* wren.
rôle [roːl] *nm* rôle, part, register, roster; **à tour de —** in turn.
romain [rɔmɛ̃] *a* Roman.
romaine [rɔmɛn] *nf* cos lettuce.
roman [rɔmɑ̃] *a* romanic, romanesque; *nm* novel, romance; **— feuilleton** serial story.
romance [rɔmɑ̃ːs] *nf* sentimental song, ballad.
romancier, -ière [rɔmɑ̃sje, jɛːr] *n* novelist.
romanesque [rɔmanɛsk] *a* romantic.
romanichel, -elle [rɔmaniʃɛl] *n* gipsy, vagrant.
romantique [rɔmɑ̃tik] *a* romantic; *n* romanticist.
romantisme [rɔmɑ̃tism] *nm* romanticism.
romarin [rɔmarɛ̃] *nm* rosemary.
rompre [rɔ̃ːpr] *vt* to break (off, up, in, into), snap, burst; *vi* to break (off, up); *vr* to break (off, up), break oneself (in, to **à**).
rompu [rɔ̃py] *a* broken (in), tired out.
ronce [rɔ̃ːs] *nf* bramble, blackberry bush; *pl* thorns.
ronchonner [rɔ̃ʃɔne] *vi* to grouse, grumble, growl.
rond [rɔ̃] *a* round(ed), plump; *nm* ring, circle, round, disc, bean.
rond-de-cuir [rɔ̃dkɥiːr] *nm* clerk, bureaucrat.
ronde [rɔ̃ːd] *nf* round, beat, semibreve; **à la —** around.
rondeau [rɔ̃do] *nm* rondeau, rondo.
rondelet, -ette [rɔ̃dlɛ, ɛt] *a* plump, roundish, tidy.
rondelle [rɔ̃dɛl] *nf* slice, small round, ring, disc.
rondement [rɔ̃dmɑ̃] *ad* roundly, smartly, frankly.
rondeur [rɔ̃dœːr] *nf* roundness, plumpness, frankness.
rond-point [rɔ̃pwɛ̃] *nm* circus, roundabout.
ronflement [rɔ̃fləmɑ̃] *nm* snore, snoring, rumbling, throbbing, hum.
ronfler [rɔ̃fle] *vi* to snore, roar, throb, whirr, hum.
ronger [rɔ̃ʒe] *vt* to gnaw, corrode, erode; **se — le cœur** to fret one's heart out.
rongeur, -euse [rɔ̃ʒœːr, øːz] *a* rodent, gnawing; *nm* rodent.
rônier [ronje] *nm* fan-palm.
ronronnement [rɔ̃rɔnmɑ̃] *nm* purr (ing), hum(ming).
ronronner [rɔ̃rɔne] *vi* to purr, hum.
roquet [rɔkɛ] *nm* pug-dog, cur.
rosace [rozas] *nf* rose-window.
rosaire [rozɛːr] *nm* rosary.
rosâtre [rozɑːtr] *a* pinkish.
rosbif [rɔsbif] *nm* roast beef.
rose [roːz] *nf* rose; *a* pink, rosy; **— des vents** compass-card; **découvrir le pot aux —s** to discover the secret.
rosé [roze] *a* rosy, roseate, (*wine*) rosé.
roseau [rɔzo] *nm* reed.
rosée [roze] *nf* dew.
roseraie [rozrɛ] *nf* rose-garden.
rosette [rozɛt] *nf* rosette, bow.
rosier [rozje] *nm* rose-bush.
rosir [roziːr] *vi* to turn pink, rosy.
rosse [rɔs] *nf* nag, nasty person, beast; *a* nasty, spiteful.
rossée [rɔse] *nf* thrashing, drubbing, licking.
rosser [rɔse] *vt* to thrash, beat.
rosserie [rɔsri] *nf* nasty remark, dirty trick, nastiness.
rossignol [rɔsiɲɔl] *nm* nightingale, skeleton-key, bit of junk.
rot [ro] *nm* belch.
rotatif, -ive [rɔtatif, iːv] *a* rotary.
rotation [rɔtasjɔ̃] *nf* rotation.
rotatoire [rɔtatwaːr] *a* rotative, rotatory.
roter [rɔte] *vi* to belch.
rotin [rɔtɛ̃] *nm* rattan, cane.
rôti [roti] *nm* roast (meat).
rôtir [rotiːr] *vti* to roast, toast, scorch.
rôtisserie [rotisri] *nf* restaurant.
rotonde [rɔtɔ̃ːd] *nf* rotunda, circular hall.
rotondité [rɔtɔ̃dite] *nf* roundness, rotundity, stoutness.
rotule [rotyl] *nf* knee-cap, ball-and-socket joint.
roturier, -ière [rɔtyrje] *a* of the common people; *n* commoner.
rouage [rwaːʒ] *nm* wheel(s), works.
roublard [rublaːr] *an* crafty, wily (person).

roublardise [rublardi:z] *nf* craftiness, wily trick.
roucouler [rukule] *vi* to coo.
roue [ru] *nf* wheel; **faire la —** to turn cartwheels, spread its tail, strut.
roué [rwe] *a* sly, wily; *nm* rake.
rouennerie [rwanri] *nf* printed cotton goods.
rouer [rwe] *vt* to break on the wheel; **— de coups** to beat unmercifully.
rouet [rwɛ] *nm* spinning-wheel, pulley-wheel.
rouf(le) [rufl] *nm* deck-house.
rouge [ru:ʒ] *a* red; *nm* red, rouge; **bâton de —** lipstick.
rougeâtre [ruʒɑ:tr] *a* reddish.
rouge-gorge [ruʒgɔr:ʒ] *nm* robin.
rougeole [ruʒɔl] *nf* measles.
rougeoyer [ruʒwaje] *vi* to glow, turn red.
rouget [ruʒɛ] *nm* gurnard, red mullet.
rougeur [ruʒœ:r] *nf* redness, flush, blush.
rougir [ruʒi:r] *vt* to redden; *vi* blush, flush, turn red.
rouille [ru:j] *nf* rust, blight, mildew.
rouillé [ruje] *a* rusted, rusty.
rouiller [ruje] *vt* to rust, blight, mildew; *vr* to rust, be blighted, mildewed.
rouillure [rujy:r] *nf* rustiness, blight.
roulage [rula:ʒ] *nm* rolling, haulage, cartage.
roulant [rulɑ̃] *a* rolling, moving, sliding, smooth, killingly funny.
rouleau [rulo] *nm* roller, roll, coil, spool; **— compresseur** steamroller.
roulement [rulmɑ̃] *nm* rolling, rumbling, running, rotation; **— à billes** ball-bearing.
rouler [rule] *vt* to roll (up), haul, trick, take in, turn over; *vi* to roll (along, down, over), roam, rumble, run, turn (upon **sur**); *vr* to roll.
roulette [rulɛt] *nf* roller, caster, roulette.
roulier [rulje] *nm* carrier, carter.
roulis [ruli] *nm* rolling, lurching.
roulotte [rulɔt] *nf* caravan.
roumain [rumɛ̃] *an* Rumanian.
Roumanie [rumani] *nf* Rumania.
roupie [rupi] *nf* drop, rupee.
roupiller [rupije] *vi* (*fam*) to sleep.
rouquin [rukɛ̃] *a* red-haired, carroty; *n* ginger-head, red-head.
rouspéter [ruspete] *vi* (*fam*) to protest, cut up rough, kick.
roussâtre [rusɑ:tr] *a* reddish.
rousseur [rusœ:r] *nf* redness; **tache de —** freckle.
roussir [rusi:r] *vti* to redden, turn brown, singe.
route [rut] *nf* road, track, course, route; **— nationale** main road; **se mettre en —** to set out.
routier, -ière [rutje, jɛ:r] *a* road-; **café —** transport café; *nm* long distance lorry driver, road racer; **vieux —** old campaigner.
routine [rutin] *nf* routine.
routinier, -ière [rutinje, jɛ:r] *a* routine, unenterprising.
rouvrir [ruvri:r] *vti* to reopen.
roux, rousse [ru, rus] *a* reddish-brown, russet, red; *nm* reddish-brown, russet, (*sauce*) roux.
royal [rwajal] *a* royal, regal, crown.
royaliste [rwajalist] *an* royalist.
royaume [rwajo:m] *nm* kingdom, realm.
royauté [rwajote] *nf* royalty.
ruade [rɥad] *nf* kicking.
ruban [rybɑ̃] *nm* ribbon, band, tape.
rubis [rybi] *nm* ruby; **payer — sur l'ongle** to pay on the nail.
rubrique [rybrik] *nf* heading, rubric, column, imprint, red ochre.
ruche [ryʃ] *nf* hive, ruche.
rude [ryd] *a* coarse, rough, harsh, uncouth, gruff, hard.
rudesse [rydɛs] *nf* coarseness, roughness, harshness, uncouthness, gruffness.
rudiments [rydimɑ̃] *nm pl* rudiments, first principles.
rudoyer [rydwaje] *vt* to treat roughly, bully, browbeat.
rue [ry] *nf* street.
ruée [rɥe] *nf* (on)rush.
ruelle [rɥɛl] *nf* lane, alley, space between bed and wall.
ruer [rɥe] *vi* to kick, lash out; *vr* to hurl oneself (upon **sur**).
rugir [ryʒi:r] *vi* to roar, howl.
rugissement [ryʒismɑ̃] *nm* roar(ing), howling.
rugosité [rygɔzite] *nf* ruggedness, wrinkle.
rugueux, -euse [rygø, ø:z] *a* rough, rugged, wrinkled.
ruine [rɥin] *nf* ruin(ation), downfall; **menacer —** to be falling to bits.
ruiner [rɥine] *vt* to ruin, undo, destroy; *vr* to fall to ruin, ruin oneself.
ruisseau [rɥiso] *nm* stream, brook, gutter.
ruisseler [rɥisle] *vi* to stream, run, trickle.
rumeur [rymœ:r] *nf* rumour, hum, confused murmur, din.
ruminant [ryminɑ̃] *a nm* ruminant.
ruminer [rymine] *vti* to chew the cud, ruminate, ponder.
rupture [rypty:r] *nf* breaking (off, down), fracture, rupture.
rural [ryral] *a* rural, country.
ruse [ry:z] *nf* trick, dodge, ruse, stratagem.
rusé [ryze] *a* sly, crafty, artful.
russe [rys] *an* Russian.
Russie [rysi] *nf* Russia.
rustaud [rysto] *a* uncouth, boorish; *n* boor.
rustique [rystik] *a* rustic, robust.
rustre [rystr] *a* boorish, churlish; *nm* boor, bumpkin.
rut [ryt] *nm* rut(ting).
rutabaga [rytabaga] *nm* swede.

rutilant [rytilɑ̃] *a* gleaming, glowing red.
rythme [ritm] *nm* rhythm.
rythmé [ritme] *a* rhythmic(al).
rythmique [ritmik] *a* rhythmic(al).

S

sa [sa] *see* **son.**
sable [sɑːbl] *nm* sand, gravel; **—s mouvants** quicksands.
sablé [sɑble] *a* sanded, gravelled; *nm* shortbread.
sabler [sɑble] *vt* to sand, cover with gravel, drink.
sableux, -euse [sɑblø, øːz] *a* sandy.
sablier [sɑblie] *nm* hour-glass, egg-timer, sand-dealer.
sablière [sɑbliɛːr] *nf* sand-, gravel-pit.
sablonneux, -euse [sɑblɔnø, øːz] *a* sandy, gritty.
sablonnière [sɑblɔnjɛːr] *nf* sandpit.
sabord [sabɔːr] *nm* porthole.
saborder [sabɔrde] *vt* to scuttle.
sabot [sabo] *nm* clog, hoof.
sabotage [sabɔtaːʒ] *nm* clog-making, sabotage.
saboter [sabɔte] *vt* to shoe, bungle, scamp, sabotage.
saboteur, -euse [sabɔtœːr, øːz] *n* saboteur, bungler.
sabotier [sabɔtje] *nm* clog-maker.
sabre [sɑːbr] *nm* sabre, sword, swordfish.
sabrer [sɑbre] *vt* to sabre, cut (down), scamp.
sac [sak] *nm* sack, bag, pouch, knapsack, sackcloth, sacking; **— de couchage** sleeping-bag; **— à main** handbag.
saccade [sakad] *nf* jerk, jolt; **par —s** by fits and starts.
saccadé [sakade] *a* jerky.
saccager [sakaʒe] *vt* to pillage, sack, ransack.
saccharine [sakarin] *nf* saccharine.
sacerdoce [sasɛrdɔs] *nm* priesthood, ministry.
sacerdotal [sasɛrdɔtal] *a* sacerdotal, priestly.
sachet [saʃɛ] *nm* small bag, sachet.
sacoche [sakɔʃ] *nf* satchel, wallet, tool-bag, saddle-bag.
sacre [sakr] *nm* coronation, consecration.
sacrement [sakrəmɑ̃] *nm* sacrament.
sacré [sakre] *a* sacred, holy, damned, confounded.
sacrer [sakre] *vt* to crown, consecrate, anoint; *vi* to swear.
sacrifice [sakrifis] *nm* sacrifice.
sacrifier [sakrifje] *vt* to sacrifice, give up.
sacrilège [sakrilɛːʒ] *a* sacrilegious; *nm* sacrilege.
sacristain [sakristɛ̃] *nm* sexton, sacristan.
sacristie [sakristi] *nf* vestry, sacristy.
sadique [sadik] *a* sadistic.
sadisme [sadism] *nm* sadism.
safran [safrɑ̃] *a* saffron-coloured; *nm* crocus, saffron.
sagace [sagas] *a* sagacious, shrewd.
sagacité [sagasite] *nf* sagacity, shrewdness.
sagaie [sagɛ] *nf* assegai, spear.
sage [saːʒ] *a* wise, sensible, discreet, good, well-behaved.
sage-femme [saʒfam] *nf* midwife.
sagesse [saʒɛs] *nf* wisdom, discretion, good behaviour.
sagou [sagu] *nm* sago.
saignant [sɛɲɑ̃] *a* bleeding, raw, red, underdone.
saignée [sɛɲe] *nf* bleeding, blood-letting, bend of the arm, irrigation ditch.
saigner [sɛɲe] *vt* to bleed, let blood from; *vi* to bleed.
saillant [sajɑ̃] *a* projecting, jutting out, prominent, salient; *nm* salient.
saillie [saji] *nf* projection, protrusion, ledge, spring, bound, flash of wit.
saillir [sajiːr] *vi* to jut out, project, spurt out, stand out.
sain [sɛ̃] *a* healthy, wholesome, sound.
saindoux [sɛ̃du] *nm* lard.
saint [sɛ̃] *a* holy, hallowed, godly, saintly, blessed; *n* saint; **il ne sait plus à quel — se vouer** he does not know where to turn.
Saint-Esprit [sɛ̃tɛspri] *nm* Holy Ghost.
sainteté [sɛ̃təte] *nf* holiness, sanctity.
Saint-Martin [sɛ̃martɛ̃] *nf* Martinmas.
Saint-Michel [sɛ̃miʃɛl] *nf* Michaelmas.
Saint-Siège [sɛ̃sjɛːʒ] *nm* Holy See.
Saint-Sylvestre [sɛ̃silvɛstr] *nf* New Year's Eve, (*Scot*) Hogmanay.
saisie [sɛzi] *nf* seizure, distraint, foreclosure.
saisir [sɛziːr] *vt* to seize, grasp, catch hold of, grip, understand, perceive; *vr* to seize, lay hands (on **de**).
saisissant [sɛzisɑ̃] *a* thrilling, striking, keen, biting, piercing.
saisissement [sɛzismɑ̃] *nm* seizure, shock, thrill, chill.
saison [sɛzɔ̃] *nf* season.
saisonnier, -ière [sɛzɔnje, jɛːr] *a* seasonal.
salacité [salasite] *nf* salaciousness.
salade [salad] *nf* salad, lettuce, hotch-potch, mess.
saladier [saladje] *nm* salad-bowl.
salaire [salɛːr] *nm* wage(s), pay, reward, retribution.
salaison [salɛzɔ̃] *nf* salting, curing.
salamandre [salamɑ̃ːdr] *nf* salamander, stove.
salant [salɑ̃] *a* **marais —** salt-pans, salt-marsh.
salarié [salarje] *a* paid, wage-earning; *n* wage-earner.

salaud [salo] *n* dirty dog, rotter, swine, slattern.
sale [sal] *a* dirty, soiled, filthy, foul; — **type** rotter.
salé [sale] *a* salt(y), salted, spicy, exorbitant, stiff; *nm* pickled pork.
saler [sale] *vt* to salt, pickle, overcharge, fleece, punish severely.
saleté [salte] *nf* dirt, trash, dirtiness, dirty trick (act, remark).
salière [saljɛːr] *nf* salt-cellar, salt-box.
saligaud [saligo] *n* rotter, skunk, dirty person.
salin [salɛ̃] *a* saline, salty, briny; *nm* salt-marsh.
saline [salin] *nf* salt-pan, rock-salt mine.
salir [saliːr] *vt* to dirty, soil, defile, tarnish; *vr* to get dirty, soil, besmirch one's reputation.
salive [saliːv] *nf* saliva, spittle.
salle [sal] *nf* room, hall, ward, house, audience; — **à manger** dining-room; — **d'opérations** operating theatre; — **d'attente** waiting room.
salon [salɔ̃] *nm* drawing-room, saloon, cabin; — **de l'automobile** motor show; — **de beauté** beauty parlour; — **de coiffure** hairdressing-saloon; — **de thé** tea-room.
saloperie [salɔpri] *nf* filth(iness), trash, dirty trick.
salopette [salɔpɛt] *nf* overalls, dungarees.
salpêtre [salpɛːtr] *nm* saltpetre, nitre.
saltimbanque [saltɛ̃bɑ̃ːk] *nm* showman, mountebank, charlatan.
salubre [salyːbr] *a* salubrious, wholesome, healthy.
salubrité [salybrite] *nf* salubrity, wholesomeness, healthiness.
saluer [salɥe] *vt* to salute, bow to, greet, acclaim.
salure [salyːr] *nf* saltness, tang.
salut [saly] *nm* greeting, bow, salute, safety, salvation; — **à tout le monde!** hullo, everybody!
salutaire [salytɛːr] *a* salutary, beneficial, wholesome.
salutation [salytasjɔ̃] *nf* salutation, bow, salute, greeting; *pl* kind regards.
salutiste [salytist] *n* member of the Salvation Army.
salve [salv] *nf* salvo, volley, round, salute.
samara [samara] *nm* sandal.
samedi [samdi] *nm* Saturday.
sanatorium [sanatɔrjɔm] *nm* sanatorium, convalescent home.
sanctification [sɑ̃ktifikasjɔ̃] *nf* sanctification.
sanctifier [sɑ̃ktifje] *vt* to sanctify, hallow.
sanction [sɑ̃ksjɔ̃] *nf* sanction, assent, penalty.
sanctionner [sɑ̃ksjɔne] *vt* to sanction, ratify, approve, penalize.
sanctuaire [sɑ̃ktɥɛːr] *nm* sanctuary, sanctum.
sandale [sɑ̃dal] *nf* sandal, gym-shoe.
sandwich [sɑ̃dwitʃ] *nm* sandwich.
sang [sɑ̃] *nm* blood, gore, kin(ship), race; **effusion de** — bloodshed; **coup de** — apoplectic fit, stroke; **se faire du mauvais** — to worry, fret; **son** — **n'a fait qu'un tour** it gave him an awful shock.
sang-froid [sɑ̃frwa] *nm* composure, coolness, self-possession; **de** — coolly.
sanglade [sɑ̃glad] *nf* lash, cut.
sanglant [sɑ̃glɑ̃] *a* bloody, gory, bloodstained, cutting, scathing.
sangle [sɑ̃ːgl] *nf* strap, band; **lit de** — camp bed.
sangler [sɑ̃gle] *vt* to girth, strap (up); *vr* to lace (button) oneself up tightly.
sanglier [sɑ̃glie] *nm* wild boar.
sanglot [sɑ̃glo] *nm* sob.
sangloter [sɑ̃glɔte] *vi* to sob.
sangsue [sɑ̃sy] *nf* leech, bloodsucker.
sanguin [sɑ̃gɛ̃] *a* blood, full-blooded.
sanguinaire [sɑ̃ginɛːr] *a* bloodthirsty, bloody.
sanguine [sɑ̃gin] *nf* red chalk, drawing in red chalk, bloodstone, blood orange.
sanguinolent [sɑ̃ginɔlɑ̃] *a* tinged with blood.
sanitaire [sanitɛːr] *a* sanitary, medical, ambulance-, hospital-.
sans [sɑ̃] *prep* without, but for, were it not for, had it not been for, un-, less, -lessly; — **que** *cj* without.
sans-culotte [sɑ̃kylɔt] *nm* sans-culotte, rabid republican.
sans-façon [sɑ̃fasɔ̃] *a* homely, downright, outspoken, unceremonious, over-familiar, free and easy; *nm* homeliness, outspokenness, over-familiarity.
sans-fil [sɑ̃fil] *nm* wireless message, marconigram.
sans-filiste [sɑ̃filist] *n* wireless fan, wireless operator.
sans-gêne [sɑ̃ʒɛn] *a* offhanded, unceremonious; *nm* offhandedness, over-familiarity, cheek; *nm pl* **il est** — he is a cool customer.
sans-logis [sɑ̃lɔʒi] *nm pl* homeless.
sansonnet [sɑ̃sɔnɛ] *nm* starling.
sans-souci [sɑ̃susi] *a* carefree, unconcerned; *n* easy-going person; *nm* unconcern.
sans-travail [sɑ̃travaːj] *nm pl* unemployed, workless.
santal [sɑ̃tal] *nm* sandalwood.
santé [sɑ̃te] *nf* health; **service de** — medical service.
sape [sap] *nf* sap(ping), undermining.
saper [sape] *vt* to sap, undermine.
sapeur [sapœːr] *nm* sapper, pioneer.
sapeur-pompier [sapœrpɔ̃pje] *nm* fireman.
sapeur-télégraphiste [sapœrtele-

grafist] *nm* telegraph operator; *pl* signal corps, signals.
saphir [safi:r] *nm* sapphire.
sapin [sapɛ̃] *nm* fir (tree), coffin.
sapinière [sapinjɛ:r] *nf* fir plantation.
sapristi [sapristi] *excl* good heavens!
sarbacane [sarbakan] *nf* blowpipe, pea-shooter.
sarcasme [sarkasm] *nm* (piece of) sarcasm, taunt.
sarcastique [sarkastik] *a* sarcastic.
sarcler [sarkle] *vt* to hoe (up), weed, clean.
sarcloir [sarklwa:r] *nm* hoe.
sarcophage [sarkɔfa:ʒ] *nm* sarcophagus.
sardine [sardin] *nf* sardine.
sardonique [sardɔnik] *a* sardonic, sarcastic.
sarment [sarmɑ̃] *nm* vine-shoot, -branch, bine.
sarrasin [sarazɛ̃] *nm* buckwheat, Saracen.
sarrau [saro] *nm* overall, smock.
sasser [sɑse] *vt* to sieve, riddle, sift.
satané [satane] *a* confounded, dashed, abominable.
satanique [satanik] *a* satanic, diabolical, fiendish.
satellite [satɛllit] *nm* satellite, henchman, planet.
satiété [sasjete] *nf* satiety, surfeit, repletion.
satin [satɛ̃] *nm* satin.
satiner [satine] *vt* to satin, make glossy, glaze.
satinette [satinɛt] *nf* sateen.
satire [sati:r] *nf* satire, satirizing.
satirique [satirik] *a* satiric(al); *nm* satirist.
satiriser [satirize] *vt* to satirize.
satisfaction [satisfaksjɔ̃] *nf* satisfaction, gratification, atonement, amends.
satisfaire [satisfɛ:r] *vt* to satisfy, gratify, fulfil, meet.
satisfait [satisfɛ] *a* satisfied, contented, pleased.
satisfaisant [satisfəzɑ̃] *a* satisfactory, satisfying.
saturation [satyrasjɔ̃] *nf* saturation.
saturer [satyre] *vt* to saturate; *vr* to become saturated.
satyre [sati:r] *nm* satyr.
sauce [sos] *nf* sauce, soft black crayon.
saucée [sose] *nf* (*fam*) drenching, soaking, telling-off.
saucer [sose] *vt* to dip into sauce, drench, souse, tell off; **se faire** — to get soaked, get a wigging.
saucière [sosjɛ:r] *nf* sauce-boat.
saucisse [sosis] *nf* sausage, observation or barrage balloon.
saucisson [sosisɔ̃] *nm* large dry sausage.
sauf, sauve [sof, so:v] *a* safe, saved, unhurt; *prep* but, except, save, barring; — **que** except that.
sauf-conduit [sofkɔ̃dɥi] *nm* safe-conduct, pass.
sauge [so:ʒ] *nf* sage.
saugrenu [sogrəny] *a* ridiculous, absurd.
saule [so:l] *nm* willow.
saumâtre [somɑ:tr] *a* briny, brackish, bitter.
saumon [somɔ̃] *a* salmon-pink; *nm* salmon.
saumure [somy:r] *nf* pickle, brine.
saupoudrer [sopudre] *vt* to sprinkle, dust, powder.
saupoudroir [sopudrwa:r] *nm* sugar-sifter, castor.
saur [sɔ:r] *a* **hareng** — red herring.
saut [so] *nm* leap, jump, bound, vault, falls, jerk; — **périlleux** somersault; — **d'obstacles** hurdling; —**-de-mouton** flyover.
saute [so:t] *nf* sudden rise, jump, change.
saute-mouton [sotmutɔ̃] *nm* leap-frog.
sauter [sote] *vt* to jump (over), leap (over), leave out, miss, skip; *vi* jump, leap, blow up, explode, crash, come off, change, veer, blow out; **faire** — to explode, burst, blow up, blow out.
sauterelle [sotrɛl] *nf* grasshopper, locust.
sauterie [sotri] *nf* dance, hop.
saute-ruisseau [sotrɥiso] *nm* errand-boy.
sauteur, -euse [sotœ:r, ø:z] *a* jumping; *n* jumper, turncoat, weathercock.
sautiller [sotije] *vi* to hop (about), skip, jump about.
sautoir [sɔtwa:r] *nm* St Andrew's cross, neck-chain, jumping lathe; **en** — crosswise, over one's shoulder.
sauvage [sova:ʒ] *a* wild, savage, barbarous, uncivilized, shy, unsociable; *n* savage, unsociable person.
sauvagerie [sovaʒri] *nf* savagery, barbarousness, unsociability.
sauvegarde [sovgard] *nf* safeguard, safe-keeping, safe-conduct.
sauvegarder [sovgarde] *vt* to safeguard, protect.
sauve-qui-peut [sovkipø] *nm* stampede, rout, everyone for himself.
sauver [sove] *vt* to save, rescue; *vr* to escape, run away, be off.
sauvetage [sovta:ʒ] *nm* rescue, salvage; **canot de** — lifeboat.
sauveteur [sovtœ:r] *nm* rescuer, life-saver.
sauveur [sovœ:r] *nm* deliverer, Saviour, Redeemer.
savamment [savamɑ̃] *ad* learnedly, knowingly, expertly, ably, cleverly.
savane [savan] *nf* savanna.
savant [savɑ̃] *a* learned, scholarly, skilful; *n* scholar, scientist; **chien** — performing dog.
savate [savat] *nf* old shoe, French

boxing; **traîner la —** to be down at heel.
savetier [savtje] *nm* cobbler.
saveur [savœːr] *nf* savour, flavour, taste, raciness, zest.
savoir [savwaːr] *nm* knowledge, learning; *vt* to know (how, of), be able, contrive, manage; **faire — qch à qn** to let s.o. know about sth, inform s.o of sth; **à —** to wit, namely; **sachez que** I would have you know that; **sans le —** unconsciously, unwittingly; **(au)tant que je le sache** as far as I know, to the best of my knowledge; **pas que je sache** not that I am aware of; **je ne sache pas l'avoir dit** I am not aware of having said so; **il n'a rien voulu —** he would not hear of it; **je ne sais qui** someone or other.
savoir-faire [savwarfɛːr] *nm* tact, cleverness, ability.
savoir-vivre [savwarviːvr] *nm* good-breeding, (good) manners, art of living.
savon [savɔ̃] *nm* soap, wigging; **pain de —** cake of soap.
savonner [savɔne] *vt* to soap, wash, dress down.
savonnerie [savɔnri] *nf* soap-factory, soap-trade.
savonnette [savɔnɛt] *nf* cake of toilet soap.
savonneux, -euse [savɔnø, øːz] *a* soapy.
savonnier, -ière [savɔnje, jɛːr] *a* soap-; *nm* soap-manufacturer.
savourer [savure] *vt* to relish, enjoy.
savoureux, -euse [savurø, øːz] *a* savoury, tasty, racy.
saxophone [saksɔfɔn] *nm* saxophone.
saynète [sɛnɛt] *nf* sketch.
sbire [zbiːr] *nm* policeman, hired ruffian.
scabreux, -euse [skabrø, øːz] *a* scabrous, smutty, dangerous, difficult, rough.
scalper [skalpe] *vt* to scalp.
scandale [skɑ̃dal] *nm* scandal, disgrace.
scandaleux, -euse [skɑ̃dalø, øːz] *a* scandalous, disgraceful.
scandaliser [skɑ̃dalize] *vt* to scandalize, shock; *vr* to be shocked, scandalized.
scander [skɑ̃de] *vt* to scan, stress, mark.
scaphandrier [skafɑ̃drie] *nm* diver.
scarabée [skarabe] *nm* beetle.
scarlatine [skarlatin] *nf* scarlet fever.
sceau [so] *nm* seal, stamp, mark.
scélérat [selera] *a* wicked, cunning, nefarious; *n* scoundrel, villain.
scélératesse [selerates] *nf* wickedness, low cunning.
scellé [sɛle] *a* sealed, under seal; *nm* seal.
sceller [sɛle] *vt* to seal (up), fix, fasten, confirm.
scène [sɛn] *nf* stage, scene, row; **mettre en —** to produce.
scénique [senik] *a* scenic, stage.
scepticisme [sɛptisism] *nm* scepticism.
sceptique [sɛptik] *a* sceptical; *n* sceptic.
sceptre [sɛptr] *nm* sceptre.
schéma [ʃema] *nm* diagram, outline.
schématique [ʃematik] *a* diagrammatic, schematic.
schisme [ʃism] *nm* schism.
sciatique [sjatik] *a* sciatic; *nm* sciatic nerve; *nf* sciatica.
scie [si] *nf* saw, catchword, bore.
science [sjɑ̃ːs] *nf* knowledge, learning, science.
scientifique [sjɑ̃tifik] *a* scientific.
scier [sje] *vt* to saw (off).
scierie [siri] *nf* sawmill.
scinder [sɛ̃de] *vt* to split up.
scintillation [sɛ̃tijasjɔ̃, -tillɑ-] *nf* scintillation, twinkling, sparkling.
scintiller [sɛ̃tije, -tille] *vi* to scintillate, twinkle, sparkle.
scission [sissjɔ̃] *nf* scission, split, division, secession.
sciure [sjyːr] *nf* **— de bois** sawdust; **— de fer** iron filings.
sclérose [skleroːz] *nf* sclerosis.
sclérosé [skleroze] *a* hardened, (*fig*) in a rut.
scolaire [skɔlɛːr] *a* school.
scolastique [skɔlastik] *a* scholastic; *nf* scholasticism.
scolopendre [skɔlɔpɑ̃ːdr] *nf* centipede.
scorbut [skɔrby] *nm* scurvy.
scorie [skɔri] *nf* slag, cinders, dross.
scoutisme [skutism] *nm* scouting, Boy Scout movement.
scrofule [skrɔfyl] *nf* scrofula.
scrupule [skrypyl] *nm* scruple; **se faire un — de** to have scruples about.
scrupuleux, -euse [skrypylø, øːz] *a* scrupulous.
scrutateur, -trice [skrytatœːr, tris] *a* searching, keen, scrutinizing; *n* scrutinizer, teller.
scruter [skryte] *vt* to scrutinize, scan.
scrutin [skrytɛ̃] *nm* poll, ballot, voting; **— de liste** multiple voting; **procéder au —** to take the vote; **voter au —** to ballot; **dépouiller le —** to count the votes.
sculpter [skylte] *vt* to carve, sculpture.
sculpteur [skyltœːr] *nm* sculptor, carver.
sculptural [skyltyral] *a* sculptural, statuesque.
sculpture [skyltyːr] *nf* sculpture, carving.
se [s(ə)] *pn* oneself, himself, herself, itself, themselves, each other, one another.
séance [seɑ̃ːs] *nf* session, sitting,

meeting, performance, a seance.
séant [seɑ̃] *a* becoming, seemly, proper, sitting; *nm* bottom, behind; **se dresser sur son** — to sit up.
seau [so] *nm* pail, bucket
sec, sèche [sɛk, sɛʃ] *a* dry, dried, harsh, unfeeling, gaunt, spare, curt, tart, sharp; **boire** — to drink spirits neat, drink heavily; **parler** — to clip one's words; **à pied** — dry-shod; **à** — dry, dried-up, aground, hard-up.
sécateur [sekatœːr] *nm* pruning-scissors.
sécession [sesɛsjɔ̃] *nf* secession.
sèche [sɛʃ] *nf (fam)* fag, gasper.
sèchement [sɛʃmɑ̃] *ad* drily, boldly, curtly.
sécher [seʃe] *vt* to dry (up), fail, cut, skip; *vi* to become or run dry, dry up, be stumped, stick; *vr* to dry oneself, dry up, run dry; **faire — qn** to stump s.o.; — **sur pied** to pine for.
sécheresse [seʃrɛs] *nf* dryness, drought, harshness, unfeelingness, gauntness, barrenness, curtness.
séchoir [seʃwar] *nm* drying place, drier, airer.
second [səgɔ̃, zgɔ̃] *a* second; *nm* first mate, chief officer, second in command; second floor.
secondaire [səgɔ̃dɛːr, zgɔ̃-] *a* secondary, subordinate, minor.
seconde [səgɔ̃ːd, zgɔ̃ːd] *nf* second, second class, fifth form.
seconder [səgɔ̃de, zgɔ̃-] *vt* to second, support, assist, promote, further.
secouer [səkwe] *vt* to shake (up, down, off), rouse, stir; *vr* to shake oneself, bestir oneself.
secourable [səkurabl] *a* helpful, ready to help, helping.
secourir [səkuriːr] *vt* to help, aid, succour, relieve.
secours [s(ə)kuːr] *nm* help, aid, succour, relief, assistance; **porter — à** to lend assistance to; **apporter les premiers — à** to apply first-aid to; **poste de** — first-aid post; **de** — spare, emergency, relief; **au —!** help!
secousse [səkus] *nf* shake, shaking, shock, jolt.
secret [səkrɛ] *a* secret; *nm* secret, secrecy; **au** — in solitary confinement.
secrétaire [səkretɛːr] *n* secretary; *nm* writing-desk.
secrétariat [səkrɛtarja] *nm* secretaryship, secretariat.
sécréter [sekrete] *vt* to secrete.
sectaire [sɛktɛːr] *n* sectarian.
secte [sɛkt] *nf* sect.
secteur [sɛktœːr] *nm* sector, beat (of policeman).
section [sɛksjɔ̃] *nf* cutting, section, division, branch, stage, platoon.
sectionner [sɛksjɔne] *vt* to divide into sections, cut into pieces.
séculaire [sekylɛːr] *a* century-old, venerable, secular.
séculier, -ière [sekylje, jɛːr] *a* secular; *n* layman, -woman.
sécurité [sekyrite] *nf* security, safety, safeness.
sédatif, -ive [sedatif, iːv] *a nm* sedative.
sédentaire [sedɑ̃tɛːr] *a* sedentary, fixed.
sédiment [sedimɑ̃] *nm* sediment, deposit.
séditieux, -euse [sedisjø, øːz] *a* seditious; *nm* mutineer, rebel.
sédition [sedisjɔ̃] *nf* sedition, mutiny.
séducteur, -trice [sedyktœːr, tris] *a* seductive, tempting, alluring, enticing; *n* seducer, enticer, tempter.
séduction [sedyksjɔ̃] *nf* seduction, enticement, bribing, seductiveness, charm.
séduire [sedɥiːr] *vt* to seduce, (al)lure, captivate, charm, suborn, lead astray.
séduisant [sedɥizɑ̃] *a* tempting, captivating, attractive, fascinating, alluring.
ségrégation [segregasjɔ̃] *nf* segregation, separation.
seiche [sɛʃ] *nf* cuttle-fish.
seigle [sɛgl] *nm* rye.
seigneur [sɛɲœːr] *nm* lord, nobleman, God, the Lord.
seigneurie [sɛɲœri] *nf* lordship, manor.
sein [sɛ̃] *nm* bosom, breast.
séisme [seism] *nm* seism, earthquake.
seize [sɛːz] *a nm* sixteen, sixteenth.
seizième [sɛzjɛm] *a nm* sixteenth.
séjour [seʒuːr] *nm* sojourn, stay, residence, abode.
séjourner [seʒurne] *vi* to stay, sojourn, reside.
sel [sɛl] *nm* salt, spice, wit; *pl* smelling salts.
sélection [selɛksjɔ̃] *nf* selection.
selle [sɛl] *nf* saddle, stool, movement of bowels.
seller [sɛle] *vt* to saddle.
sellette [sɛlɛt] *nf* stool of repentance, small stool; **tenir qn sur la** — to have s.o. on the carpet.
sellier [sɛlje] *nm* saddler.
selon [s(ə)lɔ̃] *prep* according to, after; **c'est** — it depends.
Seltz [sɛls] *nm* **eau de S**— soda-water.
semailles [s(ə)maːj] *nf pl* sowing(s).
semaine [s(ə)mɛn] *nf* week, working-week, week's pay; **faire la — anglaise** to stop work on Saturdays at midday.
semblable [sɑ̃blabl] *a* similar, like, alike, such; *n* fellow-man, like.
semblant [sɑ̃blɑ̃] *nm* semblance, show, sham, appearance; **faire — de** to pretend.
sembler [sɑ̃ble] *vi* to seem, appear, look; **à ce qu'il me semble** as far as I can see, to my mind.

semelle [s(ə)mɛl] *nf* sole, foot, tread; **battre la** — to stamp one's feet (for warmth).
semence [s(ə)mɑ̃:s] *nf* seed, (tin) tacks.
semer [s(ə)me] *vt* to sow, scatter, spread, dot, outpace, shake off.
semestre [s(ə)mɛstr] *nm* term, half-year.
semestriel, -elle [s(ə)mɛstriɛl] *a* half-yearly.
semeur, -euse [s(ə)mœ:r, ø:z] *n* sower, spreader.
sémillant [semijɑ̃] *a* sprightly, lively, brisk.
séminariste [seminarist] *nm* seminarist.
semis [səmi] *nm* sowing, seed-bed, seedling.
sémitique [semitik] *a* semitic.
semonce [səmɔ̃:s] *nf* rebuke, scolding, dressing-down.
semoncer [səmɔ̃se] *vt* to scold, rebuke, lecture.
semoule [s(ə)mul] *nf* semolina.
sénat [sɛna] *nm* senate.
sénateur [sɛnatœ:r] *nm* senator.
sénile [senil] *a* senile.
sénilité [senilite] *nf* senility.
sens [sɑ̃:s] *nm* sense, intelligence, meaning, direction; **bon** — common sense; **rue à** — **unique** one-way street; — **interdit** no entry; — **dessus dessous** upside down.
sensation [sɑ̃sasjɔ̃] *nf* sensation, feeling, stir.
sensationnel, -elle [sɑ̃sasjɔnɛl] *a* sensational, super.
sensé [sɑ̃se] *a* sensible, judicious.
sensibilisateur, -trice [sɑ̃sibilizatœ:r, tris] *a* sensitizing; *nm* sensitizer.
sensibilité [sɑ̃sibilite] *nf* sensibility, sensitiveness, feeling, tenderness.
sensible [sɑ̃sibl] *a* sensitive, susceptible, tender, sore, palpable, perceptible.
sensiblerie [sɑ̃sibləri] *nf* mawkish sentiment.
sensitif, -ive [sɑ̃sitif] *a* sensitive, sensory.
sensualisme [sɑ̃sɥalism] *nm* sensualism.
sensualité [sɑ̃sɥalite] *nf* sensuality.
sensuel, -elle [sɑ̃sɥɛl] *a* sensual, sensuous, voluptuous; *n* sensualist.
sentence [sɑ̃tɑ̃:s] *nf* maxim, sentence.
sentencieux, -euse [sɑ̃tɑ̃sjø, ø:z] *a* sententious.
senteur [sɑ̃tœ:r] *nf* perfume, scent.
senti [sɑ̃ti] *a* heartfelt, genuine.
sentier [sɑ̃tje] *nm* path.
sentiment [sɑ̃timɑ̃] *nm* feeling, sense, sensation, sentiment, opinion; **faire du** — to play on the emotions.
sentimental [sɑ̃timɑ̃tal] *a* sentimental.
sentimentalité [sɑ̃timɑ̃talite] *nf* sentimentality.
sentine [sɑ̃tin] *nf* bilge.
sentinelle [sɑ̃tinɛl] *nf* sentry, sentinel; **en** — on sentry duty.
sentir [sɑ̃ti:r] *vt* to feel, smell, be aware (of); *vi* to smell (of), taste of, smack of; *vr* to feel; **je ne peux pas le** — I can't stand him; **ne pas se** — **de joie** to be beside oneself with joy, overjoyed.
seoir [swa:r] *vi* to become, suit.
séparable [sɛparabl] *a* separable.
séparation [sɛparasjɔ̃] *nf* separation, breaking up, parting.
séparatisme [sɛparatism] *nm* separatism.
séparé [sɛpare] *a* separate, apart, distinct.
séparément [sɛparemɑ̃] *ad* separately, apart, singly.
séparer [sɛpare] *vt* to separate, divide, part, be between; *vr* to part, separate, divide, break up.
sept [sɛ(t)] *a nm* seven, seventh.
septembre [sɛptɑ̃:br] *nm* September.
septentrional [sɛptɑ̃triɔnal] *a* northern; *n* Northerner.
septième [sɛtjɛm] *a nm* seventh.
septique [sɛptik] *a* septic.
septuagénaire [sɛptɥaʒenɛ:r] *an* septuagenarian.
septuor [sɛptɥɔ:r] *nm* septet.
sépulcral [sepylkral] *a* sepulchral.
sépulcre [sepylkr] *nm* sepulchre, tomb.
sépulture [sepylty:r] *nf* burial-place, tomb, interment.
séquelle [sekɛl] *nf* gang, string; *pl* after-effects.
séquence [sɛkɑ̃:s] *nf* sequence, run.
séquestration [sekɛstrasjɔ̃] *nf* sequestration, seclusion, isolation.
séquestre [sekɛstr] *nm* sequestrator, trustee, sequestration, embargo; **sous** — sequestered.
séquestrer [sekɛstre] *vt* to sequester, sequestrate, confine, isolate.
séraphin [sɛrafɛ̃] *nm* seraph.
séraphique [sɛrafik] *a* seraphic, angelic.
serein [sərɛ̃] *a* serene, calm, quiet.
sérénade [serenad] *nf* serenade.
sérénité [serenite] *nf* serenity, calmness.
serf, serve [sɛrf, sɛrv] *a* in bondage; *n* serf.
serge [sɛrʒ] *nm* serge.
sergent [sɛrʒɑ̃] *nm* sergeant; — **major** quartermaster-sergeant; — **de ville** policeman.
série [seri] *nf* series, succession, line, set, run, break; **fin de** — remnant; **article hors** — specially made article, outsize; **voiture de** — car of standard model.
sérieux, -euse [serjø, ø:z] *a* serious, grave, solemn, earnest, genuine; *nm* seriousness, gravity; **manque de** — levity; **prendre qch au** — to take sth seriously; **garder son** — to keep a straight face.
serin [s(ə)rɛ̃] *nm* canary, simpleton.
seringue [sərɛ̃:g] *nf* syringe.

serment [sɛrmɑ̃] *nm* oath; **prêter —** to take an oath, be sworn in; **sous —** on oath.
sermon [sɛrmɔ̃] *nm* sermon, talking-to.
sermonner [sɛrmɔne] *vt* to lecture; *vi* to preachify, lay down the law.
sermonneur, -euse [sɛrmɔnœːr, øːz] *a* sermonizing; *n* sermonizer.
serpe [sɛrp] *nf* bill-hook.
serpent [sɛrpɑ̃] *nm* snake, serpent; **— à sonnettes** rattlesnake.
serpenter [sɛrpɑ̃te] *vi* to wind, meander.
serpentin [sɛrpɑ̃tɛ̃] *a* serpentine; *nm* worm (*of still*), coil, streamer.
serpette [sɛrpɛt] *nf* bill-hook, pruning-knife.
serpillière [sɛrpijɛːr] *nf* sacking, apron.
serpolet [sɛrpɔlɛ] *nm* wild thyme.
serrage [sɛraːʒ] *nm* tightening, clamping, grip; **— des freins** braking.
serre [sɛːr] *nf* greenhouse, pressing, talon, claw, grip, clip; **— chaude** hothouse.
serré [sere] *a* tight, close, serried, packed, closely-woven, compact, close-fisted.
serrement [sɛrmɑ̃] *nm* squeezing, pressure; **— de cœur** pang; **— de main(s)** handshake.
serre-papiers [sɛrpapje] *nm* file, paper-clip, -weight.
serrer [sɛre] *vt* to press, squeeze, clasp, shake (hands), clench, close (up), tighten, condense, put away; *vr* to stand or sit closer, huddle together, crowd, tighten.
serre-tête [sɛrtɛːt] *nm* head-band, crash-helmet, scrum-cap.
serrure [sɛryːr] *nf* lock; **trou de la —** keyhole.
serrurerie [seryr(ə)ri] *nf* lock, locksmith's (shop), locksmithing, metal work.
serrurier [sɛryrje] *nm* locksmith, ironsmith.
sertir [sɛrtiːr] *vt* to set.
servage [sɛrvaːʒ] *nm* bondage, serfdom.
serval [sɛrval] *nm* bush-cat.
servant [sɛrvɑ̃] *a* serving; *nm* server; *pl* gun crew.
servante [sɛrvɑ̃ːt] *nf* maid-servant, dumb-waiter, tea-trolley.
serveur, -euse [sɛrvœːr, øːz] *n* carver, barman, barmaid, waitress, server; *f* coffee pot.
serviable [sɛrvjabl] *a* obliging, helpful.
service [sɛrvis] *nm* service, disposition, attendance, good turn, department, course, set; **escalier de —** backstairs; **porte de —** tradesmen's entrance; **entrer en —** to go into service; **entrer au —** to go into the army; **être de —** to be on duty; **assurer le — entre . . . et . . .** to run between . . . and . . .; **bon pour le —** fit for service, serviceable; **libre —** self-service.
serviette [sɛrvjɛt] *nf* napkin, towel, brief-case.
servile [sɛrvil] *a* slavish, servile.
servilité [sɛrvilite] *nf* servility, slavishness.
servir [sɛrviːr] *vt* to serve (up, out), attend to, wait on, help, work, operate; *vi* to serve, be in use, be useful, be used; *vr* to help oneself, shop, deal, use; **— de** to be used as, serve as; **cela ne sert à rien** that is no use.
serviteur [sɛrvitœːr] *nm* servant.
servitude [sɛrvityd] *nf* servitude, slavery, bondage.
ses [se] *see* **son.**
session [sɛsjɔ̃] *nf* session, sitting.
séton [setɔ̃] *nm* **blessure en —** flesh wound.
seuil [sœːj] *nm* threshold, doorstep.
seul [sœl] *a* single, alone, sole, one, only, by oneself.
seulement [sœlmɑ̃] *ad* only, merely, solely, even.
sève [sɛːv] *nf* sap, pith, vigour.
sévère [sevɛːr] *a* severe, stern, harsh, strict.
sévérité [severite] *nf* severity, sternness, harshness, strictness.
sévices [sevis] *nm pl* brutality, maltreatment, cruelty.
sévir [seviːr] *vi* to be rife, severe, to rage, deal severely (with **contre**).
sevrer [sɛvre] *vt* to wean, deprive.
sexagénaire [sɛksaʒenɛːr] *an* sexagenarian.
sexe [sɛks] *nm* sex.
sextant [sɛkstɑ̃] *nm* sextant.
sexualité [sɛksɥalite] *nf* sexuality.
sexuel, -elle [sɛksɥɛl] *a* sexual.
seyant [sɛjɑ̃] *a* becoming.
shampooing [ʃɑ̃pwɛ̃] *nm* shampoo.
si [si] *ad* so, as, such, yes; *cj* if, whether, how, what about; *nm* B (*mus*); **si . . . que** however; **si ce n'était** were it not for.
siamois [sjamwa] *an* Siamese.
sidéré [sidere] *a* struck dumb, dazed, dumbfounded.
sidérurgie [sideryrʒi] *nf* metallurgy, iron smelting.
siècle [sjɛkl] *nm* century, age, period.
siège [sjɛːʒ] *nm* seat, chair, bottom (of chair), centre, siege; **déclarer l'état de —** to declare martial law.
siéger [sjeʒe] *vi* to sit, be seated, be centred.
sien, sienne [sjɛ̃, sjɛn] *pos pn* **le(s) —(s), la sienne, les siennes** his, hers, its, one's; *nm* his, her, its, one's own; *pl* one's own people; **y mettre du —** to do one's share; **faire des siennes** to be up to one's tricks.
sieste [sjɛst] *nf* siesta, nap.
sifflant [siflɑ̃] *a* whistling, hissing, sibilant.

siffler [sifle] *vt* to whistle (for, to, after), pipe, boo, hiss, swig; *vi* to whistle, hiss, sizzle, whizz, wheeze.
sifflet [siflɛ] *nm* whistle, pipe, hiss, catcall.
siffleur, -euse [siflœ:r, ø:z] *a* whistling, hissing, wheezy; *n* whistler, booer.
siffloter [siflɔte] *vti* to whistle softly.
sigle [sigl] *nm* initials, trade-name, trade-mark.
signal [siɲal] *nm* signal.
signalement [siɲalmɑ̃] *nm* description, particulars.
signalé [siɲale] *a* signal, well-known, conspicuous.
signaler [siɲale] *vt* to signal, distinguish, point out, report, give a description of; *vr* to distinguish oneself.
signaleur [siɲalœ:r] *nm* signaller, signalman.
signalisateur [siɲalizatœ:r] *nm* signalling apparatus, traffic indicator.
signalisation [siɲalizasjɔ̃] *nf* signalling.
signataire [siɲatɛ:r] *n* signatory.
signature [siɲaty:r] *nf* signature, signing.
signe [siɲ] *nm* sign, mark, symptom, indication, gesture; — **de tête** nod; **faire — à qn** to beckon, motion to s.o.
signer [siɲe] *vt* to sign, stamp; *vr* to cross oneself.
signet [siɲɛ] *nm* bookmark(er).
significatif, -ive [siɲifikatif, i:v] *a* significant.
signification [siɲifikasjɔ̃] *nf* signification, significance, meaning, notification.
signifier [siɲifje] *vt* to signify, mean, notify.
silence [silɑ̃:s] *nm* silence, stillness, hush, rest; **passer sous —** to ignore.
silencieux, -euse [silɑ̃sjø, ø:z] *a* silent, still, noiseless; *nm* silencer.
silex [silɛks] *nm* silex, flint.
silhouette [silwɛt] *nf* silhouette, outline, figure.
silhouetter [silwɛte] *vt* to silhouette, outline; *vr* to stand out, show up.
sillage [sija:ʒ] *nm* wake, wash, track.
sillon [sijɔ̃] *nm* furrow, track, trail, wrinkle, groove, streak.
sillonner [sijɔne] *vt* to furrow, plough, cleave, wrinkle.
simagrée [simagre] *nf usu pl* affectation, affected airs.
simiesque [simjɛsk] *a* ape-like, monkey-like.
similaire [similɛ:r] *a* similar, like.
similarité [similarite] *nf* similarity, likeness.
simili [simili] *nm* imitation.
similitude [similityd] *nf* similitude, similarity, likeness.
simple [sɛ̃:pl] *a* simple, easy, mere, ordinary, plain, homely, guileless, single; *nm* single (game); *pl* herbs; — **soldat** private (soldier).
simplicité [sɛ̃plisite] *nf* simplicity plainness, naturalness, simple-mindedness.
simplificateur, -trice [sɛ̃plifikatœ:r, tris] *a* simplifying.
simplification [sɛ̃plifikasjɔ̃] *nf* simplification.
simplifier [sɛ̃plifje] *vt* to simplify.
simpliste [sɛ̃plist] *a* over-simple.
simulacre [simylakr] *nm* semblance, sham, show, image.
simulateur, -trice [simylatœ:r, tris] *n* simulator, shammer.
simulation [simylasjɔ̃] *nf* simulation, shamming.
simuler [simyle] *vt* to simulate, sham, feign.
simultané [simyltane] *a* simultaneous.
sinapisme [sinapism] *nm* mustard plaster.
sincère [sɛ̃sɛ:r] *a* sincere, genuine, frank, candid.
sincérité [sɛ̃serite] *nf* sincerity, genuineness, candour.
singe [sɛ̃:ʒ] *nm* monkey, ape, mimic, (*sl*) bully-beef.
singer [sɛ̃ʒe] *vt* to ape, mimic.
singerie [sɛ̃ʒri] *nf* grimace, antic, affected airs, monkey-house.
singulariser [sɛ̃gylarize] *vt* to make conspicuous.
singularité [sɛ̃gylarite] *nf* peculiarity, unusualness, oddness, eccentricity.
singulier, -ière [sɛ̃gylje, jɛ:r] *a* peculiar, singular, unusual, remarkable, queer, odd; *nm* singular; **combat —** single combat.
sinistre [sinistr] *a* sinister, ominous, fatal; *nm* catastrophe, disaster, calamity.
sinistré [sinistre] *a* damaged (by fire *etc*); *n* victim.
sinon [sinɔ̃] *cj* if not, otherwise, except.
sinueux, -euse [sinɥø, ø:z] *a* sinuous, winding, meandering.
sinuosité [sinɥɔzite] *nf* winding, meander, bend.
sinusite [sinyzit] *nf* sinusitis.
siphon [sifɔ̃] *nm* siphon, trap.
sire [si:r] *nm* sire; **triste —** sorry fellow.
sirène [sirɛn] *nf* siren, vamp, buzzer, hooter, foghorn.
sirop [siro] *nm* syrup.
siroter [sirɔte] *vt* to sip; *vi* to tipple.
sis [si] *pp* situated.
sismique [sismik] *a* seismic.
site [sit] *nm* beauty spot, site.
sitôt [sito] *ad* — **dit, — fait** no sooner said than done; **nous ne le reverrons pas de —** we will not see him for some time to come.
situation [sitɥasjɔ̃] *nf* situation, site, position, post, state.

situer [sitɥe] *vt* to situate, locate, place.
six [si(s)] *a nm* six, sixth.
sixième [sizjɛm] *an* sixth; *nm* sixth (part); *nf* first form (school).
ski [ski] *nm* ski, skiing; — **nautique** water-skiing.
skieur, -euse [skiœːr, øːz] *n* skier.
slip [slip] *nm* slip, slipway, briefs, underpants.
smoking [smɔkiŋ] *nm* dinner jacket.
snob [snɔb] *nm* snob, slavish imitator of popular fashion or opinion; *a* smart, snobbish.
snobisme [snɔbism] *nm* snobbery, slavish imitation of popular fashion or opinion.
sobre [sɔbr] *a* temperate, moderate, sparing, quiet.
sobriété [sɔbriete] *nf* sobriety, temperateness, moderation.
sobriquet [sɔbrikɛ] *nm* nickname.
soc [sɔk] *nm* ploughshare.
sociabilité [sɔsjabilite] *nf* sociability, sociableness.
sociable [sɔsjabl] *a* sociable.
social [sɔsjal] *a* social; **raison —e** name of a firm.
socialisme [sɔsjalism] *nm* socialism.
socialiste [sɔsjalist] *a* socialist(ic); *n* socialist.
sociétaire [sɔsjetɛːr] *n* member, shareholder.
société [sɔsjete] *nf* society, association, club, companionship, company, partnership; **S — des Nations** League of Nations.
sociologie [sɔsjɔlɔʒi] *nf* sociology.
socle [sɔkl] *nm* pedestal, plinth, base, stand.
socque [sɔk] *nm* clog, patten, sock.
socquette [sɔkɛt] *nf* ankle sock.
sodium [sɔdjɔm] *nm* sodium.
sœur [sœːr] *nf* sister, nun.
sofa [sɔfa] *nm* sofa, settee.
soi [swa] *pn* oneself, him-, her-, it-; — **-même** oneself.
soi-disant [swadizɑ̃] *a* would-be, so-called, self-styled; *ad* supposedly.
soie [swa] *nf* silk, bristle; **papier de —** tissue paper.
soierie [swari] *nf* silk-fabric, silks, silk-trade, -factory.
soif [swaf] *nf* thirst; **avoir —** to be thirsty, eager (for **de**).
soigné [swaɲe] *a* neat, careful, carefully done, well-groomed, trim.
soigner [swaɲe] *vt* to take care of, attend (to), look after, nurse, take pains with; *vr* to take care of o.s., look after o.s.
soigneux, -euse [swaɲø, øːz] *a* careful, tidy, neat.
soin [swɛ̃] *nm* care, trouble, attention, pains, task; *pl* solicitude, attention(s), aid, treatment; **avoir —** to take care; **être aux petits —s auprès de qn** to be most attentive to.
soir [swaːr] *nm* evening, night.
soirée [sware] *nf* evening, party, reception.
soit [swa] *excl* right! agreed! *cj* — **l'un — l'autre** either one or the other; — **aujourd'hui ou demain** either today or tomorrow; — **qu'il le fasse ou qu'il ne le fasse pas** whether he does it or not.
soixantaine [swasɑ̃tɛn] *nf* about sixty.
soixante [swasɑ̃ːt] *a nm* sixty.
soixantième [swasɑ̃tjɛm] *a nm* sixtieth.
sol [sɔl] *nm* ground, soil, earth, G (*mus*).
solaire [sɔlɛːr] *a* solar.
soldat [sɔlda] *nm* soldier; **simple —** private; — **de première classe** lance-corporal; — **de plomb** tin soldier.
solde [sɔld] *nm* balance, settlement, job lot, surplus stock, clearance sale; *nf* pay; **prix de —** bargain price; **être à la — de** to be in the pay of.
solder [sɔlde] *vt* to balance, settle, clear off, sell off.
sole [sɔl] *nf* sole.
solécisme [sɔlesism] *nm* solecism.
soleil [sɔlɛːj] *nm* sun, sunshine, sunflower, monstrance, Catherine wheel; **coup de —** sunburn, sunstroke, sunny interval; **il fait du —** it is sunny.
solennel, -elle [sɔlanɛl] *a* solemn, grave, official.
solenniser [sɔlanize] *vt* to solemnize, celebrate.
solennité [sɔlanite] *nf* solemnity, solemn ceremony.
solfège [sɔlfɛːʒ] *nm* sol-fa.
solidaire [sɔlidɛːr] *a* interdependent, jointly responsible, binding, bound up (with **de**).
solidariser [sɔlidarize] *vt* to make responsible.
solidarité [sɔlidarite] *nf* joint responsibility, interdependence, solidarity; **faire la grève de —** to strike in sympathy.
solide [sɔlid] *a* solid, secure, sound, strong, hefty, staunch; *nm* solid; **viser au —** to have an eye to the main chance.
solidifier [sɔlidifje] *vtr* to solidify.
solidité [sɔlidite] *nf* solidity, soundness, stability, strength, staunchness.
soliloque [sɔlilɔk] *nm* soliloquy.
soliste [sɔlist] *a* solo; *n* soloist.
solitaire [sɔlitɛːr] *a* solitary, lonely; *nm* hermit, recluse, solitaire.
solitude [sɔlityd] *nf* solitude, loneliness, wilderness.
solive [sɔliːv] *nf* beam, joist, rafter.
sollicitation [sɔllisitasjɔ̃] *nf* solicitation, entreaty, canvassing.
solliciter [sɔllisite] *vt* to solicit, beg for, canvass, apply for, attract.
solliciteur, -euse [sɔllisitœːr, øːz] *n*

petitioner, canvasser, applicant.
sollicitude [sɔllisityd] *nf* solicitude, concern, care, anxiety.
solo [sɔlo] *a nm* solo.
solstice [sɔlstis] *nm* solstice.
soluble [sɔlybl] *a* soluble, solvable.
solution [sɔlysjɔ̃] *nf* solution, answer, settlement.
solvabilité [sɔlvabilite] *nf* solvency.
solvable [sɔlvabl] *a* solvent.
sombre [sɔ̃:br] *a* sombre, dark, dismal, gloomy, dull.
sombrer [sɔ̃bre] *vi* to sink, founder, go down.
sommaire [sɔmmɛ:r] *a* summary, succinct, hasty, scant; *nm* summary, synopsis.
sommation [sɔmasjɔ̃] *nf* notice, summons.
somme [sɔm] *nf* sum, amount, pack-saddle; *nm* nap, snooze; **bête de —** beast of burden; **— toute, en —** on the whole, in short.
sommeil [sɔmɛ:j] *nm* sleep, slumber, sleepiness; **avoir —** to be sleepy, drowsy; **avoir le — léger (profond)**, to be a light (heavy) sleeper.
sommeiller [sɔmɛje] *vi* to slumber, be asleep, nod.
sommelier [sɔməlje] *nm* wine-waiter.
sommer [sɔme] *vt* to summon, call upon.
sommet [sɔmɛ] *nm* summit, top, crown, crest, apex; **conférence au —** summit conference.
sommier [sɔmje] *nm* bed-springs, register.
sommité [sɔmmite] *nf* summit, top, leading figure.
somnambule [sɔmnɑ̃byl] *a* somnambulistic; *n* somnambulist, sleep-walker.
somnifère [sɔmnifɛ:r] *a nm* sleeping-tablet, soporific.
somnolence [sɔmnɔlɑ̃:s] *nf* somnolence, drowsiness.
somnolent [sɔmnɔlɑ̃] *a* somnolent, drowsy, sleepy.
somnoler [sɔmnɔle] *vi* to doze, nod, drowse.
somptueux, -euse [sɔ̃ptɥø, ø:z] *a* sumptuous.
son, sa, ses [sɔ̃, sa, se] *a* his, her, its, one's.
son [sɔ̃] *nm* sound, bran; **tache de —** freckle.
sonate [sɔnat] *nf* sonata.
sondage [sɔ̃da:ʒ] *nm* sounding, boring, probing, bore-hole.
sonde [sɔ̃:d] *nf* plummet, sounding-line, -rod, boring-machine, probe, taster.
sonder [sɔ̃de] *vt* to sound, bore, probe, investigate, fathom.
sondeuse [sɔ̃dø:z] *nf* drilling-machine.
songe [sɔ̃:ʒ] *nm* dream.
songe-creux [sɔ̃ʒkrø] *nm* dreamer, visionary.
songer [sɔ̃ʒe] *vi* to dream, muse, imagine, remember, think.
songerie [sɔ̃ʒri] *nf* reverie, musing, daydream(ing), brown study.
songeur, -euse [sɔ̃ʒœ:r, ø:z] *a* dreamy, pensive; *n* dreamer.
sonnaille [sɔna:j] *nf* cattle-bell.
sonnant [sɔnɑ̃] *a* ringing, striking; **à une heure —e** on the stroke of one; **espèces —es** hard cash.
sonner [sɔne] *vt* to ring (for), strike; *vi* to ring, sound, toll, strike.
sonnerie [sɔnri] *nf* ringing, chimes, bell, system of bells, bugle call; **— électrique** electric bell; **— aux morts** last post.
sonnet [sɔnɛ] *nm* sonnet.
sonnette [sɔnɛt] *nf* small bell, housebell, handbell; **coup de —** ring.
sonneur [sɔnœ:r] *nm* bell-ringer.
sonore [sɔnɔ:r] *a* sonorous, resounding, resonant, ringing, voiced, with good acoustics; **bande —** sound-track.
sonoriser [sɔnɔrize] *vt* to add the sound effects to (*a film*), to install amplifiers.
sonorité [sɔnɔrite] *nf* sonority, resonance.
sophisme [sɔfism] *nm* sophism, fallacy.
sophiste [sɔfist] *nm* sophist.
sophistiqué [sɔfistike] *a* sophisticated, adulterated.
soporifique [sɔpɔrifik] *a* soporific, tiresome.
sorbier [sɔrbje] *nm* service-tree, rowan-tree.
sorcellerie [sɔrsɛlri] *nf* witchcraft, sorcery.
sorcier, -ière [sɔrsje, jɛ:r] *n* sorcerer, sorceress, wizard, witch, hag.
sordide [sɔrdid] *a* squalid, sordid, mean, dirty.
sornettes [sɔrnɛt] *nf pl* nonsense, trash.
sort [sɔ:r] *nm* fate, chance, lot, spell; **tirer au —** to draw lots, ballot.
sortable [sɔrtabl] *a* suitable, eligible, presentable.
sortant [sɔrtɑ̃] *a* outgoing, retiring.
sorte [sɔrt] *nf* kind, sort, way, manner; **de la —** in that way; **de — que** so that; **en quelque —** in a way.
sortie [sɔrti] *nf* going out, coming out, exit, way out, leaving, sortie, trip, outburst; **— de secours** emergency exit; **jour de —** day out; **— de bain** bathing wrap.
sortilège [sɔrtilɛ:ʒ] *nm* charm, spell.
sortir [sɔrti:r] *vt* to take (put, bring, pull) out; *vi* to go (come, walk) out, protrude, stand out, spring, descend; *nm* coming out; **— de table** to rise from table; **faire —** to put out, take out; **il est sorti** he is out; **au — de l'école** on coming out of school, on leaving school.

sosie [sɔzi] *nm* double.
sot, sotte [so, sɔt] *a* stupid, foolish, silly; *n* fool, dolt.
sottise [sɔti:z] *nf* stupidity, folly, silliness, foolish thing.
sou [su] *nm* sou; **cent —s** five francs; **il n'a pas le —** he is penniless; **il n'a pas pour deux —s de curiosité** he is not the least bit curious.
soubassement [subasmɑ̃] *nm* base, substructure.
soubresaut [subrəso] *nm* leap, start, jump, jolt, gasp; *pl* spasmodic movements, convulsions.
soubrette [subrɛt] *nf* soubrette, waiting-maid.
souche [suʃ] *nf* stump, log, dolt, counterfoil, origin; **faire —** to found a family; **de bonne —** of good stock, pedigree.
souci [susi] *nm* care, worry, anxiety, solicitude, marigold.
se soucier [səsusje] *vr* to concern o.s., worry, trouble, care, mind, bother.
soucieux, -euse [susjø, ø:z] *a* anxious, mindful, worried.
soucoupe [sukup] *nf* saucer.
soudain [sudɛ̃] *a* sudden; *ad* suddenly.
soudaineté [sudɛnte] *nf* suddenness.
soudard [suda:r] *nm* old soldier.
soude [sud] *nf* soda; **bicarbonate de —** bicarbonate of soda, baking soda.
souder [sude] *vt* to solder, weld; *vr* to weld, knit; **lampe à —** blowlamp.
soudoyer [sudwaje] *vt* to hire, bribe.
soudure [sudy:r] *nf* soldering, welding, soldered joint, solder.
soufflage [sufla:ʒ] *nm* blowing, blast.
souffle [sufl] *nm* breath, breathing, blast, puff, inspiration; **couper le — à qn** to take s.o.'s breath away; **à bout de —** out of breath.
soufflé [sufle] *a* unvoiced; *nm* soufflé.
souffler [sufle] *vt* to blow (out, off, up), breathe, utter, filch, pinch; *vi* to blow, pant, puff, recover one's breath; **— (son rôle à) qn** to prompt s.o.
soufflet [suflɛ] *nm* bellows, gore, insult, box on the ear, slap.
souffleter [suflәte] *vt* to slap, box s.o.'s ears, insult.
souffleur, -euse [suflœ:r, ø:z] *n* prompter; *nm* blower.
souffrance [sufrɑ̃:s] *nf* suffering, pain; **en —** in suspense, awaiting delivery.
souffrant [sufrɑ̃] *a* suffering, unwell, ailing.
souffre-douleur [sufrədulœ:r] *nm* butt, drudge.
souffreteux, -euse [sufrətø, ø:z] *a* sickly, seedy, needy.
souffrir [sufri:r] *vt* to suffer, endure, bear, allow (of); *vi* to be in pain, suffer.
soufre [sufr] *nm* sulphur, brimstone.
soufrer [sufre] *vt* to sulphurate.
souhait [swɛ] *nm* wish, desire; **à —** to one's liking.
souhaitable [swɛtabl] *a* desirable.
souhaiter [swɛte] *vt* to wish (for), desire.
souiller [suje] *vt* to soil, pollute, stain, sully.
souillon [sujɔ̃] *n* sloven, slut; *nf* scullery maid.
souillure [sujy:r] *nf* stain, spot, blemish, blot.
soûl [su] *a* drunk, surfeited; **tout son —** one's fill.
soulagement [sulaʒmɑ̃] *nm* relief, comfort, alleviation.
soulager [sulaʒe] *vt* to relieve, alleviate, ease; *vr* to relieve one's feelings, relieve oneself.
soûlard [sula:r] *nm* drunkard.
soûler [sule] *vt* to stuff with food, make drunk; *vr* to gorge, get drunk.
soûlerie [sulri] *nf* drinking bout, drunken orgy.
soulèvement [sulɛvmɑ̃] *nm* rising, upheaval, revolt, indignant outburst.
soulever [sulve] *vt* to raise, lift, rouse, stir up; *vr* to revolt, heave.
soulier [sulje] *nm* shoe.
souligner [suliɲe] *vt* to underline, stress, emphasize.
soumettre [sumɛtr] *vt* to subdue, subject, refer, lay, submit; *vr* to submit, comply, yield, defer.
soumis [sumi] *a* submissive, amenable, biddable liable, subject.
soumission [sumisjɔ̃] *nf* submission, submissiveness, compliance, tender.
soupape [supap] *nf* valve.
soupçon [supsɔ̃] *nm* suspicion, touch, dash, flavour.
soupçonner [supsɔne] *vt* to suspect, guess, conjecture, surmise.
soupçonneux, -euse [supsɔnø, ø:z] *a* suspicious, distrustful.
soupe [sup] *nf* soup.
soupente [supɑ̃:t] *nf* garret, loft, recess, brace, strap.
souper [supe] *vi* to have supper; *nm* supper; **j'en ai soupé** I am fed up (with it).
soupeser [supəze] *vt* to weigh in the hand, feel the weight of.
soupière [supjɛ:r] *nf* soup-tureen.
soupir [supi:r] *nm* sigh.
soupirail [supira:j] *nm* ventilator, air-hole.
soupirant [supirɑ̃] *nm* suitor.
soupirer [supire] *vi* to sigh, gasp, long (for **après**).
souple [supl] *a* supple, flexible, adaptable, pliant.
souplesse [suplɛs] *nf* suppleness, pliability, flexibility, litheness; **— d'esprit** adaptability.
source [surs] *nf* source, spring, well, fount(ain), origin, root; **de bonne —** on good authority.
sourcier, -ière [sursje, jɛ:r] *n* water-diviner.

sourcil [sursi] *nm* eyebrow.
sourciller [sursije] *vi* to frown, flinch, wince.
sourcilleux, -euse [sursijø, ø:z] *a* frowning, supercilious.
sourd [su:r] *a* deaf, muffled, dull, veiled, muted, sound-proof, unvoiced; **bruit —** thud; **lanterne —e** dark-lantern; **— comme un pot** as deaf as a door post.
sourdement [surdəmɑ̃] *ad* with a dull hollow sound, dully, secretly.
sourdine [surdin] *nf* mute, damper, dimmer; **en —** on the sly.
sourd-muet, sourde-muette [surmɥɛ, surdmɥɛt] *a* deaf-and-dumb; *n* deaf-mute.
sourdre [surdr] *vi* to well up, spring, arise.
souricière [surisjɛ:r] *nf* mousetrap, trap.
sourire [suri:r] *vi* to smile, appeal; *nm* smile.
souris [suri] *nf* mouse; *nm* smile.
sournois [surnwa] *a* sly, crafty, artful, underhand; *n* sneak, shifty character, sly boots.
sournoiserie [surnwazri] *nf* craftiness, underhand piece of work.
sous [su] *prep* under(neath), below, beneath, within (time), sub-; **— la pluie** in the rain; **— peine de mort** on pain of death.
sous-alimentation [suzalimɑ̃tasjɔ̃] *nf* malnutrition.
sous-bois [subwa] *nm* underwood, undergrowth.
sous-chef [suʃɛf] *nm* deputy chief, assistant manager, chief assistant.
souscription [suskripsjɔ̃] *nf* subscription, contribution, signing, signature; **verser une —** to make a contribution.
souscrire [suskri:r] *vt* to subscribe (to), sign.
sous-développé [sudevlɔpe] *a* underdeveloped.
sous-directeur, -trice [sudirɛktœ:r, tris] *n* assistant-manager(ess), vice-principal.
sous-entendre [suzɑ̃tɑ̃:dr] *vt* to imply, understand.
sous-entendu [suzɑ̃tɑ̃dy] *nm* implication; **parler par —s** to hint, insinuate.
sous-entente [suzɑ̃tɑ̃t] *nf* mental reservation.
sous-estimer [suzɛstime] *vt* to under-estimate.
sous-gouverneur [suguvɛrnœ:r] *nm* deputy-, vice-governor.
sous-jacent [suʒasɑ̃] *a* subjacent, underlying.
sous-lieutenant [suljøtnɑ̃] *nm* second-, sub-lieutenant.
sous-location [sulɔkasjɔ̃] *nf* sublet (ting).
sous-louer [sulwe] *vt* to sub-let, sub-lease.
sous-main [sumɛ̃] *nm* writing-pad, blotting-pad; **en —** behind the scenes.
sous-marin [sumarɛ̃] *a* submarine, submerged; *nm* submarine.
sous-officier [suzɔfisje] *nm* non-commissioned officer, (*naut*) petty officer.
sous-pied [supje] *nm* under-strap.
sous-préfecture [suprefɛkty:r] *nf* sub-prefecture.
sous-produit [suprɔdɥi] *nm* by-product.
sous-secrétaire [susəkrɛtɛ:r] *n* under-secretary.
sous-seing [susɛ̃] *nm* private contract, agreement.
soussigner [susiɲe] *vt* to sign, undersign.
sous-sol [susɔl] *nm* basement, subsoil.
sous-titre [suti:tr] *nm* sub-title, caption.
soustraction [sustraksjɔ̃] *nf* subtraction, removal.
soustraire [sustrɛ:r] *vt* to subtract, remove, take away, shield, screen; *vr* to elude, avoid, dodge, get out (of **à**); **se — à la justice** to abscond
sous-ventrière [suvɑ̃trjɛ:r] *nf* belly-band, saddle-girth.
sous-vêtement [suvɛtmɑ̃] *nm* undergarment.
soutache [sutaʃ] *nf* braid.
soutane [sutan] *nf* cassock.
soute [sut] *nf* store-room, coal-bunker; **— à eau** water-tank; **— à munitions** magazine.
soutenable [sutnabl] *a* bearable, tenable, arguable.
soutenance [sutnɑ̃:s] *nf* maintaining (thesis).
souteneur [sutnœ:r] *nm* upholder, pimp.
soutenir [sutni:r] *vt* to sustain, support, withstand, maintain, keep, back (up), assert; *vr* to support oneself, keep up, be maintained.
soutenu [sutny] *a* sustained, unflagging, constant, continued, steady, elevated.
souterrain [sutɛrɛ̃] *a* subterranean, underground; *nm* tunnel underground passage.
soutien [sutjɛ̃] *nm* support, prop, supporter.
soutien-gorge [sutjɛ̃gɔrʒ] *nm* brassière.
soutier [sutje] *nm* trimmer.
soutirer [sutire] *vt* to rack, draw off, squeeze.
souvenance [suvnɑ̃:s] *nf* recollection.
souvenir [suvni:r] *v imp* to come to mind; *vr* to remember, recall; *nm* memory, recollection, remembrance, memento, souvenir, memorial, keepsake.
souvent [suvɑ̃] *ad* often.
souverain [suvrɛ̃] *a* sovereign, supreme; *n* sovereign, ruler.
souveraineté [suvrɛnte] *nf* sovereignty.

soviétique [sɔvjetik] *a* soviet; *n* Soviet citizen.
soyeux, -euse [swajø, ø:z] *a* silky, silken.
spacieux, -euse [spasjø, ø:z] *a* spacious, roomy.
sparadrap [sparadra] *nm* sticking-plaster.
sparte [spart] *nm* esparto grass.
spartiate [sparsjat] *a* spartan.
spasme [spasm] *nm* spasm.
spasmodique [spasmɔdik] *a* spasmodic.
spatule [spatyl] *nf* spatula.
speaker, -ine [spikœ:r, krin] *n* (radio) announcer.
spécial [spesjal] *a* special, particular.
se spécialiser [səspesjalize] *vr* to specialize.
spécialiste [spesjalist] *n* specialist, expert.
spécialité [spesjalite] *nf* specialty, special feature.
spécieux, -euse [spesjø, ø:z] *a* specious.
spécification [spesifikasjɔ̃] *nf* specification.
spécifier [spesifje] *vt* to specify, determine.
spécifique [spesifik] *a* specific, precise.
spécimen [spesimɛn] *a nm* specimen.
spéciosité [spesjɔzite] *nf* speciousness.
spectacle [spɛktakl] *nm* spectacle, scene, sight, display, theatre, show; **salle de —** theatre; **pièce à grand —** spectacular play; **se donner en —** to make an exhibition of o.s.
spectaculaire [spɛktakylɛ:r] *a* spectacular.
spectateur, -trice [spɛktatœ:r, tris] *n* spectator, onlooker, bystander.
spectral [spɛktral] *a* spectral, ghostly, ghostlike, of the spectrum.
spectre [spɛktr] *nm* ghost, spectre, apparition, spectrum.
spéculaire [spekylɛ:r] *a* specular.
spéculateur, -trice [spekylatœ:r, tris] *n* speculator, theorizer.
spéculatif, -ive [spekylatif, i:v] *a* speculative.
spéculation [spekylasjɔ̃] *nf* speculation, theorizing, conjecture.
spéculer [spekyle] *vi* to speculate, theorize, cogitate; **— à la baisse (hausse)** to speculate on a rise (fall).
spermatozoïde [spɛrmatɔzɔid] *nm* spermatozoon.
sperme [spɛrm] *nm* sperm.
sphère [sfɛr] *nf* sphere, orb, globe.
sphérique [sferik] *a* spherical.
sphéroïde [sferɔid] *nm* spheroid.
sphinx [sfɛ̃:ks] *nm* sphinx.
spider [spidɛ:r] *nm* dickey-seat, rumble seat.
spinal [spinal] *a* spinal.
spiral [spiral] *a* spiral.
spirale [spiral] *nf* spiral; **escalier en —** winding staircase.
spirite [spirit] *a* spiritualistic; *n* spiritualist.
spiritisme [spiritism] *nm* spiritualism.
spiritualiste [spiritɥalist] *a* spiritualistic; *n* spiritualist.
spirituel, -elle [spiritɥɛl] *a* spiritual, sacred, witty.
spiritueux, -euse [spiritɥø, ø:z] *a* spirituous, alcoholic; *nm pl* spirits.
spleen [splin] *nm* spleen, depression; **avoir le —** to have the blues.
splendeur [splɑ̃dœ:r] *nf* splendour, grandeur, magnificence, brilliance, pomp.
splendide [splɑ̃did] *a* splendid, magnificent, grand, gorgeous, glorious.
spoliateur, -trice [spɔljatœ:r, tris] *a* spoliatory, despoiling; *n* despoiler, plunderer.
spoliation [spɔljasjɔ̃] *nf* spoliation, despoiling, plundering.
spolier [spɔlje] *vt* to despoil, rob, plunder.
spongieux, -euse [spɔ̃ʒjø, ø:z] *a* spongy.
spontané [spɔ̃tane] *a* spontaneous, involuntary.
spontanéité [spɔ̃taneite] *nf* spontaneity.
sporadique [spɔradik] *a* sporadic.
spore [spɔ:r] *nf* spore.
sport [spɔ:r] *nm* sport(s), games; *a* sporting, casual.
sportif, -ive [spɔrtif, i:v] *a* sport(ing), athletic; *n* sportsman, -woman, lover of games; **réunion sportive** sports, athletic meeting.
sportsman [spɔrt(s)man] *nm* sportsman, race-goer.
spumeux, -euse [spymø, ø:z] *a* spumy, frothy, foamy.
square [skwɛ:r, skwa:r] *nm* small public garden.
squelette [skəlɛt] *nm* skeleton, framework, outline.
squelettique [skəlɛtik] *a* skeleton-like.
stabilisateur, -trice [stabilizatœ:r, tris] *a* stabilizing, steadying; *nm* stabilizer.
stabiliser [stabilize] *vt* to stabilize, steady; *vr* to become steady, stable.
stabilité [stabilite] *nf* stability, steadiness, firmness, balance, durability.
stable [stabl] *a* stable, steady, firm, durable.
stade [stad] *nm* stadium, sports-ground, stage.
stage [sta:ʒ] *nm* probationary period, course.
stagiaire [staʒjɛ:r] *a* probationary; *n* probationer.
stagnant [stagnɑ̃] *a* stagnant, dull.
stagnation [stagnasjɔ̃] *nf* stagnation, stagnancy, standstill.
stalactite [stalaktit] *nf* stalactite.
stalagmite [stalagmit] *nf* stalagmite.

stalle [stal] *nf* stall, box, seat, pew.
stance [stɑ̃:s] *nf* stanza.
stand [stɑ̃:d] *nm* stand, shooting-gallery.
standard [stɑ̃da:r] *nm* switchboard, standard.
standardisation [stɑ̃dardizasjɔ̃] *nf* standardization.
standardiser [stɑ̃dardize] *vt* to standardize.
station [stasjɔ̃] *nf* stop, station, stage, taxi-rank, position, post, standing; — **centrale** power-house; — **balnéaire** seaside resort, spa; — **thermale** spa, watering place; — **d'hiver** winter resort; **faire une** — **à** to halt at.
stationnaire [stasjɔnɛ:r] *a* stationary, fixed.
stationnement [stasjɔnmɑ̃] *nm* standing, stopping, stationing, taxi-rank; **parc de** — parking place; — **interdit** no parking.
stationner [stasjɔne] *vi* to stand, park, stop, be stationed.
statique [statik] *a* static.
statistique [statistik] *a* statistical; *nf* statistics.
statuaire [statɥɛ:r] *a* statuary; *n* sculptor; *nf* statuary.
statue [staty] *nf* statue.
statuer [statɥe] *vt* to ordain, decree, enact; — **sur une affaire** to decide, give a decision on a matter.
stature [staty:r] *nf* stature, height.
statut [staty] *nm* statute, regulation, article, ordinance, by(e)-law.
statutaire [statytɛ:r] *a* statutory.
sténodactylo(graphe) [stenɔdaktilɔ-(graf)] *n* shorthand-typist.
sténodactylographie [stenɔdaktilɔ-grafi] *nf* shorthand and typing.
sténographe [stenɔgraf] *n* stenographer, shorthand writer.
sténographie [stenɔgrafi] *nf* stenography, shorthand.
sténographier [stenɔgrafje] *vt* to take down in shorthand.
stentor [stɑ̃tɔ:r] *nm* **voix de** — stentorian voice.
steppe [stɛp] *n* steppe.
stère [stɛ:r] *nm* stere, cubic metre.
stéréophonie [stereɔfɔni] *nf* stereophony.
stéréotype [stereɔtip] *a* stereotype(d); *nm* stereotype plate.
stérile [steril] *a* sterile, barren, fruitless.
stérilisation [sterilizasjɔ̃] *nf* sterilization.
stériliser [sterilize] *vt* to sterilize.
stérilité [sterilite] *nf* sterility, barrenness, fruitlessness.
sternum [stɛrnɔm] *nm* sternum, breastbone.
stigmate [stigmat] *nm* stigma, scar, brand.
stigmatiser [stigmatize] *vt* to stigmatize, brand (with infamy), pock-mark.
stimulant [stimylɑ̃] *a* stimulating; *nm* stimulant, stimulus, incentive.
stimulation [stimylasjɔ̃] *nf* stimulation.
stimuler [stimyle] *vt* to stimulate, incite, rouse.
stipulation [stipylasjɔ̃] *nf* stipulation.
stipuler [stipyle] *vt* to stipulate, lay down.
stock [stɔk] *nm* stock; — **en magasin** stock in hand.
stockiste [stɔkist] *nm* stocker, wholesale warehouseman, agent; **agence** — service-station.
stoïcien, -enne [stɔisjɛ̃, jɛn] *a* stoic(al); *n* stoic.
stoïcisme [stɔisism] *nm* stoicism.
stoïque [stɔik] *a* stoic(al).
stomacal [stɔmakal] *a* gastric.
stomachique [stɔmaʃik] *a* stomach-, stomachic.
stoppage [stɔpa:ʒ] *nm* stopping, stoppage, invisible mending.
stopper [stɔpe] *vt* to stop, fine-darn; *vi* to (come to a) stop.
store [stɔ:r] *nm* blind.
strabisme [strabism] *nm* squinting.
strangulation [strɑ̃gylasjɔ̃] *nf* strangulation, throttling, constriction.
strapontin [strapɔ̃tɛ̃] *nm* folding-, bracket-seat.
strass [stras] *nm* strass, paste jewellery.
stratagème [strataʒɛm] *nm* stratagem.
stratégie [strateʒi] *nf* strategy, generalship, craft.
stratégique [strateʒik] *a* strategic (al).
stratosphère [stratɔsfɛ:r] *nf* stratosphere.
strict [strikt] *a* strict, severe; **le** — **nécessaire** the bare necessities.
strident [stridɑ̃] *a* strident, harsh, grating.
strie [stri] *nf* score, streak.
strier [strie] *vt* to score, scratch, streak, groove.
striure [striy:r] *nf* score, scratch, streak, groove, striation.
strophe [strɔf] *nf* stanza, verse.
structure [strykty:r] *nf* structure.
strychnine [striknin] *nf* strychnine.
stuc [styk] *nm* stucco.
studieux, -euse [stydjø, ø:z] *a* studious.
studio [stydjo] *nm* (film) studio, artist's studio.
stupéfaction [stypefaksjɔ̃] *nf* stupefaction, amazement, bewilderment.
stupéfait [stypefɛ] *a* stupefied, amazed, astounded.
stupéfiant [stypefjɑ̃] *a* stupefying, astounding; *nm* narcotic, drug.
stupéfier [stypefje] *vt* to stupefy, bemuse, astound.
stupeur [stypœ:r] *nf* stupor, astonishment, amazement.

stupide [stypid] *a* stupid, foolish, silly.
stupidité [stypidite] *nf* stupidity, foolishness, stupid thing.
stupre [stypr] *nm* debauchery.
style [stil] *nm* style, pin, etching-needle; **robe de —** period dress.
styler [stile] *vt* to train, school.
stylet [stilɛ] *nm* stiletto.
styliser [stilize] *vt* to stylize, conventionalize.
stylo(graphe) [stilɔ(graf)] *nm* fountain-pen, stylograph.
styptique [stiptik] *a nm* styptic, astringent.
su [sy] *nm* **au — de** to the knowledge of; **à mon vu et —** to my certain knowledge.
suaire [sɥɛːr] *nm* shroud, winding-sheet.
suave [sɥaːv] *a* bland, suave, sweet, mild, soft, mellow.
suavité [sɥavite] *nf* blandness, suavity, sweetness, mildness, mellowness.
subalterne [sybaltɛrn] *a* subordinate, junior; *nm* subaltern, underling.
subdiviser [sybdivize] *vtr* to subdivide.
subdivision [sybdivizjɔ̃] *nf* subdivision.
subir [sybiːr] *vt* to undergo, go through, sustain, suffer.
subit [sybi] *a* sudden, unexpected.
subjacent [sybʒasɑ̃] *a* subjacent, underlying.
subjectif, -ive [sybʒɛktif, iːv] *a* subjective.
subjonctif, -ive [sybʒɔ̃ktif, iːv] *a nm* subjunctive.
subjuguer [sybʒyge] *vt* to subjugate, subdue, overcome, captivate.
sublime [syblim] *a* sublime, exalted, lofty; *nm* sublime.
sublimer [syblime] *vt* to sublimate, purify.
submerger [sybmɛrʒe] *vt* to submerge, immerse.
submersible [sybmɛrsibl] *a* submersible, sinkable; *nm* submersible, submarine.
submersion [sybmɛrsjɔ̃] *nf* submersion, immersion.
subordination [sybɔrdinasjɔ̃] *nf* subordination.
subordonné [sybɔrdɔne] *a* subordinate, dependent; *n* subordinate, underling.
subordonner [sybɔrdɔne] *vt* to subordinate.
subornation [sybɔrnasjɔ̃] *nf* subornation, bribing.
suborner [sybɔrne] *vt* to suborn, bribe.
subreptice [sybrɛptis] *a* surreptitious, stealthy.
subrogation [sybrɔgasjɔ̃] *nf* subrogation, substitution, delegation.
subroger [sybrɔʒe] *vt* to subrogate, appoint as deputy.
subséquent [sypsɛkɑ̃] *a* subsequent, ensuing.
subside [sypsid] *nm* subsidy.
subsidence [sypsidɑ̃ːs] *nf* subsidence.
subsidiaire [sypsidjɛːr] *a* subsidiary, accessory.
subsistance [sypsistɑ̃ːs] *nf* subsistence, keep, sustenance.
subsister [sypsiste] *vi* to subsist, exist, hold good.
substance [sypstɑ̃ːs] *nf* substance, matter, material.
substantiel, -elle [sypstɑ̃sjɛl] *a* substantial.
substantif, -ive [sypstɑ̃tif, iːv] *a* substantive; *nm* noun
substituer [sypstitɥe] *vt* to substitute, entail; *vr* to take the place (of **à**).
substitut [sypstity] *nm* deputy, assistant, delegate.
substitution [sypstitysjɔ̃] *nf* substitution.
subterfuge [syptɛrfyːʒ] *nm* subterfuge, dodge.
subtil [syptil] *a* subtle, shrewd, discerning, fine, tenuous, thin.
subtiliser [syptilize] *vt* to subtilize, refine, make too subtle, pinch.
subtilité [syptilite] *nf* subtlety, rarity, shrewdness, acuteness.
subvenir [sybvəniːr] *vt* to provide for, supply; **— aux frais d'un voyage** to defray the expenses of a journey.
subvention [sybvɑ̃sjɔ̃] *nf* subsidy, grant.
subventionner [sybvɑ̃sjɔne] *vt* to subsidize; **théâtre subventionné par l'état** state-aided theatre.
subversif, -ive [sybvɛrsif, iːv] *a* subversive.
subversion [sybvɛrsjɔ̃] *nf* subversion, overthrow.
suc [syk] *nm* juice, sap, pith, essence, substance.
succédané [syksedane] *nm* substitute.
succéder [syksede] *vt* to follow, succeed.
succès [syksɛ] *nm* success, (favourable) outcome, result; **remporter un — fou** to bring the house down.
successeur [syksɛsœːr] *nm* successor.
successif, -ive [syksɛsif, iːv] *a* successive.
succession [syksɛsjɔ̃] *nf* succession, sequence, estate, inheritance; **prendre la — de** to take over (from).
succinct [syksɛ̃] *a* succinct, concise, brief.
succion [syksjɔ̃] *nf* suction, sucking.
succomber [sykɔ̃be] *vi* to succumb, die, yield.
succulent [sykylɑ̃] *a* succulent, juicy, tasty.
succursale [sykyrsal] *nf* branch, sub-office.
sucer [syse] *vt* to suck.
sucette [sysɛt] *nf* dummy, lollipop.
suçoir [syswaːr] *nm* sucker.

sucre [sykr] *nm* sugar; — **en pain** loaf sugar; — **en poudre** castor sugar.
sucré [sykre] *a* sugared, sweet(ened), sugary.
sucrer [sykre] *vt* to sugar, sweeten.
sucrerie [sykrəri] *nf* sugar refinery; *pl* confectionery, sweets.
sucrier [sykrie] *nm* sugar-basin.
sud [syd] *a* south, southern, southerly; *nm* south.
sudation [sydasjɔ̃] *nf* sweating.
sud-est [sydɛst] *a* south-east(ern), south-easterly; *nm* south-east.
sud-ouest [sydwɛst] *a* south-west (ern), south-westerly; *nm* south-west.
Suède [sɥɛd] *nf* Sweden.
suédois [sɥedwa] *a* Swedish; *n* Swede.
suer [sɥe] *vi* to sweat, perspire, exude, toil.
sueur [sɥœ:r] *nf* sweat, perspiration; **en** — sweating.
suffire [syfi:r] *vi* to suffice, be enough, be adequate, meet, cope (with **à**); *vr* to be self-sufficient.
suffisance [syfizɑ̃:s] *nf* sufficiency, adequacy, (self-)conceit, priggishness.
suffisant [syfizɑ̃] *a* sufficient, enough, adequate, conceited, self-satisfied.
suffixe [syfiks] *nm* suffix.
suffocation [syfɔkasjɔ̃] *nf* choking, suffocation.
suffoquer [syfɔke] *vt* to suffocate, choke, stifle; *vi* to choke.
suffrage [syfra:ʒ] *nm* suffrage, franchise, vote.
suffusion [syfyzjɔ̃] *nf* suffusion, blush.
suggérer [sygʒere] *vt* to suggest, hint (at).
suggestif, -ive [sygʒestif, i:v] *a* suggestive.
suggestion [sygʒɛstjɔ̃] *nf* suggestion, hint.
suicide [sɥisid] *a* suicidal; *nm* suicide.
suicidé [sɥiside] *n* suicide.
se suicider [səsɥiside] *vr* to commit suicide.
suie [sɥi] *nf* soot.
suif [sɥif] *nm* tallow, candle-grease.
suinter [sɥɛ̃te] *vi* to ooze, sweat, run, seep, leak.
Suisse [sɥis] *nf* Switzerland.
suisse [sɥis] *an* Swiss; *nm* church officer; **petit** — cream cheese.
suite [sɥit] *nf* continuation, succession, series, suite, retinue, train, sequel, result, consequence, coherence; **donner** — **à** to follow up, execute; **faire** — **à** to be a continuation of, a sequel to; **dans la** — subsequently; **par la** — afterwards, later on; **par** — **(de)** as a result (of); **tout de suite** immediately; **de** — in succession, one end; **sans** — disconnected, incoherent.
suivant [sɥivɑ̃] *a* follow ng, next; *nm* follower, attendant; *prep* according to, following; — **que** according as.
suivi [sɥivi] *a* coherent, steady, continuous, popular.
suivre [sɥi:vr] *vt* to follow (up), pursue, act upon, observe, escort; — **des cours** to attend lectures; **faire** — to forward; **à** — to be continued.
sujet, -ette [syʒɛ, ɛt] *a* subject, dependent, prone, liable, open; *n* subject; *nm* subject, topic, ground, theme, reason, fellow; **bon** — steady person; **mauvais** — bad lot, worthless character; **au** — **de** about, with regard to.
sujétion [syʒɛsjɔ̃] *nf* subjection, servitude.
sulfate [sylfat] *nm* sulphate.
sulfater [sylfate] *vt* to sulphate, dress with copper sulphate.
sulfure [sylfy:r] *nm* sulphide.
sulfureux, -euse [sylfyrø, ø:z] *a* sulphurous.
sulfurique [sylfyrik] *a* sulphuric.
sultan [syltɑ̃] *nm* sultan.
sultane [syltan] *nf* sultana.
superbe [sypɛrb] *a* superb, splendid, magnificent, stately, arrogant, haughty; *nf* arrogance, haughtiness.
super(carburant) [sypɛrkarbyrɑ̃] *nm* high-grade petrol.
supercherie [sypɛrʃəri] *nf* fraud, hoax, deceit.
superficie [sypɛrfisi] *nf* area, surface.
superficiel, -elle [sypɛrfisjɛl] *a* superficial, shallow.
superflu [sypɛrfly] *a* superfluous, unnecessary; *nm* superfluity, over-abundance.
superfluité [sypɛrflyite] *nf* superfluity.
supérieur [syperjœ:r] *a* superior, upper, higher; *n* superior, head.
supériorité [syperjɔrite] *nf* superiority, supremacy, superiorship.
superlatif, -ive [sypɛrlatif, i:v] *a nm* superlative.
superposer [sypɛrpoze] *vt* to super(im)pose.
superstitieux, -euse [sypɛrstisjø, ø:z] *a* superstitious.
superstition [sypɛrstisjɔ̃] *nf* superstition.
supplanter [syplɑ̃te] *vt* to supplant, supersede.
suppléance [sypleɑ̃:s] *nf* deputyship, substitution.
suppléant [sypleɑ̃] *a* temporary, acting; *n* deputy, substitute.
suppléer [syplee] *vt* to deputize for, make up, make good; — **à** to compensate for.
supplément [syplemɑ̃] *nm* supplement, extra, addition, excess fare; **en** — additional, extra.
supplémentaire [syplemɑ̃tɛ:r] *a* supplementary, extra, additional.

suppliant [sypliɑ̃] *a* suppliant, pleading, beseeching; *n* supplicant, suppliant.
supplication [syplikasjɔ̃] *nf* supplication.
supplice [syplis] *nm* torture, punishment, anguish, torment, agony.
supplier [syplie] *vt* to implore, beseech, beg.
support [sypɔːr] *nm* support, prop, stand, bracket, rest, holder.
supportable [sypɔrtabl] *a* bearable, tolerable.
supporter [sypɔrte] *vt* to hold up, support, prop, endure, suffer, put up with, tolerate.
supposé [sypoze] *a* supposed, alleged, fictitious, assumed, forged; — **que** supposing that.
supposer [sypoze] *vt* to suppose, assume, imply.
supposition [sypɔzisjɔ̃] *nf* supposition, assumption.
suppositoire [sypɔzitwaːr] *nm* suppository.
suppôt [sypo] *nm* tool.
suppression [sypresjɔ̃] *nf* suppression, cancelling, discontinuance.
supprimer [syprime] *vt* to suppress, abolish, cancel, discontinue, omit.
suppurer [sypyre] *vi* to suppurate, run.
supputer [sypyte] *vt* to calculate, compute.
suprématie [sypremasi] *nf* supremacy.
suprême [sypreːm] *a* supreme, crowning, paramount, last.
sur [syːr] *prep* (up)on, over, above, about, towards, along, over-, super-; **un homme — dix** one man out of ten; **dix mètres — huit** ten yards by eight; — **ce (quoi)** whereupon.
sûr [syːr] *a* sure, certain, unerring, unfailing, safe, reliable, staunch; **à coup** — without fail, for certain.
surabondant [syrabɔ̃dɑ̃] *a* superabundant.
surabonder [syrabɔ̃de] *vi* to superabound, be surfeited (with **de**).
suraigu, -uë [syregy] *a* high-pitched, overshrill.
suralimenter [syralimɑ̃te] *vt* to feed up, overfeed.
suranné [syrane] *a* old-fashioned, out of date.
surcharge [syrʃarʒ] *nf* overload(ing), extra load, excess weight, surcharge, overtax.
surcharger [syrʃarʒe] *vt* to overload, overcharge, surcharge, overtax.
surchauffer [syrʃofe] *vt* to overheat, superheat.
surclasser [syrklase] *vt* to outclass.
surcomprimé [syrkɔ̃prime] *a* supercharged.
surcontrer [syrkɔ̃tre] *vt* to redouble.
surcroissance [syrkrwasɑ̃ːs] *nf* overgrowth.
surcroît [syrkrwa] *nm* increase, addition; **par** — in addition, into the bargain.
surdité [syrdite] *nf* deafness.
sureau [syro] *nm* elder (tree).
surélever [syrelve] *vt* to raise, heighten.
sûrement [syrmɑ̃] *ad* surely, certainly, safely, securely.
surenchère [syrɑ̃ʃɛːr] *nf* higher bid.
surenchérir [syrɑ̃ʃeriːr] *vi* to bid higher; *vt* — **sur** outbid.
surestimer [syrestime] *vt* to overestimate.
sûreté [syrte] *nf* sureness, soundness, safety, security, guarantee; **la Sûreté** the Criminal Investigation Department; **pour plus de** — to be on the safe side.
surexcitation [syreksitasjɔ̃] *nf* (over) excitement.
surexciter [syreksite] *vt* to excite, over-stimulate.
surexposer [syrekspoze] *vt* to over-expose.
surface [syrfas] *nf* surface, area.
surfaire [syrfɛːr] *vt* to overcharge, overrate; *vi* to overcharge.
surgir [syrʒiːr] *vi* to (a)rise, loom up, come into sight, crop up.
surhausser [syrose] *vt* to raise, heighten, increase.
surhumain [syrymɛ̃] *a* superhuman.
surimposer [syrɛ̃poze] *vt* to superimpose, increase the tax on.
suriner [syrine] *vt (fam)* to knife, do in.
surintendant [syrɛ̃tɑ̃dɑ̃] *nm* superintendent, steward.
surjet [syrʒɛ] *nm* overcasting, whipping (*of seams*).
sur-le-champ [syrləʃɑ̃] *ad* immediately.
surlendemain [syrlɑ̃dmɛ̃] *nm* next day but one, day after next; **le — de son départ** the second day after his departure.
surmenage [syrmənaːʒ] *nm* overworking, overdriving, strain.
surmené [syrməne] *a* overworked, jaded, fagged.
surmener [syrməne] *vt* to overwork, overexert; *vr* to overwork, overdo it.
surmontable [syrmɔ̃tabl] *a* surmountable.
surmonter [syrmɔ̃te] *vt* to surmount, top, overcome, get over; *vr* to master one's feelings.
surnaturel, -elle [syrnatyrel] *a* supernatural, uncanny; *nm* supernatural.
surnom [syrnɔ̃] *nm* nickname.
surnombre [syrnɔ̃ːbr] *nm* excessive number; **en** — supernumerary.
surnommer [syrnɔme] *vt* to nickname, call.
suroît [syrwa] *nm* sou'wester.
surpasser [syrpase] *vt* to surpass, outdo, outshine, exceed, excel, pass one's understanding.
surpayer [syrpɛje] *vt* to overpay, pay too much for.

surpeuplement [syrpœpləmɑ̃] *nm* overcrowding.
surplis [syrpli] *nm* surplice.
surplomb [syrplɔ̃] *nm* overhang; **en** — overhanging.
surplomber [syrplɔ̃be] *vti* to overhang.
surplus [syrply] *nm* surplus, excess; **au** — besides.
surpoids [syrpwɑ] *nm* overweight; **en** — in excess.
surprenant [syrprənɑ̃] *a* surprising, astonishing.
surprendre [syrprɑ̃:dr] *vt* to surprise, astonish, catch unawares, overtake, overhear, intercept, catch, detect.
surprise [syrpri:z] *nf* surprise, astonishment, lucky-dip.
surproduction [syrprɔdyksjɔ̃] *nf* overproduction.
sursaut [syrso] *nm* start, jump; **en** — with a start.
sursauter [syrsote] *vi* to start, jump.
surseoir [syrswa:r] *vt* to postpone, delay, suspend.
sursis [syrsi] *nm* postponement, reprieve, deferment.
surtaux [syrto] *nm* overassessment.
surtaxe [syrtaks] *nf* surtax, supertax, surcharge.
surtout [syrtu] *ad* above all, particularly, especially.
surveillance [syrvɛjɑ̃:s] *nf* supervision, vigilance, watching.
surveillant [syrvɛjɑ̃] *n* supervisor, overseer, watchman, usher, invigilator.
surveiller [syrvɛje] *vt* to supervise, superintend, invigilate, look after, watch; *vr* to watch one's step.
survenir [syrv(ə)ni:r] *vi* to happen, arise, crop up.
survêtement [syrvɛtmɑ̃] *nm* track-suit.
survie [syrvi] *nf* survival, survivorship, after-life.
survivance [syrvivɑ̃:s] *nf* survival.
survivant [syrvivɑ̃] *a* surviving; *n* survivor.
survivre [syrvi:vr] *vi* to survive; *vt* — **à** to outlive.
survoler [syrvɔle] *vt* to fly over.
survolté [syrvɔlte] *a* worked up, het up.
sus [sys] *ad* against, upon; *excl* come on! **courir — à qn** to rush at s.o.; **en** — in addition, besides.
susceptibilité [sysɛptibilite] *nf* susceptibility, touchiness.
susceptible [sysɛptibl] *a* susceptible, touchy, likely, liable, apt.
susciter [syssite] *vt* to arouse, stir up, raise up, give rise to, bring on.
susdit [sydi] *a* aforesaid, above-mentioned.
suspect [syspɛ(kt)] *a* suspect, suspicious, doubtful; *nm* suspect.
suspecter [syspɛkte] *vt* to suspect, doubt.
suspendre [syspɑ̃:dr] *vt* to suspend, hang, stop, defer; *vr* to hang (on).
suspendu [syspɑ̃dy] *a* suspended, hanging, sprung; **pont** — suspension bridge.
suspens [syspɑ̃] *ad* **en** — in suspense, undecided, in abeyance.
suspension [syspɑ̃sjɔ̃] *nf* suspension, hanging, interruption, springing, hanging lamp.
suspicion [syspisjɔ̃] *nf* suspicion.
sustenter [systɑ̃te] *vt* to sustain, support.
susurrer [sysyre] *vi* to murmur, rustle, sough.
suture [syty:r] *nf* suture, join; **point de** — stitch.
suturer [sytyre] *vt* to stitch.
suzerain [syzrɛ̃] *a* paramount, sovereign; *n* suzerain(e).
suzeraineté [syzrɛnte] *nf* suzerainty.
svelte [svɛlt] *a* slim, slender, slight.
sveltesse [svɛltɛs] *nf* slimness, slenderness.
sycomore [sikɔmɔ:r] *nm* sycamore.
syllabe [sillab] *nf* syllable.
sylphe [silf] *nm* sylph.
sylphide [silfid] *nf* sylph.
sylvestre [silvɛstr] *a* woodland, sylvan.
sylviculture [silvikylty:r] *nf* forestry.
symbole [sɛ̃bɔl] *nm* symbol, sign.
symbolique [sɛ̃bɔlik] *a* symbolic(al).
symboliser [sɛ̃bɔlize] *vt* to symbolize.
symétrie [simetri] *nf* symmetry.
symétrique [simetrik] *a* symmetrical.
sympathie [sɛ̃pati] *nf* liking, sympathy; **avoir de la — pour qn** to like s.o.
sympathique [sɛ̃patik] *a* likeable, congenial, sympathetic; **encre** — invisible ink.
sympathiser [sɛ̃patize] *vi* to sympathize, have a fellow feeling (for **avec**).
symphonie [sɛ̃fɔni] *nf* symphony, orchestra.
symphonique [sɛ̃fɔnik] *a* symphonic.
symptomatique [sɛ̃ptɔmatik] *a* symptomatic.
symptôme [sɛ̃pto:m] *nm* symptom, sign.
synagogue [sinagɔg] *nf* synagogue.
synchroniser [sɛ̃krɔnize] *vt* to synchronize.
synchronisme [sɛ̃krɔnism] *nm* synchronism.
syncope [sɛ̃kɔp] *nf* faint, syncope.
syncoper [sɛ̃kɔpe] *vt* to syncopate.
syndic [sɛ̃dik] *nm* syndic, assignee, trustee.
syndical [sɛ̃dikal] *a* syndical, trade union.
syndicalisme [sɛ̃dikalism] *nm* trade unionism.
syndicaliste [sɛ̃dikalist] *nm* trade unionist.

syndicat [sɛ̃dika] *nm* syndicate, trusteeship, trade union, federation.
syndiquer [sɛ̃dike] *vt* to syndicate, unite in a trade union; *vr* to form a trade union, combine.
synonyme [sinɔnim] *a* synonymous; *nm* synonym.
syntaxe [sɛ̃taks] *nf* syntax.
synthèse [sɛ̃tɛːz] *nf* synthesis.
synthétique [sɛ̃tetik] *a* synthetic.
synthétiser [sɛ̃tetize] *vt* to synthesize
Syrie [siri] *nf* Syria.
systématique [sistɛmatik] *a* systematic, stereotyped, hidebound.
systématiser [sistɛmatize] *vt* to systematize.
système [sistɛm] *nm* system, type; **esprit de —** hidebound mentality, unimaginativeness; **employer le — D** (*fam*) to wangle it.

T

ta [ta] *see* **ton.**
tabac [taba] *nm* tobacco; **— à priser** snuff.
tabagie [tabaʒi] *nf* place smelling (full) of tobacco-smoke, smoking room.
tabatière [tabatjɛːr] *nf* snuff-box.
tabernacle [tabɛrnakl] *nm* tabernacle.
table [tabl] *nf* table, board, slab; **mettre la —** to set the table.
tableau [tablo] *nm* board, picture, scene, panel, roster; **— de bord** dashboard.
tabler [table] *vi* to reckon, count (on **sur**).
tablette [tablɛt] *nf* tablet, cake, slab, shelf, notebook; **inscrire sur ses —s** to make a note of.
tabletterie [tablɛtri] *nf* fancy-goods (industry).
tablier [tablie] *nm* apron, pinafore, footplate, floor (of bridge), dashboard.
tabouret [taburɛ] *nm* stool.
tac au tac [takotak] *ad* tit for tat.
tache [taʃ] *nf* spot, stain, blot.
tâche [tɑːʃ] *nf* task, job; **travail à la —** piecework, jobbing; **prendre à — de** to make a point of.
tacher [taʃe] *vt* to stain, spot; *vr* to stain (one's clothes).
tâcher [tɑʃe] *vi* to try.
tâcheron [tɑʃrɔ̃] *nm* pieceworker, jobber.
tacheter [taʃte] *vt* to speckle, mottle, fleck.
tacite [tasit] *a* tacit, understood.
taciturne [tasityrn] *a* taciturn, silent.
taciturnité [tasityrnite] *nf* taciturnity.
tacot [tako] *nm* ramshackle motor car, old crock.
tact [takt] *nm* touch, feel, tact.
tacticien [taktisjɛ̃] *nm* tactician.
tactile [taktil] *a* tactile.
tactique [taktik] *a* tactical; *nf* tactics.
taffetas [taftɑ] *nm* taffeta.
taie [tɛ] *nf* pillow-slip.
taillade [tajad] *nf* slash, gash, cut.
taillant [tɑjɑ̃] *nm* (cutting) edge.
taille [tɑːj] *nf* cut(ting), hewing, clipping, figure, waist, height, tax; **être de — à** to be fit to.
tailler [taje] *vt* to cut (out), hew, clip, carve, sharpen.
tailleur, -euse [tajœːr, øːz] *n* cutter, hewer, tailor(ess); *nm* (woman's) costume, suit.
taillis [taji] *nm* copse, brushwood.
tain [tɛ̃] *nm* silvering, foil.
taire [tɛːr] *vt* to say nothing about, keep dark; *vr* to be silent, hold one's tongue.
talent [talɑ̃] *nm* talent, gift, ability.
taloche [talɔʃ] *nf* cuff, (builder's) mortar-board.
talon [talɔ̃] *nm* heel, counterfoil, beading, flange, butt; **marcher sur les —s de qn** to follow close on s.o.'s heels, close behind s.o.
talonner [talɔne] *vt* to follow, dog, spur on, dun, heel.
talus [taly] *nm* slope, bank, ramp.
tambour [tɑ̃buːr] *nm* drum, drummer, barrel, spool, revolving door; **— de ville** town crier.
tambourin [tɑ̃burɛ̃] *nm* tambourine, tabor.
tambouriner [tɑ̃burine] *vi* to drum, knock.
tambour-major [tɑ̃burmaʒɔːr] *nm* drum-major.
tamis [tami] *nm* sifter, sieve, riddle.
tamiser [tamize] *vt* to sift, strain, filter, screen; *vi* to filter through.
tampon [tɑ̃pɔ̃] *nm* stopper, bung, plug, buffer, pad, stamp.
tamponnement [tɑ̃pɔnmɑ̃] *nm* collision, plugging.
tamponner [tɑ̃pɔne] *vt* to plug, dab, pad, collide with.
tam-tam [tamtam] *nm* African drum, dance.
tancer [tɑ̃se] *vt* to scold, chide.
tandis que [tɑ̃di(s)kə] *cj* while, whereas.
tangage [tɑ̃gaːʒ] *nm* pitching.
tangent [tɑ̃ʒɑ̃] *a* tangent.
tangible [tɑ̃ʒibl] *a* tangible.
tanguer [tɑ̃ge] *vi* to pitch.
tanière [tanjɛːr] *nf* lair, den, hole.
tanin [tanɛ̃] *nm* tannin.
tanner [tane] *vt* to tan.
tannerie [tanri] *nf* tannery.
tanneur [tanœːr] *nm* tanner.
tant [tɑ̃] *ad* so much, so many, as much, so; **— que** as much as, as long as; **si — est que** if it is true that, if it is the case that; **— soit peu** somewhat, ever so little; **en — que** in so far as, as; **— pis** so much

the worse, can't be helped, too bad.
tante [tɑ̃:t] *nf* aunt.
tantième [tɑ̃tjɛm] *nm* percentage, quota.
tantinet [tɑ̃tinɛ] *nm* tiny bit, spot.
tantôt [tɑ̃to] *ad* presently, soon, a little while ago; **tantôt ... tantôt ...** now ... now; **à —!** see you later!
taon [tɑ̃] *nm* horse-fly, cleg.
tapage [tapa:ʒ] *nm* din, row.
tapageur, -euse [tapaʒœ:r, ø:z] *a* rowdy, noisy, showy, flashy.
tape [tap] *nf* stopper, tap, pat, slap.
tape-à-l'œil [tapalœ:j] *nm* flashy article; *a* flashy.
tapecul [tapky] *nm* pillion-seat, boneshaker.
taper [tape] *vt* to tap, pat, hit, touch, type; **— dans l'œil à qn** to catch, fill s.o.'s eye; **— sur qn** to slate s.o.; (*fam*) **ça tape** it's hot.
tapinois [tapinwa] *ad* **en —** on the sly, slyly.
se tapir [sətapi:r] *vr* to crouch, cower, squat, take cover.
tapis [tapi] *nm* carpet, cloth, cover; **mettre qch sur le —** to bring sth up for discussion; **— roulant** conveyor belt, moving pavement.
tapisser [tapise] *vt* to paper, line, cover.
tapisserie [tapisri] *nf* tapestry (making), wallpaper; **faire —** to be a wallflower.
tapissier, -ière [tapisje, jɛ:r] *n* tapestry-worker, upholsterer.
tapoter [tapɔte] *vt* to tap, strum.
taquin [takɛ̃] *a* teasing; *n* tease.
taquiner [takine] *vt* to tease.
taquinerie [takinri] *nf* teasing.
tarabiscoté [tarabiskɔte] *a* ornate, grooved.
tard [ta:r] *ad* late; **sur le —** late in the day, late in life; **tôt ou —** sooner or later.
tarder [tarde] *vi* to delay, loiter, be long (in **à**); **il leur tarde de vous revoir** they are longing to see you.
tardif, -ive [tardif, i:v] *a* late, backward, belated, tardy, slow.
tare [ta:r] *nf* blemish, defect, depreciation, tare.
tarer [tare] *vt* to damage, blemish, spoil.
se targuer [sətarge] *vr* to pride oneself (on **de**).
tarière [tarjɛ:r] *nf* auger, drill.
tarif [tarif] *nm* tariff, price list, fare.
tarifer [tarife] *vt* to price.
tarir [tari:r] *vti* to dry up.
tarte [tart] *nf* tart.
tartine [tartin] *nf* slice of bread and butter, long story, rigmarole.
tartre [tartr] *nm* tartar, fur, scale.
tartufe [tartyf] *nm* hypocrite, imposter.
tas [tɑ] *nm* heap, pile, pack, lot(s); **grève sur le —** stay-in strike.
tasse [tɑ:s] *nf* cup.
tassé [tɑse] *a* full, heaped, squat.
tasser [tɑse] *vt* to squeeze, pack, cram; *vr* to crowd together, squeeze up, settle.
tâter [tɑte] *vt* to feel, taste, try; *vr* to hesitate.
tatillonner [tatijɔne] *vi* to interfere, meddle, fuss, be fussy.
tâtonner [tɑtɔne] *vi* to feel one's way, grope (about).
tâtons (à) [tɑtɔ̃] *ad* groping(ly), warily.
tatouer [tatwe] *vt* to tattoo.
taudis [todi] *nm* hovel; *pl* slums.
taupe [to:p] *nf* mole(skin).
taupinière [topinjɛ:r] *nf* molehill.
taureau [tɔro] *nm* bull.
tautologie [tɔtɔlɔʒi] *nf* tautology.
taux [to] *nm* rate, scale.
taverne [tavɛrn] *nf* tavern, public house.
taxe [taks] *nf* tax, duty, rate, charge.
taxer [takse] *vt* to tax, charge, fix the price of, accuse.
taxi [taksi] *nm* taxi.
Tchécoslovaquie [tʃekɔslɔvaki] *nf* Czechoslovakia.
tchèque [tʃɛk] *an* Czech.
te [t(ə)] *pn* you, to you, yourself, thee, to thee, thyself.
technicien [tɛknisjɛ̃] *nm* technician.
technique [tɛknik] *a* technical; *nf* technique, technics, engineering.
technologie [tɛknɔlɔʒi] *nf* technology.
technologique [tɛknɔlɔʒik] *a* technological.
teigne [tɛɲ] *nf* moth, scurf, ringworm, vixen.
teigneux, -euse [tɛɲø, ø:z] *a* scurfy.
teindre [tɛ̃:dr] *vt* to dye, tinge, stain; *vr* to be tinged, dye one's hair.
teint [tɛ̃] *nm* dye, colour, complexion.
teinte [tɛ̃:t] *nf* shade, hue, tint, tinge, touch.
teinter [tɛ̃te] *vt* to tint, tinge.
teinture [tɛ̃ty:r] *nf* dye(ing), tinting, hue, tincture, smattering.
teinturier, -ière [tɛ̃tyrje, jɛ:r] *n* dyer.
tek [tɛk] *nm* teak.
tel, telle [tɛl] *a* such, like; *pn* such a one; **— que** such as, like; **— quel** as it (she, he) is, ordinary; **monsieur un —** Mr So-and-so.
télécinéma [telesinema] *nm* telerecording.
télécommander [telekɔmɑ̃de] *vt* to operate by remote control.
télégramme [telegram] *nm* telegram.
télégraphe [telegraf] *nm* telegraph.
télégraphie [telegrafi] *nf* telegraphy; **— sans fil** wireless telegraphy.
télégraphier [telegrafje] *vti* to telegraph, cable, wire.
téléguider [telegide] *vt* to radiocontrol.
télépathie [telepati] *nf* telepathy.
téléphérique [teleferik] *a nm* cable railway.

téléphone [telefɔn] *nm* (tele)phone.
téléphoner [telefɔne] *vti* to (tele) phone, ring up.
téléphonique [telefɔnik] *a* telephonic; **cabine** — callbox.
téléphoniste [telefɔnist] *n* telephonist, operator.
télescope [telɛskɔp] *nm* telescope.
télescoper [telɛskɔpe] *vti* to telescope, crumple up.
télésiège [telesjɛːʒ] *nm* chair-lift.
télévision [televizjɔ̃] *nf* television.
tellement [tɛlmɑ̃] *ad* so, in such a way.
téméraire [temerɛːr] *a* rash, reckless, bold.
témérité [temerite] *nf* rashness, temerity, rash act.
témoignage [temwaɲaːʒ] *nm* evidence, testimony, token, mark.
témoigner [temwaɲe] *vt* to show, display, prove, testify to; *vi* to give evidence.
témoin [temwɛ̃] *nm* witness, second, baton.
tempe [tɑ̃ːp] *nf* temple.
tempérament [tɑ̃peramɑ̃] *nm* constitution, nature; **vente à** — hire-purchase.
tempérance [tɑ̃perɑ̃ːs] *nf* moderation.
tempérant [tɑ̃perɑ̃] *a* temperate, moderate.
température [tɑ̃peratyːr] *nf* temperature.
tempéré [tɑ̃pere] *a* moderate, temperate.
tempérer [tɑ̃pere] *vt* to moderate, temper; *vr* to moderate, abate.
tempête [tɑ̃pɛːt] *nf* storm.
tempêter [tɑ̃pete] *vi* to storm, rage.
tempétueux, -euse [tɑ̃petɥø, øːz] *a* stormy.
temple [tɑ̃ːpl] *nm* temple, (Protestant) church.
temporaire [tɑ̃pɔrɛːr] *a* provisional, temporary.
temporel, -elle [tɑ̃pɔrɛl] *a* temporal.
temporiser [tɑ̃pɔrize] *vi* to temporize, procrastinate.
temps [tɑ̃] *nm* time, period, age, weather, tense; **à** — in time; **de tout** — at all times; **quel** — **fait-il?** what is the weather like?
tenable [tənabl] *a* tenable, bearable.
tenace [tənas] *a* tenacious, adhesive, retentive, rooted.
ténacité [tenasite] *nf* tenacity, adhesiveness, retentiveness.
tenaille [tənɑːj] *nf* tongs; *pl* pincers.
tenancier, -ière [tənɑ̃sje, jɛːr] *n* keeper, lessee, tenant.
tenant [tənɑ̃] *a* **séance** —**e** forthwith; —**s et aboutissants** adjoining properties, ins and outs; **d'un seul** — in one piece.
tendance [tɑ̃dɑ̃ːs] *nf* tendency, trend.
tendancieux, -euse [tɑ̃dɑ̃sjø, øːz] *a* tendentious.
tendre [tɑ̃ːdr] *vt* to stretch (out), strain, hang, set, tighten, spread, hold out; *vi* to lead, tend; *vr* to become tight, strained, taut, tense.
tendre [tɑ̃ːdr] *a* tender, delicate, loving.
tendresse [tɑ̃drɛs] *nf* tenderness, love.
ténèbres [tenɛːbr] *nf pl* darkness.
ténébreux, -euse [tenebrø, øːz] *a* dark, sinister.
teneur [tənœːr, øːz] *n* holder, keeper, taker; *nf* tenor, purport, content.
ténia [tenja] *nm* tapeworm.
tenir [təniːr] *vt* to hold, keep, run, occupy, contain; *vi* to hold, stick, stand, last; *vr* to stand, sit, remain, stay, contain oneself, behave oneself; — **à** to be keen to, be the result of; **s'il ne tient qu'à cela** if that is all; **qu'à cela ne tienne** never mind that; **je n'y tiens plus** I can't stand it any longer; — **de** to have sth of, take after, get from; — **pour** to consider as, be in favour of; **tiens, tiens,** well, well! indeed! **tiens, tenez** (look) here; **on tient quatre dans cette voiture** this car holds four; **se** — **à** to keep to, hold on to; **s'en** — **à** to abide by, be content with.
tennis [tɛnis] *nm* tennis (court).
ténor [tenɔːr] *nm* tenor.
tension [tɑ̃sjɔ̃] *nf* tension, pressure, stretching.
tentacule [tɑ̃takyl] *nm* feeler, tentacle.
tentateur, -trice [tɑ̃tatœːr, tris] *a* tempting; *n* tempter, temptress.
tentation [tɑ̃tasjɔ̃] *nf* temptation.
tentative [tɑ̃tatiːv] *nf* attempt.
tente [tɑ̃ːt] *nf* tent, canvas, awning.
tenter [tɑ̃te] *vt* to tempt, try.
tenture [tɑ̃tyːr] *nf* tapestry, hangings, wallpaper.
tenu [təny] *a* kept, bound.
ténu [teny] *a* fine, tenuous, slender, subtle.
tenue [təny] *nf* holding, sitting, upkeep, behaviour, dress, seat; **avoir de la** — to behave oneself; **en grande** — in full dress.
ténuité [tenɥite] *nf* fineness, slenderness, tenuousness.
térébenthine [terebɑ̃tin] *nf* turpentine.
tergiverser [tɛrʒivɛrse] *vi* to beg the question, hesitate.
terme [tɛrm] *nm* term, expression, end, limit, quarter; **mener qch à bon** — to carry sth through.
terminaison [tɛrminɛzɔ̃] *nf* termination, ending.
terminer [tɛrmine] *vtr* to terminate, finish, end.
terminologie [tɛrminɔlɔʒi] *nf* terminology.
terminus [tɛrminyːs] *nm* terminus.
terne [tɛrn] *a* dull, lifeless, flat.

ternir [terniːr] *vt* to tarnish, dim, dull; *vr* to become dim, dull.
terrain [terɛ̃] *nm* land, (piece of) ground, course.
terrasse [teras] *nf* terrace, bank.
terrassement [terasmɑ̃] *nm* digging, banking, earthwork.
terrasser [terase] *vt* to bank up, lay low, fell.
terrassier [terasje] *nm* navvy.
terre [tɛːr] *nf* earth, world, land, soil, estate; **par** — on the ground, on the floor; **descendre à** — to go ashore; — **à** — commonplace.
Terre-Neuve [ternœːv] *nf* Newfoundland; *nm* -dog.
terre-neuvien, -enne [ternœvjɛ̃, jɛn] *a* Newfoundland; *n* Newfoundlander; *nm* fisherman, boat that goes to fishing grounds off Newfoundland.
terrestre [terɛstr] *a* terrestrial, earthly.
terreur [terœːr] *nf* terror, dread.
terrible [teribl] *a* terrible, dreadful.
terrien, -enne [terjɛ̃, jɛn] *a* landed; landowner, landsman.
terrier [terje] *nm* hole, burrow, terrier.
terrifier [ter(r)ifje] *vt* to terrify.
terrine [terin] *nf* earthenware pot, pan, potted meat.
territoire [teritwaːr] *nm* territory.
territorial [teritɔrjal] *a* territorial.
terroir [terwaːr] *nm* soil.
terroriser [ter(r)ɔrize] *vt* to terrorize.
tertre [tertr] *nm* mound, hillock.
tes [te] *see* **ton.**
tesson [tesɔ̃] *nm* fragment, broken end.
testament [testamɑ̃] *nm* testament, will.
testateur, -trice [testatœːr, tris] *n* testator, testatrix.
testicule [testikyl] *nm* testicle.
tétanos [tetanɔs] *nm* lockjaw, tetanus.
têtard [tetaːr] *nm* tadpole.
tête [tɛːt] *nf* head, face, top, front; **calcul de** — mental arithmetic; **mauvaise** — unruly person; **femme de** — capable woman; **forte** — self-willed person; **faire une** — to pull a long face; **en faire à sa** — to have one's own way; **monter la** — **à qn** to rouse s.o., work s.o. up.
tête-à-queue [tetakø] *nm* **faire** — to swing right round.
tête-à-tête [tetatɛːt] *nm* private conversation, tête-à-tête..
tête-bêche [tetbɛʃ] *ad* head to foot, head to tail.
tétée [tete] *nf* suck.
téter [tete] *vt* to suck.
têtière [tetjɛːr] *nf* baby's cap, head-stall (*of harness*).
tétin [tetɛ̃] *nm* nipple, dug.
tétine [tetin] *nf* udder, dug, (rubber) teat.
téton [tetɔ̃] *nm* breast.
têtu [tety] *a* obstinate, stubborn.
teuton, -onne [tøtɔ̃, ɔn] *a* Teuton(ic); *n* Teuton.
teutonique [tøtɔnik] *a* Teutonic.
texte [tekst] *nm* text.
textile [tekstil] *a nm* textile.
textuel, -elle [tekstɥɛl] *a* textual.
texture [tekstyːr] *nf* texture.
thé [te] *nm* tea, tea-party.
théâtral [teɑtral] *a* theatrical.
théâtre [teɑːtr] *nm* theatre, stage, drama, scene.
théière [tejɛːr] *nf* teapot.
thème [tɛm] *nm* theme, topic, prose composition.
théologie [teɔlɔʒi] *nf* theology, divinity.
théologique [teɔlɔʒik] *a* theological.
théorème [teɔrɛm] *nm* theorem.
théoricien, -enne [teɔrisjɛ̃, jɛn] *n* theorist.
théorie [teɔri] *nf* theory.
théorique [teɔrik] *a* theoretical.
théoriser [teɔrize] *vti* to theorize.
thermal [termal] *a* thermal; **station —e** spa; **eaux —es** hot springs.
thermomètre [termɔmetr] *nm* thermometer.
thésauriser [tezɔrize] *vt* to hoard.
thèse [tɛːz] *nf* thesis, argument.
Thierry [tjeri] *n pr* Theodore.
thon [tɔ̃] *nm* tunny-fish.
thorax [tɔraks] *nm* thorax, chest.
thuriféraire [tyriferɛːr] *nm* incense-bearer, flatterer.
thym [tɛ̃] *nm* thyme.
tibia [tibja] *nm* shin-bone, tibia.
tic [tik] *nm* twitching, mannerism.
ticket [tikɛ] *nm* ticket, check, slip.
tic-tac [tiktak] *nm* tick-tock, ticking, pit-a-pat.
tiède [tjɛd] *a* lukewarm, tepid.
tiédeur [tjedœːr] *nf* lukewarmness, tepidity, half-heartedness, coolness.
tiédir [tjediːr] *vt* to make tepid, cool; *vi* to become tepid, cool down, off.
tien, tienne [tjɛ̃, tjɛn] *poss pr* **le(s) —(s), la tienne, les tiennes** yours, thine; *nm* your own; *pl* your own people.
tierce [tjers] *nf* tierce, third.
tiercé [tjerse] *nm* betting (*on horses*).
tiers, tierce [tjɛːr, tjers] *a* third; *nm* third (part), third person, -party.
tige [tiːʒ] *nf* stalk, stem, trunk, shank, shaft.
tignasse [tiɲas] *nf* mop, shock.
tigre, tigresse [tigr, tigrɛs] *n* tiger, tigress.
tilleul [tijœl] *nm* lime-tree, infusion of lime-flowers.
timbale [tɛ̃bal] *nf* kettledrum, metal drinking mug, raised piedish.
timbre [tɛ̃ːbr] *nm* stamp, stamp-duty, bell, timbre.
timbré [tɛ̃bre] *a* stamped, post-marked, sonorous, (*fam*) dotty, cracked.
timbre-poste [tɛ̃brəpɔst] *nm* postage-stamp.

timbre-quittance [tẽbrəkitɑ̃:s] *nm* receipt-stamp.
timbrer [tẽbre] *vt* to stamp.
timide [timid] *a* timid, coy, shy, diffident.
timidité [timidite] *nf* timidity, shyness, diffidence.
timon [timɔ̃] *nm* shaft, pole, helm.
timonerie [timɔnri] *nf* steering (-gear), signalling.
timonier [timɔnje] *nm* helmsman, signalman.
timoré [timɔre] *a* timorous, fearful.
tintamarre [tẽtama:r] *nm* noise, racket, din.
tinter [tẽte] *vti* to toll, ring; *vi* to clink, jingle, tinkle, tingle.
tir [ti:r] *nm* shooting, gunnery, firing, rifle-range, shooting-gallery.
tirade [tirad] *nf* (long) speech, tirade.
tirage [tira:ʒ] *nm* pulling, hauling, draught, drawing, printing, circulation.
tiraillement [tirɑjmɑ̃] *nm* pulling, tugging, friction, pang, twinge.
tirailler [tirɑje] *vt* to pull about, tug; *vi* to fire away.
tirailleur [tirajœ:r] *nm* sharpshooter, freelance.
tirant [tirɑ̃] *nm* purse-string, stay, ship's draught; — **d'air** headroom.
tire [ti:r] *nf* pull; **voleur à la** — pickpocket.
tiré [tire] *a* drawn, pinched.
tire-bouchon [tirbuʃɔ̃] *nm* corkscrew.
tire-bouchonner [tirbuʃɔne] *vi* to curl up, wrinkle; *vt* to screw up.
tire-bouton [tirbutɔ̃] *nm* buttonhook.
tire-d'aile [tirdɛl] *ad* **à** — swiftly.
tire-larigot [tirlarigo] *ad* **boire à** — to drink heavily.
tirelire [tirli:r] *nm* money-box.
tirer [tire] *vt* to haul, draw, tug, pull off, out, fire, shoot, let off, print; *vi* to tug, pull, incline, verge (on **sur**); *vr* to extricate o.s., get out; **se** — **d'affaire, s'en** — to get out of trouble, manage.
tiret [tirɛ] *nm* dash, hyphen.
tireur, -euse [tirœ:r, ø:z] *n* drawer, marksman, shot.
tiroir [tirwa:r] *nm* drawer, slide (-valve).
tisane [tizan] *nf* infusion.
tison [tizɔ̃] *nm* brand, half-burned log.
tisonner [tizɔne] *vt* to poke, stir, fan.
tisonnier [tizɔnje] *nm* poker.
tisser [tise] *vt* to weave.
tisserand [tisrɑ̃] *n* weaver.
tissu [tisy] *nm* cloth, fabric, tissue.
titre [ti:tr] *nm* title, heading, qualification, right, claim, title-deed, diploma, bond; *pl* securities; **en** — titular; **à** — **d'office** ex officio; **à quel** —? on what grounds? **à** — **gratuit** free of charge.
titré [titre] *a* titled, certificated.
titrer [titre] *vt* to give a title to.
tituber [titybe] *vi* to stagger, reel.
titulaire [titylɛ:r] *a* titular; *n* holder.
toaster [toste] *vt* to toast.
toc [tɔk] *nm* faked stuff, imitation, rap, knock.
tocsin [tɔksẽ] *nm* alarm-signal, tocsin.
tohu-bohu [tɔybɔy] *nm* hubbub, hurly-burly.
toi [twa] *pn* you, thou, thee.
toile [twal] *nf* linen, cloth, canvas, painting; — **cirée** oilcloth, oilskin; — **d'araignée** spider's web, cobweb; — **de fond** back-cloth, -drop.
toilette [twalɛt] *nf* toilet, dress(ing), dressing-table, wash-stand, lavatory.
toise [twa:z] *nf* fathom, measuring apparatus.
toiser [twaze] *vt* to measure, look (s.o.) up and down.
toison [twazɔ̃] *nf* fleece.
toit [twa] *nm* roof, home.
toiture [twaty:r] *nf* roof(ing).
tôle [to:l] *nf* sheet-iron.
tolérance [tɔlɛrɑ̃:s] *nf* tolerance, toleration, allowance.
tolérer [tɔlere] *vt* to tolerate, suffer.
tolet [tɔlɛ] *nm* rowlock.
tollé [tɔlle] *nm* outcry; **crier** — **contre** to raise a hue and cry after.
tomate [tɔmat] *nf* tomato.
tombe [tɔ̃:b] *nf* tomb, grave, tombstone.
tombeau [tɔ̃bo] *nm* tomb, tombstone.
tombée [tɔ̃be] *nf* fall.
tomber [tɔ̃be] *vi* to fall, drop, die down, hang; *vt* to throw, take off; — **sur** to come across, fall upon; — **juste** to arrive, (happen), at the right time, guess right; **laisser** — to drop.
tombereau [tɔ̃bro] *nm* tip-cart, tumbrel.
tombola [tɔ̃bɔla] *nf* tombola.
tome [to:m] *nm* volume, tome.
ton, ta, tes [tɔ̃, ta, te] *a* your, thy.
ton [tɔ̃] *nm* tone, colour, key, pitch, fashion; **le bon** — good form.
tonalité [tɔnalite] *nf* tonality.
tondeuse [tɔ̃dø:z] *nf* shears, lawnmower.
tondre [tɔ̃:dr] *vt* to clip, shear, mow, fleece.
tonifier [tɔnifje] *vt* to tone up, brace.
tonique [tɔnik] *a nm* tonic; *a* bracing.
tonitruant [tɔnitryɑ̃] *a* thunderous, blustering.
tonne [tɔn] *nf* tun, cask, ton.
tonneau [tɔno] *nm* barrel, cask, ton.
tonnelier [tɔnəlje] *nm* cooper.
tonnelle [tɔnɛl] *nf* arbour, bower.
tonnellerie [tɔnɛlri] *nf* cooper's shop, cooperage.
tonner [tɔne] *vi* to thunder.

tonnerre [tɔnɛːr] *nm* thunder; **du —** marvellous, terrific.
tonsure [tɔ̃syːr] *nf* tonsure.
tonte [tɔ̃ːt] *nf* clipping, shearing.
topaze [tɔpɑːz] *nf* topaz.
toper [tɔpe] *vi* to agree, shake hands on it; **tope-là!** done!
topinambour [tɔpinɑ̃buːr] *nm* Jerusalem artichoke.
topo [tɔpo] *nm* lecture, demonstration, plan.
topographie [tɔpɔgrafi] *nf* topography, surveying.
topographique [tɔpɔgrafik] *a* topographic(al), ordnance.
toquade [tɔkad] *nf* craze, fancy.
toque [tɔk] *nf* toque, cap.
toqué [tɔke] *a* cracked, crazy, infatuated.
toquer [tɔke] *vt* to infatuate; *vr* to become infatuated (with **de**).
torche [tɔrʃ] *nf* torch, pad.
torchon [tɔrʃɔ̃] *nm* duster, dish-cloth, floor-cloth.
tordant [tɔrdɑ̃] *a* screamingly funny.
tordre [tɔrdr] *vt* to twist, wring, distort; *vr* to twist, writhe; **se — de rire** to split one's sides with laughter.
tornade [tɔrnad] *nf* tornado.
torpédo [tɔrpedo] *nm* open touring-car.
torpeur [tɔrpœːr] *nf* torpor.
torpille [tɔrpiːj] *nf* torpedo.
torpiller [tɔrpije] *vt* to torpedo.
torréfier [tɔrrefje] *vt* to roast, scorch.
torrent [tɔr(r)ɑ̃] *nm* torrent, stream.
torrentiel, -elle [tɔr(r)ɑ̃sjɛl] *a* torrential.
torride [tɔrrid] *a* torrid, broiling.
tors [tɔːr] *a* twisted, crooked.
torse [tɔrs] *nm* torso.
torsion [tɔrsjɔ̃] *nf* twist(ing), torsion.
tort [tɔːr] *nm* wrong, fault, harm, injury, injustice; **avoir —** to be wrong; **donner — à** to decide against; **à — et à travers** at random.
torticolis [tɔrtikɔli] *nm* stiff neck.
tortillard [tɔrtijaːr] *nm* small locomotive, railway.
tortiller [tɔrtije] *vt* to twist, twirl; *vi* to wriggle, shilly-shally; *vr* to wriggle.
tortue [tɔrty] *nf* tortoise.
tortueux, -euse [tɔrtɥø, øːz] *a* tortuous, winding.
torture [tɔrtyːr] *nf* torture, torment.
torturer [tɔrtyre] *vt* to torture, rack, twist.
tôt [to] *ad* soon, early; **— ou tard** sooner or later.
total [tɔtal] *a nm* total, whole.
totalisateur, -trice [tɔtalizatœːr, tris] *a* adding; *nm* totalizator.
totaliser [tɔtalize] *vt* to total up.
totalitaire [tɔtalitɛːr] *a* totalitarian.
totalité [tɔtalite] *nf* totality, whole.
touchant [tuʃɑ̃] *a* touching, moving; *prep* with regard to, concerning.
touche [tuʃ] *nf* touch, manner, key, bite, hit, look.
touche-à-tout [tuʃatu] *n* meddler.
toucher [tuʃe] *vt* to touch (on), hit, draw, cash, move, concern; *vi* **— à** to be close to, be in contact with, affect, meddle; *vr* to adjoin; *nm* touch, feel.
touer [twe] *vt* to tow, warp.
touffe [tuf] *nf* tuft, cluster, clump.
touffu [tufy] *a* thick, bushy, involved, intricate.
toujours [tuʒuːr] *ad* always, ever, still, all the same.
toupet [tupɛ] *nm* forelock, tuft, cheek.
toupie [tupi] *nf* top.
tour [tuːr] *nf* tower; *nm* turn, course, shape, revolution, round, circuit, feat, trick, stroll; **— à —** in turn; **à — de bras** with all one's might; **mon sang n'a fait qu'un —** it gave me an awful shock.
tourangeau, -elle [turɑ̃ʒo, ɛl] *an* (inhabitant) of Touraine.
tourbe [turb] *nf* peat, rabble.
tourbière [turbjɛːr] *nf* peat-bog.
tourbillon [turbijɔ̃] *nm* whirlwind, -pool, eddy, whirl, giddy round.
tourbillonner [turbijɔne] *vi* to whirl, swirl, eddy.
tourelle [turɛl] *nf* turret.
tourisme [turism] *nm* touring, travel.
touriste [turist] *n* tourist, tripper.
tourment [turmɑ̃] *nm* torment, anguish.
tourmente [turmɑ̃ːt] *nf* gale, turmoil.
tourmenter [turmɑ̃te] *vt* to torment, torture, worry, pester, tease, fiddle with; *vr* to worry, fret.
tournant [turnɑ̃] *nm* bend, corner, turning-point.
tournebroche [turnəbrɔʃ] *nm* roasting-jack, turnspit.
tournedos [turnədo] *nm* fillet steak.
tourné [turne] *a* turned, sour; **bien —** shapely, neat.
tournée [turne] *nf* circuit, round, tour.
tourner [turne] *vt* to turn, wind, dodge, get round; *vi* to turn (out), revolve, result, curdle; *vr* to turn; **— un film** to make a film, act in a film; **— autour du pot** to beat about the bush.
tournesol [turnəsɔl] *nm* sunflower.
tournevis [turnəvis] *nm* screwdriver.
tourniquet [turnikɛ] *nm* turnstile, tourniquet.
tournoi [turnwa] *nm* tournament.
tournoyer [turnwaje] *vi* to whirl, wheel, swirl.
tournure [turnyːr] *nf* shape, figure, turn, course bustle.
tourte [turt] *nf* pie, tart.
tourterelle [turtərɛl] *nf* turtle dove.
Toussaint [tusɛ̃] *nf* **la —** All Saints' day.
tousser [tuse] *vi* to cough.

tout [tu] *a* all, whole, every, any; *pr* everything, all, anything; *nm* whole, all, main thing; *ad* very, completely, entirely, quite, right, however, while; **pas du** — not at all; — **à vous** yours truly; — **au plus** at the very most; — **à fait** quite, entirely; — **fait** ready made.
toutefois [tutfwa] *ad* yet, however, nevertheless.
toutou [tutu] *nm* doggie.
tout-puissant [tupɥisɑ̃] *a* omnipotent, all-powerful.
toux [tu] *nf* cough.
toxique [tɔksik] *a* toxic, poisonous.
trac [trak] *nm* funk, stage-fright.
tracas [trakɑ] *nm* worry, bother.
tracasser [trakase] *vtr* to bother, worry.
tracasserie [trakasri] *nf* worry, fuss.
tracassier, -ière [trakasje, jɛːr] *a* meddlesome, fussy.
trace [tras] *nf* trace, track, trail. mark.
tracé [trase] *nm* outline, graph, lay-out, tracing, marking out, plotting.
tracer [trase] *vt* to outline, draw, sketch, plot, lay-out, mark out.
tractation [traktasjɔ̃] *nf* underhand deal(ing).
tracteur [traktœːr] *nm* tractor.
traction [traksjɔ̃] *nf* traction, pulling; — **avant** front-wheel drive (*car*).
tradition [tradisjɔ̃] *nf* tradition.
traditionnel, -elle [tradisjɔnɛl] *a* traditional.
traducteur, -trice [tradyktœːr, tris] *n* translator.
traduction [tradyksjɔ̃] *nf* translation, translating.
traduire [tradɥiːr] *vt* to translate, express; — **en justice** to prosecute.
trafic [trafik] *nm* traffic, trade, trading.
trafiquant [trafikɑ̃] *nm* trafficker, black-marketeer.
trafiquer [trafike] *vi* to trade, deal, traffic.
tragédie [traʒedi] *nf* tragedy.
tragique [traʒik] *a* tragic; *nm* tragic element, poet.
trahir [traiːr] *vt* to betray, give away, reveal.
trahison [traizɔ̃] *nf* betrayal, treachery, treason.
train [trɛ̃] *nm* train, line, string, suite, mood, movement, pace; **à fond de** — at full speed; **être en** — **de** to be busy, engaged in; **être en** — to be in the mood, in good form; **mener grand** — to live in great style; **mettre en** — to set going.
traînant [trɛnɑ̃] *a* dragging, drawling, listless.
traînard [trɛnaːr] *nm* laggard, straggler.
traîne [trɛːn] *nf* drag-net, train (*dress*); **à la** — in tow, behind.
traîneau [trɛno] *nm* sleigh, sledge.
traînée [trɛne] *nf* trail, train.
traîner [trɛne] *vt* to drag (out, on), trail, haul, drawl; *vi* to trail, straggle, lag (behind), lie about, drag (on); *vr* to crawl, shuffle along.
train-train [trɛ̃trɛ̃] *nm* routine; **aller son** — to jog along.
traire [trɛːr] *vt* to milk.
trait [trɛ] *nm* dart, shaft, gibe, feature, characteristic, stroke; — **d'union** hyphen; **d'un** — at one gulp, go; **avoir** — **à** to refer to; **cheval de** — draught horse.
traitable [trɛtabl] *a* tractable, docile.
traite [trɛt] *nf* trade, slave-trade, draft, stage, stretch, milking; **d'une** — at a stretch.
traité [trɛte] *nm* treaty, treatise.
traitement [trɛtmɑ̃] *nm* treatment, salary.
traiter [trɛte] *vt* to treat, entertain, discuss, call; *vti* to negotiate; — **de** to deal with, treat for, with.
traiteur [trɛtœːr] *nm* caterer, restaurateur.
traître, -tresse [trɛːtr, trɛtrɛs] *a* treacherous; *n* traitor, traitress.
traîtrise [trɛtriːz] *nf* treachery.
trajectoire [traʒɛktwaːr] *nf* trajectory.
trajet [traʒɛ] *nm* journey, way, passage, course.
trame [tram] *nf* woof, web, plot.
tramer [trame] *vt* to weave.
tramontane [tramɔ̃tan] *nf* north wind, North.
tranchant [trɑ̃ʃɑ̃] *a* sharp, keen, peremptory, contrasting; *nm* edge.
tranche [trɑ̃ːʃ] *nf* slice, round, slab, edge, series, chisel.
tranchée [trɑ̃ʃe] *nf* trench.
trancher [trɑ̃ʃe] *vt* to cut (off, short), slice, settle; *vi* to contrast (with); — **le mot** to speak bluntly.
tranquille [trɑ̃kil] *a* calm, quiet, easy; **laisser** — to leave alone.
tranquillisant [trɑ̃nkilizɑ̃] *nm* tranquillizer.
tranquilliser [trɑ̃kilize] *vt* to soothe, set at rest; *vr* to set one's mind at rest.
tranquillité [trɑ̃kilite] *nf* peace, calm, quiet.
transaction [trɑ̃zaksjɔ̃] *nf* transaction, compromise.
transatlantique [trɑ̃zatlɑ̃tik] *a* transatlantic; *nm* liner, deck-chair.
transborder [trɑ̃sbɔrde] *vt* to tranship.
transbordeur [trɑ̃sbɔrdœːr] *nm* (**pont**) — transporter-bridge.
transcription [trɑ̃skripsjɔ̃] *nf* transcription, copy.
transcrire [trɑ̃skriːr] *vt* to transcribe, write out.
transe [trɑ̃ːs] *nf* trance; *pl* fear.
transférer [trɑ̃sfere] *vt* to transfer, remove.
transfert [trɑ̃sfɛːr] *nm* transfer(ence).

transformateur [trɑ̃sfɔrmatœːr, tris] *nm* transformer.
transformer [trɑ̃sfɔrme] *vt* to transform; *vr* to change, turn.
transfuge [trɑ̃sfyːʒ] *nm* deserter, turncoat.
transfuser [trɑ̃sfyze] *vt* to transfuse.
transgresser [trɑ̃sgrɛse] *vt* to transgress, break.
transi [trɑ̃si] *a* frozen, paralysed.
transiger [trɑ̃ziʒe] *vi* to (come to a) compromise.
transir [trɑ̃siːr] *vt* to benumb, chill.
transition [trɑ̃zisjɔ̃] *nf* transition.
transitoire [trɑ̃zitwaːr] *a* transitory, temporary.
transmettre [trɑ̃smɛtr] *vt* to transmit, convey, hand down.
transmission [trɑ̃smisjɔ̃] *nf* transfer, transmission, handing down; — **directe** live broadcast.
transparaître [trɑ̃sparɛːtr] *vi* to show through.
transparent [trɑ̃sparɑ̃] *a* transparent, clear.
transpercer [trɑ̃spɛrse] *vt* to pierce, transfix.
transpirer [trɑ̃spire] *vi* to perspire, transpire.
transplanter [trɑ̃splɑ̃te] *vt* to transplant.
transport [trɑ̃spɔːr] *nm* transport, carriage, rapture.
transporter [trɑ̃spɔrte] *vt* to transport, convey, assign, enrapture.
transporteur [trɑ̃spɔrtœːr] *nm* carrier, conveyor.
transposer [trɑ̃spoze] *vt* to transpose.
transversal [trɑ̃svɛrsal] *a* transversal, cross-, side-.
trapèze [trapɛːz] *nm* trapezium, trapeze.
trappe [trap] *nf* trap(door).
trapu [trapy] *a* squat, stocky, thickset.
traquenard [traknaːr] *nm* trap, pitfall.
traquer [trake] *vt* to track down, run to earth, hunt, beat.
travail [travaːj] *nm* (piece of) work, labour, craftsmanship; **travaux forcés** hard labour.
travaillé [travaje] *a* wrought, elaborate.
travailler [travaje] *vt* to work (at, upon), obsess, torment; *vi* to work, toil.
travailleur, -euse [travajœːr, øːz] *a* hard-working; *n* worker.
travailliste [travajist] *a* Labour (Party); *nm* member of the Labour Party.
travée [trave] *nf* girder, bay, span.
travers [travɛːr] *nm* breadth, fault, failing; **à —, au — de** across, through; **en —** across, crosswise; **par le —** amidships; **de —** awry, askance.
traverse [travɛrs] *nf* cross-beam, -bar, rung, sleeper; **chemin de —** crossroad, side-road.
traversée [travɛrse] *nf* crossing.
traverser [travɛrse] *vt* to cross, go through, thwart.
traversin [travɛrsɛ̃] *nm* crossbar, bolster.
travestir [travɛstiːr] *vt* to disguise, misrepresent; **bal travesti** fancy-dress ball.
travestissement [travɛstismɑ̃] *nm* disguise, disguising, travesty.
trébucher [trebyʃe] *vi* to stumble, trip.
trèfle [trɛfl] *nm* clover, trefoil, clubs.
treillage [trɛjaːʒ] *nm* trellis, lattice-work.
treille [trɛːj] *nf* climbing vine, vine-arbour.
treillis [trɛji] *nm* lattice, trellis, dungarees; — **métallique** wire-netting.
treize [trɛːz] *a nm* thirteen, thirteenth.
treizième [trɛzjɛm] *an* thirteenth.
tréma [trema] *nm* diaeresis.
tremble [trɑ̃ːbl] *nm* aspen.
tremblement [trɑ̃bləmɑ̃] *n* trembling, tremor, quivering, quavering; — **de terre** earthquake.
trembler [trɑ̃ble] *vi* to tremble, shake, quiver, quaver.
trembloter [trɑ̃blɔte] *vi* to quiver, quaver, flicker.
trémière [tremjɛːr] *a* **rose** — hollyhock.
trémousser [tremuse] *vir* to flutter; *vr* to fidget; go to a lot of trouble.
trempe [trɑ̃ːp] *nf* steeping, temper (ing), stamp.
tremper [trɑ̃pe] *vt* to steep, soak, drench, temper; *vi* to steep, have a hand (in).
trempette [trɑ̃pɛt] *nf* bread *etc*, dipped in coffee *etc*; quick bath.
tremplin [trɑ̃plɛ̃] *nm* spring-, diving-board.
trentaine [trɑ̃tɛn] *nf* about thirty.
trente [trɑ̃ːt] *a nm* thirty, thirtieth.
trente-six [trɑ̃tsi, -sis, -siz] *a nm* thirty-six; **ne pas y aller par — chemins** not to beat about the bush; **voir — chandelles** to see stars.
trentième [trɑ̃tjɛm] *an* thirtieth.
trépaner [trepane] *vt* to drill, bore, trepan.
trépas [trepɑ] *nm* death.
trépasser [trepɑse] *vi* to die, pass away.
trépidation [trepidasjɔ̃] *nf* shaking, vibration, trepidation.
trépied [trepje] *nm* tripod.
trépigner [trepiɲe] *vi* to stamp, dance.
très [trɛ] *ad* very, (very) much, most.
trésor [trezɔːr] *nm* treasure, riches, treasury.
trésorerie [trezɔrri] *nf* treasury, treasurer's office.

trésorier, -ière [trezɔrje, jɛ:r] *n* treasurer, paymaster, -mistress.
tressaillement [trɛsajmɑ̃] *nm* start, thrill.
tressaillir [trɛsaji:r] *vi* to start, shudder, bound, thrill.
tressauter [trɛsote] *vi* to start, jump.
tresse [trɛs] *nf* plait, tress.
tresser [trɛse] *vt* to plait, braid, weave.
tréteau [treto] *nm* trestle, stand; *pl* boards, stage.
treuil [trœ:j] *nm* windlass, winch.
trêve [trɛ:v] *nf* truce, respite; — **de** no more of.
tri [tri] *nm* sorting.
triage [tria:ʒ] *nm* sorting; **gare de —** marshalling yard.
triangle [triɑ̃:gl] *nm* triangle, set-square.
tribord [tribɔ:r] *nm* starboard.
tribu [triby] *nf* tribe.
tribulation [tribylasjɔ̃] *nf* tribulation, trouble.
tribunal [tribynal] *nm* tribunal, (law) court, bench.
tribune [tribyn] *nf* tribune, platform, grandstand.
tribut [triby] *nm* tribute.
tricher [triʃe] *vti* to cheat, trick.
tricherie [triʃri] *nf* cheating, trickery.
tricheur, -euse [triʃœ:r, ø:z] *n* cheat, trickster.
tricolore [trikɔlɔ:r] *a* tricoloured.
tricorne [trikɔrn] *a nm* three-cornered (hat).
tricot [triko] *nm* knitting, cardigan, jumper, jersey.
tricoter [trikɔte] *vt* to knit.
triennal [triɛnnal] *a* triennial.
trier [trie] *vt* to sort (out), pick out.
trigonométrie [trigɔnɔmetri] *nf* trigonometry.
trimbaler [trɛ̃bale] *vt* to lug, trail, drag about.
trimer [trime] *vi* to toil, drudge.
trimestre [trimɛstr] *nm* quarter, term.
trimestriel, -elle [trimɛstriɛl] *a* quarterly.
tringle [trɛ̃:gl] *nf* (curtain-) rod, bar.
trinquer [trɛ̃kɛ] *vi* to clink glasses, toast.
triomphal [triɔ̃fal] *a* triumphal.
triomphe [triɔ̃:f] *nm* triumph.
triompher [triɔ̃fe] *vi* to triumph (over **de**), surmount.
tripatouiller [tripatuje] *vt* to tinker, tamper with.
tripes [trip] *nf pl* tripe, intestines, guts.
triple [tripl] *a nm* treble, triple, threefold.
tripler [triple] *vt* to treble.
tripot [tripo] *nm* gambling house.
tripotage [tripɔta:ʒ] *nm* fiddling about, jobbery.
tripoter [tripɔte] *vt* to fiddle with, tamper with, finger, paw; *vi* to potter, fiddle, mess about, dabble.
trique [trik] *nf* cudgel.
triste [trist] *a* sad, mournful, dismal, bleak, wretched.
tristesse [tristɛs] *nf* sadness, gloom, sorrow, mournfulness.
triturer [trityre] *vt* to grind.
trivial [trivjal] *a* vulgar, commonplace, trite.
trivialité [trivjalite] *nf* vulgarity, coarse word, triteness.
troc [trɔk] *nm* barter, exchange, swop(ping).
troène [trɔɛn] *nm* privet.
troglodyte [trɔglɔdit] *nm* cave-dweller.
trogne [trɔɲ] *nf* face, dial.
trognon [trɔɲɔ̃] *nm* core, stump.
trois [trwɑ] *a nm* three, third.
troisième [trwɑzjɛm] *an* third.
trombe [trɔ̃:b] *nf* water-spout, cloudburst, whirlwind.
trombone [trɔ̃bɔn] *nm* trombone, paper-clip.
trompe [trɔ̃:p] *nf* trumpet, horn, hooter, (*elephant*) trunk.
trompe-l'œil [trɔ̃plœ:j] *nm* sham, eyewash, window-dressing (*fig*).
tromper [trɔ̃pe] *vt* to deceive cheat, beguile; *vr* to be mistaken, be wrong.
tromperie [trɔ̃pri] *nf* (piece of) deceit, fraud.
trompette [trɔ̃pɛt] *nf* trumpet, trumpeter.
trompeur, -euse [trɔ̃pœ:r, ø:z] *a* deceitful, deceptive, misleading; *n* deceiver, cheat.
tronc [trɔ̃] *nm* trunk, bole, collecting-box.
tronçon [trɔ̃sɔ̃] *nm* stump, fragment, section.
tronçonner [trɔ̃sɔne] *vt* to cut into pieces.
trône [tro:n] *nm* throne.
trôner [trone] *vi* to sit enthroned, lord it, queen it.
tronquer [trɔ̃ke] *vt* to truncate, mutilate.
trop [tro] *ad* too, too much, over-; **de** — too much, too many, unwanted.
trophée [trɔfe] *nm* trophy.
tropical [trɔpikal] *a* tropical.
tropiques [trɔpik] *nm pl* tropics.
trop-plein [trɔplɛ̃] *nm* overflow, excess.
troquer [trɔke] *vt* to barter, exchange, swop.
trot [tro] *nm* trot.
trotte [trɔt] *nf* stretch, bit, distance, walk.
trotter [trɔte] *vi* to trot, scamper.
trotteuse [trɔtø:z] *nf* go-cart.
trottiner [trɔtine] *vi* to scamper, toddle, jog along.
trottinette [trɔtinɛt] *nf* scooter.
trottoir [trɔtwa:r] *nm* pavement, footpath, platform.
trou [tru] *nm* hole, gap, dead-and-

alive place; — **d'air** air-pocket; — **du souffleur** prompter's box.
trouble [trubl] *a* muddy, dim, cloudy; *nm* confusion, uneasiness; *pl* disturbances.
trouble-fête [trubləfɛːt] *nm* spoil-sport, killjoy.
troubler [truble] *vt* to disturb, upset, excite, blur, make muddy; *vr* to get upset, become excited, muddy, dim.
trouée [true] *nf* gap.
trouer [true] *vt* to hole, make holes in.
troupe [trup] *nf* troop, gang, company, flock, herd, other ranks; *pl* troops.
troupeau [trupo] *nm* flock, herd, drove.
troupier [trupje] *nm* soldier, seasoned campaigner.
trousse [trus] *nf* outfit, kit, bundle, truss; **à mes —s** after me, at my heels.
trousseau [truso] *nm* bunch, outfit, trousseau.
trousser [truse] *vt* to turn up, tuck up, truss.
trouvaille [truvaːj] *nf* find, windfall, godsend.
trouver [truve] *vt* to find, hit upon, think; *vr* to be, be found, happen, feel.
truc [tryk] *nm* knack, dodge, gadget, thingummy.
truchement [tryʃmɑ̃] *nm* intermediary, interpreter.
truculence [trykylɑ̃ːs] *nf* truculence.
truelle [tryɛl] *nf* trowel, fish-slice.
truffe [tryf] *nf* truffle, dog's nose.
truie [trɥi] *nf* sow.
truite [trɥit] *nf* trout.
trumeau [trymo] *nm* (*archit*) pier; pier-glass; leg of beef.
truquer [tryke] *vt* to fake, cook, rig.
tsé-tsé [tsetse] *nf* tsetse fly.
T.S.F. *nf* radio.
tu [ty] *pn* you, thou.
tube [tyb] *nm* tube, pipe; (*song*) hit.
tuberculeux, -euse [tybɛrkylø, øːz] *a* tubercular, tuberculous, consumptive.
tuberculose [tybɛrkyloːz] *nf* tuberculosis.
tuer [tɥe] *vt* to kill, slay.
tuerie [tyri] *nf* slaughter, carnage.
tue-tête [tytɛt] *ad* **à** — at the top of one's voice.
tueur [tɥœːr] *nm* killer, slaughterman.
tuile [tɥil] *nf* tile, bit of bad luck.
tulipe [tylip] *nf* tulip.
tulle [tyl] *nm* tulle.
tuméfier [tymefje] *vt* to make swell.
tumulte [tymylt] *nm* tumult, uproar.
tumultueux, -euse [tymyltɥø, øːz] *a* tumultuous, noisy.
tunique [tynik] *nf* tunic.
tunnel [tynɛl] *nm* tunnel.
turbine [tyrbin] *nf* turbine.
turbulence [tyrbylɑ̃ːs] *nf* turbulence, boisterousness.
turbulent [tyrbylɑ̃] *a* turbulent, unruly.
turc, turque [tyrk] *a* Turkish; *n* Turk.
turf [tyrf] *nm* racing, race-course.
turfiste [tyrfist] *nm* racegoer.
turpitude [tyrpityd] *nf* turpitude, baseness, base act.
Turquie [tyrki] *nf* Turkey.
turquoise [tyrkwaːz] *a nm* turquoise (colour); *nf* turquoise.
tutelle [tytɛl] *nf* guardianship, protection.
tuteur, -trice [tytœːr, tris] *n* guardian; *nm* stake, trainer.
tutoyer [tytwaje] *vt* to address as 'tu', be familiar with.
tuyau [tɥijo] *nm* tube, (hose-) pipe, stem, goffer, tip, hint.
tuyauter [tyjote, tɥijote] *vt* to goffer, frill, give a tip, hint to.
tympan [tɛ̃pɑ̃] *nm* eardrum, tympanum.
type [tip] *nm* type, fellow.
typhoïde [tifɔid] *a* typhoid.
typique [tipik] *a* typical.
typo(graphe) [tipɔgraf] *nm* printer, typographer.
typographie [tipɔgrafi] *nf* printing.
tyran [tirɑ̃] *nm* tyrant.
tyrannie [tirani] *nf* tyranny.
tyrannique [tiranik] *a* tyrannical, tyrannous.
tyranniser [tiranize] *vt* to tyrannize, oppress.
tzigane [tsigan] *n* gipsy.

U

ubiquité [ybikɥite] *nf* ubiquity.
ulcère [ylsɛːr] *nm* ulcer, sore.
ulcérer [ylsere] *vt* to ulcerate, hurt, embitter; *vr* to fester, grow embittered.
ultérieur [ylterjœːr] *a* ulterior, subsequent, further.
ultimatum [yltimatɔm] *nm* ultimatum.
ultime [yltim] *a* ultimate, last, final.
un, une [œ̃, yn] *indef art* a; *a pn* one; *nm* one; *nf* first page; — **à** — one by one; **en savoir plus d'une** to know a thing or two.
unanime [ynanim] *a* unanimous.
unanimité [ynanimite] *nf* unanimity; **à l'**— unanimously.
uni [yni] *a* united, smooth, self-coloured, plain.
unième [ynjɛm] *a* (*in compound numbers only*) first.
unification [ynifikasjɔ̃] *nf* unification, amalgamation.
unifier [ynifje] *vt* to unify, amalgamate.
uniforme [ynifɔrm] *a nm* uniform.

uniformiser [ynifɔrmize] *vt* to make uniform, standardize.
uniformité [ynifɔrmite] *nf* uniformity.
unilatéral [ynilateral] *a* unilateral, one-sided.
union [ynjɔ̃] *nf* union, unity, association.
uniprix [ynipri] *a* **magasin —** Woolworths.
unique [ynik] *a* single, only, sole, one, unique; **rue à sens —** one-way street.
unir [yn:ir] *vt* to unite, join, make, smooth; *vr* to unite, join, become smooth.
unisson [ynisɔ̃] *nm* unison.
unité [ynite] *nf* unity, consistency, unit.
univers [ynivɛ:r] *nm* universe.
universalité [yniversalite] *nf* universality.
universel, -elle [yniversɛl] *a* universal, world-wide, versatile.
universitaire [yniversitɛ:r] *a* university; *n* university teacher.
université [yniversite] *nf* university.
uranium [yranjɔm] *nm* uranium.
urbain [yrbɛ̃] *a* urban, town; *n* city-dweller.
urbanisme [yrbanism] *nm* town-planning.
urbanité [yrbanite] *nf* urbanity.
urgence [yrʒɑ̃:s] *nf* urgency, emergency; **d'—** urgently, emergency.
urgent [yrʒɑ̃] *a* urgent, pressing.
urine [yrin] *nf* urine.
uriner [yrine] *vi* to urinate, make water.
urinoir [yrinwa:r] *nm* urinal.
urne [yrn] *nf* urn.
URSS *nf* USSR.
urticaire [yrtikɛ:r] *nf* nettle-rash.
us [y] *nm pl* **les — et coutumes** ways and customs.
usage [yza:ʒ] *nm* use, using, service, wear, practice, custom, breeding; **d'—** usual, for everyday use.
usagé [yzaʒe] *a* used, worn.
usager, -ère [yzaʒe, ɛ:r] *a* for personal use, of everyday use; *n* user.
usé [yze] *a* worn (out, away), threadbare, shabby, stale.
user [yze] *vt* to wear out (away); **— de** to use; *vr* to wear (out, away, down); **en bien (mal) — avec qn** to treat s.o. well (badly).
usine [yzin] *nf* factory, mill, works.
usiner [yzine] *vt* to machine(-finish).
usité [yzite] *a* used, current.
ustensile [ystɑ̃sil] *nm* utensil, tool.
usuel, -elle [yzɥɛl] *a* usual, customary; *nm* reference book.
usufruit [yzyfrɥi] *nm* life interest, usufruct.
usure [yzy:r] *nf* wear (and tear), wearing away, attrition, usury, interest.
usurier, -ière [yzyrje, jɛ:r] *a* usurious; *n* usurer.
usurpateur, -trice [yzyrpatœ:r, tris] *a* usurping; *n* usurper.
usurper [yzyrpe] *vti* to usurp.
ut [yt] *nm* musical note C, do(h).
utile [ytil] *a* useful, handy, serviceable, effective, due.
utilisation [ytilizasjɔ̃] *nf* utilization, using.
utiliser [ytilize] *vt* to utilize, use.
utilitaire [ytilitɛ:r] *an* utilitarian.
utilité [ytilite] *nf* utility, use(fulness), service.
utopie [ytɔpi] *nf* utopia.
utopique [ytɔpik] *a* utopian.
utopiste [ytɔpist] *an* utopian.
uvule [yvyl] *nf* uvula.

V

vacance [vakɑ̃:s] *nf* vacancy; *pl* holidays, vacation; **en —s** on holiday; **grandes —s** summer holidays.
vacant [vakɑ̃] *a* vacant.
vacarme [vakarm] *nm* din, uproar, hullabaloo.
vaccin [vaksɛ̃] *nm* vaccine, lymph.
vaccination [vaksinasjɔ̃] *nf* vaccination, inoculation.
vacciner [vaksine] *vt* to vaccinate, inoculate.
vache [vaʃ] *nf* cow, cowhide, nasty person, beast; **manger de la — enragée** to have a hard time of it; **parler français comme une — espagnole** to murder the French language.
vachement [vaʃmɑ̃] *ad* damn(ed), terribly.
vacher, -ère [vaʃe, ɛ:r] *n* cowherd.
vacherie [vaʃri] *nf* cowshed, dirty trick.
vacillant [vasillɑ̃, -ijɑ̃] *a* wavering, flickering, unsteady, wobbling, uncertain.
vaciller [vasille, -ije] *vi* to waver, flicker, stagger, wobble.
va-comme-je-te-pousse [vakɔmʒətpus] *a* easy-going; *ad* any old how.
vacuité [vakɥite] *nf* emptiness.
vacuum [vakɥɔm] *nm* vacuum.
vadrouille [vadru:j] *nf* spree, swab, mop.
vadrouiller [vadruje] *vi* to rove, roam, gallivant.
vadrouilleur, -euse [vadrujœ:r, ø:z] *n* gadabout, rake.
va-et-vient [vaevjɛ̃] *nm* coming and going, movement to and fro.
vagabond [vagabɔ̃] *a* vagabond, roving, wandering; *n* vagrant, vagabond, tramp.
vagabondage [vagabɔ̃da:ʒ] *nm* vagabondage, vagrancy.
vagabonder [vagabɔ̃de] *vi* to wander, roam, rove.

vagin [vaʒɛ̃] *nm* vagina.
vagir [vaʒiːr] *vi* to wail.
vague [vag] *a* vague, hazy, indefinite, empty; *nm* vagueness, space; *nf* wave; **terrains —s** waste ground.
vaguemestre [vagmɛstr] *nm* postman, post-orderly.
vaguer [vage] *vi* to roam, ramble, wander.
vaillance [vajɑ̃ːs] *nf* valour, bravery.
vaillant [vajɑ̃] *a* valiant, gallant, brave, stout; **n'avoir pas un sou —** not to have a brass farthing.
vain [vɛ̃] *a* vain, useless, empty, futile.
vaincre [vɛ̃ːkr] *vt* to vanquish, defeat, conquer.
vainqueur [vɛ̃kœːr] *a inv* victorious, conquering; *nm* victor, conqueror, winner.
vairon [vɛrɔ̃] *nm* minnow.
vaisseau [vɛso] *nm* vessel, ship, receptacle.
vaisselier [vɛsəlje] *nm* dresser.
vaisselle [vɛsɛl] *nf* plates and dishes, table-service; **faire la —** to wash up.
val [val] *nm* valley, vale; **par monts et par vaux** up hill and down dale.
valable [valabl] *a* valid, available, good.
valet [valɛ] *nm* valet, footman, knave, jack, servant, farm-hand.
valeur [valœːr] *nf* value, worth, valour, merit, asset; *pl* securities, bills; **objets de —** valuables; **mettre en —** to bring out, emphasize, develop; **—s actives** assets; **—s passives** liabilities.
valeureux, -euse [valœrø, øːz] *a* valorous, gallant.
valide [valid] *a* valid, able-bodied, fit.
valider [valide] *vt* to ratify, validate.
validité [validite] *nf* validity.
valise [valiːz] *nf* suitcase, (*US*) valise.
vallée [vale] *nf* valley.
vallon [valɔ̃] *nm* (small) valley, vale, dale.
vallonné [valɔne] *a* undulating.
valoir [valwaːr] *vti* to be worth, be as good (bad) as, deserve, be equivalent to, win, bring (in); **faire —** to assert, make the most of, develop, show off; **se faire —** to show off, push o.s. forward; **cela vaut la peine d'être vu** it is worth seeing; **cela vaut le coup** it is worth while; **il vaut mieux le vendre** it is better to sell it; **ne pas — grand'chose** not to be up to much; **vaille que vaille** at all costs.
valorisation [valɔrizasjɔ̃] *nf* valorization, stabilization.
valoriser [valɔrize] *vt* to valorize, stabilize.
valse [vals] *nf* waltz.
valser [valse] *vi* to waltz.
valve [valv] *nf* valve.
vampire [vɑ̃piːr] *nm* vampire.
vandale [vɑ̃dal] *nm* vandal.
vandalisme [vɑ̃dalism] *nm* vandalism.
vanille [vaniːj] *nf* vanilla.
vanité [vanite] *nf* vanity, conceit, futility; **tirer — de** to take pride in.
vaniteux, -euse [vanitø, øːz] *a* vain, conceited.
vanne [van] *nf* sluice-gate, floodgate.
vanneau [vano] *nm* lapwing, plover, peewit.
vanner [vane] *vt* to winnow, sift, tire out.
vannerie [vanri] *nf* basket-making, basket-, wicker-work.
vanneuse [vanøːz] *nf* winnowing-machine.
vannier [vanje] *nm* basket-maker.
vantail [vɑ̃taːj] *nm* leaf (of door *etc*).
vantard [vɑ̃taːr] *a* boastful, bragging; *n* boaster, braggart.
vantardise [vɑ̃tardiːz] *nf* boast (fulness), bragging.
vanter [vɑ̃te] *vt* to praise, extol; *vr* to brag, boast, pride o.s.
vanterie [vɑ̃tri] *nf* boast(ing), brag (ging).
va-nu-pieds [vanypje] *n* barefoot beggar, ragamuffin.
vapeur [vapœːr] *nm* steamer, steamship; *nf* steam, vapour, haze, dizziness; **à toute —** full steam (ahead).
vaporeux, -euse [vapɔrø, øːz] *a* vaporous, steamy, hazy.
vaporisateur [vapɔrizatœːr] *nm* atomizer, (scent-)spray, evaporator.
vaporisation [vapɔrizasjɔ̃] *nf* evaporation, atomization, vaporization.
vaporiser [vapɔrize] *vt* to atomize, vaporize, volatilize, spray; *vr* to vaporize, spray oneself.
vaquer [vake] *vi* to be vacant, not to be sitting; **— à** to attend to, look after.
varech [varɛk] *nm* seaweed, wrack, kelp.
vareuse [varøːz] *nf* (sailor's) jersey, pea-jacket, short tunic.
variable [varjabl] *a* variable, changeable, unsettled.
variante [varjɑ̃ːt] *nf* variant.
variation [varjasjɔ̃] *nf* variation, change.
varice [varis] *nf* varicose vein.
varicelle [varisɛl] *nf* chicken-pox.
varié [varje] *a* varied, miscellaneous, variegated.
varier [varje] *vt* to vary, change; *vi* to vary, differ, fluctuate.
variété [varjete] *nf* variety, diversity.
variole [varjɔl] *nf* smallpox.
vase [vɑːz] *nm* vase, receptacle; **— de nuit** chamber-pot; **en — clos** in isolation; *nf* mud, slime.
vaseline [vazlin] *nf* vaseline.
vaseux, -euse [vɑzø, øːz] *a* muddy, slimy, off-colour, woolly.

vasistas [vazistɑ:s] *nm* fanlight.
vassal [vasal] *an* vassal.
vaste [vast] *a* vast, wide, spacious.
vau [vo] *ad* **à — l'eau** downstream, to rack and ruin, to the dogs.
vaurien, -enne [vorjɛ̃, jɛn] *n* good-for-nothing, waster, blackguard, scamp.
vautour [votu:r] *nm* vulture.
vautrer [votre] *vr* to wallow, sprawl.
veau [vo] *nm* calf, veal, calf-skin.
vécu [veky] *a* true to life, realistic.
vedette [vədɛt] *nf* mounted sentry, motor launch, small steamer, scout, star; **être en —** to be in the limelight, in large type; **être mis en — sur l'affiche** to top the bill.
végétal [veʒetal] *a* vegetable, plant-; *nm* plant.
végétarien, -enne [veʒetarjɛ̃, jɛn] *an* vegetarian.
végétarisme [veʒɛtarism] *nm* vegetarianism.
végétation [veʒɛtasjɔ̃] *nf* vegetation; *pl* adenoids.
végéter [veʒete] *vi* to vegetate.
véhémence [veɛmɑ̃:s] *nf* vehemence.
véhément [veɛmɑ̃] *a* vehement, violent.
véhicule [veikyl] *nm* vehicle.
veille [vɛ:j] *nf* vigil, wakefulness, watch(ing), late night, sitting up, eve, day before; **à la — de** on the brink of.
veillée [vɛje] *nf* social evening, vigil, wake, night-nursing.
veiller [vɛje] *vt* to sit up with, look after; *vi* to watch, be on the lookout, keep awake, sit up; **— à** to see to, look after.
veilleur, -euse [vɛjœ:r, ø:z] *n* watcher, keeper of a vigil; **— de nuit** night-watchman.
veilleuse [vɛjø:z] *nf* night-light, pilot-light; **mettre en —** to dim, turn down.
veinard [vɛna:r] *an* lucky (blighter).
veine [vɛn] *nf* vein, mood, luck; **coup de —** stroke of luck, fluke.
veineux, -euse [vɛnø, ø:z] *a* venous, veined.
vêler [vele] *vi* to calve.
vélin [velɛ̃] *nm* vellum.
velléité [vɛlleite] *nf* inclination, slight desire.
vélo [velo] *nm* bike, cycle; **faire du —** to go in for cycling.
vélocité [velɔsite] *nf* velocity, speed.
vélodrome [velɔdro:m] *nm* cycle-racing track.
velours [v(ə)lu:r] *nm* velvet; **— de coton** velveteen.
velouté [v(ə)lute] *a* velvety, smooth, soft; *nm* velvetiness, bloom, softness.
velu [vəly] *a* hairy.
venaison [vənɛzɔ̃] *nf* venison, game.
vénal [venal] *a* venal, corrupt(ible).
vénalité [venalite] *nf* venality.
venant [vənɑ̃] *a* thriving; *nm* **à tout —** to all comers, to anyone at all.
vendable [vɑ̃dabl] *a* saleable, marketable.
vendange [vɑ̃dɑ̃:ʒ] *nf* grape-gathering, wine harvest, vintage.
vendanger [vɑ̃dɑ̃ʒe] *vti* to gather in the grapes.
vendangeur, -euse [vɑ̃dɑ̃ʒœ:r, ø:z] *n* vintager, grape-gatherer.
vendeur, -euse [vɑ̃dœ:r, ø:z] *n* seller, salesman, -woman, shop assistant, vendor.
vendredi [vɑ̃drədi] *nm* Friday; **le — saint** Good Friday.
vendre [vɑ̃:dr] *vt* to sell, betray.
vendu [vɑ̃dy] *nm* traitor.
vénéneux, -euse [venenø, ø:z] *a* poisonous.
vénérable [venɛrabl] *a* venerable.
vénération [venɛrasjɔ̃] *nf* veneration, reverence.
vénérer [venere] *vt* to venerate, revere, worship.
vénérien, -ienne [venerjɛ̃, jɛn] *a* venereal.
vengeance [vɑ̃ʒɑ̃:s] *nf* vengeance, revenge, retribution; **tirer — de** to be avenged on.
venger [vɑ̃ʒe] *vt* to avenge; *vr* to revenge oneself, take vengeance.
vengeur, -eresse [vɑ̃ʒœ:r, ərɛs] *a* avenging; *n* avenger.
véniel, -elle [venjɛl] *a* venial.
venimeux, -euse [vənimø, ø:z] *a* venomous, poisonous, spiteful.
venin [vənɛ̃] *nm* venom, poison, spite.
venir [v(ə)ni:r] *vi* to come, reach, grow, be the result (of **de**); **— à apparaître** to happen, chance to appear; **— de sortir** to have just gone out; **faire —** send for; **— chercher** to come for; **en — à** to come to the point of, be reduced to; **l'idée me vient que** it occurs to me that.
vent [vɑ̃] *nm* wind, blast, flatulence, vent, scent; **coup de —** gust of wind; **il fait du —** it is windy; **avoir — de** to get wind of; **mettre au —** to hang out to air.
vente [vɑ̃:t] *nf* sale, selling; **en —** on sale; **— de charité** charity bazaar.
venter [vɑ̃te] *vi* to be windy, blow.
venteux, -euse [vɑ̃tø, ø:z] *a* windy, windswept.
ventilateur [vɑ̃tilatœ:r] *nm* ventilator, fan.
ventiler [vɑ̃tile] *vt* to ventilate.
ventouse [vɑ̃tu:z] *nf* cupping-glass, sucker vent-hole.
ventre [vɑ̃:tr] *nm* abdomen, belly, stomach, paunch, bulge; **prendre du —** to grow stout; **n'avoir rien dans le —** to be starving, have no guts; **se mettre à plat —** to lie flat, grovel.
ventriloque [vɑ̃trilɔk] *a* ventriloquous; *nm* ventriloquist.
ventru [vɑ̃try] *a* stout, portly, pot-bellied.

venu [vəny] *n* comer.
venue [vəny] *nf* coming, arrival, advent, growth.
vêpres [vɛ:pr] *nf pl* vespers, evensong.
ver [vɛ:r] *nm* worm, maggot; — **luisant** glow-worm; — **solitaire** tapeworm; — **à soie** silkworm; **tirer les —s du nez de qn** to worm it out of s.o.
véracité [vɛrasite] *nf* veracity, truth (fulness).
véranda [vɛrɑ̃da] *nf* veranda.
verbal [vɛrbal] *a* verbal.
verbaliser [vɛrbalize] *vi* to make out an official report.
verbe [vɛrb] *nm* verb, word; **avoir le — haut** to be loud-mouthed.
verbeux, -euse [vɛrbø, ø:z] *a* verbose, long-winded.
verbiage [vɛrbja:ʒ] *nm* verbiage.
verbosité [vɛrbozite] *nf* verbosity, long-windedness.
verdâtre [vɛrdɑ:tr] *a* greenish.
verdeur [vɛrdœ:r] *nf* greenness, tartness, vigour.
verdict [vɛrdikt] *nm* verdict finding.
verdier [vɛrdje] *nm* greenfinch.
verdir [vɛrdi:r] *vt* to paint or make green; *vi* to turn green, become covered with verdigris.
verdoyant [vɛrdwayɑ̃] *a* green, verdant.
verdure [vɛrdy:r] *nf* verdure, greenery, greenness, greens.
véreux, -euse [verø, ø:z] *a* worm-eaten, maggoty, shady.
verge [vɛrʒ] *nf* rod, switch, wand.
verger [vɛrʒe] *nm* orchard.
verglas [vɛrglɑ] *nm* ice, black ice.
vergogne [vɛrgɔɲ] *nf* shame; **sans** — shameless.
vergue [vɛrg] *nf* yard.
véridicité [veridisite] *nf* truth(fulness).
véridique [veridik] *a* veracious, truthful.
vérificateur [verifikatœ:r] *nm* inspector, examiner, gauge, auditor.
vérification [verifikasjɔ̃] *nf* inspection, verification, overhauling, checking, auditing.
vérifier [verifje] *vt* to inspect, verify, check, overhaul, audit.
véritable [veritabl] *a* real, true, genuine, downright.
vérité [verite] *nf* truth(fulness), sincerity, fact.
vermeil, -eille [vɛrmɛ:j] *a* vermilion, bright red, ruby; *nm* silver-gilt.
vermicelle [vɛrmisɛl] *nm* vermicelli.
vermillon [vɛrmijɔ̃] *nm* vermilion, bright red.
vermine [vɛrmin] *nf* vermin.
vermoulu [vɛrmuly] *a* worm-eaten, decrepit.
verni [vɛrni] *a* varnished, patent (*leather*), lucky.
vernir [vɛrni:r] *vt* to varnish, glaze, polish, japan.
vernis [vɛrni] *nm* varnish, glaze, polish, gloss.
vernissage [vɛrnisa:ʒ] *nm* varnishing, glazing, polishing, preview.
vernisseur, -euse [vɛrnisœ:r] *n* varnisher, glazer, japanner.
vérole [verɔl] *nf* pox; **petite** — smallpox.
verrat [vɛra] *nm* boar.
verre [vɛ:r] *nm* glass; — **de lunettes** lens; **papier de** — sandpaper; **tempête dans un — d'eau** storm in a teacup.
verrerie [vɛr(ə)ri] *nf* glassmaking glassware, glass-factory.
verrier [vɛrje] *nm* glassmaker, -blower.
verrière [vɛrjɛ:r] *nf* glass casing, stained glass window.
verroterie [vɛrɔtri] *nf* small glassware, beads.
verrou [vɛru] *nm* bolt, bar, breech-bolt; **pousser (tirer) le** — to bolt (unbolt) the door; **sous les —s** under lock and key.
verrouiller [vɛruje] *vt* to bolt, lock up.
verrue [vɛry] *nf* wart.
vers [vɛ:r] *nm* line; *pl* poetry, verse; *prep* towards, to, about.
versant [vɛrsɑ̃] *nm* slope, side.
versatile [vɛrsatil] *a* changeable unstable, fickle.
versatilité [vɛrsatilite] *nf* instability, fickleness.
verse [vɛrs] *ad* **à** — in torrents.
versé [vɛrse] *a* versed, conversant, well up.
versement [vɛrs(ə)mɑ̃] *nm* pouring (out), payment instalment, deposit; **bulletin de** — pay-in slip.
verser [vɛrse] *vt* to pour (out), shed, deposit, assign, lay, overturn; *vi* to be laid flat overturn; — **à boire** to pour out a drink.
verset [vɛrsɛ] *nm* verse.
versification [vɛrsifikasjɔ̃] *nf* versification.
versifier [vɛrsifje] *vt* to put into verse; *vi* to write poetry.
version [vɛrsjɔ̃] *nf* version, account, translation.
verso [vɛrso] *nm* back, verso; **voir au** — see overleaf.
vert [vɛ:r] *a* green, unripe, spicy, sharp, vigorous, hale; *nm* green.
vert-de-gris [vɛrdəgri] *nm* verdigris.
vertébral [vɛrtebral] *a* vertebral; **colonne —e** spine
vertèbre [vɛrtɛ:br] *nf* vertebra.
vertement [vɛrtəmɑ̃] *ad* sharply, severely.
vertical [vɛrtikal] *a* vertical, perpendicular, upright.
verticale [vɛrtikal] *nf* vertical.
vertige [vɛrti:ʒ] *nm* giddiness, dizziness, vertigo; **avoir le** — to be giddy.
vertigineux, -euse [vɛrtiʒinø, ø:z] *a* giddy, dizzy.

vertu [vɛrty] *nf* virtue chastity, property, quality; **en — de** by virtue of.
vertueux, -euse [vɛrtɥø, øːz] *a* virtuous, chaste.
verve [vɛrv] *nf* verve, zest, go, vigour, high spirits; **être en —** to be in fine fettle.
verveine [vɛrvɛn] *nf* verbena, vervain.
vesce [vɛs] *nf* vetch, tare.
vésicatoire [vezikatwaːr] *a nm* vesicatory.
vésicule [vezikyl] *nf* vesicle, blister, air-cell; **— biliaire** gall-bladder.
vespasienne [vɛspazjɛn] *nf* street urinal.
vespéral [vɛsperal] *a* evening.
vessie [vɛsi] *nf* bladder; **prendre des —s pour des lanternes** to think the moon is made of green cheese.
veste [vɛst] *nf* jacket.
vestiaire [vɛstjɛːr] *nm* cloakroom, changing-room, robing-room.
vestibule [vɛstibyl] *nm* (entrance-) hall, lobby, vestibule.
vestige [vɛstiːʒ] *nm* trace, mark, vestige.
vestimentaire [vɛstimɑ̃tɛːr] *a* vestimentary.
veston [vɛstɔ̃] *nm* jacket.
vêtement [vɛtmɑ̃] *nm* garment; *pl* clothing, clothes; **—s de dessous** underwear.
vétéran [veterɑ̃] *nm* veteran.
vétérinaire [veterinɛːr] *a* veterinary; *nm* veterinary surgeon.
vétille [vetiːj] *nf* trifle.
vétilleux, -euse [vetijø, øːz] *a* captious, finicky.
vêtir [vɛtiːr] *vt* to dress, clothe; *vr* to dress oneself.
veto [veto] *nm* veto; **mettre son — à** to veto.
vétusté [vetyste] *nf* decrepitude, old age.
veuf, veuve [vœf, vœːv] *a* widowed; *n* widower, widow.
veule [vœːl] *a* weak, soft, flabby, inert, drab.
veulerie [vœlri] *nf* weakness, flabbiness, drabness.
veuvage [vœvaːʒ] *nm* widow(er)-hood.
vexation [vɛksasjɔ̃] *nf* vexation, annoying word or deed.
vexatoire [vɛksatwaːr] *a* vexatious.
vexer [vɛkse] *vt* to vex, annoy, pester, upset, irritate; *vr* to get annoyed.
viable [viabl, vjabl] *a* strong enough to live, viable, fit for traffic.
viaduc [vjadyk] *nm* viaduct.
viager, -ère [vjaʒe, ɛːr] *a* for life; *nm* life interest; **rente viagère** life annuity.
viande [vjɑ̃ːd] *nf* meat, flesh.
viatique [vjatik] *nm* viaticum.
vibrant [vibrɑ̃] *a* vibrant, ringing, rousing, vibrating.
vibration [vibrasjɔ̃] *nf* vibration, resonance.
vibratoire [vibratwaːr] *a* vibratory, oscillatory.
vibrer [vibre] *vi* to vibrate, throb; **faire —** to thrill, rouse.
vicaire [vikɛːr] *nm* curate.
vice [vis] *nm* vice, flaw, defect.
vice-consul [viskɔ̃syl] *nm* vice-consul.
vice-roi [visrwa] *nm* viceroy.
vicier [visje] *vt* to vitiate, contaminate, corrupt, taint; *vr* to become corrupted, tainted, foul, spoilt.
vicieux, -euse [visjø, øːz] *a* vicious, depraved, bad-tempered, faulty.
vicinal [visinal] *a* **route —e** local road, by-road.
vicissitude [visissityd] *nf* vicissitude; *pl* ups and downs.
vicomte [vikɔ̃ːt] *nm* viscount.
vicomtesse [vikɔ̃tɛs] *nf* viscountess.
victime [viktim] *nf* victim, sacrifice.
victoire [viktwaːr] *nf* victory.
victorieux, -euse [viktɔrjø, øːz] *a* victorious.
victuailles [viktɥaːj] *nf pl* victuals, eatables.
vidange [vidɑ̃ːʒ] *nf* emptying, draining, clearing; *nf pl* night-soil.
vidanger [vidɑ̃ʒe] *vt* to empty, drain.
vidangeur [vidɑ̃ʒœːr] *nm* scavenger, cesspool clearer.
vide [vid] *a* empty, unoccupied, blank; *nm* empty space, emptiness, blank, gap, vacuum.
vider [vide] *vt* to empty, drain (off), blow, clean, gut, core, stone, bale, settle; *vr* to empty; **— une question** to settle a question; **— les arçons** to be unsaddled.
vie [vi] *nf* life, existence, lifetime, (way of) living, livelihood, vitality; **à —** for life; **avoir la — dure** to die hard, be hard to kill.
vieillard [vjɛjaːr] *nm* old man.
vieilleries [vjɛjri] *nf pl* old things, dated ideas.
vieillesse [vjɛjɛs] *nf* (old) age, oldness.
vieillissement [vjɛjismɑ̃] *nm* ageing, growing old.
vieillir [vjɛjiːr] *vt* to age, make look older; *vi* to age, grow old, become antiquated.
vieillot, -otte [vjɛjo, ɔt] *a* oldish, old-fashioned.
vierge [vjɛrʒ] *a* virgin(al), pure, blank; *nf* virgin, maiden.
vieux, vieil, vieille [vjø, vjɛ(ː)j] *a* old, ancient, stale; *nm pl* old people; **il est — jeu** he is old-fashioned, antiquated; **mon —** old man; **un — de la vieille** one of the old brigade, an old-timer.
vif, vive [vif, viːv] *a* lively, brisk, sharp, keen, quick, alive, high-spirited, vivid, bright; *nm* living

flesh, quick heart; **haie vive** quick-set hedge; **peindre sur le** — to paint from life.
vif-argent [vifarʒɑ̃] *nm* quicksilver, mercury.
vigie [viʒi] *nf* look-out (man), watch-tower.
vigilance [viʒilɑ̃:s] *nf* vigilance, care.
vigilant [viʒilɑ̃] *a* vigilant, watchful.
vigne [viɲ] *nf* vine, vineyard; — **vierge** Virginia creeper; **être dans les —s du Seigneur** to be in one's cups.
vigneron, -onne [viɲrɔ̃, ɔn] *n* vine-grower, vineyard worker.
vignette [viɲɛt] *nf* excise stamp, road fund licence, vignette.
vignoble [viɲɔbl] *nm* vineyard.
vigoureux, -euse [vigurø, ø:z] *a* vigorous, sturdy, strong, hardy.
vigueur [vigœ:r] *nf* vigour, sturdiness, strength, effect; **entrer en** — to come into effect, force; **mettre en** — to enforce.
vil [vil] *a* vile, base, low(ly), cheap.
vilain [vilɛ̃] *a* bad, naughty, nasty, dirty, mean, scurvy, ugly, wretched; *nm* rascal, villein.
vilebrequin [vilbrəkɛ̃] *nm* brace (and bit); **arbre à** — crankshaft.
vilenie [vilәni] *nf* nastiness, meanness, foul word, low action.
vilipender [vilipɑ̃de] *vt* to abuse, run down.
villa [vil(l)a] *nf* villa.
village [vila:ʒ] *nm* village.
villageois [vilaʒwa, wa:z] *a* country, boorish; *n* villager.
ville [vil] *nf* town, city; — **d'eau** spa.
villégiateur [vil(l)eʒjatœ:r] *nm* visitor, holiday-maker.
villégiature [vil(l)eʒjaty:r] *nf* holiday, stay in the country.
vin [vɛ̃] *nm* wine; — **de Bordeaux** claret; — **de Bourgogne** burgundy; — **de Xérès** sherry; — **en cercle** wine in the cask; — **millésimé** vintage wine; **avoir le — triste** to be maudlin in drink.
vinaigre [vinɛ:gr] *nm* vinegar.
vinaigrette [vinɛgrɛt] *nf* oil and vinegar dressing.
vinaigrier [vinɛgrie] *nm* vinegar-maker, vinegar-cruet.
vindicatif, -ive [vɛ̃dikatif, i:v] *a* vindicative, revengeful.
vineux, -euse [vinø, ø:z] *a* wine-flavoured, wine-stained, full-bodied, strong, rich in wine.
vingt [vɛ̃] *a nm* twenty, twentieth.
vingtaine [vɛ̃tɛn] *nf* about twenty, a score.
vingtième [vɛ̃tjɛm] *a nm* twentieth.
vinicole [vinikɔl] *a* wine-growing.
viol [vjɔl] *nm* rape.
violacé [vjɔlase] *a* purplish-blue.
violateur, -trice [vjɔlatœ:r, tris] *n* violator, transgressor.
violation [vjɔlasjɔ̃] *nf* violation, breach, breaking, infringement.
violence [vjɔlɑ̃:s] *nf* violence, force, vehemence.
violent [vjɔlɑ̃] *a* violent, fierce, strong, high.
violenter [vjɔlɑ̃te] *vt* to do violence to.
violer [vjɔle] *vt* to violate, break, transgress, rape.
violet, -ette [vjɔlɛ, ɛt] *a nm* purple, violet.
violette [vjɔlɛt] *nf* violet.
violon [vjɔlɔ̃] *nm* violin, fiddle, violinist, gaol, clink.
violoncelle [vjɔlɔ̃sɛl] *nm* violoncello, 'cello (player).
violoniste [vjɔlɔnist] *n* violinist.
vipère [vipɛ:r] *nf* viper, adder.
virage [vira:ʒ] *nm* turn(ing), swinging round, tacking, cornering, bend.
virement [virmɑ̃] *nm* turn(ing), transfer; **banque de** — clearing-bank.
virer [vire] *vt* to turn over, clear, transfer; *vi* to turn, swing round, tack, veer, corner, bank, change colour.
virevolte [virvɔlt] *nf* quick circling, sudden change.
virevolter [virvɔlte] *vi* to circle, spin round.
virginal [virʒinal] *a* virginal.
virginité [virʒinite] *nf* virginity, maidenhood.
virgule [virgyl] *nf* comma, decimal point; **point et** — semi-colon.
viril [viril] *a* virile, manly, male; **l'âge** — manhood.
virilité [virilite] *nf* virility, manliness.
virole [virɔl] *nf* ferrule, binding-ring.
virtuel, -elle [virtɥɛl] *a* virtual, potential.
virtuose [virtɥo:z] *n* virtuoso.
virtuosité [virtɥozite] *nf* virtuosity.
virulence [virylɑ̃:s] *nf* virulence.
vis [vis] *nf* screw, thread.
visa [viza] *nm* visa, initials.
visage [viza:ʒ] *nm* face, visage, countenance; **trouver — de bois** to find nobody at home, the door shut.
vis-à-vis [vizavi] *ad* opposite; *prep* — **de** opposite, facing, with regard to, towards; *nm* person opposite, partner.
viscère [vissɛ:r] *nm* viscus; *pl* viscera.
viscosité [viskozite] *nf* viscosity, stickiness.
visée [vize] *nf* aim(ing), sight(ing), design.
viser [vize] *vt* to aim at, sight, allude to, initial, countersign; *vi* to aim, aspire.
viseur, -euse [vizœ:r, ø:z] *n* aimer; *nm* view-finder, sights, sighting-tube.
visibilité [vizibilite] *nf* visibility.
visible [vizibl] *a* visible, obvious, perceptible, open; **il n'est pas** — he is not at home.

visière [vizjɛːr] *nf* visor, eye-shade, peak; **rompre en — avec** to quarrel openly with, attack openly.
vision [vizjɔ̃] *nf* vision, (eye)sight, fantasy.
visionnaire [vizjɔnɛːr] *a* visionary; *n* dreamer.
visite [vizit] *nf* visit, call, inspection, visitor, caller; **faire (rendre) — à** to visit, call on; **rendre à qn sa —** to return s.o.'s visit; **— des bagages** customs inspection.
visiter [vizite] *vt* to visit, attend, inspect, examine, go over, search; **faire — la maison à qn** to show s.o. over the house.
visiteur, -euse [vizitœːr, øːz] *n* visitor, caller, inspector.
vison [vizɔ̃] *nm* vison, mink.
visqueux, -euse [viskø, øːz] *a* viscous, sticky, gluey, thick.
visser [vise] *vt* to screw (down, in, on, up), put the screw on, keep down.
visuel, -elle [vizɥɛl] *a* visual; **champ —** field of vision.
vital [vital] *a* vital.
vitalité [vitalite] *nf* vitality.
vitamine [vitamin] *nf* vitamin.
vite [vit] *a* speedy, fast, fleet, swift; *ad* quickly, fast, soon; **avoir — fait de** to be quick about; **faites vite!** hurry up!
vitesse [vitɛs] *nf* speed, rapidity, rate; **à toute —** at full speed; **en petite —** by goods train; **gagner qn de —** to outstrip s.o., outrun, steal a march on s.o.; **prendre de la —** to gather speed.
viticole [vitikɔl] *a* wine.
viticulteur [vitikyltœːr] *nm* vine-grower.
viticulture [vitikyltyːr] *nf* wine-growing.
vitrage [vitraːʒ] *nm* glazing, windows.
vitrail [vitraːj] *nm* stained glass window.
vitre [vitr] *nf* (window) pane.
vitrer [vitre] *vt* to glaze.
vitreux, -euse [vitrø, øːz] *a* vitreous, glazed, glassy.
vitrier [vitrie] *nm* glazier.
vitrine [vitrin] *nf* shop-window, glass-case, showcase, cabinet.
vitriol [vitriɔl] *nm* vitriol.
vitupération [vityperasjɔ̃] *nf* vituperation.
vitupérer [vitypere] *vt* to blame.
vivace [vivas] *a* long-lived, undying, hardy, perennial.
vivacité [vivasite] *nf* vivacity, vivaciousness, vividness, intensity, hastiness, burst of temper.
vivant [vivɑ̃] *a* living, alive, lively, lifelike, vivid; **langues —es** modern languages; *nm* living person, lifetime; **bon —** person who enjoys life, boon companion; **de mon —** in my lifetime.
vivat [vivat] *nm* hurrah.
vive-eau [vivo] *nf* spring-tide.
vivement [vivmɑ̃] *ad* briskly, sharply, warmly.
viveur, -euse [vivœːr, øːz] *n* rake, fast liver.
vivier [vivje] *nm* fish-pond.
vivifiant [vivifjɑ̃] *a* vivifying, bracing, invigorating.
vivisection [vivisɛksjɔ̃] *nf* vivisection.
vivoter [vivɔte] *vi* to live from hand to mouth.
vivre [viːvr] *vi* to live; *nm* food, living; *pl* provisions, supplies; **avoir de quoi —** to have enough to live on; **apprendre à — à qn** to teach s.o. manners; **être commode à —** to be easy to get on with.
vlan [vlɑ̃] *excl* whack! bang!
vocable [vɔkabl] *nm* vocable, word.
vocabulaire [vɔkabylɛːr] *nm* vocabulary.
vocal [vɔkal] *a* vocal.
vocalise [vɔkaliːz] *nf* exercise in vocalization.
vocation [vɔkasjɔ̃] *nf* vocation, bent, call(ing).
vociférant [vɔsiferɑ̃] *a* vociferous.
vociférer [vɔsifere] *vi* to vociferate yell, shout.
voeu [vø] *nm* vow, wish.
vogue [vɔg] *nf* vogue, fashion; **être en —** to be popular; **c'est la grande —** it's all the rage.
voguer [vɔge] *vi* to sail.
voici [vwasi] *prep* here is, here are, this is, these are; **me —** here I am; **le — qui arrive** here he comes.
voie [vwa] *nf* way, track(s), thoroughfare, passage; **— d'eau** leak; **— ferrée** railway line; **— de garage** siding; **être en — de** to be in a fair way to.
voilà [vwala] *prep* there is, there are, that is, those are; **le —** there he is; **— un an** a year ago; **en — une idée** what an idea! **ne —-t-il pas qu'il pleure** there now, if he isn't crying.
voile [vwal] *nm* veil, cloak; *nf* sail; **mettre à la —** to set sail.
voiler [vwale] *vt* to veil, muffle, cloud, shade, hide; *vr* to cloud over.
voilette [vwalɛt] *nf* (hat) veil, half-veil.
voilier [vwalje] *nm* sailing ship, sail-maker.
voilure [vwalyːr] *nf* sails.
voir [vwaːr] *vt* to see, notice, imagine, look into; *vr* to be seen, show, be obvious; **faire —** to show, reveal; **faites —** let's see it; **— sur** to look out on; **à ce que je vois** as far as I can see; **il ne peut pas me —** he can't stand the sight of me; **il n'y voit pas** he can't see; **se faire bien —** to get into s.o.'s good books; **vous n'avez rien à — là-dedans** it is none of your business; **cela n'a rien à — à l'affaire** that has nothing to do with it.

voire [vwa:r] *ad* nay, in truth; — **même** and indeed.
voirie [vwari] *nf* roads, refuse (-heap); **le service de** — Highways Department.
voisin [vwazɛ̃] *a* neighbouring, next, adjoining, bordering; *n* neighbour.
voisinage [vwazina:ʒ] *nm* neighbourhood, vicinity, nearness, proximity.
voisiner [vwazine] *vi* to adjoin, be side by side, visit neighbours.
voiturage [vwatyra:ʒ] *nm* carriage, cartage.
voiture [vwaty:r] *nf* motor car, vehicle, carriage, cart, van; — **à bras** hand-cart, barrow; — **d'enfant** perambulator, (*US*) baby carriage; — **de malade** bathchair; — **de place** cab, taxi; **aller en** — to drive; **en** —! all aboard!
voiturer [vwatyre] *vt* to transport, convey.
voiturier, -ière [vwatyrje, jɛ:r] *a* carriage(able); *nm* carter, carrier.
voix [vwa] *nf* voice, vote; **à haute** — aloud; **à mi-** — under one's breath; **avoir** — **au chapitre** to have a say in the matter; **de vive** — by word of mouth, viva voce; **mettre aux** — to put to the vote.
vol [vɔl] *nm* flight, flying, flock, theft, robbery, stealing, stolen goods; **à** — **d'oiseau** as the crow flies; — **à la roulotte** theft from a motor car; — **à l'étalage** shop-lifting; — **à la tire** pocket-picking, bag-snatching; — **à l'américaine** confidence trick.
volage [vɔla:ʒ] *a* fickle, flighty.
volaille [vɔla:j] *nf* poultry, fowls.
volailler [vɔla:je] *nm* poultry-yard, poulterer.
volant [vɔlɑ̃] *a* flying, detachable, loose, fluttering; *nm* shuttlecock, flywheel, steering-wheel, flounce.
volatil [vɔlatil] *a* volatile.
volatile [vɔlatil] *nm* winged creature, bird.
volatiliser [vɔlatilize] *vt* to volatilize; *vr* to volatilize, vanish, disappear into thin air.
vol-au-vent [vɔlovɑ̃] *nm* vol-au-vent, puff pastry pie.
volcan [vɔlkɑ̃] *nm* volcano.
volcanique [vɔlkanik] *a* volcanic.
volée [vɔle] *nf* flight, flock, volley, shower, thrashing; **à la** — in flight, on the wing; **semer à la** — to broadcast; **sonner à toute** — to ring a full peal; **de la première** — of the first rank, crack.
voler [vɔle] *vt* to steal, rob, swindle; *vi* to fly, soar; **il ne l'a pas volé** he deserved it.
volet [vɔlɛ] *nm* shutter, sorting-board; **trié sur le** — select, hand-picked.
voleter [vɔlte] *vi* to flutter, flit.
voleur, -euse [vɔlœ:r, ø:z] *a* flying, thievish, thieving; *nm* thief, robber; **au** —! stop thief!
volière [vɔljɛ:r] *nf* aviary.
volontaire [vɔlɔ̃tɛ:r] *a* voluntary, wilful, determined, self-willed; *nm* volunteer.
volonté [volɔ̃te] *nf* will; *pl* caprices, whims; **dernières** —**s de** last will and testament of; **de bonne** — with a good grace, with a will; **à** — ad lib, at will; **de sa propre** — of one's own accord; **faire ses quatre** —**s** to do as one pleases.
volontiers [vɔlɔ̃tje] *ad* willingly, gladly, readily.
volt [vɔlt] *nm* volt.
voltage [vɔlta:ʒ] *nm* voltage.
voltampère [vɔltɑ̃pɛ:r] *nm* watt.
volte-face [vɔltfas] *nf* volte-face, turning-round, right-about-turn; **faire** — to face about, reverse one's opinions.
voltige [vɔlti:ʒ] *nf* slack-rope, flying trapeze exercises, trick-riding, vaulting.
voltiger [vɔltiʒe] *vi* to flutter, flit, flap, perform on the flying trapeze or on horseback.
voltigeur, -euse [vɔltiʒœ:r, ø:z] *n* trapeze artist, trick-rider, equestrian performer; *nm* light infantryman.
volubilité [vɔlybilite] *nf* volubility, fluency.
volume [vɔlym] *nm* volume, bulk, capacity, tome.
volumineux, -euse [vɔlyminø, ø:z] *a* voluminous, bulky.
volupté [vɔlypte] *nf* pleasure, delight, sensuousness.
voluptueux, -euse [vɔlyptɥø, ø:z] *a* sensuous, voluptuous; *n* sensualist.
volute [vɔlyt] *nf* volute, scroll, wreath.
vomir [vɔmi:r] *vti* to vomit; *vt* bring up, belch forth.
vomissement [vɔmismɑ̃] *nm* vomit (ing).
vomitif, -ive [vɔmitif, i:v] *a nm* emetic.
vorace [vɔras] *a* voracious.
voracité [vɔrasite] *nf* voraciousness, voracity.
votant [vɔtɑ̃] *a* voting, having a vote; *n* voter.
vote [vɔt] *nm* vote, voting, poll, passing; **bulletin de** — voting-paper; **droit de** — franchise.
voter [vɔte] *vt* to vote, pass, carry; *vi* to vote; — **à main levée** to vote by show of hands.
votre, vos [vɔtr, vo] *pos a* your.
vôtre [vo:tr] *pos pn* **le, la** —, **les** —**s** yours; *nm* yours, your own; *pl* your own people *etc*; **vous avez encore fait des** —**s** you have been up to your tricks again.
vouer [vwe] *vt* to vow, devote, pledge, dedicate; **je ne sais à quel saint me** — I don't know what to do next.
vouloir [vulwa:r] *vt* to want, wish, like, will, be willing, consent, be

determined, insist, intend, require, need, try; *vr* to try to be; *nm* will; **que voulez-vous?** what can you expect? what do you want? **il ne veut pas de nous** he won't have anything to do with us; **en — à** to bear (s.o.) a grudge, be angry with; **je veux bien** I don't mind; **sans le —** unintentionally.
voulu [vuly] *a* required, due, intentional, deliberate.
vous [vu] *pn* you, to you, (to) yourself, (to) each other, one another; **—-même(s)** yourself, yourselves.
voussoir [vuswa:r] *nm* arch-stone.
voussure [vusy:r] *nf* curve, arching.
voûte [vut] *nf* arch, vault, dome, canopy, roof.
voûter [vute] *vt* to arch, vault, bow; *vr* to become bent.
vouvoyer [vuvwaje] *vt* to address as 'vous'.
voyage [vwaja:ʒ] *nm* journey, voyage, trip; *pl* travel; **compagnon de —** fellow-traveller, travelling companion; **— de noces** honeymoon.
voyager [vwajaʒe] *vi* to travel, journey, migrate.
voyageur, -euse [vwajaʒœ:r, ø:z] *a* travelling, migratory; *n* traveller, passenger, fare; **pigeon —** homing pigeon.
voyant [vwajɑ̃] *a* gaudy, conspicuous, loud, showy, clairvoyant; *n* seer, clairvoyant.
voyelle [vwajɛl] *nf* vowel.
voyer [vwaje] *nm* road surveyor.
voyou, -oute [vwaju, ut] *n* hooligan, guttersnipe.
vrac [vrak] *nm* **en —** in bulk, loose, wholesale, pell-mell.
vrai [vrɛ] *a* true, real, genuine, downright; *ad* really, truly; *nm* truth; **à — dire** as a matter of fact; **pour de —** in earnest; **il y a du —** there is something in it.
vraiment [vrɛmɑ̃] *ad* truly, really, indeed, is that so?
vraisemblable [vrɛsɑ̃blabl] *a* likely, probable; *nm* what is probable.
vraisemblance [vrɛsɑ̃blɑ̃:s] *nf* likelihood, probability.
vrille [vri:j] *nf* tendril, gimlet, borer; **descente en —** spiral dive, spin.
vriller [vrije] *vt* to bore; *vi* to twist, corkscrew.
vrombir [vrɔ̃bi:r] *vi* to throb, buzz, hum.
vrombissement [vrɔ̃bismɑ̃] *nm* throbbing, buzzing, drone, humming.
vu [vy] *a* seen; *prep* in view of, considering; *cj* **— que** seeing that, whereas; *nm* sight, presentation; **mal —** unpopular, disliked; **bien —** well thought of; **ni — ni connu** nobody is any the wiser for it; **au — de tous** openly; **au — et au su de tous** as everyone knows.
vue [vy] *nf* (eye)sight, view, prospect, purpose, intention, design, slide; **de —** by sight; **en — de** in sight of, with a view to; **perdre qn de —** to lose sight of s.o.
vulcaniser [vylkanize] *vt* to vulcanize.
vulcanite [vylkanit] *nf* ebonite, vulcanite.
vulgaire [vylgɛ:r] *a* vulgar, common, coarse, low; *nm* common people, vulgarity.
vulgarisation [vylgarizasjɔ̃] *nf* popularization.
vulgariser [vylgarize] *vt* to popularize, vulgarize; *vr* to become popular, vulgar.
vulgarité [vylgarite] *nf* vulgarity.
vulnérabilité [vylnɛrabilite] *nf* vulnerability.
vulnérable [vylnɛrabl] *a* vulnerable.

W

wagon [vagɔ̃] *nm* carriage, coach, truck, waggon.
wagon-couloir [vagɔ̃kulwa:r] *nm* corridor-coach.
wagon-lit [vagɔ̃li] *nm* sleeping-car, sleeper.
wagon-poste [vagɔ̃pɔst] *nm* mail-van.
wagon-restaurant [vagɔ̃rɛstɔrɑ̃] *nm* dining-car.
watt [wat] *nm* watt.
wattman [watman] *nm* driver.
wolfram [vɔlfram] *nm* tungsten ore, wolfram.

X

xérès [kerɛs, gzerɛs] *nm* sherry.
xylographe [ksilɔgraf] *nm* wood-engraver.
xylographie [ksilɔgrafi] *nf* wood-engraving, wood-cut.
xylophone [ksilɔfɔn] *nm* xylophone.

Y

y [i] *ad* here, there; *pn* at, to, on, in, by, of it or them; **j'y suis** I've got it, I understand; **ça y est** that's it, there you are, right!; **il y a** there is, there are; **il n'y est pour rien** he had nothing to do with it.
yacht [jak(t), jat, jɔt] *nm* yacht.
yaourt [jaurt] *nm* yoghourt.
yeuse [jø:z] *nf* holm-oak.
yole [jɔl] *nf* yawl, skiff.
yougoslave [jugɔsla:v] *an* Yugoslav.
Yougoslavie [jugɔslavi] *nf* Yugoslavia.
youyou [juju] *nm* dinghy.
ypérite [iperit] *nf* mustard-gas.

Z

zazou [zazu] *nm* weirdie, crank.
zèbre [zɛbr] *nm* zebra.
zébré [zebre] *a* striped.
zélateur, -trice [zelatœːr, tris] *a* zealous; *n* zealot, enthusiast.
zèle [zɛːl] *nm* zeal, enthusiasm; **faire du —** to be over-eager, bustle about.
zélé [zele] *a* zealous.
zénith [zenit] *nm* zenith, height.
zéphyr [zefiːr] *nm* zephyr, light breeze.
zéro [zero] *nm* zero, cipher, nought.
zest [zɛst] *nm* **être entre le zist et le —** to be betwixt and between, be so-so.
zeste [zɛst] *nm* peel.
zézayement [zezɛmɑ̃] *nm* lisp(ing).
zézayer [zezɛje] *vi* to lisp.
zibeline [ziblin] *nf* sable.
zigouiller [ziguje] *vt* to kill, knife.
zigzag [zigzag] *nm* zigzag; **faire des —s** to zigzag, stagger along; **éclair en —** forked lightning.
zigzaguer [zigzage] *vi* to zigzag.
zinc [zɛ̃ːg] *nm* zinc, bar, counter.
zinguer [zɛ̃ge] *vt* to (cover with) zinc, galvanize.
zodiaque [zɔdjak] *nm* zodiac.
zona [zɔna] *nm* shingles.
zone [zoːn] *nf* zone, area, belt; **— neutre** no man's land.
zoologie [zɔɔlɔʒi] *nf* zoology.
zoologique [zɔɔlɔʒik] *a* zoological; **jardin —** zoological gardens, zoo
zoologiste [zɔɔlɔʒist] *nm* zoologist.
zut [zyt] *excl* dash it! hang it all!
zyeuter [zjøte] *vt* to take a squint at.

Anglais - Français

English - French

A

a [ei, ə] *indef art* un, une.
aback [ə'bæk] *ad* en arrière, par derrière (surprise), abasourdi, interdit.
abandon [ə'bændən] *vt* abandonner, délaisser.
abandoned [ə'bændənd] *a* dissolu, abandonné.
abandonment [ə'bændənmənt] *n* abandon *m*, dévergondage *m*.
abase [ə'beis] *vt* abaisser, humilier.
abasement [ə'beismənt] *n* abaissement *m*, dégradation *f*.
abash [ə'bæʃ] *vt* déconcerter.
abashment [ə'bæʃmənt] *n* ébahissement *m*, confusion *f*.
abate [ə'beit] *vt* diminuer, rabattre; *vi* se calmer.
abatement [ə'beitmənt] *n* apaisement *m*, diminution *f*, rabais *m*.
abbess ['æbis] *n* abbesse *f*.
abbey ['æbi] *n* abbaye *f*.
abbot ['æbət] *n* abbé *m*.
abbreviate [ə'bri:vieit] *vt* abréger.
abbreviation [ə,bri:vi'eiʃən] *n* abréviation *f*.
abdicate ['æbdikeit] *vti* abdiquer.
abdication [,æbdi'keiʃən] *n* abdication *f*.
abduct [æb'dʌkt] *vt* enlever.
abduction [æb'dʌkʃən] *n* enlèvement *m*, rapt *m*.
abed [ə'bed] *ad* au lit.
aberration [,æbə'reiʃən] *n* aberration *f*, égarement *m*.
abet [ə'bet] *vt* encourager, assister.
abetment [ə'betmənt] *n* instigation *f*.
abettor [ə'betə] *n* fauteur, -trice, complice *mf*.
abeyance [ə'beiəns] *n* suspens *m*, souffrance *f*, sommeil *m*, carence *f*, vacance *f*.
abhor [əb'hɔ:] *vt* abhorrer.
abhorrence [əb'hɔrəns] *n* horreur *f*.
abhorrent [əb'hɔrənt] *a* odieux.
abide [ə'baid] *vt* attendre, souffrir; *vi* rester fidèle (à **by**), demeurer.
abiding [ə'baidiŋ] *a* permanent.
ability [ə'biliti] *n* capacité *f*, talent *m*, moyens *m pl*; **to the best of my** — de mon mieux.
abject ['æbdʒekt] *a* abject.
abjection [æb'dʒekʃən] *n* abjection *f*.
abjuration [,æbdʒuə'reiʃən] *n* abjuration *f*.
abjure ['əb'dʒuə] *vt* abjurer, renoncer à.
ablaze [ə'bleiz] *a ad* enflammé, en feu.
able ['eibl] *a* capable, en état (de **to**); **—bodied** *a* valide.
ablution [ə'blu:ʃən] *n* ablution *f*.
abnegation [,æbni'geiʃən] *n* abnégation *f*, renoncement *m*, répudiation *f*.
abnormal [æb'nɔ:məl] *a* anormal.
aboard [ə'bɔ:d] *ad* à bord; *prep* à bord de.
abode [ə'boud] *n* demeure *f*.
abolish [ə'bɔliʃ] *vt* abolir.
abolition [,æbə'liʃən] *n* abolition *f*.
abominable [ə'bɔminəbl] *a* abominable.
abominate [ə'bɔmineit] *vt* avoir en abomination.
abortion [ə'bɔ:ʃən] *n* avortement *m*, avorton *m*.
abound [ə'baund] *vi* abonder, foisonner.
about [ə'baut] *ad* à peu près, environ, çà et là; *prep* autour de, près de, sur le point de, au sujet de.
above [ə'bʌv] *prep* au dessus de, en amont de; *ad* plus que (de), ci-dessus, en amont, au-dessus.
above-board [ə'bʌv'bɔ:d] *ad* net, loyal; *ad* loyalement.
above-named [ə'bʌv'neimd] *a* susnommé.
abrasion [ə'breiʒən] *n* écorchure *f*.
abreast [ə'brest] *ad* de front.
abridge [ə'bridʒ] *vt* abréger, restreindre.
abridgement [ə'bridʒmənt] *n* raccourcissement *m*, abrégé *m*.
abroad [ə'brɔ:d] *ad* à l'étranger, au large, dehors.
abrogate ['æbrougeit] *vt* abroger.
abrogation [,æbrou'geiʃən] *n* abrogation *f*.
abrupt [ə'brʌpt] *a* brusque.
abruptness [ə'brʌptnis] *n* brusquerie *f*, escarpement *m*.
abscess ['æbsis] *n* abcès *m*.
abscond [əb'skɔnd] *vi* s'esquiver, décamper.
absence ['æbsəns] *n* absence *f*.
absent [æb'sent] *vi* **to — oneself** s'absenter.
absent ['æbsənt] *a* absent.
absently ['æbsəntli] *ad* d'un air absent, distraitement.
absolute ['æbsəlu:t] *an* absolu *m*.
absolutely ['æbsəlu:tli] *ad* absolument.
absolution [,æbsə'lu:ʃən] *n* absolution *f*, acquittement *m*.

absolutism ['æbsəlu:tizəm] *n* absolutisme *m*.
absolutist ['æbsəlu:tist] *n* absolutiste *mf*.
absolve [əb'zɔlv] *vt* absoudre, dispenser.
absorb [əb'zɔ:b] *vt* absorber.
absorption [əb'zɔ:pʃən] *n* absorption *f*.
abstain [əb'stein] *vi* s'abstenir.
abstemious [æb'sti:mjəs] *a* sobre, abstinent.
abstention [æb'stenʃən] *n* abstention *f*.
abstinence ['æbstinəns] *n* abstinence *f*.
abstinent ['æbstinənt] *a* abstinent.
abstract ['æbstrækt] *n* précis *m*, extrait *m*; *a* abstrait.
abstract [æb'strækt] *vt* faire abstraction de, soustraire, distraire, résumer.
abstracted [æb'stræktid] *a* distrait.
abstraction [æb'strækʃən] *n* abstraction *f*.
absurd [əb'sə:d] *a* absurde.
absurdity [əb'sə:diti] *n* absurdité *f*.
abundance [ə'bʌndəns] *n* abondance *f*.
abundant [ə'bʌndənt] *a* abondant
abundantly [ə'bʌndəntli] *ad* abondamment.
abuse [ə'bju:s] *n* abus *m*, insulte *f*.
abuse [ə'bju:z] *vt* abuser de, mésuser de, insulter, injurier.
abusive [ə'bju:siv] *a* abusif, outrageant, injurieux.
abut [ə'bʌt] *vi* se toucher.
abyss [ə'bis] *n* abîme *m*.
academy [ə'kædəmi] *n* académie *f*, institution *f*, école *f*.
accede [æk'si:d] *vi* arriver (à **to**), adhérer (à **to**).
accelerate [æk'seləreit] *vti* accélérer, activer.
acceleration [æk,selə'reiʃən] *n* accélération *f*.
accelerator [ək'seləreitə] *n* accélérateur *m*.
accent ['æksənt] *n* accent *m*.
accent [æk'sent] *vt* accentuer.
accentuate [æk'sentjueit] *vt* faire ressortir, souligner, accentuer.
accentuation [æk,sentju'eiʃən] *n* accentuation *f*.
accept [ək'sept] *vt* accepter, agréer, admettre.
acceptance [ək'septəns] *n* bienvenue *f* acceptation *f*.
access ['ækses] *n* accès *m*, abord *m*.
accessible [æk'sesəbl] *a* accessible.
accessory [æk'sesəri] *n* complice *mf*; *an* accessoire *m*.
accident ['æksidənt] *n* accident *m*, avarie *f*; **—-prone** sujet aux accidents.
accidental [,æksi'dentl] *a* accidentel, fortuit.
accidentally [,æksi'dentəli] *ad* par accident.

acclaim [ə'kleim] *vt* acclamer.
acclamation [,æklə'meiʃən] *n* acclamation *f*.
acclimatization [ə'klaimətai'zeiʃən] *n* acclimatation *f*.
acclimatize [ə'klaimətaiz] *vt* acclimater.
acclivity [ə'kliviti] *n* montée *f*, rampe *f*.
accommodate [ə'kɔmədeit] *vt* adapter, arranger, fournir, obliger, loger.
accommodating [ə'kɔmədeitiŋ] *a* accommodant, serviable, complaisant.
accommodation [ə,kɔmə'deiʃən] *n* adaptation *f*, accommodement *m*, commodités *f pl*, logement *m*, prêt *m*.
accompaniment [ə'kʌmpənimənt] *n* accompagnement *m*.
accompanist [ə'kʌmpənist] *n* accompagnateur, -trice.
accompany [ə'kʌmpəni] *vt* accompagner.
accomplice [ə'kɔmplis] *n* complice *mf*.
accomplish [ə'kʌmpliʃ] *vt* accomplir, parachever, faire.
accomplishment [ə'kʌmpliʃmənt] *n* accomplissement *m*, exécution *f*; *pl* talents *m*, grâces *f pl*.
accord [ə'kɔ:d] *n* accord *m*, assentiment *m*; **with one** — d'une seule voix; **of one's own** — de son propre mouvement; *vt* accorder; *vi* s'accorder.
accordance [ə'kɔ:dəns] *n* conformité *f*, accord *m*.
according [ə'kɔ:diŋ] *ad* — **to** *prep* selon; — **as** *cj* selon que.
accordingly [ə'kɔ:diŋli] *ad* en conséquence.
accost [ə'kɔst] *vt* accoster, aborder.
account [ə'kaunt] *n* compte *m*, importance *f*, compte-rendu *m*; *vt* regarder (comme); **to — for** rendre compte de, répondre de, expliquer; **— rendered** rappel; **on one's own** — à ses risques et périls, de sa propre initiative; **on — of** en raison (vue) de; **on no** — à aucun prix.
accountable [ə'kauntəbl] *a* responsable, explicable.
accountancy [ə'kauntənsi] *n* tenue *f* des livres, comptabilité *f*.
accountant [ə'kauntənt] *n* comptable *m*.
accoutrement [ə'ku:trəmənt] *n* équipement *m*, fourniment *m*, caparaçon *m*.
accredit [ə'kredit] *vt* (ac)créditer.
accrue [ə'kru:] *vi* résulter, s'ajouter (à **to**), s'accumuler.
accumulate [ə'kju:mjuleit] *vt* accumuler; *vi* s'accumuler.
accumulation [ə,kju:mju'leiʃən] *n* accumulation *f*, amas *m*.
accumulative [ə'kju:mjulətiv] *a* cumulatif.

accumulator [ə'kju:mjuleitə] *n* (*motor etc*) accu(mulateur) *m*, accumulateur, -trice.
accuracy ['ækjurəsi] *n* exactitude *f*, précision *f*.
accurate ['ækjurit] *a* exact, correct, précis.
accursed [ə'kə:sid] *a* maudit.
accusation [,ækju(:)'zeiʃən] *n* accusation *f*.
accuse [ə'kju:z] *vt* accuser.
accuser [ə'kju:zə] *n* accusateur, -trice.
accustom [ə'kʌstəm] *vt* habituer; **to — oneself** se faire (à), s'habituer.
ace [eis] *n* un *m*, as *m*; **within an — of** à deux doigts de.
acerbity [ə'sə:biti] *n* acerbité *f*.
ache [eik] *n* mal *m*; *vi* avoir mal, souffrir, faire mal.
achieve [ə'tʃi:v] *vt* exécuter, acquérir, atteindre.
achievement [ə'tʃi:vmənt] *n* exécution *f*, succès *m*.
aching ['eikiŋ] *a* douloureux.
acid ['æsid] *an* acide *m*.
acidity [ə'siditi] *n* acidité *f*.
acidulous [ə'sidjuləs] *a* acidulé.
acknowledge [ək'nɔlidʒ] *vt* reconnaître, accuser réception de, répondre à.
acknowledgment [ək'nɔlədʒmənt] *n* reconnaissance *f*, accusé *m* de réception.
acme ['ækmi] *n* apogée *m*.
acne [ækni] *n* acné *m*.
acorn ['eikɔ:n] *n* gland *m*.
acquaint [ə'kweint] *vt* informer; **to — oneself with** se familiariser avec, faire connaissance avec, prendre connaissance de.
acquainted [ə'kweintid] *a* en relation (avec), versé (dans).
acquaintance [ə'kweintəns] *n* connaissance *f*.
acquiesce [,ækwi'es] *vi* acquiescer.
acquiescence [,ækwi'esns] *n* assentiment *m*.
acquire [ə'kwaiə] *vt* acquérir, prendre.
acquirement [ə'kwaiəmənt] *n* acquisition *f*; *pl* talents *m pl*.
acquisition [,ækwi'ziʃən] *n* acquisition *f*.
acquit [ə'kwit] *vti* acquitter, s'acquitter (de).
acquittal [ə'kwitl] *n* quittance *f*, acquittement *m*, accomplissement *m*.
acquittance [ə'kwitəns] *n* paiement *m*, décharge *f*, reçu *m*.
acre ['eikə] *n* acre *f*.
acrid ['ækrid] *a* âcre, acerbe.
acridity [æ'kriditi] *n* âcreté *f*.
acrimonious [,ækri'mounjəs] *a* acrimonieux.
acrimony ['ækriməni] *n* acrimonie *f*.
acrobat ['ækrəbæt] *n* acrobate *mf*.
acrobatics [,ækrə'bætiks] *n* acrobatie *f*.
across [ə'krɔs] *prep* à travers; *ad* en travers, en croix.
act [ækt] *n* acte *m*; *vti* jouer; *vt* représenter; *vi* agir, servir.
acting ['æktiŋ] *n* action *f*, représentation *f*, jeu *m*; *a* qui joue, qui fait semblant, en exercice, suppléant, par intérim.
action ['ækʃən] *n* action *f*.
actionable ['ækʃnəbl] *a* sujet à poursuites.
activate ['æktiveit] *vt* activer, organiser.
active ['æktiv] *a* actif, ingambe.
actively ['æktivli] *ad* **to be — involved in** prendre une part active à.
activity [æk'tiviti] *n* activité *f*, animation *f*.
actor ['æktə] *n* acteur *m*.
actress ['æktris] *n* actrice *f*.
actual ['æktjuəl] *a* réel, de fait, actual.
actuality [,æktju'æliti] *n* réalité *f*.
actually ['æktjuəli] *ad* en fait, présentement.
actuate ['æktjueit] *vt* actionner, mettre en marche, motiver, pousser.
acumen ['ækjumen] *n* sagacité *f*, perspicacité *f*.
acute [ə'kju:t] *a* aigu, -uë.
acuteness [ə'kju:tnis] *n* acuité *f*, vivacité *f*.
adage ['ædidʒ] *n* adage *m*.
adamant ['ædəmənt] *a* inflexible, intransigeant.
adapt [ə'dæpt] *vt* adapter.
adaptability [ə,dæptə'biliti] *n* faculté *f* d'adaptation, souplesse *f*.
adaptable [ə'dæptəbl] *a* adaptable, souple.
adaptation [,ædæp'teiʃən] *n* adaptation *f*.
A.D.C. ['ei'di:'si:] *n* aide de camp *m*.
add [æd] *vt* ajouter, additionner.
adder ['ædə] *n* vipère *f*.
addict ['ædikt] *n* personne adonnée à, -mane *mf*, morphinomane *mf etc*.
addicted [ə'diktid] *a* adonné (à **to**); **to be — to** s'adonner à.
addiction [ə'dikʃən] *n* besoin *m*, habitude *f*, goût *m*.
addition [ə'diʃən] *n* addition *f*; **in —** par surcroît.
additional [ə'diʃənl] *a* additionnel, supplémentaire.
addle ['ædl] *a* pourri, couvi; confus; *vt* brouiller, pourrir.
address [ə'dres] *n* adresse *f*, tenue *f*, allocution *f*; *pl* avances *f pl*, cour *f*; *vt* s'adresser à, adresser.
addressee [,ædre'si:] *n* destinataire *mf*.
adduce [ə'dju:s] *vt* alléguer.
adept ['ædept] *a* expert (en **at**); *n* passé maître *m*.
adequate ['ædikwit] *a* adéquat, suffisant.
adhere [əd'hiə] *vi* adhérer, se coller, maintenir (**to** à).

adherence [əd'hiərəns] *n* adhérence *f*, adhésion *f*.
adherent [əd'hiərənt] *an* adhérent(e) *mf*.
adhesion [əd'hi:ʒən] *n* adhésion *f*.
adhesive [əd'hi:siv] *a* collant.
adjacent [ə'dʒeisənt] *a* adjacent, attenant.
adjective ['ædʒiktiv] *n* adjectif *m*.
adjoin [ə'dʒɔin] *vt* joindre, attenir à; *vi* se toucher.
adjoining [ə'dʒɔiniŋ] *a* contigu, -uë, attenant.
adjourn [ə'dʒə:n] *vt* ajourner, remettre.
adjournment [ə'dʒə:nmənt] *n* ajournement *m*.
adjudge [ə'dʒʌdʒ] *vt* décider, condamner, adjuger.
adjudicate [ə'dʒu:dikeit] *vti* juger.
adjudication [ə,dʒu:di'keiʃən] *n* jugement *m*.
adjudicator [ə'dʒu:dikeitə] *n* juge *m*.
adjunct ['ædʒʌŋkt] *n* accessoire *m*, auxiliaire *mf*.
adjuration [,ædʒuə'reiʃən] *n* adjuration *f*.
adjure [ə'dʒuə] *vt* adjurer, conjurer.
adjust [ə'dʒʌst] *vt* ajuster, régler.
adjustment [ə'dʒʌstment] *n* ajustement *m*, réglage *m*.
ad-lib [æd'lib] *vi* improviser.
administer [əd'ministə] *vt* administrer, (*oath*) déférer, gérer.
administration [əd,minis'treiʃən] *n* administration *f*, gérance *f*.
administrative [əd'ministrətiv] *a* administratif.
administrator [əd'ministreitə] *n* administrateur *m*, gérant *m*.
admirable ['ædmərəbl] *a* admirable.
admiral ['ædmərəl] *n* amiral *m*; **rear-—** contre-amiral *m*; **vice-—** vice-amiral *m*.
admiralty ['ædmərəlti] *n* Amirauté *f*; **First Lord of the A—** Ministre de la Marine.
admiration [,ædmə'reiʃən] *n* admiration *f*.
admire [əd'maiə] *vt* admirer.
admirer [əd'maiərə] *n* admirateur, -trice.
admiring [əd'maiəriŋ] *a* admiratif.
admiringly [əd'maiəriŋli] *ad* avec admiration.
admissible [əd'misəbl] *a* admissible.
admission [əd'miʃən] *n* confession *f*, admission *f*, aveu *m*, entrée *f*.
admit [əd'mit] *vt* admettre, avouer, laisser entrer; **to — of** permettre, comporter.
admittance [əd'mitəns] *n* entrée *f*, accès *m*.
admittedly [əd'mitidli] *ad* sans conteste.
admonish [əd'mɔniʃ] *vt* admonester, avertir, exhorter.
admonishment [əd'mɔniʃmənt] *n* admonestation *f*, exhortation *f*, avertissement *m*.
ado [ə'du:] *n* affaire *f*, embarras *m*, bruit *m*.
adolescence [,ædə'lesns] *n* adolescence *f*.
adolescent [,ædə'lesnt] *a* adolescent.
adopt [ə'dɔpt] *vt* adopter, suivre, embrasser.
adoption [ə'dɔpʃən] *n* adoption *f*, choix *m*.
adoptive [ə'dɔptiv] *a* adoptif.
adorable [ə'dɔ:rəbl] *a* adorable.
adoration [,ædɔ:'reiʃən] *n* adoration *f*.
adore [ə'dɔ:] *vt* adorer.
adorer [ə'dɔ:rə] *n* adorateur, -trice.
adorn [ə'dɔ:n] *vt* orner.
adornment [ə'dɔ:nmənt] *n* ornement *m*, parure *f*.
adrift [ə'drift] *ad* à la dérive.
adroit [ə'drɔit] *a* adroit.
adroitness [ə'drɔitnis] *n* adresse *f*.
adulation [,ædju'leiʃən] *n* adulation *f*.
adult ['ædʌlt] *an* adulte *mf*.
adulterate [ə'dʌltəreit] *vt* frelater, falsifier.
adulteration [ə,dʌltə'reiʃən] *n* falsification *f*.
adulterer, -ess [ə'dʌltərə, is] *n* homme, femme adultère.
adulterine [ə'dʌltərain] *a* adultérin.
adultery [ə'dʌltəri] *n* adultère *m*.
adumbrate ['ædʌmbreit] *vt* esquisser, ébaucher.
advance [əd'vɑ:ns] *n* avance *f*, hausse *f*, progrès *m*; *vti* avancer, pousser; *vi* faire des progrès, hausser.
advancement [əd'vɑ:nsmənt] *n* avancement *m*, progrès *m*.
advantage [əd'vɑ:ntidʒ] *n* avantage *m*, dessus *m*; **to take — of** profiter de; *vt* avantager.
advantageous [,ædvən'teidʒəs] *a* avantageux.
advent ['ædvənt] *n* Avent *m*, arrivée *f*, venue *f*.
adventure [əd'ventʃə] *n* aventure *f*, hasard *m*; *vt* risquer; *vi* s'aventurer (à, dans **upon**).
adventurer, -ess [əd'ventʃərə, is] *a* aventurier, -ière, chevalier d'industrie *m*.
adventurous [əd'ventʃərəs] *a* aventureux.
adverb ['ædvə:b] *n* adverbe *m*.
adversary ['ædvəsəri] *n* adversaire *mf*.
adverse ['ædvə:s] *a* adverse, hostile, contraire.
adversity [əd'və:siti] *n* adversité *f*.
advert [æd'və:t] *vi* faire allusion (à **to**).
advertise ['ædvətaiz] *vt* annoncer, faire valoir, faire de la réclame pour; *vi* faire de la publicité.
advertisement [əd'və:tismənt] *n* publicité *f*, réclame *f*, affiche *f*, annonce *f*.

advertising ['ædvətaiziŋ] *n* publicité *f*.
advice [əd'vais] *n* avis *m*, conseil(s) *m* (*pl*).
advisable [əd'vaizəbl] *a* recommendable, sage.
advisability [əd,vaizə'biliti] *n* convenance *f*, sagesse *f*.
advise [əd'vaiz] *vt* conseiller.
advised [əd'vaizd] *a* (bien, mal) avisé.
advisedly [əd'vaizidli] *ad* sagement, en connaissance de cause.
adviser [əd'vaizə] *n* conseiller, -ère.
advisory [əd'vaizəri] *a* consultatif.
advocacy ['ædvəkəsi] *n* plaidoyer (en faveur de) *m*.
advocate ['ædvəkit] *n* avocat *m*.
advocate ['ædvəkeit] *vt* defendre, préconiser.
aerate ['eiəreit] *vt* aérer.
aerated ['eiəreitid] *a* gazeux.
aeration [,eiə'reiʃen] *n* aération *f*.
aerial ['ɛəriəl] *n* antenne *f*; *a* aérien, de l'air.
aerobatics [,ɛərə'bætiks] *n* acrobatie aérienne *f*.
aerodrome ['ɛərədroum] *n* aérodrome *m*.
aeronaut ['ɛərənɔ:t] *n* aéronaute *m*.
aeronautics [,ɛərə'nɔ:tiks] *n* aéronautique *f*.
aeroplane ['ɛərəplein] *n* avion *m*.
æsthete ['i:sθi:t] *n* esthète *mf*.
æsthetics [i:s'θetiks] *n* esthétique *f*.
afar [ə'fɑ:] *ad* de loin, au loin.
affability [,æfə'biliti] *n* affabilité *f*.
affable ['æfəbl] *a* affable.
affair [ə'fɛə] *n* affaire *f*.
affect [ə'fekt] *vt* affecter, poser à, attaquer, toucher.
affectation [,æfek'teiʃən] *n* affectation *f*, simagrées *f pl*.
affection [ə'fekʃən] *n* affection *f*, disposition *f*.
affectionate [ə'fekʃnit] *a* affectueux.
affianced [ə'faiənst] *a* fiancé.
affidavit [,æfi'deivit] *n* déclaration assermentée *f*.
affiliate [ə'filieit] *vt* (s')affilier.
affiliation [ə,fili'eiʃən] *n* attribution de paternité *f*, affiliation *f*.
affinity [ə'finiti] *n* affinité *f*.
affirm [ə'fə:m] *vt* affirmer.
affirmation [,æfə'meiʃən] *n* affirmation *f*.
affirmative [ə'fə:mətiv] *n* affirmative *f*; *a* affirmatif.
affix [ə'fiks] *vt* apposer.
afflict [ə'flikt] *vt* affliger.
affliction [ə'flikʃən] *n* affliction *f*.
afflictive [ə'fliktiv] *a* affligeant.
affluence ['æfluəns] *n* affluence *f*, richesse *f*.
affluent ['æfluənt] *a* riche.
afford [ə'fɔ:d] *vt* s'offrir, se permettre, fournir.
affray [ə'frei] *n* bagarre *f*, rixe *f*.
affright [ə'frait] *n* effroi *m*; *vt* effrayer.
affront [ə'frʌnt] *n* affront *m*; *vt* offenser, faire honte à.
afloat [ə'flout] *ad* à flot; **to get —** lancer; **to get — again** renflouer.
afoot [ə'fut] *ad* à (sur) pied.
aforesaid [ə'fɔ:sed] *a* susdit.
aforethought [ə'fɔ:θɔ:t] *a* **with malice —** avec préméditation.
afraid [ə'freid] *a* effrayé; **to be —** avoir peur.
Africa ['æfrikə] *n* Afrique *f*.
African ['æfrikən] *a* africain.
aft [ɑ:ft] *ad* à l'arrière.
after ['ɑ:ftə] *prep* (d')après, selon; *ad* ensuite; *cj* après que, quand.
aftermath ['ɑ:ftəmæθ] *n* regain *m*, suites *pl*.
afternoon ['ɑ:ftə'nu:n] *n* après-midi *m or f inv*.
afterthought ['ɑ:ftəθɔ:t] *n* réflexion *f* après coup, second mouvement *m*.
afterwards ['ɑ:ftəwədz] *ad* ensuite, plus tard.
again [ə'gen] *ad* encore, de plus, de nouveau; re-; **— and —** à maintes reprises; **now and —** de temps à autre; **as much — as** deux fois autant (plus, aussi).
against [ə'genst] *prep* contre, sur, à, en vue de.
agape [ə'geip] *ad* grand ouvert, bouche bée.
age [eidʒ] *n* âge *m*, génération *f*; **of —** majeur; **under —** mineur; *pl* siècles *m pl*; *vti* vieillir.
aged ['eidʒid] *a* âgé, vieux.
agency ['eidʒənsi] *n* opération *f*, entremise *f*, agence *f*, bureau *m*.
agenda [ə'dʒendə] *n* ordre *m* du jour, agenda *m*.
agent ['eidʒənt] *n* agent *m*, cause *f*, représentant *m*.
agglomerate [ə'glɔməreit] *n* agglomérat *m*; *vt* agglomérer.
agglomeration [ə,glɔmə'reiʃən] *n* agglomération *f*.
aggravate ['ægrəveit] *vt* aggraver, exaspérer.
aggravation [,ægrə'veiʃən] *n* aggravation *f*, exaspération *f*, envenimement *m*.
aggregate ['ægrigit] *n* agrégat *m*, ensemble *m*, total *m*.
aggregate ['ægrigeit] *vt* aggréger; *vi* se monter à.
aggression [ə'greʃən] *n* aggression *f*.
aggressive [ə'gresiv] *a* agressif.
aggressor [ə'gresə] *n* agresseur *m*.
aggrieved [ə'gri:vd] *a* affligé, blessé.
aghast [ə'gɑ:st] *a* terrifié, stupéfait, interdit.
agile ['ædʒail] *a* agile.
agility [ə'dʒiliti] *n* agilité *f*.
agitate ['ædʒiteit] *vt* agiter, débattre; *vi* faire de l'agitation.
agitator ['ædʒiteitə] *n* agitateur *m*, meneur *m*.
aglow [ə'glou] *a* luisant, rayonnant, embrasé.
ago [ə'gou] *ad* il y a.

agog [ə'gɔg] *a* ardent, en émoi, impatient.
agonize ['ægənaiz] *vt* torturer.
agony ['ægəni] *n* agonie *f*, angoisse *f*, supplice *m*.
agree [ə'griː] *vi* consentir (à **to**), être d'accord, convenir (de **to**), accepter.
agreeable [ə'griəbl] *a* agréable, disposé, qui consent, qui convient, d'accord.
agreed [ə'griːd] *a* d'accord.
agreement [ə'griːmənt] *n* accord *m*, convention *f*.
agricultural [ˌægri'kʌltʃərəl] *a* agricole.
agriculture ['ægrikʌltʃə] *n* agriculture *f*.
aground [ə'graund] *ad* à la côte, échoué, par le fond.
ague ['eigjuː] *n* fièvre paludéenne *f*.
ahead [ə'hed] *ad* en tête, l'avant, de l'avant, en avant.
aid [eid] *n* aide *mf*, assistance *f*; *vt* aider, contribuer à.
ail [eil] *vt* tracasser; *vi* avoir mal, souffrir.
ailment ['eilmənt] *n* indisposition *f*.
aim [eim] *n* but *m*, visée *f*; *vt* viser, pointer; **to — at** viser.
aimless ['eimlis] *a* sans but.
aimlessly ['eimlisli] *ad* au hasard, sans but.
air [ɛə] *n* air *m*; *vt* aérer, sécher, étaler, mettre à l'évent; *vi* prendre l'air.
air- (**cushion** *etc*) gonflé d'air.
airborne ['ɛəbɔːn] *a* aéroport .
air-brake ['ɛəbreik] *n* frein *m* pneumatique.
aircraft ['ɛəkrɑːft] *n* avion; **—-carrier** *n* porte-avions *m*; **—-man** *n* mécanicien *m*.
air-cushion ['ɛəˌkuʃin] *m* coussin à air *m*.
Air Force ['ɛəfɔːs] *m* Armée de l'Air *f*.
airhole ['ɛəhoul] *n* soupirail m.
air-hostess ['ɛə'houstis] *n* hôtesse de l'air.
airily ['ɛərili] *ad* d'un air dégagé.
airing ['ɛəriŋ] *n* aération *f*, éventage *m*, tour *m*.
airless ['ɛəlis] *a* sans air, renfermé, étouffant.
airliner ['ɛəlainə] *n* avion de ligne *m*.
airmail ['ɛəmeil] *n* courrier *m* aérien; **by** — par avion.
airman ['ɛəmən] *n* aviateur *m*.
airplane ['ɛəˌplein] *n* avion *m*.
air-pump ['ɛə'pʌmp] *n* pompe *f* pneumatique.
air-raid ['ɛəreid] *n* raid aérien *m*.
airship ['ɛəʃip] *n* aérostat *m*, (ballon) dirigeable *m*.
airtight ['ɛətait] *a* étanche, hermétique.
airworthy ['ɛə wəːði] *a* qui tient l'air, bon pour voler, navigable.
airy ['ɛəri] *a* aéré, aérien, gracieux, désinvolte.
aisle [ail] *n* bas-côté *m*.
ajar [ə'dʒɑː] *ad* entr'ouvert.
akimbo [ə'kimbou] *ad* les poings sur les hanches.
akin [ə'kin] *a* parent (de **to**), analogue, qui tient (de **to**).
alacrity [ə'lækriti] *n* vivacité *f*, empressement *m*.
Alan ['ælən] Alain *m*.
alarm [ə'lɑːm] *n* alarme *f*, alerte *f*; *vt* alarmer, alerter.
alarm-bell [ə'lɑːmbel] *n* cloche, sonnette d'alarme *f*, tocsin *m*.
alarm-clock [ə'lɑːmklɔk] *n* réveille-matin *m*.
alarmist [ə'lɑːmist] *n* alarmiste *mf*.
alas [ə'læs] *excl* hélas!
albeit [ɔːl'biːit] *cj* bien que, quoique.
album ['ælbəm] *n* album *m*.
alchemy ['ælkimi] *n* alchimie *f*.
alcohol ['ælkəhɔl] *n* alcool *m*.
alcoholic [ˌælkə'hɔlik] *an* alcoolique.
alcoholism ['ælkəhɔlizəm] *n* alcoolisme *m*.
alcove ['ælkouv] *n* niche *f*, retrait *m*, renfoncement *m*.
alder ['ɔːldə] *n* aune *m*.
alderman ['ɔːldəmən] *n* adjoint au maire *m*.
ale [eil] *n* bière *f*.
ale-house ['eilhaus] *n* brasserie *f*, cabaret *m*.
alert [ə'ləːt] *n* alerte *f*, qui-vive *m*; *a* vigilant, alerte, vif.
alertness [ə'ləːtnis] *n* vigilance *f*, promptitude *f*, vivacité *f*.
algebra ['ældʒibrə] *n* algèbre *f*.
alias ['eiljəs] *n* autre nom *m*, faux nom *m*; *ad* autrement dit, connu sous le nom de.
alibi ['ælibai] *n* alibi *m*.
alien ['eiljən] *n* étranger, -ère; *a* étranger, différent, répugnant (à **to**).
alienate ['eiljəneit] *vt* (s')aliéner, détourner.
alienation [ˌeiljə'neiʃən] *n* aliénation *f*.
alight [ə'lait] *a* allumé, éclairé, en feu; *vi* descendre, atterrir, se poser.
align [ə'lain] *vt* aligner.
alignment [ə'lainmənt] *n* alignement *m*.
alike [ə'laik] *a* pareil, ressemblant; *ad* de même, de la même manière.
alimony ['æliməni] *n* pension alimentaire *f*.
alive [ə'laiv] *a* en vie, vif, éveillé, grouillant; **to be — and kicking** être plein de vie; **to keep** — entretenir, soutenir.
all [ɔːl] *n* tous *m pl*, tout *m*, tout le monde *m*; *a* tout, tous, toute(s); *ad* tout, entièrement; — **but** à peu près, autant dire; **I — but fell** j'ai failli tomber; — **clear** fin d'alerte *f*; **All Fools' Day** le premier avril; **All Hallows' Day** (le jour de) la Toussaint; — **in** — tout compris, à tout prendre; — **of you** vous tous; — **one** tout un; — **out** total,

complètement, à plein rendement, à toute vitesse; — **powerful** tout-puissant; — **right** très bien, ça va bien, entendu, soit!; **All Saints' Day** (le jour de) la Toussaint; **All Souls' Day** le jour des Morts *m*; **at** — du tout; **one and** — tous sans exception; **to stake one's** — jouer son va-tout.

allay [ə'lei] *vt* soulager, apaiser.

allegation [ˌæle'geiʃən] *n* allégation *f*.

allege [ə'ledʒ] *vt* alléguer.

allegiance [ə'liːdʒəns] *n* hommage *m*, foi *f*, fidélité *f*.

allegory ['æligəri] *n* allégorie *f*.

alleviate [ə'liːvieit] *vt* alléger, adoucir.

alleviation [əˌliːvi'eiʃən] *n* soulagement *m*, allègement *m*.

alley ['æli] *n* allée *f*, ruelle *f*; **blind** — impasse *f*, cul de sac *m*.

alliance [ə'laiəns] *n* alliance *f*.

allied ['ælaid] *a* allié, connexe.

allocate ['æləkeit] *vt* allouer, assigner, distribuer.

allocation [ˌælə'keiʃən] *n* allocation *f*, attribution *f*.

allot [ə'lɔt] *vt* lotir, assigner, répartir, destiner, attribuer.

allotment [ə'lɔtmənt] *n* attribution *f*, répartition *f*, lot *m*, lopin *m*, lotissement *m*.

allow [ə'lau] *vt* laisser, permettre, admettre, allouer; **to — for** tenir compte de, compter, faire la part de, prévoir.

allowance [ə'lauəns] *n* permission *f*, pension *f*, remise *f*, concession *f*, indemnité *f*, ration *f*; **to make — for** tenir compte de, faire la part de, se montrer indulgent pour.

alloy ['ælɔi] *n* titre *m*, aloi *m*, alliage *m*; *vt* allier, dévaloriser, modérer.

allude [ə'luːd] *vi* faire allusion (à **to**).

allure [ə'ljuə] *vt* tenter, attirer, aguicher, séduire.

allurement [ə'ljuəmənt] *n* attrait *m*, charme *m*.

alluring [ə'ljuəriŋ] *a* séduisant, attrayant.

allusion [ə'luːʒən] *n* allusion *f*.

ally ['ælai] *n* allié.

ally [ə'lai] *vt* allier, unir; *vi* s'allier.

almanac ['ɔːlmənæk] *n* almanach *m*, annuaire *m*.

almighty [ɔːl'maiti] *an* tout-puissant *m*; *a* (*fam*) formidable.

almond ['ɑːmənd] *n* amande *f*; **burnt** — praline *f*; **sugared** — dragée *f*; — **tree** *n* amandier *m*.

almoner ['ɑːmənə] *a* aumônier *m*.

almost ['ɔːlmoust] *ad* presque, à peu près; **he — fell** il faillit tomber.

alms [ɑːmz] *n* aumône *f*; **—house** *n* hospice *m*, asile *m*.

aloft [ə'lɔft] *ad* (en) haut, en l'air.

alone [ə'loun] *a* seul, tranquille; **to let, leave s.o., sth** — laisser tranquille, laisser en paix; **leave me** — laissez-moi, fichez-moi la paix; **let** — encore moins, loin de, sans compter, sans parler de.

along [ə'lɔŋ] *prep* le long de; *ad* tout au (du) long; **all** — tout le temps; **all — the line** sur toute la ligne.

alongside [ə'lɔŋ'said] *prep* le long de, au bord de, à côté de; *ad* côte à côte; **to come** — accoster, aborder.

aloof [ə'luːf] *a* distant; *ad* à l'écart.

aloofness [ə'luːfnis] *n* réserve *f*, quant à soi *m*.

aloud [ə'laud] *ad* à haute voix, tout haut.

alphabet ['ælfəbit] *n* alphabet *m*.

alphabetical [ˌælfə'betikəl] *a* alphabétique.

already [ɔːl'redi] *ad* déjà.

also ['ɔːlsou] *ad* aussi, en outre.

altar ['ɔːltə] *n* autel *m*.

alter ['ɔːltə] *vt* altérer, changer (de), remanier, transformer, déplacer; **to — for the better** s'améliorer; **to — for the worse** s'altérer.

alteration [ˌɔːltə'reiʃən] *n* retouche *f*, changement *m*, modification *f*.

altercation [ˌɔːltə'keiʃən] *n* altercation *f*, dispute *f*.

alternate [ɔːl'təːnit] *a* alterne, alternatif; **on — days** tous les deux jours.

alternate ['ɔːltəːneit] *vt* faire alterner; *vi* alterner.

alternately [ɔːl'təːnitli] *ad* alternativement, tour à tour.

alternation [ˌɔːltə'neiʃən] *n* alternance *f*, alternative *f*.

alternative [ɔːl'təːnətiv] *n* alternative *f*, choix *m*.

although [ɔːl'ðou] *cj* bien que, quoique.

altitude ['æltitjuːd] *n* altitude *f*, hauteur *f*, profondeur *f*.

altogether [ˌɔːltə'geðə] *ad* tout compte fait, en tout, entièrement, absolument.

aluminium [ˌælju'minjəm] *n* aluminium *m*.

alumnus [ə'lʌmnəs] *n* (*US*) élève *mf*, pensionnaire *mf*.

always ['ɔːlweiz] *ad* toujours.

amalgam [ə'mælgəm] *n* amalgame *m*.

amalgamate [ə'mælgəmeit] *vt* amalgamer; *vi* s'amalgamer.

amass [ə'mæs] *vt* amasser.

amateur ['æmətə] *n* amateur *m*.

amaze [ə'meiz] *vt* stupéfier, confondre, renverser.

amazement [ə'meizmənt] *n* stupéfaction *f*, stupeur *f*.

amazing [ə'meiziŋ] *a* renversant.

ambassador [æm'bæsədə] *n* ambassadeur *m*.

ambassadress [æm'bæsədris] *n* ambassadrice *f*.

amber ['æmbə] *n* ambre *m*; *a* ambre; — **light** feu jaune *m*.

ambidextrous ['æmbi'dekstrəs] *a* ambidextre.

ambiguity [ˌæmbi'gjuiti] *n* ambiguïté *f*.
ambiguous [æm'bigjuəs] *a* ambigu, -uë, équivoque, obscur.
ambition [æm'biʃən] *n* ambition *f*.
ambitious [æm'biʃəs] *a* ambitieux.
amble ['æmbl] *vi* aller (à) l'amble; **to — along** marcher d'un pas tranquille, à la papa.
ambulance ['æmbjuləns] *n* ambulance *f*.
ambush ['æmbuʃ] *n* embuscade *f*; *vt* attirer dans un piège, dans un guet-apens; **to lie in —** *vi* s'embusquer.
ameliorate [ə'miːljəreit] *vt* améliorer; *vi* s'améliorer, s'amender.
amelioration [əˌmiːljə'reiʃən] *n* amélioration *f*.
amen ['ɑː'men] *excl* amen, ainsi soit-il.
amenable [ə'miːnəbl] *a* responsable, sensible (à **to**), soumis, maniable, passable, docile; **— to reason** raisonnable.
amend [ə'mend] *vt* amender, modifier, corriger; *vi* s'amender, se corriger.
amendment [ə'mendmənt] *n* modification *f*, rectification *f*, amendement *m*.
amends [ə'mendz] *n* dédommagement *m*, réparation *f*; **to make — for** dédommager, réparer
amenity [ə'miːniti] *n* agrément *m*, aménité *f*; *pl* commodités *f pl*.
America [ə'merikə] *n* Amérique *f*; **North —, South —** l'Amérique du Nord, l'Amérique du Sud.
American [ə'merikən] *a* américain; *n* Américain(e) *m(f)*.
amiability [ˌeimjə'biliti] *n* amabilité *f*, cordialité *f*, concorde *f*.
amiable ['eimjəbl] *a* aimable.
amicable ['æmikəbl] *a* amical, à l'amiable.
amid(st) [ə'mid(st)] *prep* au milieu de, parmi.
amidships [ə'midʃips] *ad* par le travers.
amiss [ə'mis] *a* insuffisant, fâcheux, qui cloche; *ad* (en) mal, de travers.
amity ['æmiti] *n* amitié *f*, bonne intelligence *f*.
ammonia [ə'mounjə] *n* ammoniaque *f*.
ammunition [ˌæmju'niʃən] *n* munitions *f pl*; *a* de munition, réglementaire.
amnesia [æm'niːzjə] *n* amnésie *f*.
amnesty ['æmnəsti] *n* amnistie *f*; *vt* amnistier.
among(st) [ə'mʌŋ(st)] *prep* parmi, au milieu de, (d')entre.
amorous ['æmərəs] *a* porté à l'amour, amoureux.
amorousness ['æmərəsnis] *n* penchant à l'amour *m*.
amorphous [ə'mɔːfəs] *a* amorphe.
amount [ə'maunt] *n* montant *m*, compte *m*, somme *f*, quantité *f*; *vi* (se) monter (à **to**), s'élever (à **to**), revenir (à **to**).
amour [ə'muə] *n* liaison *f*, intrigue galante *f*.
ample ['æmpl] *a* ample, vaste, abondant.
ampleness ['æmplnis] *n* ampleur *f*, abondance *f*.
amplification [ˌæmplifi'keiʃən] *n* amplification *f*.
amplifier ['æmplifaiə] *n* amplificateur *m*.
amplify ['æmplifai] *vt* amplifier, développer.
amplitude ['æmplitjuːd] *n* ampleur *f*, abondance *f*, dignité *f*.
amputate ['æmpjuteit] *vt* amputer.
amputation [ˌæmpju'teiʃən] *n* amputation *f*.
amuck [ə'mʌk] *ad* comme un fou, furieux.
amulet ['æmjulit] *n* amulette *f*, gri(s)-gri(s) *m*.
amuse [ə'mjuːz] *vt* amuser, divertir.
amusement [ə'mjuːzmənt] *n* amusement *m*, divertissement *m*, distraction *f*.
Amy ['eimi] Aimée *f*.
an [æn, ən, n] *art* un, une.
anaemia [ə'niːmjə] *n* anémie *f*.
anaemic [ə'niːmik] *a* anémique.
anaesthesia [ˌænis'θiːzjə] *n* anesthésie *f*.
anaesthetic [ˌænis'θetik] *n* anesthétique *m*.
anaesthetize [æ'niːsθətaiz] *vt* anesthésier, insensibiliser, endormir.
analogous [ə'næləgəs] *a* analogue.
analogy [ə'nælədʒi] *n* analogie *f*.
analysis [ə'næləsis] *n* analyse *f*.
analyst ['ænəlist] *n* analyste *m*.
analytic(al) [ˌænə'litik(əl)] *a* analytique.
analyze ['ænəlaiz] *vt* analyser, faire l'analyse de.
anarchist ['ænəkist] *n* anarchiste *mf*.
anarchy ['ænəki] *n* anarchie *f*.
anathema [ə'næθəmə] *n* anathème *m*.
anathematize [ə'næθəmətaiz] *vt* jeter l'anathème sur.
anatomist [ə'nætəmist] *n* anatomiste *m*.
anatomize [ə'nætəmaiz] *vt* disséquer.
anatomy [ə'nætəmi] *n* anatomie *f*.
ancestor ['ænsistə] *n* ancêtre *m*, aïeul, -eux *m*.
ancestral [æn'sestrəl] *a* ancestral.
ancestry ['ænsistri] *n* race *f*, lignée *f*.
anchor ['æŋkə] *n* ancre *f*; *vt* ancrer, mettre au mouillage; *vi* jeter l'ancre, mouiller; **to cast —** jeter l'ancre; **to weigh —** lever l'ancre.
anchovy ['æntʃəvi] *n* anchois *m*.
ancient ['einʃənt] *a* ancien, antique.
ancientness ['einʃəntnis] *n* ancienneté *f*.

and [ænd, ənd, ən] *cj* et; **two (shillings) — six (pence)** deux shillings six pence; **without bread — butter** sans pain ni beurre; **wait — see** attendez voir.
andiron ['ændaiən] *n* chenet *m.*
Andrew ['ændruː] André *m.*
anecdote ['ænikdout] *n* anecdote *f.*
anecdotic(al) [ænek'dɔtik(əl)] *a* anecdotique.
anemone [ə'neməni] *n* anémone *f.*
aneurism ['ænjuərizəm] *n* anévrisme *m.*
anew [ə'njuː] *ad* de nouveau, autrement.
angel ['eindʒəl] *n* ange *m.*
Angela ['ændʒələ] Angèle *f.*
angelic [æn'dʒelik] *a* angélique, d'ange.
anger ['æŋgə] *n* colère *f*; *vt* mettre en colère, irriter.
angina [æn'dʒainə] *n* angine *f*; **— pectoris** angine de poitrine.
angle ['æŋgl] *n* angle *m* coin *m*; *vi* pêcher à la ligne.
angler ['æŋglə] *n* pêcheur *m* à la ligne.
anglicanism ['æŋglikənizəm] *n* anglicanisme *m.*
angling ['æŋgliŋ] *n* pêche *f.*
angry ['æŋgri] *a* en colère, fâché, enflammé, douloureux; **to get —** se mettre en colère, se fâcher, s'irriter; **to get — with s.o.** se fâcher contre qn; **I am — with myself for doing it** je m'en veux de l'avoir fait.
anguish ['æŋgwiʃ] *n* angoisse *f*, supplice *m.*
angular ['æŋgjulə] *a* angulaire, anguleux.
animal ['æniməl] *an* animal *m.*
animate ['ænimeit] *vt* animer, inspirer, inciter.
animated ['ænimeitid] *a* animé, vif.
animation [ˌæni'meiʃən] *n* animation *f*, entrain *m*, vivacité *f*, vie *f*, encouragement *m.*
animator ['ænimeitə] *n* animateur, -trice.
animosity [ˌæni'mɔsiti] *n* animosité *f.*
ankle ['æŋkl] *n* cheville *f.*
Ann [æn] Anne *f.*
annals ['ænlz] *n* annales *f pl.*
anneal [ə'niːl] *vt* tremper, tempérer.
annex ['æneks] *n* annexe *f*; [ə'neks] *vt* annexer.
annexation [ˌænek'seiʃən] *n* annexion *f.*
annihilate [ə'naiəleit] *vt* annihiler, anéantir.
annihilation [əˌnaiə'leiʃən] *n* anéantissement *m.*
anniversary [ˌæni'vəːsəri] *n* anniversaire *m.*
annotate ['ænouteit] *vt* annoter, commenter.
annotation [ˌænou'teiʃən] *n* annotation *f*. commentaire *m.*
annotator ['ænouteitə] *n* annotateur *m*, commentateur *m.*
announce [ə'nauns] *vt* annoncer, faire part de.
announcement [ə'naunsmənt] *n* annonce *f*, avis *n*, faire-part *m.*
announcer [ə'naunsə] *n* annonceur *m*, speaker *m.*
annoy [ə'nɔi] *vt* contrarier, ennuyer.
annoyance [ə'nɔiəns] *n* contrariété *f*, dégoût *m*, ennui *m.*
annoying [ə'nɔiiŋ] *a* contrariant, fâcheux, ennuyeux.
annual ['ænjuəl] *n* annuaire *m*, plante annuelle *f*; *a* annuel.
annuity [ə'nju(ː)iti] *n* annuité *f*, rente *f*; **life —** rente viagère *f.*
annul [ə'nʌl] *vt* annuler, abroger, résilier.
annulment [ə'nʌlmənt] *n* annulation *f*, abrogation *f.*
annunciate [ə'nʌnsieit] *vt* annoncer.
annunciation [əˌnʌnsi'eiʃən] *n* annonce *f*, annonciation *f.*
anoint [ə'nɔint] *vt* oindre.
anointing [ə'nɔintiŋ] *n* onction *f*, sacre *m.*
anomalous [ə'nɔmələs] *a* anormal, irrégulier.
anomaly [ə'nɔməli] *n* anomalie *f.*
anon [ə'nɔn] *ad* tantôt; **ever and —** de temps à autre.
anonymity [ˌænə'nimiti] *n* anonymat *m.*
anonymous [ə'nɔniməs] *a* anonyme.
another [ə'nʌðə] *a pron* un (une) autre; encore (un, une); **one —** l'un l'autre, les unes les autres; **one way or —** d'une façon ou d'une autre; **that's — matter** c'est tout autre chose.
answer ['ɑːnsə] *n* réponse *f*; *vti* répondre; **to — for** répondre de (*vouch*), répondre pour (*instead of*).
answerable ['ɑːnsərəbl] *a* responsable.
answering ['ɑːnsəriŋ] *a* sympathique, qui répond à, qui correspond à.
ant [ænt] *n* fourmi *f*; **—eater** fourmilier *m*; **—hill** *n* fourmilière *f.*
antagonism [æn'tægənizəm] *n* antagonisme *m.*
antagonist [æn'tægənist] *n* adversaire *m.*
antagonize [æn'tægənaiz] *vt* contrecarrer, se faire un ennemi de.
antecedent [ˌænti'siːdənt] *n* antécédent *m*; antérieur.
antedate [ˌænti'deit] *vt* antidater.
antenatal [ˌænti'neitl] *a* prénatal.
antenna [æn'tenə] *n* antenne *f.*
anterior [æn'tiəriə] *a* antérieur.
anteriority [æntiəri'ɔriti] *n* antériorité *f.*
anthem ['ænθəm] *n* antienne *f*, hymne *m.*
Anthony ['æntəni] Antoine *m.*
anti-aircraft ['ænti'εəkrɑːft] *a* contre-avions, anti-aérien.

antibiotic ['æntibai'ɔtik] *n* antibiotique *f.*
antibody ['ænti,bɔdi] *n* anticorps *m.*
Antichrist ['æntikraist] *n* Antéchrist *m.*
anticipate [æn'tisipeit] *vt* anticiper (sur), prévenir, devancer, s'attendre à.
anticipation [æn,tisi'peiʃən] *n* anticipation *f*, prévision *f*, attente *f*; **in —** d'avance, par avance.
antics ['æntiks] *n pl* pitreries *f pl*, singeries *f pl*, cabrioles *f pl.*
anti-dazzle [,ænti'dæzl] *a* anti-aveuglant; **— headlights** phares-code *m pl.*
antidote ['æntidout] *n* antidote *m.*
antipathetic(al) [,æntipə'θetik(l)] *a* antipathique.
antipathy [æn'tipəθi] *n* antipathie *f.*
antipodes [æn'tipədi:z] *n* antipodes *m pl.*
antiquarian [,ænti'kwεəriən] *n* antiquaire *m*; **—'s shop** magasin d'antiquités *m.*
antiquated ['æntikweitid] *a* suranné, vieilli désuet.
antique [æn'ti:k] *a* antique, ancien; *n* antique *m*, objet antique *m*; **— dealer** antiquaire *m*; **— shop** magasin *m* d'antiquités.
antiquity [æn'tikwiti] *n* antiquité *f.*
antiseptic [,ænti'septik] *an* antiseptique *m.*
antitheft [ænti'θeft] *a* antivol.
antithesis [æn'tiθəsis] *n* antithèse *f*, contraire *m.*
antithetic(al) [,ænti'θetik(əl)] *a* antithétique.
antler ['æntlə] *n* andouiller *m*; *pl* bois *m pl.*
anvil ['ænvil] *n* enclume *f.*
anxiety [æŋ'zaiəti] *n* anxiété *f*, inquiétude *f*, désir *m.*
anxious ['æŋkʃəs] *a* anxieux, inquiet, soucieux, désireux, inquiétant.
any ['eni] *a* du, de la, des; quelque, tout, un, en; **not —** ne . . . aucun, nul; *pn* quiconque; *ad* en rien.
anybody, anyone ['enibɔdi, 'eniwʌn] *pn* quelqu'un, n'importe qui, tout le monde, quiconque; **not —** ne . . . personne.
anyhow ['enihau] *ad* n'importe comment, de toute façon, en tout cas; **— you can try** vous pouvez toujours essayer.
anyone *see* **anybody.**
anything ['eniθiŋ] *pn* quelque chose, n'importe quoi, tout; **not —** ne . . . rien; **— else, sir?** et avec cela, monsieur? **— you like** tout ce que vous voudrez; **I would give — to know** je donnerais gros pour savoir; **to run like —** courir à toutes jambes.
anyway ['eniwei] *ad* n'importe comment, de toute façon, en tout cas; en fait, en fin de compte.
anywhere ['eniwεə] *ad* n'importe où, dans quelque endroit que ce soit; **not —** ne . . . nulle part.
apace [ə'peis] *ad* vite, vivement, à grands pas.
apart [ə'pɑ:t] *ad* à part, de côté, à l'écart, indépendamment (de **from**); **to come —** se détacher; *a* espace; **they are 10 miles —** ils sont à 10 milles l'un de l'autre.
apartment [ə'pɑ:tmənt] *n* chambre *f*, pièce *f*, logement *m*, (*US*) appartement *m.*
apathetic [,æpə'θetik] *a* apathique, indifférent.
apathy ['æpəθi] *n* apathie *f.*
ape [eip] *n* singe *m*; *vt* singer.
aperient [ə'piəriənt] *n* laxatif *m*, purge *f.*
aperture ['æpətjuə] *n* orifice *m*, ouverture *f.*
apex ['eipeks] *n* sommet *m.*
apiary ['eipjəri] *n* rucher *m.*
apiece [ə'pi:s] *ad* (la) pièce, chaque, chacun, par tête.
apish ['eipiʃ] *a* simiesque, de singe, sot.
apogee ['æpoudʒi:] *n* apogée *m.*
apologetic(al) [ə,pɔlə'dʒetik(əl)] *a* apologétique, d'excuse.
apologetics [ə,pɔlə'dʒetiks] *n* apologétique *f.*
apologist [ə'pɔlədʒist] *n* apologiste *m.*
apologize [ə'pɔlədʒaiz] *vi* s'excuser, demander pardon.
apology [ə'pɔlədʒi] *n* excuses *f pl*, apologie *f.*
apoplectic [,æpə'plektik] *a* apoplectique; **an — fit. stroke** une attaque (d'apoplexie).
apoplexy ['æpəpleksi] *n* apoplexie *f*, congestion cérébrale *f.*
apostasy [ə'pɔstəsi] *n* apostasie *f.*
apostate [ə'pɔstit] *n* apostat *m.*
apostle [ə'pɔsl] *n* apôtre *m.*
apostleship [ə'pɔslʃip] *n* apostolat *m.*
apostolic [,æpəs'tɔlik] *a* apostolique.
apothecary [ə'pɔθikəri] *n* apothicaire *m*, pharmacien *m.*
appalling [ə'pɔ:liŋ] *a* effroyable, épouvantable.
apparatus [,æpə'reitəs] *n* dispositif *m*, appareil *m*, attirail *m.*
apparel [ə'pærəl] *n* habit *m*, vêtement(s) *m(pl)*; *vt* habiller vêtir.
apparent [ə'pærənt] *a* manifeste, évident; (*heir*) présomptif.
apparently [ə'pærəntli] *ad* apparemment.
apparition [,æpə'riʃən] *n* apparition *f*, fantôme *m.*
appeal [ə'pi:l] *n* appel *m*; *vi* interjeter appel; **to — to** recourir à, en appeler à, faire appel à, plaire à, s'adresser à; **that doesn't — to me** cela ne me dit rien; **the idea —s to me** l'idée me sourit.
appear [ə'piə] *vi* apparaître, paraître, sembler, se présenter.

appearance [ə'piərəns] *n* apparition *f*, apparence *f*, mine *f*, tournure *f*; **to put in an —** faire acte de présence; **for the sake of —(s)** pour la forme; **to, by all —(s)** selon toute apparence.

appease [ə'pi:z] *vt* apaiser, calmer.

appeasement [ə'pi:zmənt] *n* apaisement *m*, conciliation *f*.

append [ə'pend] *vt* attacher, ajouter, apposer, joindre.

appendage [ə'pendidʒ] *n* addition *f*, apanage *m*.

appendicitis [ə,pendi'saitis] *n* appendicite *f*.

appendix [ə'pendiks] *n* appendice *m*, annexe *f*.

appertain [,æpə'tein] *vi* appartenir, se rapporter.

appertaining [,æpə'teiniŋ] *a* relatif, qui incombent.

appetite ['æpitait] *n* appétit *m*, soif *f*; **to whet someone's —** mettre qn en appétit.

appetizer ['æpitaizə] *n* apéritif *m*.

appetizing ['æpitaiziŋ] *a* appétissant.

applaud [ə'plɔ:d] *vti* applaudir.

applause [ə'plɔ:z] *n* applaudissements *m pl*.

apple ['æpl] *n* pomme *f*, (*of the eye*) pupille *f*, prunelle *f*.

apple-dumpling ['æpl'dʌmpliŋ] *n* chausson *m*.

apple-pie ['æpl'pai] *n* tourte aux pommes *f*; **in — order** en ordre parfait; **— bed** *n* lit en porte-feuille *m*.

apple tree ['æpltri:] *n* pommier *m*.

appliance [ə'plaiəns] *n* moyen *m*, dispositif *m*, machine *f*, appareil *m*.

applicable ['æplikəbl] *a* applicable, approprié.

applicant ['æplikənt] *n* postulant *m*, requérant *m*.

application [,æpli'keiʃən] *n* application *f*, demande *f*.

apply [ə'plai] *vt* appliquer; *vi* s'appliquer (à **to**), s'addresser (à **to**), se présenter; **to — for** demander, solliciter.

appoint [ə'pɔint] *vt* fixer, nommer, équiper, meubler.

appointive [ə'pɔintiv] *n* (*US*) poste *m*.

appointment [ə'pɔintmənt] *n* rendez-vous *m*, nomination *f*, emploi *m*; *pl* équipement *m*, installation *f*.

apportion [ə'pɔ:ʃən] *vt* répartir, assigner.

apportionment [ə'pɔ:ʃənmənt] *n* répartition *f*, distribution *f*, allocation *f*.

apposite ['æpəzit] *a* approprié, à propos.

appositeness ['æpəzitnis] *n* convenance *f*, justesse *f*.

apposition [,æpə'ziʃən] *n* apposition *f*.

appraisal [ə'preizəl] *n* évaluation *f*, mise à prix *f*.

appraise [ə'preiz] *vt* évaluer.

appraiser [ə'preizə] *n* commissaire-priseur *m*.

appreciate [ə'pri:ʃieit] *vt* évaluer, apprécier, faire cas de, se rendre compte de, goûter; *vi* prendre de la valeur, augmenter de valeur.

appreciation [ə,pri:ʃi'eiʃən] *n* évaluation *f*, hausse *f*, appréciation *f*, compte-rendu *m*, critique *f*.

apprehend [,æpri'hend] *vt* appréhender, comprendre.

apprehension [,æpri'henʃən] *n* compréhension *f*, appréhension *f*, crainte *f*, arrestation *f*.

apprehensive [,æpri'hensiv] *a* intelligent, inquiet, craintif.

apprentice [ə'prentis] *n* apprenti *m*; *vt* mettre en apprentissage.

apprenticeship [ə'prentiʃip] *n* apprentissage *m*.

apprise [ə'praiz] *vt* informer, apprendre, prévenir.

approach [ə'proutʃ] *n* approche *f*, approximation *f*, accès *m*; *pl* avances *f pl*; *vt* approcher de, aborder, faire des offres à; *vi* (s')approcher.

approachable [ə'proutʃəbl] *a* abordable.

approbation [,æprə'beiʃən] *n* approbation *f*; **on —** à condition, à l'essai.

appropriate [ə'proupriit] *a* propre (à **to**), approprié; [ə'proupr ieit] *vt* s'approprier, destiner.

approval [ə'pru:vəl] *n* approbation *f*; **on —**, (*fam*) **on appro** à condition, à l'examen, à l'essai.

approve [ə'pru:v] *vt* approuver.

approver [ə'pru:və] *n* approbateur, -trice.

approximate [ə'prɔksimit] *a* approximatif, proche.

approximation [ə,prɔksi'meiʃən] *n* approximation *f*.

appurtenance [ə'pə:tinəns] *a* appartenance *f*; *pl* dépendances *f pl*, accessoires *m pl*.

apricot ['eiprikɔt] *n* abricot *m*; **— tree** abricotier *m*.

April ['eiprəl] *n* avril *m*; **to make an — fool of s.o.** donner un poisson d'avril à qn.

apron ['eiprən] *n* tablier *m*; **to be tied to one's mother's — strings** être pendu aux jupes de sa mère.

apt [æpt] *a* approprié, juste, porté (à **to**), sujet (à **to**), prompt d'esprit, doué, habile.

aptitude ['æptitju:d] *n* aptitude *f*, disposition *f*.

aptly ['æptli] *ad* (avec) à propos, habilement.

aptness ['æptnis] *n* justesse *f*, tendance *f*, propriété *f*.

aqualung ['ækwə'lʌŋ] *n* scaphandre *m*.

aqueduct ['ækwidʌkt] *n* aqueduc *m*.

aqueous ['eikwiəs] *a* aqueux.

aquiline ['ækwilain] *a* aquilin, d'aigle.
Arab ['ærəb] *n* Arabe *m*.
arable ['ærəbl] *a* arable.
arbitrage ['ɑːbitridʒ] *n* arbitrage *m*.
arbitrary ['ɑːbitrəri] *a* arbitraire.
arbitrate ['ɑːbitreit] *vti* arbitrer.
arbitration [.ɑːbi'treiʃən] *n* arbitrage *m*.
arbitrator ['ɑːbitreitə] *n* arbitre *m*.
arbour ['ɑːbə] *n* bosquet *m*, berceau *m* de verdure, tonnelle *f*.
arc [ɑːk] *n* arc *m*.
arcade [ɑː'keid] *n* arcade *f*.
arch [ɑːtʃ] *n* arche *f*, voûte *f*, cintre *m*; *vt* voûter, cintrer, arquer; *vi* former voûte; *a* espiègle, malicieux.
arch- ['ɑːtʃ] *a* maître, fieffé, archi-, consommé.
archaeologist [.ɑːki'ɔlədʒist] *n* archéologue *m*.
archaeology [.ɑːki'ɔlədʒi] *n* archéologie *f*.
archaic [ɑː'keiik] *a* archaïque.
archaism ['ɑːkeiizəm] *n* archaïsme *m*.
archangel ['ɑːk.eindʒəl] *n* archange *m*.
archbishop ['ɑːtʃ'biʃəp] *n* archevêque *m*.
archbishopric [ɑːtʃ'biʃəprik] *n* archevêché *m*.
archdeacon ['ɑːtʃ'diːkən] *n* archidiacre *m*.
archdeaconship [ɑːtʃ'diːkənʃip] *n* archidiaconat *m*.
archduchess ['ɑːtʃ'dʌtʃis] *n* archiduchesse *f*.
archduke ['ɑːtʃ'djuːk] *n* archiduc *m*.
arched [ɑːtʃt] *ad* en arc, voûté, arqué, cintré, busqué, cambré.
archer ['ɑːtʃə] *n* archer *m*.
archery ['ɑːtʃəri] *n* tir à l'arc *m*.
archetype ['ɑːkitaip] *n* archétype *m*.
archipelago [.ɑːki'peligou] *n* archipel *m*.
architect ['ɑːkitekt] *n* architecte *m*.
architecture ['ɑːkitektʃə] *n* architecture *f*.
archives ['ɑːkaivz] *n* archives *f pl*.
archivist ['ɑːkivist] *n* archiviste *mf*.
archness ['ɑːtʃnis] *m* malice *f*, espièglerie *f*.
archway ['ɑːtʃwei] *n* arcades *f pl*.
arctic ['ɑːktik] *a* arctique.
ardent ['ɑːdənt] *a* ardent, fervent.
ardently ['ɑːdəntli] *ad* ardemment, avec ardeur.
ardour ['ɑːdə] *a* ardeur *f*.
arduous ['ɑːdjuəs] *a* ardu, pénible, escarpé, énergique.
area ['ɛəriə] *n* aire *f*, cour en sous-sol *f*, surface *f*, étendue *f*, zone *f*.
arena [ə'riːnə] *n* arène *f*.
arguable ['ɑːgjuəbl] *a* soutenable, discutable.
argue ['ɑːgju] *vt* prouver, soutenir; *vi* argumenter, discuter, raisonner, se disputer.
argument ['ɑːgjumənt] *n* argument *m*, débat *m*, discussion *f*, argumentation *f*.
arid ['ærid] *a* aride.
aridity [æ'riditi] *n* aridité *f*.
aright [ə'rait] *ad* à juste titre, à bon droit.
arise [ə'raiz] *vi* se lever, s'élever, survenir, surgir, se présenter.
arisen [ə'rizen] *pp of* **arise**.
aristocracy [.æris'tɔkrəsi] *n* aristocratie *f*.
aristocrat ['æristəkræt] *n* aristocrate *mf*.
aristocratic [.æristə'krætik] *a* aristocratique, aristocrate.
arithmetic [ə'riθmətik] *n* arithmétique *f*.
ark [ɑːk] *n* coffre *m*, arche *f*.
arm [ɑːm] *n* bras *m*; arme *f*; *pl* armoiries *f pl*; **fore—** avant-bras *m*; **— in —** bras dessus bras dessous; **with open —s** à bras ouverts; **at —'s length** à longueur de bras; **fire—** arme à feu *f*; **to lay down one's —s** mettre bas les armes; *vt* armer.
armament ['ɑːməmənt] *n* armement *m*, artillerie *f*.
armature ['ɑːmətjuə] *n*. armature *f*.
armband ['ɑːm'bænd] *n* brassard *m*.
armchair ['ɑːm'tʃɛə] *n* fauteuil *m*.
armful ['ɑːmful] *n* brassée *f*.
armhole ['ɑːmhoul] *n* emmanchure *f*.
armistice ['ɑːmistis] *n* armistice *m*.
armlet ['ɑːmlit] *n* brassard *m*, bracelet *m*.
armour ['ɑːmə] *n* armure *f*, blindage *m*, les blindés *m pl*; **—clad** *a* cuirassé, blindé; **— plates** *n* (plaques de) blindage *f pl*.
armourer ['ɑːmərə] *n* armurier *m*.
armoury ['ɑːməri] *n* armurie *f*, arsenal *m*.
armpit ['ɑːmpit] *n* aisselle *f*.
army ['ɑːmi] *n* armée *f*.
aroma [ə'roumə] *n* arome *m*, bouquet *m*.
arose [ə'rouz] *pt of* **arise**.
around [ə'raund] *prep* autour de; *ad* à l'entour, à la ronde.
arouse [ə'rauz] *vt* soulever, exciter, éveiller.
arraign [ə'rein] *vt* mettre en accusation *f*, attaquer.
arraignment [ə'reinmənt] *n* mise en accusation *f*.
arrange [ə'reindʒ] *vt* ranger; *vi* (s')arranger (pour **to**).
arrangement [ə'reindʒmənt] *n* arrangement *m*, dispositions *f pl*.
arrant ['ærənt] *a* insigne, fieffé, pur.
array [ə'rei] *n* ordre *m*, cortège *m*, atours *m pl*; *vt* rassembler, disposer, parer.
arrear [ə'riə] *n* arrière *m*; *pl* arriéré *m*, arrérages *m pl*; **in —s** en retard, arriéré.
arrearage [ə'riəridʒ] *n* arrérages *m pl*.

arrest [ə'rest] *n* arrêt *m*, saisie *f*, arrestation *f*; *vt* arrêter, suspendre, captiver.
arrival [ə'raivəl] *n* arrivée *f*, arrivage *m*.
arrive [ə'raiv] *vi* arriver.
arrogance ['ærəgəns] *n* arrogance *f*.
arrogant ['ærəgənt] *a* arrogant, rogue.
arrogantly ['ærəgəntli] *ad* arrogamment.
arrogate ['ærəgeit] *vt* s'arroger, attribuer.
arrow ['ærou] *n* flèche *f*.
arson ['ɑ:sn] *n* incendie volontaire *m*.
art [ɑ:t] *n* art *m*, artifice *m*; **black —** magie noire *f*.
arterial [ɑ:'tiəriəl] *a* artériel.
artery ['ɑ:təri] *n* artère *f*.
artful ['ɑ:tful] *a* rusé, habile, malin.
artfulness ['ɑ:tfulnis] *n* ingéniosité *f*, art(ifice) *m*.
artichoke ['ɑ:titʃouk] *n* (*Jerusalem*) topinambour *m*; (*globe*) artichaut *m*.
article ['ɑ:tikl] *n* article *m*, objet *m*, pièce *f*; *vt* passer un contrat d'apprentissage à.
articulate [ɑ:'tikjuleit] *vti* articuler.
articulation [ɑ:,tikju'leiʃən] *n* articulation *f*.
artifice ['ɑ:tifis] *n* artifice *m*, habileté *f*, ruse *f*.
artificial [,ɑ:ti'fiʃəl] *a* artificiel, simili-, faux, factice.
artillery [ɑ:'tiləri] *n* artillerie *f*; **—man** artilleur *m*.
artisan [,ɑ:ti'zæn] *n* artisan *m*; ouvrier qualifié *m*.
artist ['ɑ:tist] *n* artiste *mf*.
artistic [ɑ:'tistik] *a* artistique, artiste.
artless ['ɑ:tlis] *a* sans art, naturel, ingénu, innocent.
Aryan ['ɛəriən] *an* aryen.
as [æz, əz] *ad* aussi, si, comme, en (qualité de); *cj* que, comme, tout . . . que, si . . . que, pendant que, puisque; **so good — to** assez bon pour; **— for, — to** quant à; **— from** à dater de, provenant de; **— though** comme si; **— it were** pour ainsi dire; **— yet** jusqu'ici.
asbestos [æs'bestɔs] *n* asbeste *m*.
ascend [ə'send] *vt* gravir; *vi* s'élever; *vti* (re)monter.
ascendancy [ə'sendənsi] *n* ascendant *m*, suprématie *f*.
ascension [ə'senʃən] *n* ascension *f*.
ascent [ə'sent] *n* escalade *f*, montée *f*, ascension *f*.
ascertain [,æsə'tein] *vt* constater, s'assurer, savoir.
ascetic [ə'setik] *an* ascétique *mf*.
asceticism [ə'setisizəm] *n* ascétisme *m*.
ascribe [əs'kraib] *vt* attribuer, imputer.
asepsis [æ'sepsis] *n* asepsie *f*.
aseptic [æ'septik] *a* aseptique.
ash [æʃ] *n* frêne *m*; cendre *f*; **—bin** *n* boîte *f* à ordures; **—tray** *n* cendrier *m*.
ashamed [ə'ʃeimd] *a* honteux; **to be —** avoir honte.
ashen ['æʃn] *a* en bois de frène, en cendres, cendré; **—faced** blême.
ashore [ə'ʃɔ:] *ad* à terre, à la côte; **to go —** débarquer; **to run —** s'échouer.
aside [ə'said] *n* aparté *m*; *ad* de côté, à part, à l'écart.
ask [ɑ:sk] *vti* demander; *vt* inviter, (*question*) poser; **to — for** chercher, demander; **to — about** se renseigner sur; **to — after** s'informer de; **for the asking** sur demande, pour rien.
askance [əs'kæns] *ad* de travers, avec méfiance.
askew [əs'kju:] *ad* obliquement, de biais, de travers.
aslant [ə'slɑ:nt] *ad* obliquement, de biais.
asleep [ə'sli:p] *a* endormi; **to be —** dormir.
asp [æsp] *n* tremble *m*, aspic *m*.
asparagus [əs'pærəgəs] *n* asperge *f*.
aspect ['æspekt] *n* aspect *m*, mine *f*, exposition *f*.
aspen ['æspən] *n* tremble *m*.
asperity [æs'periti] *n* rudesse *f*, aspérité *f*.
asperse [əs'pə:s] *vt* calomnier, éclabousser.
aspersion [əs'pə:ʃən] *n* aspersion *f*, calomnie *f*.
asphalt ['æsfælt] *n* asphalte *m*.
asphyxia [æs'fiksiə] *n* asphyxie *f*.
asphyxiate [æs'fiksieit] *vt* asphyxier.
aspirate ['æspərit] *vt* aspirer.
aspiration [,æspə'reiʃən] *n* aspiration.
aspire [əs'paiə] *vi* aspirer.
aspirin ['æspərin] *n* aspirine *f*.
aspiring [əs'paiəriŋ] *a* ambitieux, qui aspire (à **to**).
ass [æs] *n* âne; **she —** ânesse *f*; **young —** ânon *m*; **to behave like an —** faire l'âne, le sot, l'idiot.
assail [ə'seil] *vt* assaillir.
assailable [ə'seiləbl] *a* attaquable.
assailant [ə'seilənt] *n* assaillant *m*.
assassin [ə'sæsin] *n* assassin *m*.
assassinate [ə'sæsineit] *vt* assassiner.
assassination [ə,sæsi'neiʃən] *n* assassinat *m*.
assault [ə'sɔ:lt] *n* assaut *m*, agression *f*, attentat *m*; **by —** d'assaut; *vt* attaquer, donner l'assaut à, attenter (à la pudeur).
assay [ə'sei] *n* essai *m*; *vt* essayer, titrer.
assegai ['æsigai] *n* sagaie *f*.
assemblage [ə'semblidʒ] *n* assemblage *m*, réunion *f*.
assemble [ə'sembl] *vt* assembler; *vi* s'assembler, se rassembler.
assembly [ə'sembli] *n* assemblée *f*, rassemblement *m*.
assent [ə'sent] *n* assentiment *m*,

consentement *m*; *vi* consentir, déférer (à **to**), convenir (de **to**).
assert [ə'sə:t] *vt* revendiquer, affirmer, faire valoir.
assertion [ə'sə:ʃən] *n* revendication *f*, affirmation *f*.
assertive [ə'sə:tiv] *a* péremptoire, autoritaire.
assertiveness [ə'sə:tivnis] *n* ton péremptoire *m*.
assess [ə'ses] *vt* imposer, taxer, évaluer, estimer.
assessable [ə'sesəbl] *a* imposable, évaluable.
assessment[ə'sesmənt]*n* répartition *f*, évaluation *f*, taxation *f*, imposition *f*.
assessor [ə'sesə] *n* répartiteur *m*, assesseur *m*, contrôleur *m*.
assets ['æsets] *n* actif *m*, biens *m pl*.
asseverate [ə'sevəreit] *vt* attester, affirmer.
asseveration [ə,sevə'reiʃən] *n* attestation *f*.
assiduity [,æsi'dju(:)iti] *n* assiduité *f*.
assiduous [ə'sidjuəs] *a* assidu.
assign [ə'sain] *vt* assigner, attribuer, fixer, transférer.
assignation [,æsig'neiʃən] *n* assignation *f*, transfert *m*, rendez-vous *m*, attribution *f*.
assignment [ə'sainmənt] *n* assignation *f*, attribution *f*, allocation *f*.
assimilable [ə'similəbl] *a* assimilable.
assimilate [ə'simileit] *vt* assimiler.
assimilation [ə,simi'leiʃən] *n* assimilation *f*.
assist [ə'sist] *vt* assister, aider; *vi* assister (à **at**).
assistance [ə'sistəns] *n* assistance *f*, aide *f*.
assistant [ə'sistənt] *a* adjoint, sous-; *n* aide *mf*, assistant(e) *mf*, adjoint(e) *mf*, employé(e) *mf*.
assize [ə'saiz] *n* assises *f pl*.
associate [ə'souʃiit] *an* associé *m*, camarade *mf*.
associate [a'souʃieit] *vt* associer, mettre en contact; *vi* fréquenter, frayer (avec **with**) s'associer, s'allier (à **with**).
association [ə,sousi'eiʃən] *n* association *f*, fréquentation *f*, société *f*, amicale *f*.
assort [ə'sɔ:t] *vt* classer, assortir; *vi* s'associer.
assortment [ə'sɔ:tmənt] *n* assortiment *m*, classement *m*.
assuage [ə'sweidʒ] *vt* apaiser.
assuagement [ə'sweidʒmənt] *n* apaisement *m*.
assume [ə'sju:m] *vt* prendre, assumer, affecter, présumer.
assuming [ə'sju:miŋ] *a* arrogant, prétentieux; *cj* en admettant que.
assumption [ə'sʌmpʃən] *n* hypothèse *f*, arrogance *f*, Assomption *f*; — **of office** entrée en fonctions *f*.
assurance [ə'ʃuərans] *n* assurance *f*.
assure [ə'ʃuə] *vt* assurer.
assuredly [ə'ʃuəridli] *ad* assurément.
asterisk ['æstərisk] *n* astérisque *m*.
astern [əs'tə:n] *ad* (*naut*) à l'arrière, derrière.
asthma ['æsmə] *n* asthme *m*.
astir [ə'stə:] *ad* en mouvement, en émoi, levé, debout.
astonish [əs'tɔniʃ] *vt* étonner.
astonishing [əs'tɔniʃiŋ] *a* étonnant.
astonishingly [əs'tɔniʃiŋli] *ad* étonnamment.
astonishment [əs'tɔniʃmənt] *n* étonnement *m*.
astound [əs'taund] *vt* stupéfier, abasourdir.
astraddle [ə'strædl] *ad* à califourchon, à cheval.
astray [əs'trei] *a* égaré; *ad* hors du droit chemin; **to go** — s'égarer, faire fausse route, se dévoyer; **to lead** — égarer, dévoyer.
astride [əs'traid] *ad* à califourchon, à cheval.
astrologer [əs'trɔledʒə] *n* astrologue *m*.
astrology [əs'trɔledʒi] *n* astrologie *f*.
astronaut ['æstrənɔ:t] *n* astronaute *m*.
astronautics [,æstrə'nɔ:tiks] *n* astronautique *f*.
astronomer [əs'trɔnəmə] *n* astronome *m*.
astronomy [əs'trɔnəmi] *n* astronomie *f*.
astute [əs'tju:t] *a* sagace, astucieux, fin.
astuteness [əs'tju:tnis] *n* finesse *f*, astuce *f*.
asunder [ə'sʌndə] *ad* à part, en pièces, en deux.
asylum [ə'sailəm] *n* asile *m*.
at [æt] *prep* à, chez *etc*; — **one** d'accord; — **that** et de plus, tel quel; — **hand** sous la main; — **all events** en tout cas; **to be** — **s.o.** s'en prendre à qn.
ate [et] *pt of* **eat**.
atheism ['eiθiizəm] *n* athéisme *m*.
atheist ['eiθiist] *n* athée *mf*.
athlete ['æθli:t] *n* athlète *m*.
athletic [æθ'letik] *a* athlétique, sportif, bien taillé.
athleticism [æθ'letisizəm] *n* athlétisme *m*.
athletics [æθ'letiks] *n pl* sports *m pl*, culture physique *f*.
at-home [ət'houm] *n* réception *f*, jour *m*.
athwart [ə'θwɔ:t] *prep* en travers de; *ad* en travers, par le travers.
atmosphere ['ætməsfiə] *n* atmosphère *f*, ambiance *f*.
atmospheric [,ætməs'ferik] *a* atmosphérique; *n pl* parasites *m pl*, fritures *f pl*, perturbations *f pl*.
atom ['ætəm] *n* atome *m*.
atomic [ə'tɔmik] *a* atomique.
atomize ['ætəmaiz] *vt* vaporiser, pulvériser.
atone [ə'toun] *vti* expier.

atonement [ə'tounmənt] *n* expiation *f*, réparation *f*.
atrocious [ə'trouʃəs] *a* atroce, exécrable, affreux.
atrocity [ə'trɔsiti] **atrociousness** [ə'trouʃəsnis] *n* atrocité *f*.
attach [ə'tætʃ] *vt* attacher, fixer, lier, saisir.
attaché [ə'tæʃei] *n* attaché *m*; **— case** serviette *f*, mallette *f*, porte-documents *m*.
attachment [ə'tætʃmənt] *n* attachement *m*, attache *f*, saisie *f*.
attack [ə'tæk] *n* attaque *f*, assaut *m*, accès *m*, crise *f*; *vt* attaquer, s'attaquer à.
attain [ə'tein] *vt* atteindre.
attainable [ə'teinəbl] *a* accessible, à portée.
attainder [ə'teində] *n* mort civile *f*.
attainment [ə'teinmənt] *n* réalisation *f*, arrivée *f*; *pl* talents *m pl*, succès *m pl*, connaissances *f pl*.
attempt [ə'tempt] *n* tentative *f*, coup de main *m*, essai *m*, attentat *m*; *vt* tenter, essayer, attaquer.
attend [ə'tend] *vt* s'occuper de, soigner, assister à; *vi* faire attention; **to — to** se charger de, s'occuper de.
attendance [ə'tendəns] *n* présence *f*, service *m*, assistance *f*.
attendant [ə'tendənt] *n* employé(e) *mf*, appariteur *m*, gardien, -ienne, ouvreuse *f*; *a* présent, qui sui(ven)t.
attention [ə'tenʃən] *n* attention *f*, garde-à-vous *m*.
attentive [ə'tentiv] *a* attentif, plein d'attentions, prévenant, soucieux.
attenuate [ə'tenjueit] *vt* atténuer.
attenuation [ə,tenju'eiʃən] *n* atténuation *f*.
attest [ə'test] *vt* attester, déférer le serment à.
attestation [,ætes'teiʃən] *n* attestation *f*, déposition *f*.
attic ['ætik] *n* mansarde *f*, grenier *m*, combles *m pl*.
attire [ə'taiə] *n* habit *m*, atours *m pl*, costume *m*; *vt* habiller, parer.
attitude ['ætitju:d] *n* attitude *f*, pose *f*.
attorney [ə'tə:ni] *n* fondé de pouvois *m*, procureur (général) *m*, avoué *m*; **power of —** procuration *f*.
attract [ə'trækt] *vt* attirer.
attraction [ə'trækʃən] *n* attraction *f*, séduction *f*.
attractive [ə'træktiv] *a* attrayant, séduisant.
attractiveness [ə'træktivnis] *n* attrait *m*, charme *m*.
attribute ['ætribju:t] *n* attribut *m*, apanage *m*, qualité *f*.
attribute [ə'tribju:t] *vt* attribuer, prêter.
attribution [,ætri'bju:ʃən] *n* attribution *f*.
attrition [ə'triʃən] *n* attrition *f*, usure *f*.
attune [ə'tju:n] *vt* accorder.
auburn ['ɔ:bən] *a* châtain, auburn (*no f*).
auction ['ɔ:kʃən] *n* vente aux enchères *f*; *vt* mettre aux enchères.
auctioneer [,ɔ:kʃə'niə] *n* commissaire-priseur *m*, crieur *m*.
audacious [ɔ:'deiʃəs] *a* audacieux, hardi.
audacity [ɔ:'dæsiti] *n* audace *f*.
audible ['ɔ:dəbl] *a* qui s'entend, intelligible, perceptible.
audibly ['ɔ:dəbli] *ad* distinctement.
audience ['ɔ:djəns] *n* audience *f*, auditoire *m*, assistance *f*.
audio-visual ['ɔ:diou'vizjuəl] *a* audio-visuel.
audit ['ɔ:dit] *n* apurement de comptes *m*; *vt* apurer, vérifier.
audition [ɔ:'diʃən] *n* ouïe *f*, audition *f*, séance *f*.
auditor ['ɔ:ditə] *n* expert-comptable *m*.
auger ['ɔ:gə] *n* tarière *f*.
aught [ɔ:t] *n* **for — I know** autant que je sache.
augment [ɔ:g'ment] *vti* augmenter.
augmentation [,ɔ:gmen'teiʃən] *n* augmentation *f*.
augur ['ɔ:gə] *n* augure *m*; *vti* augurer.
augury ['ɔ:gjuri] *n* augure *m*, présage *m*.
August ['ɔ:gəst] *n* août *m*.
august [ɔ:'gʌst] *a* auguste.
aunt [ɑ:nt] *n* tante *f*.
aurora [ɔ:'rɔ:rə] *n* aurore *f*, aube *f*.
auspices ['ɔ:spisiz] *n pl* auspices *m pl*.
auspicious [ɔ:s'piʃəs] *a* favorable, propice.
austere [ɔs'tiə] *a* austere, âpre.
austerity [ɔs'teriti] *n* austérité *f*.
Australia [ɔs'treiljə] *n* Australie *f*.
Austria ['ɔstriə] *n* Autriche *f*.
Austrian ['ɔstriən] *a* autrichien.
authentic [ɔ:'θentik] *a* authentique.
authenticate [ɔ:'θentikeit] *vt* authentiquer, certifier, légaliser.
authenticity [,ɔ:θen'tisiti] *n* authenticité *f*.
author ['ɔ:θə] *n* auteur *m*.
authoritative [ɔ:'θɔritətiv] *a* qui fait autorité, autorisé, péremptoire, autoritaire.
authority [ɔ:'θɔriti] *n* autorité *f*, mandat *m*.
authorization [,ɔ:θərai'zeiʃən] *n* autorisation *f*, mandat *m*.
authorize ['ɔ:θəraiz] *vt* autoriser.
authorship ['ɔ:θəʃip] *n* paternité *f*.
autocracy [ɔ:'tɔkrəsi] *n* autocratie *f*.
autocrat ['ɔ:təkræt] *n* autocrate *m*.
autograph ['ɔ:təgrɑ:f] *n* autographe *m*; *vt* signer, autographier.
automatic [,ɔ:tə'mætik] *a* automatique, machinal.
automation [,ɔ:tə'meiʃən] *n* automatisation *f*.
automaton [ɔ:'tɔmətən] *n* automate *m*.

automobile ['ɔːtəməbiːl] *n* (*especially US*) automobile *f*.
autonomous [ɔː'tɔnəməs] *a* autonome.
autonomy [ɔː'tɔnəmi] *n* autonomie *f*.
autumn ['ɔːtəm] *n* automne *m*.
autumnal [ɔː'tʌmnəl] *a* automnal, d'automne.
auxiliary [ɔːg'ziljəri] *an* auxiliaire *mf*.
avail [ə'veil] *n* utilité *f*; **without —** sans effet; *vti* servir à, être utile à; **to — oneself of** profiter de.
available [ə'veiləbl] *a* utile, accessible, disponible, existant, valable.
avarice ['ævəris] *n* cupidité *f*.
avaricious [ˌævə'riʃəs] *a* cupide, avaricieux, avare.
avenge [ə'vendʒ] *vt* venger.
avenger [ə'vendʒə] *n* vengeur, -eresse.
avenue ['ævinjuː] *n* avenue *f*.
aver [ə'vəː] *vt* affirmer.
average ['ævəridʒ] *n* moyenne *f*; *a* moyen, courant; *vt* compter (faire) en moyenne, établir la moyenne de.
averse [ə'vəːs] *a* opposé, hostile (à **to**).
aversion [ə'vəːʃən] *n* aversion *f*; **pet —** bête *f* noire.
avert [ə'vəːt] *vt* détourner, écarter, prévenir.
aviary ['eivjəri] *n* volière *f*.
aviation [ˌeivi'eiʃən] *n* aviation *f*.
aviator ['eivieitə] *n* aviateur, -trice.
avid ['ævid] *a* avide.
avidity [ə'viditi] *n* avidité *f*.
avocation [ˌævou'keiʃən] *n* vocation *f*, métier *m*.
avoid [ə'vɔid] *vt* éviter.
avoidable [ə'vɔidəbl] *a* évitable.
avoirdupois [ˌævədə'pɔiz] *n* système *m* des poids et mesures.
avow [ə'vau] *vt* avouer.
avowal [ə'vauəl] *n* aveu *m*.
avowedly [ə'vauidli] *ad* franchement.
await [ə'weit] *vt* attendre.
awake [ə'weik] *vi* s'éveiller, se réveiller; *vt* éveiller, réveiller; *a* éveillé, vigilant, averti, informé (de **to**).
awakening [ə'weikniŋ] *n* (r)éveil *m*.
award [ə'wɔːd] *n* jugement *m*, attribution *f*; *vt* adjuger, accorder, décerner.
aware [ə'wɛə] *a* instruit (de **of**), informé (de **of**); **to be — of** savoir, avoir conscience de.
awash [ə'wɔʃ] *a* baigné, lavé, inondé, à fleur d'eau.
away [ə'wei] *ad* à distance, au loin; **go —!** sortez!; **out and —** de loin, sans arrêter; **to make — with** détruire, enlever; **far and —** de beaucoup; **right —** sur-le-champ, tout de suite.
awe [ɔː] *n* stupeur sacrée *f*, respect craintif *m*, effroi *m*, terreur *f*; **—-stricken, —-struck** frappé de terreur, intimidé.
awful ['ɔːful] *a* terrible, affreux solennel.
awfully ['ɔːfuli] *ad* terriblement, infiniment; **thanks —** merci mille fois.
awhile [ə'wail] *ad* un moment.
awkward ['ɔːkwəd] *a* gauche, gêné, embarrassant, peu commode.
awkwardness ['ɔːkwədnis] *n* gaucherie *f*, embarras *m*, inconvénient *m*, gêne *f*.
awl [ɔːl] *n* alène *f*.
awn [ɔːn] *n* barbe *f*.
awning ['ɔːniŋ] *n* marquise *f*, tente *f*, bâche *f*, abri *m*.
awoke [ə'wouk] *pt of* **awake**.
awry [ə'rai] *a* tortueux, pervers; *ad* de travers.
axe [æks] *n* hache *f*; *vt* porter la hache dans; **to have an — to grind** avoir un intérêt au jeu.
axiom ['æksiəm] *n* axiome *m*.
axis ['æksis] *n* axe *m*.
axle ['æksl] *n* essieu *m*.
ay(e) [ai] *n* oui; [ei] *ad* toujours.
azure ['eiʒə] *n* azur *m*; *a* d'azur, azure.

B

babble ['bæbl] *n* babil *m*; *vi* babiller.
baboon [bə'buːn] *n* babouin *m*, cynocéphale *m*.
baby ['beibi] *n* bébé *m*; (*US*) **— carriage** voiture *f* d'enfant.
babyhood ['beibihud] *n* enfance *f*, bas âge *m*.
babyish ['beibiiʃ] *a* enfantin, puéril.
bachelor ['bætʃələ] *n* célibataire *m*, garçon *m*, bachelier, -ière.
bachelorhood ['bætʃələhud] *n* célibat *m*.
back [bæk] *n* dos *m*, arrière *m*, dossier *m*, envers *m*, verso *m*, fond *m*; *vt* (faire) reculer, appuyer, parier pour, endosser; *vi* reculer, faire marche arrière; **to — down** descendre à reculons, en rabattre; **to — out** sortir à reculons, se dégonfler, s'excuser; *a* arrière, de derrière; *ad* en arrière, à l'arrière, dans le sens contraire, de retour; **there and —** aller et retour.
backbite ['bækbait] *vt* médire de.
backbiter ['bækˌbaitə] *n* mauvaise langue *f*.
backbiting ['bækbaitiŋ] *n* médisance *f*.
backbone ['bækboun] *n* épine dorsale *f*; **to the —** jusqu'à la moelle des os.
backdate ['bæk'deit] *vt* antidater.
backdoor ['bæk'dɔː] *n* porte de service *f*, porte basse *f*; *a* souterrain.
backfiring ['bæk'faiəriŋ] *n* retour de flamme *m*, (*aut*) pétarade *f*.
backgammon [bæk'gæmən] *n* trictrac *m*.

background ['bækgraund] *n* arrière-plan *m*, fond *m*.
backing ['bækiŋ] *n* recul *m*, appui *m*, soutien *m*.
back-marker ['bæk'mɑːkə] *n* scratch *m*.
backsliding ['bæk'slaidiŋ] *n* rechute *f*.
backstairs ['bæk'stɛəz] *n* escalier de service *m*.
backward ['bækwəd] *a* rétrograde, arriéré, en retard, en arrière.
backwardness ['bækwədnis] *n* lenteur *f*, retard *m*, état *m* arriéré.
backwards ['bækwədz] *ad* à reculons, à la renverse, à rebours, en arrière.
bacon ['beikən] *n* lard *m*, bacon *m*.
bad [bæd] *n* mauvais *m*, ruine *f*; *a* mauvais, méchant, malade, fort, gros.
bade [beid] *pt of* **bid.**
badge [bædʒ] *n* (in)signe *m*.
badger ['bædʒə] *n* blaireau *m*.
badly ['bædli] *ad* mal, gravement; — **off** gêné.
badness ['bædnis] *n* méchanceté *f*, pauvreté *f*, maladie *f*.
baffle ['bæfl] *vt* déjouer, contrecarrer, défier.
bag [bæg] *n* sac *m*, gibecière *f*, tableau *m*, (*cows*) pis *m*, (*eyes*) poche *f*; *pl* pantalon *m*; *vt* mettre en sac, empocher, chiper, prendre; *vi* bouffer, s'enfler.
bagful ['bægful] *n* sac *m*, sachée *f*.
baggage ['bægidʒ] *n* bagage *m*; donzelle *f*.
baggy ['bægi] *a* bouffant.
bagpipe ['bægpaip] *n* cornemuse *f*, biniou *m*.
bail [beil] *n* caution *f*; batflanc *m*, anse *f*; *vt* se porter (donner) caution pour, vider, écoper.
bailiff ['beilif] *n* bailli *m*, huissier *m*, régisseur *m*.
bait [beit] *n* amorce *f*; *vt* amorcer, tourmenter.
baize [beiz] *n* serge *f*.
bake [beik] *vt* (faire) cuire au four, rissoler; *vi* cuire, se rôtir.
bakehouse ['beikhaus] *n* fournil *m*.
baker ['beikə] *n* boulanger, -ère.
baker's (shop) ['beikəz] *n* boulangerie *f*.
baking ['beikiŋ] *n* cuisson *m*; — **powder** levure *f*, poudre *f* à lever.
balance ['bæləns] *n* équilibre *m*, balance *f*, bilan *m*; — **in hand** avoir; — **due** manque; *vt* peser, équilibrer, balancer; *vi* osciller, s'équilibrer, se faire contre-poids.
balance-sheet ['bælənsʃiːt] *n* bilan *m*.
balance-wheel ['bælənswiːl] *n* balancier *m*.
balcony ['bælkəni] *n* balcon *m*.
bald [bɔːld] *a* chauve, pelé, dégarni.
balderdash ['bɔːldədæʃ] *n* balivernes *f pl*.
baldness ['bɔːldnis] *n* calvitie *f*.
bale [beil] *n* ballot *m*, paquet *m*, malheur *m*.
baleful ['beilful] *a* funeste.
ba(u)lk [bɔːk] *n* obstacle *m*, poutre *f*; *vt* contrecarrer, contrarier, esquiver; *vi* se dérober, reculer (devant **at**).
ball [bɔːl] *n* bal *m*, boule *f*, bille *f*, ballon *m*, balle *f*, boulet *m*, peloton *m*.
ballade [bæ'lɑːd] *n* ballade *f*.
ballast ['bæləst] *n* lest *m*, ballast *m*; *vt* lester, empierrer.
ball-bearing ['bɔːl'bɛəriŋ] *n* roulement à billes *m*.
balloon [bə'luːn] *n* ballon *m*.
ballot ['bælət] *n* boule *f*, scrutin *m*, bulletin *m*; (*US*) vote à main levée *m*; *vt* voter; *vti* tirer au sort.
ballot-box ['bælətbɔks] *n* urne *f*.
balm [bɑːm] *n* baume *m*.
balmy ['bɑːmi] *a* embaumé, toqué.
baluster ['bæləstə] *n* rampe *f*, balustre *m*.
balustrade [ˌbæləs'treid] *n* balustrade *f*.
bamboo [bæm'buː] *n* bambou *m*.
bamboozle [bæm'buːzl] *vt* mystifier, filouter.
bamboozlement [bæm'buːzlmənt] *n* mystification *f*.
ban [bæn] *n* ban *m*, interdit *m*, mise hors la loi *f*, malédiction *f*; *vt* mettre au ban, interdire, mettre à l'index.
banana [bə'nɑːnə] *n* banane *f*.
band [bænd] *n* bande *f*, musique *f*, orchestre *m*; *vt* bander; *vi* **to — together** s'associer, se bander.
bandage ['bændidʒ] *n* bandage *m*, bandeau *m*.
bandbox ['bændbɔks] *n* carton à chapeaux *m*.
bandmaster ['bændˌmɑːstə] *n* chef *m* de musique.
bandstand ['bændstænd] *n* kiosque *m*, estrade *f*.
bandy ['bændi] *vt* échanger; *a* bancal, arqué.
bane [bein] *n* poison *m*, ruine *f*.
baneful ['beinful] *a* empoisonné, ruineux, funeste.
bang [bæŋ] *n* coup sonore *m*, claquement *m*, détonation *f*; *vti* claquer, frapper; *excl* pan! v'lan!
bangle ['bæŋgl] *n* anneau *m*, bracelet *m*.
banish ['bæniʃ] *vt* bannir, proscrire, exiler.
banishment ['bæniʃmənt] *n* bannissement *m*, exil *m*.
banister ['bænistə] *n* rampe *f*.
bank [bæŋk] *n* rive *f*, berge *f*, bord *m*, banque *f*, talus *m*, banc *m*; *vt* endiguer, relever, mettre en banque; *vi* virer, miser (sur **on**).
banker ['bæŋkə] *n* banquier *m*.
banknote ['bæŋknout] *n* billet de banque *m*.
bankrupt ['bæŋkrəpt] *n* banque-

routier, -ière, failli(e) *m*; *vt* réduire à la faillite.
bankruptcy ['bæŋkrəptsi] *n* banqueroute *f*, faillite *f*.
banner ['bænə] *n* bannière *f*, étandard *m*.
banns [bænz] *n* bans *m pl*.
banquet ['bæŋkwit] *n* banquet *m*; *vt* traiter; *vi* banqueter.
banter ['bæntə] *n* plaisanterie *f*; *vti* plaisanter.
baptism ['bæptizəm] *n* baptême *m*.
baptismal [bæp'tizməl] *a* baptismal, de baptême.
baptize [bæp'taiz] *vt* baptiser.
bar [bɑː] *n* barre *f*, bar *m*, comptoir *m*, barrière *f*, (*law*) barreau *m*; *vt* barrer, exclure; *prep* moins, sauf.
barb [bɑːb] *n* barbe *f*, pointe *f*.
barbarian [bɑː'bɛəriən] *an* barbare *mf*.
barbarism ['bɑːbərizəm] *n* barbarie *f*.
barbarous ['bɑːbərəs] *a* cruel, grossier.
barbed [bɑːbd] *a* barbelé, acéré.
barbed-wire ['bɑːbd'waiə] *n* fil de fer barbelé *m*.
barber ['bɑːbə] *n* barbier *m*, coiffeur *m*.
bard [bɑːd] *n* barde *f*.
bare [bɛə] *a* nu, vide, seul, simple; *vt* mettre à nu, dégainer, dépouiller.
bareback ['bɛəbæk] *ad* à cru.
barefaced ['bɛəfeist] *a* impudent, cynique, effronté.
barefooted ['bɛə'futid] *a* nu-pieds.
bareheaded ['bɛə'hedid] *a* nu-tête, découvert.
barely ['bɛəli] *ad* à peine, tout juste.
bareness ['bɛənis] *n* nudité *f*, dénuement *m*.
bargain ['bɑːgin] *n* marché *m*, occasion *f*; **into the —** par dessus le marché; *vi* traiter, négocier; **to — over, with** marchander.
barge [bɑːdʒ] *n* chaland *m*, barque *f*, péniche *f*.
bargee [bɑː'dʒiː] *n* batelier *m*.
baritone ['bæritoun] *n* (*mus*) baryton *m*.
bark [bɑːk] *n* écorce *f*, aboiement *m*, trois-mâts *m*; *vt* écorcer, écorcher; *vi* aboyer.
barley ['bɑːli] *n* orge *m*.
barm [bɑːm] *n* levure *f*.
barmaid ['bɑːmeid] *n* serveuse *f*.
barman ['bɑːmən] *n* garçon *m* de comptoir, barman *m*.
barn [bɑːn] *n* grange *f*; (*US*) écurie *f*, étable *f*, hangar *m*.
barometer [bə'rɔmitə] *n* baromètre *m*.
baron ['bærən] *n* baron *m*.
baroness ['bærənis] *n* baronne *f*.
baronet ['bærənit] *n* baronnet *m*.
baronetcy ['bærənitsi] *n* baronnie *f*.
barrack(s) ['bærəks] *n* caserne *f*, baraque *f*.
barrage ['bærɑːʒ] *n* barrage *m*.
barrel ['bærəl] *n* baril *m*, barrique *f*, canon de fusil *m*, barillet *m*; **double-barrelled** à deux coups.
barren ['bærən] *a* stérile, aride.
barrenness ['bærənnis] *n* stérilité *f*, aridité.
barricade [ˌbæri'keid] *n* barricade *f*; *vt* barricader.
barrier ['bæriə] *n* barrière *f*; **sound —** mur *m* du son.
barring ['bɑːriŋ] *prep* excepté.
barrister ['bæristə] *n* avocat *m*.
barrow ['bærou] *n* brouette *f*, charrette *f* à bras.
bartender ['bɑːtendə] *n* (*US*) barman *m*.
barter ['bɑːtə] *n* troc *m*, échange *m*; *vt* troquer.
base [beis] *n* base *f*; *vt* baser, fonder; *a* bas, vil.
baseless ['beislis] *a* sans fondement, sans base.
basement ['beismənt] *n* soubassement *m*, sous-sol *m*.
baseness ['beisnis] *n* bassesse *f*.
bash [bæʃ] *vt* cogner; **to — in** enfoncer.
bashful ['bæʃful] *a* timide.
bashfulness ['bæʃfulnis] *n* timidité *f*, fausse honte *f*.
basic ['beisik] *a* fondamental, de base.
basin ['beisn] *n* cuvette *f*, bassine *f*, bassin *m*, jatte *f*.
basis ['beisis] *n see* **base.**
bask [bɑːsk] *vi* se chauffer.
basket ['bɑːskit] *n* panier *m*, corbeille *f*; éventaire *m*; *vt* mettre dans un (au) panier.
bass [beis] *n* basse *f*, bar *m*; *a* de basse, grave.
bastard ['bæstəd] *an* bâtard(e) *mf*.
bastardy ['bæstədi] *n* bâtardise *f*.
baste [beist] *vt* faufiler, bâtir, arroser, rosser.
bat [bæt] *n* chauve-souris *f*, crosse *f*.
batch [bætʃ] *n* tournée *f*; tas *m*.
bath [bɑːθ] *n* bain *m*, baignoire *f*.
bathe [beið] *vt* baigner; *vi* se baigner.
bather ['beiðə] *n* baigneur, -euse.
bathos ['beiθɔs] *n* chute *f*, dégringolade *f*.
bathroom ['bɑːθrum] *n* salle de bain *f*.
batman ['bætmən] *n* ordonnance *f*, brosseur *m*.
battalion [bə'tæljən] *n* bataillon *m*.
batten ['bætn] *vi* s'empiffrer, s'engraisser, se repaître.
batter ['bætə] *n* pâte *f*; *vt* battre, malmener, cabosser.
battering-ram ['bætəriŋræm] *n* bélier *m*.
battery ['bætəri] *n* batterie *f*, pile *f*, voies de fait *f pl*.
battle ['bætl] *n* bataille *f*; *vi* se battre, lutter.
battle-axe ['bætlæks] *n* hache *f* d'armes.
battledore ['bætldɔː] *n* raquette *f*.

battlement ['bætlmənt] *n* créneau *m*.
battleship ['bætlʃip] *n* cuirassé *m*.
bauble ['bɔːbl] *n* babiole *f*, (*fool's*) marotte *f*.
bawdiness ['bɔːdinis] *n* obscénité *f*.
bawdy ['bɔːdi] *a* obscène.
bawl [bɔːl] *vi* vociférer, gueuler, brailler; *vt* — **out** (*US*) engueuler.
bay [bei] *n* laurier *m*, baie *f*; entre-deux *m*; aboiement *m*, abois *m pl*; *vi* aboyer, hurler; *a* bai, en saillie.
bayonet ['beiənit] *n* baïonnette *f*; *vt* embrocher.
bazaar [bə'zɑː] *n* bazar *m*.
be [biː] *vi* être, exister, avoir, aller, faire (froid *etc*).
beach [biːtʃ] *n* plage *f*, grève *f*; *vt* atterrir, échouer.
beacon ['biːkən] *n* balise *f*, feu *m*, poteau *m*.
bead [biːd] *n* grain *m*, perle *f*, bulle *f*; *pl* chapelet *m*.
beadle ['biːdl] *n* bedeau *m*, appariteur *m*.
beak [biːk] *n* bec *m*, éperon *m*, magistrat *m*.
beaker ['biːkə] *n* coupe *f*.
beam [biːm] *n* poutre *f*, fléau *m*, rayon *m*; *vi* rayonner.
bean [biːn] *n* haricot *m*; **broad** — fève *f*; **french** — haricot vert *m*.
bear ['bɛə] *n* ours *m*; baissier *m*; *vi* jouer à la baisse; *vt* (em-, rem-, sup-, se com-)porter, souffrir, endurer, mettre au jour; **to** — **out** confirmer.
bearable ['bɛərəbl] *a* supportable.
beard [biəd] *n* barbe *f*; *vt* défier, narguer.
bearded ['biədid] *a* barbu.
beardless ['biədlis] *a* imberbe, sans barbe.
bearer ['bɛərə] *n* porteur, -euse.
bearing ['bɛəriŋ] *n* conduite *f*; rapport *m*, aspect *m*, maintien *m*, port *m*, position *f*.
beast [biːst] *n* bête *f*, bétail *m*, brute *f*, porc *m*.
beastliness ['biːstlinis] *n* gloutonnerie *f*, bestialité *f*.
beastly ['biːstli] *a* bestial, répugnant; *ad* terriblement.
beat [biːt] *n* coup de baguette *m*, cadence *f*; battement *m*, ronde *f*, tournée *f*; (*mus*) mesure *f*; *vti* battre; **to** — **about the bush** tourner autour du pot; **to** — **one's brains** se creuser la cervelle.
beaten ['biːtn] *a* (re)battu.
beater ['biːtə] *n* rabatteur *m*, battoir *m*, fléau *m*.
beatification [bi(ː)ˌætifi'keiʃən] *n* béatification *f*.
beatify [bi(ː)'ætifai] *vt* béatifier.
beatitude [bi(ː)'ætitjuːd] *n* béatitude *f*.
beau [bou] *n* dandy *m*.
beautiful ['bjuːtəful] *a* beau, (*before vowels*) bel, belle.
beauty ['bjuːti] *n* beauté *f*; — **spot** *n* mouche *f*, site *m*.
beaver ['biːvə] *n* castor *m*.
becalm [bi'kɑːm] *vt* déventer.
became [bi'keim] *pt of* **become**.
because [bi'kɔz] *cj* parce que; *prep* — **of** à cause de.
beck [bek] *n* signe *m*, ordre *m*.
beckon ['bekən] *vt* faire signe à, appeler; *vi* faire signe.
become [bi'kʌm] *vi* devenir; *vt* aller bien à.
becoming [bi'kʌmiŋ] *a* seyant, convenable.
becomingly [bi'kʌmiŋli] *ad* avec grâce, convenablement.
bed [bed] *n* lit *m*, plate-bande *f*, banc *m*, gisement *m*; *a* de lit; *vt* coucher, repiquer, dépoter, sceller.
bed-chamber ['bedˌtʃeimbə] *n* chambre *f*.
bedclothes ['bedklouðz] *n pl* draps *m pl* de lit.
bedding ['bediŋ] *n* literie *f*.
bedizen [bi'daizn] *vt* pomponner, affubler.
bed-ridden ['bedˌridn] *a* alité.
bedroom ['bedrum] *n* chambre *f* à coucher.
bedside ['bedsaid] *n* chevet *m*.
bedsore ['bedsɔː] *n* escarre *f*.
bedspread ['bedspred] *n* couvre-lit *m*.
bedstead ['bedsted] *n* bois de lit *m*.
bedtime ['bedtaim] *n* heure *f* d'aller au lit.
bee [biː] *n* abeille *f*.
beech [biːtʃ] *n* hêtre *m*.
beef [biːf] *n* bœuf *m*, bifteck *m*.
beehive ['biːhaiv] *n* ruche *f*.
beekeeper ['biːkiːpə] *n* apiculteur *m*.
beeline ['biːlain] *n* ligne *f* droite.
been [biːn] *pp of* **be**.
beer [biə] *n* bière *f*; **millet** — pombe *m*.
beerhouse ['biəhaus] *n* brasserie *f*.
beet [biːt] *n* (côtes de) bette(s) *f pl*.
beetle ['biːtl] *n* (*tool*) maillet *m*, masse *f*, demoiselle *f*, (*insect*) blatte *f*, scarabée *m*; *vi* surplomber.
beetling ['biːtliŋ] *a* saillant, menaçant, bombé, broussailleux, en surplomb.
beetroot ['biːtruːt] *n* betterave *f*.
befall [bi'fɔːl] *vti* arriver (à), advenir, survenir.
befit [bi'fit] *vt* aller à, convenir à.
befitting [bi'fitiŋ] *a* seyant, convenable.
before [bi'fɔː] *prep* avant, devant, par-devant; *ad* (aupar)avant, devant, en avant; *cj* avant que, plutôt que.
beforehand [bi'fɔːhænd] *ad* d'avance, au préalable, par avance, déjà.
befriend [bi'frend] *vt* traiter (*etc*) en ami, protéger, venir en aide à.
beg [beg] *vt* prier, supplier, demander, solliciter, mendier; *vi* faire le beau, mendier.
began [bi'gæn] *pt of* **begin**.

beget [bi'get] *vt* engendrer, procréer, enfanter.
begetter [bi'getə] *n* père *m*.
beggar ['begə] *n* mendiant(e) *mf*, gueux, -se, quémandeur, -euse; *vt* réduire à la misère, mettre sur la paille, défier.
beggarliness ['begəlinis] *n* misère *f*, mesquinerie *f*.
beggarly ['begəli] *a* miséreux, misérable, mesquin.
beggary ['begəri] *n* misère *f*, mendicité *f*.
begin [bi'gin] *vti* commencer; **to — with** pour commencer; *vt* amorcer, entamer, se mettre à.
beginner [bi'ginə] *n* débutant(e) *mf*, novice *mf*, auteur *m*.
beginning [bi'giniŋ] *n* commencement *m*, début *m*, origine *f*.
begone [bi'gɔn] *excl* sortez! allez-vous en!
begot(ten) [bi'gɔt(n)] *pt of* **beget.**
begrudge [bi'grʌdʒ] *vt* mesurer, envier, donner à contre-cœur.
beguile [bi'gail] *vt* tromper, charmer, distraire, séduire.
begun [bi'gʌn] *pp of* **begin.**
behalf [bi'hɑːf] *n* **in, on — of** au nom de, de la part de, au compte de.
behave [bi'heiv] *vi* se conduire, se comporter, fonctionner.
behaved [bi'heivd] *a* **well** — sage, bien élevé; **badly** — mal élevé.
behaviour [bi'heivjə] *n* conduite *f*, maintien *m*, tenue *f*, manières *f pl*, fonctionnement *m*.
behead [bi'hed] *vt* décapiter.
beheading [bi'hediŋ] *n* décapitation *f*, décollation *f*.
beheld [bi'held] *pt of* **behold.**
behest [bi'hest] *n* commandement *m*, ordre *m*.
behind [bi'haind] *prep* derrière, en arrière de, en retard sur; *ad* (par) derrière, en arrière.
behold [bi'hould] *vt* apercevoir, voir, regarder.
beholden [bi'houldən] *a* obligé, redevable.
beholder [bi'houldə] *n* spectateur, -trice, témoin *m*.
behoof [bi'huːf] *n* bien *m*; **on s.o.'s** — à l'intention de, à l'avantage de.
behove [bi'houv] *vt* incomber à, seoir à, appartenir à.
being ['biːiŋ] *n* être *m*.
belabour [bi'leibə] *vt* rosser, rouer de coups.
belated [bi'leitid] *a* retardé, en retard, attardé, tardif.
belch [beltʃ] *n* rot *m*, renvoi *m*, grondement *m*, jet de flamme *m*; *vi* roter, éructer; *vt* vomir.
beleaguer [bi'liːgə] *vt* assiéger.
belfry ['belfri] *n* beffroi *m*.
Belgian ['beldʒən] *an* belge *mf*.
Belgium ['beldʒəm] *n* Belgique *f*.
belie [bi'lai] *vt* démentir, donner un démenti à.
belief [bi'liːf] *n* foi *f*, croyance *f*, conviction *f*.
believe [bi'liːv] *vti* croire; *vt* ajouter foi à; **to make** — faire semblant.
believer [bi'liːvə] *n* croyant(e) *mf*, partisan *m*.
belittle [bi'litl] *vt* diminuer, décrier, rabaisser.
bell [bel] *n* cloche *f*, sonnette *f*, sonnerie *f*, timbre *m*, grelot *m*, clochette *f*.
bellboy ['belbɔi], **bellhop** ['belhɔp] *n* (*US*) groom *m*.
bellied ['belid] *a* ventru.
belligerency [bi'lidʒərənsi] *n* état de guerre *m*.
belligerent [bi'lidʒərənt] *an* belligérant(e) *mf*.
bellow ['belou] *n* mugissement *m*, beuglement *m*, grondement *m*; *vi* mugir, gronder; *vti* beugler, brailler.
bellows ['belouz] *n* soufflet *m*.
belly ['beli] *n* ventre *m*, panse *f*, bedaine *f*; *vt* gonfler; *vi* se gonfler, s'enfler.
bellyful ['beliful] *n* ventrée *f*; **to have had one's** — en avoir plein le dos.
belong [bi'lɔŋ] *vi* appartenir (à **to**), être (à **to**).
belongings [bi'lɔŋiŋz] *n* biens *m pl*, affaires *f pl*, effets *m pl*.
beloved [bi'lʌvd] *an* (bien-)aimé(e) *mf*, chéri(e) *mf*.
below [bi'lou] *prep* au dessous de, en aval de; *ad* (au, en, là-) dessous, ci-dessous, plus loin, en bas, en aval.
belt [belt] *n* ceinture *f*, ceinturon *m*, courroie *f*, bande *f*, zone *f*; *vt* ceindre, entourer.
bemoan [bi'moun] *vt* pleurer, se lamenter de.
bemuse [bi'mjuːz] *vt* étourdir, stupéfier.
bench [bentʃ] *n* banc *m*, banquette *f*, gradin *m*; établi *m*, tribunal *m*, magistrature *f*.
bend [bend] *n* nœud *m*, courbe *f*, virage *m*, tournant *m*, coude *m*; *pl* (*US*) mal *m* des caissons; *vti* courber, ployer, plier, fléchir, pencher, arquer; *vi* se courber, s'incliner, tourner, faire un coude (*road etc*); **to — back** *vt* replier, recourber; *vi* se replier, se recourber; **to — down** *vi* se baisser, se courber.
beneath [bi'niːθ] *prep* au dessous de, sous; *ad* (au-)dessous, en bas.
benedictine [,beni'diktiːn] *an* bénédictin(e) *mf*; *n* (*liqueur*) bénédictine.
benediction [,beni'dikʃən] *n* bénédiction *f*.
benefaction [,beni'fækʃən] *n* bienfait *m*, don *m*.
benefactor, -tress ['benifæktə, tris] *n* bienfaiteur, -trice, donateur, -trice.
beneficence [bi'nefisəns] *n* bienfaisance *f*.
beneficent [bi'nefisənt] *a* bienfaisant, salutaire.

beneficently [bi'nefisəntli] *ad* généreusement, salutairement.
beneficial [beni'fiʃəl] *a* avantageux, salutaire.
beneficiary [,beni'fiʃəri] *n* bénéficiaire *m*, bénéficier, -ière.
benefit ['benifit] *n* bénéfice *m*, bien *m*, gouverne *f*, secours (mutuels) *m pl*; *vt* profiter à; *vi* bénéficier, profiter (de **by**).
benevolence [bi'nevələns] *n* bienveillance *f*, bienfait *m*.
benevolent [bi'nevələnt] *a* bienveillant; — **society** société *f* de secours mutuels.
benighted [bi'naitid] *a* surpris par la nuit, aveuglé, plongé dans l'ignorance.
benign [bi'nain] *a* bénin, -igne, affable, heureux, doux.
benignity [bi'nigniti] *n* bénignité *f*; bienveillance *f*.
bent [bent] *pt of* **bend**; *n* pli *m*, tour *m*, penchant *m*, dispositions *f pl*; *a* courbé, plié, voûté, arqué, résolu.
benumb [bi'nʌm] *vt* engourdir, transir, frapper de stupeur.
benzine ['benzi:n] *n* benzine *f*.
bequeath [bi'kwi:ð] *vt* léguer.
bequest [bi'kwest] *n* legs *m*.
bereave [bi'ri:v] *vt* enlever, ravir, priver.
bereaved [bi'ri:vd] *pp a* affligé, en deuil.
bereavement [bi'ri:vmənt] *n* perte *f*, deuil *m*.
bereft [bi'reft] *pp of* **bereave**.
berry ['beri] *n* baie *f*, grain *m*.
berth [bə:θ] *n* cabine *f*, couchette *f*; mouillage *m*, place *f*; *vi* mouiller; *vt* amarrer à quai.
beseech [bi'si:tʃ] *vt* supplier, implorer, conjurer.
beset [bi'set] *vt* cerner, entourer, assaillir, obséder.
besetting [bi'setiŋ] — **sin** *n* péché mignon *m*.
beside [bi'said] *prep* à côté de, près de; **to be — o.s.** être hors de soi.
besides [bi'saidz] *ad* d'ailleurs, en outre, en plus, du reste; *prep* en outre de, sans compter.
besiege [bi'si:dʒ] *vt* assiéger.
besieger [bi'si:dʒə] *n* assiégeant *m*.
besmear [bi'smiə] *vt* graisser, tacher, barbouiller.
besmirch [bi'smə:tʃ] *vt* salir, obscurcir, ternir, souiller.
besom ['bi:zəm] *n* balai de bruyère *m*.
besot [bi'sɔt] *vt* abrutir.
besought [bi'sɔ:t] *pt of* **beseech**.
bespatter [bi'spætə] *vt* éclabousser.
bespeak [bi'spi:k] *vt* commander, retenir, annoncer.
bespoke [bi'spouk] *a* sur mesure, à façon.
best [best] *a* le meilleur; *ad* le mieux; *n* le mieux *m*; **to do one's —** faire de son mieux; **to look one's —** être à son avantage; **to the — of one's ability** de son mieux; **to get the — of it** avoir le dessus; **to make the — of it** en prendre son parti; **to the — of my knowledge** autant que je sache; **the — of it is that . . .** le plus beau de l'affaire, c'est que...; **— man** garçon d'honneur.
best-seller ['best'selə] *n* best-seller *m*, livre à succès *m*, grand favori *m*.
bestir [bi'stə:] *vi* **to — o.s.** se remuer.
bestow [bi'stou] *vt* conférer, octroyer.
bestowal [bi'stouəl] *n* octroi *m*, don *m*.
bestrew [bi'stru:] *vt* joncher, parsemer.
bestride [bi'straid] *vt* enfourcher, enjamber, se mettre à califourchon sur.
bet [bet] *n* pari *m*; *vt* parier; *pt of* **bet**.
betake [bi'teik] *vt* **to — o.s.** se rendre.
betimes [bi'taimz] *ad* de bonne heure, à temps.
betoken [bi'toukən] *vt* indiquer, annoncer, révéler.
betray [bi'trei] *vt* livrer, vendre, trahir, montrer.
betrayal [bi'treiəl] *n* trahison *f*, révélation *f*.
betrayer [bi'treiə] *n* traître, -esse.
betrothal [bi'trouðəl] *n* fiançailles *f pl*.
betrothed [bi'trouðd] *an* fiancé(e) *mf*.
better ['betə] *n* parieur *m*; *a* meilleur; *ad* mieux; *vt* améliorer, surpasser; **to be —** aller mieux, valoir mieux; **to get —** s'améliorer, se rétablir, guérir; **to get the — of** l'emporter sur; **to think —** se raviser; **— and —** de mieux en mieux.
betterment ['betəmənt] *n* amélioration *f*.
between [bi'twi:n] *prep* entre; **far —** clairsemé, rare.
bevel ['bevəl] *n* équerre *f*, biais *m*, biseau *m*; *vt* biseauter, tailler en biais, chanfreiner.
bevelled ['bevəld] *a* biseauté, de biais.
beverage ['bevəridʒ] *n* breuvage *m*, boisson *f*.
bevy ['bevi] *n* compagnie *f*, troupe *f*, bande *f*.
bewail [bi'weil] *vt* se lamenter sur, pleurer.
bewailing [bi'weiliŋ] *n* lamentation *f*.
beware [bi'wɛə] *vi* prendre garde; *vt* **to — of** prendre garde à (de), se garder de, se méfier de.
bewilder [bi'wildə] *vt* abasourdir, ahurir, dérouter, désorienter, confondre.
bewilderment [bi'wildəmənt] *n* ahurissement *m*, confusion *f*.
bewitch [bi'witʃ] *vt* ensorceler, charmer, enchanter.

bewitchment [bi'witʃmənt] *n* ensorcellement *m.*
beyond [bi'jɔnd] *n* l'au-delà *m*; *prep* au-delà de, après, par-delà, derrière, outre; *ad* au-delà, plus loin, par-delà.
bias ['baiəs] *n* biais *m*, penchant *m*, tendance *f*, prévention *f*, parti-pris *m.*
biassed ['baiəst] *a* prévenu, tendancieux, partial.
bib [bib] *n* bavette *f*, bavoir *m.*
bibber ['bibə] *n* soiffard *m*, buveur *m.*
Bible ['baibl] *n* bible *f.*
biblical ['biblikəl] *a* biblique.
bibliographer [ˌbibli'ɔgrəfə] *n* bibliographe *m.*
bibliographical ˌbibliə'græfikəl] *a* bibliographique.
bibliography [ˌbibli'ɔgrəfi] *n* bibliographie *f.*
bibliophile ['biblioufail] *n* bibliophile *m.*
bicker ['bikə] *vi* se quereller, se chamailler, murmurer, crépiter, briller.
bickering['bikəriŋ] *n* prise de bec *f*, chamailleries *f pl*, bisbille *f.*
bicycle ['baisikl] *n* bicyclette *f.*
bid [bid] *n* offre *f*, enchère *f*, demande *f*; *vti* commander, dire, inviter, offrir, demander; **to — for** faire une offre pour; **to — s.o. good-day** donner le bonjour à qn.
bidden ['bidn] *pp of* **bid.**
bidder ['bidə] *n* enchérisseur *m*; **to the highest** — au plus offrant.
bide [baid] *vti* attendre.
biennial [bai'eniəl] *a* bisannuel, biennal.
bier [biə] *n* brancard *m*, civière *f.*
big [big] *a* gros(se), grand.
bigamist ['bigəmist] *n* bigame *mf.*
bigamous ['bigəməs] *a* bigame *mf.*
bigamy ['bigəmi] *n* bigamie *f.*
bight [bait] *n* baie *f*, anse *f*, crique *f.*
bigness ['bignis] *n* grosseur *f*, importance *f*, grandeur *f.*
bigot ['bigət] *n* bigot(e) *mf*, fanatique *mf.*
bigotry ['bigətri] *n* bigoterie *f*, fanatisme *f.*
bigwig ['bigwig] *n* gros bonnet *m.*
bike [baik] *n* bécane *f*, vélo *m.*
bile [bail] *n* bile *f.*
bilge [bildʒ] *n* sentine *f*, fond de cale *m*; *vi* faire eau; **to talk** — dire des balivernes.
bilious ['biljəs]*a* bilieux, cholérique; — **attack**, crise *f* de foie.
bilk [bilk] *vt* filouter, éluder, tromper.
bill [bil] *n* bec *m*, facture *f*, note *f*, traite *f*, effet *m*, addition *f*; — **of fare** carte *f*, affiche *f*; **hand—** prospectus *m*; *vt* annoncer, afficher, placarder; *vi* se becqueter; **to — and coo** faire les tourtereaux.
billet ['bilit] *n* bûche *f*, (billet *m* de) logement *m*, place *f*; *vt* loger, cantonner.
billiard-ball ['biljədbɔːl] *n* bille *f.*
billiard-cloth ['biljədklɔθ] *n* drap *m.*
billiard-cue ['biljədkjuː] *n* queue *f.*
billiard-room ['biljədrum] *n* salle de billard *f.*
billiards ['biljədz] *n* billard *m.*
billiard-table ['biljədˌteibl] *n* billard *m.*
billion ['biljən] *n* milliard *m*, trillion *m.*
billow ['bilou] *n* grande vague *f*, houle *f*, lame *f*; *vi* se soulever, s'enfler.
billowy ['biloui] *a* houleux.
bill-poster, -sticker ['bilˌpoustə, ˌstikə] *n* afficheur *m.*
bill-posting ['bilˌpoustiŋ] *n* affichage *m.*
billy-goat ['biligout] *n* bouc *m.*
bin [bin] *n* seau *m*, huche *f*, boîte à ordures *f*, panier *m*, coffre *m.*
bind [baind] *vt* lier, attacher, ligoter, bander, obliger, relier, engager.
binder ['baində] *n* (re)lieur, -euse, botteleur, -euse, bandage *m*, lieuse *f*, ceinture *f.*
binding ['baindiŋ] *n* reliure *f*, bordure *f*, bandage *m*, liséré *m*; *a* obligatoire.
binoculars [bi'nɔkjuləz] *n pl* jumelle(s) *f pl.*
biographer [bai'ɔgrəfə] *n* biographe *m.*
biographical [ˌbaiou'græfikəl] *a* biographique.
biography [bai'ɔgrəfi] *n* biographie *f.*
biological [ˌbaiə'lɔdʒikəl] *a* biologique.
biologist [bai'ɔlədʒist] *n* biologue *m*
biology [bai'ɔlədʒi] *n* biologie *f.*
biped ['baiped] *an* bipède *m.*
biplane ['baiplein] *n* biplan *m.*
birch [bəːtʃ] *n* bouleau *m*, verges *f pl*; *vt* donner les verges à, flageoler.
bird [bəːd] *n* oiseau *m*, perdreau *m*, volaille *f*, type *m*; **a — in the hand is worth two in the bush** un 'tiens' vaut mieux que deux 'tu l'auras'; **to give s.o. the** — siffler qn, envoyer promener qn; **bird's-eye view** vue à vol d'oiseau.
bird-call ['bəːdkɔːl] *n* appeau *m.*
bird-catcher ['bəːdˌkætʃə] *n* oiseleur *m.*
bird-lime ['bəːdlaim] *n* glu *f.*
bird-seed ['bəːdsiːd] *n* mouron *m.*
birth [bəːθ] *n* naissance *f*, origine *f*, lignée *f*; **to give — to** donner le jour à, enfanter, mettre bas; — **certificate** acte *m* de naissance.
birthday ['bəːθdei] *n* anniversaire *m*, fête *f.*
birthplace ['bəːθpleis] *n* lieu natal *m*, lieu de naissance, berceau *m.*
birth-rate ['bəːθreit] *n* natalité *f.*
birthright ['bəːθrait] *n* droit *m* d'aînesse, de naissance.
biscuit ['biskit] *n* biscuit *m*, gateau sec *m.*

bishop ['biʃəp] *n* évêque *m*, (*chess*) fou *m*.
bishopric ['biʃəprik] *n* évêché *m*.
bison ['baisn] *n* bison *m*.
bissextile [bi'sekstail] *a* bissextile.
bit(ten) [bit, 'bitn] *pt* (*pp*) *of* **bite.**
bit [bit] *n* mors *m*, frein *m*; morceau *m*, brin *m*, miette *f*, bout *m*, (*US*) pièce *f* de ½ dollar.
bitch [bitʃ] *n* chienne *f etc*, femelle *f*.
bite [bait] *n* morsure *f*, piqûre *f*, bouchée *f*, touche *f*, coup de dent *m*, mordant *m*; *vt* mordre, piquer, sucer, prendre, donner un coup de dent à, attraper; *vi* mordre.
biting ['baitiŋ] *a* mordant, piquant, cuisant, cinglant, âpre.
bitter ['bitə] *a* amer, aigre, âpre, rude, cruel, acharné; — **cold** *n* froid de loup *m*; **to the — end** jusqu'au bout.
bittern ['bitə(:)n] *n* butor *m*.
bitterness ['bitənis] *n* amertume *f*, acrimonie *f*, aigreur *f*, âpreté *f*, rancune *f*.
bitumen ['bitjumin] *n* bitume *m*.
bituminous [bi'tju:minəs] *a* bitumineux.
bivouac ['bivuæk] *n* bivouac *m*; *vi* bivouaquer.
blab [blæb] *vt* révéler; *vi* parler au bout vendre la mèche.
blabber ['blæbə] *n* bavard(e) *mf*, indiscret, -ète *mf*.
black [blæk] *a* noir, triste, sombre; **to be — and blue** être couvert de bleus; — **eye** œil poché *m*, œil au beurre noir *m*; — **Maria** panier *m* à salade; — **pudding** boudin *m*; — **sheep** brebis *f* galeuse; *n* noir(e) *mf*, nègre, négresse; *vt* noircir, cirer.
blackball ['blækbɔ:l] *n* boule *f* noire; *vt* blackbouler.
blackbeetle ['blækbi:tl] *n* cafard *m*.
blackberry ['blækbəri] *n* mûre *f*; — **bush** ronce *f*, mûrier *m*.
blackbird ['blækbə:d] *n* merle *m*.
blackboard ['blækbɔ:d] *n* tableau noir *m*.
blackcurrant(s) ['blæk'kʌrənt(s)] *n* cassis *m*.
blacken ['blækən] *vt* noircir, assombrir, obscurcir; *vi* (se) noircir, s'assombrir.
blackfriar ['blæk'fraiə] *n* dominicain *m*.
blackguard ['blægɑ:d] *n* canaille *f*, vaurien *m*.
blacking ['blækiŋ] *n* cirage noir *m*.
blackish ['blækiʃ] *a* noirâtre.
blacklead ['blæk'led] *n* mine *f* de plomb, plombagine *f*.
blackleg ['blækleg] *n* escroc *m*, renard *m*, jaune *m*.
blackmail ['blækmeil] *n* chantage *m*; *vt* faire chanter.
blackmailer ['blækmeilə] *n* maître chanteur *m*.
blackness ['blæknis] *n* noirceur *f*, obscurité *f*.
blackout ['blækaut] *n* couvre-feu *m*, obscurcissement *m*, black-out *m*; *vt* obscurcir.
blacksmith ['blæksmiθ] *n* forgeron *m*, maréchal ferrant *m*; —**'s** forge *f*.
blackthorn ['blækθɔ:n] *n* prunellier *m*, épine noire *f*.
bladder ['blædə] *n* vessie *f*, outre *f* gonflée de vent, vésicule *f*.
blade [bleid] *n* feuille *f*, brin *m*, plat *m*, pale *f*, lame *f*; tranchant *m*, omoplate *f*, épaule *f*, boute-en-train *m*, luron *m*.
blame [bleim] *n* blâme *m*, faute *f*; *vt* blâmer, reprocher, attribuer.
blameless ['bleimlis] *a* irréprochable, innocent.
blameworthy ['bleim,wə:ði] *a* blâmable, répréhensible.
blanch [blɑ:ntʃ] *vti* blanchir, pâlir; *vi* blêmir.
bland [blænd] *a* aimable, flatteur, doux, affable, doucereux, suave.
blandish ['blændiʃ] *vt* flatter, cajoler, amadouer.
blandishment ['blændiʃmənt] *n* flatterie *f*, cajolerie *f*.
blank [blæŋk] *n* blanc *m*, billet blanc *m*, vide *m*, trou *m*; *a* blanc, en (à) blanc, inexpressif, vide, confondu, net.
blanket ['blæŋkit] *n* couverture *f*; **to toss s.o. in a —** verner qn; **wet —** rabat-joie *m*.
blankly ['blæŋkli] *ad* vaguement, d'un air déconcerté.
blare [blɛə] *n* sonnerie *f*, accents cuivrés *m pl*; *vi* sonner, retentir; *vt* faire retentir, brailler.
blarney ['blɑ:ni] *n* eau *f* bénite de cour, boniments *m pl*, flagornerie *f*, pommade *f*.
blaspheme [blæs'fi:m] *vti* blasphémer.
blasphemer [blæs'fi:mə] *n* blasphémateur, -trice.
blasphemous ['blæsfiməs] *a* blasphématoire, blasphémateur, impie.
blasphemy ['blæsfimi] *n* blasphème *m*.
blast [blɑ:st] *n* souffle *m*, coup de vent *m*, charge explosive *f*, rafale *f*, sonnerie *f*; *vt* faire sauter, foudroyer, flétrir, brûler, détruire, anéantir.
blast-furnace ['blɑ:st,fə:nis] *n* haut-fourneau *m*.
blasting ['blɑ:stiŋ] *n* sautage *m*, coups *m pl* de mine, foudroiement *m*, anéantissement *m*.
blast-off ['blɑ:stɔ:f] *n* mise *f* à feu.
blatant ['bleitənt] *a* bruyant, criard, criant.
blaze [bleiz] *n* flamme *f*, flambée *f*, éclat *m*, conflagration *f*; **go to —s!** allez au diable! *vt* trompeter; *vi* flamber, flamboyer, resplendir; **to — up** s'enflammer, s'emporter, se révolter.
blazon ['bleizn] *n* blason *m*, armoiries *f pl*; *vt* blasonner; **to — forth**

proclamer, publier, crier du haut des toits.
bleach [bliːtʃ] *vti* blanchir; *vi* décolorer; *n* décolorant *m*, agent de blanchiment *m*.
bleak [bliːk] *n* ablette *f*; *a* blême, battu des vents, désolé, glacial, désert.
blear [bliə] *a* confus, vague, chassieux; *vt* brouiller, estomper, rendre trouble.
bleat [bliːt] *n* bêlement *m*; *vi* bêler.
bleed [bliːd] *vti* saigner.
bleeding ['bliːdiŋ] *n* saignement *m*, saignée *f*; *a* saignant, ensanglanté.
blemish ['blemiʃ] *n* tache *f*, défaut *m*, tare *f*; *vt* gâter, (en)tacher, souiller.
blench [blentʃ] *vi* broncher, pâlir, blêmir.
blend [blend] *n* mélange *m*, alliance *f*; *vt* mêler, mélanger, fondre, marier; *vi* se mêler, se mélanger, se marier, se confondre.
bless [bles] *vt* bénir, consacrer, accorder.
blessed ['blesid] *a* béni, comble, bienheureux, saint, fichu.
blessedness ['blesidnis] *n* félicité *f*.
blessing ['blesiŋ] *n* bénédiction *f*, bénédicité *m*.
blew [bluː] *pt of* **blow**.
blight [blait] *n* mildiou *m*, rouille *f*, nielle *f*, brouissure *f*, fléau *m*; *vt* frapper de mildiou, rouiller, nieller, brouir, moisir, flétrir.
blind [blaind] *n* store *m*, jalousie *f*, feinte *f*; *a* aveugle, invisible, masqué; sans issue; *vt* aveugler, crever les yeux à, éblouir.
blindfold ['blaindfould] *a ad* les yeux bandés; *vt* bander les yeux à.
blindly ['blaindli] *ad* aveuglément, à l'aveugle(tte).
blindman's buff ['blaindmænz'bʌf] *n* colin-maillard *m*.
blindness ['blaindnis] *n* cécité *f*, aveuglement *m*.
blink [bliŋk] *n* lueur *f*, coup d'œil *m*, clignement d'yeux *m*, échappée *f*; *vi* ciller, cligner, clignoter, papilloter; **to — at** fermer les yeux sur.
blinkers ['bliŋkəz] *n* œillères *f pl*.
bliss [blis] *n* félicité *f*, béatitude *f*.
blister ['blistə] *n* ampoule *f*, cloque *f*, boursuflure *f*.
blithe [blaið] *a* joyeux.
blitz [blits] *n* guerre-éclair *f*; bombardement *m*.
blizzard ['blizəd] *n* tempête *f*, tourmente de neige *f*.
bloat [blout] *vt* saler et fumer, enfler, gonfler, bouffir.
bloated ['bloutid] *a* bouffi, gonflé, congestionné.
bloater ['bloutə] *n* hareng saur *m*.
blob [blɔb] *n* tache *f*, pâté d'encre *m*.
block [blɔk] *n* bûche *f*, souche *f*, billot *m*, bloc *m*, obstruction *f*, tronçon *m*; **traffic —** embouteillage *m*; **— of houses** pâté de maisons *m*; **— of flats** immeuble *m*; *vt* bloquer, obstruer, boucher, encombrer, barrer.
blockade [blɔ'keid] *n* blocus *m*; **to run the —** braver le blocus; *vt* bloquer, obstruer, faire le blocus de.
blockhead ['blɔkhed] *n* tête *f* de bois, bûche *f*.
blockhouse ['blɔkhaus] *n* blokhaus *m*.
bloke [blouk] *n* (*fam*) type *m*, individu *m*, coco *m*.
blood [blʌd] *n* sang *m*; **in cold —** de sang-froid; **his — was up** il était monté.
blood-donor ['blʌd'dounə] *n* donneur de sang *m*.
bloodhound ['blʌdhaund] *n* limier *m*, détective *m*.
bloodless ['blʌdlis] *a* exsangue, anémié, sans effusion de sang.
bloodletting ['blʌd'letiŋ] *n* saignée *f*.
blood poisoning ['blʌd,pɔizniŋ] *n* empoisonnement *m* du sang, toxémie *f*.
bloodshed ['blʌdʃed] *n* massacre *m*, carnage *m*.
bloodshot ['blʌdʃɔt] *a* injecté de sang.
bloodsucker ['blʌd,sʌkə] *n* sangsue *f*.
bloodthirsty ['blʌd,θəːsti] *a* sanguinaire, assoiffé de sang.
bloodvessel ['blʌd,vesl] *n* vaisseau sanguin *m*.
bloody ['blʌdi] *a* sanglant, en (de, du) sang, ensanglanté, sanguinaire; *ad* rudement, diablement.
bloom [bluːm] *n* fleur *f*, épanouissement *m*, duvet *m*, velouté *m*; *vi* fleurir, être dans sa, en, fleur.
bloomer ['bluːmə] *n* gaffe *f*, bévue *f*, bourde *f*.
blooming ['bluːmiŋ] *n* fleuraison *f*; *a* en fleur, fleurissant, florissant, sacré.
blossom ['blɔsəm] *n* fleur *f*; *vi* fleurir; **to — out** s'épanouir.
blot [blɔt] *n* tache *f*, pâté *m*, défaut *m*; *vt* faire des taches sur, noircir (du papier), sécher, boire; **to — out** effacer, anéantir.
blotch [blɔtʃ] *n* pustule *f*, tache *f*; *vt* marbrer, couvrir de taches.
blotchy ['blɔtʃi] *a* marbré, couperosé.
blotting-paper ['blɔtiŋ,peipə] *n* buvard *m*.
blouse [blauz] *n* blouse *f*, chemisette *f*; camisole *f*, chemisier *m*.
blow [blou] *n* coup *m*, souffle *m* d'air, floraison *f*; *vi* souffler, venter, fleurir, fondre, sauter; *vt* souffler, essoufler, chasser, faire sauter; **to — a kiss** envoyer un baiser; **to — one's nose** se moucher; **to — away** emporter; **to — down** (r)abattre, renverser; **to — out** souffler, éteindre, enfler; *vi* s'éteindre; **to — up** *vi* sauter; *vt* faire sauter, gonfler.

blower ['blouə] *n* souffleur *m*, tablier de cheminée *m*.
blowfly ['blouflai] *n* mouche *f* à viande.
blown bloun] *pp of* **blow.**
blowpipe ['bloupɑip] *n* chalumeau *m*, canne *f*, sarbacane *f*.
blowy ['bloui] *a* venteux, balayé par le vent.
blubber ['blʌbə] *n* graisse *f* de baleine, *vi* pleurer bruyamment, pleurnicher, pleurer comme un veau.
blubberer ['blʌbərə] *n* pleurnicheur, -euse, pleurard(e) *mf*.
bludgeon ['blʌdʒən] *n* trique *f*, matraque *f*; *vt* assommer, asséner un coup de matraque à.
blue [blu:] *a* bleu; *n* bleu *m*, ciel *m*, la grande bleue *f*; **to have the —s** avoir le cafard, les papillons noirs; **light** — bleu clair; **dark** — bleu foncé; **navy** — bleu marine; **Prussian** — bleu de Prusse; **sky** — bleu de ciel; *vt* bleuir, passer au bleu, gaspiller.
bluebell ['blu:bel] *n* clochette *f*, campanule *f*.
bluebottle ['blu: bɔtl] *n* bluet *m*, mouche bleue *f*.
bluejacket ['blu:ˌdʒækit] *n* matelot *m*.
blue-stocking ['blu:'stɔkiŋ] *n* bas-bleu *m*.
bluff [blʌf] *n* cap escarpé *m*, bluff *m*; *vti* bluffer; *vi* faire du bluff; *a* à pic, brusque, cordial.
bluffness ['blʌfnis] *n* brusquerie *f* cordiale, franc-parler *m*.
bluish ['blu:iʃ] *a* bleuâtre, bleuté.
blunder ['blʌndə] *n* bévue *f*, gaffe *f*; *vi* faire une gaffe, gaffer; **to — into** heurter; **to — along** marcher à l'aveuglette.
blunderbuss ['blʌndəbʌs] *n* tromblon *m*.
blundering ['blʌndəriŋ] *a* maladroit, brouillon.
blunt [blʌnt] *a* émoussé, brusque, franc; *vt* émousser.
bluntly ['blʌntli] *ad* rudement, carrément.
bluntness ['blʌntnis] *n* rudesse *f*, brusquerie *f*, état émoussé *m*.
blur [blə:] *n* tache *f*, macule *f*, buée *f*, effet confus *m*; *vt* tacher, obscurcir, troubler, brouiller, voiler, estomper.
blurb [blə:b] *n* annonce *f*, fadaises *f pl*.
blurt [blə:t] *vt* **to — out** lâcher, raconter de but en blanc.
blush [blʌʃ] *n* rougeur *f*; *vi* rougir.
blushingly ['blʌʃiŋli] *ad* en rougissant.
bluster ['blʌstə] *n* fracas *m*, rodomontades *f pl*, jactance *f*, menaces *f pl*; *vi* faire rage, s'emporter, le prendre de haut, fanfaronner, faire du fracas.
blusterer ['blʌstərə] *n* fanfaron *m*, rodmont *m*.
blustering ['blʌstəriŋ] *a* soufflant en rafales, bravache.
boa ['bouə] *n* boa *m*.
boar [bɔ:] *n* verrat *m*, sanglier *m*.
board [bɔ:d] *n* planche *f*, madrier *m*, tableau *m*, carton *m*, pension *f*, commission *f*, ministère *m*, conseil *m*, comité *m*; **above** — franc, net; **on** — à bord (de); *vi* être en pension, prendre pension; *vt* planchéier, prendre en pension, aborder, aller à bord de, s'embarquer sur; **to — out** mettre en pension; **to — up** condamner, boucher.
boarder ['bɔ:də] *n* pensionnaire *mf*.
boarding-house ['bɔ:diŋhaus] *n* pension *f*.
boarding-school ['bɔ:diŋsku:l] *n* pensionnat *m*, internat *m*.
boast [boust] *n* hâblerie *f*, vanterie *f*; *vi* se vanter, se faire gloire (de **about**).
boaster ['boustə] *n* vantard *m*, fanfaron *m*, hâbleur *m*.
boastful ['boustful] *a* vantard, glorieux.
boat [bout] *n* bateau *m*, barque *f*, canot *m*, embarcation *f*; **to be in the same** — être logés à la même enseigne; *vi* aller, se promener en bateau, faire du canotage.
boater ['boutə] *n* (*hat*) canotier *m*.
boat-hook ['bouthuk] *n* gaffe *f*.
boating ['boutiŋ] *n* canotage *m*, partie de canotage *f*.
boatman ['boutmən] *n* batelier *m*, loueur de canots *m*.
boat-race ['boutreis] *n* course de bateaux *f*, match d'aviron *m*, régate *f*.
boatswain ['bousn] *n* maître d'équipage *m*.
bob [bɔb] *n* bouche *f*, bonchon *m*, plomb *m*, coiffure *f* à la Ninon, courbette *f*, petit bond *m*; *vt* couper court, écourter; *vi* danser, s'agiter, faire la courbette.
bobbin ['bɔbin] *n* bobine *f*.
bobby ['bɔbi] *n* (*fam*) sergot *m*, flic *m*.
bode [boud] *vt* présager.
bodice ['bɔdis] *n* corsage *m*, cache-corset *m*.
bodily ['bɔdili] *a* corporel, physique; *ad* corporellement, en corps.
boding ['boudiŋ] *n* présage *m*, pressentiment *m*.
bodkin ['bɔdkin] *n* passelacet *m*, épingle *f*.
body ['bɔdi] *n* corps *m*, cadavre *m* carrosserie *f*, fuselage *m*, substance *f*, consistance *f*.
bog [bɔg] *n* marais *m*, bourbier *m*, fondrière *f*, marécage *m*; *vt* enliser, embourber; **to get bogged** s'enliser.
bogey ['bougi] *n* épouvantail *m*, lutin *m*, croquemitaine *m*, le Père Fouettard *m*.
boggle ['bɔgl] *vi* **to — at, over** réchigner à, devant, reculer, hésiter devant.

boggy ['bɔgi] *a* marécageux, tourbeux.
bogle ['bougl] *n* fantôme *m*, épouvantail *m*.
bogus ['bougəs] *a* faux, véreux.
boil [bɔil] *n* furoncle *m*, clou *m*; *vi* bouillir, bouillonner; *vt* faire bouillir, faire cuire; **to — down** *vt* condenser, réduire; *vi* se réduire; **to — over** déborder.
boiler ['bɔilə] *n* chaudière *f*, bouilloire *f*, lessiveuse *f*.
boiler-maker ['bɔiləmeikə] *n* chaudronnier *m*.
boiling ['bɔiliŋ] *n* ébullition *f*, remous *m*, bouillonnement *m*.
boisterous ['bɔistərəs] *a* violent, exuberant, tapageur, bruyant, tempétueux.
boisterousness ['bɔistərəsnis] *n* violence *f*, exubérance *f*, turbulence *f*.
bold [bould] *a* hardi, téméraire, audacieux, effronté; **to make — to** se permettre de, oser.
boldness ['bouldnis] *n* hardiesse *f*, effronterie *f*, audace *f*.
bole [boul] *n* tronc *m*, fût *m*.
Bolshevism ['bɔlʃivizəm] *n* bolchevisme *m*.
Bolshevist ['bɔlʃivist] *n* bolcheviste *mf*.
bolster ['boulstə] *n* traversin *m*, coussinet *m*; *vt* soutenir, préserver, appuyer.
bolt [boult] *n* verrou *m*, pêne *m*, boulon *m*, coup de foudre *m*, culasse *f*; *vt* verrouiller, enfermer, boulonner, avaler tout rond, gober, bouffer; *vi* s'emballer, détaler, déguerpir, décamper, filer, lever le pied.
bolter ['boultə] *n* blutoir *m*; *vt* bluter.
boltering ['boultəriŋ] *n* blutage *m*.
bomb [bɔm] *n* bombe *f*; **time —** bombe *f* à retardement; **—proof** à l'abri des bombes.
bombard [bɔm'bɑːd] *vt* bombarder, pilonner.
bombast ['bɔmbæst] *n* emphase *f*, grandiloquence *f*.
bombastic [bɔm'bæstik] *a* ampoulé, emphatique.
bomb-crater ['bɔmkreitə] *n* entonnoir *m*.
bomber ['bɔmə] *n* bombardier *m*.
bond [bɔnd] *n* attache *f*, lien *m*, engagement *m*, obligation *f*, depôt *m*, bon *m*, entrepôt *m*, douane *f*; *pl* fers *m pl*; *vt* assembler, entreposer, mettre en dépôt.
bondage ['bɔndidʒ] *n* servitude *f*, esclavage *m*, emprisonnement *m*.
bondholder ['bɔnd houldə] *n* obligataire *m*, porteur *m* de bons.
bondsman ['bɔndzmən] *n* esclave *m*.
bone [boun] *n* os *m*, (*fish*) arête *f*; ossements *m pl*; *vt* désosser, escamoter.
boneless ['bounlis] *a* mou, désossé, sans arêtes.
bonfire ['bɔn,faiə] *n* feu *m* de joie.
bonnet ['bɔnit] *n* bonnet *m*, béguin *m*, capot *m*; **bee in the —** araignée dans le plafond.
bonny ['bɔni] *a* beau, joli.
bonus ['bounəs] *n* boni *m*, prime *f*, gratification *f*.
bony ['bouni] *a* osseux, décharné, anguleux, tout os, plein d'arêtes.
boo [buː] *n* huée; *vti* huer.
booby ['buːbi] *n* niais(e) *mf*, nigaud(e) *mf*.
booby-trap ['buːbitræp] *n* attrape-nigaud *m*.
book [buk] *n* livre *m*, bouquin *m*, livret *m*, cahier *m*, carnet *m*; *vt* entrer, inscrire, retenir, louer.
bookbinder ['buk,baində] *n* relieur *m*.
bookbinding ['buk,baindiŋ] *n* reliure *f*.
bookcase ['bukkeis] *n* bibliothèque *f*.
book-ends ['bukendz] *n pl* serre-livres *m inv*.
booking ['bukiŋ] *n* location *f*, inscription *f*, réservation *f*.
booking-office ['bukiŋ,ɔfis] *n* bureau *m* de location, guichet *m*.
bookish ['bukiʃ] *a* livresque.
book-keeper ['buk,kiːpə] *n* teneur *m* de livres, comptable *m*.
book-keeping ['buk,kiːpiŋ] *n* tenue *f* de livres, comptabilité *f*.
booklet ['buklit] *n* livret *m*, brochure *f*.
bookmaker ['buk meikə] *n* bookmaker *m*.
bookmark ['bukmɑːk] *n* signet *m*.
bookseller ['buk,selə] *n* libraire *m*.
book-sewer ['buk,souə] *n* brocheur *m*.
bookshop ['bukʃɔp] *n* librairie *f*.
bookstall ['bukstɔːl] *n* étalage *m* de livres, (*station*) bibliothèque *f*.
bookworm ['bukwəːm] *n* rat de bibliothèque *m*.
boom [buːm] *n* emballement *m*, vogue *f*, hausse rapide *f*, boom *m*, grondement *m*, ronflement *m*, barrage *m*; *vt* faire de la réclame pour, faire du tapage, du battage, autour de; *vi* entrer en hausse, s'emballer, trouver la grande vente, retentir, ronfler, tonner.
boon [buːn] *n* faveur *f*, don *m*, bénédiction *f*, avantage *m*; **— companion** bon vivant *m*, bon compagnon *m*.
boor [buə] *n* rustre *m*, goujat *m*, paysan *m*.
boorishness ['buəriʃnis] *n* rusticité *f*, grossièreté *f*.
boost [buːst] *vt* faire du tapage autour de, faire de la réclame pour, lancer, chauffer.
boot [buːt] *n* bottine *f*, botte *f*, brodequin *m*, coffre *m*.

bootblack ['bu:tblæk] *n* cireur *m*.
booth [bu:ð] *n* tente *f*, baraque *f*, salle *f* de scrutin.
boot-jack ['bu:tdʒæk] *n* tirebottes *m*.
bootleg ['bu:t,leg] *vi* faire la contrebande des boissons alcooliques.
bootmaker ['bu:t,meikə] *n* bottier *m*, cordonnier *m*.
boot polish ['bu:t,pɔliʃ] *n* cirage *m*, crème *f* à chaussures.
boots [bu:ts] *n* garçon *m* d'étage, cireur *m* de chaussures.
booty ['bu:ti] *n* butin *m*.
booze [bu:z] *n* (*fam*) boisson *f*; *vi* chopiner, être en ribote.
bopeep [bou'pi:p] *n* cache-cache *m*.
border ['bɔ:də] *n* bord *m*, bordure *f*, marge *f*, lisière *f*, frontière *f*; *vt* border; **to — upon** frôler, toucher à, tirer sur, friser, côtoyer.
borderer ['bɔ:dərə] *n* frontalier, -ière.
borderline ['bɔ:dəlain] *n* ligne de démarcation *f*; **— case** cas limite *m*.
bore [bɔ:] *pt of* **bear**; *n* (*gun*) âme *f*, calibre *m*, trou *m*, mascaret *m*, raseur *m*, importun(e) *mf*, corvée *f*, scie *f*; *vt* forer, percer, assommer, ennuyer; *vi* (*horse*) encenser.
boredom ['bɔ:dəm] *n* ennui *m*.
boring ['bɔ:riŋ] *a* ennuyeux, assommant.
born [bɔ:n] *pp* né; **to be —** naître; **he was —** il est né, il naquit; **to be — again** renaître.
borne [bɔ:n] *pp of* **bear**.
borough ['bʌrə] *n* bourg *m*.
borrow ['bɔrou] *vt* emprunter.
borrower ['bɔrouə] *n* emprunteur, -euse.
borrowing ['bɔrouiŋ] *n* emprunt *m*.
bosh [bɔʃ] *n* blague *f*, fariboles *f pl*, chansons *f pl*.
bosom ['buzəm] *n* sein *m*, giron *m*, poitrine *f*, cœur *m*, surface *f*; *a* intime.
boss [bɔs] *n* bosse *f*, patron, -onne.
bossy ['bɔsi] *a* autoritaire.
botanist ['bɔtənist] *n* botaniste *mf*.
botany ['bɔtəni] *n* botanique *f*.
botch [bɔtʃ] *n* travail malfait *m*, ravaudage *m*; *vt* ravauder, saboter; **to — up** retaper, rafistoler.
both [bouθ] *pn* tous (les) deux, l'un et l'autre; *a* deux; *ad* à la fois, tant . . . que . . .
bother ['bɔðə] *n* ennui *m*, tracas *m*, embêtement *m*; *vt* ennuyer, tourmenter, tracasser, embêter; *vi* s'inquiéter, se faire de la bile; *excl* zut!
bottle ['bɔtl] *n* bouteille *f*, flacon *m*, bocal *m*, (*hay*) botte *f*, (*baby's*) biberon *m*; **hot-water —** bouillote *f*, moine *m*; *vt* mettre en bouteilles, botteler; **to — up** ravaler, refouler, étouffer, embouteiller.
bottleneck ['bɔtlnek] *n* étranglement *m*, goulot *m*, embouteillage *m*.
bottle-washer ['bɔtl,wɔʃə] *n* plongeur *m*.
bottom ['bɔtəm] *n* fond *m*, derrière *m*, siège *m*, lit *m*, bas bout *m*, queue *f*, bas *m*, dessous *m*; *vt* mettre un fond, siège, à; *vi* toucher le fond; **to get to the — of** approfondir.
bottomless ['bɔtəmlis] *a* sans fond, insondable.
bough [bau] *n* rameau *m*, branche *f*.
boulder ['bouldə] *n* gros galet *m*, roche *f*, pierre *f* roulée.
bounce [bauns] *n* bond *m*, vantardise *f*, épate *f*; *vt* faire rebondir; *vi* (re)bondir, se vanter, faire de l'épate.
bouncer ['baunsə] *n* hâbleur *m*, épateur *m*, mensonge impudent *m*, expulseur *m*, videur *m*.
bound [baund] *pt pp of* **bind**; *n* limite *f*, bornes *f pl*, saut *m*, bond *m*; *vt* borner, limiter; *vi* (re)bondir, (sur)sauter; *a* à destination de, en route (pour), lié (à **to**), tenu (de **to**); **he is — to come** il ne peut pas manquer de venir.
boundary ['baundəri] *n* frontière *f*, limite *f*, bornes *f pl*.
bounden ['baundən] *a* sacré, impérieux.
boundless ['baundlis] *a* illimité, infini, sans bornes.
bounteous ['bauntiəs] *a* abondant, généreux.
bountiful ['bauntiful] *a* généreux, bienfaisant.
bounty ['baunti] *n* générosité *f*, munificence *f*, fondation *f*, prime *f*, subvention *f*.
bouquet [bu'kei] *n* bouquet *m*.
bout [baut] *n* tour *m*, orgie *f*, crise *f*, accès *m*, lutte *f*.
bow [bou] *n* courbe *f*, arc *m*, (coup d')archet *m*, nœud *m*; *a* arqué, cintré.
bow [bau] *n* révérence *f*, salut *m*, avant *m*, étrave *f*; *vt* courber, incliner, baisser, plier, voûter; *vi* s'incliner, faire une révérence.
bowels ['bauəlz] *n* boyaux *m pl*, entrailles *f pl*, intestins *m pl*.
bower ['bauə] *n* charmille *f*, tonnelle *f*.
bowl [boul] *n* bol *m*, jatte *f*, coupe *f*, (*pipe*) fourneau *m*, boule *f*; *pl* (jeu de) boules *f pl*; *vt* rouler, lancer; *vi* jouer aux boules; **to — over** renverser.
bowler ['boulə] *n* joueur *m* de boules, (*hat*) melon *m*.
bowling-green ['bouliŋgri:n] *n* boulingrin *m*, jeu *m* de boules.
bowman ['boumən] *n* archer *m*.
bowsprit ['bousprit] *n* beaupré *m*.
bow-window ['bou'windou] *n* fenêtre cintrée *f*, en saillie.
box [bɔks] *n* boîte *f*, caisse *f*, coffre *m*, carton *m*, tirelire *f*, tronc *m*, loge *f*, barre *f*, siège *m* du cocher, guérite *f*, pavillon *m* de chasse,

(*horse*) box *m*, stalle *f*; **— on the ear** gifle *f*, claque *f*; *vt* **to — s.o.'s ears** gifler qn, calotter; *vi* boxer, faire de la boxe.
boxer ['bɔksə] *n* boxeur *m*.
boxing ['bɔksiŋ] *n* boxe *f*.
box-office ['bɔks'ɔfis] *n* bureau *m* de location.
box-room ['bɔksrum] *n* (chambre *f* de) débarras *m*.
boxwood ['bɔkswud] *n* buis *m*.
boy [bɔi] *n* enfant *m*, garçon *m*, gars *m*, élève *m*, gamin *m*, boy *m*.
boycott ['bɔikət] *vt* boycotter.
boycotting ['bɔikətiŋ] *n* boycottage *m*.
boyhood ['bɔihud] *n* enfance *f*, adolescence *f*.
boyish ['bɔiiʃ] *a* garconnier, puéril, enfantin, de garçon, d'enfant.
brace [breis] *n* attache *f*, croisillon *m*, acolade *f*, vilebrequin *m*, paire *f*, couple *f*; *pl* bretelles *f pl*; *vt* attacher, armer, ancrer, tendre, coupler, fortifier; **to — up** ravigoter, remonter, retremper; **to — o.s.** se raidir.
bracelet ['breislit] *n* bracelet *m*.
bracing ['breisiŋ] *a* fortifiant, tonique, tonifiant.
bracken ['brækən] *n* fougère *f*.
bracket ['brækit] *n* applique *f*, console *f*, tasseau *m*, (*gas*) bras *m*, parenthèse *f*, crochet *m*; *vt* mettre entre parenthèses, accoler.
bracket-seat ['brækit,siːt] *n* strapontin *m*.
brackish ['brækiʃ] *a* saumâtre.
brag [bræg] *n* vantardise *f*, fanfaronnade *f*; *vi* se vanter.
braggart ['brægət] *n* vantard *m*, fanfaron *m*.
braid [breid] *n* natte *f*, tresse *f*, galon *m*, lacet *m*, ganse *f*, soutache *f*; *vt* natter, border, soutacher galonner, passementer.
brain [brein] *n* cerveau *m*, cervelle *f*; **to rack one's —s** se creuser la cervelle; *a* cérébral; *vt* assommer, casser la tête à.
brain-child ['breintʃaild] *n* conception personnelle *f*.
brain-drain ['breindrein] *n* brain-drain *m*.
brain-fever ['brein,fiːvə] *n* fièvre cérébrale *f*.
brainless ['breinlis] *a* idiot, stupide.
brainwave ['breinweiv] *n* idée géniale *f*, trouvaille *f*, inspiration *f*.
brainy ['breini] *a* (*fam*) intelligent; **to be —** avoir de la tête.
braise [breiz] *vt* braiser.
brake [breik] *n* fourré *m*, hallier *m*, frein *m*; *vti* freiner; *vi* serrer le frein.
brakesman ['breikzmən] *n* serre-frein *m*.
bramble ['bræmbl] *n* ronce *f*, mûrier *m* des haies; **— berry** mûre sauvage *f*.
bran [bræn] *n* son *m*.
branch [brɑːntʃ] *n* branche *f*, rameau *m*, bras *m*, embranchement *m*, filiale *f*, succursale *f*; *vi* **to — out** se ramifier; **to — off** bifurquer.
branch-line, -road ['brɑːntʃlain, roud] *n* embranchement *m*, bifurcation *f*.
brand [brænd] *n* tison *m*, brandon *m*, marque *f*, fer rouge *m*; *vt* marquer au fer rouge, cautériser, stigmatiser, flétrir.
brandish ['brændiʃ] *vt* brandir.
brand-new ['brænd'njuː] *a* flambant neuf.
brandy ['brændi] *n* cognac *m*, eau *f* de vie; **liqueur —** fine champagne *f*.
brass [brɑːs] *n* cuivre jaune *m*, laiton *m*, les cuivres *m pl*, toupet *m*, (*sl*) galette *f*.
brass-band ['brɑːs'bænd] *n* fanfare *f*.
brass-hat ['brɑːs'hæt] *n* officier d'état-major *m*, galonnard *m*.
brassière ['bræsiə] *n* soutien-gorge *m*.
brass-plate ['brɑːs'pleit] *n* plaque *f*.
brassware ['brɑːswεə] *n* dinanderie *f*.
brat [bræt] *n* mioche *mf*, moutard *m*.
bravado [brə'vɑːdou] *n* crânerie *f*, bravade *f*.
brave [breiv] *a* brave, courageux, beau, élégant; *vt* braver, affronter; **to — it out** payer d'audace.
bravery ['breivəri] *n* bravoure *f*, courage *m*, élégance *f*, atours *m pl*.
brawl [brɔːl] *n* dispute *f*, rixe *f*, bagarre *f*, murmure *m*, bruissement *m*; *vi* se chamailler, se bagarrer, brailler, bruire, murmurer.
brawn [brɔːn] *n* muscle *m*, fromage *m* de tête.
brawny ['brɔːni] *a* musclé, costaud.
bray [brei] *n* braiment *m*; *vti* braire; *vt* broyer.
braze [breiz] *vt* souder, braser.
brazen ['breizn] *a* d'airain, effronté, cynique.
brazier ['breizjə] *n* chaudronnier *m*, brasero *m*.
breach [briːtʃ] *n* brèche *f*, rupture *f*, contravention *f* violation *f*, infraction *f*; *vt* faire (une) brèche dans, percer.
bread [bred] *n* pain *m*; **new —** pain frais; **stale —** pain rassis; **brown —** pain bis; **wholemeal —** pain complet; **— bin** huche *f* au pain, maie *f*.
bread-crumbs ['bredkrʌmz] *n pl* chapelure *f*, gratin *m*.
breadth [bredθ] *n* largeur *f*, ampleur *f*.
break [breik] *n* fracture *f*, cassure *f*, rupture *f*, alinéa *m*, percée *f*, trouée *f*, lacune *f*, trou *m*, arrêt *m*, répit *m*; **— of day** point du jour *m*; *vt* (inter)rompre, casser, briser, entamer, violer, manquer à, amortir, résilier; *vi* (se) briser, (se) rompre,

(se) casser, poindre, muer, s'altérer, déferler; **to — down** *vt* démolir, supprimer, venir à bout de; *vi* s'effrondrer, échouer, demeurer court, fondre en larmes, rester en panne; **to — in** *vt* défoncer, enfoncer, dresser; *vi* intervenir, entrer par effraction, faire irruption; **to — off** *vt* détacher, casser, (inter) rompre; *vi* se détacher, s'(inter) rompre; **to — out** s'évader, se déclarer, éclater; **to — through** *vt* enfoncer, percer, trouer; *vi* faire une percée, se frayer un passage; **to — up** *vt* démolir, séparer, désarmer, démembrer, morceler, disperser, rompre; *vi* se désagréger, se séparer, se disperser, se démembrer, entrer en vacances.

breakable ['breikəbl] *a* fragile.

breakage ['breikidʒ] *n* casse *f*, fracture *f*.

breakdown ['breikdaun] *n* panne *f*, effondrement nerveux *m*, rupturé *f*, insuccès *m*, interruption *f*.

breaker ['breikə] *n* dresseur, -euse, dompteur, -euse, brisant *m*, violateur, -trice.

breakfast ['brekfəst] *n* petit déjeuner *m*; *vi* déjeuner.

breakneck ['breiknek] *a* à se rompre le cou.

break-through ['breik'θruː] *n* percée *f*, trouée *f*.

break-up ['breik'ʌp] *n* dissolution *f*, dispersion *f*, affaissement *m*, entrée *f* en vacances.

breakwater ['breik,wɔːtə] *n* briselames *m*, môle *m*.

bream [briːm] *n* brème *f*.

breast [brest] *n* poitrine *f*, sein *m*, poitrail *m*, blanc *m*, devant *m*.

breastbone ['brestboun] *n* sternum *m*.

breasted ['brestid] *a* **single-—** droit; **double-—** croisé.

breastplate ['brestpleit] *n* cuirasse *f*, plastron *m*.

breast-stroke ['breststrouk] *n* brasse *f* (sur le ventre).

breath [breθ] *n* souffle *m*, haleine *f*, bouffée *f*; **last —** dernier soupir *m*, âme *f*; **under one's —** à mi-voix, en sourdine.

breathe [briːð] *vti* souffler, respirer; *vt* exhaler, murmurer; **to — in** aspirer; **to — out** exhaler.

breather ['briːðə] *n* moment de répit *m*; **to give a — to s.o.** laisser souffler qn; **to go for a —** aller prendre l'air.

breathing ['briːðiŋ] *n* respiration *f*.

breathless ['breθlis] *a* essouflé.

breathlessness ['breθlisnis] *n* essouflement *m*.

bred [bred] *pp pt of* **breed.**

breech [briːtʃ] *n* culasse *f*, derrière *m*; *pl* culotte *f*.

breed [briːd] *n* race *f*, lignée *f*, couvée *f*, espèce *f*; *vt* porter, élever, produire, engendrer, procréer; *vi* multiplier, se réproduire, faire de l'élevage.

breeder ['briːdə] *n* éleveur *m*, réproducteur, -trice.

breeding ['briːdiŋ] *n* élevage *m*, reproduction *f*, éducation *f*, savoir vivre *m*.

breeze [briːz] *n* brise *f*, grabuge *m*.

breezy ['briːzi] *a* venteux, désinvolte, bruyant.

brethren ['breðrin] *n pl* frères *m pl*.

Breton ['bretən] *an* Breton, -onne.

breviary ['briːvjəri] *n* bréviaire *m*.

brevity ['breviti] *n* brièveté *f*.

brew [bruː] *vt* brasser, faire infuser, fomenter; *vi* fermenter, s'infuser, se préparer, se mijoter, se tramer.

brewer ['bruːə] *n* brasseur *m*.

brewery ['bruəri] *n* brasserie *f*.

brewing ['bruːiŋ] *n* brassage *m*.

briar ['braiə] *n* ronce *f*, bruyère *f*, églantier *m*; **— rose** églantine *f*.

bribe [braib] *n* pot-de-vin *m*; *vt* acheter, soudoyer, graisser la patte à.

bribery ['braibəri] *n* corruption *f*.

bribing ['braibiŋ] *n* corruption *f*, subornation *f*.

brick [brik] *n* brique *f*; **to drop a —** faire une gaffe.

brick-kiln ['brikkiln] *n* four *m* à briques.

bricklayer ['brikleiə] *n* maçon *m*.

brickwork ['brikwəːk] *n* maçonnerie *f*.

bridal ['braidl] *a* de noce, de mariée, nuptial, de mariage.

bride [braid] *n* mariée *f*, jeune mariée *f*.

bridegroom ['braidgrum] *n* marié *m*.

bridesmaid ['braidzmeid] *n* demoiselle d'honneur *f*.

bridge [bridʒ] *n* pont *m*, passerelle *f*, (*nose*) dos *m*, (*violin*) chevalet *m*, (*cards*) bridge *m*; *vt* jeter un pont sur, relier, combler.

bridgehead ['bridʒhed] *n* tête de pont *f*, point d'appui *m*.

Bridget ['bridʒit] Brigitte *f*.

bridge-train ['bridʒtrein] *n* les pontonniers *m pl*, train de pontons *m*.

bridle ['braidl] *n* bridon *m*, bride *f*, frein *m*; *vt* brider, refréner; *vi* se rebiffer, se redresser, regimber.

brief [briːf] *n* bref *m*, dossier *m*, exposé *m*, cause *f*; *vt* engager, constituer, rédiger; *a* bref, court; **in —** bref, en résumé.

briefless ['briːflis] *a* sans cause.

briefly ['briːfli] *ad* brièvement.

brig [brig] *n* brick *m*.

brigade [bri'geid] *n* brigade *f*.

brigadier [brigə'diə] *n* général *m* de brigade.

brigand ['brigənd] *n* bandit *m*, brigand *m*.

bright ['brait] *a* clair, vif, éclatant, lumineux, brillant éveillé.

brighten ['braitn] *vt* animer, éclairer, égayer, dérider, fourbir; *vi* s'animer, s'éclairer, se dérider, s'épanouir, s'éclaircir.

brightness ['braitnis] *n* éclat *m*, splendeur *f*, vivacité *f*.

brilliant ['briljənt] *a* brillant.

brilliantly ['briljəntli] *ad* brillamment, avec brio.

brim [brim] *n* bord *m*, *vt* remplir jusqu'au bord; **to — over** déborder.

brimstone ['brimstən] *n* soufre *m*.

brine [brain] *n* saumure *f*; *vt* saler.

bring [briŋ] *vt* apporter, amener, faire venir; **to — about** causer, amener, produire, effectuer, opérer, entraîner, occasionner; **to — down** abattre, (r)abaisser, terrasser, faire crouler, descendre; **to — forth** produire, mettre au monde, mettre bas, provoquer; **to — forward** avancer, reporter; **to — in** introduire, faire entrer, rapporter, faire intervenir; **to — off** mener à bien, réussir, sauver, renflouer; **to — out** faire (res)sortir, faire valoir, mettre en relief, lancer; **to — round** ranimer, (r)amener; **to — together** réunir, réconcilier; **to — up** élever, (faire) monter, avancer, mettre sur le tapis, rendre.

brink [briŋk] *n* bord *m*; **on the — of** près de, à la veille de.

briny ['braini] *a* salé, saumâtre; *n* (*fam*) mer *f*.

brisk [brisk] *a* vif, actif, fringant, animé, gazeux, vivifiant, frais.

brisket ['briskit] *n* poitrine *f* (de bœuf).

briskness ['brisknis] *n* vivacité *f*, activité *f*.

bristle ['brisl] *n* soie *f*, crin *m*, poil *m*; *vt* faire dresser, hérisser; *vi* se hérisser, se rebiffer, regimber.

bristling ['brisliŋ] *a* hérissé.

Britain ['britn] *n* Angleterre *f*; **Great** — Grande Bretagne *f*.

British ['britiʃ] *a* anglais, britannique.

Briton ['britn] *n* Anglais(e) *mf*.

Brittany ['britəni] *n* Bretagne *f*.

brittle ['britl] *a* fragile, cassant.

brittleness ['britlnis] *n* fragilité *f*.

broach [broutʃ] *n* broche *f*, flèche *f*, perçoir *m*, foret *m*; *vt* percer, mettre en perce, entamer, embrocher.

broad [brɔːd] *a* large, plein, grivois, hardi, libre, marqué; *n* (*US*) (*sl*) poupée *f*.

broadcast ['brɔːdkɑːst] *vt* radiodiffuser, répandre, disséminer; *n* émission *f*, radio-reportage *m*, audition *f*.

broadcaster ['brɔːdkɑːstə] *n* microphoniste *mf*, artiste *mf* de la radio.

broadcasting ['brɔːdkɑːstiŋ] *n* radiodiffusion *f*; **— station** poste émetteur *m*.

broaden ['brɔːdn] *vt* élargir; *vi* s'élargir, s'évaser.

broadening ['brɔːdniŋ] *n* élargissement *m*.

broad-minded ['brɔːdmaindid] *a* tolérant, aux idées larges.

broadness ['brɔːdnis] *n* largeur *f*, grossièrté *f*.

broadside ['brɔːdsaid] *n* bordée *f*, flanc *m*, travers *m*.

brocade [brə'keid] *n* brocart *m*.

broil [brɔil] *n* dispute *f*, rixe *f*; *vti* (faire) griller.

broiling ['brɔiliŋ] *a* ardent, torride.

broke [brouk] *pt of* **break**; *a* sans le sou, dans la dèche.

broken ['broukən] *pp of* **break**; *a* brisé, détraqué, raboteux, incertain, en pièces (entre)coupé, agité, décousu.

brokenly ['broukənli] *ad* sans suite, par à-coups.

broken-winded ['broukən'windid] *a* poussif.

broker ['broukə] *n* revendeur, -euse, courtier *m*, agent *m* de change, brocanteur *m*.

brokerage ['broukəridʒ] *n* courtage *m*.

bronchitis [brɔŋ'kaitis] *n* bronchite *f*.

bronze [brɔnz] *n* bronze *m*; *vt* bronzer; *vi* se bronzer.

brooch [broutʃ] *n* broche *f*.

brood ['bruːd] *n* couvée *f*, nichée *f*, volée *f*; *vi* couver, méditer, rêver; **to — over** remâcher, couver.

brook [bruk] *n* ruisseau *m*; *vt* souffrir.

brooklet ['bruklit] *n* ruisselet *m*.

broom [bruːm] *n* genêt *m*; balai *m*; **—stick** manche *m* à balai.

broth [brɔθ] *n* bouillon *m*, potage *m*.

brother ['brʌðə] *n* frère *m*, confrère *m*.

brotherhood ['brʌðəhud] *n* confrérie *f*, société *f*, fraternité *f*.

brother-in-law ['brʌðərinlɔː] *n* beau-frère *m*.

brotherly ['brʌðəli] *a* fraternel.

brought [brɔːt] *pt of* **bring**.

brow [brau] *n* sourcil *m*, front *m*, surplomb *m*, crête *f*.

browbeat ['braubiːt] *vt* malmener, intimider rabrouer.

brown [braun] *an* brun *m*, marron *m*; *a* châtain, faune; *vt* brunir. faire dorer, rissoler.

brownish ['brauniʃ] *a* brunâtre.

browse [brauz] *vti* brouter, bouquiner.

bruise [bruːz] *n* meurtrissure *f*, contusion *f*, bleu *n*, noir *m*; *vt* meurtrir, contusionner.

brunette [bruː'net] *an* brune *f*.

brunt [brʌnt] *n* choc *m*, poids *m*, fort *m*.

brush [brʌʃ] *n* brosse *f*, balai *m*, pinceau *m*, coup *m* de brosse, (*fox*) queue *f*; échauffourée *f*; *vt* brosser, balayer; **to — aside** écarter; **to — out** balayer; **to — up, down** donner un coup de brosse à;

to — up repolir, rafraîchir, dérouiller; to — against frôler, effleurer.
brushwood ['brʌʃwud] *n* broussailles *f pl*, fourré *m*, brindilles *f pl*.
brusque [brusk] *a* brusque, bourru, rude.
Brussels ['brʌslz] *n* Bruxelles; — **sprouts** choux *m pl* de Bruxelles.
brutal ['bru:tl] *a* brutal, de brute, sensuel.
brutality [bru:'tæliti] *n* brutalité *f*.
brutalize ['bru:təlaiz] *vt* abrutir.
brute [bru:t] *n* bête *f*, brute *f*; *a* brut, stupide.
brutish ['bru:tiʃ] *a* bestial, de brute, abruti.
bubble ['bʌbl] *n* bulle *f*, bouillon *m*, chimère *f*; *vi* bouillonner, pétiller, glouglouter; **to — over** déborder.
buccaneer [ˌbʌkə'niə] *n* flibustier *m*, pirate *m*.
buck [bʌk] *n* daim *m*, chevreuil *m*, mâle *m*, dandy *m*; **to — off** désarçonner; *vt* **to — up** remonter le courage à, ravigoter; *vi* reprendre courage, se remuer.
bucket ['bʌkit] *n* seau *m*, baquet *m*.
buckle ['bʌkl] *n* boucle *f*, agrafe *f*, voile *m*, benne *f*; *vt* boucler, agrafer, serrer, voiler; *vi* se mettre (à **to**), s'appliquer (à **to**); **to — up** se voiler, se gondoler.
buckler ['bʌklə] *n* bouclier *m*.
buckram ['bʌkrəm] *n* bougran *m*.
buckshee ['bʌk'ʃi:] *ad* à l'œil, gratis.
buckskin ['bʌkskin] *n* peau *f* de daim.
buckwheat ['bʌkwi:t] *n* sarrasin *m*.
bud [bʌd] *n* bourgeon *m*, bouton *m*; *vi* bourgeonner, boutonner.
budding ['bʌdiŋ] *a* qui bourgeonne, qui boutonne, en herbe.
budge [bʌdʒ] *vi* bouger, remuer, reculer.
budget ['bʌdʒit] *n* sac *m*, budget *m*; **to — for sth** porter qch au budget.
buff [bʌf] *n* buffle *m*; *a* couleur buffle; *vt* polir; **to strip to the —** se mettre à poil.
buffalo ['bʌfəlou] *n* buffle *m*.
buffer ['bʌfə] *n* tampon *m*, amortisseur *m*; **—-state** état-tampon *m*.
buffer-stop ['bʌfəstɔp] *n* butoir *m*.
buffet ['bʌfit] *n* soufflet *m*; *vt* souffleter, ballotter, secouer; *vi* lutter.
buffet ['bufei] *n* buffet *m*.
buffoon [bʌ'fu:n] *n* bouffon *m*.
buffoonery [bʌ'fu:nəri] *n* bouffonnerie *f*.
bug [bʌg] *n* punaise *f*, (*US*) insecte *m*; **big —** grosse légume.
bugbear ['bʌgbɛə] *n* épouvantail *m*, cauchemar *m*, bête noire *f*, loup-garou *m*.
bugle ['bju:gl] *n* clairon *m*; *vi* sonner du clairon.
bugler ['bjuglə] *n* clairon *m*.
build [bild] *vt* construire, bâtir, fonder; **to — up** échafauder, affermir, créer; *n* construction *f*, charpente *f*.
builder ['bildə] *n* entrepreneur *m*, constructeur *m*, fondateur, -trice.
building ['bildiŋ] *n* bâtiment *m*, édifice *m*, construction *f*.
built [bilt] *pp pt of* **build**; **—-up area** agglomération urbaine *f*.
bulb [bʌlb] *n* bulbe *m*, ampoule *f*, poire *f*, oignon *m*.
Bulgaria [bʌl'gɛəriə] *n* Bulgarie *f*.
Bulgarian [bʌl'gɛəriən] *an* bulgare *m*; *n* Bulgare *mf*.
bulge [bʌldʒ] *n* gonflement *m*, renflement *m*, bombement *m*; *vti* bomber, ballonner; *vi* faire saillie.
bulk [bʌlk] *n* chargement *m*, grande carcasse *f*, masse *f*, gros *m*, volume *m*, grandeur *f*; **in —** en vrac, en gros; *vt* empiler, grouper; **to — large** occuper une place importante.
bulkhead ['bʌlkhed] *n* cloison *f* étanche.
bulky ['bʌlki] *a* volumineux, encombrant.
bull [bul] *n* taureau *m*, mâle *m*, haussier *m*, bulle *f*, bourde *f*, mouche *f*.
bulldog ['buldɔg] *n* bouledogue *m*.
bulldozer ['bul douzə] *n* niveleuse *f*, bulldozer *m*.
bullet ['bulit] *n* balle *f*.
bulletin ['bulitin] *n* bulletin *m*, communiqué *m*; **news —** informations *f pl*, journal parlé *m*.
bullfight ['bulfait] *n* course *f* de taureaux.
bullfinch ['bulfintʃ] *n* bouvreuil *m*.
bullheaded ['bul'hedid] *a* têtu, gaffeur, impétueux.
bullion ['buljən] *n* lingot *m*.
bullock ['bulək] *n* bœuf *m*.
bull's eye ['bulzai] *n* noir *m*, mouche *f*, hublot *m*, œil de bœuf *m*, lanterne sourde *f*, lentille *f*.
bully ['buli] *n* brute *f*, brimeur *m*, souteneur *m*; *vt* rudoyer, brutaliser, malmener.
bully-beef ['buli'bi:f] *n* (*fam*) singe *m*.
bulwark ['bulwək] *n* rempart *m*, bastingage *m*.
bumble-bee ['bʌmblbi:] *n* bourdon *m*.
bump [bʌmp] *n* heurt *m*, secousse *f*, cahot *m*, bosse *f*; *vt* heurter, cogner, secouer; *vi* (se) heurter, (se) cogner, buter; **to — along** cahoter; **to — into** tamponner, buter contre; *excl* pan!
bumper ['bʌmpə] *n* (*aut*) parechoc *m*; rasade *f*; *a* monstre, comble *etc.*
bumpkin ['bʌmpkin] *n* rustre *m*.
bumptious ['bʌmpʃəs] *a* arrogant, présomptueux.
bumptiousness ['bʌmpʃəsnis] *n* arrogance *f*, suffisance *f*, outrecuidance *f*.
bumpy ['bʌmpi] *a* en creux et en bosses, cahoteux, inégal.
bunch [bʌntʃ] *n* bouquet *m* (*grapes*)

grappe *f*, (*radishes*) botte *f*, (*bananas*) régime *m*, (*keys*) trousseau *m*, (*people*) bande *f*, groupe *m*, peloton *m*; *vt* lier, attacher, botteler, réunir, grouper; *vi* se pelotonner, se serrer.
bundle ['bʌndl] *n* paquet *m*, fagot *m*, liasse *f*, ballot *m*, faisceau *m*; *vt* mettre en paquet, empaqueter, fourrer; **to — off** envoyer paître; **to — out** flanquer à la porte.
bungle ['bʌŋgl] *n* gâchis *m*; *vt* gâcher, bousiller, rater, massacrer.
bungler ['bʌŋglə] *n* maladroit(e) *mf*, bousilleur *m*.
bunion ['bʌnjən] *n* oignon *m*.
bunk [bʌnk] *n* couchette *f*; *vi* décamper, filer.
bunker ['bʌŋkə] *n* soute *f*, banquette *f*, (*golf*) bunker *m*.
bunkum ['bʌŋkəm] *n* blague *f*, balivernes *f pl*.
bunting ['bʌntiŋ] *n* étamine *f*, drapeaux *m pl*.
buoy [bɔi] *n* bouée *f*.
buoyancy ['bɔiənsi] *n* insubmersibilité *f*, élasticité *f*, entrain *m*, ressort *m*.
buoyant ['bɔiənt] *a* élastique, exubérant, flottable, insubmersible, qui a du ressort.
burble ['bə:bl] *n* murmure *m*, gloussement *m*; *vi* murmurer, glousser.
burden ['bə:dn] *n* charge *f*, fardeau *m*, tonnage *m*, poids *m*, refrain *m*, essentiel *m*, fond *m*; *vt* charger, encombrer.
burdensome ['bə:dnsəm] *a* pesant, encombrant, fâcheux, onéreux.
bureau ['bjuərou] *n* bureau *m*, secrétaire *m*.
bureaucracy [bjuə'rɔkrəsi] *n* bureaucratie *f*.
bureaucrat ['bjuəroukræt] *n* bureaucrate *m*, rond-de-cuir *m*.
burgess ['bə:dʒis] *n* bourgeois *m*, citoyen *m*.
burgh ['bʌrə] *n* (*Scot*) bourg *m*.
burglar ['bə:glə] *n* cambrioleur *m*.
burglary ['bə:gləri] *n* cambriolage *m*.
burgle ['bə:gl] *vt* cambrioler.
burgomaster ['bə:gə,mɑ:stə] *n* bourgmestre *m*.
Burgundian [bə:'gʌndjən] *a* bourguignon; *n* Bourguignon, -onne.
Burgundy ['bə:gəndi] *n* Bourgogne *f*, (*wine*) bourgogne *m*.
burial ['bəriəl] *n* enterrement *m*.
burlesque [bə:'lesk] *an* burlesque *m*; *n* parodie *f*; *vt* parodier.
burly ['bə:li] *a* massif, solide, costaud.
Burma ['bə:mə] *n* Birmanie *f*.
Burmese [bə:'mi:z] *an* birman.
burn [bə:n] *n* brûlure *f*; *vti* brûler.
burner ['bə:nə] *n* brûleur, -euse, bec *m*, brûleur *m*.
burnish ['bə:niʃ] *vt* polir.
burnt [bə:nt] *pp of* **burn**; **— offering** holocauste *m*.
burrow ['bʌrou] *n* terrier *m*; *vt* creuser; *vi* se terrer, fouiller.
bursar ['bə:sə] *n* économe *mf*, boursier, -ière.
burst [bə:st] *n* éclatement *m*, explosion *f*, salve *f*, éclat *m*; *vti* éclater, crever; *vt* faire éclater, faire sauter, percer, rompre; *vi* faire explosion, exploser, sauter, se rompre, éclore, regorger; **to — in** *vt* enfoncer; *vi* faire irruption; **to — out** jaillir, éclater, s'exclamer, sortir en coup de vent.
bury ['beri] *vt* enterrer, enfouir, ensevelir, enfoncer, plonger.
bus [bʌs] *n* autobus *m*, (auto)car *m*; **to miss the —** manquer l'autobus, manquer le coche.
bush [buʃ] *n* arbuste *m*, arbrisseau *m*, buisson *m*, brousse *f*, coussinet *m*, bague *f*; **—-cat** serval *m*.
bushel ['buʃl] *n* boisseau *m*.
bushy ['buʃi] *a* touffu, broussailleux, épais.
busily ['bizili] *ad* activement, avec affairement.
business ['biznis] *n* affaire(s) *f pl*, occupation *f*, établissement *m*; **it is none of your —** cela ne vous regarde pas; **to make it one's — to** se faire un devoir de; **to send s.o. about his —** envoyer promener qn; **big —man** brasseur d'affaires; **—man** homme d'affaires.
businesslike ['biznislaik] *a* actif, pratique, sérieux.
buskin ['bʌskin] *n* cothurne *m*.
bust [bʌst] *n* buste *m*, gorge *f*.
bustle ['bʌsl] *n* agitation *f*, remue-ménage *m*; *vi* s'agiter, s'affairer, faire l'empressé; *vt* bousculer.
busy ['bizi] *a* occupé, actif, affairé; *vt* occuper.
busybody ['bizibɔdi] *n* mouche *f* du coche, officieux, -euse *mf*.
but [bʌt] *cj* mais, sans (que), que . . . ne (*after a negative*); *ad* seulement, ne . . . que, excepté, autre que, sinon, si ce n'est; **— for** sans, à part; **all —** presque, autant dire; **anything —** riens moins que.
butcher ['butʃə] *n* boucher *m*; *vt* massacrer, égorger; **—'s** boucherie *f*.
butchery ['butʃəri] *n* boucherie *f*, massacre *m*, tuerie *f*.
butler ['bʌtlə] *n* sommelier *m*, dépensier *m*, maître d'hôtel *m*.
butt [bʌt] *n* crosse *f*, gros bout *m*, (*US*) mégot *m*, butte *f*, coup *m* de tête, tête *f* de turc, souffre-douleur *m*, cible *f*; *pl* champ *m* de tir; *vt* donner un coup de tête à; *vi* fourrer le nez (dans **into**), foncer (dans **into**), donner de la tête (contre **against**).
butter ['bʌtə] *n* beurre *m*; **shea —** karité *f*; *vt* beurrer; **— would not melt in his mouth** c'est une sainte nitouche.
butter-bean ['bʌtəbi:n] *n* haricot beurre *m*.

buttercup ['bʌtəkʌp] *n* bouton *m* d'or.
butter-dish ['bʌtədiʃ] *n* beurrier *m*.
butter-fingers ['bʌtə fiŋgəz] *n* empoté(e) *mf*, maladroit(e) *mf*.
butterfly ['bʌtəflai] *n* papillon *m*.
buttermilk ['bʌtəmilk] *n* petit-lait *m*, babeurre *m*.
buttock ['bʌtək] *n* fesse *f*.
button ['bʌtn] *n* bouton *m*; *vt* boutonner; — **-hook** tire-bouton *m*.
buttonhole ['bʌtnhoul] *n* boutonnière *f*; *vt* accrocher, cueillir.
buttress ['bʌtris] *n* contrefort *m*, arc-boutant *m*; *vt* soutenir, renforcer, étayer.
buxom ['bʌksəm] *a* rebondi, avenant
buy [bai] *vt* acheter; **to — back** racheter; **to — over** acheter; **to — out** désintéresser; **to — up** accaparer.
buyer ['baiə] *n* acheteur, -euse. chef *m* de rayon.
buzz [bʌz] *n* bourdonnement *m*, brouhaha *m*, fritures *f pl*; *vi* bourdonner, tinter; **to — off** déguerpir, filer.
buzzard ['bʌzəd] *n* buse *f*.
by [bai] *prep* par, près de, à côté de, à, en, pour, avec, de, sur, envers; *ad* près, à (de) côté; **— and —** avant peu, tout à l'heure.
bygone ['baigɔn] *an* passé *m*.
by(e)-law ['bailɔ:] *n* arrêté municipal *m*.
by-name ['baineim] *n* sobriquet *m*.
by-pass ['baipɑ:s] *n* route *f* d'évitement *m*; *vt* éviter, contourner, filtrer.
by-product ['bai,prɔdəkt] *n* sous-produit *m*.
by-road ['bairoud] *n* rue écartée *f*.
bystander ['bai stændə] *n* spectateur, trice, curieux -euse.
byway ['baiwei] *n* chemin détourné *m*, raccourci *m*; *pl* à-côtés *m pl*.
byword ['baiwə:d] *n* proverbe *m*, risée *f*, fable *f*.

C

cab [kæb] *n* fiacre *m*, voiture de place *f*, cabine *f*.
cabbage ['kæbidʒ] *n* chou *m*.
cabbage-patch ['kæbidʒpætʃ] *n* plant *m*. carré de choux *m*.
cabin ['kæbin] *n* cabane *f*, cabine *f*, case *f*, poste *m* de conduite.
cabinet ['kæbinit] *n* vitrine *f*, bonheur du jour *m*, coffret *m*, ministère *m*; *a* ministériel, d'état.
cabinet-maker ['kæbinit meikə] *n* ébéniste *m*.
cabinet-work ['kæbinit wə:k] *n* ébénisterie *f*.
cabin-trunk ['kæbin trʌŋk] *n* malle *f* (de) paquebot.
cable ['keibl] *n* câble *m*, chaîne *f*, câblogramme *m*; *vt* câbler, aviser par câble.
cable-railway ['keibl'reilwei] *n* funiculaire *m*.
cabman ['kæbmən] *n* cocher *m*, chauffeur *m*.
caboodle [kə'bu:dl] *n* **the whole —** tout le bazar, tout le fourbi.
caboose [kə'bu:s] *n* (*US*) wagon *m* de queue.
cabstand ['kæbstænd] *n* station *f* de voitures.
ca' canny [kɔ'kæni] *a* tout doux, hésitant; *vi* faire la grève perlée.
cackle ['kækl] *n* caquet *m*; *vi* caqueter.
cacophony [kæ'kɔfəni] *n* cacophonie *f*.
cad [kæd] *n* goujat *m*, mufle *m*, canaille *f*.
caddie ['kædi] *n* cadet *m*, caddie *m*.
caddishness ['kædiʃnis] *n* goujaterie *f*, muflerie *f*.
caddy ['kædi] *n* boîte *f* à thé.
cadence ['keidəns] *n* cadence *f*, rythme *m*.
cadet [kə'det] *n* cadet *m*. élève officier, *m* membre *m* d'un bataillon scolaire.
cadge [kædʒ] *vti* colporter, mendier, écornifler.
cadger ['kædʒə] *n* colporteur *m*, camelot *m*, mendiant(e) *mf*, écornifleur *m*.
cage [keidʒ] *n*, cage *f*.
cahoot [kə'hu:t] *n* **to be in —s with** (*sl*) être de mèche avec.
cajole [kə'dʒoul] *vt* cajoler, enjôler.
cajolery [kə'dʒouləri] *n* cajolerie *f*, enjôlement *m*.
cajoling [kə'dʒouliŋ] *a* enjôleur.
cake [keik] *n* gâteau *m*, tablette *f*, morceau *m*, pain *m*; **to sell like hot —s** se vendre comme du pain frais.
cake-shop ['keikʃɔp] *n* pâtisserie *f*.
calabash ['kæləbæʃ] *n* calebasse *f*, gourde *f*.
calamitous [kə'læmitəs] *a* désastreux.
calamity [kə'læmiti] *n* calamité *f*, désastre *m*, malheur *m*.
calculate ['kælkjuleit] *vti* calculer, estimer, évaluer; *vi* faire un (des) calcul(s).
calculated ['kælkjuleitid] *a* délibéré, calculé, propre (à **to**).
calculating ['kælkjuleitiŋ] *a* calculateur, avisé, réfléchi.
calculation [,kælkju'leiʃən] *n* calcul *m*.
calendar ['kælində] *n* calendrier *m*, répertoire *m*.
calf [kɑ:f] *n* veau *m*, mollet *m*.
calibrate ['kælibreit] *vt* calibrer, étalonner, graduer.
calibre ['kælibə] *n* calibre *m*, alésage *m*.
call [kɔ:l] *n* appel *m*, cri *m*, rappel *m*, visite *f*, invitation *f*, demande *f*, invite *f*, communication *f*, coup de téléphone *m*; **at —** sur demande; **within —** à portée de la voix; *vti*

crier, appeler; *vt* héler, convoquer, ordonner, déclarer; *vi* faire escale, toucher (à **at**); **to — aside** prendre à part; **to — back** *vt* rappeler; *vi* repasser; **to — for** demander, venir chercher; **to — forth** évoquer, provoquer, faire appel à; **to — off** *vt* décommander, rompre, rappeler; *vi* s'excuser, se retirer; **to — on** faire une visite à, passer chez, se présenter chez; **to — out** *vti* appeler; *vt* provoquer, réquisitionner; **to — together** réunir, convoquer; **to — up** évoquer, appeler au téléphone, mobiliser; **to — upon** sommer.

callbox ['kɔːlbɔks] *n* cabine téléphonique *f*.

caller ['kɔːlə] *n* visiteur, -euse, visite *f*.

calling ['kɔːliŋ] *n* appel *m*, vocation *f*, profession *f*, état *m*.

callosity [kæ'lɔsiti] *n* callosité *f*, durillon *m*.

call-up ['kɔːlʌp] *n* mobilisation *f*.

callous ['kæləs] *a* calleux, brutal, dur, endurci.

callousness ['kæləsnis] *n* dureté *f*, manque *m* de cœur.

callow ['kælou] *a* sans plumes, novice, inexpérimenté; **a — youth** un blancbec.

calm [kɑːm] *a* calme, tranquille; *n* calme *m*, tranquillité *f*; *vt* calmer, tranquilliser, apaiser; **to — down** s'apaiser, se calmer.

calumniate [kə'lʌmnieit] *vt* calomnier.

calumniator [kə'lʌmnieitə] *n* calomniateur, -trice.

calumny ['kæləmni] *n* calomnie *f*.

calvary ['kælvəri] *n* calvaire *m*.

calve [kɑːv] *vi* vêler.

cam [kæm] *n* came *f*.

camber ['kæmbə] *n* cambrure *f*, bombement *m*.

Cambodia [kæm'boudjə] *n* Cambodge *m*.

cambric ['keimbrik] *n* batiste *f*.

came [keim] *pt of* **come**.

camel ['kæməl] *n* chameau *m*.

cameo ['kæmiou] *n* camée *m*.

camera ['kæmərə] *n* appareil *m* photographique; **in —** à huis clos; **ciné —** caméra *f*.

cameraman ['kæmərəmæn] *n* photographe *m*, opérateur *m*.

cami-knickers ['kæminikəz] *n* chemise-culotte *f*.

camouflage ['kæməflɑːʒ] *n* camouflage *m*; *vt* camoufler.

camp [kæmp] *n* camp *m*, campement *m*; *vti* camper; **to go —ing** faire du camping.

campaign [kæm'pein] *n* campagne *f*; *vi* faire campagne.

camper ['kæmpə] *n* amateur (-trice) de camping, campeur *m*.

camphor ['kæmfə] *n* camphre *m*.

can [kæn] *n* broc *m*, pot *m*, bidon *m*, boîte *f*, (*oil*) burette *f*, (*beer*) canette *f*; *vt* mettre, conserver, en boîte.

can [kæn] *vi* pouvoir, savoir; **all one —** de son mieux; **he cannot but do it** il ne peut pas ne pas le faire.

Canada ['kænədə] *n* Canada *m*.

Canadian [kə'neidjən] *a* canadien; *n* Canadien, -ienne.

canal [kə'næl] *n* canal *m*.

canalization [ˌkænəlai'zeiʃən] *n* canalisation *f*.

canalize ['kænəlaiz] *vt* canaliser.

canary [kə'nɛəri] *n* canari *m*, serin *m*.

cancel ['kænsəl] *vt* annuler, biffer, révoquer, résilier, supprimer, décommander, contremander; **to — out** s'éliminer.

cancellation [ˌkænse'leiʃən] *n* annulation *f*, résiliation *f*, révocation *f*, contre-ordre *m*.

cancer ['kænsə] *n* cancer *m*.

cancerous ['kænsərəs] *a* cancéreux.

candid ['kændid] *a* franc, sincère, impartial, sans malice.

candidate ['kændidit] *n* candidat(e) *mf*, aspirant *m*, pretendant(e) *mf*.

candidature ['kændiditʃə] *n* candidature *f*.

candle ['kændl] *n* bougie *f*, chandelle *f*, cierge *f*.

candlestick ['kændlstik] *n* chandelier *m*, bougeoir *m*.

candour ['kændə] *n* franchise *f*, impartialité *f*, bonne foi *f*.

candy ['kændi] *n* sucre candi *m*; *vt* glacer, faire candir, confire.

cane [kein] *n* tige *f*, canne *f*, badine *f*, rotin *m*; **— chair** chaise cannée *f*. **—-rat** agouti *m*; *vt* bâtonner, fouetter.

canine ['keinain] *n* canine *f*; *a* canin.

caning ['keiniŋ] *n* bastonnade *f*, correction *f*.

canister ['kænistə] *n* boîte *f*.

canker ['kæŋkə] *n* chancre *m*, fléau *m*, plaie *f*; *vt* ronger, corrompre.

canned [kænd] *a* en boîte; en conserve.

cannibal ['kænibəl] *an* cannibale *mf*.

cannibalism ['kænibəlizəm] *n* cannibalisme *m*.

cannon ['kænən] *n* canon *m*, pièce *f*, carambolage *m*; *vi* caramboler, se heurter.

cannonade [ˌkænə'neid] *n* canonnade *f*; *vt* canonner.

cannon-ball ['kænənbɔːl] *n* boulet *m*.

cannon-fodder ['kænənfɔdə] *n* chair à canon *f*.

canny ['kæni] *a* avisé, sûr, rusé, finaud, économe.

canoe [kə'nuː] *n* canoë *m*, pirogue *f*, périssoire *f*.

canon ['kænən] *n* canon *m*, chanoine *m*, règle *f*.

canoness ['kænənis] *n* chanoinesse *f*.

canonize ['kænənaiz] *vt* canoniser.

canonry ['kænənri] *n* canonicat *m*.

can-opener ['kænoupnə] *n* ouvre-boîte *m*.
canopy ['kænəpi] *n* dais *m*, baldaquin *m*, ciel *m*, marquise *f*.
cant [kænt] *n* argot *m*, pharisaïsme *m*, tartuferie *f*, plan incliné *m*; *vt* incliner.
cantankerous [kən'tæŋkərəs] *a* revêche, batailleur, acariâtre.
canteen [kæn'tiːn] *n* cantine *f*, gamelle *f*, bidon *m*, caisse *f*; — **of cutlery** service *m* de table en coffre.
canter ['kæntə] *n* petit galop *m*; *vi* aller au petit galop.
canticle ['kæntikl] *n* cantique *m*.
cantilever ['kæntiliːvə] *n* encorbellement *m*, cantilever *m*.
canto ['kæntou] *n* chant *m*.
canvas ['kænvəs] *n* toile *f*, tente *f*, voile *f*; **under** — sous voile, sous la tente.
canvass ['kænvəs] *vt* discuter, solliciter, briguer; *vi* (*com*) faire la place, faire une tournée électorale.
canvasser ['kænvəsə] *n* agent électoral *m*, solliciteur, -euse, placier *m*.
cap [kæp] *n* bonnet *m*, casquette *f*, toque *f*, calotte *f*; *vt* coiffer, couronner, surpasser, saluer; **to — it** pour comble; **if the — fits, wear it** qui se sent morveux, se mouche.
capability [ˌkeipə'biliti] *n* pouvoir *m*, moyens *m pl*, capacité *f*, faculté *f*.
capable ['keipəbl] *a* capable, compétent, susceptible (de).
capacious [kə'peiʃəs] *a* spacieux, ample, grand.
capacity [kə'pæsiti] *n* capacité *f*, contenance *f*, débit *m*, rendement *m*, aptitude *f*, qualité *f*, mesure *f*; **to —** à plein, comble.
cape [keip] *n* cap *m*, collet *m*, pèlerine *f*, cape *f*.
caper ['keipə] *n* câpre *f*, cabriole *f*; *vi* cabrioler, gambader.
capital ['kæpitl] *n* capitale *f*, majuscule *f*, capital *m*, chapiteau *m*; *a* capital, fameux.
capitalism ['kæpitəlizəm] *n* capitalisme *m*.
capitalist ['kæpitəlist] *n* capitaliste *mf*.
capitalize ['kæpitəlaiz] *vt* capitaliser.
capitulate [kə'pitjuleit] *vi* capituler.
capitulation [kəˌpitju'leiʃən] *n* capitulation *f*.
capon ['keipən] *n* chapon *m*.
caprice [kə'priːs] *b* caprice *m*.
capricious [kə'priʃəs] *a* capricieux.
capriciousness [kə'priʃəsnis] *n* humeur capricieuse *f*, inconstance *f*.
capsize [kæp'saiz] *vi* chavirer, capoter; *vt* faire chavirer.
capstan ['kæpstən] *n* cabestan *m*.
capsule ['kæpsjuːl] *n* capsule *f*, (*of spaceship*) cabine *f*.
captain ['kæptin] *n* capitaine *m*, chef *m* (d'équipe); *vt* commander, diriger.
caption ['kæpʃən] *n* arrestation *f*, légende *f*, soustitre *m*, rubrique *f*, manchette *f*.
captious ['kæpʃəs] *a* captieux, chicaneur, pointilleux.
captivate ['kæptiveit] *vt* séduire, captiver, charmer.
captive ['kæptiv] *an* prisonnier, -ière, captif, -ive.
captivity [kæp'tiviti] *n* captivité *f*.
capture ['kæptʃə] *n* capture *f*, prise *f*; *vt* prendre, capturer, capter.
car [kɑː] *n* char *m*, wagon *m*, voiture *f*, auto *f*; **dining** — wagon-restaurant *m*; **sleeping** — wagon-lit *m*.
carafe [kə'rɑːf] *n* carafe *f*.
caramel ['kærəmel] *n* caramel *m*, bonbon *m* au caramel.
caravan ['kærəvæn] *n* caravane *f*, roulotte *f*.
carbide ['kɑːbaid] *n* carbure *m*.
carbine ['kɑːbain] *n* carabine *f*.
carbon ['kɑːbən] *n* (papier) carbone *m*.
carbonize ['kɑːbənaiz] *vt* carboniser, carburer.
carboy ['kɑːbɔi] *n* bonbonne *f*.
carbuncle ['kɑːbʌnkl] *n* anthrax *m*, escarboucle *f*.
carburettor ['kɑːbjuretə] *n* carburateur *m*.
carcass ['kɑːkəs] *n* corps *m*, cadavre *m*, carcasse *f*.
card [kɑːd] *n* carte *f*; **visiting** — carte *f* de visite; **he is a** — c'est un numéro; **a queer** — un drôle de type.
cardboard ['kɑːdbɔːd] *n* carton *m*.
card-case ['kɑːdkeis] *n* porte-cartes *m*.
cardigan ['kɑːdigən] *n* tricot *m*, cardigan *m*.
cardinal ['kɑːdinl] *an* cardinal *m*.
card-index ['kɑːd'indeks] *n* classeur *m*, fichier *m*.
card-sharper ['kɑːdˌʃɑːpə] *n* bonneteur *m*, tricheur, -euse, escroc *m*.
care [kεə] *n* soin *m*, souci *m*, attention *f*, peine *f*, solicitude *f*, préoccupation *f*, entretien *m*; *vi* s'inquiéter, se soucier; **c/o (care of)** aux bons soins de; **with** — fragile; **to take** — prendre garde; **to take — not to** se garder de, prendre garde de; **to take — of** prendre soin de, se charger de; **to — for** *vt* aimer, soigner; **I don't — a rap** je m'en fiche, je m'en moque pas mal; **I don't — for this tobacco** ce tabac ne me dit rien.
career [kə'riə] *n* course *f*, cours *m*, carrière *f*; *vi* marcher (courir) comme un fou.
careerist [kə'riərist] *n* arriviste *mf*.
careful ['kεəful] *a* soigneux, prudent, attentif.
carefulness ['kεəfulnis] *n* soin *m*, attention *f*, prudence *f*, circonspection *f*.
careless ['kεəlis] *a* sans soin, négligent, insouciant.

carelessness ['kɛəlisnis] *n* négligence *f*, insouciance *f*.
caress [kə'res] *n* caresse *f*; *vt* caresser.
caretaker ['kɛəˌteikə] *n* concierge *mf*, gardien, -ienne.
cargo ['kɑːgou] *n* cargaison *f*.
cargo-boat ['kɑːgoubout] *n* cargo *m*.
caricature [ˌkærikə'tjuə] *n* caricature *f*, charge *f*; *vt* caricaturer, charger.
carmine ['kɑːmain] *an* carmin *m*; *a* carminé.
carnage ['kɑːnidʒ] *n* carnage *m*, tuerie *f*.
carnal ['kɑːnl] *a* charnel, sensuel, de la chair.
carnation [kɑː'neiʃən] *n* œillet *m*; *an* incarnat *m*.
carnival ['kɑːnivəl] *n* carnaval *m*.
carnivore ['kɑːnivɔː] *n* carnassier *m*.
carnivorous [kɑː'nivərəs] *a* carnassier, carnivore.
carol ['kærəl] *n* chant *m*; **Christmas** — (chant de) Noël *m*; *vti* chanter, tirelirer.
carousal [kə'rauzəl] *n* buverie *f*, orgie *f*, bombe *f*.
carouse [kə'rauz] *vi* faire la noce, faire la bombe.
carp [kɑːp] *n* carpe *f*; *vi* mordre sur tout; **to — at** crier après, gloser sur, chicaner.
carpenter ['kɑːpintə] *n* charpentier *m*.
carpet ['kɑːpit] *n* tapis *m*; **to be on the** — être sur la sellette; *vt* poser un (des) tapis sur, recouvrir d'un tapis.
carping ['kɑːpiŋ] *a* mordant, chicanier, malveillant, pointilleux.
carport ['kɑːpɔːt] *n* abri *m*.
carriage ['kæridʒ] *n* (trans)port *m*, voiture *f*, wagon *m*, affût *m*, allure *f*, maintien *m*; — **free** franco; — **forward** en port dû; — **paid** franco de port.
carriageway ['kæridzwei] *n* **dual** — route jumelée *f*.
carrier ['kæriə] *n* camionneur *m*, roulier *m*, porteur, -euse, porte-avions *m*, porte-bagages *m*.
carrion ['kæriən] *n* charogne *f*.
carrot ['kærət] *n* carotte *f*.
carroty ['kærəti] *a* rouquin, roux, rouge de carotte.
carry ['kæri] *n* trajet *m*, trajectoire *f*, portée *f*; *vti* porter; *vt* transporter, rouler, amener, conduire, emporter, enlever, supporter, voter, adopter; **to — away** emporter, enlever, entrainer; **to — back** rapporter, ramener, reporter; **to — down** descendre; **to — forward** avancer, reporter; **to — off** enlever, (r)emporter; **to — on** *vt* soutenir, entretenir, poursuivre; *vi* continuer, persister, se conduire; **to — out** exécuter, mettre à exécution, appliquer, réussir, exercer, porter dehors; **to — through** mener à bonne fin; **to — weight** peser, avoir de l'influence, avoir du poids, être handicapé.
cart [kɑːt] *n* charrette *f*, tombereau *m*, camion *m*; *vt* transporter, charroyer, charrier; **to — about** trimbaler.
cartage ['kɑːtidʒ] *n* charroi *m*, charriage *m*, transport *m*.
carter ['kɑːtə] *n* charretier *m*, roulier *m*, camionneur *m*.
cart-horse ['kɑːthɔːs] *n* cheval *m* de trait.
cart-load ['kɑːtloud] *n* charretée *f*, tombereau *m*.
cart-shed ['kɑːtʃed] *n* remise *f*, hangar *m*.
Carthusian [kɑː'θjuːzjən] *an* chartreux *m*.
cartilage ['kɑːtilidʒ] *n* cartilage *m*.
cartoon [kɑː'tuːn] *n* carton *m*, dessin *m* (satirique, humoristique, animé), portrait caricaturé *m*.
cartridge ['kɑːtridʒ] *n* cartouche *f*.
cartwright ['kɑːtrait] *n* charron *m*.
carve [kɑːv] *vt* tailler, sculpter (sur bois), ciseler, découper.
carver ['kɑːvə] *n* ciseleur *m*, serveur *m*, découpeur *m*, couteau *m* à découper.
carving ['kɑːviŋ] *n* sculpture *f*, découpage *m*.
cascade [kæs'keid] *n* cascade *f*, chute *f* d'eau; *vi* tomber en cascade.
case [keis] *n* cas *m*, affaire *f*, cause *f*, boîte *f*, caisse *f*, trousse *f*, fourreau *m*, étui *m*, écrin *m*, vitrine *f*, boîtier *m*; **in** — au cas où; **in any (no)** — en tout (aucun) cas; *vt* emballer, encaisser, envelopper.
casement ['keismənt] *n* battant *m*, croisée *f*.
cash [kæʃ] *n* monnaie *f*, argent comptant *m*, espèces *f pl*; *vt* encaisser, toucher; — **account** compte *m* en banque; **petty** — argent *m* de poche, petite caisse *f*; — **down** comptant; — **on delivery** paiement *m* à la livraison; — **book** livre *m* de caisse; — **box** *n* caisse *f*.
cashier [kæ'ʃiə] *n* caissier, -ière; *vt* casser.
cashmere ['kæʃmiə] *n* cachemire *m*.
casino [kə'siːnou] *n* casino *m*.
cask [kɑːsk] *n* tonneau *m*, fût *m*.
casket ['kɑːskit] *n* écrin *m*, boîte *f*, coffret *m*, cassette *f*.
cassava [kə'sɑːvə] *n* manioc *m*.
cassock ['kæsək] *n* soutane *f*.
cast [kɑːst] *n* lancement *m*, jet *m*, calcul *m*, moule *m*, moulage *m*, modèle *m*, coulée *f*, bas de ligne *m*, (*dice*) coup *m*, (*eye*) faux-trait *m*, (*mind*) type *m*, trempe *f*, qualité *f*, (*theatre*) troupe *f*, distribution *f* des rôles; *vt* lancer, (pro)jeter, ôter, couler, mouler, fondre, assigner un rôle à; **to — about** fureter; **to — aside** rejeter, se débarrasser de, mettre de côté; **to — away** jeter

(au loin); **to — back** renvoyer, reporter; **to — down** déprimer, abattre, jeter bas; **to — off** rejeter, larguer, renier; **to — up** rejeter, reprocher.
castaway ['kɑ:stəwei] *n* naufragé(e) *mf*, réprouvé(e) *mf*, proscrit(e) *mf*.
caste [kɑ:st] *n* caste *f*; **half-—** *an*, metis, -isse.
castigate ['kæstigeit] *vt* corriger, châtier.
castigation [ˌkæsti'geiʃən] *n* correction *f*, châtiment *m*.
casting ['kɑ:stiŋ] *n* jet *m*, fronte *f*, moulage *m*, modelage *m*, distribution des rôles; *f a* (*vote*) qui départage.
cast-iron ['kɑ:st aiən] *n* fonte *f*; *a* de fer, de fonte.
castle ['kɑ:sl] *n* château *m*; **—s in the air** des châteaux en Espagne; *vi* (*chess*) roquer.
castor ['kɑ:stə] *n* saupoudroir *m*, poivrière *f*, roulette *f*.
castor-oil ['kɑ:stər'ɔil] *n* huile *f* de ricin.
castrate [kæs'treit] *vt* châtrer, émasculer.
casual ['kæʒjuəl] *a* fortuit, accidentel, banal, désinvolte, insouciant.
casually ['kæʒjuəli] *ad* en passant, avec désinvolture.
casualty ['kæʒjuəlti] *n* accident *m*, blessé(e) *mf*, mort(e) *mf*, malheur *m*; *pl* pertes *f pl*.
cat [kæt] *n* chat, -tte; **tom —** matou *m*.
cataclysm ['kætəklizəm] *n* cataclysme *m*.
catacombs ['kætəkoumz] *n* catacombes *f pl*.
catalepsy ['kætəlepsi] *n* catalepsie *f*.
catalogue ['kætəlɔg] *n* catalogue *m*, liste *f*, prix-courant *m*; *vt* cataloguer.
catapult ['kætəpʌlt] *n* lance-pierres *m inv*, fronde *f*, catapulte *f*; *vt* lancer.
cataract ['kætərækt] *n* cataracte *f*.
catarrh [kə'tɑ:] *n* catarrhe *m*.
catastrophe [kə'tæstrəfi] *n* catastrophe *f*, désastre *m*, dénouement *m*.
catcalls ['kætkɔ:lz] *n pl* miaulements *m pl*, sifflets *m pl*, huées *f pl*.
catch [kætʃ] *n* prise *f*, capture *f*, pêche *f*, attrape *f*, piège *m*, agrafe *f*, loquet *m*, déclic *m*, cran d'arrêt *m*; *vti* prendre; *vt* attraper, saisir, accrocher, surprendre; *vi* se prendre, s'engager, mordre; **to — on** prendre, réussir; **to — up** saisir, rattraper, rejoindre.
catching ['kætʃiŋ] *a* séduisant, contagieux, communicatif.
catchword ['kætʃwə:d] *n* mot *m* d'ordre, mot *m* de ralliement, slogan *m* scie *f*.
catchy ['kætʃi] *a* entraînant, insidieux.
catechism ['kætikizəm] *n* catéchisme *m*.
categorical [ˌkæti'gɔrikəl] *a* catégorique.
category ['kætigəri] *n* catégorie *f*.
cater ['keitə] *vi* pourvoir; **to — for** pourvoir à, approvisionner.
caterer ['keitərə] *n* fournisseur, -euse, pourvoyeur, -euse, traiteur *m*.
catering ['keitəriŋ] *n* approvisionnement *m*; **to do the —** fournir le buffet.
caterpillar ['kætəpilə] *n* chenille *f*.
caterwaul ['kætəwɔ:l] *vi* miauler, faire du tapage.
caterwauling ['kætəwɔ:liŋ] *n* miaulements *m pl*, tapage *m*, sabbat *m* de chats.
catgut ['kætgʌt] *n* catgut *m*.
cathedral [kə'θi:drəl] *n* cathédrale *f*.
catholic ['kæθəlik] *an* catholique *mf*; *a* universel, tolérant.
catholicism [kə:'θɔlisizəm] *n* catholicisme *m*.
catholicity [ˌkæθə'lisiti] *n* catholicité *f*, orthodoxie *f*, universalité *f*, tolérance *f*.
cat-o'-nine-tails ['kætə'nainteilz] *n* garcette *f*.
cat's-paw ['kætspɔ:] *n* instrument *m*, dupe *f*.
cattish ['kætiʃ] *a* méchant, rosse.
cattle ['kætl] *n* bétail *m*, bestiaux *m pl*; **— show** comice agricole *m*.
cattle-drover ['kætldrouvə] *n* bouvier *m*.
cattle-shed ['kætlʃed] *n* étable *f*.
caucus ['kɔ:kəs] *n* comité *m*, clique politique *f*.
caught [kɔ:t] *pt pp of* **catch**.
cauldron ['kɔ:ldrən] *n* chaudron *m*, chaudière *f*.
cauliflower ['kɔliflauə] *n* chou-fleur *m*.
caulk [kɔ:k] *vt* calfater, calfeutrer, mater.
cause [kɔ:z] *n* cause *f*, motif *m*, occasion *f*, raison *f*, sujet *m*; *vt* causer, occasionner, provoquer.
causeway ['kɔ:zwei] *n* chaussée *f*, digue *f*.
caustic ['kɔ:stik] *a* caustique, mordant.
cauterize ['kɔ:təraiz] *vt* cautériser.
caution ['kɔ:ʃən] *n* prudence *f*, précaution *f*, circonspection *f*, réprimande *f*, avertissement *m*; *vt* avertir, mettre sur ses gardes.
cautious ['kɔ:ʃəs] *a* prudent, circonspect.
cautiousness ['kɔ:ʃəsnis] *n* prudence *f*, circonspection *f*.
cavalier [ˌkævə'liə] *n* cavalier *m*, gentilhomme *m*, cavalier servant *m*, galant *m*; *a* cavalier, désinvolte.
cavalry ['kævəlri] *n* cavalerie *f*.
cavalryman ['kævəlrimən] *n* cavalier *m*, soldat *m* de cavalerie.
cave [keiv] *n* caverne *f*, grotte *f*; **to — in** s'affaisser, s'effondrer, s'enfoncer, céder.

cavern ['kævən] *n* souterrain *m*, caverne *f*.
cavil ['kævil] *vi* ergoter, chicaner.
cavilling ['kæviliŋ] *n* argutie *f*, ergotage *m*, chicanerie *f*; *a* ergoteur.
cavity ['kæviti] *n* cavité *f*, creux *m*, trou *m*, fosse *f*.
caw [kɔː] *vi* croasser.
cease [siːs] *n* cesse *f*; *vti* cesser.
cease-fire [siːs'faiə] *n* cessez-le-feu *m*.
ceaseless ['siːslis] *a* incessant.
ceaselessly ['siːslisli] *ad* incessament, sans cesse.
Cecilia ['siljə] Cécile *f*.
cedar ['siːdə] *n* cèdre *m*.
ceiling ['siːliŋ] *n* plafond *m*.
celebrate ['selibreit] *vt* célébrer, fêter, commémorer; *vi* faire la fête.
celebration [,seli'breiʃən] *n* fête *f*, commémoration *f*.
celebrity [si'lebriti] *n* célébrité *f*, renommée *f*, sommité *f*.
celeriac [sə'leriæk] *n* céleri-rave *m*.
celery ['seləri] *n* céleri *m*.
celestial [si'lestjəl] *a* céleste.
celibacy ['selibəsi] *n* célibat *m*.
celibate ['selibit] *n* célibataire *mf*.
cell [sel] *n* cellule *f*, cachot *m*.
cellar ['selə] *n* cave *f*, caveau *m*.
cellophane ['seləfein] *n* cellophane *f*.
celluloid ['seljulɔid] *n* celluloïde *m*.
cellulose ['seljulous] *n* cellulose *f*.
Celtic ['keltik] *a* celtique, celte.
cement [si'ment] *n* ciment *m*; *vt* cimenter.
cemetery ['semitri] *n* cimetière *m*.
cense [sens] *vt* encenser.
censer ['sensə] *n* encensoir *m*.
censor ['sensə] *n* censeur *m*, *vt* interdire, supprimer, contrôler; **to be —ed** passer par la censure.
censoring ['sensəriŋ] *n* censure *f*.
censorious [sen'sɔːriəs] *a* réprobateur, dénigrant, sévère.
censorship ['sensəʃip] *n* censure *f*, contrôle *m*.
censurable ['senʃərəbl] *a* répréhensible, censurable.
censure ['senʃə] *n* censure *f*, blâme *m*; *vt* censurer, condamner, critiquer.
census ['sensəs] *n* recensement *m*.
cent [sent] *n* cent *m*; **he hasn't a —** il n'a pas le sou.
centenarian [,senti'nɛəriən] *an* centenaire *mf*.
centenary [sen'tiːnəri] *an* centenaire *m*.
centigramme ['sentigræm] *n* centigramme *m*.
centimetre ['senti,mitə] *n* centimètre *m*.
centipede ['sentipiːd] *n* mille-pattes *m inv*.
central ['sentrəl] *a* central.
centralize ['sentrəlaiz] *vt* centraliser.
centre ['sentə] *n* centre *m*, milieu *m*, foyer *m*; *vt* centrer, concentrer; *vi* se centrer, se concentrer.
centre-forward [,sentə'fɔːwəd] *n* avant-centre *m*.
centre-half [,sentə'hɑːf] *n* demi-centre *m*.
centrifugal [sen'trifjugəl] *a* centrifuge.
centripetal [sen'tripətl] *a* centripète.
centuple ['sentjupl] *an* centuple *m*; *vt* centupler.
century ['sentʃuri] *n* siècle *m*.
cereal ['siəriəl] *an* céréale *f*.
cerebral ['seribrəl] *a* cérébral.
ceremonial [,seri'mounjəl] *n* cérémonial *m*, étiquette *f*; *a* de cérémonie.
ceremonious [,seri'mounjəs] *a* cérémonieux.
ceremony ['seriməni] *n* cérémonie *f*, façon(s) *f pl*.
cert ['səːt] *n* (*sl*) certitude *f*, affaire sûre *f*; **it's a —** c'est couru.
certain ['səːtn] *a* certain, sûr; **to make —** s'assurer.
certainly ['səːtnli] *ad* certainement, certes, assurément, à coup sûr.
certainty ['səːtnti] *n* certitude *f*.
certificate [sə'tifikit] *n* certificat *m*, attestation *f*, titre *m*, diplôme *m*; diplômer.
certify ['səːtifai] *vt* certifier, déclarer, attester.
certifying ['səːtifaiiŋ] *n* attestation *f*, homologation *f*, approbation *f*.
certitude ['səːtitjuːd] *n* certitude *f*.
cessation [se'seiʃən] *n* cessation *f*, arrêt *m*.
cession ['seʃən] *n* cession *f*, abandon *m*.
cesspool ['sespuːl] *n* fosse *f*, puisard *m*.
chafe [tʃeif] *vt* frotter, irriter, écorcher, frictionner, érailler; *vi* se frotter, s'irriter, s'énerver, s'agiter.
chaff [tʃɑːf] *n* balle *f*, paille *f*, blague *f*, persiflage *m*; *vt* blaguer, railler.
chaffinch ['tʃæfintʃ] *n* pinson *m*.
chafing ['tʃeifiŋ] *n* irritation *f*, frottement *m*, friction *f*, écorchement *m*.
chagrin ['ʃægrin] *n* chagrin *m*, dépit *m*; *vt* chagriner, mortifier.
chain [tʃein] *n* chaîne *f*, enchaînement *m*, série *f*, suite *f*; *vt* enchaîner, attacher.
chair [tʃɛə] *n* chaise *f*, siège *m*, fauteuil *m*, chaire *f*; **to be in the —** présider.
chairman ['tʃɛəmən] *n* président *m*.
chalice ['tʃælis] *n* calice *m*.
chalk [tʃɔːk] *n* craie *f*, pastel *m*, blanc *m*; *vt* marquer, tracer *etc* à la craie.
chalky ['tʃɔːki] *a* crayeux.
challenge ['tʃælindʒ] *n* défi *m*, provocation *f*, qui vive *m*, interpellation *f*, récusation *f*; *vt* défier, crier qui vive à, porter un défi à, provoquer (en duel), mettre en question, récuser.
chamber ['tʃeimbə] *n* chambre *f*, cabinet *m*, salle *f*, étude *f*.

chamberlain ['tʃeimbəlin] *n* chambellan *m*.
chambermaid ['tʃeimbəmeid] *n* femme *f* de chambre.
chamber-pot ['tʃeimbəpɔt] *n* pot *m* de chambre.
champ [tʃæmp] *vt* mâcher, ronger.
Champagne [ʃæm'pein] *n* Champagne *f*; (*wine*) champagne *m*.
champion ['tʃæmpjən] *n* champion, -onne; *vt* soutenir.
championship ['tʃæmpjənʃip] *n* championnat *m*.
chance [tʃɑːns] *n* chance *f*, sort *m*, occasion *f*, hasard *m*; *a* fortuit, de rencontre; *vt* risquer; *vi* venir (à to); **to — upon** rencontrer (par hasard), tomber sur.
chancel ['tʃɑːnsəl] *n* chœur *m*.
chancellor ['tʃɑːnsələ] *n* chancelier *m*.
chancellory ['tʃɑːnsələri] *n* chancellerie *f*.
chancy ['tʃɑːnsi] *a* chanceux, incertain, risqué.
chandelier [ˌʃændi'liə] *n* lustre *m*, candélabre *m*.
change [tʃeindʒ] *n* changement *m*, change *f*, revirement *m*, monnaie *f*; *vt* changer, transformer, modifier; *vi* (se) changer, se modifier, se transformer.
changeable ['tʃeindʒəbl] *a* changeant, variable.
changeableness ['tʃeindʒəblnis] *n* mobilité *f*, inconstance *f*, variabilité *f*.
channel ['tʃænl] *n* lit *m*, canal *m*, rainure *f*, voie *f*; **the Channel** la Manche; **Irish Channel** mer d'Irlande *f*.
chant [tʃɑːnt] *n* (plain-)chant *m*, psalmodie *f*; *vt* chanter, psalmodier.
chanty ['tʃɑːnti] *n* chanson de bord *f*.
chaos ['keiɔs] *n* chaos *m*.
chaotic [kei'ɔtik] *a* chaotique, sans ordre, désorganisé.
chap [tʃæp] *n* gerçure *f*, crevasse *f*, bajoue *f*, type *m*; *vt* gercer, crevasser.
chapel ['tʃæpl] *n* chapelle *f*, oratoire *m*.
chaperon ['ʃæpəroun] *n* chaperon *m*; *vt* chaperonner.
chaplain ['tʃæplin] *n* aumônier *m*.
chaplet ['tʃæplit] *n* guirlande *f*, chapelet *m*.
chapter ['tʃæptə] *n* chapitre *m*, suite *f*.
char [tʃɑː] *vt* carboniser; *vi* aller en journée, faire des ménages; *n* femme *f* de ménage, femme *f* de journée.
character ['kæriktə] *n* caractère *m*, moralité *f*, certificat *m* (de moralité), réputation *f*, numéro *m*, original(e) *mf*, personnage *m*, individu *m*.
characteristic [ˌkæriktə'ristik] *n* trait *m* (de caractère), particularité *f*; *a* caractéristique.
characterize ['kæriktəraiz] *vt* caractériser, être caractéristique de.
charcoal ['tʃɑːkoul] *n* charbon *m* de bois, fusain *m*.
charcoal-burner ['tʃɑːkoulˌbəːnə] *n* charbonnier *m*.
charge [tʃɑːdʒ] *vti* charger; *vt* accuser, demander; *n* charge *f*, prix *m*, frais *m pl*, fonction *f*, emploi *m*, soin *m*, garde *f*, accusation *f*; **to — s.o. with sth** accuser qn de qch, reprocher qch à qn; **to — sth to s.o.** mettre qch au compte de qn; **on a — of** sous l'inculpation de; **free of —** franco, gratuitement, gratis.
chargeable ['tʃɑːdʒəbl] *a* imputable, inculpable.
charger ['tʃɑːdʒə] *n* chargeur *m*, plateau *m*, cheval *m* de bataille.
charily ['tʃɛərili] *ad* prudemment, chichement.
chariness ['tʃɛərinis] *n* prudence *f*, parcimonie *f*.
chariot ['tʃæriət] *n* char *m*.
charitable ['tʃæritəbl] *a* charitable, de bienfaisance.
charity ['tʃæriti] *n* charité *f*, bienfaisance *f*, aumônes *f pl*.
charm [tʃɑːm] *n* charme *m*, agrément *m*, sort *m*, sortilège *m*, porte-bonheur *m*, fétiche *m*; *vt* charmer, enchanter, jeter un sort sur.
charnel-house ['tʃɑːnlhaus] *n* charnier *m*.
chart [tʃɑːt] *n* carte *f*, diagramme *m*; *vt* relever la carte de, porter sur une carte, établir le graphique de, l'hydrographie de, explorer.
charter ['tʃɑːtə] *n* charte *f*; *vt* accorder une charte à, affréter, louer.
chartering ['tʃɑːtəriŋ] *n* nolisement *m*, affrètement *m*.
charwoman ['tʃɑːwumən] *n* femme de ménage *f*.
chary ['tʃɛəri] *a* prudent, chiche, avare.
chase [tʃeis] *n* chasse *f*, poursuite *f*; *vt* poursuivre, (pour)chasser, ciseler, repousser.
chaser ['tʃeisə] *n* chasseur *m*, pousse-café *m*.
chasing ['tʃeisiŋ] *n* ciselure *f*, repoussage *m*.
chasm ['kæzəm] *n* crevasse *f*, abîme *m*, gouffre *m*, vide *m*.
chassis ['ʃæsi] *n* chassis *m*.
chaste [tʃeist] *a* chaste, pudique, pur.
chasten ['tʃeisn] *vt* châtier, assagir, dégonfler.
chastise [tʃæs'taiz] *vt* châtier, corriger.
chastisement ['tʃæstizmənt] *n* châtiment *m*.
chastity ['tʃæstiti] *n* chasteté *f*, pureté *f*, sobriété *f*.
chat [tʃæt] *n* (brin de) causerie *f*, causette *f*; *vi* bavarder, causer.
chattel ['tʃætl] *n* propriété *f*, bien

m, mobilier *m*; **goods and —s** biens et effets *m pl*.
chatter ['tʃætə] *n* babil *m*, caquetage *m*, bavardage *m*, claquement *m*; *vi* bavarder, jaser, caqueter, claquer.
chatterbox ['tʃætəbɔks] *n* moulin *m* à paroles, bavard *m*.
chatty ['tʃæti] *a* bavard, causant, causeur.
chauffeur ['ʃoufə] *n* chauffeur *m*.
cheap [tʃi:p] *a* bon marché, (à prix) réduit, trivial, facile; **it's dirt —** c'est donné.
cheapen ['tʃi:pən] *vt* déprécier, baisser le prix de.
cheaply ['tʃi:pli] *ad* (à) bon marché, à peu de frais, à bon compte.
cheat [tʃi:t] *n* tricheur, -euse, escroc *m*, filou *m*; *vti* tricher; *vt* tromper, voler.
cheating ['tʃi:tiŋ] *n* tricherie *f*, tromperie *f*, fourberie *f*.
check [tʃek] *n* échec *m*, arrêt (brusque) *m*, contrôle *m*, contremarque *f*, rebuffade *f*, bulletin *m*, ticket *m*, étoffe à carreaux *f*; *vt* tenir en échec, arrêter, retenir, contenir, freiner, réprimer, réprimander, contrôler, vérifier, réviser, compulser.
checker ['tʃekə] *n* contrôleur *m*, pointeur *m*.
checker-board ['tʃekəbɔ:d] *n* damier *m*.
checkmate ['tʃek'meit] *vt* faire échec et mat à, déjouer, contrecarrer.
cheek [tʃi:k] *n* joue *f*, toupet *m*, effronterie *f*.
cheekbone ['tʃi:kboun] *n* pommette *f*.
cheekiness ['tʃi:kinis] *n* effronterie *f*.
cheeky ['tʃi:ki] *a* effronté.
cheep [tʃi:p] *vi* piauler, pépier.
cheer [tʃiə] *n* belle humeur *f*, bonne chère *f*, acclamations *f pl*, applaudissements *m pl*, vivats *m pl*; *vt* réconforter, égayer, acclamer; **to give three —s for** accorder un ban à; *vti* applaudir; **to — up** *vi* reprendre courage, se regaillardir; *vt* réconforter, remonter le moral à; **— up!** courage!
cheerful ['tʃiəful] *a* joyeux, gai, réconfortant, égayant.
cheerfully ['tʃiəfuli] *ad* gaîment, de bon cœur.
cheerfulness ['tʃiəfulnis] *n* gaieté *f*, belle humeur *f*, entrain *m*.
cheering ['tʃiəriŋ] *n* applaudissements *m pl*, acclamation *f*; *a* réjouissant, encourageant.
cheerio ['tʃiəri'ou] *excl* à bientot! à tantôt! à la vôtre!
cheerless ['tʃiəlis] *a* sombre, morne.
cheery ['tʃiəri] *a* gai, joyeux.
cheese [tʃi:z] *n* fromage *m*.
chef [ʃef] *n* chef *m* (de cuisine).
chemical ['kemikəl] *a* chimique; *n pl* produits chimiques *m pl*.
chemist ['kemist] *n* chimiste *m*, pharmacien *m*; **—'s shop** pharmacie *f*.
chemistry ['kemistri] *n* chimie *f*.
cheque [tʃek] *n* chèque *m*; **blank —** chèque en blanc; **traveller's —** chèque de voyage; **to cross a —** barrer un chèque.
cheque-book ['tʃekbuk] *n* carnet *m* de chèques, chéquier *m*.
chequer ['tʃekə] *n* damier *m*; *pl* carreaux *m pl*, quadrillage *m*; *vt* disposer en damier, quadriller, diaprer, varier.
chequered ['tʃekəd] *a* varié, diapré, inégal, quadrillé, en damier, à carreaux, accidenté.
cherish ['tʃeriʃ] *vt* chérir, soigner, caresser.
cherry ['tʃeri] *n* cerise *f*.
cherry tree ['tʃeritri] *n* cerisier *m*.
cherub ['tʃerəb] *n* chérubin *m*.
chervil ['tʃə:vil] *n* cerfeuil *m*.
chess [tʃes] *n* échecs *m pl*.
chessboard ['tʃesbɔ:d] *n* échiquier *m*.
chest [tʃest] *n* poitrine *f*, poitrail *m*, coffre *m*, caisse *f*; **— of drawers** commode *f*.
chestnut ['tʃesnʌt] *n* châtaigne *f*, marron *m*; *a* châtain, marron, alezan.
chestnut tree ['tʃesnʌttri] *n* châtaignier *m*, marronnier *m*.
chew [tʃu:] *vt* (re)mâcher, mastiquer, chiquer, ruminer.
chicanery [ʃi'keinəri] *n* chicanerie *f*, arguties *f pl*.
chick [tʃik] *n* poussin *m*.
chicken ['tʃikin] *n* poulet *m*.
chicken-pox ['tʃikinpɔks] *n* varicelle *f*.
chickweed ['tʃikwi:d] *n* mouron *m* des oiseaux.
chicory ['tʃikəri] *n* endive *f*.
chidden ['tʃidn] *pp of* **chide**.
chide [tʃaid] *vti* gronder.
chief [tʃi:f] *n* chef *m*, patron *m*; *a* en chef, principal.
chiefly ['tʃi:fli] *ad* notamment.
chilblain ['tʃilblein] *n* engelure *f*.
child [tʃaild] *n* enfant *mf*.
childbed ['tʃaildbed] *n* couches *f pl*.
childbirth ['tʃaildbə:θ] *n* accouchement *m*.
childhood ['tʃaildhud] *n* enfance *f*.
childish ['tʃaildiʃ] *a* enfantin, d'enfant, puéril.
childishness ['tʃaildiʃnis] *n* puérilité *f*, enfantillage *m*.
childless ['tʃaildlis] *a* sans enfant, stérile.
childlike ['tʃaildlaik] *a* enfantin, d'enfant.
children ['tʃildrən] *pl of* **child**.
chill [tʃil] *n* froid *m*, refroidissement *m*, chaud et froid *m*, frisson *m*; *a* glacial, froid; *vt* glacer, refroidir; *vt* se glacer, se refroidir.
chilled [tʃild] *a* transi de froid, glacé, frigorifié.

chilly ['tʃili] *a* froid, frileux, glacial, frisquet.
chime [tʃaim] *n* carillon *m*; *vti* sonner, carillonner; *vi* s'harmoniser (avec **with**); **to — in** placer son mot, intervenir.
chimera [kai'miərə] *n* chimère *f*.
chimney ['tʃimni] *n* cheminée *f*.
chimney-pot ['tʃimnipɔt] *n* cheminée *f*.
chimney-sweep ['tʃimniswi:p] *n* ramoneur *m*.
chin [tʃin] *n* menton *m*.
chinstrap ['tʃinstræp] *n* jugulaire *f*.
china ['tʃainə] *n* porcelaine *f*.
China ['tʃainə] *n* Chine *f*.
Chinaman ['tʃainəmən] *n* Chinois *m*.
Chinese ['tʃai'ni:z] *an* chinois *m*; *n* Chinois(e) *mf*.
chink [tʃiŋk] *n* fente *f*, crevasse *f*, lézarde *f*, entrebâillement *m*, tintement *m*; *vi* sonner, tinter; *vt* faire sonner, faire tinter.
chintz [tʃints] *n* perse *f*.
chip [tʃip] *n* copeau *m*, éclat *m*, tranche *f*, écornure *f*, écaille *f*, jeton *m*; *vt* couper, ébrécher, écorner; *vi* s'ébrécher, s'écorner; **to — in** intervenir, placer son mot.
chips [tʃips] *n pl* (pommes *f pl* de terre) frites *f pl*.
chiropodist [ki'rɔpədist] *n* pédicure *m*.
chirp [tʃə:p] **chirrup** ['tʃirəp] *n* pépiement *m*, gazouillement *m*; *vi* pépier, gazouiller, grésiller.
chisel ['tʃizl] *n* ciseau *m*, burin *m*; *vt* ciseler, sculpter.
chit [tʃit] *n* marmot *m*, mioche *mf*, brin *m*.
chit-chat ['tʃittʃæt] *n* commérages *m pl*.
chivalrous ['ʃivəlrəs] *a* chevaleresque.
chivalry ['ʃivəlri] *n* chevalerie *f*, courtoisie *f*.
chive [tʃaiv] *n* ciboulette *f*.
chlorine ['klɔ:ri:n] *n* chlore *m*.
chloroform ['klɔrəfɔ:m] *n* chloroforme *m*.
chock [tʃɔk] *n* cale *f*; *vt* caler, mettre sur cale, bourrer.
chock-full ['tʃɔkful] *a* bourré, bondé.
chocolate ['tʃɔkəlit] *n* chocolat *m*; **— button, candy** crotte de chocolat *f*.
choice [tʃɔis] *n* choix *m*, préférence *f*, élection *f*; *a* de choix, choisi.
choir ['kwaiə] *n* chœur *m*, maîtrise *f*.
choke [tʃouk] *n* étranglement *m*, étrangleur *m*, (*aut*) starter *m*; *vti* étrangler, suffoquer, étouffer; *vt* boucher, obstruer; *vi* se boucher, obstruer; *vi* se boucher, s'obstruer; **to — back** refouler; **to — down** avaler.
choking ['tʃoukiŋ] *n* suffocation *f*, étranglement *m*, étouffement *m*, obstruction *f*.
cholera ['kɔlərə] *n* choléra *m*.
choleric ['kɔlərik] *a* cholérique, irascible.
choose [tʃu:z] *vt* choisir, opter, élire, adopter.
choosy ['tʃu:zi] *a* difficile, chipoteur.
chop [tʃɔp] *n* coup *m* (de hache), côtelette *f*, clapotis *m*; *vt* hacher, tailler, couper, fendre; *vi* clapoter; **to — down** abattre; **to — off** couper, trancher.
chopper ['tʃɔpə] *n* hachoir *m*, couperet *m*; (*US*) hélicoptère *m*.
choppy ['tʃɔpi] *a* agité, haché.
chopstick ['tʃɔpstik] *n* baguette *f*.
chord [kɔ:d] *n* corde *f*, accord *m*.
chorister ['kɔristə] *n* choriste *m*, chantre *m*, enfant de chœur *m*.
chorus ['kɔ:rəs] *n* chœur *m*, refrain *m*; **—girl** girl *f*.
chose [tʃouz] *pt of* **choose**.
Christ [kraist] *n* le Christ.
christen ['krisn] *vt* baptiser.
Christendom ['krisndəm] *n* chrétienté *f*.
christening ['krisniŋ] *n* baptême *m*.
Christian ['kristjən] *an* chrétien, -ienne.
Christianity [,kristi'æniti] *n* christianisme *m*.
Christmas ['krisməs] *n* Noël *m*; **Father —** le Père Noël.
Christmas-box ['krisməsbɔks] *n* étrennes *f pl*.
Christmas-carol ['krisməs'kærəl] *n* noël *m*.
Christopher ['kristəfə] Christophe *m*.
chromium ['kroumjəm] *n* chrome *m*.
chromium-plated ['kroumjəm,pleitid] *a* chromé.
chronic ['krɔnik] *a* chronique, constant.
chronicle ['krɔnikl] *n* chronique *f*; *vt* relater, faire la chronique de.
chronicler ['krɔniklə] *n* chroniqueur *m*.
chronological [,krɔnə'lɔdʒikl] *a* chronologique.
chronology [krə'nɔlədʒi] *n* chronologie *f*.
chronometer [krə'nɔmitə] *n* chronomètre *m*.
chrysalis ['krisəlis] *n* chrysalide *f*.
chrysanthemum [kri'sænθəməm] *n* chrysanthème *m*.
chubby ['tʃʌbi] *a* joufflu, potelé.
chuck [tʃʌk] *n* tape *f*; *vt* jeter, plaquer; **to — out** flanquer à la porte; **to — up** abandonner, balancer.
chuckle ['tʃʌkl] *n* rire étouffé *m*, gloussement *m*; *vi* rire sous cape, glousser.
chum [tʃʌm] *n* copain *m*, copine *f*, camarade *mf*.
chunk [tʃʌnk] *n* gros morceau *m*, (*bread*) quignon *m*.
church [tʃə:tʃ] *n* église *f*, temple *m*.

churchwarden ['tʃə:tʃ'wɔ:dn] *n* marguillier *m*.
churchyard ['tʃə:tʃ'jɑ:d] *n* cimetière *m*.
churl [tʃə:l] *n* rustre *m*, ladre *m*.
churlish ['tʃə:liʃ] *a* grossier, mal élevé, grincheux, hargneux, bourru.
churlishness ['tʃə:liʃnis] *n* rusticité *f*, grossièreté *f*.
churn [tʃə:n] *n* baratte *f*; *vt* battre; *vi* (*sea*) bouillir, bouillonner.
cicada [si'kɑ:də] *n* cigale *f*.
cider ['saidə] *n* cidre *m*.
cigar [si'gɑ:] *n* cigare *m*.
cigarette [,sigə'ret] *n* cigarette *f*.
cigarette-case [,sigə:'retkeis] *n* étui *m* à cigarettes.
cigarette-holder [,sigə'ret,houldə] *n* fume-cigarette *m*.
cinder ['sində] *n* cendre *f*; *pl* cendres *f pl*, escarbilles *f pl*.
Cinderella [,sində'relə] *n* Cendrillon.
cine-camera ['sini'kæmərə] *n* caméra *f*.
cinema ['sinimə] *n* cinéma *m*.
cine-projector ['siniprə,dʒektə] *n* ciné-projecteur *m*.
cinnamon ['sinəmən] *n* canelle *f*.
cipher ['saifə] *n* zéro *m*, chiffre *m*, clé *f*; *vt* chiffrer.
circle ['sə:kl] *n* cercle *m*, milieu *m*; **vicious** — cercle vicieux; *vt* encercler, entourer, faire le tour de; *vi* tourner en rond, tournoyer.
circuit ['sə:kit] *n* circuit *m*, ressort *m*, tournée *f*, tour *m*, enceinte *f*, parcours *m*, pourtour *m*, détour *m*.
circuitous [sə'kjuitəs] *a* tournant, détourné.
circular ['sə:kjulə] *an* circulaire *f*.
circularize ['sə:kjuləraiz] *vt* envoyer des circulaires à.
circulate ['sə:kjuleit] *vi* circuler; *vt* faire circuler.
circulation [,sə:kju'leiʃən] *n* circulation *f*, (*of newspaper*) tirage *m*.
circumcise ['sə:kəmsaiz] *vt* circoncire.
circumcision [,sə:kəm'siʒən] *n* circoncision *f*.
circumference [sə'kʌmfərəns] *n* circonférence *f*.
circumflex ['sə:kəmfleks] *an* circonflexe *m*.
circumlocution [,sə:kəmlə'kju:ʃən] *n* circonlocution *f*, ambages *f pl*.
circumscribe ['sə:kəmskraib] *vt* circonscrire.
circumspect ['sə:kəmspekt] *a* circonspect.
circumspection [,sə:kəm'spekʃən] *n* circonspection *f*.
circumstance ['sə:kəmstəns] *n* circonstance *f*, situation *f*, cérémonie *f*.
circumstantial [,sə:kəm'stænʃəl] *a* indirect, circonstancié, circonstanciel.
circumvent [,sə:kəm'vent] *vt* circonvenir.
circus ['sə:kəs] *n* cirque *m*, rond-point *m*.
cistern ['sistən] *n* réservoir *m*, citerne *f*.
citadel ['sitədl] *n* citadelle *f*.
citation [sai'teiʃən] *n* citation *f*.
cite [sait] *vt* citer, assigner.
citizen ['sitizn] *n* citoyen, citadin(e) *mf* bourgeois(e) *mf*.
citizenship ['sitiznʃip] *n* civisme *m*.
citron ['sitrən] *n* cédrat *m*.
city ['siti] *n* (grande)ville *f*, cité *f*; **garden** — cité jardin *f*.
civic ['sivik] *a* civique, municipal.
civics ['siviks] *n* instruction civique *f*.
civil ['sivil] *a* civil, poli, honnête; **C— Service** *n* administration *f*; **— servant** *n* fonctionnaire *m*; **in — life** dans le civil; (*US*) **C— War** Guerre *f* de sécession.
civilian [si'viljən] *n* civil *m*, pékin *m*.
civility [si'viliti] *n* politesse *f*, civilité *f*.
civilization [,sivilai'zeiʃən] *n* civilisation *f*.
civilize ['sivilaiz] *vt* civiliser.
clack [klæk] *n* claquement *m*; *vi* claquer, caqueter.
clad [klæd] *pt pp of* **clothe.**
claim [kleim] *n* revendication *f*, réclamation *f*, titre *m*, droit *m*, demande *f*, prétention *f*; *vt* réclamer, revendiquer, prétendre (à), demander.
claimant ['kleimənt] *n* demandeur, -eresse, réclamant(e) *mf*, prétendant(e) *mf*, revendicateur *m*.
clairvoyant [klεə'vɔiənt] *a* clairvoyant, doué de seconde vue; *n* voyant(e) *mf*.
clam [klæm] *n* palourde *f*.
clamant ['kleimənt] *a* bruyant, criant, urgent.
clamber ['klæmbə] *vi* grimper; *n* escalade *f*.
clammy ['klæmi] *a* moite, humide, gluant.
clamorous ['klæmərəs] *a* bruyant, braillard.
clamour ['klæmə] *n* clameur *f*; *vi* pousser des cris, vociférer; **to — for** demander, réclamer, à grand cris.
clamp [klæmp] *n* crampon *m*, mordache *f*, patte *f* d'attache, (*potato*) silo *m*; *vt* consolider, brider, agrafer.
clan [klæn] *n* clan *m*.
clandestine [klæn'destin] *a* clandestin.
clang [klæŋ] *n* bruit *m* retentissant, son *m* métallique; *vt* résonner, retentir; *vt* faire résonner.
clank [klænk] *n* cliquetis *m*; *vi* sonner; *vt* faire sonner.
clap [klæp] *n* éclat *m*, battement *m*, applaudissements *m pl*, tape *f*; *vi* battre (des mains); *vti* applaudir; *vt* camper, fourrer.
clapper ['klæpə] *n* battant *m*,

crécelle *f*, claquet *m*, claqueur *m*.
claptrap ['klæptræp] *n* tape-à-l'œil *m*, boniment *m*.
claret ['klærət] *n* bordeaux *m* rouge.
clarify ['klærifai] *vt* clarifier, éclaircir; *vi* se clarifier, s'éclaircir.
clarinet [ˌklæri'net] *n* clarinette *f*.
clarion ['klæriən] *n* clairon *m*; *a* claironnant.
clarity ['klæriti] *n* clarté *f*, lucidité *f*.
clash [klæʃ] *n* choc *m*, heurt *m*, fracas *m*, cliquetis *m*, confit *m*; *vi* faire du fracas, se heurter, s'entrechoquer, jurer; *vt* faire résonner.
clasp [klɑːsp] *n* agrafe *f*, fermoir *m*, fermeture *f*, étreinte *f*; *vt* agrafer, serrer, étreindre.
clasp-knife ['klɑːspnaif] *n* couteau fermant, pliant *m*.
class [klɑːs] *n* classe *f*, catégorie *f*, type *m*, sorte *f*; *vt* classer.
classic ['klæsik] *an* classique *m*.
classicism ['klæsisizəm] *n* classicisme *m*.
classification [ˌklæsifi'keiʃən] *n* classement *m*.
classify ['klæsifai] *vt* classer.
clatter ['klætə] *n* bruit *m*, fracas *m*, brouhaha *m*, ferraillement *m*.
clause [klɔːz] *n* clause *f*, article *m*, proposition *f*.
clavicle ['klævikl] *n* clavicule *f*.
claw [klɔː] *n* serre *f*, pince *f*, griffe *f*; *vt* gratter, griffer, déchirer, égratigner.
clay [klei] *n* argile *f*, glaise *f*, pisé *m*.
clean [kliːn] *a* propre, net, bien fait, complet; *vt* nettoyer, vider, mettre en ordre, balayer, (re)curer, décrotter, décrasser.
cleaner ['kliːnə] *n* teinturier *m*, nettoyeur, -euse, décrotteur *m*, balayeur, -euse.
cleaning ['kliːniŋ] *n* nettoyage *m*, dégraissage *m*.
clean(li)ness ['klenlinis] *n* propreté *f*, nettété *f*.
cleanse [klenz] *vt* purifier, laver, curer, assainir.
clear [kliə] *a* clair, net, évident, libre, dégagé, sûr; **all** — fin d'alerte *f*; *vt* éclaircir, disculper, déblayer, dégager, franchir, solder, acquitter, gagner net, desservir, (*forest, bush*) débrousser; *vi* s'éclaircir, se dégager, se dissiper; **to — away** *vt* écarter, enlever; *vi* se dissiper; **to — off** enlever, solder; **to — out** *vt* nettoyer, balayer, vider; *vi* filer, ficher le camp, se sauver; **to — up** *vt* tirer au clair, éclaircir; *vi* s'éclaircir.
clearance ['kliərəns] *n* déblayage *m*, liquidation *f*, congé *m*, jeu *m*.
clear-cut ['kliə'kʌt] *a* distinct, net ciselé.
clear-headed ['kliə'hedid] *a* lucide, perspicace.
clearing ['kliəriŋ] *n* clairière *f*, levée *f*, dégagement *m*, déblaiement *m*, évacuation *f*, défrichement *m*.
clearness ['kliənis] *n* clarté *f*, netteté *f*.
clear-sighted ['kliə'saitid] *a* clairvoyant.
cleavage ['kliːvidʒ] *n* division *f*, scission *f*, (*fam*) décolleté *m*.
cleave [kliːv] *vt* fendre; *vi* se fendre, s'attacher.
cleaver ['kliːvə] *n* couperet *m*, fendoir *m*.
cleft [kleft] *pt pp of* **cleave**; *n* fente *f*, crevasse *f*, fissure *f*; *a* fourchu, (*palate*) fendu; **in a — stick** dans une impasse, mal pris.
clemency ['klemənsi] *n* clémence *f*, douceur *f*, indulgence *f*.
clement ['klemənt] *a* clément, indulgent, doux.
clench [klentʃ] *see* **clinch**; *vt* serrer; *vi* se serrer.
clergy ['kləːdʒi] *n* clergé *m*.
clergyman ['kləːdʒimən] *n* ecclésiastique *m*, pasteur *m*.
clerical ['klerikəl] *a* de clerc, d'écriture, de copiste.
clerk [klɑːk] *n* clerc *m*, commis *m*, employé(e) de bureau *mf*.
clever ['klevə] *a* habile, adroit, intelligent, ingénieux.
cleverness ['klevənis] *n* habileté *f*, adresse *f*, intelligence *f*, ingéniosité *f*.
click [klik] *n* (dé)clic *m*, cliquetis *m*; *vti* cliqueter, claquer; *vi* avoir de la veine, avoir des touches, cadrer.
client ['klaiənt] *n* client(e) *mf*.
clientele [ˌkliːɑ̃ːn'tel] *n* clientèle *f*.
cliff [klif] *n* falaise *f*, paroi *f* rocheuse, rochers *m pl*.
climate ['klaimit] *n* climat *m*.
climatic [klai'mætik] *a* climat(ér)ique.
climax ['klaimæks] *n* gradation *f*, comble *m*, apogée *f*.
climb [klaim] *n* escalade *f*, montée *f*, ascension *f*, côte *f*; *vti* monter, grimper; *vt* escalader, gravir, monter à, sur, grimper à, sur, faire l'ascension de; *vi* prendre de l'altitude; **to — down** *vti* descendre; *vi* baisser pavillon, en rabattre, se dégonfler; **to — over** escalader, franchir.
climber ['klaimə] *n* grimpeur *m*, alpiniste, plante grimpante *f*, arriviste *mf*.
clinch [klintʃ] *n* crampon *m*, corps à corps *m*; *vt* river, serrer, conclure.
clincher ['klintʃə] *n* argument décisif *m*.
cling [kliŋ] *vi* se cramponner, s'accrocher, se prendre, coller.
clinging ['kliŋiŋ] *a* étroit, collant.
clinic ['klinik] *n* clinique *f*.
clink [kliŋk] *n* tintement *m*, cliquetis *m*; prison *f*; *vi* tinter, s'entrechoquer; *vt* faire tinter, choquer; **to — glasses** trinquer.
clip [klip] *n* agrafe *f*, pince *f*, attache *f*; *vt* agrafer, pincer, tondre, rogner, tailler.

clippers ['klipəz] *n* tondeuse *f*.
clipping ['klipiŋ] *n* tonte *f*, tondage *m*, taille *f*, coupure *f*; *pl* rognures *f pl*.
cloak [klouk] *n* manteau *m*, masque *m*; *vt* couvrir, masquer.
cloakroom ['kloukrum] *n* consigne *f*, vestiaire *m*.
clock [klɔk] *n* pendule *f*, horloge *f*, baguette *f*; *vt* chronométrer.
clock-maker ['klɔk'meikə] *n* horloger *m*.
clock-making ['klɔk'meikiŋ] *n* horlogerie *f*.
clockwise ['klɔkwaiz] *a* dans le sens des aiguilles d'une montre, à droite.
clockwork ['klɔkwəːk] *n* mouvement d'horlogerie *m*, rouage *m* d'horloge; **to go like** — marcher comme sur des roulettes.
clod [klɔd] *n* motte *f* de terre, rustre *m*.
clog [klɔg] *n* entrave *f*, galoche *f*, sabot *m*; *vt* entraver, obstruer, arrêter, boucher; *vi* s'obstruer, se boucher.
cloister ['klɔistə] *n* cloître *m*; *pl* ambulatoire *m*.
close [klous] *n* (en)clos *m*, clôture *f*, enceinte *f*; *a* fermé, clos, confiné, lourd, compact, serré, secret, proche, étroit, exact, intime, avare; *ad* de près, étroitement; — **by** tout près; — **to** *prep* tout près de.
close [klouz] *n* clôture *f*, fermeture *f*, conclusion *f*, fin *f*; **to draw to a** — tirer à sa fin; *vt* fermer, clore, conclure, terminer, (res)serrer; *vi* (se) fermer, se terminer, faire relâche, en venir aux prises; **to — down** *vti* fermer; **to — up** *vt* boucher, barrer, obturer; *vi* s'obturer, se serrer.
closely ['klousli] *ad* de près.
closeness ['klousnis] *n* proximité *f*, rapprochement *m*, étroitesse *f*, intimité *f*, lourdeur *f*, avarice *f*, exactitude *f*, réserve *f*.
closet ['klɔzit] *n* cabinet *m*, armoire *f*; *vt* enfermer.
close-up ['klousʌp] *n* gros, premier plan *m*.
closing ['klouziŋ] *n* fermeture *f*, clôture *f*.
closure ['klouʒə] *n* clôture *f*.
clot [klɔt] *n* caillot *m*, grumeau *m*; *vi* se prendre, se coaguler, se figer, se cailler.
cloth [klɔθ] *n* toile *f*, étoffe *f*, nappe *f*, napperon *m*, linge *m*, torchon *m*, drap *m*, tapis *m*, habit ecclésiastique *m*; **to lay the** — mettre la nappe, le couvert.
clothe [klouð] *vt* (re)vêtir, habiller, couvrir.
clothes [klouðz] *n pl* habits *m pl*, vêtements *m pl*, effets *m pl*.
clothes-horse ['klouðzhɔːs] *n* séchoir; (*US*) mannequin *m*.
clothes-peg ['klouðzpeg] *n* patère *f*.
clothier ['klouðiə] *n* drapier *m*.
clothing ['klouðiŋ] *n* habillement *m*, vêtements *m pl*.
cloud [klaud] *n* nuage *m*, nue *f*, nuée *f*, buée *f*; *vt* assombrir, couvrir, obscurcir, voiler, ternir, embuer, troubler; *vi* s'assombrir, se couvrir, s'obscurcir, se voiler, se troubler, se ternir.
cloudy ['klaudi] *a* nuageux, couvert, trouble.
clout [klaut] *n* torchon *m*, linge *m*, chiffon *m*, taloche *f*.
clove [klouv] *pt of* **cleave**; *n* clou *m* de girofle; — **of garlic** gousse *f* d'ail.
cloven ['klouvn] *pp of* **cleave**; *a* fendu, fourchu.
clover ['klouvə] *n* trèfle *m*; **to be in** — être comme un coq en pâte.
clown [klaun] *n* clown *m*, bouffon *m*, pitre *m*; *vi* faire le clown.
cloy [klɔi] *vt* ressasier, affadir.
club [klʌb] *n* massue *f*, crosse *f*, gourdin *m*, club *m*, cercle *m*, (*cards*) trèfle *m*; *vt* frapper avec un gourdin, assommer; *vi* s'associer; **to — together** se cotiser.
club-foot ['klʌb'fut] *n* pied-bot *m*.
cluck [klʌk] *n* gloussement *m*; *vi* glousser.
clue [kluː] *n* indice *m*, indication *f*.
clump [klʌmp] *n* massif *m*, bouquet *m*, masse *f*; *vi* sonner, marcher lourdement.
clumsiness ['klʌmzinis] *n* gaucherie *f*, balourdise *f*, maladresse *f*.
clumsy ['klʌmzi] *a* gauche, maladroit.
clung [klʌŋ] *pt pp of* **cling**.
cluster ['klʌstə] *n* groupe *m*, grappe *f*, essaim *m*, bouquet *m*; *vt* grouper; *vi* se grouper.
clutch [klʌtʃ] *n* prise *f*, étreinte *f*, poigne *f*, griffes *f pl*, couvée *f*, (cheville d')embrayage *f*; **to let in (out) the** — embrayer, (débrayer); *vt* empoigner, étreindre, saisir; **to — at** s'agripper à, se raccrocher à.
clutter ['klʌtə] *n* encombrement *m*, pagaïe *f*; **to — up** encombrer.
coach [koutʃ] *n* coche *m*, carrosse *m*, voiture *f*, autocar *m*, répétiteur *m*, entraîneur *m*; *vt* donner des leçons à, entraîner.
coach-builder ['koutʃ'bildə] *n* carrossier *m*.
coach-building ['koutʃ'bildiŋ] *n* carrosserie *f*.
coach-house ['koutʃhaus] *n* remise *f*.
coaching ['koutʃiŋ] *n* leçons *f pl*, répétitions *f pl*, dressage *m*, entraînement *m*.
coachman ['koutʃmən] *n* cocher *m*.
coachwork ['koutʃwəːk] *n* carrosserie *f*.
coagulate [kou'ægjuleit] *vt* (faire) coaguler, figer; *vi* se coaguler, se figer.
coal [koul] *n* charbon *m*, houille *f*; **to haul s.o. over the —s** laver la tête à qn; *vi* faire le charbon.

coal-bed ['koul'bed] *n* banc *m*, couche *f* de houille.
coalesce [,kouə'les] *vi* s'unir, fusionner.
coalfield ['koulfi:ld] *n* bassin houiller *m*.
coalition [,koulə'liʃən] *n* coalition *f*.
coalmine ['koulmain] *n* mine *f* de houille, houillère *f*.
coalminer ['koulmainə] *n* mineur *m*, houilleur *m*.
coal-tar ['koul'tɑ:] *n* goudron *m*.
coarse [kɔ:s] *a* gros(sier), rude, rêche.
coarseness ['kɔ:snis] *n* grossièreté *f*, rudesse *f*, grosseur *f*, brutalité *f*.
coast [koust] *n* côte *f*, rivage *m*, littoral *m*; *vi* côtoyer le rivage, faire le cabotage; **to — down a hill** descendre une côte en roue libre, le moteur débrayé.
coastal ['koustəl] *a* côtier.
coaster ['koustə] *n* caboteur *m*.
coasting ['koustiŋ] *n* cabotage *m*, navigation côtière.
coat [kout] *n* pardessus *m*, manteau *m*, habit *m*, robe *f*, poil *m*, couche *f*, revêtement *m*; *vt* couvrir, enduire, revêtir.
coat-hanger ['kout,hæŋə] *n* porte-vêtements *m*.
coat-peg ['koutpeg] *n* patère *f*.
coax [kouks] *vt* amadouer, câliner, cajoler, amener (à **to**).
coaxing ['kouksiŋ] *n* cajoleries *f pl*, enjôlement *m*; *a* cajoleur, câlin.
cob [kɔb] *n* cygne *m*, bidet *m*, torchis *m*, (*bread*) miche *f*, (*nut*) aveline *f*.
cobble ['kɔbl] *n* galet *m*, caillou *m*; *vt* paver, rapiécer.
cobbler ['kɔblə] *n* savetier *m*, cordonnier *m*.
cobra ['koubrə] *n* cobra *m*, serpent à lunettes *m*.
cobweb ['kɔbweb] *n* toile d'araignée *f*.
cock [kɔk] *n* coq *m*, mâle *m*, robinet *m*, (*gun*) chien *m*, (*hay*) meule *f*, (*scales*) aiguille *f*, retroussis *m*; *vt* dresser, retrousser, mettre de travers, armer.
cockade [kɔ'keid] *n* cocarde *f*.
cock-a-doodle-doo ['kɔkədu:dl'du:] *excl* cocorico!
cock-and-bull story ['kɔkən'bul-'stɔ:ri] *n* coq à l'âne *m*.
cockatoo [,kɔkə'tu:] *n* cacatoès *m*.
cockchafer ['kɔk,tʃeifə] *n* hanneton *m*.
cockle ['kɔkl] *n* coque *f*, bucarde *f*.
cockney ['kɔkni] *an* londonien, -ienne.
cockpit ['kɔkpit] *n* arène *f*, carlingue *f*.
cockroach ['kɔkroutʃ] *n* cafard *m*, blatte *f*, cancrelet *m*.
cockscomb ['kɔkskoum] *n* crête *f* de coq.
cocksure ['kɔk'ʃuə] *a* qui ne doute de rien, outrecuidant, très assuré.
cocky ['kɔki] *a* faraud, outrecuidant.
cocoa ['koukou] *n* cacao *m*; **— tree** cacaoyer *m*; **— plantation** cacaotière *f*.
coconut ['koukənʌt] *n* noix de coco *f*; **— palm** cocotier *m*; **— plantation** cocoteraie *f*; **— oil** huile *f* de copra.
cocoon [kə'ku:n] *n* cocon *m*.
cod [kɔd] *n* morue *f*, cabillaud *m*.
coddle ['kɔdl] *vt* dorloter, choyer.
code [koud] *n* code *m*, chiffre *m*; *vt* codifier, chiffrer.
codicil ['kɔdisil] *n* codicille *m*.
codliver-oil ['kɔdlivər'ɔil] *n* huile *f* de foie de morue.
coerce [kou'ə:s] *vt* forcer, contraindre.
coercion [kou'ə:ʃən] *n* coercition *f*, contrainte *f*.
coercive [kou'ə:siv] *a* coercitif.
coffee ['kɔfi] *n* café *m*; **— bean** grain *m* de café; **— grounds** marc *m* de café **black —** café noir; **white —** café au lait, café crème.
coffee-mill ['kɔfimil] *n* moulin à café *m*.
coffee plant ['kɔfiplɑ:nt] *n* caféier *m*.
coffee plantation ['kɔfiplæn,teiʃən] *n* caféière *f*.
coffeepot ['kɔfipɔt] *n* cafetière *f*.
coffer ['kɔfə] *n* coffre *m*.
coffin ['kɔfin] *n* cercueil *m*, bière *f*.
cog [kɔg] *n* dent *f*; **he's only a — in the wheel** il n'est qu'un rouage de la machine.
cogency ['koudʒənsi] *n* force *f*, puissance *f*, urgence *f*.
cogent ['koudʒənt] *a* décisif, valable, urgent.
cogitate ['kɔdʒiteit] *vi* réfléchir; *vti* méditer.
cogitation [,kɔdʒi'teiʃən] *n* réflexion *f*, délibération.
cognate ['kɔgneit] *a* parent, connexe, analogue, qui a du rapport, de même origine.
cognizance ['kɔgnizəns] *n* connaissance *f*, compétence *f*, ressort *m*.
cogwheel ['kɔgwi:l] *n* roue dentée *f*.
cohabit [kou'hæbit] *vi* cohabiter.
cohabitation [,kouhæbi'teiʃən] *n* cohabitation *f*.
coheir ['kou'ɛə] *n* cohéritier, -ière.
cohere [kou'hiə] *vi* se tenir ensemble, adhérer, s'agglomérer, être conséquent, se tenir.
coherence [kou'hiərəns] *n* cohésion *f*, cohérence *f*, suite *f*.
coherent [kou'hiərənt] *a* cohérent, qui a de la suite, conséquent.
cohesion [kou'hi:ʒən] *n* cohésion *f*.
cohesive [kou'hi:siv] *a* adhérent, cohésif.
coil [kɔil] *n* rouleau *m*, bobine *f*, anneau *m*, repli *m*; *vt* embobiner, (en)rouler; **to — up** *vi* s'enrouler, se lover, se mettre en rond, serpenter; *vt* enrouler.
coin [kɔin] *n* pièce *f*, monnaie *f*; *vt* frapper, forger, inventer.
coinage ['kɔinidʒ] *n* frappe *f*, monnaie *f*.

coincide [ˌkouin'said] *vi* coïncider, s'accorder.
coincidence [kou'insidəns] *n* coïncidence *f*, concours *m*.
coiner ['kɔinə] *n* faux-monnayeur *m*, forgeur *m*, inventeur *m*.
coke [kouk] *n* coke *m*.
colander ['kɔləndə] *n* passoire *f*.
cold [kould] *a* froid, insensible; *n* froid *m*, rhume *m*; — **in the head** rhume de cerveau *m*; **it is** — il fait froid; **he is** — il a froid; **to catch** — prendre froid, s'enrhumer, attraper un rhume; **to grow** — se refroidir.
coldness ['kouldnis] *n* froideur *f*, froid *m*, froidure *f*.
cold-shoulder ['kould'ʃouldə] *vt* battre froid à.
colic ['kɔlik] *n* colique *f*.
collaborate [kə'læbəreit] *vi* collaborer.
collaboration [kəˌlæbə'reiʃən] *n* collaboration *f*.
collaborator [kə'læbəreitə] *n* collaborateur, -trice.
collapse [kə'læps] *n* effrondrement *m*, écroulement *m*, dégringolade *f*, débâcle *f*; *vi* s'effrondrer, s'écrouler, s'affaiser, se rabattre.
collapsible [kə'læpsəbl] *a* pliant, démontable, rabattable.
collar ['kɔlə] *n* (faux-)col *m*, collier *m*, collerette *f*, collet *m*; *vt* prendre au collet, saisir.
collarbone ['kɔləboun] *n* clavicule *f*.
colleague ['kɔli:g] *n* collègue *mf*.
collect [kə'lekt] *vr* rassembler, réunir, percevoir, ramasser; *vi* se rassembler, s'amasser, faire la quête.
collected [kə'lektid] *a* froid, posé, recueilli, de sang-froid.
collection [kə'lekʃən] *n* collecte *f*, quête *f*, levée *f*, collection *f*, rassemblement *m*, collectionnement *m*, recueil *m*, perception *f*.
collective [kə'lektiv] *a* collectif.
collector [kə'lektə] *n* collecteur, -trice, collectionneur, -euse, quêteur, -euse, percepteur, -trice, receveur, -euse, encaisseur *m*; **ticket** — contrôleur *m*.
college ['kɔlidʒ] *n* collège *m*, école *f*.
collide [kə'laid] *vi* se heurter.
collier ['kɔliə] *n* mineur *m* (de charbon), (navire) charbonnier *m*.
colliery ['kɔljəri] *n* mine *f* de houille.
collision [kə'liʒən] *n* collision *f*, tamponnement *m*.
colloquial [kə'loukwiəl] *a* familier, parlé.
colloquy ['kɔləkwi] *n* colloque *m*.
collusion [kə'lu:ʒən] *n* collusion *f*, connivence *f*.
colon ['koulən] *n* deux-points *m*.
colonel ['kə:nl] *n* colonel *m*.
colonial [kə'lounjəl] *a* colonial.
colonist ['kɔlənist] *n* colon *m*.
colonization [ˌkɔlənai'zeiʃən] *n* colonisation *f*.
colonize ['kɔlənaiz] *vt* coloniser.
colony ['kɔləni] *n* colonie *f*.
colossal [kə'lɔsl] *a* colossal.
colossus [kə'lɔsəs] *n* colosse *m*.
colour ['kʌlə] *n* couleur *f*, coloris *m*, teint *m*; *pl* drapeau *m*, cocarde *f*, livrée *f*; *vt* colorer, colorier, présenter sous un faux jour; *vi* rougir, se colorer; **in its true** —**s** sous son vrai jour; **to be off** — n'être pas dans son assiette; **with flying** —**s** haut la main.
colour-bar ['kʌləba:] *n* racisme *m*.
colour-blind ['kʌləblaind] *a* daltonien.
colour-blindness ['kʌləblaindnis] *n* daltonisme *m*.
coloured ['kʌləd] *a* coloré, de couleur.
colourful ['kʌləful] *a* pittoresque, coloré.
colouring ['kʌləriŋ] *n* coloris *m*, coloration *f*, teint *m*.
colourless ['kʌləlis] *a* incolore, terne, pâle.
colt [koult] *n* poulain *m*, pouliche *f*.
column ['kɔləm] *n* colonne *f*.
comb [koum] *n* peigne *m*, étrille *f*, carde *f*, crête *f*; *vt* peigner, étriller, carder, fouiller; *vi* déferler; **to** — **out** démêler, faire une rafle dans.
combat ['kɔmbæt] *n* combat *m*; *vt* combattre, lutter contre, s'opposer à.
combatant ['kɔmbətənt] *n* combattant *m*.
combative ['kɔmbətiv] *a* combatif, batailleur.
combination [ˌkɔmbi'neiʃən] *n* combinaison *f*, mélange *m*, combiné *m*.
combine ['kɔmbain] *n* combinaison *f*, cartel *m*; [kəm'bain] *vt* combiner, unir, joindre, allier; *vi* se combiner, s'unir, fusionner, se syndiquer.
combined [kəm'baind] *a* combiné, joint (à **with**).
combustible [kəm'bʌstibl] *a* inflammable; *an* combustible *m*.
combustion [kəm'bʌstʃən] *n* combustion *f*.
come [kʌm] *vi* venir, arriver, en venir (à), en arriver (à); **to** — **about** arriver, se passer, se faire; **to** — **across** tomber sur, rencontrer, trouver; **to** — **along** s'en venir, s'amener, se dépêcher; **to** — **away** partir, se détacher; **to** — **back** revenir, en revenir (à); **to** — **by** *vi* passer par; *vt* obtenir; **to** — **down** *vti* descendre; *vi* baisser, s'abaisser, s'écrouler; **to** — **forward** (s')avancer; **to** — **in** entrer; **to** — **off** descendre, se détacher, s'effacer, avoir lieu, réussir, aboutir; **to** — **out** sortir, débuter, paraître, se montrer, s'effacer, se mettre en grève; **to** — **to** revenir à soi, reprendre connaissance; **to** — **up to** s'approcher de, venir à, répondre à, s'élever à; **to** — **up against** entrer en conflit avec,

se heurter avec; **to — upon** tomber sur, surprendre.
come-back ['kʌmbæk] *n* retour *m* (à la charge), réplique *f*, réapparition *f*.
comedian [kə'miːdjən] *n* auteur *m*, (acteur) comique, comédien, -ienne.
comedy ['kɔmidi] *n* comédie *f*.
comeliness ['kʌmlinis] *n* grâce *f*.
comely ['kʌmli] *a* gracieux, avenant.
comer ['kʌmə] *n* (premier, -ière, nouveau, -elle) venu(e) *mf* arrivant(e) *mf*, venant(e) *mf*.
comet ['kɔmit] *n* comète *f*.
comfit ['kʌmfit] *n* dragée *f*, bonbon *m*.
comfort ['kʌmfət] *n* (ré)confort *m*, aisance *f*, bienêtre *m*, confortable *m*, consolation *f*, soulagement *m*; *pl* douceurs *f pl*, gâteries *f pl*; *vt* réconforter, consoler, soulager, mettre à l'aise.
comfortable ['kʌmfətəbl] *a* à l'aise, bien, confortable, aisé, commode.
comforter ['kʌmfətə] *n* consolateur, -trice, cache-nez *m*, écharpe *f*, tétine *f*, sucette *f*.
comic ['kɔmik] *an* comique *m*.
comical ['kɔmikəl] *a* comique, drôle.
coming ['kʌmiŋ] *a* prochain, à venir, futur, d'avenir; *n* venue *f*, arrivée *f*, approche *f*, avènement *m*; — **of age** majorité *f*.
comity ['kɔmiti] *n* affabilité *f*.
comma ['kɔmə] *n* virgule *f*; **inverted —s** guillemets *m pl*.
command [kə'mɑːnd] *n* ordre *m*, commandement *m*, maîtrise *f*; *vt* ordonner, commander (à), dominer.
commandeer [ˌkɔmən'diə] *vt* réquisitionner.
commander [kə'mɑːndə] *n* commandeur *m*, commandant *m* (en chef), capitaine de frégate *m*.
commanding [kə'mɑːndiŋ] *a* imposant, dominateur, dominant.
commandment [kə'mɑːndmənt] *n* commandement *m*.
commemorate [kə'meməreit] *vt* commémorer.
commemoration [kəˌmemə'reiʃən] *n* commémoration *f*.
commemorative [kə'memərətiv] *a* commémoratif.
commence [kə'mens] *vti* commencer.
commencement [kə'mensmənt] *n* commencement *m*.
commend [kə'mend] *vt* confier, recommander, louer.
commendable [kə'mendəbl] *a* recommandable, louable.
commendation [ˌkɔmen'deiʃən] *n* recommendation *f*, éloge *m*, louange *f*.
commensurate [kə'menʃərit] *a* proportionné, commensurable.
comment ['kɔment] *vi* commenter, faire des observations; *n* commentaire *m*, observation *f*.
commentary ['kɔmentəri] *n* commentaire *m*, glose *f*; **running —** radio-reportage *m*.
commentator ['kɔmenteitə] *n* commentateur, -trice, radio-reporter *m*.
commerce ['kɔməːs] *n* commerce *m*, les affaires *f pl*.
commercial [kə'məːʃəl] *a* commercial, mercantile; *n* annonce publicitaire *f*; — **traveller** *n* commis-voyageur *m*.
commiserate [kə'mizəreit] *vi* compatir (à **with**), s'apitoyer (sur **with**).
commiseration [kəˌmizə'reiʃən] *n* commisération *f*.
commissary ['kɔmisəri] *n* délégué *m*, intendant *m*.
commission [kə'miʃən] *n* commission *f*, courtage *m*, guelte *f*, délégation *f*, mandat *m*, brevet *m*, nomination *f*, perpétration *f*; *vt* mandater, nommer, charger (de), commissionner, déléguer, (*ship*) armer.
commissionaire [kəˌmiʃə'nɛə] *n* commissionnaire *m*, chasseur *m*.
commissioned [kə'miʃənd] *a* commissionné; **non-— officer** sous-officier *m*.
commissioner [kə'miʃənə] *n* commissaire *m*, délégué *m*.
commit [kə'mit] *vt* confier, remettre, commettre, compromettre, renvoyer, engager; — **to memory** apprendre par cœur; — **suicide** se suicider.
commitment [kə'mitmənt] *n* engagement *m*.
committal [kə'mitl] *n* engagement *m*, perpétration *f*.
committee [kə'miti] *n* comité *m*, commission *f*, conseil *m*.
commode [kə'moud] *n* commode *f*, chaise percée *f*.
commodious [kə'moudjəs] *a* spacieux, ample.
commodiousness [kə'moudjəsnis] *n* grandeur *f*.
commodity [kə'mɔditi] *n* denrée *f*, marchandise *f*, article *m*.
common ['kɔmən] *a* commun, public, vulgaire, ordinaire, courant, coutumier, (*mil*) simple, communal.
commonalty ['kɔmənəlti] *n* commun *m* des hommes, les roturiers *m pl*.
commoner ['kɔmənə] *n* bourgeois(e) *mf*, homme du peuple, roturier, -ière.
commonly ['kɔmənli] *ad* communément, vulgairement.
commonness ['kɔmənnis] *n* vulgarité *f*, trivialité *f*, frequence *f*.
commonplace ['kɔmənpleis] *n* lieu commun *m*; *a* banal, terre à terre.
commons ['kɔmənz] *n* peuple *m*; **the House of Commons** = la Chambre des Députés.
commonsense ['kɔmənˌsens] *n* bon sens *m*, sens commun *m*.
commonweal ['kɔmənwiːl] *n* bien public *m*, chose publique *f*.

commonwealth ['kɔmənwelθ] *n* république *f*, commonwealth *m*.
commotion [kə'mouʃən] *n* commotion *f*, émoi *m*, agitation *f*, ébranlement *m*, brouhaha *m*, troubles *m pl*.
communal ['kɔmju:nl] *a* communal, public, (*life*) collectif.
commune [kə'mju:n] *vi* communier s'entretenir; **to — with oneself** se recueillir, vivre en soi.
communicable [kə'mju:nikəbl] *a* communicable, contagieux.
communicant [kə'mju:nikənt] *n* communiant(e) *mf*, informateur, -trice.
communicate [kə'mju:nikeit] *vti* communiquer; *vi* communier, faire part de.
communication [kə,mju:ni'keiʃən] *n* communication *f*, rapports *m pl*.
communicative [kə'mju:nikətiv] *a* communicatif, expansif.
communion [kə'mju:njən] *n* communion *f*, relations *f pl*.
communism ['kɔmjunizəm] *n* communisme *m*.
communist ['kɔmjunist] *an* communiste *mf*.
community [kə'mju:niti] *n* communauté *f*, solidarité *f*, société *f*.
communize ['kɔmjunaiz] *vt* socialiser, communiser.
commutable [kə'mju:təbl] *a* échangeable, permutable, commuable.
commutation [,kɔmju:'teiʃən] *n* commutation *f*.
commute [kə'mju:t] *vt* (é)changer, commuer.
compact ['kɔmpækt] *n* contrat *m*, accord *m*, pacte *m*, poudrier *m*; [kəm'pækt] *a* compact, tassé, serré, concis.
compactness [kəm'pæktnis] *n* compacité *f*, concision *f*.
companion [kəm'pænjən] *n* compagnon *m*, compagne *f*, demoiselle (dame) de compagnie *f*.
companionable [kəm'pænjənəbl] *a* sociable.
companionship [kəm'pænjənʃip] *n* camaraderie *f*.
company ['kʌmpəni] *n* compagnie *f*, (*ship*) équipage *m*, société *f*, corporation *f*, bande *f*, troupe *f*; **to have — for dinner** avoir du monde à dîner.
comparable ['kɔmpərəbl] *a* comparable.
comparative [kəm'pærətiv] *a* comparatif, relatif.
comparatively [kəm'pærətivli] *ad* par comparaison, relativement.
compare [kəm'pεə] *vt* comparer, confronter, collationner, échanger.
compared [kəm'pεəd] *pt pp of* **compare**; **— with** *prep* à côte de, par rapport à, au prix de, par comparaison à.
comparison [kəm'pærisn] *n* comparaison *f*.
compartment [kəm'pɑ:tmənt] *n* compartiment *m*, case *f*.
compass ['kʌmpəs] *n* compas *m*, boussole *f*, portée *f*, limites *f pl*, détour *m*; *vt* faire le tour de, entourer, saisir, tramer, exécuter.
compassion [kəm'pæʃən] *n* compassion *f*, pitié *f*.
compassionate [kəm'pæʃənit] *a* compatissant.
compatibility [kəm,pæti'biliti] *n* compatibilité *f*.
compatible [kəm'pætibl] *a* compatible.
compatriot [kəm'pætriət] *n* compatriote *mf*.
compel [kəm'pel] *vt* contraindre, forcer, obliger, imposer.
compendious [kəm'pendiəs] *a* succinct.
compendium [kəm'pendiəm] *n* abrégé *m*.
compensate ['kɔmpenseit] *vt* (ré)compenser, rémunérer, dédommager; **to — for** racheter, compenser.
compensation [,kɔmpen'seiʃən] *n* dédommagement *m*, indemnité *f*.
compete [kəm'pi:t] *vi* rivaliser, concourir, faire concurrence, disputer.
competence ['kɔmpitəns] *n* compétence *f*, aisance *f*.
competent ['kɔmpitənt] *a* compétent, capable.
competition [,kɔmpi'tiʃən] *n* concurrence *f*, concours *m*.
competitive [kəm'petitiv] *a* de concours, de concurrence.
competitor [kəm'petitə] *n* compétiteur, -trice, concurrent(e) *mf*, émule *mf*.
compilation [,kɔmpi'leiʃən] *n* compilation *f*.
compile [kəm'pail] *vt* compiler, dresser.
compiler [kəm'pailə] *n* compilateur, -trice.
complacency [kəm'pleisnsi] *n* contentement *m* (de soi), suffisance *f*.
complacent [kəm'pleisnt] *a* suffisant, content de soi-même.
complain [kəm'plein] *vi* se plaindre, porter plainte.
complainer [kəm'pleinə] *n* réclamant(e) *mf*, mécontent(e) *mf*.
complaint [kəm'pleint] *n* plainte *f*, grief *m*, maladie *f*.
complaisance [kəm'pleizəns] *n* complaisance *f*.
complaisant [kəm'pleizənt] *a* complaisant, obligeant.
complement ['kɔmplimənt] *n* complément *m*; [,kɔmpli'ment] *vt* compléter.
complete [kəm'pli:t] *a* complet, entier, total, absolu, accompli, achevé, au complet; *vt* compléter, accomplir, achever, mettre le comble à

completion [kəm'pli:ʃən] *n* achèvement *m*, accomplissement *m*, satisfaction *f*.
complex ['kɔmpleks] *an* complexe *m*.
complexion [kəm'plekʃən] *n* teint *m*, jour *m*, couleur *f*, caractère *m*.
complexity [kəm'pleksiti] *n* complexité *f*.
compliance [kəm'plaiəns] *n* déférence *f*, acquiescement *m*; **in — with** conformément à.
compliant [kəm'plaiənt] *a* obligeant, docile.
complicate ['kɔmplikeit] *vt* compliquer.
complication [ˌkɔmpli'keiʃən] *n* complication *f*.
complicity [kəm'plisiti] *n* complicité *f*.
compliment ['kɔmplimənt] *n* compliment *m*; [ˌkɔmpli'ment] *vt* féliciter, complimenter.
complimentary [ˌkɔmpli'mentəri] *a* flatteur, (*ticket*) de faveur, (*book*) en hommage.
comply [kəm'plai] *vi* se conformer (à **with**), accéder (à **with**), obéir (à **with**). observer, se soumettre (à **with**), s'exécuter.
component [kəm'pounənt] *n* élément *m*, composant *m*; *a* constitutif, constituant.
compose [kəm'pouz] *vt* composer, arranger; **to — oneself** se calmer, se remettre.
composed [kəm'pouzd] *a* calme, posé, composé.
composer [kəm'pouzə] *n* compositeur, -trice.
composite ['kɔmpəzit] *a* composite, composé.
composition [ˌkɔmpə'ziʃən] *n* composition *f*, constitution *f*, arrangement *m*, composé *m*, mélange *m*, rédaction *f*, dissertation *f*.
compositor [kəm'pɔzitə] *n* typographe *m*, compositeur *m*.
composure [kəm'pouʒə] *n* calme *m*, maîtrise de soi *f*, sang-froid *m*.
compound ['kɔmpaund] *an* composé *m*, concession *f*; **— interest** intérêts composés; *a* complexe; *n* mastic *m*.
compound [kəm'paund] *vt* mélanger, combiner, arranger, composer; *vi* s'arranger, transiger.
comprehend [ˌkɔmpri'hend] *vt* comprendre.
comprehensible [ˌkɔmpri'hensəbl] *a* compréhensible.
comprehension [ˌkɔmpri'henʃən] *n* compréhension *f*.
comprehensive [ˌkɔmpri'hensiv] *a* compréhensif; **— school** collège pilote (mixte) *f*.
comprehensiveness [ˌkɔmpri'hensivnis] *n* étendue *f*, portée *f*.
compress ['kɔmpres] *n* compresse *f*.
compress [kəm'pres] *vt* comprimer, bander condenser, concentrer.
comprise [kəm'praiz] *vt* comprendre, comporter, renfermer.
compromise ['kɔmprəmaiz] *n* compromis *m*; *vi* transiger; *vti* compromettre; **to — oneself** se compromettre.
compulsion [kəm'pʌlʃən] *n* force *f*, contrainte *f*.
compulsory [kəm'pʌlsəri] *a* obligatoire, coercitif.
compunction [kəm'pʌŋkʃən] *n* remords *m*, regret *m*, componction *f*.
computation [ˌkɔmpju'teiʃən] *n* calcul *m*, estimation *f*.
compute [kəm'pju:t] *vt* calculer, estimer.
computer [kəm'pju:tə] *n* ordinateur *m*, calculateur *m*.
comrade ['kɔmrid] *n* camarade *m*, compagnon *m*.
comradeship ['kɔmridʃip] *n* camaraderie *f*.
con [kɔn] *vt* étudier, diriger, (*US*) escroquer.
concave ['kɔn'keiv] *a* concave, incurvé.
conceal [kən'si:l] *vt* cacher, dissimuler, céler, voiler, dérober, masquer.
concealment [kən'si:lmənt] *n* dissimulation *f*, réticence *f*.
concede [kən'si:d] *vt* accorder, concéder, admettre.
conceit [kən'si:t] *n* vanité *f*, suffisance *f*, pointe *f*, jugement *m*.
conceited [kən'si:tid] *a* vaniteux, suffisant, glorieux.
conceivable [kən'si:vəbl] *a* concevable.
conceive [kən'si:v] *vt* concevoir; *vi* s'imaginer.
concentrate ['kɔnsəntreit] *vt* concentrer; *vi* se concentrer.
concentration [ˌkɔnsən'treiʃən] *n* concentration *f*, application *f*, rassemblement *m*.
conception [kən'sepʃən] *n* conception *f*, idée *f*.
concern [kən'sə:n] *n* intérêt *m*, sympathie *f*, affaire *f*, souci *m*, sollicitude *f*, maison *f* de commerce, entreprise *f*; **the whole —** toute la boutique; *vt* regarder, concerner, intéresser, importer; **to — oneself with** s'occuper de, s'intéresser à.
concerned [kən'sə:nd] *a* préoccupé (de **with**), intérêssé, (à **with**), inquiet, soucieux.
concerning [kən'sə:niŋ] *prep* quant à, au sujet de, en ce qui concerne, pour ce qui est de.
concert ['kɔnsət] *n* concert *m*, accord *m*, unisson *m*; **— hall** salle *f* de concert; **in — with** de concert avec.
concert [kən'sə:t] *vt* concerter; *vi* se concerter.
concession [kən'seʃən] *n* concession *f*.
conciliate [kən'silieit] *vt* (ré)concilier

conciliation [kən,sili'eiʃən] *n* conciliation *f*.
conciliatory [kən'siliətəri] *a* conciliant, conciliatoire.
concise [kən'sais] *a* concis.
concision [kən'siʒən] *n* concision *f*.
conclude [kən'klu:d] *vti* conclure; *vi* se terminer; *vt* terminer, achever, régler.
conclusion [kən'klu:ʒən] *n* conclusion *f*, fin *f*.
conclusive [kən'klu:siv] *a* concluant, décisif.
conclusiveness [kən'klu:sivnis] *n* force décisive *f*.
concoct [kən'kɔkt] *vt* confectionner, composer, combiner, imaginer, concevoir.
concoction [kən'kɔkʃən] *n* potpourri *m*, boisson *f*, confectionnement *m*, conception *f*, tissu *m*.
concord ['kɔŋkɔ:d] *n* harmonie *f*, accord *m*.
concordance [kən'kɔ:dəns] *n* concordance *f*, harmonie *f*, accord *m*.
concordant [kən'kɔ:dənt] *a* concordant.
concourse ['kɔŋkɔ:s] *n* concourse *m*, affluence *f*, foule *f*.
concrete ['kɔnkri:t] *n* ciment *m*, béton *m*; **reinforced** — béton armé; *a* concret *m*.
concrete [kən'kri:t] *vt* solidifier, cimenter, bétonner; *vi* se solidifier.
concur [kən'kə:] *vi* s'accorder, contribuer, concourir, être d'accord.
concurrence [kən'kʌrəns] *n* concours *m*, approbation *f*, assentiment *m*.
concurrent [kən'kʌrənt] *a* concurrent, simultané.
concurrently [kən'kʌrəntli] *ad* concurremment.
concussion [kən'kʌʃən] *n* commotion *f*, secousse *f*, ébranlement *m*, choc *m*.
condemn [kən'dem] *vt* condamner, censurer.
condemnation [,kɔndem'neiʃən] *n* condamnation *f*, censure *f*.
condensation [,kɔnden'seiʃən] *n* condensation *f*.
condense [kən'dens] *vt* condenser, concentrer, serrer; *vi* se condenser.
condenser [kən'densə] *n* condenseur *m*, distillateur *m*.
condescend [,kɔndi'send] *vi* condescendre, s'abaisser.
condescending [,kɔndi'sendiŋ] *a* condescendant.
condescension [,kɔndi'senʃən] *n* condescendance *f*, déférence *f*.
condign [kən'dain] *a* juste, merité, exemplaire.
condiment ['kɔndimənt] *n* assaisonnement *m*, condiment *m*.
condition [kən'diʃən] *n* condition *f*, situation *f*, état *m*; *vt* conditionner.
conditional [kən'diʃənl] *a* conditionnel, dépendant.
condolatory [kən'doulətəri] *a* de condoléance.
condole [kən'doul] *vi* sympathiser (avec **with**), exprimer ses condoléances (à **with**).
condolence [kən'douləns] *n* condoléances *f pl*.
condone [kən'doun] *vt* pardonner.
conduce [kən'dju:s] *vi* aboutir, contribuer.
conducive [kən'dju:siv] *a* qui conduit (à **to**), qui contribue (à **to**), favorable (à **to**).
conduct ['kɔndəkt] *n* conduite *f*, gestion *f*.
conduct [kən'dʌkt] *vt* conduire, mener, diriger, gérer; **to — oneself** se conduire, se comporter.
conduction [kən'dʌkʃən] *n* conduction *f*, transmission *f*.
conductor [kən'dʌktə] *n* guide *m*, conducteur *m*, chef *m* d'orchestre, (*bus*) receveur *m*.
conductress [kən'dʌktris] *n* conductrice *f*, receveuse *f*.
conduit ['kɔndit] *n* conduit *m*.
cone [koun] *n* cône *m*, pomme de pin *f*.
confection [kən'fekʃən] *n* confection *f*; bonbons *m pl*, confits *m pl*.
confectioner [kən'fekʃənə] *n* confiseur *m*.
confectioner's [kən'fekʃənəz] *n* confiserie *f*.
confectionery [kən'fekʃnəri] *n* confiserie *f*.
confederacy [kən'fedərəsi] *n* confédération *f*, conspiration *f*.
confederate [kən'fedərit] *an* confédéré *m*; *n* complice *m*, comparse *m*.
confer [kən'fə:] *vti* conférer; *vt* accorder, octroyer.
conference ['kɔnfərəns] *n* conférence *f*, congrès *m*, consultation *f*.
conferment [kən'fə:mənt] *n* octroi *m*, attribution *f*.
confess [kən'fes] *vt* confesser, avouer; *vi* se confesser, faire des aveux.
confession [kən'feʃən] *n* confession *f*, aveu *m*; **to go to** — aller à confesse.
confessional [kən'feʃənl] *n* confessional *m*; *a* confessionel.
confessor [kən'fesə] *n* confesseur *m*.
confide [kən'faid] *vt* confier, avouer en confidence; *vi* se fier (à **in**).
confidence ['kɔnfidəns] *n* confidence *f*, confiance *f* (en soi), assurance *f*; (*US*) — **game** fraude *f*.
confident ['kɔnfidənt] *a* confiant, assuré, sûr.
confidential [,kɔnfi'denʃəl] *a* confidential, de confiance.
confidentially [,kɔnfi'denʃəli] *ad* en confidence, à titre confidentiel.
confidently ['kɔnfidəntli] *ad* avec confiance.
confine [kən'fain] *vt* limiter, confiner, borner, emprisonner, renfermer.

confined [kən'faind] *a* (*space*) resserré; — **to bed** alité, (*woman*) en couches.
confinement [kən'fainmənt] *n* réclusion *f*, emprisonnement *m*, restriction *f*, accouchement *m*, couches *f pl*.
confines ['kɔnfainz] *n pl* confins *m pl*.
confirm [kən'fəːm] *vt* confirmer, fortifier, raffermir.
confirmation [ˌkɔnfə'meiʃən] *n* confirmation *f*, raffermissement *m*.
confirmed [kən'fəːmd] *a* invétéré, endurci, incorrigible.
confiscate ['kɔnfiskeit] *vt* confisquer.
confiscation [ˌkɔnfis'keiʃən] *n* confiscation *f*.
conflagration [ˌkɔnflə'greiʃən] *n* conflagration *f*, incendie *m*, embrasement *m*.
conflict ['kɔnflikt] *n* conflit *m*, lutte *f*.
conflict [kən'flikt] *vi* être en conflit, jurer, se heurter.
confluent ['kɔnfluənt] *n* confluent *m*, affluent *m*.
conform [kən'fɔːm] *vt* conformer; *vi* se conformer, obéir, s'adapter.
conformation [ˌkɔnfɔː'meiʃən] *n* conformation *f*, structure *f*.
conformity [kən'fɔːmiti] *n* conformité *f*; **in — with** conformément à.
confound [kən'faund] *vt* confondre, embarrasser, déconcerter.
confounded [kən'faundid] *a* maudit, sacré.
confraternity [ˌkɔnfrə'təːniti] *n* confrérie *f*, bande *f*.
confront [kən'frʌnt] *vt* affronter, confronter, faire face à, se trouver en presence de.
confuse [kən'fjuːz] *vt* mettre en désordre, confondre, embrouiller, (em)mêler.
confused [kən'fjuːzd] *a* confus, interdit, ahuri, bouleversé, trouble.
confusedly [kən'fjuːzidli] *ad* confusément.
confusion [kən'fjuːʒən] *n* confusion *f*, désordre *m*, désarroi *m*, remue-ménage *m*.
confutation [ˌkɔnfjuː'teiʃən] *n* réfutation.
confute [kən'fjuːt] *vt* réfuter, démolir les arguments de.
congeal [kən'dʒiːl] *vt* (con)geler, coaguler, figer; *vi* se congeler, se coaguler, se figer, se prendre.
congenial [kən'dʒiːnjəl] *a* du même caractère que, au goût de, sympathique, agréable, convenable.
congeniality [kənˌdʒiːniː'æliti] *n* sympathie *f*, caractère agréable *m*, accord *m* de sentiments.
congest [kən'dʒest] *vt* congestionner, encombrer, embouteiller.
congestion [kən'dʒestʃən] *n* congestion *f*, encombrement *m*, embouteillage *m*, surpeuplement *m*.
conglomerate [kən'glɔməreit] *vt* conglomérer; *vi* se conglomérer, s'agglomérer.
congratulate [kən'grætjuleit] *vt* féliciter.
congratulation [kənˌgrætju'leiʃən] *n* félicitation *f*.
congregate ['kɔŋgrigeit] *vt* rassembler, réunir; *vi* se réunir, se rassembler.
congregation [ˌkɔŋgri'geiʃən] *n* congrégation *f*, assemblée *f*, amas *m*, rassemblement *m*.
congress ['kɔŋgres] *n* congrès *m*, réunion *f*.
congruency ['kɔŋgruənsi] *n* accord *m*, conformité *f*.
congruous ['kɔŋgruəs] *a* approprié, conforme.
conifer ['kɔnifə] *n* conifère *m*.
conjecture [kən'dʒektʃə] *n* conjecture *f*; *vt* conjecturer.
conjugal ['kɔndʒugəl] *a* conjugal.
conjugate ['kɔndʒugeit] *vt* conjuguer.
conjugation [ˌkɔndʒu'geiʃən] *n* conjugaison *f*.
conjunction [kən'dʒʌŋkʃən] *n* connexion *f*, jonction *f*, coïncidence *f*; **in — with** conjointement avec.
conjuncture [kən'dʒʌnktʃə] *n* conjoncture *f*, circonstance *f*.
conjuration [ˌkɔndʒuə'reiʃən] *n* conjuration *f*, évocation *f*.
conjure [kən'dʒuə] *vt* conjurer, évoquer.
conjure ['kʌndʒə] *vi* faire des tours de prestidigitation; **to — away** escamoter.
conjurer ['kʌndʒərə] *n* prestidigitateur *m*.
connect [kə'nekt] *vt* (re)lier, rattacher, réunir, associer; *vi* se (re)lier, se réunir, faire correspondance.
connection [kə'nekʃən] *n* lien *m*, rapport *m*, sens *m*, égard *m*, parenté *f*, clientèle *f*, correspondance *f*, prise *f* de courant.
conning-tower ['kɔniŋˌtauə] *n* kiosque *m*.
connivance [kə'naivəns] *n* connivence *f*, complicité *f*.
connive [kə'naiv] *vi* être de connivence (avec **with**), fermer les yeux (sur **at**).
connubial [kə'njuːbjəl] *a* conjugal.
conquer ['kɔŋkə] *vt* conquérir, vaincre.
conqueror ['kɔŋkərə] *n* conquérant *m*, vainqueur *m*.
conquest ['kɔŋkwest] *n* conquête *f*.
conscience ['kɔnʃəns] *n* conscience *f*.
conscientious [ˌkɔnʃi'enʃəs] *a* consciencieux, scrupuleux.
conscientiousness [ˌkɔnʃi'enʃəsnis] *n* conscience *f*.
conscious ['kɔnʃəs] *a* conscient; **to be — of** sentir, avoir conscience de, s'apercevoir de; **to become —** reprendre connaissance.

consciously ['kɔnʃəsli] *ad* consciemment.
consciousness ['kɔnʃəsnis] *n* conscience *f*, connaissance *f*, sens *m*.
conscript ['kɔnskript] *an* conscrit *m*.
conscript [kən'skript] *vt* engager, enrôler.
conscription [kən'skripʃən] *n* conscription *f*.
consecrate ['kɔnsikreit] *vt* consacrer, bénir.
consecration [,kɔnsi'kreiʃən] *n* consécration *f*.
consecutive [kən'sekjutiv] *a* consécutif, de suite.
consensus [kən'sensəs] *n* accord *m*, unanimité *f*, consensus *m*.
consent [kən'sent] *n* consentement *m*, assentiment *m*, agrément *m*; *vi* consentir.
consequence ['kɔnsikwəns] *n* conséquence *f*, importance *f*.
consequent ['kɔnsikwənt] *a* résultant.
consequential [,kɔnsi'kwenʃəl] *a* conséquent, consécutif, important, plein de soi.
consequently ['kɔnsikwəntli] *ad* conséquemment, en conséquence.
conservation [,kɔnsə'veiʃən] *n* conservation *f*.
conservative [kən'sə:vətiv] *an* conservateur, -trice.
conservatory [kɔn'sə:vətri] *n* serre *f*, jardin *m* d'hiver.
conserve [kən'sə:v] *vt* conserver, préserver.
conserves [kən'sə:vz] *n pl* confitures *f pl*, conserves *f pl*.
consider [kən'sidə] *vt* considérer, réfléchir à, regarder, estimer, examiner, envisager, avoir égard à.
considerable [kən'sidərəbl] *a* considérable.
considerate [kən'sidərit] *a* attentif, prévenant.
considerately [kən'sidəritli] *ad* avec égards, avec prévenance.
consideration [kən,sidə'reiʃən] *n* considération *f*, réflexion *f*, récompense *f*, importance *f*; **in — of** eu égard à; **under** — à l'étude, en déliberation; **after due** — tout bien considéré, après mûre réflection; **for a** — moyennant finance; **on no** — pour rien au monde, à aucun prix.
considering [kən'sidəriŋ] *ad* somme toute; *prep* étant donné, vu, eu égard à; *cj* vu que, attendu que.
consign [kən'sain] *vt* livrer, expédier, déposer, consigner.
consignment [kən'sainmənt] *n* expédition *f*, envoi *m*, dépôt *m*; — **note** récépissé *m*, lettre de voiture *f*.
consist [kən'sist] *vi* consister (en, à of), se composer (de of).
consistence [kən'sistəns] *n* consistance *f*.
consistency [kən'sistənsi] *n* suite *f*, logique *f*, uniformité *f*, régularité *f*.
consistent [kən'sistənt] *a* compatible, fidèle (à **with**), conséquent, logique, régulier.
consolation [,kɔnsə'leiʃən] *n* consolation *f*.
console [kən'soul] *vt* consoler.
console ['kɔnsoul] *n* console *f*.
consolidate [kən'sɔlideit] *vt* consolider, raffermir, unifier.
consolidation [kən,sɔli'deiʃən] *n* consolidation *f*, raffermissement *m*.
consols [kən'sɔlz] *n pl* fonds consolidés *m pl*.
consonance ['kɔnsənəns] *n* consonance *f*, accord *m*.
consonant ['kɔnsənənt] *n* consonne *f*; *a* compatible, harmonieux, qui s'accorde.
consort ['kɔnsɔ:t] *n* consort(e) *mf*, époux, -se *mf*.
consort [kən'sɔ:t] *vi* **to — with** fréquenter, frayer avec.
conspicuous [kən'spikjuəs] *a* marquant, insigne, remarquable, en vue, en évidence; **to make oneself** — se faire remarquer, se signaler.
conspiracy [kən'spirəsi] *n* conspiration *f*, conjuration *f*.
conspirator [kən'spirətə] *n* conspirateur, -trice, conjuré *m*.
conspire [kən'spaiə] *vi* conspirer, comploter, agir de concert, concourir.
constable ['kʌnstəbl] *n* agent *m* de police, gendarme *m*; **chief** — commissaire *m* de police.
constabulary [kən'stæbjuləri] *n* police *f*, gendarmerie *f*.
constancy ['kɔnstənsi] *n* constance *f*, régularité *f*, fidelité *f*, fermeté *f*.
constant ['kɔnstənt] *a* constant, continuel, fidèle, invariable.
constantly ['kɔnstəntli] *ad* constamment, toujours.
constellation [,kɔnstə'leiʃən] *n* constellation *f*.
consternation [,kɔnstə'neiʃən] *n* consternation *f*.
constipate ['kɔnstipeit] *vt* constiper.
constipation [,kɔnsti'peiʃən] *n* constipation *f*.
constituency [kən'stitjuənsi] *n* circonscription *f*, collège électoral *m*.
constituent [kən'stitjuənt] *n* électeur, -trice, élément *m*; *a* constituant, constitutif.
constitute ['kɔnstitju:t] *vt* constituer.
constitution [,kɔnsti'tju:ʃən] *n* constitution *f*, composition *f*, santé *f*.
constitutional [,kɔnsti'tju:ʃənl] *a* constitutionnel.
constrain [kən'strein] *vt* contraindre, forcer.
constraint [kən'streint] *n* contrainte *f*, retenue *f*.
constrict [kən'strikt] *vt* rétrécir, (res)serrer, étrangler.
constriction [kən'strikʃən] *n* étranglement *m*, resserrement *m*.

construct [kən'strʌkt] *vt* construire, établir, charpenter.
construction [kən'strʌkʃən] *n* construction *f*, établissement *m*, édifice *m*, interprétation *f*.
construe [kən'stru:] *vt* traduire, interpréter, expliquer, analyser.
consul ['kɔnsəl] *n* consul *m*.
consular ['kɔnsjulə] *a* consulaire.
consulate ['kɔnsjulit] *n* consulat *m*.
consult [kən'sʌlt] *vti* consulter.
consultation [,kɔnsəl'teiʃən] *n* consultation *f*, délibération *f*.
consume [kən'sjum] *vt* consumer, consommer, épuiser, perdre.
consumer [kən'sjumə] *n* consommateur, -trice.
consummate [kən'sʌmit] *a* consommé, achevé.
consummate ['kɔnsʌmeit] *vt* consommer.
consummation [,kɔnsʌ'meiʃən] *n* consommation *f*, comble *m*.
consumption [kən'sʌmpʃən] *n* consomption *f*, phtisie *f*, consommation *f*.
consumptive [kən'sʌmptiv] *a* phtisique, tuberculeux.
contact ['kɔntækt] *n* contact *m*, rapport *m*; *vt* se mettre en rapport avec, contacter.
contagion [kən'teidʒən] *n* contagion *f*.
contagious [kən'teidʒəs] *a* contagieux, communicatif.
contain [kən'tein] *vt* contenir, comporter, renfermer, retenir.
container [kən'teinə] *n* récipient *m*.
contaminate [kən'tæmineit] *vt* contaminer, vicier, corrompre.
contamination [kən,tæmi'neiʃən] *n* contamination *f*.
contemplate ['kɔntempleit] *vt* contempler, considérer, envisager; *vi* méditer, se recueillir.
contemplation [,kɔntem'pleiʃən] *n* contemplation *f*, recueillement *m*.
contemplative ['kɔntempleitiv] *a* contemplatif, recueilli.
contemporary [kən'tempərəri] *an* contemporain(e) *mf*.
contempt [kən'tempt] *n* mépris *m*.
contemptible [kən'temptəbl] *a* méprisable.
contemptuous [kən'temptjuəs] *a* méprisant, de mépris.
contend [kən'tend] *vi* lutter, disputer, rivaliser; *vt* soutenir, prétendre.
content [kən'tent] *n* contentement *m*, contenance *f*; *a* content; *vt* contenter.
contentedly [kən'tentidli] *ad* avec plaisir.
contention [kən'tenʃən] *n* discussion *f*, rivalité *f*, idée *f*, prétention *f*.
contentious [kən'tenʃəs] *a* disputeur, chicanier, discutable.
contentment [kən'tentmənt] *n* contentement *m*.
contents ['kɔntents] *n pl* contenu *m*, table des matières *f*.
contest ['kɔntest] *n* lutte *f*, concours *m*.
contest [kən'test] *vt* contester, disputer, débattre.
contestation [,kɔntes'teiʃən] *n* contestation *f*.
context ['kɔntekst] *n* contexte *m*.
contiguous [kən'tigjuəs] *a* contigu, -uë.
continence ['kɔntinəns] *n* continence *f*.
continent ['kɔntinənt] *an* continent *m*.
continental [,kɔnti'nentl] *a* continental.
contingent [kən'tindʒənt] *n* contingent *m*; *a* éventuel, subordonné.
continual [kən'tinjuəl] *a* continuel, sans cesse.
continuation [kən,tinju'eiʃən] *n* continuation *f*, durée *f*, suite *f*.
continue [kən'tinju] *vti* continuer; *vt* maintenir, poursuivre, prolonger; *vi* se prolonger.
continuity [,kɔnti'njuiti] *n* continuité *f*.
continuous [kən'tinjuəs] *a* continu, permanent.
continuously [kən'tinjuəsli] *ad* continûment, sans arrêt, sans désemparer.
contort [kən'tɔ:t] *vt* tordre, crisper.
contortion [kən'tɔ:ʃən] *n* contorsion *f*, crispation *f*.
contour ['kɔntuə] *n* contour *m*, profil *m*, tracé *m*.
contraband ['kɔntrəbænd] *n* contrebande *f*.
contraceptive [,kɔntrə'septiv] *n* préservatif *m*; *a* anticonceptionnel.
contract ['kɔntrækt] *n* contrat *m*, entreprise *f*.
contract [kən'trækt] *vt* contracter, resserrer, crisper; *vi* s'engager, se rétrécir, se crisper, se contracter.
contraction [kən'trækʃən] *n* contraction *f*, rétrécissement *m*, crispement *m*.
contractor [kən'træktə] *n* entrepreneur *m*, (*mil*) fournisseur *m*.
contradict [,kɔntrə'dikt] *vt* démentir, contredire.
contradiction [,kɔntrə'dikʃən] *n* contradiction *f*, démenti *m*.
contradictory [,kɔntrə'diktəri] *a* contradictoire.
contraption [kən'træpʃən] *n* machin *m*, truc *m*, dispositif *m*.
contrary ['kɔntrəri] *a* contraire, opposé; **on the** — au contraire.
contrast ['kɔntrɑ:st] *n* contraste *m*.
contrast [kən'trɑ:st] *vi* contraster; *vt* mettre en contraste, opposer.
contravene [,kɔntrə'vi:n] *vt* enfreindre, contrevenir à, s'opposer à.
contravention [,kɔntrə'venʃən] *n* violation *f*, contravention *f*.
contribute [kən'tribjut] *vti* con-

tribuer (à to), souscrire; **to — to a newspaper** collaborer à un journal.
contribution [ˌkɔntri'bjuːʃən] *n* contribution *f*.
contrite ['kɔntrait] *a* contrit.
contrivance [kən'traivəns] *n* invention *f*, manigance *f*, ingéniosité *f*, dispositif *m*.
contrive [kən'traiv] *vt* inventer, combiner; *vi* s'arranger (pour **to**), trouver moyen (de **to**).
control [kən'troul] *n* contrôle *m*, maîtrise *f*, autorité *f*; *vt* contrôler, maîtriser, diriger.
controller [kən'troulə] *n* contrôleur, -euse, commande *f*.
controversial [ˌkɔntrə'vəːʃəl] *a* controversable, (*person*) disputeur.
controversy ['kɔntrəvəːsi] *n* controverse *f*.
contumacious [ˌkɔntju'meiʃəs] *a* rebelle, contumace.
contuse [kən'tjuːz] *vt* contusionner.
contusion [kən'tjuːʒən] *n* contusion *f*.
conundrum [kə'nʌndrəm] *n* énigme *f*, problème *m*, devinette *f*.
convalesce [ˌkɔnvə'les] *vi* être en convalescence, relever de maladie.
convalescence [ˌkɔnvə'lesns] *n* convalescence *f*.
convalescent [ˌkɔnvə'lesnt] *a* convalescent.
convector [kən'vektə] *n* appareil *m* de chauffage par convection.
convene [kən'viːn] *vt* convoquer; *vi* se réunir.
convenience [kən'viːnjəns] *n* convenance *f*, commodité *f*, avantage *m*; *pl* commodités *f pl*, agréments *m pl*.
convenient [kən'viːnjənt] *a* commode.
conveniently [kən'viːnjəntli] *ad* commodément, sans inconvénient.
convent ['kɔnvənt] *n* couvent *m*.
convention [kən'venʃən] *n* convention *f*, convocation *f*, usage *m*; *pl* bienséances *f pl*.
conventional [kən'venʃənl] *a* conventionnel, normal, ordinaire, classique, stylisé.
conventionality [kənˌvenʃə'næliti] *n* formalisme *m*, bienséances *f pl*.
converge [kən'vəːdʒ] *vi* converger.
convergence [kən'vəːdʒəns] *n* convergence *f*.
conversant [kən'vəːsənt] *a* familiar, versé, au courant (de **with**).
conversation [ˌkɔnvəː'seiʃən] *n* conversation *f*, entretien *m*.
converse ['kɔnvəːs] *an* réciproque *f*, converse *f*.
converse [kən'vəːs] *vi* causer, s'entretenir.
conversely ['kɔnvəːsli] *ad* réciproquement.
conversion [kən'vəːʃən] *n* conversion *f*.
convert ['kɔnvəːt] *n* converti(e) *mf*.
convert [kən'vəːt] *vt* convertir, transformer.
convex ['kɔn'veks] *a* convexe, bombé.
convey [kən'vei] *vt* (trans)porter, transmettre, communiquer.
conveyance [kən'veiəns] *n* transport *m*, voiture *f*, transmission *f*.
convict ['kɔnvikt] *n* forçat *m*.
convict [kən'vikt] *vt* convaincre, condamner.
conviction [kən'vikʃən] *n* conviction *f*, condamnation *f*.
convince [kən'vins] *vt* convaincre, persuader.
convivial [kən'viviəl] *a* plein d'entrain, jovial, de fête.
convocation [ˌkɔnvə'keiʃən] *n* convocation *f*, assemblée *f*.
convoke [kən'vouk] *vt* convoquer.
convoy ['kɔnvɔi] *n* convoi *m*, escorte *f*.
convoy ['kɔnvɔi] *vt* convoyer, escorter.
convulse [kən'vʌls] *vt* bouleverser, décomposer, tordre, convulser.
convulsion [kən'vʌlʃən] *n* convulsion *f*, bouleversement *m*.
convulsive [kən'vʌlsiv] *a* convulsif.
coo [kuː] *vi* roucouler.
cook [kuk] *n* cuisinier, -ière; *vti* cuire, cuisiner; *vt* faire cuire; maquiller, truquer.
cooker ['kukə] *n* réchaud *m*, cuisinière *f*.
cookery ['kukəri] *n* cuisine *f*.
cool [kuːl] *n* frais *m*, fraîcheur *f*; *a* frais, rafraîchissant, impudent, imperturbable; *vt* rafraîchir, refroidir; *vi* se rafraîchir, se refroidir.
cooler ['kuːlə] *n* seau *m* à glace, refroidisseur *m*, (*US*) taule *f*.
coolly ['kuːli] *ad* froidement, avec sang-froid.
coolness ['kuːlnis] *n* fraîcheur *f*, sang-froid *m*.
coop [kuːp] *n* mue *f*; *vt* enfermer, claustrer.
co-operate [kou'ɔpəreit] *vi* coopérer, collaborer.
co-operation [kouˌɔpə'reiʃən] *n* collaboration *f*, coopération *f*, concours *m*.
co-operative stores [kou'ɔpərətiv ˌstɔːz] *n* coopérative *f*.
co-opt [kou'ɔpt] *vt* coopter.
co-ordinate [kou'ɔːdineit] *vt* coordonner.
co-ordination [kouˌɔːdi'neiʃən] *n* coordination *f*.
cop [kɔp] *n* fuseau *m*, flic *m*; *vt* pincer, attraper, écoper.
cope [koup] **to — with** faire face à, tenir tête à, venir à bout de.
copious ['koupjəs] *a* copieux, abondant.
copiousness ['koupjəsnis] *n* abondance *f*.
copper ['kɔpə] *n* cuivre *m*, billon *m*, sou *m*, lessiveuse *f*, sergot *m*.
copse [kɔps] *n* taillis *m*.

copy ['kɔpi] *n* copie *f*, exemplaire *m*, numéro *m*; *vt* copier, imiter, se modeler sur.
copyist ['kɔpiist] *n* copiste *mf*.
copyright ['kɔpirait] *n* proprieté littéraire *f*, droit d'auteur *m*.
coral ['kɔrəl] *n* corail *m*.
cord [kɔːd] *n* cordelette *f*, cordon *m*, (*vocal*) cordes *f pl*, étoffe *f* à côtes, ganse *f*; *vt* corder.
corded ['kɔːdid] *a* côtelé, à côtes.
cordial ['kɔːdjəl] *an* cordial *m*; *a* chaleureux.
cordiality [ˌkɔːdi'æliti] *n* cordialité *f*.
cordon ['kɔːdn] *n* cordon *m*; **to — off** *vt* isoler, entourer d'un cordon.
corduroy ['kɔːdərɔi] *n* velours côtelé *m*.
core [kɔː] *n* cœur *m*, trognon *m*.
co-respondent ['kourisˌpɔndənt] *n* complice *mf* (d'adultère).
cork [kɔːk] *n* liège *m*, bouchon *m*; *vt* boucher.
corked [kɔːkt] *a* qui sent le bouchon.
corkscrew ['kɔːkskruː] *n* tire-bouchon *m*.
corn [kɔːn] *n* grain *m*, blé *m*, (*US*) maïs *m*; (*foot*) cor *m*.
cornea ['kɔːniə] *n* cornée *f*.
corned [kɔːnd] *a* salé, de conserve.
corner ['kɔːnə] *n* coin *m*, angle *m*, tournant *m*, virage *m*, accaparement *m*; *vt* acculer, mettre au pied du mur, accaparer; *vi* virer.
corner-stone ['kɔːnəstoun] *n* pierre angulaire *f*.
cornet ['kɔːnit] *n* cornet *m* (à piston).
corn exchange ['kɔːniks'tʃeindʒ] *n* halle *f* aux blés.
cornflour ['kɔːnflauə] *n* farine *f* de riz, *etc*.
cornflower ['kɔːnflauə] *n* bluet *m*.
cornice ['kɔːnis] *n* corniche *f*.
coronation [ˌkɔrə'neiʃən] *n* couronnement *m*, sacre *m*.
corporal ['kɔːpərəl] *n* caporal *m*, brigadier *m*; *a* corporel.
corporate ['kɔːpərit] *a* constitué; **— spirit** esprit de corps *m*, solidarité.
corporation [ˌkɔːpə'reiʃən] *n* corporation *f*, conseil municipal *m*, bedaine *f*.
corpse [kɔːps] *n* cadavre *m*.
corpuscle ['kɔːpʌsl] *n* corpuscle *m*.
Corpus Christi ['kɔːpəs'kristi] *n* Fête-Dieu *f*.
correct [kə'rekt] *a* correct, juste, exact; *vt* corriger, reprendre, rectifier.
correction [kə'rekʃən] *n* correction *f*, redressement *m*.
corrector [kə'rektə] *n* correcteur, -trice.
correspond [ˌkɔris'pɔnd] *vi* correspondre (à **with, to**).
correspondence [ˌkɔris'pɔndəns] *n* correspondance *f*.
correspondent [ˌkɔris'pɔndənt] *n* correspondant(e) *mf*, envoyé *m*.
corridor ['kɔridɔː] *n* couloir *m*, corridor *m*.
corroborate [kə'rɔbəreit] *vt* corroborer, confirmer.
corroboration [kəˌrɔbə'reiʃən] *n* corroboration *f*.
corrode [kə'roud] *vt* corroder, ronger; *vi* se corroder.
corrosion [kə'rouʒən] *n* corrosion *f*.
corrosive [kə'rousiv] *an* corrosif *m*.
corrugated ['kɔrugeitid] *a* ondulé, cannelé, gaufré.
corrupt [kə'rʌpt] *vt* corrompre, altérer; *a* corrompu.
corruption [kə'rʌpʃən] *n* corruption *f*, subornation *f*.
corsair ['kɔːsɛə] *n* corsaire *m*.
corset ['kɔːsit] *n* corset *m*.
Corsica ['kɔːsikə] *n* la Corse *f*.
Corsican ['kɔːsikən] *a nm* corse; *n* Corse *mf*.
cosmic ['kɔzmik] *a* cosmique.
cosmonaut ['kɔzmənɔːt] *n* cosmonaute *mf*.
cosmopolitan [ˌkɔsmə'pɔlitən] *an* cosmopolite *mf*.
cosmopolitanism [ˌkɔzmə'pɔlitənizəm] *n* cosmopolitisme *m*.
cost [kɔst] *n* prix *m*, coût *m*, dépens *m pl*, frais *m pl*; *vi* coûter; *vt* établir le prix de.
costermonger ['kɔstəˌmʌŋgə] *n* marchand *m* des quatre saisons.
costly ['kɔstli] *a* coûteux, dispendieux, précieux, somptueux.
cosy ['kouzi] *n* couvre-théière *m*; *a* tiède, douillet, bon.
cot [kɔt] *n* abri *m*, berceau *m*, couchette *f*, hutte *f*.
cottage ['kɔtidʒ] *n* chaumière *f*.
cotton ['kɔtn] *n* coton *m*, fil *m*; **— plant** cotonnier *m*; **— plantation** cotonneraie *f*.
cotton-wool ['kɔtn'wul] *n* ouate *f*, coton hydrophile *m*.
couch [kautʃ] *n* lit *m*, divan *m*; *vt* coucher; *vi* se tapir, s'embusquer.
cough [kɔf] *n* toux *f*; *vi* tousser.
could [kud] *pt of* **can**.
council ['kaunsl] *n* concile *m*, conseil *m*.
councillor ['kaunsilə] *n* conseiller *m* (municipal).
counsel ['kaunsəl] *n* conseil *m*, délibération *f*, avocat *m*; *vt* conseiller, recommander.
counsellor ['kaunsələ] *n* conseiller *m*.
count [kaunt] *n* compte *m*, calcul *m*, comte *m*; *vti* compter.
countdown ['kauntdaun] *n* compte à rebours *m*.
countenance ['kauntinəns] *n* expression *f*, visage *m*, sérieux *m*, contenance *f*, appui *m*; *vt* sanctionner, appuyer, approuver.
counter ['kauntə] *n* comptoir *m*, jeton *m*, contre *m*; *a* opposé; *vt* contrarier, contredire, aller à l'encontre de; *vi* riposter; *ad* en sens contraire.

counteract [ˌkauntə'rækt] *vt* neutraliser.
counterbalance [ˌkauntə'bæləns] *n* contre-poids *m*; *vt* contrebalancer, faire contrepoids à, compenser.
countercharge ['kauntətʃɑːdʒ] *n* contre-accusation *f*.
counterfeit ['kauntəfit] *n* contrefaçon *f*; — **coin** pièce fausse *f*; *vt* feindre, contrefaire, forger.
counterfoil ['kauntəfɔil] *n* talon *m*, souche *f*.
countermand [ˌkauntə'mɑːnd] *vt* contremander, rappeler, décommander.
counterpane ['kauntəpein] *n* couvre-pied *m*, courtepointe *f*.
counterpart ['kauntəpɑːt] *n* contre-partie *f*, pendant *m*.
countersign ['kauntəsain] *n* mot *m* de passe, mot *m* d'ordre; *vt* viser, contresigner.
countess ['kauntis] *n* comtesse *f*.
countless ['kauntlis] *a* innombrable.
country ['kʌntri] *n* contrée *f*, pays *m*, campagne *f*, province *f*, patrie *f*.
country-house ['kʌntri'haus] *n* maison de campagne *f*.
countryman ['kʌntrimən] *n* campagnard *m*, compatriote *m*.
countryside ['kʌntrisaid] *n* campagne *f*, pays *m*.
county ['kaunti] *n* comté *m*.
couple ['kʌpl] *n* couple *mf*, laisse *f*; *vt* (ac)coupler, unir, associer.
coupon ['kuːpɔn] *n* coupon *m*, ticket *m*, estampille officielle *f*, bon(-prime) *m*.
courage ['kʌridʒ] *n* courage *m*.
courageous [kə'reidʒəs] *a* courageux.
courier ['kuriə] *n* courrier *m*.
course [kɔːs] *n* course *f*, cours *m*, champ de courses *m*, carrière *f*, série *f*, marche *f*, direction *f*, route *f*, plat *m*, service *m*; **of** — naturellement; **matter of** — chose qui va de soi, positif, prosaïque.
court [kɔːt] *n* cour *f*, terrain de jeux *m*, court *m* (*tennis*); *vt* courtiser, inviter, chercher, solliciter, aller au-devant de.
courteous ['kəːtiəs] *a* courtois.
courtesy ['kəːtisi] *n* courtoisie *f*, politesses *f pl*.
courtesan [ˌkɔːti'zæn] *n* courtisane *f*.
courtier ['kɔːtjə] *n* courtisan *m*.
courtliness ['kɔːtlinis] *n* élégance *f*, raffinement *m*.
courtly ['kɔːtli] *a* élégant, courtois.
courtship ['kɔːtʃip] *n* cour *f*.
courtyard ['kɔːtjɑːd] *n* cour *f*.
cousin ['kʌzn] *n* cousin(e) *mf*; **first** — cousin germain; **second** — issu de germain; **third** — au 3ᵉ degré *etc*.
cove [kouv] *n* (*sea*) anse *f*, crique *f*, type *m*.
covenant ['kʌvinənt] *n* pacte *m*, alliance *f*, contrat *m*.
cover ['kʌvə] *n* couverture *f*, housse *f*, bâche *f*, dessus *m*, couvercle *m*, abri *m*; couvert *m*, voile *m*, masque *m*; (*US*) compte-rendu *m*; *vt* (re)couvrir, revêtir, embrasser; (*US*) faire un compte-rendu.
covering ['kʌvəriŋ] *a* de couverture, confirmatif.
coverlet ['kʌvəlit] *n* couvre-pied *m*, dessus *m* de lit, couvre-lit *m*.
covert ['kʌvət] *a* couvert, furtif, voile, indirect.
covet ['kʌvit] *vt* convoiter.
covetous ['kʌvitəs] *a* convoiteux, avide.
covetousness ['kʌvitəsnis] *n* convoitise *f*, cupidité *f*.
covey ['kʌvi] *n* couvée *f*, compagnie *f*, vol *m*, troupe *f*.
cow [kau] *n* vache *f* femelle *f*; *vt* intimider.
coward ['kauəd] *an* lâche *mf*.
cowardice ['kauədis] *n* lâcheté *f*.
cowardly ['kauədli] *a* lâche, poltron; *ad* lâchement.
cower ['kauə] *vi* s'accroupir, se blottir, se faire petit.
cowl [kaul] *n* capuchon *m*, capot *m*, mitre *f*, champignon *m*.
cowrie-shell ['kauriʃel] *n* cauri *m*.
coxcomb ['kɔkskoum] *n* poseur *m*, fat *m*, petit-maître *m*.
coxswain ['kɔksn] *n* homme de barre *m*, maître *m* d'équipage.
coy [kɔi] *a* timide, réservé, écarté.
coyness ['kɔinis] *n* timidité *f*, réserve *f*.
crab [kræb] *n* crabe *m*, (*apple*) pomme sauvage *f*, (*tool*) chèvre *f*.
crabbed ['kræbd] *a* revêche, raboteux, grincheux, aigre.
crack [kræk] *n* craquement *m*, coup sec *m*, fêlure *f*, lézarde *f*, fente *f*; *a* (*fam*) d'élite; —**-brained** fêlé, timbré, toqué; *vi* craquer, claquer, se casser, se gercer, se fêler, muer; *vt* faire craquer (claquer), casser, fêler, (*joke*) faire.
cracker ['krækə] *n* pétard *m*, casse-noix *m*, diablotin *m*.
crackle ['krækl] *n* craquement *m*, crépitement *m*, friture *f*, craquelure *f*; *vi* crépiter, craqueter, grésiller, pétiller.
cracksman ['kræksmən] *n* (*sl*) cambrioleur *m*.
cradle ['kreidl] *n* berceau *m*; —**-song** berceuse *f*; *vt* coucher, bercer.
craft [krɑːft] *n* habileté *f*, ruse *f*, art *m*, métier *m*, vaisseau *m*, avion *m*.
craftsman ['krɑːftsmən] *n* ouvrier qualifié *m*, artisan *m*.
crafty ['krɑːfti] *a* rusé, cauteleux, fin.
crag [kræg] *n* rocher *m*.
craggy ['krægi] *a* rocheux, rocailleux.
cram [kræm] *vt* remplir, gaver, fourrer, enfoncer, bourrer, chauffer; *vi* se gaver, s'empiffrer, s'entasser.
cramming ['kræmiŋ] *n* gavage *m*, bourrage *m*, chauffage *m*.

cramp [kræmp] *n* crampe *f*, crampon *m*; *vt* donner des crampes à, engourdir.
cramped [kræmpt] *a* crispé, gêné, à l'étroit.
crane [krein] *n* grue *f*; *vt* tendre, soulever.
crank [krænk] *n* manivelle *f*, coude *m*, meule *f*, original(e) *mf*, toque(e) *mf*.
crape [kreip] *n* crêpe *m*.
crash [kræʃ] *n* fracas *m*, crac *m*, krach *m*, accident *m*; *vt* briser, fracasser, écraser; *vi* dégringoler, s'abattre, s'écraser, casser du bois; **to — into** heurter, tamponner, accrocher.
crass [kræs] *a* grossier, crasse.
crate [kreit] *n* manne *f*, cageot *m*.
crater ['kreitə] *n* cratère *m*, entonnoir *m*.
crave [kreiv] *vt* solliciter; **to — for** désirer violemment, avoir soif de.
craven ['kreivən] *an* lâche *mf*.
craving ['kreiviŋ] *n* besoin *m*, faim *f*, soif *f*.
crawl [krɔ:l] *vi* se traîner, ramper, grouiller; *n* rampement *m*, (*swimming*) crawl *m*.
crawler ['krɔ:lə] *n* (*cab*) maraudeur *m*, reptile *m*.
crayfish ['kreifiʃ] *n* langouste *f*, écrevisse *f*.
crayon ['kreiən] *n* fusain *m*, pastel *m*.
craze [kreiz] *n* folie *f*, manie *f*, toquade *f*.
crazy ['kreizi] *a* branlant, toqué, affolé, insensé.
creak [kri:k] *n* grincement *m*; *vi* grincer, craquer, crier.
cream [kri:m] *n* crême *f*; *vi* crêmer, mousser; *vt* écrémer.
creamery ['kri:məri] *n* crémerie *f*.
creamy ['kri:mi] *a* crêmeux.
crease [kri:s] *n* pli *m*; *vt* plisser, froisser; *vi* se plisser, prendre un faux pli, se froisser.
create [kri:'eit] *vt* créer.
creation [kri:'eiʃən] *n* création *f*.
creator [kri'eitə] *n* créateur, -trice.
creature ['kri:tʃə] *n* créature *f*, être *m*, homme *m*.
credentials [kri'denʃəlz] *n* lettres de créance *f*, certificat *m*.
credibility [,kredi'biliti] *n* crédibilité *f*.
credible ['kredibl] *a* croyable, digne de foi.
credibly ['kredibli] *ad* vraisemblablement.
credit ['kredit] *n* foi *f*, mérite *m*, honneur *m*, crédit *m*; **tax —s** déductions fiscales; *vt* croire, ajouter foi à, créditer, accorder, reconnaître.
creditable ['kreditəbl] *a* honorable, qui fait honneur (à **to**).
creditor ['kreditə] *n* créancier, -ière.
credulity [kri'dju:liti] *n* crédulité *f*.
credulous ['kredjuləs] *a* crédule.
creed [kri:d] *n* crédo *m*, foi *f*.
creek [kri:k] *n* crique *f*, anse *f*.
creep [kri:p] *vi* ramper, se glisser, grimper.
creeper ['kri:pə] *n* plante rampante *f*, grimpante.
creeps [kri:ps] *n* chair *f* de poule.
cremate [kri'meit] *vt* brûler, incinérer.
cremation [kri'meiʃən] *n* incinération *f*.
crematorium [,kremə'tɔ:riəm] *n* four crématoire *m*.
crept [krept] *pt pp of* **creep.**
crescent ['kresnt] *n* croissant *m*.
cress [kres] *n* cresson *m*.
crest [krest] *n* crête *f*, huppe *f*, plumet *m*, cimier *m*, armoiries *f pl*.
crestfallen ['krest,fɔ:lən] *a* penaud, découragé.
crevice ['krevis] *n* crevasse *f*, fente *f*, fissure *f*.
crew [kru:] *n* équipage *m*, équipe *f*, bande *f*.
crib [krib] *n* mangeoire *f*, crêche *f*, lit d'enfant *m*, poste *m*; **to — from** plagier, copier sur.
crick [krik] *n* torticolis *m*.
cricket ['krikit] *n* cricket *m*, grillon *m*.
crier ['kraiə] *n* crieur *m*.
crime [kraim] *n* crime *m*, délit *m*.
criminal ['kriminl] *an* criminel, -elle.
criminality [,krimi'næliti] *n* criminalité *f*.
crimp [krimp] *vt* plisser, onduler, friser, racoler.
crimson ['krimzn] *an* cramoisi *m*, pourpre *m*.
cringe [krindʒ] *n* courbette obséquieuse *f*; *vi* s'aplatir, se tapir, faire le chien couchant.
crinkle ['kriŋkl] *n* pli *m*, ride *f*; *vt* chiffonner, froisser; *vi* se froisser.
cripple ['kripl] *n* estropié(e) *mf*, infirme *mf*; *vt* estropier, paralyser.
crisis ['kraisis] *n* crise *f*.
crisp [krisp] *a* cassant, croquant, vif, brusque, bouclé; *vti* boucler; *vt* crêper.
criss-cross ['kriskrɔs] *n* entrecroisement *m*; *a* entrecroisé, revêche; *vt* entrecroiser; *vi* s'entrecroiser.
criterion [krai'tiəriən] *n* critérium *m*, critère *m*.
critic ['kritik] *n* critique *m*.
critical ['kritikəl] *a* critique.
criticism ['kritisizəm] *n* critique *f*.
criticize ['kritisaiz] *vt* critiquer, censurer.
croak [krouk] *n* c(r)oassement *m*; *vi* c(r)oasser.
crochet ['krouʃei] *n* crochet *m*.
crockery ['krɔkəri] *n* faïence *f*, vaisselle *f*.
crocodile ['krɔkədail] *n* crocodile *m*, caïman *m*.
crocus ['kroukəs] *n* crocus *m*, safran *m*.
croft [krɔft] *n* clos *m*.
crook [kruk] *n* houlette *f*, crosse *f*,

croc *m*, crochet *m*, courbe *f*, escroc *m*; *vt* (re)courber.
crooked ['krukid] *a* courbé, tordu, tortueux, malhonnête.
croon [kru:n] *n* bourdonnement *m*, fredonnement *m*, plainte *f*; *vti* bourdonner, fredonner.
crop [krɔp] *n* récolte *f*, jabot *m*, manche *f* de fouet, cravache *f*, coupe *f* de cheveux (à ras); *vt* récolter, brouter, écourter, tondre, couper ras, planter; **to — up** *vi* affleurer, surgir, se présenter.
cross [krɔs] *n* croix *f*, barre *f*, croisement *m*; *a* croisé, fâché; *vt* croiser, traverser, barrer; *vi* se croiser; **to — out** *vt* biffer; **to — oneself** se signer.
crossbar ['krɔsbɑ:] *n* traverse *f*.
cross-belt ['krɔsbelt] *n* cartouchière *f*, bandoulière *f*.
crossbreed ['krɔsbri:d] *n* hybride *m*, métis, -isse.
cross-examination ['krɔsig,zæmi'neiʃən] *n* contre-interrogatoire *m*.
cross-eyed ['krɔsaid] *a* louche.
cross-grained ['krɔsgreind] *a* à contre-fil, revêche, grincheux.
crossing ['krɔsiŋ] *n* croisement *m*, traversée *f*.
cross-legged ['krɔs'legd] *a* les jambes croisées.
crossroads ['krɔsroudz] *n* carrefour *m*.
cross-section ['krɔs'sekʃən] *n* coupe *f*, tranche *f*, catégorie *f*.
crossword ['krɔswə:d] *n* mots croisés *m pl*.
crotchet ['krɔtʃit] *n* noire *f*, caprice *m*.
crotchety ['krɔtʃiti] *a* fantasque, difficile.
crouch [krautʃ] *vi* s'accroupir, se blottir, se ramasser.
croup [kru:p] *n* croupe *f*, croup *m*.
crow [krou] *n* corneille *f*, corbeau *m*, cri du coq *m*; **as the — flies** à vol d'oiseau; *vi* chanter, crier de joie, chanter victoire, crâner.
crowbar ['kroubɑ:] *n* levier *m*, pince *f*.
crowd [kraud] *n* foule *f*, affluence *f*, bande *f*, monde *m*; *vt* remplir, tasser, serrer; *vi* se presser, s'entasser, s'empiler, affluer, s'attrouper.
crowded ['kraudid] *a* comble, bondé, encombré.
crown [kraun] *n* couronne *f*; *vt* couronner.
crucial ['kru:ʃəl] *a* essentiel, décisif, critique.
crucible ['kru:sibl] *n* creuset *m*.
crucifix ['kru:sifiks] *n* crucifix *m*.
crucifixion [,kru:si'fikʃən] *n* crucifiement *m*.
crucify ['kru:sifai] *vt* crucifier.
crude [kru:d] *a* cru, mal digéré, vert, rude, sommaire, brutal, frustre.
crudely ['kru:dli] *ad* crûment, rudement, grossièrement.
crudity ['kru:diti] *n* crudité *f*, grossièreté *f*.
cruel ['kruəl] *a* cruel.
cruelty ['kruəlti] *n* cruauté *f*.
cruet ['kru:it] *n* burette *f*.
cruet-stand ['kru:itstænd] *n* huilier *m*.
cruise [kru:z] *n* croisière *f*; *vi* croiser, marauder.
cruiser ['kru:zə] *n* croiseur *m*.
crumb [krʌm] *n* mie *f*, miette *f*.
crumble ['krʌmbl] *vt* briser en morceaux, émietter, effriter; *vi* s'écrouler, s'émietter, s'effriter.
crumple ['krʌmpl] *vt* froisser, chiffonner; *vi* se froisser, se friper, se télescoper.
crunch [krʌntʃ] *vt* croquer, écraser; *vi* craquer, grincer, crier.
crusade [kru:'seid] *n* croisade *f*, campagne *f*.
crush [krʌʃ] *n* écrasement *m*, cohue *f*, béguin *m*; *vt* écraser, froisser, terrasser, broyer.
crust [krʌst] *n* croûte *f*, croûton *m*, depôt *m*.
crutch [krʌtʃ] *n* béquille *f*.
crux [krʌks] *n* nœud *m*.
cry [krai] *n* cri *m*, crise *f* de larmes; *vi* crier, pleurer; **to — down** décrier; **to — off** renoncer, se faire excuser; **to — out** s'écrier; **to — up** louer.
crypt [kript] *n* crypte *f*.
crystal ['kristl] *n* cristal *m*, boule de cristal *f*; *a* cristallin, limpide.
cub [kʌb] *n* petit *m*, ourson *m*, ours mal léché, louveteau *m*.
Cuba ['kju:bə] *n* Cuba *m*.
Cuban ['kju:bən] *an* cubain.
cube [kju:b] *n* cube *m*.
cubic ['kju:bik] *a* cubique.
cuckoo ['kuku] *n* coucou *m*.
cucumber ['kju:kʌmbə] *n* concombre *m*.
cud [kʌd] **to chew the —** ruminer.
cuddle ['kʌdl] *vt* mignoter, peloter; **to — into** se pelotonner contre.
cudgel ['kʌdʒəl] *n* gourdin *m*; *vt* rosser.
cue [kju:] *n* queue *f*, invite *f*, indication *f*, mot *m*.
cuff [kʌf] *n* taloche *f*, claque *f*, manchette *f*; *vt* gifler, calotter.
cull [kʌl] *vt* (re)cueillir.
culling ['kʌliŋ] *n* cueillette *f*; *pl* glanures *f pl*.
culminant ['kʌlminənt] *a* culminant.
culminate ['kʌlmineit] *vi* s'achever (en **in**), se couronner (par **in**).
culmination [,kʌlmi'neiʃən] *n* point culminant *m*.
culpability [,kʌlpə'biliti] *n* culpabilité *f*.
cult [kʌlt] *n* culte *m*.
cultivate ['kʌltiveit] *vt* cultiver.
cultivation [,kʌlti'veiʃən] *n* cultivation *f*.
cultivator ['kʌltiveitə] *n* cultivateur, motoculteur *m*.
culture ['kʌltʃə] *n* culture *f*.

culvert ['kʌlvət] *n* canal *m*, canalisation *f*, tranchée *f*, cassis *m*.
cumbersome ['kʌmbəsəm] *a* encombrant, gênant.
cumbrous ['kʌmbrəs] *a* encombrant, gênant.
cumulate ['kjuːmjuleit] *vt* (ac)cumuler.
cumulation [ˌkjuːmju'leiʃən] *n* accumulation *f*, cumul *m*.
cumulative ['kjuːmjulətiv] *a* cumulatif.
cunning ['kʌniŋ] *n* finesse *f*, ruse *f*, habileté *f*, rouerie *f*; *a* entendu, retors, rusé, cauteleux.
cup [kʌp] *n* tasse *f*, coupe *f*, calice *m*.
cupboard ['kʌbəd] *n* buffet *m*, armoire *f*, placard *m*.
cupidity [kjuː'piditi] *n* cupidité *f*.
cur [kəː] *n* roquet *m*, cuistre *m*.
curable ['kjuərəbl] *a* guérissable.
curate ['kjuərit] *n* vicaire *m*, abbé *m*.
curator [kjuə'reitə] *n* curateur *m*, conservateur *m*.
curb [kəːb] *n* gourmette *f*, margelle *f*, bordure *f*, frein *m*; *vt* refréner, brider.
curd [kəːd] *n* lait caillé *m*.
curdle ['kəːdl] *vi* se cailler, se figer, tourner.
cure [kjuə] *n* guérison *f*, remède *m*, cure *f*, soin *m*; *vt* guérir, saler, fumer, mariner.
curfew ['kəːfjuː] *n* couvre-feu *m*.
curio ['kjuəriou] *n* pièce rare *f*, bibelot *m*, curiosité *f*.
curiosity [ˌkjuəri'ɔsiti] *n* curiosité *f*.
curious ['kjuəriəs] *a* curieux, singulier, indiscret.
curl [kəːl] *n* boucle *f*, (*lips*) ourlet *m*; *vt* (en)rouler, friser; *vi* déferler, monter en spirale, friser.
curlew ['kəːluː] *n* courlis *m*.
curling-tongs ['kəːliŋtɔŋz] *n* fer *m* à friser.
curl-paper ['kəːlpeipə] *n* papillotte *f*.
curly ['kəːli] *a* bouclé, frisé.
currant ['kʌrənt] *n* groseille *f*, raisin de Corinthe *m*.
currency ['kʌrənsi] *n* cours *m*, circulation monétaire *f*, monnaie (courante) *f*.
current ['kʌrənt] *n* courant *m*, cours *m*, tendance *f*; *a* courant, en cours.
currently ['kʌrəntli] *ad* couramment.
curry ['kʌri] *n* cari *m*; **to — favour with** amadouer, se mettre bien avec.
curse [kəːs] *n* malédiction *f*, fléau *m*, juron *m*; *vt* maudire; *vi* sacrer, blasphémer, jurer, pester.
cursory ['kəːsəri] *a* superficiel, rapide.
curt [kəːt] *a* bref, sec.
curtail [kəː'teil] *vt* écourter, restreindre, réduire.
curtailment [kəː'teilmənt] *n* retranchement *m*, restriction *f*, réduction *f*.
curtain [kəːtn] *n* rideau *m*; *excl* tableau! **fireproof —** rideau de fer *m*; **—raiser** lever de rideau *m*.
curtly ['kəːtli] *ad* brièvement, sèchement.
curtness ['kəːtnis] *n* sécheresse *f*, brièveté *f*, rudesse *f*.
curtsy ['kəːtsi] *n* révérence *f*; *vi* faire une révérence.
curve [kəːv] *n* courbe *f*; *vt* (re)courber; *vi* se courber.
cushion ['kuʃən] *n* coussin *m*, (*billiards*) bande *f*.
cushy ['kuʃi] *a* (*fam*) moelleux, pépère, de tout repos.
custard ['kʌstəd] *n* flan de lait *m*, crème cuite *f*.
custody ['kʌstədi] *n* garde *f*, prison *f*.
custom ['kʌstəm] *n* usage *m*, coutume *f*, clientèle *f*; *pl* (droits *m* de) douane *f*.
customary ['kʌstəməri] *a* d'usage, habituel.
customarily ['kʌstəmərili] *ad* d'habitude.
customer ['kʌstəmə] *n* client(e) *mf*, chaland(e) *mf*, type *m*, coco *m*.
custom-house ['kʌstəmhaus] *n* bureau *m* de la douane.
customs-officer ['kʌstəmz'ɔfisə] *n* douanier *m*.
cut [kʌt] *n* coupure *f*, coupe *f*, tranche *f*, incision *f*, coup *m*; *vti* couper; *vt* blesser, (*teeth*) faire, percer, (*lecture*) sécher, couper (au) court; **to — down** réduire; **to — off** amputer, trancher; **to — up** tailler en pièces.
cute [kjuːt] *a* rusé, malin, coquet, mignon.
cutlass ['kʌtləs] *n* coutelas *m*, coupe-coupe *m*.
cutler ['kʌtlə] *n* coutelier *m*.
cutlery ['kʌtləri] *n* coutellerie *f*.
cutlet ['kʌtlit] *n* côtelette *f*.
cut-throat ['kʌtθrout] *n* coupe-jarret *m*.
cutting ['kʌtiŋ] *n* taille *f*, (dé)coupage *m*, incision *f*, coupure *f*, bouture *f*; *a* tranchant, mordant.
cycle ['saikl] *n* cycle *m*, bicyclette *f*; **motor —** motocyclette *f*; *vi* faire de la (aller à) bicyclette.
cycling ['saikliŋ] *n* cyclisme *m*.
cyclist ['saiklist] *n* cycliste *mf*.
cyclone ['saikloun] *n* cyclone *m*.
cygnet ['signit] *n* jeune cygne *m*.
cylinder ['silində] *n* cylindre *m*.
cylindrical [si'lindrikəl] *a* cylindrique.
cynic ['sinik] *n* cynique *m*, sceptique *m*.
cynical ['sinikəl] *a* cynique, sceptique.
cynicism ['sinisizəm] *n* cynisme *m*, scepticisme *m*.
cynosure ['sinəzjuə] *n* point de mire *m*.
cypress ['saipris] *n* cyprès *m*.
Cyprus ['saiprəs] *n* Chypre *f*.

cyst [sist] *n* kyste *m*.
czar [zɑː] *n* czar *m*, tsar *m*.
czarina [zɑː'riːnə] *n* tsarine *f*.

D

D-Day ['diːdei] *n* Jour J. *m*.
dab [dæb] *n* limande *f*, tape *f*, coup d'éponge *m*; *vt* tamponner, éponger, tapoter.
dabble ['dæbl] *vt* mouiller; *vi* patauger, jouer (à **in**), faire, s'occuper (de **in**).
dabbler ['dæblə] *n* amateur, -trice.
dad(dy) ['dædi] *n* papa *m*.
daddy-long-legs ['dædi'lɔŋlegz] *n* faucheux *m*.
daffodil ['dæfədil] *n* narcisse des bois *m*, jonquille *f*.
daft [dɑːft] *a* toqué, entiché.
dagger ['dægə] *n* poignard *m*; **at —s drawn** à couteaux tirés; **to look —s at s.o.** foudroyer qn du regard.
daily ['deili] *an* quotidien *m*; *a* journalier; *ad* tous les jours.
daintiness ['deintinis] *n* délicatesse *f*, beauté fine *f*.
dainty ['deinti] *n* morceau *m* de choix, friandise *f*; *a* délicat, mignon, exquis.
dairy ['dɛəri] *n* laiterie *f*.
dairymaid ['dɛərimeid] *n* laitière *f*.
dairyman ['dɛərimən] *n* laitier *m*.
dais ['deiis] *n* estrade *f*, dais *m*.
daisy ['deizi] *n* marguerite *f*, pâquerette *f*.
dale [deil] *n* vallée *f*, combe *f*.
dalliance ['dæliəns] *n* coquetteries *f pl*, flânerie *f*, badinage *m*, délai *m*.
dally ['dæli] *vi* jouer, coqueter, badiner, tarder.
dam [dæm] *n* barrage *m*, digue *f*; *vt* barrer, endiguer.
damage ['dæmidʒ] *n* dégats *m pl*, dommages *m pl*, préjudice *m*; *pl* dommages-intérêts *m pl*; *vt* endommager, nuire à, abîmer, faire tort à.
damaging ['dæmidʒiŋ] *a* dévastateur, nuisible.
dame [deim] *n* dame *f*.
damn [dæm] *vt* (con)damner, perdre, maudire, envoyer au diable; *excl* zut!; **I don't care a —** je m'en fiche.
damnable ['dæmnəbl] *a* damnable, maudit.
damnation [dæm'neiʃən] *n* damnation *f*.
damned [dæmd] *a* damné, perdu, sacré; *ad* vachement.
damp [dæmp] *n* humidité *f*; *a* humide, moite; *vt* mouiller, étouffer, décourager, refroidir.
damper ['dæmpə] *n* éteignoir *m*, sourdine *f*, rabat-joie *m*.
damson ['dæmzən] *n* prune *f* de Damas.
dance [dɑːns] *n* danse *f*, bal *m*, (*African*) tam-tam; *vti* danser; *vi* sauter, trépigner; *vt* faire danser.
dance-hall ['dɑːnshɔːl] *n* dancing *m*, salle *f* de danse.
dancer ['dɑːnsə] *n* danseur, -euse.
dandelion ['dændilaiən] *n* pissenlit *m*.
dandle ['dændl] *vt* dodeliner, dorloter.
dandruff ['dændrəf] *n* pellicules *f pl*.
dandy ['dændi] *n* dandy *m*.
Dane [dein] *n* Danois(e) *mf*.
danger ['deindʒə] *n* danger *m*, péril *m*, risque *m*.
dangerous ['deindʒrəs] *a* dangereux, périlleux.
dangle ['dæŋgl] *vi* pendre, se balancer, agiter, pendiller; *vt* faire balancer.
Danish ['deiniʃ] *an* danois *m*.
dapper ['dæpə] *a* net, soigné, tiré à quatre épingles.
dappled ['dæpld] *a* pommelé, tacheté.
dare [dɛə] *vt* oser, risquer, défier, braver.
dare-devil ['dɛəˌdevl] *n* casse-cou *m*.
daring ['dɛəriŋ] *n* audace *f*; *a* hardi, audacieux.
dark [dɑːk] *n* noir *m*, nuit *f*, obscurité *f*; *a* sombre, noir, foncé.
darken ['dɑːkən] *vt* assombrir, obscurcir, attrister; *vi* s'assombrir, s'obscurcir.
darkness ['dɑːknis] *n* obscurité *f*, ténèbres *f pl*.
darling ['dɑːliŋ] *n* chéri(e) *mf*, amour *m*.
darn [dɑːn] *n* reprise *f*; *vt* repriser, ravauder.
dart [dɑːt] *n* flèche *f*, dard *m*, fléchette *f*, lancement *m*; *vt* lancer, darder; *vi* s'élancer, foncer.
dash [dæʃ] *n* fougue *f*, allant *m*, brio *m*, trait *m*, tiret *m*, pointe *f*, (*fig*) goutte *f*, filet *m*; *vt* lancer, éclabousser, diluer, étendre, décevoir; *vi* se précipiter, s'élancer; **to — off** *vt* bâcler; *vi* filer en vitesse, se sauver.
dashboard ['dæʃbɔːd] *n* tablier *m*.
dashing ['dæʃiŋ] *a* fougueux, impétueux, tapageur, plein d'entrain, galant.
dastardly ['dæstədli] *a* infâme, lâche.
date [deit] *n* date *f*, rendezvous *m*, datte *f*; *vti* dater; **out of —** démodé, périmé; **up to —** au courant, à la page.
dating ['deitiŋ] **dating from** à dater de.
daub [dɔːb] *n* barbouillage *m*, croûte *f*, navet *m*; *vt* enduire, barbouiller.
daughter ['dɔːtə] *n* fille *f*.
daughter-in-law ['dɔːtərinlɔː] *n* belle-fille *f*.
daunt [dɔːnt] *vt* effrayer, intimider, décourager.
dauntless ['dɔːntlis] *a* intrépide, courageux.
dawdle ['dɔːdl] *vi* traîner, flâner; **to — away** gaspiller.

dawdler ['dɔːdlə] *n* lambin(e) *mf*, flâneur, -euse.
dawn [dɔːn] *n* aube *f*, aurore *f*; *vi* poindre, naître, se faire jour.
day [dei] *n* jour *m*, journée *f*; — **before** veille *f*; — **after** lendemain *m*; **a week today** d'aujourd'hui en huit.
day-boarder ['dei,bɔːdə] *n* demi-pensionnaire *mf*.
day-boy ['deibɔi] *n* externe *m*.
daybreak ['deibreik] *n* point du jour *m*.
daydream ['deidriːm] *n* rêve (éveillé) *m*, rêvérie *f*; *n* rêver, rêvasser.
day-labourer ['dei'leibərə] *n* ouvrier *m* à la journée.
daylight ['deilait] *n* (lumière *f* du) jour *m*, publicité *f*, notoriété *f*.
day-nursery ['dei,nəːsri] *n* crèche *f*, garderie *f*.
daze [deiz] *vt* ébahir, ahurir, étourdir, hébéter.
dazzle ['dæzl] *vt* éblouir, aveugler.
dazzling ['dæzliŋ] *n* éblouissement *m*; *a* éblouissant.
deacon ['diːkən] *n* diacre *m*.
deaconess ['diːkənis] *n* diaconesse *f*.
dead [ded] *n* morts *m pl*; *a* mort, défunt, feu, funèbre, éteint, amorti, (*loss*) net, sec, plat; *ad* droit, en plein, à fond; **in the — of** au cœur de, au plus fort de, au milieu de.
deaden ['dedn] *vt* étouffer, amortir, émousser, feutrer.
dead-end ['ded'end] *n* cul de sac *m*, impasse *f*.
dead-letter ['ded'letə] *n* lettre morte *f*, mise au rebut *f*.
deadline ['dedlain] *n* dernière limite *f*, date limite *f*.
deadlock ['dedlɔk] *n* point mort *m*, impasse *f*.
deadly ['dedli] *a* mortel.
deaf [def] *a* sourd.
deafen ['defn] *vt* rendre sourd, assourdir.
deafness ['defnis] *n* surdité *f*.
deal [diːl] *n* planche *f*, bois blanc *m*, sapin *m*, quantité *f*, nombre *m*, affaire *f*, (*cards*) donne *f*; *vt* donner, distribuer, asséner; *vi* avoir affaire (à, avec **with**), s'occuper (de **with**), traiter (de **with**), faire le commerce (de **in**), se conduire.
dealer ['diːlə] *n* marchand(e) *mf*, fournisseur *m*, donneur *m*.
dealing(s) ['diːliŋz] *n* relations *f pl*, affaire *f*, agissements *m pl*, menées *f pl*.
dean [diːn] *n* doyen *m*.
deanery ['diːnəri] *n* doyenne *m*.
dear ['diə] *a* cher, coûteux.
dearly ['diəli] *ad* cher, chèrement.
dearness ['diənis] *n* cherté *f*.
dearth [dəːθ] *n* disette *f*, pénurie *f*.
death [deθ] *n* mort *f*, décès *m*; — **certificate** acte *m* de déces.
deathbed ['deθbed] *n* lit *m* de mort.
death-bell ['deθbel] *n* glas *m*.
death-rate ['deθreit] *n* taux de mortalité *m*.
death-trap ['deθtræp] *n* souricière *f*, casse-cou *m*.
death-warrant ['deθwɔrənt] *n* ordre *m* d'exécution, arrêt *m* de mort.
debar [di'bɑː] *vt* exclure.
debase [di'beis] *vt* avilir, altérer.
debatable [di'beitəbl] *a* discutable.
debate [di'beit] *n* débat *m*, discussion *f*; *vt* débattre; *vti* discuter.
debauch [di'bɔːtʃ] *n* débauche *f*; *vt* débaucher, corrompre.
debauchee [,debɔː'tʃiː] *n* débauché(e) *mf*.
debilitate [di'biliteit] *vt* débiliter.
debility [di'biliti] *n* débilité *f*.
debit ['debit] *n* débit *m*, doit *m*; *vt* porter au débit (de **with**), débiter.
debouch [di'bautʃ] *vi* déboucher.
debt [det] *n* dette *f*, passif *m*.
debt-collector ['detkəlektə] *n* huissier *m*.
debtor ['detə] *n* débiteur, -trice.
debunk [di'bʌŋk] *vt* dégonfler.
debut ['deibuː] *n* début *m*.
decade ['dekeid] *n* décade *f*.
decadence ['dekədəns] *n* décadence *f*.
decadent ['dekədənt] *a* décadent.
decamp [di'kæmp] *vi* décamper, filer.
decant [di'kænt] *vt* décanter.
decanter [di'kæntə] *n* carafe *f*.
decapitate [di'kæpiteit] *vt* décapiter.
decapitation [di,kæpi'teiʃən] *n* décapitation *f*.
decay [di'kei] *n* déclin *m*, décadence *f*, décomposition *f*; *vi* tomber en décadence, décliner, pourrir.
decease [di'siːs] *n* décès *m*; *vi* décéder.
deceased [di'siːst] *an* défunt(e) *mf*.
deceit [di'siːt] *n* fourberie *f*, apparence trompeuse *f*.
deceitful [di'siːtful] *a* trompeur, faux, perfide.
deceitfulness [di'siːtfulnis] *n* fausseté *f*, perfidie *f*.
deceive [di'siːv] *vt* tromper, décevoir.
December [di'sembə] *n* décembre *m*.
decency ['diːsnsi] *n* bienséance *f*, décence *f*.
decent ['diːsnt] *a* décent, passable, honnête.
decently ['diːsntli] *ad* décemment.
decentralization [diː,sentrəlai'zeiʃn] *n* décentralisation *f*.
decentralize [diː'sentrəlaiz] *vt* décentraliser.
deception [di'sepʃən] tromperie *f*, déception *f*, fraude *f*.
deceptive [di'septiv] *a* trompeur.
decide [di'said] *vti* décider; *vt* régler, trancher; *vi* se décider.
decided [di'saidid] *a* décidé, net, arrêté.
decidedly [di'saididli] *ad* catégoriquement, incontestablement.
decimal ['desiməl] *n* décimale *f*; *a* décimal.

decimate ['desimeit] *vt* décimer.
decipher [di'saifə] *vt* déchiffrer.
deciphering [di'saifəriŋ] *n* déchiffrement *m*.
decision [di'siʒən] *n* décision *f*, arrêt *m*.
decisive [di'saisiv] *a* décisif, net, tranchant.
deck [dek] *n* pont *m*; *vt* orner, couvrir, pavoiser.
deck-chair ['dek'tʃεə] *n* transatlantique *m*.
deck-house ['dekhaus] *n* (*naut*) rouf *m*.
declaim [di'kleim] *vti* déclamer.
declamation [,deklə'meiʃən] *n* déclamation *f*.
declamatory [di'klæmətəri] *a* déclamatoire.
declaration [,deklə'reiʃən] *n* déclaration *f*, (*pol*) proclamation *f*, annonce *f*.
declare [di'klεə] *vt* déclarer, annoncer.
decline [di'klain] *n* déclin *m*, baisse *f*, phtisie *f*; *vti* décliner; *vt* refuser, repousser; *vi* baisser, s'incliner, descendre.
declivity [di'kliviti] *n* pente *f*.
decode ['di:'koud] *vt* déchiffrer.
decompose [,di:kəm'pouz] *vt* décomposer; *vi* se décomposer, pourrir.
decomposition [,di:kɔmpə'ziʃən] *n* décomposition *f*, putréfaction *f*.
decontrol ['di:kən'troul] *vt* décontrôler.
decorate ['dekəreit] *vt* décorer, pavoiser.
decoration [,dekə'reiʃən] *n* décoration *f*, décor *m*.
decorator ['dekəreitə] *n* décorateur *m*.
decorative ['dekərətiv] *a* décoratif.
decorous ['dekərəs] *a* séant.
decorum [di'kɔ:rəm] *n* décorum *m*, bienséance *f*.
decoy [di'kɔi] *n* piège *m*, amorce *f*, appeau *m*, appât *m*, agent provocateur *m*; *vt* attraper, induire (à **into**), leurrer, attirer.
decrease ['di:kri:s] *n* diminution *f*, décroissance *f*.
decrease [di:'kri:s] *vti* diminuer; *vi* décroître.
decree [di'kri:] *n* décret *m*, arrêt *m*, édit *m*; *vt* décréter; — **nisi** divorce *m* sous conditions.
decrepit [di'krepit] *a* décrépit, caduc, délabré.
decrepitude [di'krepitju:d] *n* décrépitude *f*, caducité *f*.
decry [di'krai] *vt* décrier, dénigrer, huer.
dedication [,dedi'keiʃən] *n* consécration *f*, dédicace *f*.
dedicate ['dedikeit] *vt* consacrer, dédier.
deduce [di'dju:s] *vt* déduire, conclure.
deduct [di'dʌkt] *vt* retrancher, rabattre.
deduction [di'dʌkʃən] *n* déduction *f*, rabais *m*, conclusion *f*.
deed [di:d] *n* acte *m*, (haut) fait *m*, exploit *m*.
deem [di:m] *vt* estimer, juger.
deep [di:p] *n* fond *m*, profondeur *f*, mer *f*, abîme *m*, gouffre *m*; *a* profond, (*mourning*) grand, (*colour*) chaud, foncé, (*sound*) riche, bas.
deepen ['di:pən] *vt* approfondir, creuser, augmenter; *vi* devenir plus profond *etc*.
deepening ['di:pniŋ] *n* approfondissement *m*.
deeply ['di:pli] *ad* profondément.
deer [diə] *n* daim *m*, cerf *m*.
deerskin ['diəskin] *n* peau *f* de daim.
deface [di'feis] *vt* défigurer, discréditer, mutiler, oblitérer.
defalcation [,di:fæl'keiʃən] *n* défalcation *f*, détournement *m*.
defalcate ['di:fælkeit] *vi* défalquer, détourner des fonds.
defamation [,defə'meiʃən] *n* diffamation *f*.
defamatory [di'fæmətəri] *a* diffamatoire.
defame [di'feim] *vt* diffamer.
default [di'fɔ:lt] *n* défaut *m*, forfait *m*; *vi* faire défaut.
defaulter [di'fɔ:ltə] *n* défaillant *m*, contumace *mf*.
defeat [di'fi:t] *n* défaite *f*, annulation *f*; *vt* déjouer, battre, vaincre, contrarier.
defeatism [di'fi:tizəm] *n* défaitisme *m*.
defeatist [di'fi:tist] *n* défaitiste *mf*.
defect [di'fekt] *n* défaut *m*, manque *m*.
defection [di'fekʃən] *n* défection *f*.
defective [di'fektiv] *a* défectueux, anormal.
defence [di'fens] *n* défense *f*.
defend [di'fend] *vt* défendre, protéger.
defendant [di'fendənt] *n* défendeur, -eresse.
defender [di'fendə] *n* défenseur *m*.
defensible [di'fensəbl] *a* défendable.
defensive [di'fensiv] *n* défensive *f*; *a* défensif.
defer [di'fə:] *vt* différer, ajourner; *vi* déférer (à **to**).
deference ['defərəns] *n* déférence *f*.
deferment [di'fə:mənt] *n* ajournement *m*, remise *f*.
defiance [di'faiəns] *n* défi *m*, révolte *f*.
defiant [di'faiənt] *a* rebelle, défiant, provocant.
deficiency [di'fiʃənsi] *n* insuffisance *f*, manque *m*, défaut *m*, manquant *m*.
deficient [di'fiʃənt] *a* qui manque de, déficitaire, défectueux.
deficit ['defisit] *n* déficit *m*.
defile ['di:fail] *n* défilé *m*; [di'fail] *vi* marcher par files, défiler; *vt* souiller, profaner.

defilement [di'failmənt] *n* souillure *f*, profanation *f*.
definable [di'fainəbl] *a* définissable.
define [di'fain] *vt* définir, (dé)limiter.
definite ['definit] *a* défini, net, précis, définitif.
definiteness ['definitnis] *n* netteté *f*, précision *f*.
definition [ˌdefi'niʃən] *n* définition *f*.
definitive [di'finitiv] *a* définitif.
deflate [di'fleit] *vt* dégonfler; *vi* pratiquer la déflation.
deflect [di'flekt] *vt* (faire) dévier, détourner.
deflection [di'flekʃən] *n* déviation *f*, déjettement *m*.
deform [di'fɔːm] *vt* déformer, défigurer.
deformed [di'fɔːmd] *a* difforme.
deformity [di'fɔːmiti] *n* difformité *f*.
deformation [ˌdiːfɔː'meiʃən] *n* déformation *f*.
defraud [di'frɔːd] *vt* voler, frauder, frustrer.
defray [di'frei] *vt* défrayer, couvrir.
deft [deft] *a* adroit.
deftness ['deftnis] *n* adresse *f*.
defunct [di'fʌŋkt] *a* défunt.
defy [di'fai] *vt* défier.
degenerate [di'dʒenəreit] *an* dégénéré(e) *mf*; *vi* dégénérer.
degeneration [diˌdʒenə'reiʃən] *n* dégénérescence *f*.
degradation [ˌdegrə'deiʃən] *n* dégradation *f*, abrutissement *m*.
degrade [di'greid] *vt* avilir, dégrader, casser.
degree [di'griː] *n* degré *m*, grade *m*, titre *m*, échelon *m*, condition *f*; **to a —** au dernier point.
dehydrate [diː'haidreit] *vt* déshydrater.
deign [dein] *vi* daigner.
deity ['diːiti] *n* divinité *f*.
dejected [di'dʒektid] *a* déprimé, abattu.
dejection [di'dʒekʃən] *n* abattement *m*.
delay [di'lei] *n* délai *m*, retard *m*; *vt* remettre, retarder, différer.
delegate ['deligit] *n* délégué(e) *mf*.
delegate ['deligeit] *vt* déléguer.
delegation [ˌdeli'geiʃən] *n* délégation *f*.
delete [di'liːt] *vt* effacer, rayer.
deleterious [ˌdeli'tiəriəs] *a* délétère, nuisible.
deletion [di'liːʃən] *n* radiation *f*, rature *f*, suppression *f*.
deliberate [di'libərit] *a* délibéré, voulu, réfléchi.
deliberate [di'libəreit] *vti* délibérer.
deliberately [di'libəritli] *ad* délibérément, exprès.
deliberation [diˌlibə'reiʃən] *n* délibération *f*.
delicacy ['delikəsi] *n* délicatesse *f*, finesse *f*, friandise *f*.
delicate ['delikit] *a* délicat, fin, raffiné, épineux.
delicious [di'liʃəs] *a* délicieux, exquis.
delight [di'lait] *n* délices *f*, *pl* joie *f*; *vt* enchanter, ravir.
delightful [di'laitful] *a* délicieux, ravissant.
delineate [di'linieit] *vt* tracer, esquisser.
delineation [diˌlini'eiʃən] *n* délinéation *f*, description *f*, tracé *m*.
delinquency [di'liŋkwənsi] *n* délit *m*, faute *f*, négligence *f*.
delinquent [di'liŋkwənt] *an* délinquant(e) *mf*, coupable *mf*.
delirious [di'liriəs] *a* délirant, en délire.
delirium [di'liriəm] *n* délire *m*.
deliver [di'livə] *vt* (dé)livrer, remettre, (*letters*) distribuer, (*blow*) asséner, (*ball*) lancer, (*lectures*) faire.
deliverance [di'livərəns] *n* délivrance *f*, libération *f*.
deliverer [di'livərə] *n* libérateur, -trice, livreur, -euse.
delivery [di'livəri] *n* livraison *f*, distribution *f*, remise *f*, débit *m*.
dell [del] *n* vallon *m*, combe *f*.
delude [di'luːd] *vt* tromper, duper.
deluge ['deljuːdʒ] *n* déluge *m*; *vt* inonder.
delusion [di'luːʒən] *n* leurre *m*, illusion *f*, hallucination *f*.
demand [di'mɑːnd] *n* requête *f*, (*com*) demande *f*, revendication *f*; *vt* requérir, exiger, réclamer.
demarcation [ˌdiːmɑː'keiʃən] *n* démarcation *f*.
demarcate ['diːmɑːkeit] *vt* délimiter.
demean [di'miːn] *vi* **to — oneself** s'abaisser.
demeanour [di'miːnə] *n* conduite *f*, tenue *f*.
demented [di'mentid] *a* (tombé) en démence, fou.
demise [di'maiz] *n* transfert *m*, carence *f*, mort *f*; *vt* transférer, céder.
demobilization ['diːˌmoubilai'zeiʃən] *n* démobilisation *f*.
demobilize [diː'moubilaiz] *vt* démobiliser.
democracy [di'mɔkrəsi] *n* démocratie *f*.
democrat ['deməkræt] *n* démocrate *mf*; (*US*) membre *mf* du parti démocrate.
democratic [ˌdemə'krætik] *a* démocratique, démocrate.
demolish [di'mɔliʃ] *vt* démolir.
demolition [ˌdemə'liʃən] *n* démolition *f*.
demon ['diːmən] *n* démon *m*.
demonetize [diː'mʌnitaiz] *vt* démonétiser.
demonstrate ['demənstreit] *vt* démontrer; *vi* manifester.
demonstration [ˌdeməns'treiʃən] *n* démonstration *f*, manifestation *f*.
demonstrative [di'mɔnstrətiv] *a* démonstratif, expansif.
demonstrator ['demənstreitə] *n* dé-

monstrateur *m*, préparateur *m*, manifestant *m*.
demoralization [di,mɔrəlai'zeiʃən] *n* démoralisation *f*.
demoralize [di'mɔrəlaiz] *vt* démoraliser.
demur [di'məː] *n* objection *f*; *vi* objecter, hésiter.
demure [di'mjuə] *a* réservé, composé, faussement modeste, prude.
demureness [di'mjuənis] *n* ingénuité feinte *f*, air prude *m*.
den [den] *n* tanière *f*, antre *m*, retraite *f*, turne *f*, cagibi *m*; (*fam*) cabinet *m* de travail.
denial [di'naiəl] *n* refus *m*, démenti *m*, désaveu *m*, reniement *m*.
denizen ['denizn] *n* habitant(e) *mf*, hôte *m*.
Denmark ['denmaːk] *n* Danemark *m*.
denominate [di'nɔmineit] *vt* dénommer.
denote [di'nout] *vt* dénoter, accuser, respirer.
denounce [di'nauns] *vt* dénoncer, déblatérer contre.
dense [dens] *a* dense, épais, lourd, bouché.
density ['densiti] *n* densité *f*, lourdeur *f*.
dent [dent] *n* entaille *f*, bosselure *f*; *vt* entailler, bosseler.
dental ['dentl] *n* dentale *f*; *a* dentaire.
dentifrice ['dentifris] *n* dentifrice *m*.
dentist ['dentist] *n* dentiste *m*.
dentition [den'tiʃən] *n* dentition *f*.
denture ['dentʃə] *n* dentier *m*, denture *f*.
denude [di'njuːd] *vt* dénuder, dépouiller.
denunciation [di,nʌnsi'eiʃən] *n* dénonciation *f*.
deny [di'nai] *vt* (re)nier, refuser, démentir, désavouer.
depart [di'paːt] *vi* partir, trépasser, se départir (de **from**).
department [di'paːtmənt] *n* département *m*, rayon *m*, service *m*, bureau *m*; — **store** bazar *m*, grand magasin *m*.
departmental [,diːpaːt'mentl] *a* départemental, de service.
departure [di'paːtʃə] *n* départ *m*, déviation *f*.
depend [di'pend] *vi* dépendre (de **on**), compter (sur **on**), tenir (à **on**).
dependable [di'pendəbl] *a* sûr, (digne) de confiance.
dependence [di'pendəns] *n* dépendance *f*, confiance *f*.
dependency [di'pendənsi] *n* dépendance *f*.
dependent [di'pendənt] *a* dépendant, subordonné.
depict [di'pikt] *vt* (dé)peindre.
deplenish [di'pleniʃ] *vt* vider, dégarnir.
deplete [di'pliːt] *vt* vider, épuiser.
depletion [di'pliːʃən] *n* épuisement *m*.
deplorable [di'plɔːrəbl] *a* déplorable, lamentable.
deplore [di'plɔː] *vt* déplorer.
deploy [di'plɔi] *vt* déployer.
deployment [di'plɔimənt] *n* déploiement *m*.
depopulate [diː'pɔpjuleit] *vt* dépeupler.
depopulation [diː,pɔpju'leiʃən] *n* dépopulation *f*.
deport [di'pɔːt] *vt* déporter, expulser (*aliens*); **to — oneself** se comporter.
deportation [,diːpɔː'teiʃən] *n* déportation *f*, expulsion *f*.
deportment [di'pɔːtmənt] *n* comportement *m*, tenue *f*.
depose [di'pouz] *vt* déposer.
deposit [di'pɔzit] *n* dépôt *m*, sédiment *m*, gisement *m*, gage *m*; *vt* déposer, verser en gage.
depositary [di'pɔzitəri] *n* dépositaire *m*.
deposition [,diːpə'ziʃən] *n* déposition *f*.
depository [di'pɔzitəri] *n* garde-meubles *m*, entrepôt *m*.
depot ['depou] *n* dépôt *m*, entrepôt *m*, garage *m*; (*US*) gare *f*.
depravation [,deprə'veiʃən] *n* dépravation *f*.
deprave [di'preiv] *vt* dépraver.
deprecate ['deprikeit] *vt* déconseiller (fortement), désapprouver.
depreciate [di'priːʃieit] *vt* déprécier; *vi* se déprécier.
depreciation [di,priːʃi'eiʃən] *n* dépréciation *f*, amortissement *m*.
depredation [,depri'deiʃən] *n* déprédation *f*.
depress [di'pres] *vt* (a)baisser, appuyer, déprimer, attrister.
depression [di'preʃən] *n* dépression *f*, abattement *m*.
deprival [di'praivəl] *n* privation *f*.
deprive [di'praiv] *vt* priver.
depth [depθ] *n* profondeur *f*, fond *m*, fort *m*, cœur *m*; **to get out of one's —** perdre pied.
deputation [,depju'teiʃən] *n* délégation *f*.
depute [di'pjuːt] *vt* déléguer.
deputize ['depjutaiz] **to — for** *vt* représenter, remplacer.
deputy ['depjuti] *n* délégué *m*, suppléant *m*, sous-.
derail [di'reil] *vt* (faire) dérailler.
derailment [di'reilmənt] *n* déraillement *m*.
derange [di'reindʒ] *vt* déranger.
derangement [di'reindʒmənt] *n* dérangement *m*.
derelict ['derilikt] *n* épave *f*; *a* abandonné.
dereliction [,deri'likʃən] *n* abandon *m*, négligence *f*.
deride [di'raid] *vt* tourner en dérision, bafouer, se gausser de.

derision [di'riʒən] *n* dérision *f*, objet *m* de dérision.
derisive [di'raisiv] *a* ironique, dérisoire, railleur.
derivation [,deri'veiʃən] *n* dérivation *f*.
derivative [di'rivətiv] *an* dérivatif *m*.
derive [di'raiv] *vti* tirer; *vi* dériver, provenir.
derogate ['derəgeit] *vi* déroger (à **from**), diminuer.
derogation [,derə'geiʃən] *n* dérogation *f*, abaissement *m*.
derogatory [di'rɔgətəri] *a* dérogatoire.
descend [di'send] *vti* descendre, dévaler; *vi* s'abaisser.
descent [di'sent] *n* descente *f*, lignage *m*, parage *m*, transmission *f*.
describe [dis'kraib] *vt* dépeindre, décrire, donner pour, qualifier, signaler.
description [dis'kripʃən] *n* description *f*, signalement *m*, espèce *f*.
descriptive [dis'kriptiv] *a* descriptif, de description.
descry [dis'krai] *vt* apercevoir, aviser.
desecrate ['desikreit] *vt* profaner.
desert [di'zə:t] *n* mérite *m*, dû *m*; *vt* abandonner; *vti* déserter.
desert ['dezət] *an* désert *m*.
deserter [di'zə:tə] *n* déserteur *m*.
desertion [di'zə:ʃən] *n* désertion *f*, abandon *m*.
deserve [di'zə:v] *vt* mériter.
deservedly [di'zə:vidli] *ad* à juste titre.
deserving [di'zə:viŋ] *a* méritant, méritoire.
desiccate ['desikeit] *vt* dessécher.
desiccation [,desi'keiʃən] *n* desiccation *f*.
design [di'zain] *n* dess(e)in *m*, esquisse *f*, modèle *m*, projet *m*; *vt* désigner, esquisser, projeter, créer, former, destiner.
designate ['dezigneit] *vt* désigner, nommer.
designation [,dezig'neiʃən] *n* désignation *f*, nom *m*.
designedly [di'zainidli] *ad* à dessein.
designer [di'zainə] *n* dessinateur, -trice, créateur, -trice, décorateur *m*.
designing [di'zainiŋ] *a* intrigant.
desirable [di'zaiərəbl] *a* désirable, souhaitable.
desire [di'zaiə] *n* désir *m*, souhait *m*; *vt* désirer, avoir envie de.
desirous [di'zaiərəs] *a* désireux.
desist [di'zist] *vi* renoncer (à **from**), cesser (de **from**).
desk [desk] *n* pupitre *m*, bureau *m*.
desolate ['desəlit] *a* solitaire, abandonné, désert, désolé.
desolate ['desəleit] *vt* dépeupler, dévaster, désoler.
desolation [,desə'leiʃən] *n* désolation *f*, solitude *f*.
despair [dis'pɛə] *n* désespoir *m*; *vi* désespérer.
despairingly [dis'pɛəriŋli] *ad* désespérément.
desperate ['despərit] *a* désespéré, forcené, acharné, affreux.
desperation [,despə'reiʃən] *n* désespoir *m*.
despicable [dis'pikəbl] *a* méprisable.
despise [dis'paiz] *vt* mépriser.
despite [dis'pait] *ad* malgré.
despoil [dis'pɔil] *vt* dépouiller, spolier.
despoiler [dis'pɔilə] *n* spoliateur, -trice.
despoliation [,dispɔli'eiʃən] *n* spoliation *f*.
despond [dis'pɔnd] *vi* se décourager.
despondency [dis'pɔndensi] *n* découragement *m*, abattement *m*.
despondent [dis'pɔndənt] *a* découragé, abattu.
despot ['despɔt] *n* despote *m*.
despotic [des'pɔtik] *a* despotique, arbitraire.
despotism ['despətizəm] *n* despotisme *m*.
dessert [di'zə:t] *n* dessert *m*, (*US*) entremets *m*.
dessert-spoon [di'zə:tspu:n] *n* cuiller *f* à entremets.
destination [,desti'neiʃən] *n* destination *f*.
destine ['destin] *vt* destiner.
destiny ['destini] *n* destinée *f*, destin *m*, sort *m*.
destitute ['destitju:t] *a* sans ressources, dénué, indigent.
destitution [,desti'tju:ʃən] *n* dénuement *m*, misère *f*, indigence *f*.
destroy [dis'trɔi] *vt* détruire.
destroyer [dis'trɔiə] *n* destructeur, -trice, (*naut*) contre-torpilleur *m*.
destruction [dis'trʌkʃən] *n* destruction *f*.
destructive [dis'trʌktiv] *a* destructeur, destructif.
desultorily ['desəltərili] *ad* sans suite, à bâtons rompus.
desultoriness ['desəltərinis] *n* incohérence *f*, décousu *m*, manque de suite *m*.
desultory ['desəltəri] *a* décousu, sans suite.
detach [di'tætʃ] *vt* détacher, dételer.
detachedly [di'tætʃədli] *ad* d'un ton (air) détaché, avec désinvolture.
detachment [di'tætʃmənt] *n* détachement *m*, indifférence.
detail ['di:teil] *n* détail *m*, détachement *m*; *vt* détailler, affecter (à **for**).
detailed ['di:teild] *a* détaillé, circonstancié; — **work** travail très fouillé.
detain [di'tein] *vt* retenir, empêcher, détenir.
detect [di'tekt] *vt* découvrir, apercevoir, repérer, détecter.
detection [di'tekʃən] *n* découverte *f*, détection *f*, repérage *m*.
detective [di'tektiv] *n* détective *m*; — **novel** roman policier *m*.
detention [di'tenʃən] *n* détention *f*,

arrestation *f*, arrêts *m pl*, retard *m*, retenue *f*.
deter [di'tə:] *vt* détourner, décourager, retenir.
deteriorate [di'tiəriəreit] *vt* détériorer; *vi* se détériorer, dégénérer, se gâter.
deterioration [di,tiəriə'reiʃən] *n* détérioration *f*, dégénération *f*.
determination [di,tə:mi'neiʃən] *n* détermination *f*, résolution *f*.
determine [di'tə:min] *vti* déterminer, décider; *vt* constater.
determined [di'tə:mind] *a* résolu.
deterrent [di'terənt] *n* mesure préventive *f*, arme *f* de dissuasion.
detest [di'test] *vt* détester.
detestation [,di:tes'teiʃən] *n* horreur *f*, haîne *f*.
detonate ['detəneit] *vi* détoner; *vt* faire détoner.
detonation [,detə'neiʃən] *n* détonation *f*.
detract [di'trækt] **to — from** retrancher, déprécier, diminuer.
detraction [di'trækʃən] *n* dénigrement *m*, détraction *f*.
detractor [di'træktə] *n* détracteur, -trice.
detriment ['detrimənt] *n* détriment *m*, préjudice *m*.
detrimental [,detri'məntl] *a* préjudiciable, nuisible.
deuce [dju:s] *n* deux *m*, diable *m*, diantre *m*.
deuced [dju:st] *a* sacré, satané.
devastate ['devəsteit] *vt* ravager, dévaster.
devastation [,devəs'teiʃən] *n* dévastation *f*.
devastating ['devəsteitiŋ] *a* dévastateur.
develop [di'veləp] *vt* exploiter, développer; *vi* se développer, se produire.
development [di'veləpmənt] *n* développement *m*.
deviate ['di:vieit] *vi* dévier, s'écarter.
deviation [,di:vi'eiʃən] *n* déviation *f*, écart *m*.
device [di'vais] *n* plan *m*, ruse *f*, moyen *m*, invention *f*, dispositif *m*, devise *f*.
devil ['devl] *n* diable *m*.
devilish ['devliʃ] *a* diabolique.
devilry ['devlri] *n* diablerie *f*, méchanceté *f*.
devious ['di:vjəs] *a* détourné, tortueux.
devise [di'vaiz] *vt* imaginer, combiner, tramer.
deviser [di'vaizə] *n* inventeur, -trice.
devoid [di'vɔid] *a* dénué, dépourvu.
devolve [di'vɔlv] *vt* passer (à **upon**), rejeter (sur **upon**), transmettre; *vi* échoir, incomber.
devote [di'vout] *vt* vouer, dévouer, consacrer.
devotee [,devou'ti:] *n* fanatique *mf*, fervent(e) *mf*.
devotion [di'vouʃən] *n* dévotion *f*, dévouement *m*, consécration *f*.
devour [di'vauə] *vt* dévorer.
devout [di'vaut] *an* dévôt, fervent, zélé.
dew [dju:] *n* rosée *f*.
dewy ['dju:i] *a* couvert de rosée.
dexterity [deks'teriti] *n* dextérité *f*.
dexterous ['dekstrəs] *a* adroit.
diabetes [,daiə'bi:ti:z] *n* diabète *m*.
diabetic [,daiə'betik] *an* diabétique *mf*.
diabolic(al) [,daiə'bɔlik(əl)] *a* diabolique, infernal.
diadem ['daiədem] *n* diadème *m*.
diagnose ['daiəgnouz] *vt* diagnostiquer.
diagnosis [,daiəg'nousis] *n* diagnostic *m*.
diagonal [dai'ægənl] *n* diagonale *f*; *a* diagonal.
diagram ['daiəgræm] *n* diagramme *m*, tracé *m*, schéma *m*.
dial ['daiəl] *n* cadran *m*.
dialogue ['daiəlɔg] *n* dialogue *m*.
diameter [dai'æmitə] *n* diamètre *m*.
diametrical [,daiə'metrikəl] *a* diamétral.
diamond ['daiəmənd] *n* diamant *m*, losange *m*, (*cards*) carreau *m*.
diaper ['daiəpə] *n* linge damassé *m*; (*US*) couches *fpl*; *vt* damasser.
diaphragm ['daiəfræm] *n* diaphragme *m*, membrane *m*.
diary ['daiəri] *n* journal *m*, agenda *m*.
dibble ['dibl] *n* plantoir *m*.
dice [dais] *n* dés *m pl*; **— box** cornet *m*.
dicky ['diki] *n* faux-plastron *m*, tablier *m*, (*aut*) spider *m*; *a* flanchard.
dictate ['dikteit] *n* dictat *m*, ordre *m*, voix *f*; [dik'teit] *vt* dicter, ordonner; *vi* faire la loi.
dictation [dik'teiʃən] *n* dictée *f*.
dictator [dik'teitə] *n* dictateur *m*.
dictatorial [,diktə'tɔ:riəl] *a* dictatorial.
dictatorship [dik'teitəʃip] *n* dictature *f*.
diction ['dikʃən] *n* diction *f*, style *m*.
dictionary ['dikʃənri] *n* dictionnaire *m*.
did [did] *pt of* **do**.
die [dai] *n* (*pl* **dice**) dé *m*, (*pl* **dies**) coin *m*, matrice *f*; *vi* mourrir, crever; **to — away, out** s'éteindre, tomber.
diehard ['daiha:d] *n* jusqu'au boutiste *m*; **the —s** le dernier carré *m*, les irréductibles *m pl*; *a* **— conservative** conservateur intransigeant.
diet ['daiət] *n* régime *m*, diète *f*; *vt* mettre au régime; *vi* suivre un régime.
differ ['difə] *vi* différer.
difference ['difrəns] *n* différence *f*, écart *m*, différend *m*.
different ['difrənt] *a* différent, divers.
differentiate [,difə'renʃieit] *vt* différencier; *vi* faire la différence.

differently ['difrəntli] *ad* différemment.
difficult ['difikəlt] *a* difficile.
difficulty ['difikəlti] *n* difficulté *f*, ennui *m*, peine *f*, gêne *f*.
diffidence ['difidəns] *n* défiance de soi *f*, timidité *f*.
diffident ['difidənt] *a* modeste, timide, qui manque d'assurance.
diffuse [di'fju:z] *vt* diffuser, répandre.
diffuse [di'fju:s] *a* diffus.
diffusion [di'fju:ʒən] *n* diffusion *f*.
dig [dig] *vt* creuser, bêcher, piocher, piquer; **to — up** déterrer, déraciner.
digest [dai'dʒest] *vt* digérer, assimiler; *vi* se digérer, s'assimiler.
digestible [di'dʒestəbl] *a* digestible.
digestion [di'dʒestʃən] *n* digestion *f*
digestive [di'dʒestiv] *a* digestif.
dignified ['dignifaid] *a* digne, majestueux.
dignify ['dignifai] *vt* honorer, donner un air de majesté à.
dignity ['digniti] *n* dignité *f*.
digress [dai'gres] *vi* s'écarter (de **from**), faire une digression.
digression [dai'greʃən] *n* digression *f*.
digs [digz] *n pl* garni *m*, logement *m*, piaule *f*.
dike [daik] *n* levée *f*, digue *f*, remblai *m*; *vt* endiguer, remblayer.
dilapidated [di'læpideitid] *a* délabré, décrépit.
dilapidation [di,læpi'deiʃən] *n* délabrement *m*, dégradation *f*.
dilatation [,dailei'teiʃən] *n* dilatation *f*.
dilate [dai'leit] *vt* dilater; *vi* se dilater, s'étendre (sur **upon**).
dilatoriness ['dilətərinis] *n* temporisation *f*, tergiversation *f*, lenteur *f*.
dilatory ['dilətəri] *a* lent, tardif.
dilemma [dai'lemə] *n* dilemme *m*.
diligence ['dilidʒəns] *n* diligence *f*, application *f*.
diligent ['dilidʒənt] *a* diligent, appliqué.
diligently ['dilidʒəntli] *ad* diligemment.
dilute [dai'lju:t] *a* dilué, atténué; *vt* diluer, arroser, atténuer.
dim [dim] *a* indistinct, voilé, faible, sourd; *vt* assombrir, éclipser, ternir, mettre en veilleuse; *vi* s'affaiblir, baisser.
dime [daim] *n* (*US*) dîme; **— store** prix unique *m*.
dimension [di'menʃən] *n* dimension *f*.
diminish [di'miniʃ] *vti* diminuer.
diminution [,dimi'nju:ʃən] *n* diminution *f*.
diminutive [di'minjutiv] *an* diminutif *m*.
dimmer ['dimə] *n* phare code *m*.
dimness ['dimnis] *n* pénombre *f*, faiblesse *f*, imprécision *f*.
dim-out ['dimaut] *n* obscurcissement *m*.
dimple ['dimpl] *n* fossette *f*, ride *f*, creux *m*.
din [din] *n* tintamarre *m*, vacarme *m*; *vt* corner, rabattre.
dine [dain] *vi* dîner; **to — out** dîner en ville.
dinghy ['diŋgi] *n* canot *m*.
dingy ['dindʒi] *a* sale, crasseux, terne, sombre.
dining-room ['dainiŋrum] *n* salle *f* à manger.
dinner ['dinə] *n* dîner *m*.
dinner-jacket ['dinə,dʒækit] *n* smoking *m*.
dint [dint] **by — of** à force de.
diocese ['daiəsis] *n* diocèse *m*.
dip [dip] *n* plongeon *m*, pente *f*. immersion *f*, bain *m*; *vti* plonger, baisser, (*headlights*) basculer; *vt* puiser, tremper, baigner; *vi* pencher.
diphtheria [dip'θiəriə] *n* diphtérie *f*.
diphthong ['dipθɔŋ] *n* diphtongue *f*.
diploma [di'ploumə] *n* diplôme *m*.
diplomacy [di'ploumәsi] *n* diplomatie *f*.
diplomat ['dipləmæt] *n* diplomate *m*.
diplomatic [,diplə'mætik] *a* diplomatique, prudent.
dire ['daiə] *a* affreux, cruel, dernier, extrême.
direct [dai'rekt] *a* direct, droit, catégorique, formel, franc; *vt* adresser, diriger, attirer, ordonner, indiquer.
direction [di'rekʃən] *n* direction *f*, sens *m*, adresse *f*; *pl* instructions *f pl*.
directly [di'rektli] *ad* tout de suite, (tout) droit, directement, tout à l'heure, bientôt, personnellement.
director [di'rektə] *n* directeur *m*, gérant *m*, administrateur *m*.
directorship [di'rektəʃip] *n* directorat *m*.
directory [di'rektəri] *n* indicateur *m*, annuaire *m*, bottin *m*, directoire *m*.
dirge [də:dʒ] *n* misérère *m*, chant funèbre *m*.
dirk [də:k] *n* poignard *m*.
dirt [də:t] *n* boue *f*, saleté *f*, ordure *f*, crasse *f*.
dirtiness ['də:tinis] *n* crasse *f*, saleté *f*.
dirty ['də:ti] *vt* salir; *vi* se salir; *a* sale, malpropre, crasseux, vilain, polisson.
disability [,disə'biliti] *n* incapacité *f* (de travail), infirmité *f*.
disable [dis'eibl] *vt* rendre impropre au travail, mettre hors de combat, désemparer.
disabled [dis'eibld] *a* invalide, estropié, désemparé.
disabuse [,disə'bju:z] *vt* désabuser.
disaffected [,disə'fektid] *a* détaché, refroidi.

disaffection [,disə'fekʃən] *n* désaffection *f*.
disagree [,disə'gri:] *vi* n'être pas d'accord, ne pas convenir.
disagreeable [,disə'gri:əbl] *a* désagréable, fâcheux.
disagreement [,disə'gri:mənt] *n* disconvenance *f*, désaccord *m*, mésentente *f*.
disallow ['disə'lau] *vt* désavouer, interdire, ne pas admettre, rejeter.
disappear [,disə'piə] *vi* disparaître.
disappearance [,disə'piərəns] *n* disparition *f*.
disappoint [,disə'pɔint] *vt* désappointer, décevoir.
disappointed [,disə'pɔintəd] *a* déçu; (*US*) manqué.
disappointment [,disə'pɔintmənt] *n* déception *f*, désappointement *m*, déboire *m*.
disapproval [,disə'pru:vəl] *n* désapprobation *f*.
disapprove [,disə'pru:v] *vti* désapprouver.
disapproving [,disə'pru:viŋ] *a* désapprobateur.
disarm [dis'ɑ:m] *vti* désarmer.
disarmament [dis'ɑ:məmənt] *n* désarmement *m*.
disarrange ['disə'reindʒ] *vt* déranger.
disarrangement [,disə'reindʒmənt] *n* désorganisation *f*, désordre *m*, dérangement *m*.
disarray ['disə'rei] *n* désarroi *m*, désordre *m*, déroute *f*.
disaster [di'zɑ:stə] *n* désastre *m*, sinistre *m*, catastrophe *f*.
disastrous [di'zɑ:strəs] *a* désastreux, funeste.
disavow ['disə'vau] *vt* désavouer, renier.
disavowal [,disə'vauəl] *n* désaveu *m*, reniement *m*.
disband [dis'bænd] *vt* licencier; *vi* se débander.
disbanding [dis'bændiŋ] *n* licenciement *m*.
disbelief ['disbi'li:f] *n* incrédulité *f*.
disc [disk] *n* disque *m*, plaque *f*; **slipped** — hernie discale *f*.
discard [dis'kɑ:d] *n* écart *m*, défausse *f*; *vt* se défausser de, écarter, mettre au rancart, laisser de côté.
discern [di'sə:n] *vt* distinguer, discerner.
discernible [di'sə:nəbl] *a* discernable, perceptible.
discerning [di'sə:niŋ] *a* perspicace, judicieux.
discernment [di'sə:nmənt] *n* discernement *m*.
discharge [dis'tʃɑ:dʒ] *n* déchargement *m*, décharge *f*, acquittement *m*, élargissement *m*, renvoi *m*, exécution *f*, paiement *m*; *vt* décharger, élargir, renvoyer, (s')acquitter (de), lancer; *vi* se jeter, se dégorger.
disciple [di'saipl] *n* disciple *m*.
disciplinary ['disiplinəri] *a* disciplinaire.
discipline ['disiplin] *n* discipline *f*; *vt* discipliner, mater, former.
disclaim [dis'kleim] *vt* répudier, désavouer, rénoncer à, dénier.
disclaimer [dis'kleimə] *n* répudiation *f*, désaveu *m*, déni *m*.
disclose [dis'klouz] *vt* découvrir, divulguer, révéler.
disclosure [dis'klouʒə] *n* révélation *f*, divulgation *f*.
discolour [dis'kʌlə] *vt* décolorer, ternir, délaver; *vi* se décolorer, se ternir.
discoloration [dis,kʌlə'reiʃən] *n* décoloration *f*.
discomfit [dis'kʌmfit] *vt* déconcerter, déconfire.
discomfiture [dis'kʌmfitʃə] *n* déconfiture *f*, déconvenue *f*.
discomfort [dis'kʌmfət] *n* malaise *m*, gêne *f*.
discomposure [,diskəm'pouʒə] *n* confusion *f*, trouble *m*.
disconcert [,diskən'sə:t] *vt* déranger, déconcerter, interloquer.
disconnect ['diskə'nekt] *vt* couper, décrocher, disjoindre, débrayer.
disconnected ['diskə'nektid] *a* décousu, sans suite.
disconnection [,diskə'nekʃən] *n* disjonction *f*, débrayage *m*.
disconsolate [dis'kɔnsəlit] *a* inconsolable, désolé.
discontent ['diskən'tent] *n* mécontentement *m*.
discontented ['diskən'tentid] *a* mécontent, insatisfait (de **with**).
discontinuance [,diskən'tinjuəns] *n* discontinuation *f*, fin *f*.
discontinue ['disken'tinju] *vt* discontinuer; *vti* cesser.
discontinuity ['dis,kɔnti'njuiti] *n* discontinuité *f*.
discontinuous ['diskən'tinjuəs] *a* discontinu.
discord ['diskɔ:d] *n* discorde *f*, discordance *f*, dissonance *f*.
discount ['diskaunt] *n* rabais *m*, escompte *m*; [dis'kaunt] *vt* escompter, laisser hors de compte.
discountenance [dis'kauntinəns] *vt* désapprouver, décontenancer.
discourage [dis'kʌridʒ] *vt* décourager, déconseiller.
discouragement [dis'kʌridʒmənt] *n* découragement *m*.
discourse ['diskɔ:s] *n* traité *m*, sermon *m*, essai *m*, dissertation *f*.
discourse [dis'kɔ:s] *vi* causer, discourir.
discourteous [dis'kə:tjəs] *a* discourtois, impoli.
discourtesy [dis'kə:tisi] *n* discourtoisie *f*, impolitesse *f*.
discover [dis'kʌvə] *vt* découvrir, révéler, s'apercevoir (de), constater.
discovery [dis'kʌvəri] *n* révélation *f*, découverte *f*, trouvaille *f*.

discredit [dis'kredit] *n* déconsidération *f*, discrédit *m*, doute *m*; *vt* discréditer, déconsidérer, mettre en doute.
discreditable [dis'kreditəbl] *a* indigne, déshonorant.
discreet [dis'kri:t] *a* discret, prudent.
discrepancy [dis'krepənsi] *n* désaccord *m*, inconsistance *f*, écart *m*.
discretion [dis'kreʃən] *n* prudence *f*, discrétion *f*, choix *m*.
discriminate [dis'krimineit] *vt* distinguer.
discriminating [dis'krimineitiŋ] *a* sagace, avisé, fin.
discrimination [dis,krimi'neiʃən] *n* finesse *f*. goût *m*, discernement *m*.
discuss [dis'kʌs] *vt* discuter, délibérer, débattre.
discussion [dis'kʌʃən] *n* discussion *f*.
disdain [dis'dein] *n* dédain *m*; *vt* dédaigner.
disdainful [dis'deinful] *a* dédaigneux.
disease [di'zi:z] *n* maladie *f*, affection *f*.
diseased [di'zi:zd] *a* malade; **— mind** esprit morbide *m*.
disembark ['disim'bɑ:k] *vti* débarquer.
disembarkation [,disembɑ:'keiʃən] *n* débarquement *m*.
disembody ['disim'bɔdi] *vt* désincarner, désincorporer, licencier.
disembowel [,disim'bauəl] *vt* éventrer.
disengage ['disin'geidʒ] *vt* dégager, rompre, débrayer, déclencher; *vi* se dégager, rompre.
disengaged ['disin'geidʒd] *a* libre, visible.
disengagement ['disin'geidʒmənt] *n* dégagement *m*, rupture *f*.
disentangle ['disin'tæŋgl] *vt* débrouiller, démêler, dépêtrer.
disentanglement ['disin'tæŋglmənt] *n* débrouillement *m*, démêlage *m*.
disfavour [dis'feivə] *n* défaveur *f*, disgrâce *f*.
disfigure [dis'figə] *vt* défigurer, gâter.
disfranchise ['dis'fræntʃaiz] *vt* priver de droits politiques, de représentation parlementaire.
disgorge [dis'gɔ:dʒ] *vt* rendre, dégorger; *vi* se jeter.
disgrace [dis'greis] *n* disgrâce *f*, honte *f*; *vt* disgrâcier, déshonorer.
disgraceful [dis'greisful] *a* honteux, scandaleux.
disgruntled [dis'grʌntld] *a* mécontent, bougon.
disguise [dis'gaiz] *n* déguisement *m*, feinte *f*; **in —** déguisé; *vt* déguiser, travestir.
disgust [dis'gʌst] *n* dégoût *m*; *vt* dégoûter, écœurer.
disgusting [dis'gʌstiŋ] *a* dégoûtant, dégueulasse.
dish [diʃ] *n* plat *m*, mets *m*, récipient *m*, bol *m*; *vt* servir, supplanter, rouler, déjouer.
dish-cloth ['diʃklɔθ] *n* lavette *f*, torchon *m*.
dish-cover ['diʃ kʌvə] *n* couvre-plat *m*.
dishearten [dis'hɑ:tn] *vt* décourager, démoraliser.
dishevelled [di'ʃevəld] *a* débraillé, dépeigné.
dishonest [dis'ɔnist] *a* malhonnête, déloyal.
dishonesty [dis'ɔnisti] *n* malhonnêteté *f*, improbité *f*.
dishonour [dis'ɔnə] *n* déshonneur *m*; *vt* déshonorer.
dishonourable [dis'ɔnərəbl] *a* déshonorant, sans honneur.
dishwasher ['diʃ,wɔʃə] *n* plongeur *m*.
dishwater ['diʃ,wɔ:tə] *n* eau de vaisselle *f*.
disillusion [,disi'lu:ʒən] *vt* désillusionner, désabuser.
disillusionment [,disi'lu:ʒənmənt] *n* désenchantement *m*, désillusionnement *m*.
disinclination [,disinkli'neiʃən] *n* aversion *f*, répugnance *f*.
disinfect [,disin'fekt] *vt* désinfecter.
disinfectant [,disin'fektənt] *an* désinfectant *m*.
disinfection [,disin'fekʃən] *n* désinfection *f*.
disingenuous [,disin'dʒenjuəs] *a* faux.
disingenuousness [,disin'dʒenjuəsnis] *n* fausseté *f*.
disinherit ['disin'herit] *vt* déshériter.
disintegrate [dis'intigreit] *vt* désintégrer, désagréger; *vi* se désintégrer, se désagréger.
disintegration [dis,inti'greiʃən] *n* désintégration *f*, désagrégation *f*.
disinterested [dis'intristid] *a* désintéressé.
disinterestedness [dis'intristidnis] *n* désintéressement *m*.
disjoin [dis'dʒɔin] *vt* disjoindre, désunir.
disjoint [dis'dʒɔint] *vt* disjoindre, disloquer, démettre, désarticuler.
disjointed [dis'dʒɔintid] *a* disloqué, décousu, incohérent.
dislike [dis'laik] *n* antipathie *f*; *vt* ne pas aimer, trouver antipathique, détester.
dislodge [dis'lɔdʒ] *vt* déloger, détacher, dénicher.
disloyal ['dis'lɔiəl] *a* déloyal, infidèle.
disloyalty ['dis'lɔiəlti] *n* déloyauté *f*, infidélité *f*.
dismal ['dizmal] *a* morne, lugubre.
dismantle [dis'mæntl] *vt* démanteler, démonter.
dismantling [dis'mæntliŋ] *n* démantèlement *m*, démontage *m*.
dismay [dis'mei] *n* consternation *f*, épouvante *f*, gêne *f*; *vt* effrayer, consterner, affoler.

dismember [dis'membə] *vt* démembrer.
dismiss [dis'mis] *vt* renvoyer, congédier, révoquer, rejeter, écarter, acquitter.
dismissal [dis'misəl] *n* renvoi *m*, révocation *f*, acquittement *m*.
disobedience [,disə'bi:djəns] *n* désobéissance *f*.
disobedient [,disə'bi:djənt] *a* désobéissant.
disobey [,disə'bei] *vt* désobéir à; *vi* désobéir.
disoblige ['disə'blaidʒ] *vt* désobliger.
disobliging ['disə'blaidʒiŋ] *a* désobligeant.
disorder [dis'ɔ:də] *n* désordre *m*, confusion *f*.
disorderly [dis'ɔ:dəli] *a* désordonné, turbulent, déréglé, en désordre.
disorganization [dis,ɔ:gənai'zeiʃən] *n* désorganisation *f*.
disorganize [dis'ɔ:gənaiz] *vt* désorganiser.
disown [dis'oun] *vt* désavouer, renier.
disparage [dis'pæridʒ] *vt* dénigrer déprécier.
disparagement [dis'pæridʒmənt] *n* dénigrement *m*, dépréciation *f*.
disparity [dis'pæriti] *n* inégalité *f*, différence *f*.
dispassionate [dis'pæʃnit] *a* calme, impartial, désintéressé.
dispatch [dis'pætʃ] *n* envoi *m*, rapidité *f*, dépêche *f*, expédition *f*, promptitude *f*; *vt* expédier, envoyer, dépêcher.
dispatch-rider [dis'pætʃ,raidə] *n* estafette *f*.
dispel [dis'pel] *vt* dissiper, chasser.
dispensary [dis'pensəri] *n* dispensaire *m*, pharmacie *f*.
dispensation [,dispen'seiʃən] *n* distribution *f*, dispensation *f*, dispense *f*.
dispense [dis'pens] *vt* distribuer, administrer; *vi* se dispenser (de **with**), se passer (de **with**).
disperse [dis'pə:s] *vt* disperser, dissiper; *vi* se disperser.
dispersion [dis'pə:ʃən] *n* dispersion *f*.
dispirit [dis'pirit] *vt* décourager.
displace [dis'pleis] *vt* déplacer, remplacer.
displacement [dis'pleismənt] *n* déplacement *m*.
display [dis'plei] *n* déploiement *m*, étalage *m*, parade *f*, manifestation *f*, montre *f*; *vt* déployer, faire parade, (montre, preuve) de, manifester, afficher.
displease [dis'pli:z] *vt* déplaire à, mécontenter.
displeasure [dis'pleʒə] *n* déplaisir *m*, mécontentement *m*.
disport [dis'pɔ:t] *vr* se divertir.
disposal [dis'pouzəl] *n* disposition *f*, vente *f*, cession *f*.
dispose [dis'pouz] *vt* disposer, arranger, expédier; *vi* se disposer (de **of**), se débarasser (de **of**).
dispossess [,dispə'zes] *vt* déposséder.
dispossession [,dispə'zeʃən] *n* dépossession *f*.
disproof [dis'pru:f] *n* réfutation *f*.
disproportion [,disprə'pɔ:ʃən] *n* disproportion *f*.
disproportionate [,disprə'pɔ:ʃnit] *a* disproportionné.
disprove [dis'pru:v] *vt* réfuter.
disputable [dis'pju:təbl] *a* discutable, contestable.
dispute [dis'pju:t] *n* dispute *f*, discussion *f*; *vt* discuter, débattre, contester; *vi* se disputer.
disqualification [dis,kwɔlifi'keiʃən] *n* disqualification *f*, inhabilité *f*.
disqualify [dis'kwɔlifai] *vt* disqualifier.
disquiet [dis'kwaiət] *n* inquiétude *f*; *vt* inquiéter.
disregard [,disri'gɑ:d] *n* indifférence *f*, mépris *m*; *vt* laisser de côté, ne tenir aucun compte de, mépriser.
disregarding [,disri'gɑ:diŋ] *prep* sans égard à (pour).
disrepair [,disri'pɛə] *n* délabrement *m*.
disreputable [dis'repjutəbl] *a* déconsidéré, de mauvaise réputation, minable.
disrepute ['disri'pju:t] *n* mauvaise réputation *f*, discrédit *m*.
disrespect ['disris'pekt] *n* manque de respect *m*.
disrespectful [,disris'pektful] *a* irrespectueux, irrévérencieux.
disruption [dis'rʌpʃən] *n* dislocation *f*, scission *f*, démembrement *m*.
dissatisfaction ['dis,sætis'fækʃən] *n* mécontentement *m*.
dissatisfy [dis'sætisfai] *vt* mécontenter.
dissect [di'sekt] *vt* disséquer.
dissection [di'sekʃən] *n* dissection *f*.
dissemble [di'sembl] *vt* dissimuler.
dissembler [di'semblə] *n* hypocrite *mf*.
disseminate [di'semineit] *vt* disséminer.
dissemination [di,semi'neiʃən] *n* dissémination *f*.
dissension [di'senʃən] *n* dissension *f*.
dissent [di'sent] *n* dissentiment *m*, dissidence *f*; *vi* différer.
dissenter [di'sentə] *n* dissident *m*.
dissipate ['disipeit] *vt* dissiper; *vi* se dissiper.
dissipation [,disi'peiʃən] *n* dissipation *f*, dispersion *f*, gaspillage *m*, dérèglement *m*.
dissolute ['disəlu:t] *a* dissolu, débauché.
dissoluteness ['disəlu:tnis] *n* dérèglement *m*, débauche *f*.
dissolution [,disə'lu:ʃən] *n* dissolution *f*, dissipation *f*.
dissolve [di'zɔlv] *vt* dissoudre; *vi* se dissoudre.

dissolvent [di'zɔlvənt] *an* dissolvant *m.*
distaff ['distɑːf] *n* quenouille *f.*
distance ['distəns] *n* distance *f*, lointain *m*, intervalle *m*, éloignement *m.*
distant ['distənt] *a* éloigné, lointain, distant, réservé.
distaste ['dis'teist] *n* répugnance *f*, aversion *f.*
distasteful [dis'teistful] *a* répugnant, antipathique.
distemper [dis'tempə] *n* maladie *f* (des chiens), badigeon *m*, détrempe *f*; *vt* badigeonner.
distend [dis'tend] *vt* gonfler, dilater; *vi* enfler, se dilater.
distil [dis'til] *vti* distiller; *vi* s'égoutter, se distiller.
distillation [ˌdisti'leiʃən] *n* distillation *f.*
distiller [dis'tilə] *n* distillateur *m.*
distillery [dis'tiləri] *n* distillerie *f.*
distinct [dis'tiŋkt] *a* distinct, net, clair.
distinction [dis'tiŋkʃən] *n* distinction *f.*
distinctive [dis'tiŋktiv] *a* distinctif.
distinctness [dis'tiŋktnis] *n* netteté *f.*
distinguish [dis'tiŋgwiʃ] *vt* distinguer; *vi* faire la distinction.
distinguishable [dis'tiŋgwiʃəbl] *a* perceptible, sensible.
distort [dis'tɔːt] *vt* déformer, travestir, tordre, convulser, fausser.
distract [dis'trækt] *vt* distraire, détourner, diviser, déranger.
distracted [dis'træktid] *a* fou, furieux, affolé.
distraction [dis'trækʃən] *n* distraction *f*, dérangement *m*, folie *f*, affolement *m.*
distress [dis'tres] *n* détresse *f*, dénuement *m*, misère *f*, angoisse *f*; *vt* tourmenter, affliger, épuiser.
distribute [dis'tribjuːt] *vt* distribuer, répartir.
distribution [ˌdistri'bjuːʃən] *n* distribution *f*, répartition *f.*
district ['distrikt] *n* district *m*, région *f.*
distrust [dis'trʌst] *n* méfiance *f*; *vt* se méfier de.
distrustful [dis'trʌstful] *a* méfiant, soupçonneux.
disturb [dis'təːb] *vt* troubler, agiter, déranger.
disturbance [dis'təːbəns] *n* trouble *m*, bagarre *f*, émeute *f*, tapage *m.*
disunion [dis'juːnjən] *n* désunion *f.*
disuse ['dis'juːs] *n* désuétude *f.*
disused [dis'juːzd] *a* hors de service, hors d'usage.
ditch [ditʃ] *n* tranchée *f*, fossé *m*; *vt* creuser, draîner; (*US*) faire dérailler (train); **to be —ed** échouer, être dans le pétrin.
ditcher ['ditʃə] *n* fossoyeur *m.*
ditto ['ditou] *an* idem, amen.
ditty ['diti] *n* chanson (nette) *f.*
divagate ['daivəgeit] *vi* divaguer.
divagation [ˌdaivə'geiʃən] *n* divagation *f.*
divan [di'væn] *n* divan *m*; **—-bed** divan-lit *m.*
dive [daiv] *n* plongeon *m*, plongée *f*, pique *m*; *vi* se plonger, piquer (une tête, du nez).
diver ['daivə] *n* plongeur *m*, scaphandrier *m.*
diverge [dai'vəːdʒ] *vi* diverger, s'écarter.
divergence [dai'vəːdʒəns] *n* divergence *f.*
diverse [dai'vəːs] *a* divers, différent.
diversify [dai'vəːsifai] *vt* diversifier.
diversion [dai'vəːʃən] *n* diversion *f*, divertissement *m*, détournement *m.*
divert [dai'vəːt] *vt* détourner, divertir, écarter, distraire.
divest [dai'vest] *vt* dévêtir, dépouiller, priver.
divide [di'vaid] *vt* partager, diviser; *vi* aller aux voix, se diviser, se partager, fourcher.
dividend ['dividend] *n* dividende *m.*
dividers [di'vaidəz] *n* compas *m.*
divine [di'vain] *n* théologien *m*, prêtre *m*; *a* divin; *vt* deviner, prédire.
diviner [di'vainə] *n* devin *m*, sourcier *m.*
diving ['daiviŋ] *n* (*sport*) plongeon *m*, (*av*) piqué *m*; — **board** plongeoire *m.*
divinity [di'viniti] *n* divinité *f*, théologie *f.*
division [di'viʒən] *n* division *f*, partage *m*, répartition *f*, frontière *f*, vote *m.*
divorce [di'vɔːs] *n* divorce *m*; *vt* divorcer.
divulge [dai'vʌldʒ] *vt* divulguer.
divulgement [dai'vʌldʒmənt] *n* divulgation *f.*
dizziness ['dizinis] *n* vertige *m*, étourdissement *m.*
dizzy ['dizi] *a* étourdi, vertigineux.
do [duː] *vt* faire, finir, cuire à point, rouler, refaire; *vi* se porter, aller, s'acquitter; **to — away with** supprimer, abolir, tuer; **to — up** remettre à neuf, retaper.
docile ['dousail] *a* docile.
docility [dou'siliti] *n* docilité *f.*
dock [dɔk] *n* bassin *m*, dock *m*, cale *f*, banc *m* des accusés, box *m*; *vt* mettre en bassin; *vi* entrer au bassin.
docker ['dɔkə] *n* débardeur *m.*
docket ['dɔkit] *n* bordereau *m*, fiche *f*, étiquette *f*; *vt* classer, étiqueter.
dockyard ['dɔkjɑːd] *n* chantier maritime *m.*
doctor ['dɔktə] *n* docteur *m*, médecin *m*; *vt* soigner, falsifier, cuisiner, doper, truquer, maquiller.
document ['dɔkjumənt] *n* document *m*; **—-case** porte-documents *m.*

documentary [ˌdɔkju'mentəri] *a* documentaire
documentation [ˌdɔkjumen'teiʃən] *n* documentation *f*.
dodge [dɔdʒ] *n* tour *m*, faux-fuyant *m*, truc *m*, esquive *f*; *vi* se jeter de côté, s'esquiver, finasser; *vt* esquiver, éviter, tourner, éluder.
dodger ['dɔdʒə] *n* finaud *m*, tire-au-flanc *m*.
doe [dou] *n* daine *f*, lapine *f*.
doff [dɔf] *vt* ôter.
dog [dɔg] *n* chien *m*, chenet *m*, gaillard *m*; **dirty-—** salaud *m*; **—-tired** (*fam*) claqué.
dog-days ['dɔgdeiz] *n* canicule *f*.
dogged ['dɔgid] *a* tenace.
doggedness ['dɔgidnis] *n* ténacité *f*, persévérance *f*.
doggerel ['dɔgərəl] *n* poésie burlesque *f*; *a* trivial, boîteux, de mirliton.
dogma ['dɔgmə] *n* dogme *m*.
dogmatic [dɔg'mætik] *a* dogmatique, tranchant.
dog's ear ['dɔgz'iə] *n* corne *f*; *vt* faire une corne à, corner.
doily ['dɔili] *n* napperon *m*.
doings ['du:iŋz] *n pl* faits et gestes *m pl*, agissements *m pl*, exploits *m pl*.
doldrums ['dɔldrəmz] *n pl* **to be in the —** avoir le cafard, être dans le marasme.
dole [doul] *n* don *m*, aumône *f*, allocation de chômage *f*; **to — out** *vt* donner au compte-goutte.
doleful ['doulful] *a* triste, sombre, dolent, lugubre.
doll [dɔl] *n* poupée *f*.
dolphin ['dɔlfin] *n* dauphin *m*.
dolt [doult] *n* niais *m*, sot *m*.
domain [də'mein] *n* domaine *m*, propriété *f*.
dome [doum] *n* dôme *m*, coupole *f*.
domestic [də'mestik] *an* domestique *mf*; *a* d'intérieur, national, de ménage.
domesticate [də'mestikeit] *vi* domestiquer, apprivoiser.
domesticated [də'mestikeitid] *a* soumis, d'intérieur.
domesticity [ˌdɔmes'tisiti] *n* amour *m* du foyer, vie privée *f*, soumission *f*.
domicile ['dɔmisail] *n* domicile *m*.
dominate ['dɔmineit] *vti* dominer; *vt* commander.
domination [ˌdɔmi'neiʃən] *n* domination *f*.
domineer [ˌdɔmi'niə] *vt* tyranniser.
domineering [ˌdɔmi'niəriŋ] *a* dominateur, autoritaire.
dominican [də'minikən] *an* dominicain(e) *mf*.
dominion [də'minjən] *n* domination *f*, empire *m*; *pl* dominions *m pl*, colonies *f pl*.
don [dɔn] *vt* enfiler, endosser, revêtir; *n* professeur *m*.
Donald ['dɔnld] Daniel *m*.
donation [dou'neiʃən] *n* donation *f*, don *m*.
done [dʌn] *pp of* **do**; *a* fourbu, fini, conclu! tope là, cuit à point; **over—** trop cuit; **under—** saignant; **well —!** bravo! bien cuit.
donkey ['dɔŋki] *n* âne *m*, baudet *m*.
doom [du:m] *n* jugement *m* (dernier), ruine *f*, malheur *m*, sort *m*; *vt* condamner, vouer, perdre.
door [dɔ:] *n* porte *f*, portière *f*.
doorkeeper ['dɔ:ˌki:pə] *n* concierge *mf*, portier *m*.
doormat ['dɔ:mæt] *n* paillasson.
doorstep ['dɔ:step] *n* pas *m*, seuil *m*.
dope [doup] *n* narcotique *m*, stupéfiant *m*, tuyau *m*, bourrage de crâne *m*; *vt* droguer, doper, endormir.
dormer ['dɔ:mə] *n* lucarne *f*.
dormitory ['dɔ:mitri] *n* dortoir *m*.
dormouse ['dɔ:maus] *n* loir *m*.
Dorothy ['dɔrəθi] Dorothée *f*.
dose [dous] *n* dose *f*; *vt* doser, droguer.
dot [dɔt] *n* point *m*; *vt* mettre les points sur, semer, pointiller, piquer.
dotage ['doutidʒ] *n* radotage *m*, seconde enfance *f*.
dotard ['doutəd] *n* gaga *m*, gâteux *m*.
dote [dout] *vt* radoter, raffoler (de on).
double ['dʌbl] *n* double *m*, crochet *m*, sosie *m*; *a* double; *ad* double (ment), deux fois, à double sens, en partie double; *vt* doubler, plier en deux; *vi* (se) doubler, prendre le pas de gymnastique.
double-dealer ['dʌbl'di:lə] *n* fourbe *m*.
double-dealing ['dʌbl'di:liŋ] *m* duplicité *f*.
double-declutch [ˌdʌbl'di:'klʌtʃ] *vi* (*aut*) faire un double débrayage.
double-dyed ['dʌbl'daid] *a* fieffé, achevé.
double-edged ['dʌbl'edʒd] *a* à deux tranchants.
double-lock ['dʌbl'lɔk] *vt* fermer à double tour.
double-quick ['dʌbl'kwik] *ad* au pas de course.
doubt [daut] *n* doute *m*; *vt* douter.
doubtful ['dautful] *a* douteux, incertain.
doubtless ['dautlis] *ad* sans doute.
dough [dou] *n* pâte *f*; (*sl*) fric *m*.
doughnut ['dounʌt] *n* beignet soufflé *m*, pet de nonne *m*.
doughy ['doui] *a* pâteux.
dour ['duə] *a* sévère, obstiné, buté.
dove [dʌv] *n* colombe *f*.
dovecot(e) ['dʌvkɔt] *n* colombier *m*.
dovetail ['dʌvteil] *n* queue d'aronde *f*; *vi* s'encastrer; *vt* encastrer, assembler à queue d'aronde.
dowager ['dauədʒə] *n* douairière *f*.

dowdy ['daudi] *a* mal fagoté.
down [daun] *n* dune *f*; duvet *m*; bas *m*; *a* en bas, en pente, descendant; *prep* au (en) bas de; *ad* en bas, en aval, à bas! comptant, par écrit, en baisse; *vt* abattre, terrasser, descendre.
down-and-outer ['daunən'autə] *n* (*US*) pouilleux *m*, miséreux.
downcast ['daunka:st] *a* abattu, déprimé.
downfall ['daunfɔ:l] *n* chute *f*, ruine *f*.
downhearted ['daun'ha:tid] *a* découragé, abattu.
downpour ['daunpɔ:] *n* déluge *m*, forte pluie *f*.
downright ['daunrait] *a* franc, droit, net; *ad* carrément, catégoriquement.
downstairs ['daun'stɛəz] *ad* en bas.
downtrodden ['daun,trɔdn] *a* opprimé, foulé aux pieds.
downwards ['daunwədz] *ad* en aval, en descendant.
downy ['dauni] *a* duveté.
dowry ['dauri] *n* dot *f*, douaire *m*.
doze [douz] *n* somme *m*; *vi* sommeiller, s'assoupir.
dozen ['dʌzn] *n* douzaine *f*.
drab [dræb] *a* brunâtre, terne, ennuyeux, prosaïque.
draft [dra:ft] *n* détachement *m*, traite *f*, effet *m*, tracé *m*, brouillon *m*, projet *m*; (*US*) conscription *f*; *vt* détacher, désigner, esquisser, rédiger.
draftsman ['dra:ftsmən] *n* dessinateur *m*, rédacteur *m*.
drag [dræg] *n* drague *f*, herse *f*, traîneau *m*, obstacle *m*, grappin *m*, sabot *m*, résistance *f*; *vt* draguer, (en)traîner; *vi* tirer, traîner.
dragon ['drægən] *n* dragon *m*.
dragonfly ['drægənflai] *n* libellule *f*.
dragoon [drə'gu:n] *n* dragon *m*; *vt* persécuter, contraindre.
drain [drein] *n* fossé *m*. caniveau *m*, égout *m*, perte *f*, (*fig*) saignée *f*; *vt* drainer, assécher, assainir; *vi* s'écouler, s'égoutter.
drake [dreik] *n* canard *m*.
drama ['dra:mə] *n* drame *m*, le théâtre *m*.
dramatic [drə'mætik] *a* dramatique.
dramatist ['dræmətist] *n* dramaturge *m*.
dramatize ['dræmətaiz] *vt* mettre au théâtre, adapter à la scène, dramatiser.
drank ['dræŋk] *pt of* **drink**.
drape [dreip] *vt* draper.
draper ['dreipə] *n* drapier *m*, marchand *m* de nouveautés.
drapery ['dreipəri] *n* draperie *f*.
drastic ['dræstik] *a* radical, énergique.
draught [dra:ft] *n* traction *f*, courant d'air *m*, tirant d'eau *m*, coup *m* (de vin *etc*), esquisse *f*, traite *f*; *pl* jeu de dames *m*; **on** — à la pression.
draught-board ['dra:ftbɔ:d] *n* damier *m*.
draught-horse ['dra:fthɔ:s] *n* cheval *m* de trait.
draughtsman ['dra:ftsmən] *n* dessinateur *m*, rédacteur *m*, pion *m*.
draw [drɔ:] *n* tirage *m*, partie nulle *f*, question insidieuse *f*, loterie *f*, clou *m*, attraction *f*; *vt* (at-, re)tirer, traîner, tendre, aspirer, (*tooth*) extraire, (*salary*) toucher, faire parler, dessiner, rédiger; **to — aside** *vt* écarter, tirer; *vi* s'écarter; **to — back** *vt* retirer; *vi* reculer; **to — up** *vt* (re)lever, approcher; *vi* s'arrêter.
drawback ['drɔ:bæk] *n* remise *f*, mécompte *m*, échec *m*, inconvénient *m*.
drawbridge ['drɔ:bridʒ] *n* pont-levis *m*.
drawer ['drɔ:ə] *n* tiroir *m*; *pl* caleçon *m*, pantalon *m* de femme.
drawing ['drɔ:iŋ] *n* dessin *m*.
drawing-board ['drɔ:iŋbɔ:d] *n* planche *f*.
drawing-pin ['drɔ:iŋpin] *n* punaise *f*.
drawing-room ['drɔ:iŋrum] *n* salon *m*.
drawl [drɔ:l] *n* voix traînante *f*; *vt* traîner; *vi* parler d'une voix traînante
drawn [drɔ:n] *pp of* **draw**; *a* tiré, nul.
dray [drei] *n* camion *m*, haquet *m*.
dread [dred] *n* effroi *m*; *vt* redouter.
dreadful ['dredful] *a* terrible, horrible
dreadnought ['drednɔ:t] *n* cuirassé *m*.
dream [dri:m] *n* rêve *m*, songe *m*; *vt* rêver.
dreamer ['dri:mə] *n* rêveur, -euse, songe-creux *m*.
dreamy ['dri:mi] *a* rêveur, songeur, vague.
dreary ['driəri] *a* lugubre, morne, ennuyeux, terne.
dredge [dredʒ] *n* drague *f*; *vt* draguer, curer, saupoudrer.
dredger ['dredʒə] *n* curemôle *m*, drague *f*.
dregs [dregz] *n* lie *f*.
drench [drentʃ] *vt* tremper, mouiller.
dress [dres] *n* vêtement *m*, tenue *f*, costume *m*, robe *f*, toilette *f*; **full —** grande tenue; *vt* habiller, vêtir, coiffer, pavoiser, aligner, parer, panser, tailler; *vi* s'habiller, faire sa toilette, se mettre (en habit), s'aligner.
dress-circle ['dres'sə:kl] *n* fauteuils *m pl* de balcon.
dresser ['dresə] *n* dressoir *m*, habilleuse *f*, apprêteur, -euse; (*US*) commode-toilette *f*.
dressing ['dresiŋ] *n* habillage *m*, toilette *f*, pansement *m*, assaisonnement *m*, apprêt *m*, alignement *m*.
dressing-case ['dresiŋkeis] *n* nécessaire *m* de toilette.

dressing-down ['dresiŋ'daun] *n* semonce *f*, savonnage *m*.
dressing-gown ['dresiŋgaun] *n* robe *f* de chambre, peignoir *m*.
dressing-room ['dresiŋrum] *n* cabinet *m* de toilette.
dressing-table ['dresiŋ.teibl] *n* coiffeuse *f*.
dressmaker ['dres.meikə] *n* couturier, -ière.
dressy ['dresi] *a* élégant, chic, qui aime la toilette.
drew [dru:] *pt of* **draw.**
dribble ['dribl] *n* goutte *f*, dégouttement *m*, dribble *m*; *vi* dégoutter, baver, dribbler.
drift [drift] *n* débâcle *f*, dérive *f*, laisser-aller *m*, direction *f*, portée *f*, amas *m*; *vi* être emporté, dériver, s'amasser, se laisser aller; *vt* flotter, charrier.
drifter ['driftə] *n* chalutier *m*.
drill [dril] *n* foret *m*, mèche *f*, perforateur *m*, perceuse *f*, sillon *m*, semoir *m*, exercice *m*, manœuvre *f*; — **sergeant** sergent instructeur *m*; *vt* forer, semer, instruire, faire faire l'exercice à; *vi* faire l'exercice, manœuvrer.
drink [driŋk] *n* boisson *f*, alcool *m*, un verre *m*, ivrognerie *f*, boire *m*; *vt* boire.
drinkable ['driŋkəbl] *a* buvable, potable.
drinker ['driŋkə] *n* buveur, -euse, alcoolique *mf*.
drinking ['driŋkiŋ] *n* boire *m*, boisson *f*; —**water** eau potable *f*.
drip [drip] *vt* verser goutte à goutte; *vi* s'égoutter, dégoutter, dégouliner, suinter; *n* (d)égouttement *m*, dégoulinement *m*.
dripping ['dripiŋ] *n* graisse (à frire) *f*, (d)égouttement *m*; — **pan** lèchefrite *f*.
drive [draiv] *n* avance *f*, poussée *f*, randonnée *f*, promenade *f*, avenue *f*, tendance *f*, mouvement *m*, énergie *f*; *vt* pousser, entraîner, conduire, chasser, forcer, surmener, actionner; *vi* se promener, chasser, conduire; **driving school** auto-école *f*.
drivel ['drivl] *n* bave *f*, roupie *f*, radotage *n*; *vi* radoter, baver.
driver ['draivə] *n* mécanicien *m*, conducteur *m*, chauffeur, -euse.
drizzle ['drizl] *n* bruine *f*; *vi* bruiner.
droll [droul] *a* drôle.
drollery ['drouləri] *n* drôlerie *f*, bouffonnerie *f*.
dromedary ['drɔmədəri] *n* dromadaire *m*.
drone [droun] *n* bourdon *m*, bourdonnement *m*, ronronnement *m*, fainéant *m*; *vi* bourdonner, ronronner.
droop [dru:p] *n* attitude penchée *f*, découragement *m*; *vt* laisser tomber, pendre, (a)baisser, pencher; *vi* languir, se pencher, retomber, s'affaisser.
drop [drɔp] *n* goutte *f*, pastille *f*, chute *f*, baisse *f*, rideau *m*, pendant *m*; *vi* s'égoutter, se laisser tomber, tomber, plonger, baisser; *vt* laisser tomber, baisser, lâcher, abandonner, laisser, verser goutte à goutte; **to — in** entrer en passant; **to — off** partir, s'endormir.
dropsy ['drɔpsi] *n* hydropisie *f*.
drought [draut] *n* sécheresse *f*.
drove [drouv] *n* troupeau *m*, foule *f*.
drover ['drouvə] *n* toucheur de bœufs *m*.
drown [draun] *vt* noyer, tremper, inonder, couvrir; *vi* se noyer.
drowsiness ['drauzinis] *n* somnolence *f*.
drowsy ['drauzi] *a* assoupi, endormi, soporifique.
drubbing ['drʌbiŋ] *n* (*fam*) raclée *f*, tripotée *f*.
drudge [drʌdʒ] *n* tâcheron *m*, femme de peine *f*, souffre-douleur *mf*; *vi* trimer.
drudgery ['drʌdʒəri] *n* corvée *f*, travail ingrat *m*.
drug [drʌg] *n* drogue *f*, stupéfiant *m*, (*fig*) rossignol *m*; *vt* droguer, endormir.
druggist ['drʌgist] *n* droguiste *m*, pharmacien *m*.
drum [drʌm] *n* tympan *m*; bonbonne *f*, tambour *m*; **big** — grosse caisse; **African** — tam-tam *m*.
drummer ['drʌmə] *n* tambour *m*.
drum-fire ['drʌm'faiə] *m* feu roulant *m*.
drumming ['drʌmiŋ] *n* bourdonnement *m*, battement *m*, tambourinage *m*.
drunk [drʌŋk] *pp of* **drink**; *a* ivre, saoûl.
drunkard ['drʌŋkəd] *n* ivrogne, ivrognesse.
drunkenness ['drʌŋkənnis] *n* ivresse *f*, ivrognerie *f*.
dry [drai] *a* sec, à sec, tari, caustique; *n* (*US*) prohibitionniste *m*; *vt* (faire) sécher, essuyer; *vi* sécher, se dessécher, tarir.
dryness ['drainis] *n* sécheresse *f*.
dub [dʌb] *vt* armer, traiter (de), doubler.
dubious ['dju:bjəs] *a* douteux, louche, incertain.
duchess ['dʌtʃis] *n* duchesse *f*.
duchy ['dʌtʃi] *n* duché *m*.
duck [dʌk] *n* canard *m*, cane *f*, plongeon *m*, courbette *f*, esquive *f*, coutil *m*; *vti* plonger; *vi* se baisser, esquiver de la tête.
duckling ['dʌkliŋ] *n* caneton *m*.
duct [dʌkt] *n* conduit *m*, conduite *f*.
dud [dʌd] *n* raté *m*; *pl* nippes *f pl*; *a* moche, faux.
dudgeon ['dʌdʒən] *n* colère *f*.
due [dju:] *n* dû *m*, dettes *f pl*, droits *m pl*; *a* dû, attendu.

duel ['djuəl] *n* duel *m*; *vi* se battre en duel.
duellist ['djuəlist] *n* duelliste *m*, bretteur *m*.
duet [dju'et] *n* duo *m*.
duffer ['dʌfə] *n* cancre *m*, empoté(e) *mf*, maladroit(e) *mf*.
dug [dʌg] *pt pp of* **dig**; *n* pis *m*, téton *m*.
dug-out ['dʌgaut] *n* trou *m*, abri *m*, cagna *m*.
duke [dju:k] *n* duc *m*.
dull [dʌl] *a* ennuyeux, stupide, insensible, émoussé, terne, sourd, mat, sombre; *vt* amortir, émousser, ternir, hébéter.
dullard ['dʌləd] *n* balourd(e) *mf*, cancre *m*.
dullness ['dʌlnis] *n* hébétude *f*, lourdeur *f*, monotonie *f*, marasme *m*.
duly ['dju:li] *ad* dûment, à point.
dumb [dʌm] *a* muet, sot; **—-bell** haltère *f*; — **show** pantomime *f*.
dumbfounded [dʌm'faundid] *a* éberlué, interdit.
dumbness ['dʌmnis] *n* mutisme *m*.
dummy ['dʌmi] *n* homme de paille *m*, mannequin *m*, silhouette *f*, mort *m*, (*of baby*) sucette *f*, maquette *f*; *a* faux, postiche.
dump [dʌmp] *n* dépôt *m* (de munitions), (*fam*) trou *m*; *vt* décharger, déposer (avec un bruit sourd); *vi* faire du dumping.
dumpling ['dʌmpliŋ] *n* chausson *m*.
dumps [dʌmps] *n pl* cafard *m*; **to be in the —s** avoir le cafard, broyer du noir.
dumpy ['dʌmpi] *a* trapu, replet, boulot.
dun [dʌn] *a* gris-brun; *vt* relancer, importuner.
dunce [dʌns] *n* endormi(e) *mf*, cancre *m*, crétin *m*; **—'s cap** bonnet *m* d'âne.
dung [dʌŋ] *n* bouse *f*, flente *f*, crottin *m*.
dungeon ['dʌndʒn] *n* cul-de-basse-fosse *m*, cachot *m*.
dunghill ['dʌŋhil] *n* fumier *m*.
dunk ['dʌŋk] *vt* tremper; *vi* faire trempette.
dupe [dju:p] *n* dupe *f*; *vt* duper.
duplex ['dju:pleks] *a* double.
duplicate ['dju:plikit] *n* double *m*; *a* double de rechange.
duplicate ['dju:plikeit] *vt* établir en double.
duplicity [dju:'plisiti] *n* duplicité *f*.
durable ['djuərəbl] *a* durable, résistant.
duration [djuə'reiʃən] *n* durée *f*.
duress [djuə'res] *n* contrainte *f*, emprisonnement *m*.
during ['djuəriŋ] *prep* pendant, au cours de.
durst [də:st] *pt* (*old*) *of* **dare**.
dusk [dʌsk] *n* crépuscule *m*.
dusky ['dʌski] *a* sombre, brun, foncé, noiraud.
dust [dʌst] *n* poussière *f*; *vt* saupoudrer, couvrir de poussière, épousseter; — **coat** cache-poussière *m*; — **jacket** protège-livre *m*.
dustbin ['dʌstbin] *n* boîte à ordures *f*, poubelle *f*.
duster ['dʌstə] *n* torchon *m*, chiffon à épousseter *m*.
dustman ['dʌstmən] *n* balayeur *m*, boueux *m*.
dusty ['dʌsti] *a* poussiéreux, poudreux.
dutiable ['dju:tjəbl] *a* imposable, taxable.
dutiful ['dju:tiful] *a* respectueux, soumis.
duty ['dju:ti] *n* devoir *m*, taxe *f*, droits *m pl*; **on** — de service; — **paid** franco, franc de douane.
dwarf [dwɔ:f] *n* nain *m*.
dwell [dwel] *vi* demeurer, s'étendre (sur **on**).
dwelling ['dweliŋ] *n* maison *f*, demeure *f*.
dwelt [dwelt] *pt of* **dwell.**
dwindle ['dwindl] *vi* fondre, dépérir.
dye [dai] *n* teinte *f*, teinture *f*, teint *m*; — **works** teinturerie *f*; *vt* teindre, teinter; *vi* se teindre.
dyer ['daiə] *n* teinturier *m*.
dying ['daiiŋ] *a* mourant, de mort.
dynamite ['dainəmait] *n* dynamite *f*; *vt* faire sauter à la dynamite.
dynasty ['dinəsti] *n* dynastie *f*.
dysentery ['disntri] *n* dysenterie *f*.
dyspepsia [dis'pepsiə] *n* dyspepsie *f*.
dyspeptic [dis'peptik] *a* dyspeptique.

E

each [i:tʃ] *a* chaque; *pn* chacun(e); **two francs** — deux francs la pièce; — **other** l'un l'autre, entre eux.
eager ['i:gə] *a* empressé, ardent, avide, impatient.
eagerly ['i:gəli] *ad* ardemment, avec empressement.
eagerness ['i:gənis] *n* ardeur *f*, empressement *m*.
eagle ['i:gl] *n* aigle *m*.
eaglet ['i:glit] *n* aiglon *m*.
ear [iə] *n* oreille *f*, (*corn*) épi *m*, (*tec*) anse *f*.
ear-drop ['iədrɔp] *n* pendant d'oreille *m*.
ear-drum ['iədrʌm] *n* tympan *m*.
early ['ə:li] *a* matinal, précoce, prochain, premier; **in — summer** au début de l'été; *ad* de bonne heure, tôt.
ear-mark ['iəma:k] *vt* réserver, assigner.
earn [ə:n] *vt* gagner.
earnest ['ə:nist] *n* prèsage *m*, (*com*) arrhes *f pl*, avant-goût *m*; *a* sérieux, sincère, consciencieux; **in** — pour de bon.
earnestly ['ə:nistli] *ad* sérieusement, instamment.

earnestness ['əːnistnis] *n* sérieux *m*, sincérité *f*, ardeur *f*, ferveur *f*.
earnings ['əːniŋz] *n* gain(s) *m*, gages *m pl*.
earring ['iəriŋ] *n* boucle *f* d'oreille.
earshot ['iəʃɔt] *n* portée *f* de la voix.
earth [əːθ] *n* terre *f*, terrier *m*; *vt* relier au sol.
earthen ['əːθən] *a* de (en) terre.
earthenware ['əːθənwɛə] *n* faïence *f*, poterie *f*; — **pot** canari *m*.
earthliness ['əːθlinis] *n* mondanité *f*.
earthly ['əːθli] *a* terrestre.
earthquake ['əːθkweik] *n* tremblement *m* de terre.
earthworks ['əːθwəːks] *n* terrassements *m pl*.
earthworm ['əːθwəːm] *n* ver *m* de terre.
earthy ['əːθi] *a* terreux.
ear-trumpet ['iəˌtrʌmpit] *n* cornet acoustique *m*.
earwig ['iəwig] *n* perce-oreille(s) *m*.
ease [iːz] *n* facilité *f*, tranquillité *f*, aise *f*, soulagement *m*; (*mil*) repos *m*; *vt* soulager, calmer, détendre; **to — up** ralentir, freiner, se relâcher.
easel ['iːzl] *n* chevalet *m*.
easily ['iːzili] *ad* facilement, aisément, tranquillement.
east [iːst] *n* est *m*, levant *m*, orient *m*; **Near E—** proche Orient; **Middle E—** moyen Orient; **Far E—** extrême Orient.
Easter ['iːstə] *n* Pâques *f pl*.
easterly ['iːstəli] *a* oriental, d'est; *ad* vers l'est.
eastern ['iːstən] *a* oriental, de l'est.
eastward ['iːstwəd] *ad* vers l'est; *a* à l'est.
easy ['iːzi] *a* facile, aisé, à l'aise, tranquille, accommodant, dégagé.
easy-chair ['iːzi'tʃɛə] *n* fauteuil *m*.
easy-going ['iːziˌgouiŋ] *a* débonnaire, qui ne s'en fait pas, accommodant.
eat [iːt] *vt* manger.
eatable ['iːtəbl] *a* mangeable.
eatables ['iːtəblz] *n pl* comestibles *m pl*, provisions *f pl*.
eaten ['iːtn] *pp of* **eat**; **— up with** dévoré de, consumé par, pétri de.
eating ['iːtiŋ] *n* manger *m*; *a* à croquer, de dessert.
eaves [iːvz] *n* avance *f* de toit.
eavesdrop ['iːvzdrɔp] *vi* écouter aux portes.
ebb [eb] *n* reflux *m*, déclin *m*; *vi* refluer, décliner.
E-boat ['iːbout] *n* vedette lance-torpilles *f*.
ebony ['ebəni] *n* ébène *f*.
ebullience [i'bʌljəns] *n* exubérance *f*, effervescence *f*.
ebullient [i'bʌljənt] *a* exubérant, bouillant.
ebullition [ˌebə'liʃən] *n* ébullition *f*, effervescence *f*.
eccentric [ik'sentrik] *a* excentrique, original.
eccentricity [ˌeksen'trisiti] *n* excentricité *f*.
echo ['ekou] *n* écho *m*; *vt* faire écho à, se faire l'écho de, répéter; *vi* faire écho, retentir.
eclipse [i'klips] *n* éclipse *f*; *vt* éclipser.
economic [ˌiːkə'nɔmik] *a* économique.
economical [ˌiːkə'nɔmikəl] *a* économe, économique.
economics [ˌiːkə'nɔmiks] *n* économie politique *f*, régime économique *m*.
economist [iː'kɔnəmist] *n* économiste *m*.
economize [iː'kɔnəmaiz] *vt* économiser; *vi* faire des économies.
economy [iː'kɔnəmi] *n* économie *f*.
ecstasy ['ekstəsi] *n* extase *f*, transe *f*, ravissement *m*.
ecstatic [eks'tætik] *a* extatique, en extase.
eddy ['edi] *n* remous *m*, volute *f*, tourbillon *m*.
edge [edʒ] *n* bord *m*, bordure *f*, fil *m*, tranchant *m*; **on —** agacé, énervé; *vt* border, aiguiser; **to — (in), to — one's way (in)** se faufiler (dans); **to — away** s'écarter tout doucement.
edgeless ['edʒlis] *a* émoussé.
edgeways ['edʒweiz] *ad* de côté, de champ; **to get a word in —** glisser un mot dans la conversation.
edible ['edibl] *a* mangeable, comestible, bon à manger.
edict ['iːdikt] *n* édit *m*.
edify ['edifai] *vt* édifier.
edit ['edit] *vt* éditer, rédiger.
edition [i'diʃən] *n* édition *f*.
editor ['editə] *n* éditeur *m*, rédacteur en chef *m*, directeur *m*.
editorial [ˌedi'tɔːriəl] *an* éditorial *m*; *n* article de fond *m*.
educate ['edjuːkeit] *vt* instruire, élever, former; **he was educated in Paris** il a fait ses études à Paris.
education [ˌedjuː'keiʃən] *n* éducation *f*, instruction *f*, enseignement *m*.
educational [ˌedjuː'keiʃənl] *a* d'enseignment, éducateur.
educative ['edjuːkətiv] *a* éducatif.
educator ['edjuːkeitə] *n* éducateur, -trice.
Edward ['edwəd] Edouard *m*.
eel [iːl] *n* anguille *f*.
eerie ['iəri] *a* étrange, fantastique, surnaturel.
efface [i'feis] *vt* effacer, oblitérer.
effect [i'fekt] *n* effet *m*, influence *f*, conséquence *f*; **of no —** inutile, inefficace; **to no —** en vain; **for —** à effet; **to the same —** dans le même sens; **in —** en fait, en réalité; *vt* exécuter, accomplir.
effective [i'fektiv] *n* effectif *m*; *a* effectif, efficace, valide.
effectively [i'fektivli] *ad* en réalité, efficacement.
effectiveness [i'fektivnis] *n* efficacité *f*.

effeminate [i'feminit] *a* efféminé.
effervesce [,efə'ves] *vi* bouillonner, mousser.
effervescence [,efə'vesns] *n* effervescence *f*.
effete [e'fi:t] *a* épuisé, caduc.
efficacious [,efi'keiʃəs] *a* efficace.
efficaciousness [,efi'keiʃəsnis] *n* efficacité *f*.
efficacy ['efikəsi] *n* efficacité *f*, rapidité *f*.
efficiency [i'fiʃənsi] *n* efficience *f*, efficacité *f*, rendement *m*, capacité *f*, valeur *f*.
efficient [i'fiʃənt] *a* efficace, compétent, effectif, capable
efficiently [i'fiʃəntli] *ad* efficacement.
effigy ['efidʒi] *n* effigie *f*.
effort ['efət] *n* effort *m*.
effortless ['efətlis] *a* sans effort, passif, facile.
effrontery [e'frʌntəri] *n* effronterie *f*.
effulgence [e'fʌldʒəns] *n* éclat *m*, splendeur *f*.
effulgent [e'fʌldʒənt] *a* resplendissant, éclatant.
effusion [i'fju:ʒən] *n* effusion *f*, épanchement *m*.
effusive [i'fju:siv] *a* expansif, démonstratif.
effusiveness [i'fju:sivnis] *n* exubérance *f*, effusion *f*.
egg [eg] *n* œuf *m*; **new-laid** — œuf frais; **boiled** — œuf à la coque; **hard-boiled** — œuf dur; **soft-boiled** — œuf mollet; **fried** — œuf sur le plat; **poached** — œuf poché; **scrambled** —s œufs brouillés; *vt* **to — on** encourager.
egg-cup ['egkʌp] *n* coquetier *m*.
egg-spoon ['egspu:n] *n* petite cuiller *f*.
egg-whisk ['egwisk] *n* fouet *m*.
eglantine ['egləntain] *n* églantine *f*, églantier *m*.
ego ['egou] *n* le moi.
egoist ['egouist] *an* égoïste *mf*.
egregious [i'gri:dʒəs] *a* énorme, insigne.
egret ['i:gret] *n* aigrette *f*.
Egyptian [i'dʒipʃən] *an* égyptien.
eiderdown ['aidədaun] *n* édredon *m*.
eight [eit] *an* huit *m*.
eighteen ['ei'ti:n] *an* dixhuit *m*.
eighteenth ['ei'ti:nθ] *an* dixhuit *m*, dix-huitième *mf*.
eighth [eitθ] *an* huit *m*, huitième *mf*.
eightieth ['eitiiθ] *an* quatre-vingts *m*, quatre-vingtième *mf*.
eighty ['eiti] *an* quatre-vingts *m*.
either ['aiðə] *pn* l'un et (ou) l'autre; *a* chaque; **on — side** de chaque côté; *cj* ou, soit, non plus; **— . . . or** ou . . . ou, soit . . . soit; **not . . . —** ne . . . non plus.
eject [i:'dʒekt] *vt* jeter (dehors), expulser, émettre.
eke out ['i:k 'aut] *vt* ajouter à, compléter, faire durer.
elaborate [i'læbəreit] *vt* élaborer.
elaborate [i'læbərit] *a* compliqué, soigné, tiré, recherché.
elaboration [i,læbə'reiʃən] *n* élaboration *f*.
elapse [i'læps] *vi* s'écouler.
elastic [i'læstik] *an* élastique *m*.
elasticity [,elæs'tisiti] *n* élasticité *f*.
elated [i'leitid] *a* gonflé, transporté, exultant, enivré.
elation [i'leiʃən] *n* orgueil *m*, ivresse *f*, exaltation *f*.
elbow ['elbou] *n* coude *m*; *vt* coudoyer, pousser des coudes; *vi* jouer des coudes; **to have — room** avoir ses coudées franches.
elder ['eldə] *n* (*bot*) sureau *m*; aîné(e) *mf*, Ancien *m*; *a* plus âgé, aîné.
elderly ['eldəli] *a* d'un certain âge.
eldest ['eldist] *a* aîné.
elect [i'lekt] *vt* choisir, élire; *a* désigné, élu.
election [i'lekʃən] *n* élection *f*.
electioneer [i,lekʃə'niə] *vi* mener une campagne électorale.
electioneering [i,lekʃə'niəriŋ] *n* campagne *f* (propagande *f*) électorale.
elector [i'lektə] *n* électeur *m*, votant *m*.
electorate [i'lektərit] *n* corps électoral *m*.
electric [i'lektrik] *a* électrique.
electrical [i'lektrikəl] *a* électrique.
electrician [ilek'triʃən] *n* électricien *m*.
electricity [ilek'trisiti] *n* électricité *f*.
electrification [i,lektrifi'keiʃən] *n* électrification *f*.
electrify [i'lektrifai] *vt* électrifier, électriser.
electrocute [i'lektrəkju:t] *vt* électrocuter.
electrocution [i,lektrə'kju:ʃən] *n* électrocution *f*.
electrolier [i,lektrou'liə] *n* lustre électrique *m*.
electron [i'lektrɔn] *n* électron *m*.
electroplate [i'lektroupleit] *n* ruolz *m*, articles *m pl* argentés; *vt* plaquer.
electrotyping [i'lektrou'taipiŋ] *n* galvanoplastie *f*.
elegance ['eligəns] *n* élégance *f*.
elegant ['eligənt] *a* élégant.
elegantly ['eligəntli] *ad* élégamment.
elegy ['elidʒi] *n* élégie *f*.
element ['elimənt] *n* élément *m*, facteur *m*; *pl* rudiments *m pl*.
elementary [,eli'mentəri] *a* élémentaire, primaire.
elephant ['elifənt] *n* éléphant *m*.
elevate ['eliveit] *n* élever.
elevation [,eli'veiʃən] *n* élévation *f*, altitude *f*.
elevator ['eliveitə] *n* (*US*) ascenseur *m*.
eleven [i'levn] *an* onze *m*.
eleventh [i'levnθ] *n* onze; *an* onzième *mf*.
elf [elf] *n* elfe *m*, lutin *m*.
elicit [i'lisit] *vt* extraire, tirer.
elide [i'laid] *vt* élider.

eligible ['elidʒəbl] *a* éligible, admissible, désirable.
eliminate [i'limineit] *vt* éliminer.
elimination [i,limi'neiʃən] *n* élimination *f*.
elision [i'liʒən] *n* élision *f*.
elixir [i'liksə] *n* élixir *m*.
elk [elk] *n* élan *m*.
ell [el] *n* aûne *f*.
elm [elm] *n* orme *m*.
elongate ['i:lɔŋgeit] *vt* allonger; *vi* s'allonger.
elope [i'loup] *vi* se laisser (se faire) enlever, prendre la fuite.
elopement [i'loupmənt] *n* enlèvement *m*, fuite *f*.
eloquence ['eləkwəns] *n* éloquence *f*.
eloquent ['eləkwənt] *a* éloquent.
eloquently ['eləkwəntli] *ad* éloquemment.
else [els] *a* (d')autre de plus; *ad* autrement, ou bien; **something —** autre chose *m*; **everywhere —** partout ailleurs; **anybody —** quelqu'un d'autre.
elsewhere ['els'wɛə] *ad* ailleurs, autre part.
elucidate [i'lu:sideit] *vt* élucider, éclaircir.
elucidation [i,lu:si'deiʃən] *n* élucidation *f*.
elude [i'lu:d] *vt* éluder, échapper à, esquiver.
elusive [i'lu:siv] *a* fuyant, insaisissable, évasif, souple.
elusiveness [i'lu:sivnis] *n* souplesse fuyante *f*, intangibilité *f*.
emaciated [i'meiʃieitid] *a* émacié, décharné.
emaciation [i,meisi'eiʃən] *n* maigreur extrême *f*.
emanate ['eməneit] *vi* émaner.
emanation [,emə'neiʃən] *n* émanation *f*.
emancipate [i'mænsipeit] *vt* émanciper.
emancipator [i'mænsipeitə] *n* émancipateur, -trice.
emasculate [i'mæskjuleit] *vt* châtrer, expurger.
embalm [im'bɑ:m] *vt* embaumer.
embalming [im'bɑ:miŋ] *n* embaumement *m*.
embank [im'bæŋk] *vt* endiguer, remblayer.
embankment [im'bæŋkmənt] *n* quai *m*, remblai *m*, levée *f*.
embargo [em'bɑ:gou] *n* embargo *m*, séquestre *m*; **to put an — on** mettre l'embargo sur, interdire.
embark [im'bɑ:k] *vt* embarquer; *vi* s'embarquer.
embarkation [,embɑ:'keiʃən] *n* embarquement *m*.
embarrass [im'bærəs] *vt* gêner, embarrasser.
embarrassment [im'bærəsmənt] *n* embarrass *m*, gêne *f*.
embassy ['embəsi] *n* ambassade *f*.
embedded [im'bedid] *a* pris, enfoncé.
embellish [im'beliʃ] *vt* embellir, enjoliver.
embellishment [im'beliʃmənt] *n* embellissement *m*.
ember ['embə] *n* braise *f*; **— days** Quatre-Temps *m pl*.
embezzle [im'bezl] *vt* détourner.
embezzlement [im'bezlmənt] *n* détournement *m*.
embitter [im'bitə] *vt* envenimer, aigrir, aggraver.
embitterment [im'bitəmənt] *n* aigreur *f*, aggravation *f*, envenimement *m*.
emblem ['embləm] *n* emblème *m*, symbole *m*.
emblematic [,embli'mætik] *a* emblématique, figuratif.
embodiment [im'bɔdimənt] *n* incarnation *f*.
embody [im'bɔdi] *vt* incarner, donner corps à, exprimer, incorporer.
embolden [im'bouldən] *vt* enhardir.
embolism ['embəlizəm] *n* embolie *f*.
emboss [im'bɔs] *vt* estamper, repousser.
embossing [im'bɔsiŋ] *n* relief *m*, brochage *m* (d'étoffes), repoussage *m*.
embrace [im'breis] *n* embrassement *m*, étreinte *f*; *vt* embrasser, étreindre, saisir, adopter, comporter.
embrasure [im'breiʒə] *n* embrasure *f*.
embroider [im'brɔidə] *vt* broder.
embroidery [im'brɔidəri] *n* broderie *f*.
embroil [im'brɔil] *vt* (em)brouiller, envelopper, entraîner.
embroilment [im'brɔilmənt] *n* imbroglio *m*.
embryo ['embriou] *n* embryon *m*.
embryonic [,embri'ɔnik] *a* embryonnaire, en herbe.
emend [i:'mend] *vt* corriger.
emendation [,i:men'deiʃən] *n* correction *f*, émendation *f*.
emerald ['emərəld] *n* émeraude *f*.
emerge [i'mə:dʒ] *vi* émerger, sortir.
emergency [i'mə:dʒənsi] *n* crise *f*, éventualité *f*; **— brake, — exit** frein *m*, sortie *f* de secours.
emery ['eməri] *n* émeri *m*; **— cloth** toile *f* d'émeri.
emetic [i'metik] *n* vomitif *m*.
emigrant ['emigrənt] *n* émigrant(e) *mf*, émigré *m*.
emigrate ['emigreit] *vi* émigrer.
emigration [,emi'greiʃən] *n* émigration *f*.
eminence ['eminəns] *n* éminence *f*, distinction *f*.
eminent ['eminənt] *a* éminent.
eminently ['eminəntli] *ad* éminemment, par excellence.
emissary ['emisəri] *n* émissaire *m*.
emission [i'miʃən] *n* émission *f*.
emit [i'mit] *vt* émettre.
emoluments [i'mɔljumənts] *n pl* émoluments *m pl*, traitement *m*, appointements *m pl*.

emotion [i'mouʃən] *n* émotion *f*, trouble *m*.
emotive [i'moutiv] *a* émotif.
emperor ['empərə] *n* empereur *m*.
emphasis ['emfəsis] *n* accent *m*, intensité *f*, insistance *f*, force *f*.
emphasize ['emfəsaiz] *vt* mettre en relief, souligner.
emphatic [im'fætik] *a* expressif, accentué, significatif, énergique, positif, net.
empire ['empaiə] *n* empire *m*.
employ [im'plɔi] *n* service *m*; *vt* employer.
employee [ˌemplɔi'iː] *n* employé(e) *mf*.
employer [im'plɔiə] *n* patron, -onne, employeur *m*, maître, -tresse.
employment [im'plɔimənt] *n* situation *f*, travail *m*, emploi *m*.
empower [im'pauə] *vt* autoriser, donner pouvoir à.
empress ['empris] *n* impératrice *f*.
emptiness ['emptinis] *n* vide *m*, néant *m*.
empty ['empti] *a* vide, vain, inoccupé; **to come back —-handed** revenir bredouille; *vt* vider; *vi* se décharger, se vider.
emulate ['emjuleit] *vt* rivaliser avec, imiter.
emulation [ˌemju'leiʃən] *n* émulation *f*.
enable [i'neibl] *vt* mettre à même (de **to**), permettre (à), autoriser.
enact [i'nækt] *vt* ordonner, décréter, jouer.
enactment [i'næktmənt] *n* décret *m*, promulgation *f*.
enamel [i'næməl] *n* émail *m*, vernis *m*; *vt* émailler, vernir.
enameller [i'næmələ] *n* émailleur *m*.
encamp [in'kæmp] *vt* (faire) camper; *vi* camper.
encampment [in'kæmpmənt] *n* campement *m*, camp *m*.
encase [in'keis] *vt* enfermer, encaisser, revêtir.
enchant [in'tʃɑːnt] *vt* enchanter, ensorceler.
enchanting [in'tʃɑːntiŋ] *a* enchanteur, ravissant.
enchantment [in'tʃɑːntmənt] *n* enchantement *m*, ravissement *m*.
encircle [in'səːkl] *vt* encercler, entourer, cerner.
enclave ['enkleiv] *n* enclave *f*.
enclose [in'klouz] *vt* enclore, entourer, (r)enfermer, insérer.
enclosed [in'klouzd] *a* ci-inclus, ci-joint.
enclosure [in'klouʒə] *n* clôture *f*, enceinte *f*, (en)clos *m*, pièce incluse *f*.
encompass [in'kʌmpəs] *vt* entourer, contenir, renfermer.
encore [ɔŋ'kɔː] *excl* bis *m*; *vt* bisser.
encounter [in'kauntə] *n* rencontre *f*, combat *n*, assaut *m*; *vt* rencontrer, affronter, essuyer.
encourage [in'kʌridʒ] *vt* encourager, favoriser.
encouragement [in'kʌridʒmənt] *n* encouragement *m*.
encroach [in'kroutʃ] *vi* empiéter (sur **upon**).
encroachment [in'kroutʃmənt] *n* empiètement *m*, usurpation *f*.
encrust [in'krʌst] *vt* incruster, encroûter.
encumber [in'kʌmbə] *vt* gêner, embarrasser, encombrer, grever.
encumbrance [in'kʌmbrəns] *n* charge *f*, encombrement *m*, embarras *m*.
encyclic [en'siklik] *an* encyclique *f*.
encyclopedia [en'saiklou'piːdjə] *n* encyclopédie *f*.
encyclopedic [enˌsaiklou'piːdik] *a* encyclopédique.
end [end] *n* fin *f*, bout *m*, extrémité *f*; *vti* finir; *vt* terminer, achever; *vi* se terminer; **on —** debout, de suite; **in the —** au bout du compte, à la fin; **to the bitter —** jusqu'au bout.
endanger [in'deindʒə] *vt* mettre en danger, exposer.
endear [in'diə] *vt* rendre cher, faire aimer.
endeavour [in'devə] *n* effort *m*, tentative *f*; *vi* s'efforcer, tenter.
ending ['endiŋ] *n* fin *f*, conclusion *f*, dénouement *m*, terminaison *f*; *a* final, dernier.
endive ['endiv] *n* chicorée *f*.
endless ['endlis] *a* sans fin, interminable.
endorse [in'dɔːs] *vt* appuyer, endosser, estampiller.
endorsement [in'dɔːsment] *n* (*fin*) endossement *m*, (*passport*) mention *f*, approbation *f*.
endow [in'dau] *vt* doter, investir.
endowed [in'daud] *a* doué, muni.
endowment [in'daumənt] *n* dotation *f*, fondation *f*.
endurable [in'djuərəbl] *a* supportable.
endurance [in'djuərəns] *n* résistance *f*, endurance *f*.
endure [in'djuə] *vt* supporter, endurer.
enduring [in'duəriŋ] *a* durable, qui persiste.
enemy ['enimi] *an* ennemi(e) *mf*.
energetic [ˌenə'dʒetik] *a* énergique.
energy ['enədʒi] *n* énergie *f*, vigueur *f*, nerf *m*.
enervate ['enəːveit] *vt* énerver, amollir.
enervation [ˌenəː'veiʃən] *n* énervement *m*, mollesse *f*.
enfeeble [in'fiːbl] *vt* affaiblir.
enfeeblement [in'fiːblment] *n* affaiblissement *m*.
enfilade [ˌenfi'leid] *n* enfilade *f*; *vt* prendre d'enfilade.
enforce [in'fɔːs] *vt* imposer, faire respecter, mettre en vigueur, appliquer.

enforcement [in'fɔːsmənt] *n* application *f*, mise *f* en vigueur.
enfranchise [in'fræntʃaiz] *vt* donner le droit de vote à, ériger en circonscription.
engage [in'geidʒ] *vt* occuper, engager, retenir, embaucher, attirer.
engaged [in'geidʒd] *a* occupé, retenu, fiancé.
engagement [in'geidʒmənt] *n* engagement *m*, fiançailles *f pl*, combat *m*.
engender [in'dʒendə] *vt* engendrer, faire naître.
engine ['endʒin] *n* engin *m*, machine *f*, locomotive *f*, moteur *m*.
engine-driver ['endʒin.draivə] *n* mécanicien *m*.
engineer [.endʒi'niə] *n* ingénieur *m*, mécanicien *m*; *pl* (*mil*) le génie *m*; *vt* construire, machiner, combiner.
engineering [.endʒi'niəriŋ] *n* génie *m*, construction *f*, mécanique *f*.
England ['iŋglənd] *n* Angleterre *f*.
English ['iŋgliʃ] *n* Anglais(e) *mf*; *an* anglais *m*.
Englishman ['iŋgliʃmən] *n* Anglais *m*.
engrave [in'greiv] *vt* graver.
engraver [in'greivə] *n* graveur *m*.
engraving [in'greiviŋ] *n* gravure *f*.
engross [in'grous] *vt* accaparer, absorber.
engulf [in'gʌlf] *vt* engloutir.
enhance [in'hɑːns] *vt* (re)hausser, relever, mettre en valeur, accroître.
enhancement [in'hɑːnsmənt] *n* mise *f* en valeur.
enigma [i'nigmə] *n* énigme *f*.
enigmatic [.enig'mætik] *a* énigmatique.
enjoin [in'dʒɔin] *vt* enjoindre, recommander.
enjoy [in'dʒɔi] *vt* aimer, goûter, jouir de, prendre plaisir à; **to — oneself** s'amuser.
enjoyable [in'dʒɔiəbl] *a* agréable.
enjoyment [in'dʒɔimənt] *n* plaisir *m*, jouissance *f*.
enlarge [in'lɑːdʒ] *vt* accroître, agrandir, élargir, développer; *vi* s'élargir, s'agrandir; **to — upon** s'étendre sur.
enlargement [in'lɑːdʒmənt] *n* agrandissement *m*, accroissement *m*.
enlighten [in'laitn] *vt* éclairer.
enlightenment [in'laitnmənt] *n* lumières *f pl*.
enlist [in'list] *vt* enrôler; *vi* s'engager.
enlistment [in'listmənt] *n* enrôlement *m*.
enliven [in'laivn] *vt* animer, inspirer, égayer.
enmity ['enmiti] *n* hostilité *f*, inimitié *f*.
ennoble [i'noubl] *vt* anoblir, ennoblir.
enormity [i'nɔːmiti] *n* énormité *f*.
enormous [i'nɔːməs] *a* énorme, gigantesque.
enormously [i'nɔːməsli] *ad* énormément.
enough [i'nʌf] *a n ad* assez (de), suffisamment.
enquire [in'kwaiə] *vi* se renseigner (sur **about**), s'informer (de **about**).
enrage [in'reidʒ] *vt* exaspérer, faire enrager.
enrapture [in'ræptʃə] *vt* ravir, transporter.
enrich [in'ritʃ] *vt* enrichir.
enrol [in'roul] *vt* enrôler, immatriculer, enregistrer.
enrolment [in'roulmənt] *n* enrôlement *m*, enregistrement *m*, embauche *f*.
ensconce [in'skɔns] **to — oneself** se nicher, s'installer, se carrer.
enshrine [in'ʃrain] *vt* enchâsser.
enshroud [in'ʃraud] *vt* cacher, voiler, envelopper.
ensign ['ensain] *n* insigne *m*, pavillon *m*, porte-drapeau *m*.
enslave [in'sleiv] *vt* asservir.
enslavement [in'sleivmənt] *n* asservissement *m*.
ensnare [in'snɛə] *vt* prendre au piège dans ses filets.
ensue [in'sjuː] *vi* s'ensuivre.
ensure [in'ʃuə] *vt* mettre en sûreté, (s')assurer.
entail [in'teil] *vt* impliquer, entraîner, occasionner.
entangle [in'tæŋgl] *vt* embrouiller, emmêler, empêtrer.
entanglement [in'tæŋglmənt] *n* enchevêtrement *m*; *pl* complications *f pl*.
enter ['entə] *vt* entrer dans; *vi* entrer, se faire inscrire; *vt* enregistrer, inscrire.
enterprise ['entəpraiz] *n* entreprise *f*, initiative *f*.
enterprising ['entəpraiziŋ] *a* entreprenant.
entertain [.entə'tein] *vt* recevoir, entretenir, caresser, amuser, régaler.
entertaining [.entə'teiniŋ] *a* amusant, divertissant.
entertainment [.entə'teinmənt] *n* amusement *m*, fête *f*, divertissement *m*.
enthrall [in'θrɔːl] *vt* ensorceler, charmer, envoûter.
enthrone [in'θroun] *vt* mettre sur le trône, introniser.
enthronement [in'θrounmənt] *n* couronnement *m*, intronisation *f*.
enthusiasm [in'θjuːziæzəm] *n* enthousiasme *m*.
enthusiast [in'θjuːziæst] *n* enthousiaste *mf*, fervent(e) *mf*.
enthusiastic [in.θjuːzi'æstik] *a* enthousiaste, passionné.
entice [in'tais] *vt* attirer, séduire; **enticing** séduisant.
enticement [in'taismənt] *n* attrait *m*, séduction *f*.
entire [in'taiə] *a* entier, complet, tout, pur.
entirely [in'taiəli] *ad* entièrement, tout à fait.

entirety [in'taiəti] *n* totalité *f*, intégralité *f*.
entitle [in'taitl] *vt* intituler, donner le titre, le droit, à, autoriser.
entomb [in'tu:m] *vt* enterrer.
entrails ['entreilz] *n* entrailles *f pl*.
entrain [en'trein] *vt* embarquer (dans le train).
entrance ['entrəns] *n* entrée *f*, accès *m*, admission *f*; — **examination** examen *m* d'entrée.
entrance [in'trɑ:ns] *vt* ravir, transporter.
entreat [in'tri:t] *vt* supplier.
entreaty [in'tri:ti] *n* supplication *f*; *pl* instances *f pl*.
entrench [in'trentʃ] *vt* retrancher.
entrust [in'trʌst] *vt* charger (de **with**), confier (à).
entry ['entri] *n* entrée *f*, inscription *f*; **by double (single)** — en partie double (simple).
entwine [in'twain] *vt* entrelacer, enlacer; *vi* s'entrelacer.
enumerate [i'nju:məreit] *vt* énumérer, dénombrer.
enumeration [i,nju:mə'reiʃən] *n* énumération *f*.
enunciate [i'nʌnsieit] *vt* articuler, énoncer.
enunciation [i,nʌnsi'eiʃən] *n* énonciation *f*.
envelop [in'veləp] *vt* envelopper.
envelope ['envəloup] *n* enveloppe *f*.
enviable ['enviəbl] *a* enviable, digne d'envie.
envious ['enviəs] *a* envieux, d'envie; **to be** — **of** porter envie à.
environment [in'vaiərənmənt] *n* milieu *m*, entourage *m*, ambiance *f*, atmosphère *f*.
environs [en'vaiərənz] *n pl* environs *m pl*.
envisage [in'vizidʒ] *vt* regarder en face, envisager.
envoy ['envɔi] *n* envoyé *m*.
envy ['envi] *n* envie *f*; *vt* envier, porter envie à.
epic ['epic] *n* épopée *f*; *a* épique.
epicure ['epikjuə] *n* gourmet *m*.
epidemic [,epi'demik] *n* épidémie *f*; *a* épidémique.
epidermis [,epi'də:mis] *n* épiderme *m*.
epigram ['epigræm] *n* épigramme *f*.
epigraph ['epigrɑ:f] *n* épigraphe *f*.
epilepsy ['epilepsi] *n* épilepsie *f*.
epileptic [,epi'leptik] *a* épileptique.
episcopacy [i'piskəpəsi] *n* épiscopat *m*.
episcopal [i'piskəpəl] *a* épiscopal.
episode ['episoud] *n* épisode *m*.
episodic [,epi'sɔdik] *a* épisodique.
epistle [i'pisl] *n* épître *f*.
epistolary [i'pistələri] *a* épistolaire.
epitaph ['epitɑ:f] *n* épitaphe *f*.
epithet ['epiθet] *n* épithète *f*.
epitome [i'pitəmi] *n* abrégé *m*, résumé *m*.
epoch ['i:pɔk] *n* époque *f*.
equable ['ekwəbl] *a* égal, uni(forme), régulier.
equal ['i:kwəl] *n* égal(e) *mf*, pareil(le) *mf*; *a* égal, de taille (à **to**); *vt* égaler.
equality [i:'kwɔliti] *n* égalité *f*.
equalization [,i:kwəlai'zeiʃən] *n* égalisation *f*.
equalize ['i:kwəlaiz] *vt* égaliser.
equally ['i:kwəli] *ad* également, pareillement.
equator [i'kweitə] *n* équateur *m*.
equatorial [,ekwə'tɔ:riəl] *a* équatorial.
equerry ['ekwəri] *n* écuyer *m*.
equestrian [i'kwestriən] *a* équestre.
equilibrate [,i:kwi'laibreit] *vt* équilibrer.
equilibrium [,i:kwi'libriəm] *n* équilibre *m*.
equinox ['i:kwinɔks] *n* équinoxe *m*.
equip [i'kwip] *vt* munir, équiper, monter.
equipage ['ekwipidʒ] *n* équipage *m*.
equipment [i'kwipmənt] *n* équipement *m*, outillage *m*, installation *f*, matériel *m*.
equipoise ['ekwipɔiz] *n* équilibre *m*, contre-poids *m*.
equitable ['ekwitəbl] *a* équitable.
equity ['ekwiti] *n* équité *f*.
equivalence [i'kwivələns] *n* équivalance *f*.
equivalent [i'kwivələnt] *an* équivalent *m*.
equivocal [i'kwivəkəl] *a* équivoque, ambigu -uë, douteux.
equivocate [i'kwivəkeit] *vi* jouer sur les mots, tergiverser.
era ['iərə] *n* ère *f*.
eradicate [i'rædikeit] *vt* extirper, déraciner.
eradication [i,rædi'keiʃən] *n* déracinement *m*.
erase [i'reiz] *vt* effacer, raturer.
eraser [i'reizə] *n* gomme *f*.
erasure [i'reiʒə] *n* rature *f*.
ere [ɛə] *prep* avant; *cj* avant que.
erect [i'rekt] *a* droit; *vt* dresser, bâtir, ériger.
erection [i'rekʃən] *n* érection *f*, construction *f*, montage *m*, édifice *m*.
ermine ['ə:min] *n* hermine *f*.
erode [i'roud] *vt* ronger, éroder, corroder.
erosion [i'rouʒən] *n* érosion *f*, usure *f*.
err [ə:] *vi* se tromper, faire erreur, être erroné, pécher.
errand ['erənd] *n* course *f*, commission *f*.
errand-boy ['erəndbɔi] *n* commissionnaire *m*, chasseur *m*.
erroneous [i'rounjəs] *a* erroné, faux.
error ['erə] *n* erreur *f*, faute *f*, méprise *f*.
erupt [i'rʌpt] *vi* faire éruption.
eruption [i'rʌpʃən] *n* éruption *f*.
escalator ['eskəleitə] *n* escalier mouvant *m*.

escapade [ˌeskə'peid] *n* escapade *f*, frasque *f*.
escape [is'keip] *n* évasion *f*, fuite *f*; *vi* s'évader, s'esquiver, (s')échapper; *vt* échapper à.
eschew [is'tʃuː] *vt* éviter, s'abstenir de, renoncer à.
escort ['eskɔːt] *n* escorte *f*, cavalier *m*.
escort [is'kɔːt] *vt* escorter, accompagner, reconduire.
escutcheon [is'kʌtʃən] *n* écu(sson) *m*, blason *m*.
Eskimo ['eskimou] *an* Esquimau *m*; **— woman** femme esquimau.
especial [is'peʃəl] *a* (tout) particulier, propre.
espouse [is'pauz] *vt* se marier avec, épouser.
espy [is'pai] *vt* apercevoir, aviser.
essay ['esei] *n* tentative *f*, essai *m*, dissertation *f*.
essay [e'sei] *vt* essayer, éprouver.
essence ['esns] *n* essence *f*, extrait *m*, fond *m*, suc *m*.
essential [i'senʃəl] *an* essentiel *m*, indispensable *m*.
establish [is'tæbliʃ] *vt* fonder, créer, établir.
establishment [is'tæbliʃmənt] *n* établissement *m*, fondation *f*, pied *m* (de guerre), train *m* de maison.
estate [is'teit] *n* condition *f*, rang *m*, succession *f*, domaine *m*, immeuble *m*.
esteem [is'tiːm] *n* estime *f*; *vt* estimer, tenir (pour).
estimate ['estimit] *n* estimation *f*, devis *m*, appréciation *f*; ['estimeit] *vt* évaluer, apprécier.
estimation [ˌesti'meiʃən] *n* estime *f*, jugement *m*.
estrange [is'treindʒ] *vt* (s')aliéner, indisposer.
estrangement [is'treindʒmənt] *n* désaffection *f*, refroidissement *m*, aliénation *f*.
estuary ['estjuəri] *n* estuaire *m*.
etch [etʃ] *vt* graver à l'eau forte.
etching ['etʃiŋ] *n* eau-forte *f*.
eternal [i'təːnl] *a* éternel.
eternity [i'təːniti] *n* éternité *f*.
ether ['iːθə] *n* éther *m*.
ethereal [i'θiəriəl] *a* éthéré.
ethical ['eθikəl] *a* moral.
ethics ['eθiks] *n* morale *f*.
etiquette ['etiket] *n* étiquette *f*, convenances *f pl*, cérémonial *m*, protocole *m*.
etymology [ˌety'mɔlədʒi] *n* étymologie *f*.
eucharist ['juːkərist] *n* eucharistie *f*.
eulogize ['juːlədʒaiz] *vt* faire l'éloge de.
eulogy ['juːlədʒi] *n* éloge *m*, panégyrique *m*.
eunuch ['juːnək] *n* eunuque *m*.
Europe ['juərəp] *n* l'Europe *f*.
European [ˌjuərə'piːən] *n* Européen, -enne *mf*; *a* européen.
evacuate [i'vækjueit] *vt* évacuer, expulser.
evacuation [iˌvækju'eiʃən] *n* évacuation *f*.
evade [i'veid] *vt* esquiver, déjouer, éviter, tourner.
evaluate [i'væljueit] *vt* évaluer, estimer.
evangelic [ˌiːvæn'dʒelik] *a* évangélique.
evangelist [i'vændʒəlist] *n* évangéliste *mf*.
evaporate [i'væpəreit] *vt* faire évaporer; *vi* s'évaporer, se vaporiser.
evaporation [iˌvæpə'reiʃən] *n* évaporation *f*.
evasion [i'veiʒən] *n* subterfuge *m*, faux-fuyant *m*, échappatoire *f*.
evasive [i'veiziv] *a* évasif.
eve [iːv] *n* veille *f*.
even ['iːvən] *a* égal, uni, plat, pair; *ad* même, seulement, encore; *vt* égaliser, aplanir.
evening ['iːvniŋ] *n* soir *m*, soirée *f*.
evening-dress ['iːvniŋdres] *n* habit *m*, robe *f* de soirée, tenue *f* de soirée.
evenly ['iːvənli] *ad* également, régulièrement.
evensong ['iːvənsɔŋ] *n* office du soir *m*, vêpres *f pl*.
event [i'vent] *n* événement *m*, cas *m*, chance *f*, résultat *m*, épreuve *f*; **in the — of** au cas où; **at all —s** à tout hasard.
eventful [i'ventful] *a* mouvementé, mémorable, tourmenté.
ever ['evə] *ad* toujours, jamais.
everlasting [ˌevə'lɑːstiŋ] *a* éternel.
evermore ['evə'mɔː] *ad* pour toujours, à jamais.
every ['evri] *a* chaque, tout; **— other day** tous les deux jours.
everybody ['evribɔdi] *pn* tout le monde, tous, chacun.
everyday ['evridei] *a* quotidien, journalier, banal.
everyone ['evriwʌn] *pn* tout le monde, chacun, tous.
everything ['evriθiŋ] *pn* tout.
everywhere ['evriwɛə] *ad* partout.
evict [i'vikt] *vt* expulser.
eviction [i'vikʃən] *n* expulsion *f*, éviction *f*.
evidence ['evidəns] *n* évidence *f*, signe *m*, preuve *f*, témoignage *m*; *vt* indiquer, attester, manifester.
evident ['evidənt] *a* évident.
evil ['iːvl] *n* mal *m*, péché *m*; *a* mauvais, méchant, malin.
evilly ['iːvili] *ad* mal.
evince [i'vins] *vt* montrer.
evocation [ˌevou'keiʃən] *n* évocation *f*.
evoke [i'vouk] *vt* évoquer.
evolution [ˌiːvə'luːʃən] *n* évolution *f*, développement *m*.
evolve [i'vɔlv] *vt* dérouler, développer, élaborer; *vi* évoluer, se dérouler, se développer.
ewe [juː] *n* brebis *f*.

ewer ['juːə] *n* aiguière *f*, pot *m* à eau, broc *m*.
exact [ig'zækt] *a* juste, exact, précis; *vt* exiger, extorquer.
exacting [ig'zæktiŋ] *a* exigeant, fatigant.
exaction [ig'zækʃən] *n* exigence *f*, exaction *f*.
exactitude [ig'zæktitjuːd] *n* exactitude *f*, précision *f*.
exactly [ig'zæktli] *ad* précisément, justement, tout juste, juste.
exaggerate [ig'zædʒəreit] *vti* exagérer.
exaggeration [ig,zædʒə'reiʃən] *n* exagération *f*.
exalt [ig'zɔːlt] *vt* exalter, porter aux nues, élever.
exaltation [,egzɔːl'teiʃən] *n* exaltation *f*, élévation *f*.
examination [ig,zæmi'neiʃən] *n* examen *m*, inspection *f*, visite *f*, interrogatoire *m*, (*term*) composition *f*.
examine [ig'zæmin] *vt* examiner, visiter, vérifier.
examiner [ig'zæminə] *n* examinateur, -trice, inspecteur, -trice.
example [ig'zaːmpl] *n* exemple *m*, précédent *m*.
exasperate [ig'zæspəreit] *vt* exaspérer, aggraver.
exasperation [ig,zæspə'reiʃən] *n* exaspération *f*.
excavate ['ekskəveit] *vt* fouiller, creuser, déterrer.
excavation [,ekskə'veiʃən] *n* excavation *f*, fouille *f*.
exceed [ik'siːd] *vt* dépasser, excéder, aller au-delà de.
exceedingly [ik'siːdiŋli] *ad* excessivement, extrêmement.
excel [ik'sel] *vt* surpasser, dépasser; *vi* exceller.
excellence ['eksələns] *n* excellence *f*, mérite *m*.
excellent ['eksələnt] *a* excellent, parfait.
except [ik'sept] *vt* excepter, exclure; *prep* excepté; *cj* sauf que.
exception [ik'sepʃən] *n* exception *f*, objection *f*.
exceptionable [ik'sepʃnəbl] *a* répréhensible.
exceptional [ik'sepʃənl] *a* exceptionnel.
excerpt ['eksəːpt] *n* extrait *m*.
excess [ik'ses] *n* excès *m*, surplus *m*, excédent *m*, supplément *m*.
excessive [ik'sesiv] *a* excessif, immodéré.
excessively [ik'sesivli] *ad* excessivement, démesurément, à l'excès.
exchange [iks'tʃeindʒ] *n* échange *m*, Bourse *f*, change *m*; *vt* (é)changer; *vi* permuter.
exchangeable [iks'tʃeindʒəbl] *a* échangeable.
exchequer [iks'tʃekə] *n* Echiquier *m*, ministère des finances *m*, Trésor *m*, fisc *m*.
excise ['eksaiz] *n* contributions indirectes *f pl*; **E— Office** Régie *f*; *vt* couper, retrancher.
excision [ek'siʒən] *n* excision *f*, coupure *f*.
excitable [ik'saitəbl] *a* (sur)excitable, émotionnable.
excitation [,eksi'teiʃən] *n* excitation *f*.
excite [ik'sait] *vt* exciter, susciter, émouvoir, agiter.
excitement [ik'saitmənt] *n* agitation *f*, émotion *f*, surexcitation *f*, sensation(s) *f pl*.
exciting [ik'saitiŋ] *a* passionant, palpitant, mouvementé.
exclaim [iks'kleim] *vi* (s'é)crier, se récrier.
exclamation [,eksklə'meiʃən] *n* exclamation *f*.
exclude [iks'kluːd] *vt* exclure.
excluding [iks'kluːdiŋ] *a* sans compter.
exclusion [iks'kluːʒən] *n* exclusion *f*.
exclusive [iks'kluːsiv] *a* non compris, à l'exclusion (de **of**), exclusif, unique.
exclusively [iks'kluːsivli] *ad* exclusivement.
excommunicate [,ekskə'mjuːnikeit] *vt* excommunier.
excommunication ['ekskə,mjuːni'keiʃən] *n* excommunication *f*.
excoriate [eks'kɔːrieit] *vt* écorcher.
excrescence [iks'kresns] *n* excroissance *f*.
excruciating [iks'kruːʃieitiŋ] *a* atroce, déchirant.
excursion [iks'kəːʃən] *n* sortie *f*, excursion *f*.
excusable [iks'kjuːzəbl] *a* excusable, pardonnable.
excuse [iks'kjuːs] *n* excuse *f*, prétexte *m*.
excuse [iks'kjuːz] *vt* excuser, dispenser (de **from**).
executant [ig'zekjutənt] *n* exécutant(e) *mf*.
execute ['eksikjuːt] *vt* exécuter, valider, s'acquitter de.
execution [,eksi'kjuːʃən] *n* exécution *f*, validation *f*, saisie *f*.
executioner [,eksi'kjuːʃnə] *n* bourreau *m*.
executive [ig'zekjutiv] *an* exécutif *m*.
executor [ig'zekjutə] *n* exécuteur, -trice.
exemplar [ig'zemplə] *n* modèle *m*, exemplaire *m*.
exemplary [ig'zempləri] *a* exemplaire, caractérisque.
exemplify [ig'zemplifai] *vt* illustrer d'exemples, être l'exemple de.
exempt [ig'zempt] *a* exempt; *vt* dispenser.
exemption [ig'zempʃən] *n* exemption *f*, dispense *f*.
exercise ['eksəsaiz] *n* exercice *m*, devoir *m*; *vt* exercer, pratiquer, éprouver; *vi* s'entraîner.

exert [ig'zə:t] *vt* déployer, faire sentir, employer, exercer.
exertion [ig'zə:ʃən] *n* effort *m*, efforts *m pl*, fatigues *f pl*, emploi *m*.
exhalation [,ekshə'leiʃən] *n* exhalaison *f*, bouffée *f*, effluve *m*.
exhale [eks'heil] *vt* exhaler; *vi* se dilater, s'exhaler.
exhaust [ig'zɔ:st] *n* échappement *m*; *vt* épuiser, exténuer.
exhaustion [ig'zɔ:stʃən] *n* épuisement *m*.
exhaustive [ig'zɔ:stiv] *a* qui épuise, complet, minutieux.
exhibit [ig'zibit] *n* pièce à conviction *f*, objet exposé *m*; *vt* montrer, étaler, exhiber.
exhibition [,eksi'biʃən] *n* exposition *f*, exhibition *f*, spectacle *m*, étalage *m*.
exhort [ig'zɔ:t] *vt* exhorter.
exhortation [,egzɔ:'teiʃən] *n* exhortation *f*.
exhumation [,ekshju:'meiʃən] *n* exhumation *f*.
exhume [eks'hju:m] *vt* exhumer.
exigence ['eksidʒəns] *n* exigence *f*, nécessité *f*.
exigent ['eksidʒənt] *a* urgent, exigeant.
exiguity [,eksi'gju(:)iti] *n* exiguïté *f*.
exiguous [eg'zigjuəs] *a* exigu, -uë.
exile ['eksail] *n* exil *m*, exilé(e) *mf*; *vt* exiler, bannir.
exist [ig'zist] *vi* exister.
existence [ig'zistəns] *n* existence *f*, vie *f*.
existing [ig'zistiŋ] *a* existant, actuel.
exit ['eksit] *n* sortie *f*.
exodus ['eksədəs] *n* exode *m*, sortie *f*.
exonerate [ig'zɔnəreit] *vt* exonérer, décharger.
exoneration [ig,zɔnə'reiʃən] *n* exonération *f*.
exorbitance [ig'zɔ:bitəns] *n* énormité *f*, exorbitance *f*.
exorbitant [ig'zɔ:bitənt] *a* exorbitant, extravagant.
exorcise ['eksɔ:saiz] *vt* exorciser.
exorcising ['eksɔ:saiziŋ] *n* exorcisme *m*.
exotic [ig'zɔtik] *a* exotique.
expand [iks'pænd] *vt* étendre, dilater, épancher; *vi* se dilater, se développer.
expanse [iks'pæns] *n* étendue *f*.
expansion [iks'pænʃən] *n* expansion *f*, développement *m*.
expansive [iks'pænsiv] *a* expansif, étendu.
expatiate [eks'peiʃieit] *vi* s'étendre (sur **on**), pérorer.
expatriate [eks'pætrieit] *vt* expatrier.
expect [iks'pekt] *vt* (s')attendre (à), compter sur.
expectancy [iks'pektənsi] *n* attente *f*, expectative *f*.
expectation [,ekspek'teiʃən] *n* attente *f*, espérances *f pl*, prévision *f*.
expediency [iks'pi:djənsi] *n* convenance *f*, opportunité *f*.
expedient [iks'pi:djənt] *an* expédient *m*.
expedite ['ekspidait] *vt* hâter, expédier.
expedition [,ekspi'diʃən] *n* expédition *f*, rapidité *f*.
expeditious [,ekspi'diʃəs] *a* expéditif, prompt.
expel [iks'pel] *vt* chasser, expulser.
expend [iks'pend] *vt* dépenser, consommer, épuiser.
expenditure [iks'penditʃə] *n* dépense(s) *f pl*.
expense [iks'pens] *n* débours *m pl*, dépens *m pl*, frais *m pl*.
expensive [iks'pensiv] *a* cher, coûteux, dispendieux.
experience [iks'piəriəns] *n* expérience *f*, épreuve *f*.
experienced [iks'piəriənst] *a* expérimenté, exercé.
experiment [iks'perimənt] *n* essai *m*, expérience *f*; *vi* expérimenter, faire une expérience.
experimental [eks,peri'mentl] *a* expérimental.
experimentally [eks,peri'mentəli] *ad* expérimentalement, à titre d'essai.
expert ['ekspə:t] *an* expert *m*; *a* habile.
expiate ['ekspieit] *vt* expier.
expiation [,ekspi'eiʃən] *n* expiation *f*.
expiration [,ekspaiə'reiʃən] *n* expiration *f*, (d)échéance *f*.
expire [iks'paiə] *vti* exhaler, expirer; *vi* s'éteindre.
expiry [iks'paiəri] *n* fin *f*, terminaison *f*.
explain [iks'plein] *vt* expliquer, éclaircir.
explanation [,eksplə'neiʃən] *n* explication *f*.
explanatory [iks'plænətəri] *a* explicatif; explicateur, -trice.
explicable [eks'plikəbl] *a* explicable.
explicit [iks'plisit] *a* formel, clair.
explode [iks'ploud] *vt* faire sauter, dégonfler; *vi* sauter, faire explosion, éclater.
exploit ['eksplɔit] *n* exploit *m*; *vt* exploiter.
exploitation [,eksplɔi'teiʃən] *n* exploitation *f*.
exploration [,eksplɔ:'reiʃən] *n* exploration *f*.
explore [iks'plɔ:] *vt* explorer.
explorer [iks'plɔ:rə] *n* explorateur, -trice.
explosion [iks'plouʒən] *n* explosion *f*, détonation *f*.
explosive [iks'plouziv] *a* explosible, explosif, détonnant.
export [eks'pɔ:t] *vt* exporter.
export ['ekspɔ:t] *n* exportation *f*; *pl* exportations *f pl*.
exportation [,ekspɔ:'teiʃən] *n* exportation *f*

exporter [eks'pɔ:tə] *n* exportateur, -trice.
expose [iks'pouz] *vt* exposer, mettre à nu, démasquer.
expostulate [iks'pɔstjuleit] *vi* en remontrer (à **with**), faire des remontrances (à **with**).
expostulation [iks,pɔstju'leiʃən] *n* rémontrance *f*.
expound [iks'paund] *vt* exposer, expliquer.
express [iks'pres] *n* exprès *m*, rapide *m*, express *m*; (*US*) compagnie *f* de messageries; *a* exact, exprès; *vt* exprimer.
expression [iks'preʃən] *n* expression *f*.
expressive [iks'presiv] *a* expressif.
expressly [iks'presli] *ad* expressément, formellement.
expropriate [eks'prouprieit] *vt* exproprier.
expropriation [eks,proupri'eiʃən] *n* expropriation *f*.
expulsion [iks'pʌlʃən] *n* expulsion *f*.
expunge [iks'pʌndʒ] *vt* biffer, rayer.
expurgate ['ekspə:geit] *vt* expurger, épurer.
exquisite [eks'kwizit] *n* élégant *m*; *a* exquis, raffiné.
exquisiteness [eks'kwizitnis] *n* finesse exquise *f*, raffinement *m*.
extant [eks'tænt] *a* subsistant.
extempore [eks'tempəri] *a* improvisé; *ad* d'abondance.
extemporization [eks,tempərai'zeiʃən] *n* improvisation *f*.
extemporize [iks'tempəraiz] *vti* improviser.
extend [iks'tend] *vt* étendre, prolonger, accorder; *vi* se déployer, s'étendre.
extensible [iks'tensibl] *a* extensible.
extension [iks'tenʃən] *n* extension *f*, prolongement *m*, prolongation *f*, agrandissement *m*.
extensive [iks'tensiv] *a* extensif, étendu, ample.
extensively [iks'tensivli] *ad* **to use —** se servir largement, beaucoup.
extent [iks'tent] *n* étendue *f*, mesure *f*, point *m*.
extenuate [eks'tenjueit] *vt* atténuer, excuser.
extenuation [eks,tenju'eiʃən] *n* atténuation *f*, affaiblissement *m*, exténuation *f*.
exterior [eks'tiəriə] *an* extérieur *m*; *n* dehors *m*.
exterminate [eks'tə:mineit] *vt* exterminer, extirper.
extermination [eks,tə:mi'neiʃən] *n* extermination *f*, extirpation *f*.
external [eks'tə:nl] *a* externe, extérieur.
extinct [iks'tiŋkt] *a* éteint.
extinction [iks'tiŋkʃən] *n* extinction *f*.
extinguish [iks'tiŋgwiʃ] *vt* éteindre, éclipser, anéantir.
extinguisher [iks'tiŋgwiʃə] *n* éteignoir *m*, extincteur *m*.
extirpate ['ekstə:peit] *vt* extirper.
extol [iks'tɔl] *vt* porter aux nues, exalter.
extort [iks'tɔ:t] *vt* extorquer, arracher.
extortion [iks'tɔ:ʃən] *n* extorsion *f*, arrachement *m*.
extortionate [iks'tɔ:ʃnit] *a* exorbitant, de pirate.
extra ['ekstrə] *a* supplémentaire, d'extra, de plus; *ad* extra, super, ultra, en plus; *n* supplément *m*; *pl* à-côtés *m pl*.
extract ['ekstrækt] *n* extrait *m*.
extract [iks'trækt] *vt* extraire, (sou) tirer.
extraction [iks'trækʃən] *n* extraction *f*, origine *f*.
extradite ['ekstrədait] *vt* extrader.
extradition [,ekstrə'diʃən] *n* extradition *f*.
extraneous [eks'treinjəs] *a* étranger, en dehors de.
extraordinary [iks'trɔ:dnri] *a* extraordinaire.
extravagance [iks'trævəgəns] *n* extravagance *f*, folle dépense *f*, gaspillage *m*.
extravagant [iks'trævəgənt] *a* extravagant, dépensier.
extreme [iks'tri:m] *an* extrême *m*.
extremely [iks'tri:mli] *ad* extrêmement, au dernier point.
extremist [iks'tri:mist] *n* extrémiste *mf*.
extremity [iks'tremiti] *n* extrémité *f*, bout *m*.
extricate ['ekstrikeit] *vt* tirer, sortir, dégager.
exuberance [ig'zu:bərəns] *n* exubérance *f*, luxuriance *f*.
exuberant [ig'zu:bərənt] *a* exubérant.
exult [ig'zʌlt] *vi* exulter.
exultation [egzʌl'teiʃən] *n* jubilation *f*, exultation *f*.
eye [ai] *n* œil *m*, *pl* yeux *m pl*, (*needle*) chas *m*; *vt* regarder, lorgner.
eyeball ['aibɔ:l] *n* pupille *f*, prunelle *f*.
eyebrow ['aibrau] *n* sourcil *m*.
eyeglass ['aiglɑ:s] *n* monocle *m*; *pl* lorgnon *m*.
eyelash ['ailæʃ] *n* cil *m*.
eyelet ['ailit] *n* œillet *m*.
eyelid ['ailid] *n* paupière *f*.
eyeshot ['aiʃɔt] *n* portée *f* de vue.
eyesight ['aisait] *n* vue *f*.
eyesore ['aisɔ:r] *n* mal *m* d'yeux, tache *f*, hideur *f*.
eyetooth ['aitu:θ] *n* canine *f*.
eyewash ['aiwɔʃ] *n* poudre aux yeux *f*.
eyewitness ['ai,witnis] *n* témoin oculaire *m*.

F

fable ['feibl] *n* fable *f*, conte *m*.
fabric ['fæbrik] *n* construction *f*, édifice *m*, tissu *m*.
fabricate ['fæbrikeit] *vt* fabriquer, inventer.
fabrication [fæbri'keiʃən] *n* faux *m*, fabrication *f*.
fabulist ['fæbjulist] *n* fabuliste *m*.
fabulous ['fæbjuləs] *a* fabuleux, légendaire, prodigieux.
face [feis] *n* visage *m*, figure *f*, face *f*, air *m*, mine *f*, grimace *f*, toupet *m*, façade *f*, cadran *m*; — **cream** crème *f* de beauté; —**-pack** masque *m* anti-ride; — **value** valeur *f* nominale; *vt* regarder en face, faire face à, confronter garnir, couvrir, donner sur; — **up to** affronter.
facet ['fæsit] *n* facette *f*.
facetious [fə'siːʃəs] *a* facétieux, bouffon.
facial ['feiʃəl] *a* facial.
facile ['fæsail] *a* facile.
facility [fə'siliti] *n* facilité *f*.
facing ['feisiŋ] *n* parement *m*, revers *m*, revêt *m*.
fact [fækt] *n* fait *m*; **matter-of-—** (*of person*) pratique; **as a matter of —** en effet, en réalité.
faction ['fækʃən] *n* faction *f*, cabale *f*.
factious ['fækʃəs] *a* factieux.
factitious [fæk'tiʃəs] *a* factice, artificiel.
factor ['fæktə] *n* facteur *m*, agent *m*, (*Scot*) régisseur *m*.
factory ['fæktəri] *n* usine *f*, manufacture *f*, fabrique *f*, factorerie.
factotum [fæk'toutəm] *n* factotum *m*.
facultative ['fækəltətiv] *a* facultatif.
faculty ['fækəlti] *n* faculté *f*, pouvoir *m*, liberté *f*.
fad [fæd] *n* lubie *f*, manie *f*, marotte *f*.
faddist ['fædist] *n* maniaque *mf*.
fade [feid] *vi* se faner, se déteindre, s'éteindre; *vt* faner, décolorer.
faded ['feidid] *a* fané, décoloré, défraîchi.
fade-out ['feidaut] *n* fondu *m*.
fading ['feidiŋ] *a* pâlissant, estompé; *n* flétrissure *f*, décoloration *f*, (*of sound*) chute *f* d'intensité.
fag [fæg] *n* corvée *f*, (*sl*) sèche *f*; *vi* turbiner, trimer; *vt* fatiguer, éreinter.
fag-end ['fægend] *n* mégot *m*.
faggot ['fægət] *n* fagot *m*.
fail [feil] *vi* manquer, échouer, faire faillite, baisser; *vt* refuser, coller, manquer à; *ad* **without** — sans faute.
failing ['feiliŋ] *prep* faute de; *n* défaut *m*, défaillance *f*.
failure ['feiljə] *n* échec *m*, manque (ment) *m*, faillite *f*, raté(e) *mf*, four *m*, panne *f*.
fain [fein] *a* heureux; *ad* volontiers.
faint [feint] *n* défaillance *f*, syncope *f*; *vi* s'évanouir; *a* faible, pâle, vague, léger.
fair [fɛə] *a* beau, blond, clair, loyal, juste, passable, moyen; *n* foire *f*.
fair-copy ['fɛə'kɔpi] *n* mise au net *f*, copie au net *f*.
fairly ['fɛəli] *ad* absolument, assez, loyalement.
fairness ['fɛənis] *n* justice *f*, loyauté *f*, impartialité *f*; *n* blancheur *f*, fraîcheur *f*; **in all** — en bonne conscience.
fair-play ['fɛə'plei] *n* franc jeu *m*.
fairy ['fɛəri] *n* fée *f*.
fairyland ['fɛərilænd] *n* féerie *f*.
fairy-like ['fɛərilaik] *a* féerique.
faith [feiθ] *n* foi *f*, parole *f*.
faithful ['feiθful] *a* fidèle.
faithfully ['feiθfuli] *adv* fidèlement; **yours** — agréez l'expression de nos sentiments distingués.
faithless ['feiθlis] *a* sans foi.
fake [feik] *n* truquage *m*, faux *m*; *vt* truquer, maquiller.
falcon ['fɔːlkən] *n* faucon *m*.
fall [fɔːl] *n* chute *f*, tombée *f*; (*US*) automne *m*; *vi* tomber, baisser, échoir.
fallacy ['fæləsi] *n* illusion *f*, fausseté *f*, erreur *f*.
fallacious [fə'leiʃəs] *a* fallacieux, trompeur.
fallen ['fɔːlən] *pp of* **fall**.
fallibility [ˌfæli'biliti] *n* faillibilité *f*.
fallible ['fæləbl] *a* faillible.
fall-out ['fɔːlaut] *n* retombée *f*.
fallow ['fælou] *n* friche *f*, jachère *f*.
false [fɔls] *a* faux, trompeur, perfide.
falsehood ['fɔlshud] *n* fausseté *f*, mensonge *m*.
falseness ['fɔlsnis] *n* duplicité *f*, mauvaise foi *f*.
falsification [ˌfɔlsifi'keiʃən] *n* falsification *f*.
falsify ['fɔlsifai] *vt* falsifier, tromper, rendre faux.
falter ['fɔltə] *vi* trébucher, balbutier, hésiter, flancher.
fame [feim] *n* réputation *f*, renom *m*, renommée *f*.
famed [feimd] *a* célèbre, famé.
familiar [fə'miljə] *a* familier, intime.
familiarity [fəˌmili'æriti] *n* familiarité *f*, connaissance *f*.
familiarize [fə'miljəraiz] *vt* familiariser, habituer.
family ['fæmili] *n* famille *f*.
famine ['fæmin] *n* famine *f*.
famish ['fæmiʃ] *vi* être affamé.
famous ['feiməs] *a* célèbre, fameux.
fan [fæn] *n* éventail *m*, ventilateur *m*, aérateur *m*, fan *m*, fervent(e) *mf*, enragé(e) *mf*; — **palm** rômer *m*; *vt* éventer, souffler (sur), attiser, vanner.
fanatic [fə'nætik] *n* fanatique *mf*, enragé(e) *mf*.
fanatical [fə'nætikəl] *a* fanatique.
fanaticism [fə'nætisizəm] *n* fanatisme *m*.

fanciful ['fænsiful] *a* capricieux, fantaisiste, chimérique.
fancy ['fænsi] *n* imagination *f*, fantaisie *f*, chimère *f*, caprice *m*; *vt* (s')imaginer, se toquer de; **to — oneself** se gober.
fang [fæŋ] *n* croc *m*, crochet *m*, défense *f*, racine *f*.
fanner ['fænə] *n* vanneur, -euse.
fantastic [fæn'tæstik] *a* fantastique, fantasque.
fantasy ['fæntəzi] *n* imagination *f*, extravagance *f*.
far [fɑː] *a* éloigné, lointain; *ad* loin, au loin, avant, (de) beaucoup; **so —** jusqu'ici; **in so — as** dans la mesure où; **— afield** très loin.
faraway ['fɑːrəwei] *a* éloigné, lointain.
far-between ['fɑːbi'twiːn] *a* espacé.
far-fetched ['fɑː'fetʃt] *a* outré, tiré par les cheveux, extravagant.
far-off ['fɑːr'ɔf] *a* éloigné.
far-reaching ['fɑː'riːtʃiŋ] *a* de longue portée, de grande envergure.
far-sighted ['fɑː'saitid] *a* presbyte, à longue vue, prévoyant.
farce [fɑːs] *n* farce *f*.
farcical ['fɑːsikəl] *a* grotesque.
fare [fɛə] *n* prix *m* (du voyage), places *f pl*, voyageur, -euse, client(e) *mf*; **good —** bonne chère *f*; *vi* se faire, se porter, se trouver; **single —** aller *m*; **return —** aller et retour *m*.
farewell ['fɛə'wel] *n* adieu *m*.
farm [fɑːm] *n* ferme *f*; *vt* affermer, cultiver, exploiter; *vi* être cultivateur.
farmer ['fɑːmə] *n* fermier *m*, cultivateur *m*.
farming ['fɑːmiŋ] *n* culture *f*, affermage *m*, exploitation *f*.
farrier ['færiə] *n* maréchal ferrant *m*, vétérinaire *m*.
farther ['fɑːðə] *see* **further**.
farthing ['fɑːðiŋ] *n* liard *m*, sou *m*.
fascinate ['fæsineit] *vt* séduire, fasciner.
fascination [ˌfæsi'neiʃən] *n* fascination *f*, charme *m*.
fascism ['fæʃizəm] *n* fascisme *m*.
fascist ['fæʃist] *an* fasciste *mf*.
fashion ['fæʃən] *n* mode *f*, façon *f*, coutume *f*; *vt* façonner, former.
fashionable ['fæʃnəbl] *a* à la mode, élégant.
fast [fɑːst] *n* jeûne *m*; *vi* jeûner; *a* fixé, confiné, sûr, solide, bon teint, rapide, qui va fort, qui avance; *ad* solidement, rapidement, fort, vite.
fasten ['fɑːsn] *vt* attacher, ficeler, fermer, fixer, saisir; *vi* se cramponner, se fixer.
fastener ['fɑːsnə] *n* attache *f*, agrafe *f*, fermeture *f*.
fastidious [fæs'tidjəs] *a* difficile, délicat.
fastidiousness [fæs'tidjəsnis] *n* goût difficile *m*.
fastness ['fɑːstnis] *n* rapidité *f*, vitesse *f*, fermeté *f*, solidité *f*, forteresse *f*.
fat [fæt] *n* gros *m*, graisse *f*; *a* gras, gros.
fatal ['feitl] *a* fatal, mortel, funeste.
fatalism ['feitəlizəm] *n* fatalisme *m*.
fatalist ['feitəlist] *n* fataliste *mf*.
fatality [fə'tæliti] *n* fatalité *f*, sinistre *m*, accident mortel *m*.
fate [feit] *n* destin *m*, sort *m*, destinée *f*.
fateful ['feitful] *a* décisif, gros d'avenir, fatidique, fatal.
father ['fɑːðə] *n* père *m*; **—-in-law** beau-père *m*; *vt* reconnaître, avouer, imputer, patronner, engendrer.
fatherhood ['fɑːðəhud] *n* paternité *f*.
fatherland ['fɑːðəlænd] *n* patrie *f*.
fatherless ['fɑːðəlis] *a* sans père.
fatherly ['fɑːðəli] *a* paternel.
fathom ['fæðəm] *n* toise *f*, brasse *f*; *vt* sonder, approfondir.
fathomless ['fæðəmlis] *a* insondable, sans fond.
fatigue [fə'tiːg] *n* fatigue *f*, corvée *f*; *vt* fatiguer.
fatten ['fætn] *vtn* engraisser.
fatty ['fæti] *a* graisseux, onctueux, gras, gros.
fatuous ['fætjuəs] *a* sot, idiot.
fatuousness ['fætjuəsnis] *n* stupidité *f*.
faucet ['fɔːsit] *n* (*US*) robinet *m*.
fault [fɔlt] *n* défaut *m*, faute *f*, faille *f*; **to a —** jusqu'à l'excès.
faultless ['fɔltlis] *a* impeccable, sans faute.
faulty ['fɔlti] *a* fautif, défectueux, inexact.
favour ['feivə] *n* faveur *f*; *vt* favoriser, approuver, appuyer.
favourable ['feivərəbl] *a* favorable, propice, avantageux.
favourite ['feivərit] *an* favori, -ite; *a* préféré.
favouritism ['feivəritizəm] *n* favoritisme *m*.
fawn [fɔːn] *n* faon *m*; *a* fauve; *vt* **to — upon** caresser, flagorner, faire le chien couchant devant.
fear [fiə] *n* peur *f*, crainte *f*; *vt* craindre, avoir peur de.
fearful ['fiəful] *a* terrible, affreux, craintif, peureux.
fearless ['fiəlis] *a* sans peur, intrépide.
fearsome ['fiəsəm] *a* hideux, redoutable.
feasible ['fiːzəbl] *a* faisable, praticable, probable.
feasibility [ˌfiːzə'biliti] *n* possibilité *f*, praticabilité *f*.
feast [fiːst] *n* fête *f*, régal *m*, festin *m*; *vt* fêter, régaler; *vi* se régaler, faire festin.
feat [fiːt] *n* exploit *m*, prouesse *f*, haut fait *m*, tour de force *m*.
feather ['feðə] *n* plume *f*, penne *f*, plumage *m*; *vt* garnir de plumes, empenner.

feathery ['feðəri] *a* léger comme une plume, plumeux.
feather-weight ['feðəweit] *n* poids plume *m*.
feature ['fiːtʃə] *n* trait *m* (saillant), caractéristique *f*, spécialité *f*; (*US*) grand film *m*, long-métrage *m*; *vt* caractériser, esquisser, mettre en manchette, mettre en vedette.
featureless ['fiːtʃəlis] *a* terne.
February ['februəri] *n* février *m*.
fecund ['fiːkənd] *a* fécond.
fecundate ['fiːkəndeit] *vt* féconder.
fecundation [ˌfiːkən'deiʃən] *n* fécondation *f*.
fecundity [fi'kʌnditi] *n* fécondité *f*.
fed [fed] *pt pp of* **feed**; **to be — up** en avoir assez, marre.
federal ['fedərəl] *a* fédéral.
federalism [ˌfedərəlizəm] *n* fédéralisme *m*.
federate ['fedəreit] *vt* fédérer; *vi* se fédérer; *a* fédéré.
federation [ˌfede'reiʃən] *n* fédération *f*.
fee [fiː] *n* fief *m*, frais *m pl*, cachet *m*, honoraires *m pl*.
feeble ['fiːbl] *a* faible, infirme, chétif.
feebleness ['fiːblnis] *n* faiblesse *f*.
feeblish ['fiːbliʃ] *a* faiblard.
feed [fiːd] *n* repas *m*, tétée *f*, pâture *f*, picotin *m*, alimentation *f*, fourrage *m*; *vt* nourrir, alimenter, donner à manger à, ravitailler; *vi* manger, se nourrir, s'alimenter, brouter.
feeder ['fiːdə] *n* mangeur, -euse, biberon *m*, tétine *f*, bavette *f*.
feed-back ['fiːdbæk] *n* rétroaction *f*, réaction *f*.
feel [fiːl] *n* toucher *m*, sensation *f*; *vt* toucher, tâter, palper, sentir; *vi* se sentir, tâtonner, fouiller.
feeler ['fiːlə] *n* antenne *f*, éclaireur *m*, sondage *m*.
feeling ['fiːliŋ] *n* toucher *m*, maniement *m*, sensation *f*, sentiment *m*, sensibilité *f*; *a* sensible.
feelingly ['fiːliŋli] *ad* avec émotion.
feign [fein] *vt* feindre, simuler.
feint [feint] *n* feinte *f*; *vi* faire une fausse attaque, feinter.
felicitous [fi'lisitəs] *a* heureux, bien trouvé.
felicity [fi'lisiti] *n* félicité *f*.
fell [fel] *n* peau *f*, toison *f*; *vt* abattre; *a* sinistre, cruel.
fellow ['felou] *n* type *m*, gars *m*, individu *m*, membre *m*, confrère *m*, pareil *m*.
fellowship ['felouʃip] *n* société *f*, amitié *f*, association *f*, camaraderie *f*.
felon ['felən] *n* auteur d'un crime *m*, criminel, -elle.
felonious [fi'lounjəs] *a* criminel.
felt [felt] *pp pt of* **feel**; *n* feutre *m*, *vt* feutrer, couvrir de carton goudronné.
female ['fiːmeil] *n* femelle *f*, femme *f*; *a* féminin.
feminine ['feminin] *a* féminin, femelle.
fen [fen] *n* marais *m*.
fence [fens] *n* barrière *f*, clôture *f*, receleur, -euse; *vi* faire de l'escrime, s'escrimer; *vt* enclore, clôturer.
fencing ['fensiŋ] *n* escrime *f*, clôture *f*.
fend [fend] *vt* **to — for oneself** se débrouiller; *vt* **to — off** parer, écarter.
fender ['fendə] *n* garde-feu *m*, pare-choc *m*, baderne *f*.
ferment ['fəːment] *n* ferment *m*.
ferment [fəː'ment] *vt* faire fermenter, fomenter; *vi* fermenter, travailler.
fermentation [ˌfəːmen'teiʃən] *n* fermentation *f*, travail *m*, effervescence *f*.
fern [fəːn] *n* fougère *f*.
ferocious [fə'rouʃəs] *a* féroce.
ferocity [fə'rɔsiti] *n* férocité *f*.
ferret ['ferit] *n* furet *m*; *vi* fureter; *vt* **to — out** débusquer, dénicher.
ferro-concrete ['ferou'kɔŋkriːt] *n* ciment armé *m*.
ferrule ['ferūːl] *n* virole *f*, embout *m*.
ferry ['feri] *n* bac *m*; *vti* passer.
ferryman ['ferimən] *n* passeur *m*.
fertile ['fəːtail] *a* fertile.
fertility [fəː'tiliti] *n* fertilité *f*, fécondité *f*.
fertilize ['fəːtilaiz] *vt* fertiliser, féconder.
fertilizer ['fəːtilaizə] *n* engrais *m*.
fervent ['fəːvənt] *a* brûlant, fervent, ardent.
fervour ['fəːvə] *n* chaleur *f*, ferveur *f*, zèle *m*
fester ['festə] *n* abcès *m*; *vi* suppurer; *vt* empoisonner, ulcérer.
festival ['festəvəl] *n* festival *m*, fête *f*.
festive ['festiv] *a* joyeux, de fête.
festivity [fes'tiviti] *n* festivité *f*, fête *f*.
festoon [fes'tuːn] *n* feston *m*; *vt* festonner.
fetch [fetʃ] *vt* aller chercher, apporter, atteindre, (*blow*) envoyer, (*sigh*) pousser, (*breath*) reprendre.
fetching ['fetʃiŋ] *a* intéressant.
fetid ['fetid] *a* fétide.
fetidness ['fetidnis] *n* fétidité *f*, puanteur *f*.
fetter ['fetə] *n* lien *m*; *pl* fers *m pl*, entraves *f pl*; *vt* enchaîner, entraver.
fettle ['fetl] *n* état *m*; **in good —** en train, en forme.
feud [fjuːd] *n* vendetta *f*.
feudal ['fjuːdl] *a* féodal.
feudalism ['fjuːdəlizəm] *n* féodalité *f*.
fever ['fiːvə] *n* fièvre *f*.
feverish ['fiːvəriʃ] *a* fiévreux, fébrile.
few [fjuː] *a* peu de, un (le) petit nombre; **a —** quelques.
fewer ['fjuːə] *a* moins de, moins nombreux.
fewest ['fjuːist] *a* le moins de, le moins nombreux.

fez [fez] *n* chéchia *m*.
fiasco [fi'æskou] *n* fiasco *m*, four *m*.
fib [fib] *n* petit mensonge *m*, craque *f*, colle *f*; *vi* enconter (à **to**).
fibre ['faibə] *n* fibre *f*; **staple —** fibrane *f*.
fibrous ['faibrəs] *a* fibreux.
fickle ['fikl] *a* volage, changeant, inconstant.
fickleness ['fiklnis] *n* inconstance *f*.
fiction ['fikʃən] *n* fiction *f*, romans *m pl*.
fictitious [fik'tiʃəs] *a* fictif, imaginaire.
fiddle ['fidl] *n* violon *m*, crin-crin *m*; *vi* jouer du violon, râcler du violon; **to — with** tripoter, tourmenter.
fiddler ['fidlə] *n* ménétrier *m*, violoneux *m*; violiniste.
fiddlestick ['fidlstik] *n* archet *m*; *pl* sottises *f pl*.
fidelity [fi'deliti] *n* fidélité *f*, loyauté *f*, exactitude *f*.
fidget ['fidʒit] *n* **to have the —s** avoir la bougeotte; *vi* s'agiter, se trémousser.
fie [fai] *excl* fi!
field [fi:ld] *n* champ *m*, (*mil*) campagne *f*, terrain de jeux *m*, domaine *m*, candidatures *f pl*; *a* de campagne.
field glasses ['fi:ldglɑ:siz] *n* jumelles *f pl*.
field-marshal ['fi:ld'mɑ:ʃəl] *n* maréchal *m*.
field-mouse ['fi:ldmaus] *n* mulot *m*.
fiend [fi:nd] *n* démon *m*.
fiendish ['fi:ndiʃ] *a* diabolique, infernal.
fierce [fiəs] *a* féroce, violent.
fiercely ['fiəsli] *ad* violemment, âprement.
fierceness ['fiəsnis] *n* férocité *f*, sauvagerie *f*, violence *f*.
fiery ['faiəri] *a* de feu, ardent, emporté, fougueux.
fife [faif] *n* fifre *m*.
fifteen ['fif'ti:n] *an* quinze *m*.
fifteenth ['fif'ti:nθ] *an* quinzième *mf*, quinze *m*.
fifth [fifθ] *an* cinquième *mf*, cinq *m*.
fiftieth ['fiftiəθ] *an* cinquantième *mf*.
fifty ['fifti] *an* cinquante *m*.
fig [fig] *n* figue *f*, tenue *f*, forme *f*.
fight [fait] *n* lutte *f*, combat *m*, combat(t)ivité *f*; *vi* se battre, lutter, combattre; *vt* combattre, se battre avec.
fighter ['faitə] *n* combattant *m*, militant *m*, avion de combat *m*.
figment ['figmənt] *n* invention *f*, rêve *m*.
fig-tree ['figtri:] *n* figuier *m*.
figure ['figə] *n* forme *f*, corps *m*, taille *f*, personne *f*, ligne *f*, galbe *m*, chiffre *m*, emblème *m*, figure *f*; *vt* (se) figurer, estimer; *vi* calculer, faire figure, se chiffrer, figurer.
figurehead ['figəhed] *n* façade *f*, prête-nom *m*, figure de proue *f*.
filbert ['filbə(:)t] *n* noisette *f*.
filch [filtʃ] *vt* voler, escamoter.
file [fail] *n* lime *f* piquenotes *m*, classeur *m*, dossier *m*, liasse *f*, file *f*; *vt* limer, enfiler, classer, (*US*) soumettre; *vi* défiler.
filial ['filjəl] *a* filial.
filiation [fili'eiʃən] *n* filiation *f*.
filibuster ['filibʌstə] *n* flibustier *m*; *vi* flibuster.
filigree ['filigri:] *n* filigrane *m*.
filing ['failiŋ] *n* limaille *f*, limage *m*; classement *m*.
fill [fil] *n* plein *m*, soûl *m*, pipée *f*; *vt* remplir, plomber, compléter, combler; *vi* se remplir, se garnir; **to — up** *vi* faire le plein.
filling ['filiŋ] *n* plombage *m*, chargement *m*, remplissage *m*.
filling-station ['filiŋ.steiʃən] *n* poste d'essence *m*.
fillet ['filit] *n* bandeau *m*, filet *m*.
fillip ['filip] *n* chiquenaude *f*, stimulant *m*, coup de fouet *m*.
filly ['fili] *n* pouliche *f*.
film [film] *n* pellicule *f*, film *m*, voile *m*, (*eye*) taie *f*; *vt* filmer, tourner.
film-star ['filmstɑ:] *n* vedette du cinéma *f*.
filter ['filtə] *n* filtre *m*; *vti* filtrer; *vt* tamiser.
filth [filθ] *n* saleté *f*, ordure *f*.
filthy ['filθi] *a* sale, crasseux, immonde.
fin [fin] *n* nageoire *f*, aileron *m*.
final ['fainl] *a* final, dernier, définitif, décisif.
finally ['fainəli] *ad* enfin, finalement.
finance [fai'næns] *n* finance *f*; *vt* financer.
financial [fai'nænʃəl] *a* financier.
financier [fai'nænsiə] *n* financier *m*.
finch [fintʃ] *n* pinson *m*.
find [faind] *n* trouvaille *f*, découverte *f*; *vt* trouver, constater, pourvoir, fournir; **all found** tout compris.
fine [fain] *n* amende *f*; *vt* mettre à l'amende; *a* beau, bon, fin, délié, élégant.
finely ['fainli] *ad* habilement, subtilement, magnifiquement, fin.
fineness ['fainnis] *n* beauté *f*, élégance *f*, finesse *f*, excellence *f*.
finery ['fainəri] *n* atours *m pl*, parure *f*.
finesse [fi'nes] *n* finesse *f*; *vi* user de finesse, faire une impasse.
finger ['fiŋgə] *n* doigt *m*; **fore—** index *m*; **middle —** médius *m*; **ring-—** annulaire *m*; **little —** petit doigt *m*, auriculaire *m*; *vt* toucher, manier, jouer, tripoter.
fingering ['fiŋgəriŋ] *n* maniement *m*, touche *f*, doigté *m*.
finger-bowl ['fiŋgəboul] *n* rince-doigts *m*.
fingerpost ['fiŋgəpoust] *n* poteau indicateur *m*.
fingerprint ['fiŋgəprint] *n* empreinte digitale *f*.

finish ['finiʃ] *n* fini *m*, dernière touche *f*; **to a —** à mort; *vti* finir, terminer; *vt* achever; *vi* prendre fin, se terminer.
finished ['finiʃt] *a* accompli.
Finland ['finlənd] *n* Finlande *f*.
Finn [fin] *n* Finlandais(e) *mf*.
Finnish ['finiʃ] *an* finlandais *m*.
fir [fəː] *n* sapin *m*.
fire ['faiə] *n* feu *m*, incendie *m*, tir *m*, ardeur *f*; *vt* allumer, incendier, mettre le feu à, enflammer; *vi* faire feu; **— away** allez!
fire-alarm ['faiərə,lɑːm] *n* avertisseur d'incendie *m*.
firearm ['faiərɑːm] *n* arme à feu *f*.
firebrand ['faiəbrænd] *n* incendiaire *m*, boutefeu *m*, brandon *m*.
fire-brigade ['faiəbri,geid] *n* compagnie de sapeurs-pompiers *f*.
firedamp ['faiədæmp] *n* grisou *m*.
firedog ['faiədɔg] *n* chenet *m*.
fire-engine ['faiər,endʒin] *n* pompe à incendie *f*.
fire-escape ['faiəris,keip] *n* échelle de sauvetage *f*.
fireguard ['faiəgɑːd] *n* garde-feu *m*.
fireman ['faiəmən] *n* pompier *m*, chauffeur *m*.
fireplace ['faiəpleis] *n* cheminée *f*.
fireproof ['faiəpruːf] *a* ignifuge.
fireside ['faiəsaid] *n* coin du feu *m*.
firework ['faiəwəːk] *n* feu d'artifice *m*.
firing-party ['faiəriŋ,pɑːti] *n* peloton d'exécution *m*.
firm [fəːm] *n* firme *f*, maison de commerce *f*; *a* ferme, solide, résolu.
firmly ['fəːmli] *ad* fermement.
firmness ['fəːmnis] *n* fermeté *f*, solidité *f*.
first [fəːst] *a* premier; *ad* premièrement, primo.
first-aid ['fəːst'eid] *n* premiers secours *m pl*.
first-class ['fəːstklɑːs] *a* de première classe, qualité.
first-rate ['feːst'reit] *a* de premier ordre.
firth [fəːθ] *n* estuaire *m*.
fish [fiʃ] *n* poisson *m*; *vti* pêcher.
fishbone ['fiʃboun] *n* arête *f*.
fisherman ['fiʃəmən] *n* pêcheur *m*.
fishery ['fiʃəri] *n* pêcherie *f*.
fishing ['fiʃiŋ] *n* pêche *f*.
fishing-ground ['fiʃiŋgraund] *n* pêcherie *f*.
fishing-net *n* ['fiʃiŋnet] *n* épervier.
fishing-rod ['fiʃiŋrɔd] *n* canne à pêche *f*.
fish-kettle ['fiʃ'ketl *n* poissonnière *f*.
fishmonger ['fiʃ,mʌŋgə] *n* marchand de poisson *m*.
fishmonger's ['fiʃ mʌŋgəz] *n* poissonnerie *f*.
fish-pond ['fiʃpɔnd] *n* vivier *m*.
fishy ['fiʃi] *a* poissoneux, louche.
fissionable ['fiʃənəbl] *a* fissile.
fissure ['fiʃə] *n* fissure *f*.
fist [fist] *n* poing *m*.
fit [fit] *n* attaque *f*, accès *m*, ajustement *m*, coupe *f*; *a* apte, bon, convenable, en forme; *vt* aller à, ajuster, garnir, munir, préparer, équiper; *vi* s'adapter, s'ajuster; **to — on** monter, essayer; **to — out** garnir, équiper; **to — up** monter.
fitful ['fitful] *a* capricieux.
fitfully ['fitfuli] *ad* par accès, par à-coups.
fitly ['fitli] *ad* à propos, à point.
fitness ['fitnis] *n* parfait état *m* convenance *f*, aptitude *f*.
fitter ['fitə] *n* ajusteur *m*, essayeur *m*.
fitting ['fitiŋ] *n* ajustage *m*, essayage *m*; *pl* garnitures *f pl*; *a* bon, juste, approprié.
five [faiv] *an* cinq *m*.
fivefold ['faivfould] *a* quintuple.
fix [fiks] *n* embarras *m*, situation fâcheuse *f*; *vt* fixer, établir, arrêter, assujettir.
fixed [fikst] *a* fixe, arrêté.
fixedly ['fiksidli] *ad* fixement.
fixity ['fiksiti] *n* fixité *f*.
fixture(s) ['fikstʃə(s)] *n* garniture(s) fixe(s) *f* (*pl*), (*fig*) meuble *m*, match *m*.
fizz [fiz] *n* bruit de fusée *m*, pétillement *m*, (*fam*) champagne *m*; *vi* pétiller, siffler.
fizzle ['fizl] *n* pétillement *m*, grésillement *m*; *vi* fuser, grésiller; **to — out** faire long feu, faire four.
flabbergast ['flæbəgɑːst] *vt* renverser, stupéfier.
flabby ['flæbi] *a* flasque, pendant.
flag [flæg] *n* drapeau *m*, pavillon *m*, dalle *f*, glaïeul *m*; *vi* pendre, languir, fléchir, se relâcher; *vt* jalonner, signaler, pavoiser.
flagbearer ['flæg'bɛərə] *n* porte-drapeau *m*.
flagging ['flægiŋ] *n* dallage *m*, ralentissement *m*.
flagon ['flægən] *n* flacon *m*, burette *f*.
flagrancy ['fleigrənsi] *n* éclat *m*, énormité *f*.
flagrant ['fleigrənt] *a* flagrant, énorme, scandaleux.
flagship ['flægʃip] *n* vaisseau-amiral *m*.
flagstaff ['flægstɑːf] *n* mât *m*.
flail [fleil] *n* fléau *m*.
flair [flɛə] *n* flair *m*.
flak [flæk] *n* tir *m* contre avion, la DCA.
flake [fleik] *n* flocon *m*, flammèche *f*, lamelle *f*, pelure *f*, écaille *f*; *vi* tomber à flocons, (s')écailler.
flaky ['fleiki] *a* floconneux, écailleux, feuilleté.
flame [fleim] *n* flamme *f*; *vi* flamber, s'enflammer.
flame-thrower ['fleim,θrouə] *n* lance-flammes *m*.
flaming ['fleimiŋ] *a* flambant.
Flanders ['flɑːndəz] *n* Flandre *f*.

flank [flæŋk] *n* flanc *m*; *vt* flanquer, prendre de flanc.
flannel ['flænl] *n* flanelle *f*.
flap [flæp] *n* tape *f*, battement d'ailes *m*, patte *f*, claquement *m*, pan *m*, bord *m*; *vti* battre; *vi* s'agiter, claquer.
flare [flɛə] *n* flambée *f*, fusée éclairante *f*, flamme *f*, feu d'atterrissage *m*; *vi* flamber, s'évaser; *vt* évaser; **to — up** s'emporter, s'enflammer.
flash [flæʃ] *n* éclair *m*, lueur *f*; **in a —** en un clin d'œil; *vi* flamboyer, jeter des éclairs; *vt* faire étinceler, télégraphier.
flashing ['flæʃiŋ] *n* éclat *m*, clignotement *m*, projection *f*.
flashy ['flæʃi] *a* voyant, tapageur.
flask [flɑːsk] *n* gourde *f*, fiole *f*.
flat [flæt] *n* appartement *m*; plat *m*,plaine *f*, (*mus*) bémol *m*; *a* plat, tout sec, pur, éventé, catégorique, insipide.
flat-iron ['flæt.aiən] *n* fer à repasser *m*.
flatness ['flætnis] *n* platitude *f*, monotonie *f*, égalité *f*.
flatten ['flætn] *vt* aplatir, aplanir, niveler, laminer; *vi* s'aplatir, s'aplanir.
flatter ['flætə] *vt* flatter.
flatterer ['flætərə] *n* flatteur *m*.
flattery ['flætəri] *n* flatterie *f*.
flaunt [flɔːnt] *vi* s'exhiber, se pavaner; *vt* afficher, faire étalage de, étaler.
flautist ['flɔːtist] *n* flûtiste *mf*.
flavour ['fleivə] *n* saveur *f*, bouquet *m*, fumet *m*, goût *m*; *vt* assaisonner, relever, aromatiser.
flavouring ['fleivəriŋ] *n* assaisonnement *m*.
flaw [flɔː] *n* fêlure *f*, défaut *m*, paille *f*, tache *f*.
flawless ['flɔːlis] *a* impeccable, sans défaut.
flax [flæks] *n* lin *m*.
flaxen ['flæksən] *a* en (de) lin, blond, filasse.
flay [flei] *vt* étriller, écorcher, massacrer, rosser.
flea [fliː] *n* puce *f*, vétille *f*.
fleabite ['fliːbait] *n* morsure de puce *f*, rien *m*.
fleck [flek] *n* tache de son *f*, grain *m*, moucheture *f*; *vt* tacheter, moucheter.
fled [fled] *pt pp of* **flee**.
fledged [fledʒd] *a* couvert de plumes; **fully-—** *a* dru, émancipé.
flee [fliː] *vi* fuir, se sauver.
fleece [fliːs] *n* toison *f*; *vt* tondre, estamper.
fleecy ['fliːsi] *a* laineux, cotonneux, moutonné.
fleet [fliːt] *n* flotte *f*; train *m*; *vi* passer, s'enfuir.
fleeting ['fliːtiŋ] *a* fugitif, éphémère.
flesh [fleʃ] *n* chair *f*.
fleshy ['fleʃi] *a* charnu, pulpeux.
flew [fluː] *pt of* **fly**.
flex [fleks] *n* flexible *m*; *vti* fléchir.
flexibility [.fleksi'biliti] *n* flexibilité *f*, souplesse *f*.
flexible ['fleksəbl] *a* flexible, souple.
flexion ['flekʃən] *n* flexion *f*, courbe *f*.
flick [flik] *n* chiquenaude *f*, pichenette *f*, petit coup *m*.
flicker ['flikə] *n* frémissement *m*, éclair *m*, clignement *m*; *vi* frémir, vaciller, flotter.
flight [flait] *n* fuite *f*, vol *m*, ligne *f*, essor *m*, saillie *f*, volée *f*, raid *m*; **— deck** pont *m* d'envol.
flighty ['flaiti] *a* volage, écervelé, frivole, pauvre.
flimsy ['flimzi] *a* fragile, trivial, frivole.
flinch [flintʃ] *vi* broncher, reculer, fléchir.
fling [fliŋ] *n* jet *m*, impulsion *f*; *vt* (re)jeter, lancer, émettre; *vi* se jeter, se précipiter.
flint ['flint] *n* silex *m*, pierre à briquet *f*.
flinty ['flinti] *a* dur comme pierre, caillouteux.
flip [flip] *n* chiquenaude *f*, tape *f*, petit tour de vol *m*; *vt* lancer, tapoter, (*ear*) pincer.
flippancy ['flipənsi] *n* désinvolture *f*, irrévérence *f*.
flippant ['flipənt] *a* impertinent, désinvolte.
flirt [fləːt] *n* coquette *f*, flirt *m*; *vi* flirter, conter fleurette (à **with**).
flit [flit] *vi* voltiger, passer, déménager; *n* déménagement *m*.
float [flout] *n* radeau *m*, bouchon *m*, flotteur *m*, rampe *f*; *vt* lancer, émettre, porter, mettre à flot, flotter; *vi* flotter, nager, faire la planche.
floatation [flou'teiʃən] *n* lancement *m*, émission *f*.
flock [flɔk] *n* troupeau *m*, troupe *f*, bourre *m*, flocon *m*; *vi* s'assembler, s'attrouper.
floe [flou] *n* banquise *f*.
flog [flɔg] *vt* fouetter, fouailler, bazarder.
flogging ['flɔgiŋ] *n* fessée *f*, flagellation *f*.
flood [flʌd] *n* inondation *f*, crue *f*, déluge *m*, flux *m*, marée *f*; *vt* inonder, irriguer, grossir; *vi* déborder, se noyer, être en crue.
floodgate ['flʌdgeit] *n* vanne *f*.
floodlight ['flʌdlait] *vt* illuminer par projecteurs.
floor [flɔː] *n* plancher *m*, parquet *m*, étage *m*; *vt* planchéier, terrasser, renverser.
floorcloth ['flɔːklɔθ] *n* torchon *m*.
flop [flɔp] *n* plouf!, bruit *m* sourd, four *m*; *vi* s'affaler, faire four.
florid ['flɔrid] *a* rubicond, fleuri, flamboyant.
florist ['flɔrist] *n* fleuriste *mf*.

floss [flɔs] *n* bourre *f.*
flotilla [flə'tilə] *n* flottille *f.*
flotsam ['flɔtsəm] *n* épave *f* flottante.
flounce [flauns] *n* sursaut *m*, volant *m*; **to — out** sortir en colère.
flounder ['flaundə] *n* carrelet *m*; *vi* patauger.
flour ['flauə] *n* farine *f*; **cassava —, garri** farine *f* de manioc.
flourish ['flʌriʃ] *n* fioritures *f pl*, parafe *m*, grand geste *m*, fanfare *f*; *vi* prospérer, embellir; *vt* brandir.
flourishing ['flʌriʃiŋ] *a* florissant, prospère.
flout [flaut] *vt* narguer, se moquer de.
flow [flou] *n* écoulement *m*, arrivée *f*, courant *m*, flux *m*, flot *m*; *vi* couler, affluer, flotter, résulter, se jeter.
flower ['flauə] *n* fleur *f*; *vi* fleurir; **— garden** jardin *m* d'agrément; **— shop** boutique *f* de fleuriste.
flowery ['flauəri] *a* fleuri.
flowing ['flouiŋ] *a* coulant, flottant, aisé.
flown [floun] *pp of* **fly**; *a* **high —** ampoulé.
flu [flu:] *n see* **influenza.**
fluctuate ['flʌktjueit] *vi* fluctuer, vaciller, flotter.
fluctuation [,flʌktju'eiʃən] *n* fluctuation *f*, variations *f pl.*
flue [flu:] *n* tuyau *m* (de cheminée).
fluency ['flu:ənsi] *n* aisance *f*, facilité *f.*
fluent ['flu:ənt] *a* coulant, facile.
fluently ['flu:əntli] *ad* avec facilité, couramment.
fluff [flʌf] *n* duvet *m.*
fluffy ['flʌfi] *a* duveté, pelucheux.
fluid ['flu:id] *an* fluide *m.*
fluidity [flu:'iditi] *n* fluidité *f*, inconstance *f.*
fluke [flu:k] *n* fer *m*, pointe *f*, (coup *m* de) raccroc *m.*
flung [flʌŋ] *pt pp of* **fling.**
flurry ['flʌri] *n* coup de vent *m*, excitation *f*, émoi *m*, rafale *f*, *vt* agiter, étourdir.
flush [flʌʃ] *n* rougeur *f*, accès *m*, transport *m*, flot *m*, jet *m*, vol *m* d'oiseau, chasse *f* (d'eau); *a* débordant, regorgeant, abondant, de niveau; *vi* jaillir, rougir; *vt* enivrer, inonder, laver à grande eau.
fluster ['flʌstə] *n* agitation *f*; *vt* énerver, agiter, faire perdre la tête à.
flute [flu:t] *n* flûte *f*, cannelure *f*; *vi* jouer de la flûte, parler d'une voix flûtée; *vt* canneler, rainurer.
flutist ['flu:tist] *n* flûtiste *mf.*
flutter ['flʌtə] *n* battement *m* (d'ailes), émoi *m*, sensation *f*, palpitation *f*, voltigement *m*; *vti* battre faiblement; *vi* palpiter, s'agiter, frémir, trémousser; *vt* agiter, secouer.
flux [flʌks] *n* flux *m.*
fly [flai] *n* mouche *f*, fiacre *m*, braguette *f*; *a* malin; *vi* voler, courir, se sauver; *vti* fuir; *vt* faire voler, piloter; **to — away** s'envoler.
flyer ['flaiə] *n* aviateur, -trice.
flying ['flaiiŋ] *n* vol *m*, aviation *f*; *a* flottant, au vent, volant **— visit** visite-éclair *f.*
flying-boat ['flaiiŋbout] *n* hydravion *m.*
flying-bomb ['flaiiŋ'bɔm] *n* bombe volante *f.*
flying-club ['flaiiŋ,klʌb] *n* aéro-club *m.*
flying-squad ['flaiiŋ'skwɔd] *n* brigade volante *f.*
flysheet ['flaiʃi:t] *n* circulaire *m*, papillon *m.*
flywheel ['flaiwi:l] *n* volant *m* (de commande).
foal [foul] *n* poulain *m.*
foam [foum] *n* écume *f*; *vi* écumer, bouillonner, baver.
fob [fɔb] *n* gousset *m*, régence *f*; **to — off** *vt* refiler.
focus ['foukəs] *n* foyer *m*; *vt* mettre au point, concentrer; *vi* converger; **out of —** brouillé.
fodder ['fɔdə] *n* fourrage *m.*
foe [fou] *n* ennemi *m.*
fog [fɔg] *n* brouillard *m*, voile *m*; *vt* embruner, voiler.
foggy ['fɔgi] *a* épais, brumeux, brouillé.
foghorn ['fɔghɔ:n] *n* sirène *f.*
fog-signal ['fɔg,signl] *n* pétard *m.*
foil [fɔil] *n* feuille *f*, tain *m*, repoussoir *m*, fleuret *m*, piste *f*; *vt* donner le change à, tromper, déjouer, faire échouer.
foist [fɔist] *vt* repasser, refiler.
fold [fould] *n* parc à bestiaux *m*, bercail *m*, troupeau *m*, (re)pli *m*, creux *m*, battant *m*; *vt* parquer, plier, envelopper, serrer, croiser; *vi* se (re)plier.
folding ['fouldiŋ] *n* (re)pliage *m*; *a* pliant, rabattable.
foliage ['fouliidʒ] *n* feuillage *n*, feuillée *f.*
folk(s) [fouk(s)] *n* gens *mf pl.*
folksong ['fouksɔŋ] *n* chanson *f* populaire.
follow ['fɔlou] *vti* suivre; *vt* succéder à; *vi* s'ensuivre.
follower ['fɔlouə] *n* partisan *m*, serviteur *m.*
following ['fɔlouiŋ] *n* suite *f*; *a* suivant.
folly ['fɔli] *n* folie *f.*
foment [fou'ment] *vt* fomenter.
fond [fɔnd] *a* tendre, affectueux, indulgent, friand, amateur; **to be — of** aimer.
fondle ['fɔndl] *vt* câliner.
font [fɔnt] *n* fonts baptismaux *m pl.*
food [fu:d] *n* nourriture *f*, alimentation *f*, vivres *m pl*, pâture *f*, pâtée *f*; *a* alimentaire, nutritif.
fool [fu:l] *n* sot, sotte, fou, folle, imbécile *mf*, idiot(e) *mf*, bouffon *m*; *vt* rouler, duper; *vi* faire la bête.

foolhardiness ['fu:l,hɑ:dinis] *n* témérité *f*.
foolhardy ['fu:l,hɑ:di] *a* téméraire, casse-cou.
foolish ['fu:liʃ] *a* stupide, fou, absurde, insensé.
foolishness ['fu:liʃnis] *n* folie *f*, bêtise *f*.
foolproof ['fu:lpru:f] *a* de sureté, à toute épreuve.
foot [fut] *n* pied *m*, patte *f*, base *f*, fond *m*, bas *m*, bas-bout *m*; *vt* danser, payer.
foot-and-mouth disease ['futən'mauθdi'zi:z] *n* fièvre aphteuse *f*.
football ['futbɔ:l] *n* ballon *m*, football *m*.
footboard ['futbɔ:d] *n* marchepied *m*.
footbridge ['futbridʒ] *n* passerelle *f*.
foothold ['futhould] *n* prise *f*, pied *m*.
footing ['futiŋ] *n* pied *m*, prise *f*.
footlights ['futlaits] *n* rampe *f*.
footman ['futmən] *n* valet de pied *m*, laquais *m*.
footmuff ['futmʌf] *n* chancelière *f*.
footnote ['futnout] *n* note *f*.
footpath ['futpɑ:θ] *n* sentier *m*, trottoir *m*.
footplate ['futpleit] *n* plateforme *f*.
footprint ['futprint] *n* empreinte *f*.
footslogger ['futslɔgə] *n* piéton *m*, fantassin *m*, biffin *m*.
footstep ['futstep] *n* pas *m*; *pl* traces *f pl*, brisées *f pl*.
footstool ['futstu:l] *n* tabouret *m*.
foot-warmer ['fut,wɔ:mə] *n* bouillotte *f*, chaufferette *f*.
footwear ['futwεə] *n* chaussures *f pl*.
foozle ['fu:zl] *vt* rater.
fop [fɔp] *n* gandin *m*, fat *m*.
for [fɔ:] *prep* pour, à, quant à, comme, pendant, malgré; *cj* car.
forage ['fɔridʒ] *n* fourrage *m*; *vt* fourrager, marauder; *vi* aller au fourrage.
forage-cap ['fɔridʒ,kæp] *n* calot *m*.
forasmuch [fərəz'mʌtʃ] *cj* vu que, d'autant que.
foray ['fɔrei] *n* raid *m*, incursion *f*.
forbear [fɔ:'bεə] *vt* tolérer, s'abstenir de; *vi* patienter.
forbearance [fɔ:'bεərəns] *n* indulgence *f*, patience *f*.
forbid [fə'bid] *vt* défendre.
forbidden [fə'bidn] *a* interdit, défendu, prohibé; **smoking** — défense de fumer.
forbidding [fə'bidiŋ] *a* sévère, rébarbatif, sinistre.
force [fɔ:s] *n* force *f*, contrainte *f*, violence *f*, puissance *f*, vigueur *f*; **task** — corps *m* expéditionnaire; *vt* forcer.
forced [fɔ:st] *a* forcé, inévitable, faux.
forceful ['fɔ:sful] *a* énergique, puissant.
force-land ['fɔ:slænd] *vi* faire un atterrissage forcé.
forcible ['fɔ:səbl] *a* puissant, vigoureux.
ford [fɔ:d] *n* gué *m*; *vi* passer à gué.
fordable ['fɔ:dəbl] *a* guéable.
fore [fɔ:] *n* avant *m*, premier plan *m*; **to the** — en vue.
forearm ['fɔ:rɑ:m] *n* avant-bras *m*.
forebear ['fɔ:bεə] *n* ancêtre *m*.
forebode [fɔ:'boud] *vi* pressentir, augurer.
foreboding [fɔ:'boudiŋ] *n* pressentiment *m*, mauvais augure *m*.
forecast ['fɔ:kɑ:st] *n* prévision *f*, pronostic *m*; *vt* prévoir.
forecastle ['fouksl] *n* gaillard d'avant *m*.
foreclose [fɔ:'klouz] *vt* défendre; *(law)* forclore, saisir.
forefather ['fɔ:,fɑ:ðə] *n* ancêtre *m*, aïeul *m*.
forefinger ['fɔ:,fiŋgə] *n* index *m*.
forefront ['fɔ:frʌnt] *n* premier rang *m*, premier plan *m*.
foregone ['fɔ:gɔn] *a* acquis (couru) d'avance, prévu.
foreground ['fɔ:graund] *n* premier plan *m*.
forehead ['fɔrid] *n* front *m*.
foreign ['fɔrin] *a* étranger.
foreigner ['fɔrinə] *n* étranger, -ère.
foreland ['fɔ:lənd] *n* promontoire *m*, cap *m*, pointe *f*.
forelock ['fɔ:lɔk] *n* mèche *f*.
foreman ['fɔ:mən] *n* contremaître *n*, chef d'équipe *m*, président du jury *m*.
foremost ['fɔ:moust] *a* premier, en tête.
forenoon ['fɔ:nu:n] *n* matinée *f*.
forerunner ['fɔ:,rʌnə] *n* précurseur *m*, avant-coureur *m*, avant-courrier, -ière.
foresee [fɔ:'si:] *vt* prévoir.
foreshadow [fɔ:'ʃædou] *vt* laisser prévoir, présager.
foresight ['fɔ:sait] *n* prevoyance *f*, prévision *f*, *(gun)* bouton *m* de mire.
forest ['fɔrist] *n* forêt *f*.
forestall [fɔ:'stɔ:l] *vt* anticiper, devancer, prévenir.
forester ['fɔristə] *n* garde-forestier *m*.
foretaste ['fɔ:teist] *n* avant-goût *m*.
foretell [fɔ:'tel] *vt* prédire, présager.
forethought ['fɔ:θɔ:t] *n* prévoyance *f*, préméditation *f*.
forever [fə'revə] *ad* pour toujours, à jamais.
forewarn [fɔ:'wɔ:n] *vt* prévenir, avertir.
foreword ['fɔ:wə:d] *n* avant-propos *m*, préface *f*.
forfeit ['fɔ:fit] *n* prix *m*, rançon *f*, amende *f*, confiscation *f*, forfait *m*; *vt* perdre, avoir à payer, forfaire à.
forgave [fə'geiv] *pt of* **forgive**.
forge [fɔ:dʒ] *n* forge *f*; *vt* forger, contrefaire, fabriquer; **to — ahead** prendre de l'avance, pousser de l'avant.

forger ['fɔːdʒə] *n* faussaire *mf*, forgeron *m*.
forgery ['fɔːdʒəri] *n* faux *m*, contrefaçon *f*.
forget [fə'get] *vt* oublier, négliger.
forgetful [fə'getful] *a* oublieux, négligent.
forgetfulness [fə'getfulnis] *n* oubli *m*.
forget-me-not [fə'getminɔt] *n* myosotis *m*.
forgivable [fə'givabl] *a* pardonnable.
forgive [fə'giv] *vt* pardonner.
forgiveness [fə'givnis] *n* pardon *m*.
forgiving [fə'giviŋ] *a* indulgent.
forgo [fɔː'gou] *vt* renoncer à.
forgot, -ten [fə'gɔt, -n] *pt pp of* **forget.**
fork [fɔːk] *n* fourche *f*, fourchette *f*, branche *f*, (em)branchement *m*; *vi* fourcher, bifurquer.
forked [fɔːkt] *a* fourchu.
forlorn [fə'lɔːn] *a* abandonné, désespéré, désolé.
form [fɔːm] *n* forme *f*, formule *f*, formulaire *m*, formalité *f*, manières *f pl*, classe *f*, banc *m*, gite *f*; *vt* former, façonner, contracter; *vi* prendre forme, se former, se faire.
formal ['fɔːməl] *a* formel, formaliste, gourmé, de cérémonie, protocolaire.
formality [fɔː'mæliti] *n* formalité *f*, cérémonie *f*.
formally ['fɔːməli] *ad* formellement.
formation [fɔː'meiʃən] *n* formation *f*, disposition *f*.
former ['fɔːmə] *a* antérieur, ancien, premier, précédent, celui-là, ceux-là, celle(s)-là.
formerly ['fɔːməli] *ad* antérieurement, autrefois.
formidable ['fɔːmidəbl] *a* formidable, redoutable.
formless ['fɔːmlis] *a* informe.
formula ['fɔːmjulə] *n* formule *f*.
formulate ['fɔːmjuleit] *vt* formuler.
forsake [fə'seik] *vt* renoncer à, retirer, abandonner.
forsaken [fə'seikən] *pp of* **forsake.**
forsook [fə'suk] *pt of* **forsake.**
forswear [fɔː'swεə] *vt* renoncer sous serment à, renier.
fort [fɔːt] *n* fort *m*; **small** — fortin *m*.
forth [fɔːθ] *ad* en avant, en route; **and so** — et ainsi de suite, et caetera.
forthcoming [fɔːθ'kʌmiŋ] *a* proche, prochain, tout prêt, à venir.
forthright ['fɔːθrait] *a* droit, franc; *ad* tout droit.
forthwith ['fɔːθwið] *ad* sur-le-champ.
fortieth ['fɔːtiiθ] *an* quarantième *mf*.
fortification [ˌfɔːtifi'keiʃən] *n* fortification *f*.
fortify ['fɔːtifai] *vt* fortifier, affermir, armer.
fortitude ['fɔːtitjuːd] *n* force d'âme *f*, courage *m*.
fortnight ['fɔːtnait] *n* quinzaine *f*; **today** — d'aujourd'hui en quinze.
fortnightly ['fɔːtnaitli] *ad* tous les quinze jours; *a* bimensuel.
fortress ['fɔːtris] *n* forteresse *f*.
fortuitous [fɔː'tjuːitəs] *a* fortuit, imprévu.
fortunate ['fɔːtʃənit] *a* heureux, qui a de la chance.
fortunately ['fɔːtʃənitli] *ad* heureusement.
fortune ['fɔːtʃən] *n* fortune *f*, chance *f*, hasard *m*.
fortune-teller ['fɔːtʃənˌtelə] *n* diseuse de bonne aventure *f*.
forty ['fɔːti] *an* quarante *m*.
forward ['fɔːwəd] *n* avant *m*; *a* qui va de l'avant, précoce, avancé, effronté, présomptueux; *ad* en avant; *vt* promouvoir, hâter, faire suivre, expédier.
forwardness ['fɔːwədnis] *n* audace *f*, présomption *f*.
fossil ['fɔsil] *an* fossile *m*.
foster ['fɔstə] *vt* nourrir, élever, encourager.
foster-brother ['fɔstəˌbrʌðə] *n* frère de lait *m*.
foster-child ['fɔstətʃaild] *n* nourrisson, -onne.
foster-father ['fɔstəˌfɑːðə] *n* père nourricier *m*.
foster-mother ['fɔstəˌmʌðə] *n* nourrice *f*.
foster-sister ['fɔstəˌsistə] *n* sœur de lait *f*.
fought [fɔːt] *pt pp of* **fight.**
foul [faul] *n* coup bas *m*, faute *f*; *a* sale, nauséabond, vicié, obscène, traître, ordurier, déloyal, emmêlé, enrayé; *vt* salir, enrayer, emmêler, obstruer; *vi* se rencontrer s'enrayer, s'encrasser.
found [faund] *pp pt of* **find**; *vt* fonder, établir.
foundation [faun'deiʃən] *n* fondation *f*, fondement *m*, établissement *m*, assise *f*.
founder ['faundə] *n* fondateur *m*, fondeur *m*; *vi* s'effondrer, sombrer, couler.
foundling ['faundliŋ] *n* enfant trouvé(e) *mf*.
foundry ['faundri] *n* fonderie *f*.
fountain ['fauntin] *n* fontaine *f*, source *f*, jet d'eau *m*, réservoir *m*.
fountain-pen ['fauntinpen] *n* stylo *m*.
four [fɔː] *an* quatre *m*; **—-engined** quadriréacteur.
fourfold ['fɔːfould] *a* quadruple.
fourteen [fɔː'tiːn] *an* quatorze *m*.
fourteenth ['fɔː'tiːnθ] *an* quatorzième *mf*, quatorze *m*.
fourth [fɔːθ] *an* quatrième *mf*, quatre *m*.
fowl [faul] *n* volaille *f*, oiseau *m*.
fox [fɔks] *n* renard *m*, rusé *m*, roublard *m*.
foxy ['fɔksi] *a* roublard, rusé.

fraction ['frækʃən] *n* fraction *f*, fragment *m*.
fractious ['frækʃəs] *a* hargneux, rétif.
fracture ['fræktʃə] *n* fracture *f*; *vt* fracturer, casser; *vi* se casser, se fracturer.
fragile ['frædʒail] *a* fragile.
fragility [frə'dʒiliti] *n* fragilité *f*.
fragment ['frægmənt] *n* fragment *m*.
fragrance ['freigrəns] *n* parfum *m*.
fragrant ['freigrənt] *a* embaumé, odorant, parfumé.
frail [freil] *n* bannette *f*; *a* frêle, éphémère.
frailty ['freilti] *n* fragilité *f*.
frame [freim] *n* cadre *m*, fuselage *m*, châssis *m*, charpente *f*, corps *m*, carcasse *f*; (*US*) — **house** maison *f* démontable (en bois); *vt* encadrer, façonner, ajuster, construire, concevoir, monter un coup contre.
frame-up ['freimʌp] *n* coup monté *m*.
framework ['freimwəːk] *n* cadre *m*, charpente *f*.
France [frɑːns] *n* France *f*.
franchise ['fræntʃaiz] *n* droit de vote *m*, franchise *f*.
Frances ['frɑːnsis] Françoise *f*, Francine *f*.
Francis ['frɑːnsis] Francis *m*, François *m*.
frank [fræŋk] *a* franc.
frankincense ['fræŋkinsens] *n* encens *m*.
frantic ['fræntik] *a* frénétique, effréné.
fraternal [frə'təːnl] *a* fraternel.
fraternity [frə'təːniti] *n* amour fraternel *m*, confrérie *f*, compagnie *f*.
fraternize ['frætənaiz] *vi* fraterniser.
fraternizing ['frætə'naiziŋ] *n* fraternisation *f*.
fratricide ['frætrisaid] *n* fratricide *mf*.
fraud [frɔːd] *n* fraude *f*, supercherie *f*, imposteur *m*.
fraudulent ['frɔːdjulənt] *a* frauduleux.
fraught [frɔːt] *a* gros (de **with**).
fray [frei] *n* bagarre *f*; *vt* effilocher, effiler; *vi* s'effilocher, s'effiler.
frayed [freid] *a* frangeux.
freak [friːk] *n* caprice *m*, phénomène *m*, monstre *m*.
freakish ['friːkiʃ] *a* capricieux, fantasque.
freckle ['frekl] *n* tache de rousseur *f*.
freckled ['frekld] *a* couvert de taches de rousseur.
free [friː] *a* libre, exempt, gratuit, franco; *vt* affranchir, libérer, élargir.
freedom ['friːdəm] *n* liberté *f*.
freehold ['friːhould] *n* propriété libre *f*.
freelance ['friːlɑːns] *n* franc-tireur *m*, indépendant(e) *mf*.
freely ['friːli] *ad* librement, largement, franchement.
freemason ['friː,meisn] *n* franc-maçon *m*.
freemasonry ['friː'meisnri] *n* franc-maçonnerie *f*.
free-trade ['friː'treid] *n* libre échange *m*.
free-will ['friː'wil] *n* libre arbitre *m*; **of one's own** — de son propre gré.
freeze [friːz] *vti* geler; *vi* se figer, se congeler; *vt* glacer, congeler; *n* austerité *f*, blocage *m* des prix.
freezing ['friːziŋ] *a* de congélation, glacial; *n* gel *m*, réfrigération *f*.
freight [freit] *n* fret *m*, cargaison *f*, (*US*) marchandises *f pl*; *vt* (af)fréter, charger, noliser.
French [frentʃ] *an* français *m*.
Frenchman ['frentʃmən] *n* Français *m*.
French-speaking ['frentʃ'spiːkiŋ] *a* francophone.
Frenchwoman ['frentʃ,wumən] *n* Française *f*.
frenzied ['frenzid] *a* fou, affolé, délirant, frénétique.
frenzy ['frenzi] *n* frénésie *f*, transport *m*.
frequency ['friːkwənsi] *n* fréquence *f*.
frequent ['friːkwənt] *a* fréquent, répandu.
frequent [friː'kwent] *vt* fréquenter, courir, hanter.
frequentation [ˌfriːkwen'teiʃən] *n* fréquentation *f*.
frequently ['friːkwəntli] *ad* fréquamment, souvent.
fresco ['freskou] *n* fresque *f*.
fresh [freʃ] *a* frais, nouveau, novice, récent, (*water*) doux, (*wind*) vif, alerte, effronté.
freshen ['freʃn] *vi* rafraîchir, raviver.
freshness ['freʃnis] *n* fraîcheur *f*, vigueur *f*.
fret [fret] *n* grecque *f*, irritation *f*; *vt* ronger, irriter; *vi* s'agiter, se faire du mauvais sang.
fretful ['fretful] *a* irritable, agité.
fretfulness ['fretfulnis] *n* irritabilité *f*.
fretsaw ['fretsɔː] *n* scie à découper *f*.
fretwork ['fretwəːk] *n* découpage *m*, bois découpé *m*.
friable ['fraiəbl] *a* friable.
friar ['fraiə] *n* moine *m*, frère *m*.
friction ['frikʃən] *n* friction *f*, frottement *m*, tirage *m*.
Friday ['fraidi] *n* vendredi *m*; **Good** — vendredi saint.
friend [frend] *n* ami(e) *mf*.
friendly ['frendli] *a* amical.
friendship ['frendʃip] *n* amitié *f*.
frieze [friːz] *n* frise *f*.
frigate ['frigit] *n* frégate *f*.
fright [frait] *n* frayeur *f*, épouvante *f*, peur *f*.
frighten ['fraitn] *vt* terrifier, faire peur à.
frightful ['fraitful] *a* effrayant, affreux.

frightfulness ['fraitfulnis] *n* terreur *f*, horreur *f*.
frigid ['fridʒid] *a* glacial, froid, réfrigérant.
frill [fril] *n* ruche *f*, jabot *m*, volant *m*; *vt* plisser, tuyauter.
fringe [frindʒ] *n* frange *f*, bord *m*, zone *f* limitrophe.
frippery ['fripəri] *n* tralala *m*, fioritures *f pl*, babioles *f pl*.
frisk [frisk] *vi* gambader.
frisky ['friski] *a* fringant, frétillant, folâtre.
fritter ['fritə] *n* beignet *m*; **to — away** gaspiller.
frivolous ['frivələs] *a* frivole, futile.
frizz [friz] *n* frisette *f*, *vti* friser.
frizzle ['frizl] *vi* crépiter, grésiller; *vt* faire frire.
frock [frɔk] *n* blouse *f*, robe *f*.
frockcoat ['frɔk'kout] *n* redingote *f*.
frog [frɔg] *n* grenouille *f*.
frolic ['frɔlik] *n* cabriole *f*; *pl* gambades *f pl*; *vi* batifoler, s'ébattre.
frolicsome ['frɔliksəm] *a* espiègle, folâtre.
from [frɔm] *prep* de, avec, d'après, de chez, à, contre.
front [frʌnt] *n* front *m*, façade *f*, devant *m*, plastron *m*, devanture *f*; **in — of** devant, en avant de; *vt* affronter, donner sur.
frontage ['frʌntidʒ] *n* exposition *f*, vue *f*, façade *f*, devanture *f*.
frontier ['frʌntjə] *n* frontière *f*.
frontispiece ['frʌntispi:s] *n* frontispice *m*.
frost [frɔst] *n* gelée *f*, gel *m*, givre *m*, verglas *m*; *vt* geler, glacer givrer, ferrer à glace.
frostbite ['frɔstbait] *n* gelure *f*, congélation *f*.
frostbitten ['frɔst,bitn] *a* gelé, brûlé par le froid.
frosty ['frɔsti] *a* gelé, givré, poudré, glacial.
froth [frɔθ] *n* écume *f*, mousse *f*.
frothy ['frɔθi] *a* écumeux, mousseux.
frown [fraun] *n* froncement de sourcils *m*, *vi* froncer les sourcils, se renfrogner; **to — upon** désapprouver.
frowzy ['frauzi] *a* moisi, renfermé, négligé.
froze, -zen [frouz, -n] *pp pt of* **freeze.**
fructify ['frʌktifai] *vi* porter fruit, fructifier; *vt* faire fructifier.
frugal ['fru:gəl] *a* frugal, économe, simple.
frugality [fru:'gæliti] *n* frugalité *f*, économie *f*.
fruit [fru:t] *n* fruit *m*.
fruiterer ['fru:tərə] *n* frutier, -ière.
fruiterer's ['fru:tərəz] *n* fruiterie *f*.
fruitful ['fru:tful] *a* fécond, fructueux, fertile.
fruitfulness ['fru:tfulnis] *n* fécondité *f*, productivité *f*.
fruition [fru:'iʃən] *n* jouissance *f*, maturation *f*.
fruitless ['fru:tlis] *a* stérile.
fruitlessness ['fru:tlisnis] *n* stérilité *f*.
fruit-tree ['fru:ttri:] *n* arbre fruitier *m*.
frustrate [frʌs'treit] *vt* frustrer, déjouer, faire échouer.
frustration [frʌs'treiʃən] *n* frustration *f*, anéantissement *m*.
fry [frai] *n* fretin *m*, frai *m*; *vt* faire frire; *vi* frire.
frying-pan ['fraiiŋ,pæn] *n* poêle *f*.
fuddle ['fʌdl] *n* cuite *f*; *vt* griser, brouiller, enfumer.
fuel ['fjuəl] *n* combustible *m*, carburant *m*.
fufu [fufu] *n* pâte *f*.
fugacious [fju:'geiʃəs] *a* fugace.
fugitive ['fju:dʒitiv] *an* fugitif, -ive *mf*; *a* éphémère.
fulcrum ['fʌlkrəm] *m* point *m* d'appui.
fulfil [ful'fil] *vt* remplir, accomplir, exaucer, exécuter.
fulfilment [ful'filmənt] *n* accomplissement *m*, exécution *f*, réalisation *f*.
full [ful] *a* plein, rempli, complet, riche, vigoureux, rond, ample, bouffant.
full-blown ['ful'bloun] *a* épanoui.
full-dress ['ful'dres] *n* grande tenue *f*; **— rehearsal** répétition générale *f*.
full-debate ['fuldi:'beit] *n* débat en règle *m*.
full-length ['ful'leŋθ] *a* en pied.
full-speed ['ful'spi:d] *ad* à toute vitesse, à fond de train.
full-stop ['ful'stɔp] *n* point *m*.
fullness ['fulnis] *n* plénitude *f*, ampleur *f*, rondeur *f*.
fully ['fuli] *ad* pleinement, en plein.
fulminate ['fulmineit] *vi* fulminer.
fulsome ['fulsəm] *a* écœurant, excessif.
fumble ['fʌmbl] *vi* tâtonner, fouiller; **to — with** tripoter.
fume [fju:m] *n* fumée *f*, vapeur *f*; *vi* fumer (de rage), rager.
fun [fʌn] *n* plaisanterie *f*, amusement *m*; **for —** pour rire, histoire de rire.
function ['fʌŋkʃən] *n* fonction *f*, cérémonie *f*; *vi* fonctionner, marcher.
functionary ['fʌŋkʃənəri] *n* fonctionnaire *m*.
fund [fʌnd] *n* fonds *m*, caisse *f*, rente *f*; *vt* convertir, consolider.
fundamental [,fʌndə'mentl] *a* fondamental, essentiel, foncier; *n pl* essentie *m*, principe *m*.
funeral ['fju:nərəl] *n* enterrement *m*, funérailles *f pl*.
funereal [fju:'niəriəl] *a* funéraire, funèbre, sépulcral.
funicular [fju:'nikju:lə] *n* funiculaire *m*.
funk [fʌnk] *n* frousse *f*, trouille *f*, trac *m*, froussard(e) *mf*; *vt* esquiver; *vi* avoir la frousse, se dégonfler.
funnel ['fʌnl] *n* entonnoir *m*, cheminée *f*.

funny ['fʌni] *a* drôle, marrant, comique.
fur [fəː] *n* fourrure *f*, dépôt *m*.
furbish ['fəːbiʃ] *vt* fourbir, astiquer.
furious ['fjuəriəs] *a* furieux, furibond, acharné.
furl [fəːl] *vt* rouler, serrer, plier, ferler.
furlough ['fəːlou] *n* permission *f*.
furnace ['fəːnis] *n* fourneau *m*, fournaise *f*, calorifère *m*, brasier *m*.
furnish ['fəːniʃ] *vt* fournir, garnir, meubler.
furniture ['fəːnitʃə] *n* mobilier *m*, meubles *m pl*; **piece of —** meuble *m*; **— polish** encaustique *f*.
furrier ['fʌriə] *n* fourreur *m*, pelletier, -ière.
furrow ['fʌrou] *n* sillon *m*, rainure *f*; *vt* labourer, sillonner.
furry ['fəːri] *a* fourré, garni de fourrure, sale, chargé, encrassé.
further ['fəːðə] *a* nouveau, supplémentaire, plus ample, plus éloigné; *ad* plus loin, d'ailleurs, davantage; *vt* appuyer, favoriser, avancer.
furtherance ['fəːðərəns] *n* avancement *m*.
furthermore ['fəːðə'mɔː] *ad* en outre, de plus.
furtive ['fəːtiv] *a* furtif.
fury ['fjuəri] *n* fureur *f*, rage *f*, furie *f*.
furze [fəːz] *n* genêt *m*, ajonc *m*.
fuse [fjuːz] *n* plomb *m*, amorce *f*, fusée *f*; *vti* fondre, fusionner; **the lights fused** les plombs ont sauté.
fuselage ['fjuːzəlɑːʒ] *n* fuselage *m*.
fusion ['fjuːʒən] *n* fusion *f*.
fuss [fʌs] *n* bruit *m*, agitation *f*, embarras *m pl*; *vt* tracasser; *vi* faire des embarras, faire des histoires.
fussy ['fʌsi] *a* agité, tracassier, méticuleux, tatillon.
fusty ['fʌsti] *a* moisi, ranci, renfermé, démodé.
futile ['fjuːtail] *a* futile, vain.
futility [fjuː'tiliti] *n* futilité *f*, inutilité *f*.
future ['fjuːtʃə] *n* avenir *m*, futur *m*; *a* futur.
fuzzy ['fʌzi] *a* crépu, duveté, frisé, brouillé.

G

gab [gæb] *n* parole *f*; **gift of the —** bagout *m*, faconde *f*.
gabble ['gæbl] *n* bafouillage *m*; *vi* bredouiller, jacasser.
gable ['geibl] *n* pignon *m*.
gad [gæd] *vi* **to — about** courir (la prétentaine), papillonner.
gadfly ['gædflai] *n* taon *m*.
gadget ['gædʒit] *n* truc *m*, dispositif *m*.
gaff [gæf] *n* gaffe *f*.
gag [gæg] *n* bâillon *m*, gag *m*; *vt* bâillonner.
gage [geidʒ] *n* gage *m*, garantie *f*, défi *m*; *vt* gager, offrir en gage.
gaiety ['geiəti] *n* gaieté *f*, allégresse *f*.
gain [gein] *n* gain *m*, bénéfice *m*, avantage *m*; *vt* gagner.
gainer ['geinə] *n* gagnant(e) *mf*.
gainsay ['gein'sei] *vt* nier, démentir, contredire.
gait [geit] *n* port *m*, allure *f*, démarche *f*.
gaiter ['geitə] *n* guêtre *f*.
galaxy ['gæləksi] *n* voie *f* lactée, constellation *f*.
gale [geil] *n* rafale *f*, tempête *f*.
gall [gɔːl] *n* fiel *m*, rancœur *f*, amertume *f*, écorchure *f*; (*US*) effronterie *f*, aplomb *m*; *vt* écorcher, blesser, irriter.
gallant ['gælənt] *n* élégant *m*, galant *m*; *a* vaillant, galant, brave, noble.
gallantly ['gæləntli] *ad* vaillamment, galamment.
gallantry ['gæləntri] *n* vaillance *f*, galanterie *f*.
gall-bladder ['gɔːl,blædə] *n* vésicule biliaire *f*.
gallery ['gæləri] *n* galerie *f*, tribune *f*, musée *m*.
galley ['gæli] *n* galère *f*, cambuse *f*, placard *m*.
galley-slave ['gælisleiv] *n* galérien *m*.
gallop ['gæləp] *n* galop *m*; *vi* galoper; *vt* faire galoper.
gallows ['gælouz] *n* potence *f*.
gallstone ['gɔːlstoun] *n* calcul biliaire *m*.
galore [gə'lɔː] *n* abondance *f*, *ad* en abondance, à profusion, à gogo.
galosh [gə'lɔʃ] *n* caoutchouc *m*.
galvanize ['gælvənaiz] *vt* galvaniser.
gamble ['gæmbl] *n* jeu *m*, spéculation *f*; *vti* jouer; *vt* risquer.
gambler ['gæmblə] *n* joueur, -euse.
gambol ['gæmbəl] *n* gambade *f*; *vi* gambader, s'ébattre.
game [geim] *n* jeu *m*, partie *f*, tour *m*, manche *f*, gibier *m*.
game-bag ['geimbæg] *n* gibecière *f*.
gamekeeper ['geim'kiːpə] *n* garde-chasse *m*.
game-licence ['geim'laisəns] *n* permis de chasse *m*.
gammon ['gæmən] *n* jambon *m*, blague *f*, attrape *f*; *vt* saler, fumer, mystifier.
gamp [gæmp] *n* pépin *m*, riflard *m*.
gamut ['gæmət] *n* gamme *f*.
gander ['gændə] *n* jars *m*.
gang [gæŋ] *n* équipe *f*, bande *f*.
ganger ['gæŋə] *n* brigadier *m*, chef d'équipe *m*.
gangrene ['gæŋgriːn] *n* gangrène *f*; *vt* gangrener; *vi* se gangrener.
gangrenous ['gæŋgrənəs] *a* gangreneux.
gangster ['gæŋstəː] *n* bandit *m*, gangster *m*.
gangway ['gæŋwei] *n* passage *m*, passerelle *f*.

gaol [dʒeil] *n* prison *f*, geôle *f*; *vt* écrouer.
gaolbird ['dʒeil,bəːd] *n* gibier de potence *m*.
gaoler ['dʒeilə] *n* gardien de prison *m*, geôlier *m*.
gap [gæp] *n* trou *m*, trouée *f*, brèche *f*, lacune *f*, différence *f*, écart *m*, intervalle *f*.
gape [geip] *vi* bâiller, rester bouche bée, être béant, s'ouvrir.
gaping ['geipiŋ] *a* béant, bouche bée.
garage ['gærɑːʒ] *n* garage *m*; *vt* remiser, garer.
garb [gɑːb] *n* costume *m*, tenue *f*; *vt* habiller, vêtir.
garbage ['gɑːbidʒ] *n* ordures *f pl*, détritus *m pl*, tripaille *f*.
garble ['gɑːbl] *vt* dénaturer, tronquer, mutiler.
garden ['gɑːdn] *n* jardin *m*; *vi* jardiner.
gardener ['gɑːdnə] *n* jardinier *m*.
gargle ['gɑːgl] *n* gargarisme *m*; *vi* se gargariser.
gargoyle ['gɑːgɔil] *n* gargouille *f*.
garish ['geəriʃ] *a* criard, voyant.
garland ['gɑːlənd] *n* guirlande *f*, couronne *f*.
garlic ['gɑːlik] *n* ail *m*.
garment ['gɑːmənt] *n* vêtement *m*.
garner ['gɑːnə] *n* grenier *m*; *vt* accumuler, rentrer, engranger.
garnet ['gɑːnit] *n* grenat *m*.
garnish ['gɑːniʃ] *n* garniture *f*, *vt* parer, garnir.
garotte [gə'rɔt] tourniquet *m*, garotte *f*; *vt* étrangler, garrotter.
garret ['gærit] *n* mansarde *f*.
garrison ['gærisən] *n* garnison *f*; *vt* tenir garnison à, garnir de troupes.
garrulity [gə'ruːliti] *n* loquacité *f*.
garrulous ['gæruləs] *a* bavard, loquace.
garter ['gɑːtə] *n* jarretière *f*.
gas [gæs] *n* gaz *m*, **(poison-gas)** les gaz *m pl*, (*US*) essence *f*; *vt* gazer, asphyxier.
gas-burner ['gæs,bəːnə] *n* bec de gaz *m*.
gaseous ['geisiəs] *a* gazeux.
gas-fitter ['gæs,fitə] *n* gazier *m*.
gash [gæʃ] *n* balafre *f*, taillade *f*, entaille *f*; *vt* balafrer, entailler.
gas-holder ['gæshouldə] *n* gazomètre *m*.
gasket ['gæskit] *n* joint *m*.
gas-lamp ['gæs'læmp] *n* réverbère *m*.
gasman ['gæsmæn] *n* employé du gaz *m*.
gas-mantle ['gæs,mæntl] *n* manchon à gaz *m*.
gas-mask ['gæsmɑːsk] *n* masque à gaz *m*.
gas-meter ['gæs,miːtə] *n* compteur à gaz *m*, gazomètre *m*.
gasoline ['gæsəliːn] *n* (*US*) essence *f*.
gasp [gɑːsp] *n* aspiration *f* convulsive, dernier soupir *m*; *vi* panteler, en rester bouche bée, avoir un hoquet.
gassy ['gæsi] *a* gazeux, mousseux.
gastronomy [gæs'trɔnəmi] *n* gastronomie *f*.
gasworks ['gæswəːks] *n* usine à gaz *f*.
gate [geit] *n* porte *f*, grille *f*, barrière *f*, vanne *f*; **— money** recette *f*.
gatecrasher ['geitkræʃə] *n* resquilleur *m*.
gateway ['geitwei] *n* portail *m*, porte *f*.
gather ['gæðə] *vt* réunir, rassembler, cueillir, moissonner, amasser, gagner, froncer, imaginer; *vi* grossir, se réunir, s'accumuler, s'amonceler.
gathering ['gæðəriŋ] *n* réunion *f*, amoncellement *m*, moisson *f*, cueillette *f*, quête *f*, abcès *m*, fronçure *f*.
gathers ['gæðəz] *n pl* fronces *f pl*.
gaudy ['gɔːdi] *a* criard, voyant, éclatant.
gauge [geidʒ] *n* jauge *f*, mesure *f*, calibre *m*, indicateur *m*, (*rails*) écartement *m*; *vt* jauger, mesurer, estimer.
gaunt [gɔːnt] *a* hâve, hagard, décharné.
gauntlet ['gɔːntlit] *n* gantelet *m*, gant *m* (à manchette).
gauze [gɔːz] *n* gaze *f*.
gave [geiv] *pt of* **give**.
gawky ['gɔːki] *a* dégingandé.
gay [gei] *a* gai, resplendissant.
gaze [geiz] *n* regard fixe *m*; *vti* regarder fixement; **to — at** fixer, contempler.
gazette [gə'zet] *n* gazette *f*, journal officiel *m*; *vt* publier à l'Officiel.
gazetteer [,gæzə'tiə] *n* gazetier *m*, dictionnaire *m* de géographie.
gear [giə] *n* harnais *m*, attirail *m*, ustensiles *m pl*, engrenage *m*, marche *f*, vitesse *f*; **to throw into —** embrayer; **to put out of —** débrayer.
gearbox ['giəbɔks] *n* boîte de vitesses *f*, carter *m*.
gearing ['giəriŋ] *n* engrenage *m*, embrayage *m*.
gearless ['giəles] *a* sans engrenage.
gear-lever ['giəliːvə] *n* levier *m* de vitesse.
gear-shift ['giəʃift] *n* (*US*) levier *m* de vitesse.
gearwheel ['giəwiːl] *n* roue dentée *f*, rouage *m*.
gecko ['gekou] *n* margouillat *m*.
gel [dʒel] *n* gèle *m*; *vi* coaguler.
gelatine [,dʒelə'tiːn] *n* gélatine *f*; **explosive — plastic** *m*.
geld [geld] *vt* châtrer.
gelding ['geldiŋ] *n* hougre *m*, eunuque *m*.
gem [dʒem] *n* gemme *f*, perle *f*, joyau *m*.
gender ['dʒendə] *n* genre *m*
general ['dʒenərəl] *an* général *m*.
generalissimo [,dʒenəri'lisimou] *n* généralissime *m*.
generality [,dʒenə'ræliti] *n* généralité *f*, portée générale *f*.

generalization [ˌdʒenərəlaiˈzeiʃən] *n* généralisation *f.*
generalize [ˈdʒenərəlaiz] *vt* généraliser.
generalship [ˈdʒenərəlʃip] *n* stratégie *f.*
generate [ˈdʒenəreit] *vt* produire, générer.
generation [ˌdʒenəˈreiʃən] *n* génération *f,* production *f.*
generosity [ˌdʒenəˈrɔsiti] *n* générosité *f.*
generous [ˈdʒenərəs] *a* généreux, copieux.
genesis [ˈdʒenisis] *n* genèse *f.*
genial [ˈdʒiːnjəl] *a* jovial, cordial, doux, chaud.
geniality [ˌdʒiːniˈæliti] *n* belle humeur *f,* cordialité *f.*
genius [ˈdʒiːnjəs] *n* génie *m,* aptitude *f.*
genteel [dʒenˈtiːl] *a* distingué, élégant, qui affecte de la distinction.
Gentile [ˈdʒentail] *n* Gentil(e) *mf.*
gentility [dʒenˈtiliti] *n* bonne société *f.*
gentle [ˈdʒentl] *a* bien né, doux, aimable.
gently [ˈdzentli] *ad* doucement.
gentlefolk [ˈdʒentlfouk] *n* personnes de distinction *f pl.*
gentleman [ˈdʒentlmən] *n* monsieur *m,* homme comme il faut *m,* gentleman *m.*
gentlemanly [ˈdʒentlmənli] *a* comme il faut, distingué, convenable.
gentleness [ˈdʒentlnis] *n* gentillesse *f,* douceur *f.*
gentry [ˈdʒentri] *n* haute bourgeoisie *f,* petite noblesse *f.*
genuine [ˈdʒenjuin] *a* authentique, naturel, sincère, franc, véritable.
geographer [dʒiˈɔgrəfə] *n* géographe *m.*
geographical [dʒiəˈgræfikəl] *a* géographique.
geography [dʒiˈɔgrəfi] *n* géographie *f.*
geologist [dʒiˈɔlədʒist] *n* géologue *m.*
geology [dʒiˈɔlədʒi] *n* géologie *f.*
geometric [dʒiəˈmetrik] *a* géométrique; — **drawing** dessin *m* géométrique, linéaire.
geometrician [ˌdʒioumeˈtriʃən] *n* géometre *m.*
geometry [dʒiˈɔmitri] *n* géométrie *f.*
geomorphic [dʒiouˈmɔːfik] *a* semblable à la terre.
geophysics [ˈdʒiouˈfiziks] *n pl* géophysique, physique *f* du globe.
George [dʒɔːdʒ] Georges *m.*
germ [dʒəːm] *n* germe *m,* bacille *m,* microbe *m.*
German [ˈdʒəːmən] *n* Allemand(e) *mf; an* allemand *m.*
Germany [ˈdʒəːməni] *n* Allemagne *f.*
germinate [ˈdʒəːmineit] *vi* germer.
germination [ˌdʒəːmiˈneiʃən] *n* germination *f.*
gerrymander [ˈdʒerimændə] *vt* manipuler, truquer.
gesticulate [dʒesˈtikjuleit] *vi* gesticuler.
gesticulation [dʒesˌtikjuˈleiʃən] *n* gesticulation *f.*
gesture [ˈdʒestʃə] *n* geste *m; vi* faire des gestes.
get [get] *vt* se procurer, obtenir, acquérir, chercher, comprendre, piger, tenir, attraper, avoir, faire; *vi* devenir, arriver, aboutir; (*US fam*) **get!** fiche le camp!; **to — across** *vt* traverser, franchir; *vi* passer la rampe; **to — away** partir, s'échapper; **to — back** revenir, reculer; **to — in** (r)entrer (dans), monter; **to — on** monter (sur); **to — up** se lever, monter.
ghastly [ˈgɑːstli] *a* livide, horrible.
gherkin [ˈgəːkin] *n* cornichon *m.*
ghost [goust] *n* fantôme *m,* revenant *m,* ombre *f,* esprit *m.*
ghostly [ˈgoustli] *a* spectral, fantomatique, spirituel.
ghoul [guːl] *n* vampire *m,* strige *f.*
giant [ˈdʒaiənt] *n* géant *m.*
gibber [ˈdʒibə] *vi* baragouiner.
gibberish [ˈgibəriʃ] *n* baragouin *m,* charabia *m.*
gibbet [ˈdʒibit] *n* gibet *m,* potence *f.*
gibe [dʒaib] *n* sarcasme *m,* quolibet *m; vt* railler.
giblets [ˈdʒiblits] *n pl* abat(t)is *m pl.*
giddiness [ˈgidinis] *n* vertige *m.*
giddy [ˈgidi] *a* étourdi, vertigineux, volage.
gift [gift] *n* don *m,* cadeau *m,* prime *f.*
gifted [ˈgiftid] *a* (bien) doué.
gig [gig] *n* cabriolet *m,* canot *m.*
gigantic [dʒaiˈgæntik] *a* gigantesque, colossal.
giggle [ˈgigl] *n* gloussement *m,* petit rire *m; vi* glousser, pousser des petits rires.
gild [gild] *vt* dorer.
gilder [ˈgildə] *n* doreur *m.*
gilding [ˈgildiŋ] *n* dorure *f.*
gill [gil] *n* ouïe(s) *f pl,* branchie(s) *f pl,* bajoues *f pl.*
gilt [gilt] *n* dorure *f; a* doré.
gimlet [ˈgimlit] *n* vrille *f.*
gimmick [ˈgimik] *n* machin, truc.
gin [dʒin] *n* trappe *f,* genièvre *m,* gin *m,* piège *m.*
ginger [ˈdʒindʒə] *n* gingembre *m,* énergie *f; a* roux.
gingerbread [ˈdʒindʒəbred] *n* (espèce de) pain d'épice *m.*
gingerly [ˈdʒindʒəli] *ad* avec précaution.
gingham [ˈgiŋəm] *n* ginnham *m.*
gipsy [ˈdʒipsi] *n* bohémien, -ienne, romanichel, -elle.
giraffe [dʒiˈrɑːf] *n* girafe *f.*
gird [gəːd] *vt* ceindre, entourer; **to — at** railler.
girder [ˈgəːdə] *n* poutre *f,* poutrelle *f.*
girdle [ˈgəːdl] *n* gaine *f,* ceinture *f,* cordelière *f.*

girl [gəːl] *n* (jeune) fille *f*, amie *f*.
girlish ['gəːliʃ] *a* de jeune fille, efféminé.
girth [gəːθ] *n* sangle *f*, tour *m*.
gist [dʒist] *n* fin mot *m*, fond *m*, essentiel *m*.
give [giv] *vti* donner; **to — away** trahir, conduire à l'autel; **— in** céder, se laisser faire; **— out** annoncer, distribuer; **— over** cesser, abandonner; **to — up** renoncer à, livrer.
given ['givn] *pp of* **give**; *cj* étant donné que.
giver ['givə] *n* donneur, -euse, donateur, -trice.
gizzard ['gizəd] *n* gésier *m*.
glacial ['gleisjəl] *a* glacial.
glacier ['glæsjə] *n* glacier *m*.
glad [glæd] *a* content, heureux, joyeux.
gladden ['glædn] *vt* réjouir.
glade [gleid] *n* clairière *f*.
gladly ['glædli] *ad* volontiers.
gladness ['glædnis] *n* plaisir *m*, joie *f*.
glamorous ['glæmərəs] *a* fascinant, charmeur, enchanteur.
glamour ['glæmə] *n* éclat *m*, charme *m*, fascination *f*.
glance [glaːns] *n* coup d'œil *m*, regard *m*; *vi* jeter un coup d'œil (sur **at**); **to — through** parcourir; **to — off** glisser, ricocher, dévier.
gland [glænd] *n* glande *f*.
glare [glɛə] *n* lumière aveuglante *f*, éclat *m*, regard de défi *m*; *vi* flamboyer; **to — at** *vt* regarder d'un œil furibond.
glaring ['glɛəriŋ] *a* aveuglant, flagrant, éclatant, cru.
glass [glaːs] *n* verre *m*, (*beer*) bock *m*, vitre *f*, baromètre *m*; *pl* lunettes *f pl*.
glassblower ['glaːs blouə] *n* verrier *m*.
glasscase ['glaːs'keis] *n* vitrine *f*.
glasscutter ['glaːs,kʌtə] *n* diamant *m*, tournette *f*.
glass-paper ['glaːs,peipə] *n* papier de verre *m*.
glassware ['glaːswɛə] *n* verrerie *f*.
glassy ['glaːsi] *a* vitreux, transparent.
glaze [gleiz] *n* glacis *m*, lustre *m*; *vt* vitrer, glacer, lustrer, devenir vitreux.
glazier ['gleizjə] *n* vitrier *m*.
gleam [gliːm] *n* rayon *m*, lueur *f*, reflet *m*; *vi* luire, miroiter.
glean [gliːn] *vt* glaner.
gleaner ['gliːnə] *n* glaneur, -euse.
gleaning ['gliːniŋ] *n* glanage *m*; *pl* glanures *f pl*.
glee [gliː] *n* joie *f*, gaîté *f*.
glen [glen] *n* vallon *m*.
glib [glib] *a* spécieux, qui a de la faconde.
glibness ['glibnis] *n* faconde *f*, spéciosité *f*.
glide [glaid] *n* glissement *m*, glissade *f*, vol plané *m*; *vi* glisser, planer.
glider ['glaidə] *n* avion e remorque *m*, planeur *m*.
glimmer ['glimə] *n* lueur *f*; *vi* luire.
glimpse [glimps] *n* lueur passagère *f*, coup d'œil *m*, échappée *f*, aperçu *m*; *vt* entrevoir.
glint [glint] *vi* entreluire, étinceler; *n* trait *m*, meur *f*.
glisten ['glisn] *vi* étinceler, scintiller, luire.
glitter ['glitə] *n* scintillement *m*; *vi* scintiller, étinceler.
gloat [glout] **to — over** manger (couvrer) des yeux, se réjouir de.
globe [gloub] *n* globe *m* sphère *f*.
gloom [gluːm] *n* obscurité *f*, dépression *f*.
gloomy ['gluːmi] *a* obscur, sombre, lugubre.
glorification [,glɔːrifi'keiʃən] *n* glorification *f*.
glorify ['glɔːrifai] *vt* glorifier.
glorious ['glɔːriəs] *a* glorieux.
glory ['glɔːri] *n* gloire *f*; **to — in** se faire gloire de.
gloss [glɔs] *n* lustre *m*, vernis *m*; *vt* lustrer, glacer; **to — over** glisser sur.
glossary ['glɔsəri] *n* glossaire *m*, lexique *m*.
glossy ['glɔsi] *a* lustré, brillant, glacé.
glove [glʌv] *n* gant *m*; *vt* ganter.
glow [glou] *n* rougeur (diffuse) *f*, ardeur *f*, éclat *m*, rougeoiement *m*; *vi* briller, luire, rougeoyer, s'embraser, brûler.
glow-worm ['glouwəːm] *n* luciole *f*, ver luisant *m*.
glue [gluː] *n* colle forte *f*; *vt* coller.
glum [glʌm] *a* renfrogné, maussade.
glut [glʌt] *n* surabondance *f*, encombrement *m*; *vt* gorger, gaver, encombrer.
glutton ['glʌtn] *n* goinfre *m*, gourmand(e) *mf*.
gluttonous ['glʌtənəs] *a* vorace, goulu.
gnarled [naːld] *a* noueux, tordu.
gnash [næʃ] *vt* **to — one's teeth** grincer des dents.
gnashing ['næʃiŋ] *n* grincement *m*.
gnat [næt] *n* cousin *m*, moustique *m*.
gnaw [nɔː] *vti* grignoter, ronger.
go [gou] *n* aller *m*, allant *m*, affaire *f*; *vi* (s'en) aller, marcher, partir, tendre à, passer, faire loi, disparaître, devenir; **to — away** partir; **to — back** revenir, retourner, reculer; **to — down** descendre, se coucher, sombrer; **to — for** aller chercher; **to — in(to)** entrer (dans); **to — off** partir; **to — on** avancer, continuer; **to — out** sortir; **to — through** traverser, parcourir.
goad [goud] *n* aiguillon *m*; *vt* piquer, exciter.
goal [goul] *n* but *m*.
goalkeeper ['goul,kiːpə] *n* goal *m*, gardien de but *m*.
goat [gout] *n* chèvre *f*; **he-—** bouc *m*.

go-between ['goubi'twi:n] *n* entremetteur *m*, truchement *m*.
gobble ['gɔbl] *vt* bâfrer, bouffer; *vi* glouglouter, glousser.
goblet ['gɔblit *n* gobelet *m*, coupe *f*.
goblin ['gɔblin] *n* lutin *m*.
God [gɔd] *n* Dieu *m*.
godchild ['gɔdtʃaild] *n* filleul(e) *mf*.
goddess ['gɔ:dis] *n* déesse *f*.
godfather ['gɔd,fɑ:ðə] *n* parrain *m*.
godmother ['gɔd,mʌðə] *n* marraine *f*.
godless ['gɔdlis] *a* athée, impie.
godliness ['gɔdlinis] *n* piété *f*.
godly ['gɔdli] *a* pieux, saint.
godsend ['gɔdsend] *n* aubaine *f*.
godspeed ['gɔd'spi:d] *excl* bonne chance! bon voyage!
goggle ['gɔgl] *vi* rouler les yeux; *n pl* lunettes d'automobile *f pl*; (*fam*) **—box** télé(vision) *f*.
goggle-eyed ['gɔglaid] *a* aux yeux saillants, de homard.
going ['gouiŋ] *n* terrain *m*, circonstances *m pl*.
gold [gould] *n* or *m*; — **dust** poudre *f* d'or.
gold-digger ['gould,digə] *n* chercheur d'or *m*.
golden ['gouldən] *a* d'or, doré.
goldfinch ['gouldfintʃ] *n* chardonneret *m*.
goldfish ['gouldfiʃ] *n* dorade *f*, poisson rouge *m*.
goldsmith ['gouldsmiθ] *n* orfèvre *m*.
gold-standard ['gould,stændəd] *n* étalon-or *m*.
golf [gɔlf] *n* golf *m*; **—-course** (terrain *m* de) golf *m*.
gondola ['gɔndələ] *n* gondole *f*, nacelle *f*.
gone [gɔn] *pp of* **go**; *a* parti, fini, disparu, épris (de **on**).
good [gud] *n* bien *m*, bon *m*, profit *m*; *pl* marchandises *f pl*, effets *m pl*; *a* bon, sage; — **for nothing** propre à rien; **for** — pour de bon; — **Heavens!** Ciel! — **gracious!** bonté divine!
good-bye ['gud'bai] *excl n* au revoir *m*, adieu *m*.
good-looking ['gud'lukiŋ] *a* de bonne mine, bien, beau.
goodly ['gudli] *a* large. ample.
goodness ['gudnis] *n* bonté *f*, vertu *f*.
goodwill [gud'wil] *n* bon vouloir *m*, clientèle *f*.
goody ['gudi] *n* commère *f*; *a* édifiant; **to be a** — la faire à la vertu.
goose [gu:s] *n* oie *f*.
gooseberry ['guzbəri] *n* groseille à maquereau *f*.
gooseflesh ['gu:sfleʃ] *n* chair de poule *f*.
goose-step ['gu:sstep] *n* pas de l'oie *m*.
gore [gɔ:] *n* sang *m* (caillé), pointe *f*, pièce *f*, soufflet *m*, godet *m*; *vt* encorner, blesser d'un coup de **cornes.**
gorge [gɔ:dʒ] *n* gorge *f*, défilé *m*, cœur *m*; *vt* rassasier, gorger; *vi* s'empiffrer, se gorger.
gorgeous ['gɔ:dʒəs] *a* splendide, superbe.
gorgeousness 'gɔ:dʒəsnis] *n* splendeur *f*.
gorilla [gə'rilə] *n* gorille *m*.
gormandize ['gɔ:məndaiz] *vi* bâfrer.
gormandizer ['gɔ:məndaizə] *n* gourmand(e) *mf*, goinfre *m*.
gorse [gɔ:s] *n* ajonc *m*, genêt *m*.
gory ['gɔ:ri] *a* ensanglanté.
gosling ['gɔzliŋ] *n* oison *m*.
gospel ['gɔspəl] *n* évangile *m*.
gossamer ['gɔsəmə] *n* fils de la Vierge *m pl*, gaze *f*; *a* léger, ténu.
gossip ['gɔsip] *n* commérage *m*, mauvaise langue *f*, bavette *f*; *vi* cancaner, bavarder.
gouge [gaudʒ] *n* gouge *f*; *vt* arracher.
gourd [guəd] *n* potiron *m*, gourde *f*, calebasse *f*.
gourmet ['guəmei] *n* gourmet *m*, fine fourchette *f*.
gout [gaut] *n* goutte *f*.
gouty ['gauti] *a* goutteux.
govern ['gʌvən] *vt* gouverner, administrer.
governess ['gʌvənis] *n* gouvernante *f*.
governing ['gʌvəniŋ] *a* gouvernant, au pouvoir.
government ['gʌvnmənt] *n* gouvernement *m*, régime *m*, ministère *m*.
governor ['gʌvənə] *n* gouverneur *m*, gouvernant *m*, patron *m*.
gown [gaun] *n* robe *f*.
grab [græb] *n* rapacité *f*; *vt* saisir, happer, arracher.
grace [greis] *n* grâce *f*, bénédicité *m*; *pl* grâces *f pl*; *vt* orner honorer.
graceful ['greisful] *a* gracieux.
graceless ['greislis] *a* sans grâce.
gracious ['greiʃəs] *a* gracieux, accueillant, bow; **good —!** bonté divine! mon Dieu!
gradation [grə'deiʃən] *n* gradation *f*.
grade [greid] *n* degré *m*, rang *m*, qualité *f*, (*US*) pente *f*, rampe *f*; *vt* graduer, fondre, classer.
grade crossing ['greid'krɔsiŋ] *n* (*US*) passage *m* à niveau.
gradient ['greidjənt] *n* pente *f*, rampe *f*, variation *f*.
gradual ['grædjuəl] *a* graduel.
gradually ['grædjuəli] *ad* doucement, peu à peu.
graduate ['grædjueit] *n* licencié(e) *mf*; *vt* passer sa licence, recevoir ses diplômes, conférer (un diplôme).
graft [grɑ:ft] *n* greffe *f*, tripotage *m*, gratte *f*, corruption *f*; *vt* greffer; *vi* tripoter, rabioter.
grain [grein] *n* grain *m*; **against the** — à contre-fil, à contre-cœur; **with a — of salt** avec réserve.
grammar ['græmə] *n* grammaire *f*; — **school** lycée.

gramophone ['græməfoun] *n* phonographe *m*.
granary ['grænəri] *n* grenier *m*.
grand [grænd] *a* grand(iose).
grandchildren ['græn,tʃildrən] *n pl* petits-enfants *m pl*.
grand-daughter ['græn,dɔ:tə] *n* petite-fille *f*.
grandee [,græn'di:] *n* Grand *m*.
grandeur ['grændjə] *n* grandeur *f*, splendeur *f*.
grandfather ['grænd,fɑ:ðə] *n* grand-père *m*.
grandiloquence [græn'diləkwəns] *n* emphase *f*.
grandiose ['grændiouz] *a* grandiose, magnifique, pompeux.
grandmother ['græn,mʌðə] *n* grand'mère *f*.
grandson ['grænsʌn] *n* petit-fils *m*.
grandstand ['grændstænd] *n* tribune *f*.
grange [greindʒ] *n* maison avec ferme *f*.
granite ['grænit] *n* granit *m*; *a* granitique.
granny ['græni] *n* bonne-maman *f*.
grant [grɑ:nt] *n* subvention *f*, allocation *f*; *vt* accorder, admettre, octroyer.
grape [greip] *n* raisin *m*.
grapefruit ['greipfru:t] *n* pamplemousse *f*.
grape-harvest ['greip,hɑ:vist] *n* vendange *f*.
grapeshot ['greipʃɔt] *n* mitraille *f*.
graphic ['græfik] *a* graphique, vivant.
grapnel ['græpnəl] *n* grappin *m*, ancre *f*.
grapple ['græpl] *n* grappin *m*, prise *f*, étreinte *f*; **to — with** empoigner, colleter, en venir aux prises avec.
grasp [grɑ:sp] *n* prise *f*, étreinte *f*, serre *f*, portée de la main *f*, compréhension *f*; *vt* saisir, serrer, empoigner.
grasping ['grɑ:spiŋ] *a* rapace, cupide.
grass [grɑ:s] *n* herbe *f*.
grasshopper ['grɑ:s,hɔpə] *n* sauterelle *f*.
grassy ['grɑ:si] *a* herbu, herbeux, verdoyant.
grate [greit] *vt* râper, racler; *vi* grincer, crier, crisser; **to — on** choquer, agacer.
grater ['greitə] *n* râpe *f*.
grateful ['greitful] *n* reconnaissant.
gratefully ['greitfuli] *ad* avec reconnaissance.
gratefulness ['greitfulnis] *n* reconnaissance *f*.
grating ['greitiŋ] *a* grinçant; *n* grille *f*, grillage *m*, râpage *m*, grincement *m*.
gratification [,grætifi'keiʃən] *n* plaisir *m*, satisfaction *f*.
gratify ['grætifai] *vt* contenter, rémunérer, satisfaire.
gratis ['grɑ:tis] *ad* gratis; *a* gratuit.
gratitude ['grætitju:d] *n* gratitude *f*, reconnaissance *f*.
gratuitous [grə'tju:itəs] *a* gratuit.
gratuity [grə'tju:iti] *n* gratification *f*, pourboire *m*, pot de vin *m*.
gravamen [grə'veimen] *n* poids *m*, fond *m*.
grave [greiv] *n* fosse *f*, tombe *f*, tombeau *m*; *a* sérieux, grave; *vt* graver, radouber.
grave-digger ['greiv,digə] *n* fossoyeur *m*.
gravel ['grævəl] *n* gravier *m*.
gravestone ['greivstoun] *n* pierre tombale *f*.
graveyard ['greivjɑ:d] *n* cimetière *m*.
graving-dock ['greiviŋdɔk] *n* bassin de radoub *m*.
graving-tool ['greiviŋtu:l] *n* burin *m*.
gravitate ['græviteit] *vi* graviter.
gravity ['græviti] *n* gravité *f*, sérieux *m*.
gravitation [,grævi'teiʃən] *n* gravitation *f*, pesanteur *f*.
gravy ['greivi] *n* sauce *f*, jus *m*.
graze [greiz] *n* égratignure *f*; *vt* égratigner, effleurer; *vti* brouter, paître.
grease [gri:s] *n* graisse *f*; *vt* graisser.
greasy ['gri:si] *a* graisseux, gras.
great [greit] *a* grand, gros, fort.
greatcoat ['greitkout] *n* par-dessus *m*, capote *f*.
greatly ['greitli] *ad* énormément, puissamment, beaucoup.
greatness ['greitnis] *n* grandeur *f*, noblesse *f*.
Greece [gri:s] *n* Grèce *f*.
greed [gri:d] *n* convoitise *f*, cupidité *f*.
greediness ['gri:dinis] *n* cupidité *f*, gloutonnerie *f*.
greedy ['gri:di] *a* gourmand, glouton, cupide, avide.
Greek [gri:k] *n* Grec, Grecque; *an* grec *m*.
green [gri:n] *an* vert *m*; *a* naïf, sot, inexpérimenté.
greengage ['gri:ngeidʒ] *n* reine-claude *f*.
greengrocer ['gri:n,grousə] *n* fruitier, -ière.
greenhorn ['gri:nhɔ:n] *n* blanc-bec *m*, bleu *m*.
greenhouse ['gri:nhaus] *n* serre *f*.
greenish ['gri:niʃ] *a* verdâtre.
Greenland ['gri:nlənd] *n* Groenland *m*.
greet [gri:t] *vt* saluer, accueillir.
greeting ['gri:tiŋ] *n* salut *m*, salutation *f*.
gregarious [gri'gɛəriəs] *a* grégaire, de troupeau.
grenade [gri'neid] *n* grenade *f*.
grenadier [,grenə'diə] *n* grenadier *m*.
grew [gru:] *pt of* **grow**.
grey [grei] *an* gris *m*; **to grow —** grisonner.
greyish ['greiiʃ] *a* grisâtre.

greyhound ['greihaund] *n* lévrier *m*, levrette *f*.
grid [grid] *n* grille *f*.
gridiron ['grid,aiən] *n* gril *m*, (*US*) terrain *m* de football.
grief [gri:f] *n* chagrin *m*, mal *m*, peine *f*.
grievance ['gri:vəns] *n* grief *m*, tort *m*.
grieve [gri:v] *vt* affliger, faire de la peine à; *vi* se désoler, s'affliger.
grievous ['gri:vəs] *a* affligeant, douloureux.
grill [gril] *n* gril *m*, grillade *f*, grille *f*, grillage *m*; *vt* griller, cuisiner.
grim [grim] *a* sévère, farouche, sardonique, sinistre.
grimace [gri'meis] *n* grimace *f*; *vi* grimacer, faire la grimace.
grime [graim] *n* crasse *f*; *vt* salir.
grimy ['graimi] *a* crasseux, encrassé, noir.
grin [grin] *n* rictus *m*, sourire épanoui *m*; *vi* découvrir ses dents, sourire à belles dents.
grind [graind] *vt* moudre, broyer, écraser, affiler; *vi* grincer, (*fig*) piocher; *n* grincement *m*, turbin *m*.
grinder ['graində] *n* rémouleur *m*, broyeur *m*.
grinding ['graindiŋ] *n* broyage *m*, mouture *f*, grincement *m*.
grindstone ['graindstoun] *n* meule *f*.
grip [grip] *n* prise *f*, étreinte *f*, serre *f*; *pl* prises *f pl*, mains *f pl*; *vt* agripper, empoigner, saisir, serrer.
gripe [graip] *vt* donner la colique à.
grisly ['grizli] *a* terrifiant, macabre.
grist [grist] *n* blé *m*; **to bring — to the mill** faire venir l'eau au moulin.
gristle ['grisl] *n* cartilage *m*, croquant *m*.
grit [grit] *n* gravier *m*, sable *m*, grès *m*, cran *m*; *vi* grincer; *vt* sabler.
gritty ['griti] *a* graveleux, sablonneux.
grizzled ['grizld] *a* gris, grisonnant.
groan [groun] *n* gémissement *m*, grognement *m*; *vi* gémir, grogner.
grocer ['grousə] *n* épicier, -ière.
grocery ['grousəri] *n* épicerie *f*.
groggy ['grɔgi] *a* ivre, étourdi, titubant.
groin [grɔin] *n* aine *f*.
groom [gru:m] *n* palefrenier *m*, valet d'écurie *m*; *vt* panser.
groomed [gru:md] *a* **well-—** (bien) soigné, tiré à quatre épingles.
grooming ['gru:miŋ] *n* pansage *m*.
groomsman ['gru:mzmən] *n* garçon d'honneur *m*.
groove [gru:v] *n* sillon *m*, rainure *f*, glissière *f*; *vt* rayer, silloner; **micro-—** microsillon *m*.
grope [group] *vi* tâtonner; **to — for** chercher à tâtons.
gross [grous] *n* grosse *f*; *a* dru, obèse, grossier, brut, gros.
ground [graund] *pp of* **grind**; *a* **moulu, broyé**; *n* sol *m*, terrain *m*, fond *m*, fondement *m* raison *f*; *vt* fonder, appuyer, instruire, (*arms*) reposer, maintenir au sol; *vi* s'échouer.
ground floor ['graundflɔ:] *n* rez-de-chaussée *m*.
groundless ['graundlis] *a* sans fondement, immotivé.
groundnut ['graundnʌt] *n* arachide *f*.
grounds [graundz] *n pl* lie *f*, marc *m*.
groundsheet ['graundʃi:t] *n* bâche *f* de campement.
groundswell ['graundswel] *n* lame *f* de fond.
groundwork ['graundwə:k] *n* fond *m*, base *f*, assise *f*, plan *m*.
group [gru:p] *n* groupe *m*; *vt* grouper; *vi* se grouper.
grouse [graus] *n* coq *m* de bruyère; *vi* grogner, ronchonner, rouspéter.
grove [grouv] *n* bosquet *m*.
grovel ['grɔvl] *vi* s'aplatir, ramper.
groveller ['grɔvlə] *n* flagorneur *m*, sycophante *m*, piedplat *m*.
grow [grou] *vt* cultiver; *vi* pousser, grandir, croître, devenir.
growl [graul] *n* grondement *m*; *vi* gronder, grommeler, grogner.
grown [groun] *pp of* **grow**.
grown-up ['groun'ʌp] *n* adulte *mf*, grande personne *f*.
growth [grouθ] *n* croissance *f*, accroissement *m*, tumeur *f*.
grub [grʌb] *n* larve *f*, (*sl*) boustifaille *f*; *vt* bêcher, nettoyer; *vi* fouiller.
grudge [grʌdʒ] *n* dent *f*, rancune *f*; *vt* donner à contre-cœur, mesurer.
grudgingly ['grʌdʒiŋli] *ad* à contrecœur.
gruel ['gruəl] *n* gruau *m*, brouet *m*.
gruelling ['gruəliŋ] *a* éreintant, épuisant.
gruesome ['gru:səm] *a* macabre, répugnant.
gruff [grʌf] *a* bourru, revêche, rude, gros.
gruffly ['grʌfli] *ad* rudement.
gruffness ['grʌfnis] *n* rudesse *f*, ton bourru *m*.
grumble ['grʌmbl] *n* grognement *m*; *vti* grommeler, bougonner.
grumbler ['grʌmblə] *n* ronchonneur, -euse, grognard(e) *mf*, rouspéteur, -euse.
grumpy ['grʌmpi] *a* maussade, grincheux.
grunt [grʌnt] *n* grognement *m*; *vi* grogner.
guarantee [,gærən'ti:] *n* garant(e) *mf*, garantie *f*, caution *f*; *vt* garantir, se porter garant pour.
guard [gɑ:d] *n* garde *mf*, chef de train *m*, (*US*) geôlier *m*; *vt* garder, protéger; *vi* mettre (se tenir) en garde.
guarded ['gɑ:did] *a* circonspect.
guardedly ['gɑ:didli] *ad* prudemment, avec réserve.
guardian ['gɑ:djən] *n* gardien, -ienne, tuteur, -trice.

guardianship ['gɑːdjənʃip] *n* garde *f*, tutelle *f*.
guava ['gwɑːvə] *n* goyave *f*; — **tree** goyavier *m*.
gudgeon ['gʌdʒən] *n* goujon *m*.
guess [ges] *n* conjecture *f*; *vti* deviner; *vt* estimer; **at a** — au jugé.
guesswork ['geswəːk] *n* hypothèse *f*, conjecture *f*.
guest [gest] *n* invité(e) *mf*; **paying-—** pensionnaire *mf*; — **house** pension *f*.
guffaw [gʌ'fɔː] *n* gros rire *m*; *vi* s'esclaffer.
guidance ['gaidəns] *n* conduite *f*, direction *f*, gouverne *f*, orientation *f*.
guide [gaid] *n* guide *m*; *vt* guider, conduire, diriger.
guidebook ['gaidbuk] *n* guide *m*.
guided ['gaidid] *a* (*of rockets*) téléguidé.
guidepost ['gaidpoust] *n* poteau indicateur *m*.
guild [gild] *n* corporation *f*, confrérie *f*.
guildhall ['gildhɔːl] *n* hôtel de ville *m*.
guile [gail] *n* astuce *f*.
guileful ['gailful] *a* retors.
guileless ['gaillis] *a* sans malice, naïf.
guilt [gilt] *n* culpabilité *f*.
guiltless ['giltlis] *a* innocent.
guilty ['gilti] *a* coupable.
guinea-fowl ['ginifaul] *n* pintade *f*.
guinea-pig ['ginipig] *n* cobaye *m*, cochon d'Inde *m*.
guise [gaiz] *n* forme *f*, apparence *f*, costume *m*.
guitar [gi'tɑː] *n* guitare *f*.
gulf [gʌlf] *n* golfe *m*, gouffre *m*, abîme *m*.
gull [gʌl] *n* mouette *f*, jobard *m*, gogo *m*; *vt* rouler.
gullet ['gʌlit] *n* œsophage *m*, gosier *m*.
gullibility [ˌgʌli'biliti] *n* crédulité *f*, jobardise *f*.
gullible ['gʌlibl] *a* crédule, jobard.
gully ['gʌli] *n* ravin *m*.
gulp [gʌlp] *n* lampée *f*, trait *m*; *vti* boire, avaler d'un trait; *vi* s'étrangler.
gum [gʌm] *n* gencive *f*, gomme *f*; *vt* gommer, coller.
gumboil ['gʌmbɔil] *n* abcès à la gencive *m*.
gumption ['gʌmpʃən] *n* jugeotte *f*, gingin *m*.
gun [gʌn] *n* fusil *m*, canon *m*, pièce *f*.
gunboat ['gʌnbout] *n* canonnière *f*.
gun-carriage ['gʌnˌkæridʒ] *n* affût de canon *m*.
gunner ['gʌnə] *n* canonnier *m*, artilleur *m*.
gunnery ['gʌnəri] *n* tir au canon *m*.
gunpowder ['gʌnˌpaudə] *n* poudre *f*.
gunshot ['gʌnʃɔt] *n* portée de fusil *f* (canon), coup de feu *m*.
gunsmith ['gʌnsmiθ] *n* armurier *m*.
gurgle ['gəːgl] *n* glouglou *m*, gargouillement *m*; *vi* glouglouter, gargouiller; *vti* glousser.
gush [gʌʃ] *n* jaillissement *m*, jet *m*, projection *f*, effusion *f*; *vi* jaillir, saillir, se répandre, la faire au sentiment.
gust [gʌst] *n* rafale *f*, ondée *f*, accès *m*.
gusto ['gʌstou] *n* brio *m*, entrain *m*.
gut [gʌt] *n* boyau *m*; *pl* entrailles *f pl*, cran *m*; *vt* vider, dévaster.
gutter ['gʌtə] *n* gouttière *f*, ruisseau *m*, rigole *f*.
guy [gai] *n* corde *f*, hauban *m*, type *m*, épouvantail *m*; *vt* railler, travestir.
guzzle ['gʌzl] *vt* boire à tire-larigot, bouffer; *vi* s'empiffrer, se gaver.
gymnasium [dʒim'neizjəm] *n* gymnase *m*.
gymnast ['dʒimnæst] *n* gymnaste *mf*.
gymnastics [dʒim'næstiks] *n pl* gymnastique *f*.

H

haberdasher ['hæbədæʃə] *n* mercier *m*.
haberdasher's ['hæbədæʃəz] *n* mercerie *f*.
habit ['hæbit] *n* habitude *f*, état *m*, constitution *f*.
habitable ['hæbitəbl] *a* habitable.
habitation [ˌhæbi'teiʃən] *n* habitation *f*, demeure *f*.
habitual [hə'bitjuəl] *a* habituel, invétéré.
hack [hæk] *n* pioche *f*, pic *m*, blessure *f*, cheval *m* (de louage), rosse *f*, corvée *f*, (*US*) veilleur *m* de nuit, agent *m* de police, écrivassier *m*; *vt* couper, frapper, hacher, taillader; *vi* tousser sèchement.
hackneyed ['hæknid] *a* usé, rebattu, banal.
had [hæd] *pp pt of* **have.**
haddock ['hædək] *n* aiglefin *m*, aigrefin *m*.
haft [hɑːft] *n* manche *m*, poignée *f*.
hag [hæg] *n* sorcière *f*, chipie *f*.
haggard ['hægəd] *a* hagard, hâve, décharné, égaré.
haggle ['hægl] *vi* ergoter, chicaner.
hail [heil] *n* grêle *f*, salut *m*; *vi* grêler; *vt* saluer, héler, venir (de **from**), descendre (de **from**).
hailstone ['heilstoun] *n* grêlon *m*.
hair [hɛə] *n* cheveu *m*, chevelure *f*, poil *m*, crin *m*.
hair-cutting ['hɛəˌkʌtiŋ] *n* coupe de cheveux *f*.
hairdresser ['hɛəˌdresə] *n* coiffeur, -euse.
hairless ['hɛəlis] *a* chauve, sans poils, glabre.
hairline ['hɛəlain] *n* — **crack** gerçure *f*; (*fig*) distinction *f* subtile.

hairpin ['hɛəpin] *n* épingle à cheveux *f*.
hair-raising ['hɛə,reiziŋ] *a* horrifique, horripilant.
hair's breadth ['hɛəz'bredθ] *ad* à un cheveu (près).
hair-splitting ['hɛə,splitiŋ] *n* chinoiserie *f*, ergotage *m*.
hairy ['hɛəri] *a* chevelu, poilu, velu.
hake [heik] *n* merluche *f*, colin *m*.
hale [heil] *a* robuste; — **and hearty** frais et dispos.
half [hɑ:f] *n* moitié *f*; *a* demi, mi-; *ad* à moitié, demi, en deux; — **as much again** une fois et demie autant, la moitié en plus; —**-hearted** *a* tiède; **at—-tide** à mi-marée.
half-back ['hɑ:fbæk] *n* demi(-arrière) *m*.
half-bred ['hɑ:fbred] *a* métis, demi-sang.
half-brother ['hɑ:f,brʌðə] *n* demi-frère *m*.
half-caste ['hɑ:fkɑ:st] *a* demi-sang; *an* métis, -isse, hybride *m*.
half-dozen ['hɑ:f'dʌzn] *n* demi-douzaine *f*.
half-hour ['hɑ:f'auə] *n* demi-heure *f*.
half-mast ['hɑ:f'mɑ:st] *ad* en berne, à mi-mât.
half-measure ['hɑ:f'meʒə] *n* demi-mesure *f*.
half-pay ['hɑ:f'pei] *n* demi-solde *f*.
halfway ['hɑ:f'wei] *ad* à mi-chemin.
halibut ['hælibət] *n* flétan *m*.
hall [hɔ:l] *n* salle *f*, vestibule *m*, hall *m*.
hallmark ['hɔ:lmɑ:k] *n* contrôle *m*, poinçon *m*, empreinte *f*.
hallow ['hælou] *vt* sanctifier, bénir.
hallucinate [hə'lu:sineit] *vt* halluciner.
hallucination [hə,lu:si'neiʃən] *n* hallucination *f*.
halo ['heilou] *n* halo *m*, nimbe *m*, auréole *f*.
halt [hɔlt] *n* halte *f*; *vi* s'arrêter, hésiter, boiter; *a* boiteux.
halter ['hɔltə] *n* licou *m*, corde *f*.
halve [hɑ:v] *vt* couper en deux, partager.
ham [hæm] *n* jambon *m*, jarret *m*.
hamlet ['hæmlit] *n* hameau *m*.
hammer ['hæmə] *n* marteau *m*; *vt* marteler, battre.
hammock ['hæmək] *n* hamac *m*.
hamper ['hæmpə] *n* corbeille *f*, manne *f*, banne *f*; *vt* gêner, empêcher.
hand [hænd] *n* main *f*, (*watch*) aiguille *f*, jeu *m*, ouvrier, -ière; — **to** — corps à corps; **out of** — hors de contrôle; **on the one** — d'une part; **old** — vieux routier *m*; *vt* tendre, passer, remettre.
handbag ['hændbæg] *n* sac à main *m*, pochette *f*.
handbook ['hændbuk] *n* manuel *m*, guide *m*.
handcuff ['hændkʌf] *vt* passer les menottes à.
handcuffs ['hændkʌfs] *n pl* menottes *f pl*.
handful ['hændful] *n* poignée *f*.
handicap ['hændikæp] *n* handicap *m*, désavantage *m*; *vt* handicaper, désavantager.
handicraft ['hændikrɑ:ft] *n* habileté manuelle *f*, métier manuel *m*, travail manuel *m*.
handiwork ['hændiwə:k] *n* travail manuel *m*, ouvrage *m*.
handkerchief ['hæŋkətʃif] *n* mouchoir *m*, pochette *f*.
handle ['hændl] *n* poignée *f*, manche *m*, anse *f*, bouton *m*, bras *m*; *vt* manier, traiter, prendre en main.
handlebar ['hændlbɑ:] *n* guidon *m*.
handling ['hændliŋ] *n* maniement *m*, manœuvre *f*.
handrail ['hændreil] *n* rampe *f*, main courante *f*.
handshake ['hændʃeik] *n* poignée de main *f*.
handsome ['hænsəm] *a* beau, élégant, généreux.
handsomely ['hænsəmli] *ad* élégamment, libéralement.
handwriting ['hænd,raitiŋ] *n* écriture *f*, main *f*.
handy ['hændi] *a* sous la main, commode, adroit, maniable.
hang [hæŋ] *vt* pendre, accrocher, tapisser, poser; *vi* pendre, planer, peser, tomber; **to — about** rôder, flâner; **to — back** hésiter, rester en arrière.
hangar ['hæŋə] *n* hangar *m*.
hanger ['hæŋə] *n* portemanteau *m*, cintre *m*, crochet *m*.
hanging ['hæŋiŋ] *n* pose *f*, tenture *f*, suspension *f*, montage *m*, pendaison *f*.
hangman ['hæŋmən] *n* bourreau *m*.
hanker ['hæŋkə] *vi* aspirer (à **after**).
hankering ['hæŋkəriŋ] *n* aspiration *f*, forte envie *f*.
hanky-panky ['hæŋki'pæŋki] *n* boniment *m*, tour de passe-passe *m*.
hansom ['hænsəm] *n* cabriolet *m*.
haphazard ['hæp'hæzəd] *a* fortuit; *ad* au petit bonheur, à l'aveuglette.
hapless ['hæplis] *a* malchanceux, infortuné.
happen ['hæpən] *vi* arriver, se passer, se produire.
happening ['hæpniŋ] *n* événement *m*.
happily ['hæpili] *ad* heureusement, par bonheur.
happiness ['hæpinis] *n* bonheur *m*.
happy ['hæpi] *a* heureux.
harangue [hə'ræŋ] *n* harangue *f*, *vt* haranguer.
harass ['hærəs] *vt* harceler, tracasser, tourmenter.
harbinger ['hɑ:bindʒə] *n* précurseur *m*, avant-coureur *m*, messager, -ère.

harbour ['hɑ:bə] *n* port *m*, asile *m*; *vt* recéler, nourrir, abriter.
hard [hɑ:d] *a* dur, difficile, sévère; — **by** tout près; — **up** à sec; — **upon** de près, sur les talons; *ad* dur, fort, durement.
hardboard ['hɑ:dbɔ:d] *n* Isorel *m* (*Protected Trade Name*).
harden ['hɑ:dn] *vt* (en)durcir, tremper; *vi* durcir, s'endurcir, devenir dur.
hardfisted ['hɑ:d'fistid] *a* pingre, radin.
hardihood ['hɑ:dihud] *n* audace *f*.
hard labour ['hɑ:d'leibə] *n* travaux forcés *m pl*.
hardly ['hɑ:dli] *ad* à (avec) peine, ne . . . guère, sévèrement.
hardness ['hɑ:dnis] *n* dureté *f*, difficulté *f*.
hardship ['hɑ:dʃip] *n* privation *f*, épreuve *f*.
hardware ['hɑ:dwɛə] *n* quincaillerie *f*.
hardwareman ['hɑ:dwɛəmən] *n* quincailler *m*.
hardy ['hɑ:di] *a* résistant, robuste, vigoureux.
hare [hɛə] *n* lièvre *m*.
hare-brained ['hɛəbreind] *a* écervelé, insensé.
harelip ['hɛə'lip] *n* bec-de-lièvre *m*.
haricot ['hærikou] *n* — **bean** haricot blanc *m*; — **mutton** haricot de mouton *m*.
hark [hɑ:k] *vti* écouter; **to — back to** revenir à.
harm [hɑ:m] *n* mal *m*, tort *m*; *vt* faire tort à, faire (du) mal à, porter préjudice à.
harmful ['hɑ:mful] *a* nuisible, pénible, nocif.
harmless ['hɑ:mlis] *a* inoffensif.
harmlessly ['hɑ:mlisli] *ad* innocemment.
harmonious [hɑ:'mounjəs] *a* harmonieux.
harmonize ['hɑ:mənaiz] *vt* harmoniser, concilier; *vi* s'harmoniser, s'accorder.
harmony ['hɑ:məni] *n* harmonie *f*, accord *m*.
harness ['hɑ:nis] *n* harnais *m*; *vt* harnacher, capter, aménager.
harness-maker ['hɑ:nis meikə] *n* bourrelier *m*.
Harold ['hærəld] Henri *m*.
harp [hɑ:p] *n* harpe *f*; *vi* jouer de la harpe; **to — on** ressasser, rabâcher.
harpoon [hɑ:'pu:n] *n* harpon *m*; *vt* harponner.
harpsichord ['hɑ:psikɔ:d] *n* clavecin *m*.
harrow ['hærou] *n* herse *f*; *vt* herser, blesser, déchirer.
harrowing ['hærouiŋ] *a* déchirant, navrant.
harry ['hæri] *vt* ravager, tracasser, harceler.
harsh [hɑ:ʃ] *a* rèche, âpre, cruel.
harshness ['hɑ:ʃnis] *n* rudesse *f*, âpreté *f*, rigueur *f*.
hart [hɑ:t] *n* cerf *m*.
harum-scarum ['hɛərəm'skɛərəm] *an* hurluberlu(e) *mf*, écervelé(e) *mf*.
harvest ['hɑ:vist] *n* moisson *f*, récolte *f*, vendange *f*, fenaison *f*; *vt* moissonner, récolter; *vi* faire la moisson.
harvester ['hɑ:vistə] *n* moissonneur, -euse, (*machine*) moissonneuse *f*.
hash [hæʃ] *n* hachis *m*, gâchis *m*, compte *m*; *vt* hacher, gâcher.
hassock ['hæsək] *n* coussin *m*.
haste [heist] *n* hâte *f*.
hasten ['heisn] *vt* presser, hâter, avancer; *vi* se presser, se dépêcher se hâter.
hastily ['heistili] *ad* à la hâte.
hasty ['heisti] *a* hâtif, vif, emporté.
hat [hæt] *n* chapeau *m*.
hat-box ['hætbɔks] *n* carton à chapeau *m*.
hatch [hætʃ] *n* écoutille *f*, couvaison *f*, couvée *f*, éclosion *f*; *vt* couver, tramer; *vi* éclore, se tramer.
hatchet ['hætʃit] *n* hachette *f*, cognée *f*.
hatching ['hætʃiŋ] *n* éclosion *f*, machination *f*.
hate [heit] *n* haine *f*, aversion *f*; *vt* haïr, détester.
hateful ['heitful] *a* haïssable, odieux.
hat-peg ['hætpeg] *n* patère *f*.
hatred ['heitrid] *n* haine *f*.
hatter ['hætə] *n* chapelier *m*.
hatter's ['hætəz] *n* chapellerie *f*.
haughtiness ['hɔ:tinis] *n* hauteur *f*, morgue *f*.
haughty ['hɔ:ti] *a* hautain.
haul [hɔ:l] *n* traction *f*, coup de filet *m*, butin *m*; *vt* haler, tirer, traîner.
haulage ['hɔ:lidʒ] *n* halage *m*, roulage *m*, charriage *m*.
haunch [hɔ:ntʃ] *n* hanche *f*, cuissot *m*, quartier *m*.
haunt [hɔ:nt] *n* rendez-vous *m*, repaire *m*; *vt* fréquenter, hanter, obséder.
have [hæv] *vt* avoir, permettre, savoir, soutenir, admettre, prendre, faire, tenir; **I had better, rather** je ferais (aimerais) mieux; **to — it out with** s'expliquer avec.
haven ['heivn] *n* port *m*.
haversack ['hævəsæk] *n* musette *f*, havresac *m*.
haves [hævz] *n pl* les possédants *m pl*.
havoc ['hævək] *n* ravage *m*, dégâts *m pl*.
hawk [hɔ:k] *n* faucon *m*; *vt* colporter; *vi* chasser au faucon.
hawker ['hɔ:kə] *n* camelot *m*, colporteur *m*, (*fruit*) marchand des quatre saisons *m*.
hawser ['hɔ:zə] *n* haussière *f*, amarre *f*.
hawthorn ['hɔ:θɔ:n] *n* aubépine *f*.
hay [hei] *n* foin *m*.

hayloft ['heilɔft] *n* fenil *m*.
haymaker ['heimeikə] *n* faneur, -euse.
haymaking ['heimeikiŋ] *n* fenaison *f*.
haystack ['heistæk] *n* meule de foin *f*.
hazard ['hæzəd] *n* hasard *m*; *vt* hasarder, risquer.
haze [heiz] *n* brume *f* (de chaleur), (*US*) harassement *m*, brimade *f*; *vt* brimer, bizuter.
hazel ['heizl] *n* noisetier *m*.
hazel-nut ['heizlnʌt] *n* noisette *f*.
hazy ['heizi] *a* brumeux, vague, estompé.
he [hiː] *pr* il, lui, celui; *an* mâle *m*.
head [hed] *n* tête *f*, face *f*, sommet *m*, source *f*, haut bout *m*, chef *m*, crise *f*; *a* premier, principal, (en) chef; *vt* conduire, intituler, venir en tête de; **to — for** se diriger vers, mettre le cap sur.
headache ['hedeik] *n* mal de tête *m*.
headdress ['heddres] *n* coiffure *f*.
heading ['hediŋ] *n* titre *m*, en-tête *m*, rubrique *f*.
headland ['hedlənd] *n* cap *m*, promontoire *m*.
headlight ['hedlait] *n* phare *m*.
headline ['hedlain] *n* titre *m*, manchette *f*.
headlong ['hedlɔŋ] *a* impétueux; *ad* la tête la première, tête baissée.
headman ['hedmən] *n* chef *m*.
headmaster ['hed'mɑːstə] *n* proviseur *m*, directeur *m*.
headmistress ['hed'mistris] *n* directrice *f*.
headphone ['hedfoun] *n* récepteur *m*, écouteur *m*.
headquarters ['hed'kwɔːtəz] *n* quartier général *m*, état major *m*.
headstone ['hedstoun] *n* pierre angulaire *f*, pierre tombale *f*.
headstrong ['hedstrɔŋ] *a* têtu, volontaire.
headway ['hedwei] *n* progrès *m* (*pl*), erre *f*.
heady ['hedi] *a* violent, capiteux.
heal [hiːl] *vti* guérir; *vi* se cicatriser.
healing ['hiːliŋ] *n* guérison *f*.
health [helθ] *n* santé *f*.
healthy ['helθi] *a* sain, bien portant, salubre.
heap [hiːp] *n* tas *m*, monceau *m*; *vt* entasser, amonceler, combler.
heaped [hiːpd] *a* entassé, amoncelé, comble.
hear [hiə] *vt* entendre, entendre dire, apprendre, faire répéter; **to — from** recevoir des nouvelles de.
heard [həːd] *pp pt of* **hear.**
hearer ['hiərə] *n* auditeur, -trice.
hearing ['hiəriŋ] *n* ouïe *f*, oreille *f*, audition *f*, audience *f*.
hearken ['hɑːkən] *vi* écouter, prêter l'oreille (à **to**).
hearsay ['hiəsei] *n* ouï-dire *m*.
hearse [həːs] *n* corbillard *m*.
heart [hɑːt] *n* cœur *m*, courage *m*.
heartbeat ['hɑːtbiːt] *n* battement de cœur *m*.
heartbreaking ['hɑːtbreikiŋ] *a* navrant, accablant, déchirant.
heartbroken ['hɑːt,broukən] *a* navré, accablé.
heartburn ['hɑːtbəːn] *n* aigreurs *f pl*.
hearten ['hɑːtn] *vt* réconforter, remonter le moral à.
heartfelt ['hɑːtfelt] *a* sincère, senti.
heartily ['hɑːtili] *ad* de bon cœur, avec appétit
heartiness ['hɑːtinis] *n* cordialité *f*, vigueur *f*.
heartless ['hɑːtlis] *a* sans cœur, cruel.
heartlessness ['hɑːtlisnis] *n* dureté *f*, manque de cœur *m*.
hearth [hɑːθ] *n* foyer *m*.
hearty ['hɑːti] *a* cordial, copieux, solide.
heat [hiːt] *n* chaleur *f*, colère *f*, épreuve *f*, manche *f*; *vti* chauffer; *vt* (r)échauffer, enflammer; *vi* s'échauffer.
heated ['hiːtid] *a* chaud, chauffé, animé.
heater ['hiːtə] *n* radiateur *m*.
heath [hiːθ] *n* lande *f*, bruyère *f*.
heathen ['hiːðən] *an* païen, -ienne.
heather ['heðə] *n* bruyère *f*.
heating ['hiːtiŋ] *n* chauffage *m*, chauffe *f*.
heave [hiːv] *n* soulèvement *m*, effort *m*; *vt* soulever, pousser; *vi* palpiter, avoir des haut-le-cœur, se soulever, battre du flanc; **to — to** mettre en panne.
heaven ['hevn] *n* ciel *m*.
heavenly ['hevnli] *a* céleste, divin.
heavily ['hevili] *ad* pesamment, lourdement.
heaviness ['hevinis] *n* lourdeur *f*, poids *m*, lassitude *f*.
heavy ['hevi] *a* lourd, (*sea*) dur, violent, gros, triste.
Hebrew ['hiːbruː] *an* hébreu.
heckle ['hekl] *vt* harceler.
hectic ['hektik] *a* fiévreux, excitant.
hector ['hektə] *vt* rudoyer.
hedge [hedʒ] *n* haie *f*, (*fig*) mur *m*; *vt* enclore; *vi* se couvrir, esquiver la question.
hedgehog ['hedʒhɔg] *n* hérisson *m*.
heed [hiːd] *n* attention *f*; *vt* faire attention à.
heedful ['hiːdful] *a* attentif.
heedless ['hiːdlis] *a* inattentif, léger, insouciant.
heedlessly ['hiːdlisli] *ad* étourdiment.
heel [hiːl] *n* talon *m*; *vt* réparer le talon de; *vti* talonner; **to bring to —** mettre au pas; **to —!** ici! **down at —** éculé.
hefty ['hefti] *a* solide, costaud.
heifer ['hefə] *n* génisse *f*.
height [hait] *n* hauteur *f*, comble *m*.
heighten ['haitn] *vt* rehausser, faire ressortir.
heinous ['heinəs] *a* atroce, odieux.

heinousness ['heinəsnis] *n* atrocité *f*, énormité *f*.
heir [ɛə] *n* héritier *m*.
heiress ['ɛəris] *n* héritière *f*.
heirloom ['ɛəlu:m] *n* bien inaliénable *m*, meuble *m* de famille.
held [held] *pt pp of* **hold.**
Helen ['helin] Hélène *f*.
hell [hel] *n* enfer *m*, diable *m*.
hellish ['heliʃ] *a* infernal.
helm [helm] *n* barre *f*, gouvernail *m*.
helmet ['helmit] *n* casque *m*.
helmsman ['helmzmən] *n* timonier *m*, homme de barre *m*.
help [help] *n* aide *f*, secours *m*, domestique *mf*, auxiliaire *mf*, collaborateur, -trice; *vt* aider, secourir, servir; **I can't — laughing** je ne peux m'empêcher de rire; **I can't — it** je n'y peux rien.
helpful ['helpful] *a* secourable, serviable, utile.
helpfulness ['helpfulnis] *n* serviabilité *f*.
helping ['helpiŋ] *n* portion *f*, morceau *m*.
helpless ['helplis] *a* sans défense désemparé, sans ressource.
helplessness ['helplisnis] *n* impuis sance *f*, faiblesse *f*.
helter-skelter ['heltə'skeltə] *ad* pêle mêle, à la débandade.
hem [hem] *n* ourlet *m*; *vt* ourler; **to — in** cerner.
hemlock ['hemlɔk] *n* ciguë *f*.
hemp [hemp] *n* chanvre *m*.
hen [hen] *n* poule *f*, femelle *f*.
hence [hens] *ad* d'ici.
henceforth ['hens'fɔ:θ] *ad* à l'avenir dorénavant.
henchman ['hentʃmən] *n* partisan *m*, bras droit *m*.
henhouse ['hen'haus] *n* poulailler *m*.
henpecked ['henpekt] *a* dominé par sa femme.
henroost ['henrust] *n* perchoir *m*.
Henry ['henri] Henri *m*.
her [hə:] *a* son, sa, ses; *pn* la, lui, à elle; **—self** elle-même; **—s** *pn* le sien, la sienne, les siens, les siennes.
herald ['herəld] *n* héraut *m*, messager, -ère, avant-coureur *m*, avant-courrier, -ière.
heraldry ['herəldri] *n* blason *m*, art héraldique *m*.
herb [hə:b] *n* herbe *f*; *pl* simples *m pl*.
herbaceous [hə:'beiʃəs] *a* herbacé.
herbalist ['hə:bəlist] *n* herboriste *mf*.
herd [hə:d] *n* troupeau *m*; *vi* vivre en troupe.
herdsman ['hə:dzmən] *n* pâtre *m*, bouvier *m*.
here [hiə] *ad* ici.
hereafter [hiər'ɑ:ftə] *n* vie future *f*, au-delà *m*; *ad* à l'avenir, désormais, ci-dessous.
hereditary [hi'reditəri] *a* héréditaire.
heredity [hi'rediti] *n* hérédité *f*.
herein ['hiərin] *ad* ici, ci-dedans, ci-inclus.
heresy ['herəsi] *n* hérésie *f*.
heretic ['herətik] *n* hérétique *mf*.
heritage ['heritidʒ] *n* héritage *m*.
hermit ['hə:mit] *n* ermite *m*.
hernia ['hə:njə] *n* hernie *f*.
hero ['hiərou] *n* héros *m*.
heroic [hi'rouik] *a* héroïque.
heroine ['herouin] *n* héroïne *f*.
heron ['herən] *n* héron *m*.
herring ['heriŋ] *n* hareng *m*; **red —** (*fig*) diversion.
hesitate ['heziteit] *vi* hésiter.
hesitation [,hezi'teiʃən] *n* hésitation *f*.
hew [hju:] *vt* couper, ouvrir, tailler.
hewer ['hju:ə] *n* bûcheron *m*, tailleur *m*.
heyday ['heidei] *n* fleur *f*, apogée *m*, beaux jours *m pl*.
hiccup ['hikʌp] *n* hoquet *m*; *vi* avoir le hoquet.
hid, hidden [hid, 'hidn] *pt pp of* **hide.**
hide [haid] *n* peau *f*, cuir *m*; *vt* cacher; *vi* se cacher.
hide-and-seek ['haidan'si:k] *n* cache-cache *m*.
hidebound ['haidbaund] *a* étroit, fermé, systématique.
hideous ['hidjəs] *a* hideux, horrible, affreux, odieux.
hiding ['haidiŋ] *n* râclée *f*, dissimulation *f*.
hiding-place ['haidiŋpleis] *n* cachette *f*.
higgledy-piggledy ['higldi'pigldi] *ad* en confusion, pêle-mêle.
high [hai] *a* haut (placé), élevé, grand, gros, avancé, faisandé, (*US*) (*of drug addict*) parti, en voyage; **— altar** maître-autel *m*; **— school** lycée *m*, collège *m*.
highborn ['haibɔ:n] *a* de haute naissance.
highbrow ['haibrau] *n* intellectuel, -elle, pontife *m*, snob *m*.
highflown ['haifloun] *a* ampoulé, extravagant.
high-handed ['hai'hændid] *a* impérieux, arbitraire.
highly ['haili] *ad* fortement, hautement, fort, très; **—-strung** exalté, nerveux.
highness ['hainis] *n* Altesse *f*. hauteur *f*.
high-pitched ['hai'pitʃt] *a* aigu, -un
highroad, -way ['hairoud, -wei] ë route *f* nationale, grand'route *ff* voie *f*; *a* routier; **dual —** route , jumelée.
high-spirited ['hai'spiritid] *a* exubérant, courageux, enthousiaste.
highwayman ['haiweimən] *n* voleur de grand chemin *m*.
hike [haik] *n* excursion *f* à pied; *vi* faire du footing, trimarder.
hilarious [hi'lɛəriəs] *a* hilaire.
hilarity [hi'læriti] *n* hilarité *f*.
hill [hil] *n* colline *f*, côte *f*, coteau *m*, montée *f*.

hillock ['hilək] *n* tertre *m*, butte *f*.
hilltop ['hiltɔp] *n* sommet *m*.
hilly ['hili] *a* accidenté, montueux.
hilt [hilt] *n* poignée *f*, garde *f*, crosse *f*.
him [him] *pn* le, lui; **—self** lui-même.
hind [haind] *n* biche *f*; *a* de derrière.
hinder ['hində] *vt* gêner, empêcher, entraver.
hindmost ['haindmoust] *a* dernier.
hindquarters ['haind'kwɔːtəz] *n* arrière train *m*.
hindrance ['hindrəns] *n* entrave *f*, obstacle *m*, empêchement *m*.
hinge [hindʒ] *n* gond *m*, pivot *m*, charnière *f*; *vi* tourner, dépendre.
hint [hint] *n* allusion *f*, insinuation *f*, mot *m*; *vt* insinuer, faire entendre; *vi* faire allusion (à at).
hip [hip] *n* hanche *f*.
hire ['haiə] *n* louage *m*, location *f*; **on, for —** à louer; *vt* louer, embaucher.
hireling ['haiəliŋ] *n* mercenaire *m*.
hire-purchase ['haiə'pəːtʃis] *n* paiements échelonnés *m pl*, vente à tempérament *f*.
hirsute ['həːsjuːt] *a* hirsute, velu.
his [hiz] *a* son, sa, ses; *pn* le sien, la sienne, les siens, les siennes, à lui.
hiss [his] *n* sifflement *m*, sifflets *m pl*; *vti* siffler.
historian [his'tɔːriən] *n* historien *m*.
historic [his'tɔrik] *a* historique.
history ['histəri] *n* histoire *f*.
hit [hit] *n* coup *m* (au but), succès *m*; *vt* frapper, atteindre, mettre le doigt sur; *vi* se cogner, donner.
hitch [hitʃ] *n* secousse *f*, accroc *m*, nœud *m*; *vt* pousser (tirer) brusquement, attacher, accrocher.
hitchhike ['hitʃhaik] *vi* faire de l'autostop.
hither ['hiðə] *ad* ici, y, çà.
hitherto ['hiðə'tuː] *ad* jusqu'ici.
hive [haiv] *n* ruche *f*, essaim *m*.
hoard [hɔːd] *n* stock *m*, magot *m*; *vt* amasser, thésauriser.
hoarding ['hɔːdiŋ] *n* palissade *f*, panneau-réclame *m*, thésaurisation *f*, amassage *m*.
hoarfrost ['hɔː'frɔst] *n* gelée blanche *f*, givre *m*.
hoarse [hɔːs] *a* rauque, enroué.
hoarseness ['hɔːsnis] *n* enrouement *m*.
hoary ['hɔːri] *a* chenu, vénérable, blanchâtre.
hoax [houks] *n* mystification *f*, *vt* mystifier.
hobble ['hɔbl] *n* boiterie *f*, entrave *f*, embarras *m*; *vt* entraver; *vi* aller clopin-clopant.
hobby ['hɔbi] *n* marotte *f*, dada *m*.
hobnail ['hɔbneil] *n* clou à ferrer *m*.
hock [hɔk] *n* jarret *m*, vin du Rhin *m*.
hod [hɔd] *n* hotte *f*, auge *f*.
hoe [hou] *n* houe *f*, sarcloir *m*, hoyeau *m*, daba *m*; *vt* biner sarcler.
hog [hɔg] *n* porc *m*, pourceau *m*, cochon *m*.
hogshead ['hɔgzhed] *n* barrique *f*.
hoist [hɔist] *n* poulie *f*, treuil *m*, monte-charge *m*; *vt* hisser.
hold [hould] *n* prise *f*, mainmise *f*, influence *f*, empire *m*, cale *f*; *vt* (con-, dé-, main-, re-, sou-, tenir, porter; *vi* tenir (bon), se maintenir, persister, subsister; **to — back** *vt* retenir; *vi* hésiter, rester en arrière; **to — on** tenir bon, s'accrocher.
holdall ['houldɔːl] *n* valise *f*, fourre-tout *m*.
holder ['houldə] *n* manche *m*, poignée *f*, récipient *m*, porteur, -euse, détenteur, -trice, titulaire *mf*.
holdfast ['houldfɑːst] *n* crampon *m*.
holding ['houldiŋ] *n* propriété *f*, tenue *f*, conservation *f*, tenure *f*.
hold-up ['houldʌp] *n* embouteillage *m*, panne *f*, attaque *f*, coup à main armée *m*.
hole [houl] *n* trou *m*; *vt* trouer, percer.
holiday ['hɔlədi] *n* jour férié *m*, congé *m*, vacances *f pl*.
holiness ['houlinis] *n* sainteté *f*.
Holland ['hɔlənd] *n* la Hollande *f*.
hollow ['hɔlou] *n* creux *m*, cavité *f*, cuvette *f*; *a* creux, faux, sourd; *vt* creuser.
holly ['hɔli] *n* houx *m*.
hollyhock ['hɔlihɔk] *n* rose trémière *f*.
holm [houm] *n* îlot *m*, berge *f*; **—oak** chêne vert *m*.
holster ['houlstə] *n* fontes *f pl*, étui *m*.
holy ['houli] *a* saint, bénit, sacré; **the H— Ghost** le Saint-Esprit.
home [houm] *n* chez-soi *m*, maison *f*, foyer *m*, pays *m*, asile *m*, clinique *f*; *a* domestique, de famille, indigène, métropolitain, national, (coup) direct, bien appliqué; *ad* chez soi, de retour; **not at —** sorti; **to drive —** pousser à fond; **to strike —** frapper juste.
homecoming ['houm,kʌmiŋ] *n* retour *m*, rentrée *f*.
homeless ['houmlis] *a* sans logis.
homely ['houmli] *a* simple, commun.
home-made ['houm'meid] *a* fait chez soi, bricolé.
Home Office ['houm,ɔfis] *n* ministère de l'Intérieur *m*.
home rule ['houm'ruːl] *n* autonomie *f*.
Home Secretary ['houm'sekrətri] *n* ministre de l'Intérieur *m*.
homesickness ['houmsiknis] *n* mal du pays *m*.
homespun ['houmspʌn] *a* filé à la maison.
homeward ['houmwəd] *ad* vers la maison, vers le pays.
homily ['hɔmili] *n* homélie *f*.
homogeneity [,hɔmoudʒə'niːiti] *n* homogénéité *f*.
homogeneous [,hɔmə'dʒiːnjəs] *a* homogène.

hone [houn] *n* pierre *f* à aiguiser, (*razors*) cuir *m*.
honest ['ɔnist] *a* honnête, probe, loyal.
honestly ['ɔnistli] *ad* sincèrement, de bonne foi, honnêtement.
honesty ['ɔnisti] *n* honnêteté *f*, sincérité *f*.
honey ['hʌni] *n* miel *m*.
honeycomb ['hʌnikoum] *n* rayon de miel *m*; *vt* cribler.
honeydew ['hʌnidju:] *n* miellée *f*.
honeymoon ['hʌnimu:n] *n* lune de miel *f*, voyage de noces *m*.
honeysuckle ['hʌni,sʌkl] *n* chèvrefeuille *m*.
honorary ['ɔnərəri] *a* honoraire, honorifique.
honour ['ɔnə] *n* honneur *m*, distinction *f*; *vt* honorer.
honourable ['ɔnərəbl] *a* honorable, honnête.
hood [hud] *n* capuchon *m*, cape (line) *f*, capote *f*, (*US*) capot *m* (*de moteur*).
hooded ['hudid] *a* encapuchonné, mantelé.
hoodwink ['hudwiŋk] *vt* égarer, donner le change à.
hoof [hu:f] *n* sabot *m*.
hook [huk] *n* croc *m*, crochet *m*, hameçon *m*, faucille *f*; (*US*) **—up** (*radio*) combinaison *f* d'intérêts, conjugaison *f* de postes; *vt* (ac) crocher, agrafer, (*fish*) ferrer.
hooked [hukt] *a* crochu, busqué.
hooligan ['hu:ligən] *n* voyou *m*.
hoop [hu:p] *n* cercle *m*, cerceau *m*, arceau *m*.
hooping-cough ['hu:piŋkɔf] *n* coqueluche *f*.
hoot [hu:t] *n* hululement *m*, huée *f*, coup de klaxon *m*; *vi* hululer, corner, klaxonner; *vti* huer; *vt* siffler.
hooter ['hu:tə] *n* sirène *f*, corne *f*.
hop [hɔp] *n* houblon *m*, petit saut *m*, sauterie *f*; *vi* saut(ill)er; **to — it** ficher le camp.
hope [houp] *n* espoir *m*, espérance *f*, attente *f*; *vt* espérer; **to — for** espérer.
hopeful ['houpful] *a* qui a bon espoir, qui donne espoir.
hopefully ['houpfuli] *ad* avec confiance.
hopeless ['houplis] *a* désespéré, incurable.
hop-garden ['hɔp'gɑ:dn] *n* houblonnière *f*.
hopping ['hɔpiŋ] *n* sautillement *m*, cueillette du houblon *f*.
horde [hɔ:d] *n* horde *f*.
horizon [hə'raizn] *n* horizon *m*.
horizontal [,hɔri'zɔntl] *a* horizontal.
horn [hɔ:n] *n* cor *m*, corne *f*.
hornbill ['hɔ:nbil] *n* calao *m*.
hornet ['hɔ:nit] *n* frelon *m*.
horrible ['hɔribl] *a* horrible, affreux.
horrid ['hɔrid] *a* affreux.
horrify ['hɔrifai] *vt* horrifier.
horror ['hɔrə] *n* horreur *f*.
horror-struck ['hɔrəstrʌk] *a* saisi, glacé.
horse [hɔ:s] *n* cheval *m*, cavalerie *f*, chevalet *m*.
horseback ['hɔ:sbæk] *ad* **on —** à cheval.
horse-dealer ['hɔ:s,di:lə] *n* maquignon *m*.
horsefly ['hɔ:sflai] *n* taon *m*.
horseman ['hɔ:smən] *n* écuyer *m*, cavalier *m*.
horsemanship ['hɔ:smənʃip] *n* équitation *f*.
horseplay ['hɔ:splei] *n* jeu de vilain *m*, jeu brutal *m*.
horsepower ['hɔ:s,pauə] *n* cheval-vapeur *m*.
horse-radish ['hɔ:s,rædiʃ] *n* raifort *m*.
horseshoe ['hɔ:sʃu:] *n* fer à cheval *m*.
horsewoman ['hɔ:s,wumən] *n* cavalière *f*, écuyère *f*, amazone *f*.
hose [houz] *n* tuyau *m*, bas *m pl*.
hosier's ['houʒəz] *n* bonneterie *f*.
hospitable [hɔs'pitəbl] *a* hospitalier.
hospitably [hɔs'pitəbli] *ad* à bras ouverts.
hospital ['hɔspitl] *n* hôpital *m*.
hospitality [,hɔspi'tæliti] *n* hospitalité *f*.
host ['houst] *n* hôte *m*, hostie *f*, armée *f*.
hostage ['hɔstidʒ] *n* ôtage *m*.
hostel ['hɔstəl] *n* foyer *m*, pension *f*; **youth —** auberge de la jeunesse *f*.
hostess ['houstes] *n* hôtesse *f*, maîtresse *f* de maison.
hostile ['hɔstail] *a* hostile, ennemi.
hostility [hɔs'tiliti] *n* hostilité *f*.
hot [hɔt] *a* très chaud, brûlant, qui emporte la bouche.
hotch-potch ['hɔtʃpɔtʃ] *n* salmigondis *m*, macédoine *f*.
hotel [hou'tel] *n* hôtel *m*.
hot-headed ['hɔt'hedid] *a* exalté, impétueux, emporté.
hothouse ['hɔthaus] *n* serre chaude *f*.
hot-line ['hɔtlain] *n* téléphone rouge *m*.
hotpot ['hɔtpɔt] *n* ragoût *m*.
hot-water bottle [hɔt'wɔ:tə,bɔtl] *n* bouillotte *f*, moine *m*.
hough [hɔk] *n* jarret *m*.
hound [haund] *n* chien courant *m*; *pl* meute *f*; *vt* chasser.
hour ['auə] *n* heure *f*; **— hand** petite aiguille *f*.
hourly ['auəli] *ad* à toute heure, à l'heure.
house [haus] *n* maison *f*, Chambre *f*; [hauz] *vt* loger, abriter, garer.
house-agent ['haus,eidʒənt] *n* agent de location *m*.
housebreaking ['haus,breikiŋ] *n* vol *m* avec effraction, cambriolage *m*.
household ['haushould] *n* maisonnée *f*, ménage *m*, maison *f*.
householder ['haus,houldə] *n* occupant(e) *mf*.

housekeeper ['haus,ki:pə] *n* femme de charge *f*, ménagère *f*.
housekeeping ['haus,ki:piŋ] *n* ménage *m*.
housemaid ['hausmeid] *n* femme de chambre *f*, bonne *f*.
housetop ['haustɔp] *n* toit *m*; **to shout from the —s** crier qch sur les toits.
housewarming ['haus,wɔ:miŋ] *n* **to hold a —** pendre la crémaillère.
housewife ['hauswaif] *n* ménagère *f*.
housework ['hauswə:k] *n* ménage *m*.
housing ['hauziŋ] *n* logement *m*, rentrée *f*; **— problem** crise de logement *f*.
hovel ['hɔvəl] *n* masure *f*, taudis *m*.
hover ['hɔvə] *vi* planer, flâner, hésiter; **—craft** *n* aéroglisseur *m*.
how [hau] *ad* comment, comme, combien.
however [hau'evə] *ad* cependant; *cj* quelque (si) . . . que, de quelque manière que.
howitzer ['hauitsə] *n* obusier *m*.
howl [haul] *n* hurlement *m*; *vi* hurler, rugir, mugir.
hub [hʌb] *n* moyeu *m*, centre *m*.
huddle ['hʌdl] *n* tas *m*, fouillis *m*; *vt* entasser, serrer; *vi* se blottir, s'entasser, se serrer.
hue [hju:] *n* teinte *f*, nuance *f*; **to raise a — and cry against** crier tollé contre.
huff [hʌf] *vt* offusquer, froisser, souffler; **to take the —** prendre la mouche, s'offusquer; **to be in the —** être offusqué.
hug [hʌg] *n* étreinte *f*; *vt* étreindre, presser, embrasser, serrer, longer, s'accrocher à.
huge [hju:dʒ] *a* immense, énorme.
hugeness ['hju:dʒnis] *n* énormité *f*, immensité *f*.
hulk [hʌlk] *n* carcasse *f*; *pl* pontons *m pl*.
hull [hʌl] *n* cosse *f*, coque *f*.
hullabaloo [,hʌləbə:'lu:] *n* vacarme *m*, charivari *m*.
hum [hʌm] *n* bourdonnement *m*, fredonnement *m*, ronron(nement) *m*; *vi* bourdonner, fredonner, ronronner.
human ['hju:mən] *a* humain.
humane [hju:'mein] *a* humain, humanitaire.
humanist ['hju:mənist] *n* humaniste *m*.
humanity [hju:'mæniti] *n* humanité *f*, genre humain *m*.
humanize ['hju:mənaiz] *vt* humaniser.
humble ['hʌmbl] *a* humble; *vt* humilier, rabattre.
humbug ['hʌmbʌg] *n* blagueur *m*, fumiste *m*, blague *f*, fumisterie *f*.
humdrum ['hʌmdrum] *a* plat, assommant, monotone, quotidien.
humid ['hju:mid] *a* humide.
humidity [hju:'miditi] *n* humidité *f*.
humiliate [hju:'milieit] *vt* humilier.
humiliation [hju:,mili'eiʃən] *n* humiliation *f*.
humility [hju:'militi] *n* humilité *f*.
hummock ['hʌmək] *n* mamelon *m*, monticule *m*.
humorist ['hju:mərist] *n* plaisant *m*, humoriste *m*, comique *m*.
humorous ['hju:mərəs] *a* humoristique, comique, plaisant, drôle.
humour ['hju:mə] *n* humeur *f*, humour *m*; *vt* flatter, se prêter à.
hump [hʌmp] *n* bosse *f*, cafard *m*.
humpback(ed) ['hʌmpbæk(t)] *an* bossu(e) *mf*.
hunch [hʌntʃ] *n* bosse *f*, pressentiment *m*; *vt* incurver, voûter.
hundred ['hʌndrid] *an* cent *m*.
hundredth ['hʌndridθ] *a* centième.
hung [hʌŋ] *pp pt of* **hang.**
Hungarian [hʌŋ'gɛəriən] *a* hongrois.
Hungary ['hʌŋgəri] *n* Hongrie *f*.
hunger ['hʌŋgə] *n* faim *f*; *vi* avoir faim, être affamé.
hunger-strike ['hʌŋgəstraik] *n* grève *f* de la faim.
hungry ['hʌŋgri] *a* qui a (donne) faim, affamé.
hunt [hʌnt] *n* chasse *f*; *vti* chasser; *vi* chasser à courre.
hunter ['hʌntə] *n* chasseur *m*, monture *f*.
hunting-box ['hʌntiŋbɔks] *n* pavillon de chasse *m*.
hunting-ground ['hʌntiŋgraund] *n* terrain de chasse *m*.
hunting-horn ['hʌntiŋhɔ:n] *n* cor de chasse *m*.
huntsman ['hʌntsmən] *n* piqueur *m*, veneur *m*, chasseur *m*.
hurdle ['hə:dl] *n* claie *f*, haie *f*, obstacle *m*; **— race** course de haies *f*, steeple-chase *m*.
hurl [hə:l] *vt* lancer, précipiter.
hurrah [hu'rɑ:] *int n* hourra *m*.
hurricane ['hʌrikən] *n* ouragan *m*; **—-lamp** lampe-tempête *f*.
hurried ['hʌrid] *a* pressé, hâtif.
hurriedly ['hʌridli] *ad* précipitamment, à la hâte.
hurry ['hʌri] *n* hâte *f*, urgence *f*; *vt* hâter, presser; *vi* (se) presser, se dépêcher; **in a —** pressé, en toute hâte, de si tôt; **there is no —** rien ne presse.
hurt [hə:t] *n* mal *m*, blessure *f*, tort *m*, préjudice *m*; *vt* faire (du) mal à, blesser, faire tort à; *vi* faire mal.
hurtful ['hə:tful] *a* préjudiciable, nocif, nuisible.
husband ['hʌzbənd] *n* mari *m*; *vt* ménager, gérer sagement.
husbandman ['hʌzbəndmən] *n* fermier *m*, laboureur *m*.
husbandry ['hʌzbəndri] *n* culture *f*, gestion habile *f*.
hush [hʌʃ] *n* silence *m*, accalmie *f*; *vt* faire taire, étouffer; *vi* se taire; *excl* chut!
husk [hʌsk] *n* cosse *f*, gousse *f*, balle

f, peau *f*; *vt* écosser, décortiquer, éplucher.
husky ['hʌski] *a* enroué, altéré, (*US*) fort, costaud; *n* chien esquimau *m*.
hussar [hu'zɑː] *n* hussard *m*.
hussy ['hʌsi] *n* effrontée *f*, luronne *f*.
hustle ['hʌsl] *n* bousculade *f*, activité *f*, *vt* bousculer, presser; *vi* jouer des coudes, se hâter.
hut [hʌt] *n* cabane *f*, baraque *f*; (*mil*) baraquement *m*; **straw —** paillotte.
hutch [hʌtʃ] *n* clapier *m*.
hyacinth ['haiəsinθ] *n* jacinthe *f*, hyacinthe *f*.
hybrid ['haibrid] *an* hybride *m*.
hydrangea [hai'dreindʒə] *n* hortensia *m*.
hydrant ['haidrənt] *n* prise d'eau *f*.
hydro-electric [ˌhaidroui'lektrik] *a* hydraulique; **—-power** houille *f* blanche.
hydrogen ['haidrədʒən] *n* hydrogène *m*.
hydrophobia [ˌhaidrə'foubjə] *n* hydrophobie *f*, rage *f*.
hyena [hai'iːnə] *n* hyène *f*.
hygiene ['haidʒiːn] *n* hygiène *f*.
hygienic [hai'dʒiːnik] *a* hygiénique.
hymn [him] *n* hymne *m*.
hyphen ['haifən] *n* trait d'union *m*.
hypnosis [hip'nousis] *n* hypnose *f*.
hypnotic [hip'nɔtik] *a* hypnotique.
hypnotism ['hipnətizəm] *n* hypnotisme *m*.
hypnotize ['hipnətaiz] *vt* hypnotiser.
hypocrisy [hi'pɔkrisi] *n* hypocrisie *f*.
hypocrite ['hipəkrit] *n* hypocrite *mf*.
hypocritical [ˌhipə'kritikəl] *a* hypocrite.
hypothesis [hai'pɔθisis] *n* hypothèse *f*.
hypothetical [ˌhaipou'θetikəl] *a* hypothétique.
hysteria [his tiəriə] *n* hystérie *f*.
hysterical [his'terikəl] *a* hystérique, sujet à des crises de nerfs.
hysterics [his'teriks] *n* crise de nerfs *f*.

I

I [ai] *pn* je, moi.
Iain ['iən] (*Scot*) Jean *m*.
Iberia [ai'biəriə] *n* Ibérie *f*.
Iberian [ai'biəriən] *a* ibérique; *an* ibérien, -ienne.
ibex ['aibeks] *n* chamois *m*.
ice [ais] *n* glace *f*; *vt* (con)geler, glacer, (*wine*) frapper.
iceberg ['aisbəːg] *n* iceberg *m*, glaçon *m*.
icebound ['aisbaund] *a* pris par les glaces.
icecream ['ais'kriːm] *n* glace *f*.
ice-floe ['aisflou] *n* banquise *f*.
ice-house ['aishaus] *n* glacière *f*.
icicle ['aisikl] *n* glaçon *m*.
icy ['aisi] *a* glacial, couvert de glace.
idea [ai'diə] *n* idée *f*, notion *f*.
ideal [ai'diəl] *an* idéal *m*.
idealize [ai'diəlaiz] *vt* idéaliser.
identical [ai'dentikəl] *a* identique, conforme.
identify [ai'dentifai] *vt* identifier, établir l'identité de.
identikit [ai'dentikit] *a* portrait *m* robot.
identity [ai'dentiti] *n* identité *f*.
idiocy ['idiəsi] *n* idiotie *f*.
idiom ['idiəm] *n* dialecte *m*, locution *f*.
idiot ['idiət] *n* idiot(e) *mf*.
idiotic [ˌidi'ɔtik] *a* idiot, bête.
idle ['aidl] *a* paresseux, désœuvré, perdu, vain; *vi* paresser, muser, marcher au ralenti.
idleness ['aidlnis] *n* paresse *f*, oisiveté *f*, chômage *m*, futilité *f*.
idler ['aidlə] *n* fainéant(e) *mf*, flâneur, -euse, désœuvré(e) *mf*.
idly ['aidli] *ad* paresseusement, vainement.
idol ['aidl] *n* idole *f*.
idolatrous [ai'dɔlətrəs] *a* idolâtre.
idolatry [ai'dɔlətri] *n* idolâtrie *f*.
idolize ['aidəlaiz] *vt* idolâtrer, adorer.
if [if] *cj* si.
igloo ['igluː] *n* igloo *m*.
ignite [ig'nait] *vt* allumer, mettre le feu à; *vi* prendre feu.
ignition [ig'niʃən] *n* allumage *m*, ignition *f*.
ignoble [ig'noubl] *a* né bas, ignoble, infâme.
ignominious [ˌignə'miniəs] *a* ignominieux.
ignominy ['ignəmini] *n* ignominie *f*.
ignorance ['ignərəns] *n* ignorance *f*.
ignorant ['ignərənt] *a* ignorant.
ignore [ig'nɔː] *vt* passer sous silence, méconnaître, ne pas tenir compte de.
ill [il] *n* mal *m*, tort *m*; *a* malade, mauvais; *ad* mal.
ill-bred ['il'bred] *a* mal élevé.
ill-considered ['ilkən'sidəd] *a* peu réfléchi, hâtif, -ive.
ill-disposed ['ildis'pouzd] *a* malveillant.
illegal [i'liːgəl] *a* illégal.
illegality [ˌiliː'gæliti] *n* illégalité *f*.
illegible [i'ledʒəbl] *a* illisible.
illegitimacy [ˌili'dʒitiməsi] *n* illégitimité *f*.
illegitimate [ˌili'dʒitimit] *a* illégitime.
ill-fated ['il'feitid] *a* malchanceux, néfaste.
ill-feeling ['il'fiːliŋ] *m* rancune *f*, ressentiment *m*.
ill-gotten ['il'gɔtn] *a* mal acquis.
illiberal [i'libərəl] *a* borné, grossier, mesquin.
illicit [i'lisit] *a* illicite.
ill-informed ['ilin'fɔːmd] *a* mal renseigné.
illiterate [i'litərit] *an* illettré(e) *mf*.
illness ['ilnis] *n* maladie *f*.

ill-starred ['il'stɑːd] *a* né sous une mauvaise étoile, néfaste.
ill-timed ['il'taimd] *a* inopportun, malencontreux.
illuminate [i'luːmineit] *vt* illuminer, éclairer, enluminer.
illumination [iˌluːmi'neiʃən] *n* illumination *f*, enluminure *f*.
ill-used ['il'juːzd] *a* malmené, maltraité.
illusion [i'luːʒən] *n* illusion *f*.
illusionist [i'luːʒənist] *n* prestidigitateur *m*.
illusive [i'luːsiv] *a* trompeur, mensonger.
illustrate ['iləstreit] *vt* éclairer, illustrer.
illustration [ˌiləs'treiʃən] *n* illustration *f*, explication *f*, exemple *m*.
illustrator ['iləstreitə] *n* illustrateur *m*.
illustrious [i'lʌstriəs] *a* illustre, célèbre.
image ['imidʒ] *n* image *f*, statuette *f*.
imagery ['imədʒəri] *n* images *fpl*.
imaginable [i'mædʒinəbl] *a* imaginable.
imaginary [i'mædʒinəri] *a* imaginaire.
imagination [iˌmædʒi'neiʃən] *n* imagination *f*.
imaginative [i'mædʒinətiv] *a* imaginatif.
imagine [i'mædʒin] *vt* s'imaginer, se figurer, concevoir, croire, imaginer.
imbecile ['imbəsiːl] *an* imbécile *mf*; *a* faible.
imbecility [ˌimbi'siliti] *n* imbécillité *f*.
imbibe [im'baib] *vt* boire, absorber, imbiber, adopter.
imbue [im'bjuː] *vt* imprégner, inspirer.
imitate ['imiteit] *vt* imiter.
imitation [ˌimi'teiʃən] *n* imitation *f*.
imitative ['imitətiv] *a* imitatif, imitateur.
imitator ['imitəitə] *n* imitateur, -trice.
immaculate [i'mækjulit] *a* immaculé, irréprochable.
immaterial [ˌimə'tiəriəl] *a* immatériel, sans importance.
immature [ˌimə'tjuə] *a* pas mûr.
immeasurable [i'meʒərəbl] *a* incommensurable, infini.
immediate [i'miːdjət] *a* immédiat, direct, premier.
immediately [i'miːdjətli] *ad* aussitôt, tout de suite.
immemorial [ˌimi'mɔːriəl] *a* immémorial.
immense [i'mens] *a* immense, vaste.
immensely [i'mensli] *ad* énormément, immensément
immensity [i'mensiti] *n* immensité *f*.
immerse [i'məːs] *vt* immerger, plonger.
immigrant ['imigrənt] *an* immigrant(e) *mf*, immigré(e) *mf*.
immigrate ['imigreit] *vi* immigrer.
immigration [ˌimi'greiʃən] *n* immigration *f*.
imminence ['iminəns] *n* imminence *f*.
imminent ['iminənt] *a* imminent.
immobility [ˌimou'biliti] *n* immobilité *f*, fixité *f*.
immoderate [i'mɔdərit] *a* immodéré, démesuré.
immoderately [i'mɔdəritli] *ad* démesurément, immodérément.
immoderation ['iˌmɔdər'eiʃən] *n* manque de mesure *m*.
immoral [i'mɔrəl] *a* immoral.
immorality [ˌimə'ræliti] *n* immoralité *f*.
immortal [i'mɔːtl] *a* immortel.
immortality [ˌimɔː'tæliti] *n* immortalité *f*.
immortalize [i'mɔːtəlaiz] *vt* immortaliser.
immovable [i'muːvəbl] *a* immuable, inébranlable, insensible.
immune [i'mjuːn] *a* à l'abri (de to), réfractaire (à to).
immunity [i'mjuːniti] *n* immunité *f*, exemption *f*.
immunize ['imjunaiz] *vt* immuniser.
immutability [iˌmjuːtə'biliti] *n* immutabilité *f*.
immutable [i'mjuːtəbl] *a* immuable.
imp [imp] *n* diablotin *m*.
impact ['impækt] *n* choc *m*, collision *f*, impression *f*.
impair [im'pɛə] *vt* affaiblir, altérer.
impairment [im'pɛəmənt] *n* affaiblissement *m*, altération *f*.
impale [im'peil] *vt* empaler.
impart [im'pɑːt] *vt* faire part de, communiquer.
impartial [im'pɑːʃəl] *a* impartial, équitable.
impassable [im'pɑːsəbl] *a* infranchissable, impraticable.
impassibility [ˌimpɑːsə'biliti] *n* impassibilité *f*.
impassioned [im'pæʃnd] *a* passionné.
impassive [im'pæsiv] *a* impassible.
impatience [im'peiʃəns] *n* impatience *f*.
impatient [im'peiʃənt] *a* impatient.
impeach [im'piːtʃ] *vt* mettre en accusation, mettre en cause, attaquer, blâmer.
impeccable [im'pekəbl] *a* impeccable.
impecuniosity [ˌimpikjuːnj'ɔsiti] *n* dénuement *m*.
impecunious [ˌimpi'kjuːnjəs] *a* sans le sou, besogneux.
impede [im'piːd] *vt* entraver, retarder.
impediment [im'pedimənt] *n* empêchement *m*, entrave *f*, obstacle *m*, embarras *m*.
impedimenta [imˌpedi'mentə] *n pl* bagages *m pl*.
impel [im'pel] *vt* pousser.
impend [im'pend] *vt* menacer, être imminent.

impenetrable [im'penitrəbl] *a* impénétrable.
impenitence [im'penitəns] *n* impénitence *f*.
impenitent [im'penitənt] *a* impénitent.
imperative [im'perətiv] *an* impératif *m*; *a* péremptoire, impérieux.
imperceptible [,impə'septəbl] *a* imperceptible, insensible, insaisissable.
imperfect [im'pə:fikt] *a* imparfait, défectueux.
imperfection [,impə'fekʃən] *n* imperfection *f*, défectuosité *f*.
imperial [im'piəriəl] *a* impérial, majestueux.
imperialism [im'piəriəlizəm] *n* impérialisme *m*.
imperialist [im'piəriəlist] *an* impérialiste *mf*.
imperil [im'peril] *vt* mettre en danger.
imperious [im'piəriəs] *a* impérieux.
imperishable [im'periʃəbl] *a* impérissable.
impermeable [im'pə:mjəbl] *a* imperméable.
impersonal [im'pə:snl] *a* impersonnel.
impersonate [im'pə:səneit] *vt* se faire passer pour, représenter.
impersonation [im,pə:sə'neiʃən] *n* personnification *f*, incarnation *f*, imitation *f*.
impertinence [im'pə:tinəns] *n* insolence *f*, impertinence *f*.
impertinent [im'pə:tinənt] *a* impertinent, insolent.
imperturbability [,impətə:bə'biliti] *n* flegme *m*, imperturbabilité *f*, sang-froid *m*.
imperturbable [,impə'tə:bəbl] *a* imperturbable, inaltérable, serein.
impervious [im'pə:vjəs] *a* impénétrable, imperméable.
impetuosity [im,petju'ɔsiti] *n* impétuosité *f*.
impetuous [im'petjuəs] *a* impétueux.
impetus ['impitəs] *n* impulsion *f*, élan *m*.
impiety [im'paiəti] *n* impiété *f*.
impinge [im'pindʒ] *vi* **to — upon** frapper, se heurter à.
impious ['impiəs] *a* impie.
implant [im'plɑ:nt] *vt* implanter, inspirer, inculquer.
implement ['implimənt] *n* instrument *m*, article *m*, outil *m*; *pl* attirail *m*, matériel *m*.
implement ['impliment] *vt* remplir, exécuter.
implicate ['implikeit] *vt* mettre en cause, emmêler, impliquer.
implication [,impli'keiʃən] *n* implication *f*, insinuation *f*, portée *f*.
implicit [im'plisit] *a* implicite, tacite, absolu.
implore [im'plɔ:] *vt* implorer, supplier.
imploring [im'plɔ:riŋ] *a* suppliant.
imply [im'plai] *vt* impliquer, (faire) supposer.
impolite [,impə'lait] *a* impoli.
impolitely [,impə'laitli] *ad* impoliment.
impoliteness [,impə'laitnis] *n* impolitesse.
import ['impɔ:t] *n* portée *f*, signification *f*; *pl* importations *f pl*.
import [im'pɔ:t] *vt* importer, introduire, signifier, dénoter.
importance [im'pɔ:təns] *n* importance *f*, conséquence *f*.
important [im'pɔ:tənt] *a* important.
importing [im'pɔ:tiŋ] *n* importation *f*.
importunate [im'pɔ:tjunit] *a* importun, ennuyeux.
importune [,impɔ:'tju:n] *vt* importuner, solliciter.
impose [im'pouz] *vt* imposer, infliger; **to — upon** abuser de, en imposer à.
imposition [,impə'ziʃən] *n* imposition *f*, impôt *m*, imposture *f*, supercherie, pensum *m*.
impossibility [im,pɔsə'biliti] *n* impossibilité *f*.
impossible [im'pɔsəbl] *a* impossible.
impostor [im'pɔstə] *n* imposteur *m*.
imposture [im'pɔstʃə] *n* imposture *f*.
impotence ['impətəns] *n* impuissance *f*.
impotent ['impətənt] *a* impuissant, impotent.
impound [im'paund] *vt* mettre à la fourrière, saisir, confisquer, enfermer.
impoverish [im'pɔvəriʃ] *vt* appauvrir.
impoverishment [im'pɔvəriʃmənt] *n* appauvrissement *m*.
impracticability [im,præktikə'biliti] *n* impossibilité *f*.
impracticable [im'præktikəbl] *a* impraticable, intraitable, infaisable.
impregnable [im'pregnəbl] *a* imprenable, inexpugnable.
impregnate ['impregneit] *vt* saturer, imprégner.
impress ['impres] *n* empreinte *f*.
impress [im'pres] *vt* empreindre, timbrer, imprimer, impressionner, enrôler de force.
impression [im'preʃən] *n* impression *f*, tirage *m*.
impressionable [im'preʃnəbl] *a* impressionnable, susceptible.
impressionism [im'preʃənizəm] *n* impressionnisme *m*.
impressive [im'presiv] *a* frappant, impressionnant.
imprint ['imprint] *n* empreinte *f*, griffe *f*.
imprint [im'print] *vt* imprimer.
imprison [im'prizn] *vt* emprisonner.
imprisonment [im'priznmənt] *n* emprisonnement *m*, prison *f*.
improbability [im,prɔbə'biliti] *n* invraisemblance *f*, improbabilité *f*.

improbable [im'prɔbəbl] *a* improbable, invraisemblable.
improper [im'prɔpə] *a* impropre, indécent.
impropriety [ˌimprə'praiəti] *n* impropriété *f*, inconvenance *f*.
improve [im'pruːv] *vt* améliorer, profiter de; *vi* s'améliorer, faire des progrès.
improved [im'pruːvd] *a* amélioré, perfectionné.
improvement [im'pruːvmənt] *n* amélioration *f*, progrès *m pl*, mieux *m*.
improvidence [im'prɔvidəns] *n* imprévoyance *f*.
improvident [im'prɔvidənt] *a* imprévoyant.
improvisation [ˌimprəvai'zeiʃən] *n* improvisation *f*.
improvise ['imprəvaiz] *vti* improviser.
imprudence [im'pruːdəns] *n* imprudence *f*.
imprudent [im'pruːdənt] *a* imprudent.
impudent ['impjudənt] *a* impudent.
impudently ['impjudəntli] *ad* impudemment.
impugn [im'pjuːn] *vt* critiquer, contester.
impulse ['impʌls] *n* impulsion *f*, mouvement *m*, poussée *f*.
impulsive [im'pʌlsiv] *a* impulsif, prime-sautier.
impulsiveness [im'pʌlsivnis] *n* impulsivité *f*.
impunity [im'pjuniti] *n* impunité *f*; **with** — impunément.
impure [im'pjuə] *a* impur, rouillé.
impurity [im'pjuəriti] *n* impureté *f*.
imputable [im'pjuːtəbl] *a* imputable.
imputation [ˌimpju'teiʃən] *n* imputation *f*, attribution *f*.
impute [im'pjuːt] *vt* imputer, attribuer.
in [in] *prep* en, dans, pendant; à, de, sur, par; *ad* y, là, rentré, de retour, à la maison.
inability [ˌinə'biliti] *n* incapacité *f*, impuissance *f*.
inaccessibility ['inækˌsesə'biliti] *n* inaccessibilité *f*.
inaccessible [ˌinæk'sesəbil] *a* inaccessible, inabordable.
inaccuracy [in'ækjurəsi] *n* inexactitude *f*.
inaccurate [in'ækjurit] *a* inexact.
inaction [in'ækʃən] *n* inaction *f*, inertie *f*.
inactive [in'æktiv] *a* inactif, inerte.
inactivity [ˌinæk'tiviti] *n* inactivité *f*.
inadequacy [in'ædikwəsi] *n* insuffisance *f*.
inadequate [in'ædikwit] *a* inadéquat, insuffisant.
inadvertency [ˌinəd'vəːtənsi] *n* inadvertance *f*.
inadvertent [ˌinəd'vəːtənt] *a* inattentif, involontaire.
inadvertently [ˌinəd'vəːtəntli] *ad* par mégarde.
inane [i'nein] *a* vide, stupide, inepte.
inanimate ['inænimit] *a* inanimé.
inanity [in'æniti] *n* inanité *f*, niaiserie *f*.
inapposite [in'æpəzit] *a* déplacé.
inappropriate [ˌinə'proupriit] *a* déplacé, impropre.
inapt [in'æpt] *a* impropre, inapte, inexpert.
inarticulate [ˌinɑː'tikjulit] *a* inarticulé, muet.
inasmuch as [inəz'mʌtʃˌæz] *cj* en tant que, vu que.
inattention [ˌinə'tenʃən] *n* inattention *f*.
inaudible [in'ɔːdəbl] *a* insaisissable, imperceptible, faible.
inaugural [i'nɔːgjurəl] *a* inaugural.
inaugurate [i'nɔːgjureit] *vt* inaugurer, introniser.
inauguration [iˌnɔːgju'reiʃən] *n* inauguration *f*.
inauspicious [ˌinɔːs'piʃəs] *a* de mauvais augure, malencontreux.
inborn ['in'bɔːn] *a* inné, infus.
incandescent [ˌinkæn'desənt] *a* incandescent.
incapable [in'keipəbl] *a* incapable, incompétent, inaccessible.
incarcerate [in'kɑːsəreit] *vt* incarcérer, emprisonner.
incarceration [inˌkɑːsə'reiʃən] *n* incarcération *f*.
incarnate [in'kɑːnit] *vt* incarner; *a* incarné.
incarnation [ˌinkɑː'neiʃən] *n* incarnation *f*.
incendiary [in'sendjəri] *an* incendiaire *m*.
incense ['insens] *n* encens *m*.
incense [in'sens] *vt* offenser, exaspérer.
incentive [in'sentiv] *n* encouragement *m*, stimulant *m*; *a* stimulant.
inception [in'sepʃən] *n* commencement *m*, début *m*.
incessant [in'sesnt] *a* incessant, continuel.
incessantly [in'sesntli] *ad* incessamment, sans cesse.
incest ['insest] *n* inceste *m*.
incestuous [in'sestjuəs] *a* incestueux.
inch [intʃ] *n* pouce *m*; *vi* avancer, reculer, peu à peu.
incidence ['insidəns] *n* incidence *f*.
incident ['insidənt] *n* incident *m*.
incidental [ˌinsi'dentl] *a* accessoire, fortuit, commun (à **to**); — **expenses** faux frais.
incidentally [ˌinsi'dentəli] *ad* incidemment, en passant.
incinerator [in'sinəreitə] *n* incinérateur *m*.
incise [in'saiz] *vt* inciser.
incision [in'siʒən] *n* incision *f*, entaille *f*.
incisive [in'saisiv] *a* incisif, mordant, pénétrant.

incite [in'sait] *vt* inciter, pousser, exciter.
incitement [in'saitmənt] *n* incitation *f*, instigation *f*.
incivility [ˌinsi'viliti] *n* impolitesse *f*.
inclemency [in'klemənsi] *n* inclémence *f*, rigueur *f*.
inclination [ˌinkli'neiʃən] *n* inclinaison *f*, pente *f*, inclination *f*.
incline ['inklain] *n* pente *f*, rampe *f*.
incline [in'klain] *vti* incliner, pencher.
include [in'klu:d] *vt* comprendre, englober.
inclusive [in'klu:siv] *a* inclus, tout compris; — **sum** somme globale.
inclusively [in'klu:sivli] *ad* inclusivement.
incoherence [ˌinkou'hiərəns] *n* incohérence *f*.
incoherent [ˌinkou'hiərənt] *a* décousu, incohérent.
income ['inkʌm] *n* revenu *m*; — **tax** impôt *m* sur le revenu.
incomparable [in'kɔmpərəbl] *a* incomparable, hors ligne.
incompatible [ˌinkəm'pætibl] *a* incompatible, inconciliable.
incompetence [in'kɔmpitəns] *n* incapacité *f*, incompétence *f*.
incomplete [ˌinkəm'pli:t] *a* incomplet, inachevé.
incomprehensible [ˌinkɔmpri'hensibl] *a* incompréhensible.
incomprehension [ˌinkɔmpri'henʃən] *n* inintelligence *f*, incompréhension *f*.
inconceivable [ˌinkən'si:vəbl] *a* inconcevable.
inconclusive [ˌinkən'klu:siv] *a* pas (non) concluant.
incongruity [ˌinkɔŋ'gru:iti] *n* incongruité *f*.
incongruous [in'kɔŋgruəs] *a* incongru, déplacé.
incongruously [in'kɔŋgruəsli] *ad* incongrûment.
inconsiderable [ˌinkən'sidərəbl] *a* négligeable, insignifiant.
inconsiderate [ˌinkən'sidərit] *a* irréflechi, étourdi, sans égard.
inconsistency [ˌinkən'sistənsi] *n* inconséquence, inconsistance.
inconsistent [ˌinkən'sistənt] *a* décousu, inconsistant, inconséquent, contradictoire.
inconsolable [ˌinkən'souləbl] *a* inconsolable.
inconspicuous [ˌinkən'spikjuəs] *a* effacé, discret.
inconstancy [in'kɔnstənsi] *n* inconstance *f*, instabilité *f*.
inconstant [in'kɔnstənt] *a* inconstant, volage.
incontinently [in'kɔntinəntli] *ad* incontinent, sur-le-champ.
inconvenience [ˌinkən'vi:njəns] *n* inconvénient *m*, incommodité *f*.
inconvenient [ˌinkən'vi:njənt] *a* incommode, inopportun.
incorporate [in'kɔ:pəreit] *vt* incorporer; *vi* se former en société.
incorrect [ˌinkə'rekt] *a* inexact, incorrect.
incorrigible [in'kɔridʒəbl] *a* incorrigible.
increase ['inkri:s] *n* augmentation *f*.
increase [in'kri:s] *vt* accroître; *vti* augmenter; *vi* s'accroître, s'agrandir.
increasingly [in'kri:siŋli] *ad* de plus en plus.
incredible [in'kredəbl] *a* incroyable.
incredulous [in'kredjuləs] *a* incrédule, sceptique.
increment ['inkrimənt] *n* accroissement *m*, plus-value *f*.
incriminate [in'krimineit] *vt* inculper, incriminer.
incriminating [in'krimineitiŋ] *a* accusateur, à conviction.
incubate ['inkjubeit] *vti* couver.
incubation [ˌinkju'beiʃən] *n* couvaison *f*, incubation *f*.
incubator ['inkjuˌbeitə] *n* couveuse artificielle *f*.
inculcate ['inkʌlkeit] *vt* inculquer.
inculpate ['inkʌlpeit] *vt* inculper.
inculpation [ˌinkʌl'peiʃən] *n* inculpation *f*.
incumbent [in'kʌmbənt] *a* qui incombe (à **upon**).
incur [in'kə:] *vt* encourir, s'attirer, contracter.
incurable [in'kjuərəbl] *a* incurable.
incursion [in'kə:ʃən] *n* incursion *f*.
indebted [in'detid] *a* endetté, redevable, obligé.
indebtedness [in'detidnis] *n* dette *f*, obligation *f*.
indecent [in'di:snt] *a* indécent, inconvenant.
indecision [ˌindi'siʒən] *n* indécision *f*, irrésolution *f*.
indecisive [ˌindi'saisiv] *a* indécis(if), peu concluant.
indecorous [in'dekərəs] *a* inconvenant, malséant.
indecorousness [in'dekərəsnis] *n* inconvenance *f*.
indeed [in'di:d] *ad* vraiment, en vérité, en effet, de fait.
indefatigable [ˌindi'fætigəbl] *a* infatigable.
indefensible [ˌindi'fensibl] *a* insoutenable, indéfendable.
indefinable [ˌindi'fainəbl] *a* indéfinissable.
indefinite [in'definit] *a* indéfini, vague, indéterminé.
indelible [in'delibl] *a* indélébile, ineffaçable.
indelicate [in'delikit] *a* indélicat, inconvenant.
indemnify [in'demnifai] *vt* indemniser, dédommager.
indemnity [in'demniti] *n* indemnité *f*, sécurités *f pl*.
indent ['indent] *n* commande *f*, ordre de requisition *m*; [in'dent] *vt* entailler, échancrer; **to — for** commander, réquisitionner.

indentation [ˌindenˈteiʃən] *n* échancrure *f*, entaille *f*.
indenture [inˈdentʃə] *n* contrat *m*; *vt* lier par contrat.
independence [ˌindiˈpendəns] *n* indépendance *f*.
independent [ˌindiˈpendənt] *a* indépendant.
independently [ˌindiˈpendəntli] *ad* indépendamment, séparément.
indescribable [ˌindisˈkraibəbl] *a* indescriptible, indicible.
indestructible [ˌindisˈtrʌktəbl] *a* indestructible.
index [ˈindeks] *n* table *f* alphabétique, indice *m*; classeur *m*; *vt* classer, repertorier.
index-card [ˈindeksˌkɑːd] *n* fiche *f*.
India [ˈindjə] *n* l'Inde *f*
Indian [ˈindjən] *an* Indien, -ienne.
india-rubber [ˈindjəˈrʌbə] *n* caoutchouc *m*, gommé *f* (à effacer).
indicate [ˈindikeit] *vt* indiquer, désigner, dénoter.
indication [ˌindiˈkeiʃən] *n* indication *f*, signe *m*, indice *m*.
indicative [inˈdikətiv] *an* indicatif *m*; *a* suggestif.
indicator [ˈindikeitə] *n* indicateur *m*, aiguille *f*.
indict [inˈdait] *vt* accuser, traduire en justice.
indictment [inˈdaitmənt] *n* accusation *f*, inculpation *f*.
Indies [ˈindiz] *n pl* Indes *f pl*; **East —** les Grandes Indes *f*; **West —** les Antilles.
indifference [inˈdifrəns] *n* indifférence *f*, médiocrité *f*, impartialité.
indifferent [inˈdifrənt] *a* indifférent, égal, médiocre, impartial.
indigence [ˈindidʒəns] *n* indigence *f*, misère *f*.
indigenous [inˈdidʒinəs] *a* indigène, du pays, autochtone.
indigent [ˈindidʒənt] *a* indigène, nécessiteux.
indigestible [ˌindiˈdʒestəbl] *a* indigeste.
indigestion [ˌindiˈdʒestʃən] *n* indigestion *f*, mauvaise digestion *f*.
indignant [inˈdignənt] *a* indigné.
indignation [ˌindigˈneiʃən] *n* indignation *f*.
indignity [inˈdigniti] *n* indignité *f*, affront *m*.
indigo [ˈindigou] *n* indigo *m*.
indirect [ˌindiˈrekt] *a* indirect, détourné.
indiscernible [ˌindiˈsəːnəbl] *a* imperceptible.
indiscreet [ˌindisˈkriːt] *a* indiscret, imprudent.
indiscretion [ˌindisˈkreʃən] *n* indiscrétion *f*, imprudence *f*, sottise *f*.
indiscriminate [ˌindisˈkriminit] *a* fait au hasard.
indiscriminately [ˌindisˈkriminitli] *ad* au petit bonheur, au hasard.
indispensable [ˌindisˈpensəbl] *a* indispensable, de première nécessité.
indispose [ˌindisˈpouz] *vt* indisposer (contre), incommoder; **to be —d** être indisposé, souffrant.
indisposition [ˌindispəˈziʃən] *n* indisposition *f*, aversion *f*, malaise *m*.
indisputable [ˌindisˈpjuːtəbl] *a* indiscutable, incontestable.
indissoluble [ˌindiˈsɔljubl] *a* indissoluble.
indistinct [ˌindisˈtiŋkt] *a* confus, vague, indistinct.
indistinctness [ˌindisˈtiŋktnis] *n* confusion *f*.
indistinguishable [ˌindisˈtiŋgwiʃəbl] *a* impossible à distinguer, imperceptible, insaisissable.
individual [ˌindiˈvidjuəl] *n* individu *m*; *a* individuel, particulier.
individuality [ˌindiˌvidjuˈæliti] *n* individualité *f*.
indivisible [ˌindiˈvizəbl] *a* indivisible.
Indochina [ˈindoˈtʃainə] *n* Indochine *f*.
indoctrinate [inˈdɔktrineit] *vi* endoctriner, instruire.
indolence [ˈindələns] *n* indolence *f*.
indolent [ˈindələnt] *a* indolent, paresseux.
indomitable [inˈdɔmitəbl] *a* indomptable.
indoor [ˈindɔː] *a* de salon, de société, d'intérieur; *ad* **—s** à l'intérieur, à la maison.
induce [inˈdjuːs] *vt* induire, amener, provoquer, décider.
inducement [inˈdjuːsmənt] *n* invite *f*, encouragement *m*.
induct [inˈdʌkt] *vt* installer, initier.
induction [inˈdʌkʃən] *n* installation *f*, induction *f*.
indulge [inˈdʌldʒ] *vt* satisfaire, nourrir, gâter; **to — in** s'abandonner à, se livrer à.
indulgence [inˈdʌldʒəns] *n* goût excessif *m*, indulgence *f*.
indulgent [inˈdʌldʒənt] *a* faible, indulgent.
industrial [inˈdʌstriəl] *a* industriel.
industrialism [inˈdʌstriəlizəm] *n* industrialisme *m*.
industrialist [inˈdʌstriəlist] *n* industriel *m*.
industrialize [inˈdʌstriəlaiz] *vt* industrialiser.
industrious [inˈdʌstriəs] *a* actif, industrieux, laborieux.
industry [ˈindəstri] *n* industrie *f*, activité *f*, application *f*.
inebriate [iˈniːbrieit] *vt* griser, enivrer; *n* ivrogne *m*.
inebriated [iˈniːbrieitid] *a* ivre, enivré, grisé.
inebriety [ˌiniːˈbraiəti] *n* ébriété *f*, ivresse *f*.
ineffable [ˌinˈefəbl] *a* ineffable, indicible.
ineffective [ˌiniˈfektiv] *a* inefficace, impuissant.

ineffectual [ˌini'fektjuəl] *a* vain, stérile, inefficace.
inefficacious [ˌinefi'keiʃəs] *a* inefficace.
inefficiency [ˌini'fiʃənsi] *n* inefficacité *f*, incapacité *f*.
inefficient [ˌini'fiʃənt] *a* inefficace, incompétent.
inelastic [ˌini'læstik] *a* raide, inélastique, fixe.
inept [i'nept] *a* déplacé, inepte.
ineptitude [i'neptitjuːd] *n* ineptie *f*.
inequality [ˌini'kwɔliti] *n* inégalité *f*, irrégularité *f*.
ineradicable [ˌini'rædikəbl] *a* indéracinable, inextirpable.
inert [i'nəːt] *a* inerte.
inertia [i'nəːʃə] *n* inertie *f*, paresse *f*.
inestimable [in'estiməbl] *a* inestimable, incalculable.
inevitable [in'evitəbl] *a* inévitable, fatal.
inexact [ˌinig'zækt] *a* inexact.
inexcusable [ˌiniks'kjuːzəbl] *a* impardonnable, inexcusable.
inexhaustible [ˌinig'zɔːstəbl] *a* inépuisable, intarissable.
inexorable [in'eksərəbl] *a* inexorable.
inexpedience [ˌiniks'piːdjəns] *n* inopportunité *f*.
nexpedient [ˌiniks'piːdjənt] *a* inopportun, malavisé.
inexpensive [ˌiniks'pensiv] *a* bon marché, pas cher.
inexperienced [ˌiniks'piəriənst] *a* inexpérimenté, inexercé.
inexpert [in'ekspəːt] *a* inexpert, maladroit.
inexpiable [in'ekspiəbl] *a* inexpiable.
inexplicable [ˌiniks'plikəbl] *a* inexplicable.
inexpressible [ˌiniks'presəbl] *a* inexprimable.
inextinguishable [ˌiniks'tiŋgwiʃəbl] *a* inextinguible, inassouvissable.
inextricable [in'ekstrikəbl] *a* inextricable.
infallible [in'fæləbl] *a* infaillible.
infallibility [inˌfæli'biliti] *n* infaillibilité *f*.
infamous ['infəməs] *a* infâme, abominable.
infamy ['infəmi] *n* infamie *f*.
infancy ['infənsi] *n* première enfance *f*, minorité *f*.
infant ['infənt] *n* (petit) enfant *mf*, mineur(e) *mf*.
infantile ['infəntail] *a* infantile, enfantin, d'enfant.
infantry ['infəntri] *n* infanterie *f*.
infantryman ['infəntrimən] *n* fantassin *m*.
infatuate [in'fætjueit] *vt* engouer, affoler.
infatuation [inˌfætju'eiʃən] *n* folie *f*, engouement *m*.
infect [in'fekt] *vt* infecter, vicier, contagionner.
infection [in'fekʃən] *n* infection *f*, contagion *f*.
infectious [in'fekʃəs] *a* contagieux, infectieux.
infer [in'fəː] *vi* inférer.
inference ['infərəns] *n* inférence *f*, conclusion *f*.
inferior [in'fiəriə] *an* inférieur(e) *mf*; *n* subalterne *m*, subordonné(e) *mf*.
inferiority [inˌfiəri'ɔriti] *n* infériorité *f*.
infernal [in'fəːnl] *a* infernal.
infest [in'fest] *vt* infester.
infidel ['infidəl] *an* infidèle *mf*.
infidelity [ˌinfi'deliti] *n* infidélité *f*.
infinite ['infinit] *an* infini *m*.
infinity [in'finiti] *n* infinité *f*.
infirm [in'fəːm] *a* faible, infirme.
infirmary [in'fəːməri] *n* infirmerie *f*, hôpital *m*.
infirmity [in'fəːmiti] *n* faiblesse *f*, infirmité *f*.
inflame [in'fleim] *vt* enflammer, mettre le feu à; *vi* s'enflammer.
inflammable [in'flæməbl] *a* inflammable.
inflammation [ˌinflə'meiʃən] *n* inflammation *f*.
inflammatory [in'flæmətəri] *a* inflammatoire, incendiaire.
inflate [in'fleit] *vt* gonfler, grossir, hausser; *vi* faire de l'inflation.
inflated [in'fleitid] *a* enflé, gonflé, bouffi.
inflation [in'fleiʃən] *n* gonflement *m*, inflation *f*, hausse *f*, enflure *f*.
inflect [in'flekt] *vt* courber, fléchir, moduler.
inflexible [in'fleksəbl] *a* inflexible, inébranlable.
inflict [in'flikt] *vt* infliger, imposer.
influence ['influəns] *n* influence *f*; *vt* influencer.
influential [ˌinflu'enʃəl] *a* influent.
influenza [ˌinflu'enzə] *n* grippe *f*, influenza *f*.
influx ['inflʌks] *n* afflux *m*, affluence *f*.
inform [in'fɔːm] *vt* informer, avertir, faire savoir à.
informal [in'fɔːməl] *a* irrégulier, sans cérémonie.
informant [in'fɔːmənt] *n* informateur, -trice.
information [ˌinfə'meiʃən] *n* informations *f pl*, renseignements *m pl*; **a piece of —** un renseignement.
informative [in'fɔːmətiv] *a* instructif.
informer [in'fɔːmə] *n* dénonciateur, -trice, délateur *m*, mouchard *m*.
infraction [in'frækʃən] *n* infraction *f*, violation *f*.
infringe [in'frindʒ] *vt* violer, enfreindre, empiéter sur.
infringement [in'frindʒmənt] *n* infraction *f*, atteinte *f*, violation *f*.
infuriate [in'fjuərieit] *vt* mettre en fureur.
infuriated [in'fjuərieitid] *a* furieux, en fureur.
infuse [in'fjuːz] *vti* infuser.

infusion [in'fju:ʒən] *n* infusion *f*, tisane *f*.
ingenious [in'dʒi:njəs] *a* ingénieux.
ingeniousness [in'dʒi:njəsnis] *n* ingéniosité *f*.
ingenuity [ˌindʒə'nju:iti] *n* ingéniosité *f*.
ingenuous [in'dʒenjuəs] *a* franc, ingénu, candide.
ingenuousness [in'dʒenjuəsnis] *n* franchise *f*, naïveté *f*.
inglorious [in'glɔ:riəs] *a* ignominieux.
ingot ['ingət] *n* lingot *m*.
ingrained [in'greind] *a* enraciné, encrassé.
ingratiate [in'greiʃieit] *vt* **to — oneself with** se pousser dans les bonnes grâces de.
ingratiating [in'greiʃieitiŋ] *a* insinuant, doucereux.
ingratitude [in'grætitju:d] *n* ingratitude *f*.
ingredient [in'gri:djənt] *n* ingrédient *m*, élément *m*.
ingress ['ingres] *n* entrée *f*.
ingrowing ['inˌgrouiŋ] *a* incarné.
ingrown ['ingroun] *a* incarné, invétéré.
inhabit [in'hæbit] *vt* habiter.
inhabitable [in'hæbitəbl] *a* habitable.
inhabitant [in'hæbitənt] *n* habitant(e) *mf*.
inhalation [ˌinhə'leiʃən] *n* inhalation *f*, aspiration *f*.
inhale [in'heil] *vt* inhaler, aspirer, avaler.
inherent [in'hiərənt] *a* inhérent, propre.
inherit [in'herit] *vt* hériter (de), succéder à.
inheritance [in'heritəns] *n* héritage *m*.
inhibit [in'hibit] *vt* reprimer, inhiber, défendre à.
inhibition [ˌinhi'biʃən] *n* inhibition *f*, défense *f*.
inhospitable [ˌinhɔs'pitəbl] *a* inhospitalier.
inhuman [in'hju:mən] *a* inhumain.
inhumanity [ˌinhju:'mæniti] *n* inhumanité *f*, cruauté *f*.
inhume [in'hju:m] *vt* inhumer, enterrer.
inimical [i'nimikəl] *a* hostile, ennemi.
inimitable [i'nimitəbl] *a* inimitable.
iniquitous [i'nikwitəs] *a* inique.
iniquity [i'nikwiti] *n* iniquité *f*.
initial [i'niʃəl] *n* initiale *f*; *pl* parafe *m*; *a* initial.
initiate [i'niʃieit] *vt* initier.
initiation [iˌniʃi'eiʃən] *n* initiation *f*.
initiative [i'niʃətiv] *n* initiative *f*.
initiator [i'niʃieitə] *n* initiateur, -trice.
inject [in'dʒekt] *vt* injecter, faire une piqûre à, piquer.
injection [in'dʒekʃən] *n* injection *f*, piqûre *f*.
injudicious [ˌindʒu:'diʃəs] *a* malavisé, peu judicieux.
injunction [in'dʒʌŋkʃən] *n* injonction *f*.
injure ['indʒə] *vt* blesser, faire tort à, léser, offenser.
injurious [in'dʒuəriəs] *a* préjudiciable, nocif, injurieux.
injury ['indʒəri] *n* préjudice *m*, blessure *f*, mal *m*, tort *m*.
injustice [in'dʒʌstis] *n* injustice *f*.
ink [iŋk] *n* encre *f*.
inkling ['iŋkliŋ] *n* vague idée *f*, soupçon *m*.
inkwell ['iŋkwel] *n* encrier.
inky ['iŋki] *a* taché d'encre, noir.
inlaid ['in'leid] *a* incrusté.
inland ['inlænd] *an* intérieur *m*; *ad* à (de) l'intérieur.
inlay ['in'lei] *vt* incruster, marqueter, encastrer.
inlaying ['in'leiiŋ] *n* marqueterie *f*, incrustation *f*.
inlet ['inlət] *n* crique *f*, arrivée *f*.
inmate ['inmeit] *n* habitant(e) *mf*, pensionnaire *mf*.
inmost ['inmoust] *a* le plus profond, intime.
inn [in] *n* auberge *f*.
innate [i'neit] *a* inné.
inner ['inə] *a* intérieur, intime.
innings ['iniŋz] *n* manche *f*.
innkeeper ['inki:pə] *n* aubergiste *mf*.
innocence ['inəsns] *n* innocence *f*, candeur *f*.
innocent ['inəsnt] *a* innocent, pur, vierge.
innocuous [i'nɔkjuəs] *a* inoffensif.
innovate ['inouveit] *vi* innover.
innovation [ˌinou'veiʃən] *n* innovation *f*, changement *m*.
innovator ['inouveitə] *n* (in)novateur -trice.
innuendo [ˌinju:'endou] *n* insinuation *f*, sous-entendu *m*.
innumerable [i'nju:mərəbl] *a* innombrable.
inoculate [i'nɔkjuleit] *vt* inoculer, vacciner.
inoculation [iˌnɔkju'leiʃən] *n* inoculation *f*.
inodorous [in'oudərəs] *a* inodore.
inoffensive [ˌinə'fensiv] *a* inoffensif.
inoperative [in'ɔpərətiv] *a* sans action (effet).
inopportune [in'ɔpətju:n] *a* intempestif, inopportun.
inopportunely [in'ɔpətju:nli] *ad* hors de propos.
inordinate [i'nɔ:dinit] *a* démesuré, déréglé.
inquest ['inkwest] *n* enquête *f*.
inquire [in'kwaiə] *vti* s'informer (de **about**), demander, se renseigner (sur **about**).
inquiry [in'kwaiəri] *n* question *f*, enquête *f*.
inquisition [ˌinkwi'ziʃən] *n* investigation *f*, inquisition *f*.
inquisitive [in'kwizitiv] *a* curieux.

inquisitiveness [in'kwizitivnis] *n* curiosité aiguë *f*.
inroad ['inroud] *n* incursion *f*; **to make —s upon** entamer.
inrush ['inrʌʃ] *n* irruption *f*.
insane [in'sein] *a* fou, aliéné.
insanity [in'sæniti] *n* insanité *f*, démence *f*, folie *f*.
insatiable [in'seiʃəbl] *a* insatiable, inassouvissable.
inscribe [in'skraib] *vt* inscrire, graver.
inscription [in'skripʃən] *n* inscription *f*.
inscrutable [in'skruːtəbl] *a* impénétrable, fermé.
insect ['insekt] *n* insecte *m*.
insecticide [in'sektisaid] *n* insecticide *m*.
insecure [ˌinsi'kjuə] *a* peu sûr, mal affermi, incertain.
insensible [in'sensəbl] *a* insensible, sans connaissance.
insensibility [inˌsensə'biliti] *n* défaillance *f*, insensibilité *f*.
insert [in'səːt] *vt* insérer, introduire.
insertion [in'səːʃən] *n* insertion *f*.
inset ['inset] *n* médaillon *m*, hors-texte *m*.
inside [in'said] *an* intérieur *m*; *n* dedans *m*; *ad* à l'intérieur, au dedans; *prep* à l'intérieur de, au dedans de, dans.
insidious [in'sidiəs] *a* insidieux, captieux.
insight ['insait] *n* intuition *f*, perspicacité *f*, aperçu *m*.
insignificance [ˌinsig'nifikəns] *n* insignifiance *f*.
insignificant [ˌinsig'nifikənt] *a* insignifiant.
insincere [ˌinsin'siə] *a* faux, de mauvaise foi.
insincerity [ˌinsin'seriti] *n* insincérité *f*.
insinuate [in'sinjueit] *vt* insinuer.
insinuation [inˌsinju'eiʃən] *n* insinuation *f*.
insipid [in'sipid] *a* insipide, fade.
insipidity [ˌinsi'piditi] *n* fadeur *f*, insipidité *f*.
insist [in'sist] *vi* insister, appuyer, soutenir, vouloir.
insistence [in'sistəns] *n* insistance *f*.
insistent [in'sistənt] *a* pressant, importun.
insolence ['insələns] *n* insolence *f*.
insolent ['insələnt] *a* insolent.
insolently ['insələntli] *ad* insolemment.
insoluble [in'sɔljubl] *a* insoluble.
insolvent [in'sɔlvənt] *a* insolvable.
insomnia [in'sɔmniə] *n* insomnie *f*.
inspect [in'spekt] *vt* inspecter, examiner, vérifier, visiter.
inspection [in'spekʃən] *n* inspection *f*, contrôle *m*, revue *f*, visite *f*.
inspector [in'spektə] *n* inspecteur *m*.
inspiration [ˌinspə'reiʃən] *n* inspiration *f*.
inspire [in'spaiə] *vt* inspirer, aspirer.
inspirit [in'spirit] *vt* animer, enflammer.
instability [ˌinstə'biliti] *n* instabilité *f*.
install [in'stɔːl] *vt* installer, monter.
installation [ˌinstə'leiʃən] *n* installation *f*, montage *m*.
instalment [in'stɔːlmənt] *n* acompte *m*, tranche *f*; **on the — system** à tempérament.
instance ['instəns] *n* exemple *m*, cas *m*, instance(s) *f pl*; *vt* citer en exemple.
instancy ['instənsi] *n* urgence *f*, imminence *f*.
instant ['instənt] *n* instant *m*; *a* pressant, urgent, du courant.
instantaneous [ˌinstən'teinjəs] *a* instantané.
instantly ['instəntli] *ad* à l'instant, sur-le-champ.
instead [in'sted] *ad* au lieu de cela; *prep* au lieu de (of).
instep ['instep] *n* cou de pied *m*, cambrure *f*.
instigate ['instigeit] *vt* inciter, provoquer.
instigation [ˌinsti'geiʃən] *n* instigation *f*.
instigator ['instigeitə] *n* instigateur, -trice, fauteur *m*.
instil [in'stil] *vt* verser goutte à goutte, infiltrer, inculquer.
instinct ['instiŋkt] *n* instinct *m*; *a* plein.
instinctive [in'stiŋktiv] *a* instinctif.
institute ['institjuːt] *n* institut *m*; *vt* fonder, ouvrir.
institution [ˌinsti'tjuːʃən] *n* institution *f*, établissement *m*.
instruct [in'strʌkt] *vt* former, instruire, ordonner.
instruction [in'strʌkʃən] *n* instruction(s) *f pl*; *pl* indications *f pl*, ordres *m pl*.
instructive [in'strʌktiv] *a* instructif.
instructor [in'strʌktə] *n* instructeur *m*, précepteur *m*.
instrument ['instrumənt] *n* instrument *m*, mécanisme *m*, appareil *m*; **— panel** tableau de bord *m*.
instrumental [ˌinstrə'mentl] *a* qui trouve le moyen de, instrumental, contributif.
insubordinate [ˌinsə'bɔːdinit] *a* insubordonné, mutin.
insubordination ['insəˌbɔːdi'neiʃən] *n* insubordination *f*, insoumission *f*.
insufferable [in'sʌfərəbl] *a* intolérable, insupportable.
insufficiency [ˌinsə'fiʃənsi] *n* insuffisance *f*.
insufficient [ˌinsə'fiʃənt] *a* insuffisant.
insular ['insjələ] *a* insulaire.
insularity [ˌinsju'læriti] *n* insularité *f*.
insulate ['insjuleit] *vt* isoler.
insult ['insʌlt] *n* insulte *f*, affront *m*; [in'sʌlt] *vt* insulter, injurier.

insuperable [in'sjuːpərəbl] *a* insurmontable.
insurance [in'ʃɔːrəns] *n* assurance *f*; **life —** assurance sur la vie *f*; **— company** compagnie *f* d'assurance(s).
insure [in'ʃɔː] *vt* assurer, garantir.
insurer [in'ʃɔːrə] *n* assureur *m*.
insurgent [in'səːdʒənt] *n* insurgé(e) *mf*.
insurrection [,insə'rekʃən] *n* soulèvement *m*, émeute *f*.
intact [in'tækt] *a* intact, indemne.
intangibility [in,tændʒi'biliti] *n* intangibilité *f*.
intangible [in'tændʒəbl] *a* intangible, impalpable.
integral ['intigrəl] *a* intégral, intégrant.
integrate ['intigreit] *vt* compléter, intégrer.
integrity [in'tegriti] *n* intégrité *f*, probité *f*.
intellect ['intilekt] *n* intellect *m*, intelligence *f*.
intellectual [,inti'lektjuəl] *a* intellectuel.
intelligence [in'telidʒəns] *n* intelligence *f*, esprit *m*, sagacité *f*.
intelligent [in'telidʒənt] *a* intelligent
intelligible [in'telidʒəbl] *a* intelligible, compréhensible.
intemperance [in'tempərəns] *n* intempérance *f*, alcoolisme *m*.
intemperate [in'tempərit] *a* immodéré, intempérant.
intend [in'tend] *vt* avoir l'intention (de **to**), entendre, projeter (de **to**), vouloir (dire), destiner (à **to**).
intended [in'tendid] *n* futur(e) *mf*, prétendu(e) *mf*; *a* voulu, projeté.
intense [in'tens] *a* intense, vif, profond.
intensity [in'tensiti] *n* intensité *f*, violence *f*.
intent [in'tent] *n* intention *f*; *a* appliqué, absorbé, profond.
intention [in'tenʃən] *n* intention *f*, dessein *m*, but *m*.
intentional [in'tenʃənl] *a* intentionnel, voulu, fait exprès.
inter [in'təː] *vt* enterrer.
interaction [,intər'ækʃən] *n* interaction *f*.
intercede [,intəː'siːd] *vi* intercéder.
intercept [,intəː'sept] *vt* intercepter, arrêter, couper, capter.
interception [,intə'sepʃən] *n* interception *f*.
intercession [,intə'seʃən] *n* intercession *f*.
interchange [,intə'tʃeindʒ] *n* échange *m*, communication *f*, *vt* échanger.
intercourse ['intəkɔːs] *n* commerce *m*, relations *f pl*.
interdict ['intədikt] *n* interdit *m*, interdiction *f*; *vt* interdire (à).
interdiction [,intə'dikʃən] *n* interdiction *f*.
interest ['intrist] *n* intérêt *m*; participation *f*, crédit *m*; *vt* intéresser; **to be —ed in** s'intéresser à, s'occuper de.
interesting ['intristiŋ] *a* intéressant.
interfere [,intə'fiə] *vi* se mêler (de **in, with**), s'immiscer (dans **in**), toucher (à **with**), intervenir; **don't —** mêlez-vous de vos affaires.
interference [,intə'fiərəns] *n* ingérence *f*, intervention *f*, brouillage *m*.
interfering [,intə'fiəriŋ] *a* indiscret, fouinard, importun.
interim ['intərim] *n* intérim *m*; *a* intérimaire; *ad* en attendant.
interior [in'tiəriə] *an* intérieur *m*; *a* interne.
interject [,intə'dʒekt] *vt* interjeter; *vi* s'écrier.
interjection [,intə'dʒekʃən] *n* interjection *f*.
interlace [,intə'leis] *vt* entrelacer, entrecroiser.
interlard [,intə'lɑːd] *vt* bigarrer, entremêler.
interlinear [,intə'liniə] *a* interlinéaire.
interlock [,intə'lɔk] *vt* emboîter, enclencher; *vi* s'emboîter, s'enclencher, s'engrener.
interlocutor [,intə'lɔkjutə] *n* interlocuteur *m*.
interloper ['intəloupə] *n* intrus(e) *mf*, courtier marron *m*, resquilleur, -euse.
interlude ['intəluːd] *n* intermède *m*.
intermediary [,intə'miːdjəri] *an* intermédiaire *m*.
intermediate [,intə'miːdjət] *a* intermédiaire, intermédiat.
interment [in'təːmənt] *n* enterrement *m*.
intermission [,intə'miʃən] *n* interruption *f*, relache *f*, pause *f*, (*US*) entr'acte *m*, (*school*) récréation *f*.
intermit [,intə'mit] *vt* arrêter, suspendre.
intermittence [,intə'mitəns] *n* intermittence *f*.
intermittent [,intə'mitənt] *a* intermittent.
intern [in'təːn] *vt* interner; ['intəːn] *n* (*US*) interne.
internal [in'təːnl] *a* interne, intérieur, intime; (*US*) **— revenue** *n* fisc *m*.
international [,intə'næʃnəl] *a* international; *n* match international *m*.
internecine [,intə'niːsain] *a* **— war** guerre *f* d'extermination réciproque.
internee [,intə'niː] *n* interné(e) *mf*.
interplay ['intəplei] *n* jeu croisé *m*, effet *m* réciproque (combiné).
interpolate [in'təːpəleit] *vt* intercaler, interpoler.
interpose [,intə'pouz] *vt* interposer; *vi* s'interposer.
interpret [in'təːprit] *vt* interpréter; *vi* faire l'interprète.
interpretation [in,təːpri'teiʃən] *n* interprétation *f*.
interpreter [in'təːpritə] *n* interprète *mf*.

interrogate [in'terəgeit] *vt* interroger, questionner.
interrogation [in,terə'geiʃən] *n* interrogation *f*; — **mark** point d'interrogation *m*.
interrogative [,intə'rɔgətiv] *a* interrogateur..
interrupt [,intə'rʌpt] *vti* interrompre.
interrupter [,intə'rʌptə] *n* interrupteur, -trice, coupe-circuit *m*.
interruption [,intə'rʌpʃən] *n* interruption *f*.
intersect [,intə'sekt] *vt* entrecouper, entrecroiser.
intersection [,intə'sekʃən] *n* intersection *f*, croisement *m*.
interstice [in'tə:stis] *n* interstice *m*, alvéole *m*.
interval ['intəvəl] *n* intervalle *m*, entr'acte *m*, mi-temps *f*, récréation *f*.
intervene [,intə'vi:n] *vi* intervenir, séparer, s'interposer.
intervening [,intə'vi:niŋ] *a* qui sépare, qui intervient.
intervention [,intə'venʃən] *n* intervention *f*.
interview ['intəvju:] *n* interview *f*, entrevue *f*; *vt* interviewer, avoir une entrevue avec.
intestinal [in'testinl] *a* ntestinal.
intestine [in'testin] *an* intestin *m*.
intimacy ['intiməsi] *n* intimité *f*.
intimate ['intimit] *an* intime *mf*; ['intimeit] *vt* intimer, indiquer, notifier.
intimation [,inti'meiʃən] *n* intimation *f*, avis *m*.
intimidate [in'timideit] *vt* intimider.
intimidation [in,timi'deiʃən] *n* intimidation *f*.
into ['intu] *prep* dans, en, entre.
intolerable [in'tɔlərəbl] *a* insupportable, intolérable.
intolerance [in'tɔlərəns] *n* intolérance *f*.
intolerant [in'tɔlərənt] *a* intolérant.
intonation [,intou'neiʃən] *n* intonation *f*.
intone [in'toun] *vt* psalmodier, entonner.
intoxicate [in'tɔksikeit] *vt* enivrer, tourner la tête à.
intoxication [in,tɔksi'keiʃən] *n* ivresse *f*, intoxication *f*. enivrement *m*.
intractable [in'træktəbl] *a* intraitable, opiniâtre.
intrepid [in'trepid] *a* intrépide.
intrepidity [,intri'piditi] *n* intrépidité *f*.
intricacy ['intrikəsi] *n* complication *f*, complexité *f*.
intricate ['intrikit] *a* compliqué, embrouillé.
intrigue [in'tri:g] *n* intrigue *f*, cabale *f*; *vti* intriguer.
intrinsic [in'trinsik] *a* intrinsèque.
introduce [,intrə'dju:s] *vt* introduire, présenter, initier.
introduction [,intrə'dʌkʃən] *n* introduction *f*, présentation *f*, avant-propos *m*.
introspection [,introu'spekʃən] *n* introspection *f*.
introverted [,introu'və:tid] *a* recueilli, introverti.
intrude [in'tru:d] *vi* faire intrusion, être importun, empiéter (sur **upon**).
intruder [in'tru:də] *n* intrus(e) *mf*, resquilleur, -euse.
intrusion [in'tru:ʒən] *n* intrusion *f*.
intuition [,intju:'iʃən] *n* intuition *f*.
inundate ['inʌndeit] *vt* inonder, déborder.
inundation [,inʌn'deiʃən] *n* inondation *f*.
inure [in'juə] *vt* habituer, endurcir.
invade [in'veid] *vt* envahir, violer.
invader [in'veidə] *n* envahisseur *m*.
invalid [in'vælid] *a* invalide.
invalid ['invəlid] *an* malade *mf*, infirme *mf*; *vt* réformer.
invalidate [in'vælideit] *vt* invalider, casser.
invalidation [in,væli'deiʃən] *n* invalidation *f*.
invalidity [,invə'liditi] *n* invalidité *f*.
invaluable [in'væljuəbl] *a* inestimable.
invariable [in'vɛəriəbl] *a* invariable.
invasion [in'veiʒən] *n* invasion *f*, envahissement *m*.
invective [in'vektiv] *n* invective *f*.
inveigh [in'vei] *vi* se déchaîner, invectiver.
inveigle [in'vi:gl] *vt* séduire, attirer, entraîner.
inveiglement [in'vi:glmənt] *n* séduction *f*, leurre *m*.
invent [in'vent] *vt* inventer.
invention [in'venʃən] *n* invention *f*.
inventiveness [in'ventivnis] *n* imagination *f*.
inventor [in'ventə] *n* inventeur *m*.
inverse [in'və:s] *an* inverse *m*; contraire *m*.
inversion [in'və:ʃən] *n* renversement *m*, inversion *f*.
invert [in'və:t] *vt* retourner, renverser.
invest [in'vest] *vt* (re)vêtir, investir, placer.
investigate [in'vestigeit] *vt* examiner, faire une enquête sur, informer sur.
investigation [in,vesti'geiʃən] *n* investigation *f*, enquête *f*.
investment [in'vestmənt] *n* placement *m*, investissement *m*.
investor [in'vestə] *n* actionnaire *m*, capitaliste *m*.
inveterate [in'vetərit] *a* invétéré, acharné.
invidious [in'vidiəs] *a* odieux, qui fait envie.
invigilate [in'vidʒileit] *vt* surveiller.
invigilation [in,vidʒi'leiʃən] *n* surveillance *f*.
invigilator [in'vidʒileitə] *n* surveillant(e) *mf*.

invigorating [in'vigəreitiŋ] *a* fortifiant, tonifiant.
invincibility [in,vinsi'biliti] *n* invincibilité *f*.
invincible [in'vinsəbl] *a* invincible.
inviolability [in,vaiələ'biliti] *n* inviolabilité *f*.
inviolable [in'vaiələbl] *a* inviolable.
invisibility [in,vizə'biliti] *n* invisibilité *f*.
invisible [in'vizəbl] *a* invisible, (*ink*) sympathique.
invitation [,invi'teiʃən] *n* invitation *f*.
invite [in'vait] *vt* inviter, demander.
invitingly [in'vaitiŋli] *ad* de manière engageante, tentante.
invocation [,invou'keiʃən] *n* invocation *f*.
invoice ['invɔis] *n* facture *f*.
invoke [in'vouk] *vt* invoquer, évoquer.
involuntary [in'vɔləntəri] *a* involontaire.
involve [in'vɔlv] *vt* envelopper, impliquer, engager, entraîner, nécessiter.
inward ['inwəd] *a* intérieur, interne.
iodine ['aiədiːn] *n* (teinture *f* d')iode *m*.
irascibility [i,ræsi'biliti] *n* irascibilité *m*.
irascible [i'ræsibl] *a* irascible, colérique.
irate [ai'reit] *a* en colère, courroucé.
Ireland ['aiələnd] *n* Irlande *f*.
iris ['aiəris] *n* iris *m*.
Irish ['aiəriʃ] *an* irlandais *m*.
Irishman ['aiəriʃmən] *n* Irelandais *m*.
irksome ['əːksəm] *a* ennuyeux, fatigant, ingrat.
iron ['aiən] *n* fer *m*; *a* de fer; *vt* repasser; **to — out** aplatir, effacer au fer chaud.
iron age ['aiəneidʒ] *n* âge *m* de fer.
ironclad ['aiənklæd] *an* cuirassé *m*.
iron-foundry ['aiən,faundri] *n* fonderie *f*.
iron-grey ['aiəngrei] *a* gris-fer.
ironical [ai'rɔnikəl] *a* ironique.
ironing ['aiəniŋ] *n* repassage *m*.
ironmonger ['aiən,mʌŋgə] *n* quincailler *m*.
ironmonger's ['aiən,mʌŋgəz] *n* quincaillerie *f*.
iron-ore ['aiən'ɔː] *n* minéral *m* de fer.
iron rations ['aiən'ræʃənz] *n pl* vivres de réserve *m pl*.
ironwork ['aiənwəːk] *n* serrurerie *f*, charpenterie *f* en fer.
irony ['aiərəni] *n* ironie *f*.
irradiate [i'reidieit] *vi* rayonner, iradier.
irradiation [i,reidi'eiʃən] *n* irradiation *f*, rayonnement *m*.
irrational [i'ræʃənl] *a* absurde, déraisonnable, irrationnel.
irrecognizable [i'rekəgnaizəbl] *a* méconnaissable.
irreconcilable [i,rekən'sailəbl] *a* irréconciliable, inconciliable, implacable.
irrecoverable [,iri'kʌvərəbl] *a* irrécouvrable.
irredeemable [,iri'diːməbl] *a* non remboursable, irréparable, incorrigible.
irreducible [,iri'djuːsəbl] *a* irréductible.
irrefutable [,iri'fjuːtəbl] *a* irréfutable, irrécusable.
irregular [i'regjulə] *a* irrégulier, inégal.
irrelevant [i'reləvənt] *a* à côté de la question, hors de propos.
irreligious [,iri'lidʒəs] *a* irréligieux.
irremediable [,iri'miːdiəbl] *a* irrémédiable, sans remède.
irremovable [,iri'muːvəbl] *a* inamovible.
irreparable [i'repərəbl] *a* irréparable.
irreplaceable [,iri'pleisəbl] *a* irremplaçable.
irreproachable [,iri'proutʃəbl] *a* irréprochable.
irresistible [,iri'zistəbl] *a* irrésistible.
irresolute [i'rezəluːt] *a* irrésolu, hésitant, indécis.
irresoluteness [i'rezəluːtnis] *n* irrésolution *f*, indécision *f*.
irrespective [,iri'spektiv] *a* sans égard (à **of**), indépendamment (de **of**), indépendant.
irresponsible [,iris'pɔnsəbl] *a* irréfléchi, étourdi.
irresponsive [,iris'pɔnsiv] *a* figé, froid.
irretentive [,iri'tentiv] *a* peu fidèle, peu sûr.
irretrievable [,iri'triːvəbl] *a* irréparable.
irreverence [i'revərəns] *n* irrévérence *f*.
irreverent [i'revərənt] *a* irrévérencieux, irrévérent.
irrevocable [i'revəkəbl] *a* irrévocable.
irrigate ['irigeit] *vt* irriguer, arroser.
irrigation [,iri'geiʃən] *n* irrigation *f*.
irritability [,iritə'biliti] *n* irritabilité *f*.
irritable ['iritəbl] *a* irritable.
irritate ['iriteit] *vt* irriter.
irritating ['iriteitiŋ] *a* irritant, agaçant.
irritation [,iri'teiʃən] *n* irritation *f*.
irruption [i'rʌpʃən] *n* irruption *f*.
Isabel ['izəbel] Isabelle *f*.
island ['ailənd] *n* île *f*, (*street*) refuge *m*.
islander ['ailəndə] *n* insulaire *mf*.
isle [ail] *n* îlot *m*.
islet ['ailit] *n* îlot *m*.
isolate ['aisouleit] *vt* isoler.
isolation [,aisə'leiʃən] *n* isolement *m*, solitude *f*.
issue ['isjuː] *n* issue *f*, progéniture *f*, question *f*, émission *f*, discussion *f*, débouché *m*, terme *m*, tirage *m*,

numéro *m*; *vti* sortir, résulter; *vt* émettre, publier, lancer.
isthmus ['isθməs] *n* isthme *m*.
Italian [i'tæliən] *n* Italien, -ienne; *an* italien *m*.
italics [i'tæliks] *n* italiques *f pl*.
it [it] *pn* il, le; ce, c', cela, ça.
Italy ['itəli] *n* Italie *f*.
itch [itʃ] *n* démangeaison *f*, prurit *m*, gale *f*; *vi* démanger.
itchy ['itʃi] *a* galeux, qui démange.
item ['aitəm] *n* item *m* de plus, article *m*, détail *m*, rubrique *f*.
itinerant [i'tinərənt] *a* ambulant, forain.
itinerary [ai'tinərəri] *n* itinéraire *m*.
its [its] *a* son, sa, ses.
itself [it'self] *pn* soi, lui-, elle-même, se.
ivory ['aivəri] *n* ivoire *m*.
ivy ['aivi] *n* lierre *m*.

J

jabber ['dʒæbə] *n* bafouillage *m*; *vi* bredouiller, baragouiner.
jack [dʒæk] *n* valet *m*, cric *m*, tourne-broche *m*, cochonnet *m*, pavillon *m*, brochet *m*; **to — up** hisser, soulever avec un cric; **— of all trades** *n* bricoleur *m*; **— o' lantern** *n* feu follet *m*.
jackal ['dʒækɔːl] *n* chacal *m*.
jackdaw ['dʒækdɔː] *n* choucas *m*.
jacket ['dʒækit] *n* veston *m*, veste *f*, (*women*) jaquette *f*, (*books*) chemise *f*; **potatoes in their —s** pommes de terre en robe de chambre.
jade [dʒeid] *n* jade *m*, rosse *f*, effrontée *f*.
jaded ['dʒeidid] *a* éreinté, fourbu, excédé.
jag [dʒæg] *n* dent *f*, pointe *f*; *vt* denteler, déchiqueter.
jaguar ['dʒægjuə] *n* jaguar *m*.
jail [dʒeil] *n* prison *f*.
jam [dʒæm] *n* confiture *f*, embarras *m*, embouteillage *m*, encombrement *m*; *vt* presser, bloquer, coincer, caler, enfoncer, fourrer, brouiller; *vi* se bloquer, se coincer, se caler.
Jane [dʒein] Jeanne *f*.
Janet ['dʒænit] Jeannette *f*.
jangle ['dʒæŋgl] *vi* crier, grincer, cliqueter, s'entrechoquer.
January ['dʒænjuəri] *n* janvier *m*.
Japan [dʒə'pæn] *n* Japon *m*.
japan [dʒə'pæn] *n* laque *m*; *vt* laquer.
Japanese [ˌdʒæpə'niːz] *n* Japonais(e) *mf*; *an* japonais *m*.
jar [dʒɑː] *n* jarre *f*, cruche *f*, bocal *m*, pot *m*, choc *m*, secousse *f*, grincement *m*; *vt* secouer, ébranler, agacer; *vi* jurer, détonner.
jargon ['dʒɑːgən] *n* jargon *m*, baragouin *m*.
jasmine ['dʒæzmin] *n* jasmin *m*.
jasper ['dʒæspə] *n* jaspe *m*.
jaundice ['dʒɔːndis] *n* jaunisse *f*.
jaundiced ['dʒɔːndist] *a* envieux, bilieux.
jaunt [dʒɔːnt] *n* excursion *f*, sortie *f*, balade *f*.
jaunty ['dʒɔːnti] *a* enjoué, désinvolte, vaniteux.
jaw [dʒɔː] *n* mâchoire *f*, mords *m*, bec *m*, bouche *f*; *vi* bavarder, jaser; *vt* semoncer.
jay [dʒei] *n* geai *m*.
jazz [dʒæz] *n* jazz *m*; **— band** jazz *m*; *vi* danser le jazz.
jealous ['dʒeləs] *a* jaloux.
jealousy ['dʒeləsi] *n* jalousie *f*.
jeep [dʒiːp] *n* jeep *f*.
jeer [dʒiə] *n* sarcasme *m*, huée *f*; *vi* ricaner; **to — at** se moquer de, huer.
jelly ['dʒeli] *n* gelée *f*.
jellyfish ['dʒelifiʃ] *n* méduse *f*.
jemmy ['dʒemi] *n* pince-monseigneur *f*.
jeopardize ['dʒepədaiz] *vt* mettre en danger.
jeopardy ['dʒepədi] *n* danger *m*.
jerk [dʒəːk] *n* saccade *f*, à-coup *m*, secousse *f*, contraction *f*, convulsion *f*; *vt* secouer, tirer d'un coup sec, tirer par saccades.
jerkily ['dʒəːkili] *ad* par saccades.
jerky ['dʒəːki] *a* saccadé.
jersey ['dʒəːzi] *n* jersey *m*, tricot *m*, maillot *m*, vareuse *f*.
jest [dʒest] *n* plaisanterie *f*; *vi* plaisanter.
jester ['dʒestə] *n* bouffon *m*, fou *m*.
jet [dʒet] *n* jais *m*, jet *m*, gicleur *m*, bec *m*; **— propulsion** autopropulsion *f*; **—-propelled plane** avion à réaction *m*.
jetsam ['dʒetsəm] *n* choses *fpl* jetées par-dessus bord, épaves *f pl*.
jettison ['dʒetizn] *vt* jeter par-dessus bord, se délester de.
jetty ['dʒeti] *n* jetée *f*, digue *f*.
Jew [dʒuː] *n* Juif *m*.
jewel ['dʒuːəl] *n* bijou *m*, joyau *m*.
jeweller ['dʒuːələ] *n* bijoutier *m*, joaillier *m*.
jewellery ['dʒuːəlri] *n* bijouterie *f*, joaillerie *f*.
Jewess ['dʒuis] *n* Juive *f*.
Jewish ['dʒuːiʃ] a juif.
Jewry ['dʒuəri] *n* monde juif *m*, juiverie *f*.
jib [dʒib] *n* foc *m*; *vi* se refuser, renâcler, regimber.
jiffy ['dʒifi] *n* clin d'œil *m*; **in a —** en un clin d'œil.
jig [dʒig] *n* gigue *f*, calibre *m*; *vi* danser la gigue, gigoter.
jigsaw puzzle ['dʒigsɔː'pʌzl] *n* puzzle *m*, jeu *m* de patience.
jilt [dʒilt] *n* coquette *f*; *vt* planter là, plaquer.
jingle ['dʒiŋgl] *n* tintement *m*, cliquetis *m*; *vi* cliqueter, tinter; *vt* faire sonner.
jingoism ['dʒiŋgouizəm] *n* chauvinisme *m*.

jitters ['dʒitəz] *n* frousse *f*, trouille *f*.
Joan [dʒoun] Jeanne *f*.
job [dʒɔb] *n* besogne *f*, affaire *f*, travail *m*, place *f*; *vi* bricoler.
jobber ['dʒɔbə] *n* tâcheron *m*, bricoleur *m*, tripoteur *m*.
jobbery ['dʒɔbəri] *n* tripotage *m*.
jockey ['dʒɔki] *n* jockey *m*; *vt* duper; *vi* manœuvrer.
jocose [dʒə'kous] *a* goguenard, facétieux.
jocular ['dʒɔkjulə] *a* rieur, badin.
jocund ['dʒɔkʌnd] *a* enjoué, jovial.
jog [dʒɔg] *n* cahot *m*, coup de coude *m*, petit trot *m*; *vt* secouer; *vi* **to — along** aller son (petit) train.
John [dʒɔn] Jean *m*.
join [dʒɔin] *n* point *m*, (ligne *f* de) jonction *f*, jointure *f*; *vt* se joindre à, (re)joindre, (ré)unir, s'inscrire à, relier; *vi* se (re)joindre; **to — up** s'engager.
joiner ['dʒɔinə] *n* menuisier *m*.
joint [dʒɔint] *n* joint *m*, jointure *f*, articulation *f*, gond *m*, pièce *f* (de viande), rôti *m*; (*US*) boîte *f* (malfamée); **gambling —** tripot *m*; **juice —** cabaret *m* borgne; *a* (con)joint, (ré)uni, en commun; **out of —** déboîté, démis, déréglé.
jointed ['dʒɔintid] *a* articulé.
joint-heir ['dʒɔintɛə] *n* cohéritier *m*.
jointly ['dʒɔintli] *ad* conjointement.
joint-stock company ['dʒɔintstɔk'kʌmpæni] *n* société anonyme *f*.
joist [dʒɔist] *n* solive *f*, poutre *f*.
joke [dʒouk] *n* farce *f*, bon mot *m*, plaisanterie *f*, blague *f*; *vi* plaisanter; **practical —** farce *f*.
joker ['dʒoukə] *n* plaisant *m*, farceur, -euse; **practical —** mauvais plaisant *m*.
jollity ['dʒɔliti] *n* fête *f*, réjouissance *f*.
jolly ['dʒɔli] *a* gai, joyeux, éméché; *ad* (*fam*) drôlement, rudement.
jolt [dʒoult] *n* cahot *m*, secousse *f*; *vt* secouer; *vti* cahoter.
jonquil ['dʒɔŋkwil] *n* jonquille *f*.
Jordan ['dʒɔːdn] *n* Jordanie *f*.
jostle ['dʒɔsl] *vt* pousser, bousculer; *vi* jouer des coudes.
jot [dʒɔt] *n* fétu *m*, brin *m*; *vt* **to — down** noter, griffonner.
journal ['dʒəːnl] *n* journal *m*.
journalism ['dʒəːnəlizəm] *n* journalisme *m*.
journalist ['dʒəːnəlist] *n* journaliste *mf*.
journey ['dʒəːni] *n* voyage *m*, trajet *m*; *vi* voyager.
journeyman ['dʒəːnimən] *n* journalier *m*, compagnon *m*.
jovial ['dʒouviəl] *a* jovial.
joviality [ˌdʒouvi'æliti] *n* jovialité *f*.
jowl [dʒaul] *n* mâchoire *f*, (ba)joue *f*.
joy [dʒɔi] *n* joie *f*.
joyful ['dʒɔiful] *a* joyeux.
jubilant ['dʒuːbilənt] *a* joyeux, réjoui; **to be —** jubiler exulter
jubilation [ˌdʒuːbi'leiʃən] *n* jubilation *f*.
jubilee ['dʒuːbiliː] *n* jubilé *m*.
Judas ['dʒuːdəs] *n* judas *m*.
judge [dʒʌdʒ] *n* juge *m*, arbitre *m*, connaisseur, -euse; *vt* juger, estimer.
judgement ['dʒʌdʒmənt] *n* jugement *m*, avis *m*, arrêt *m*, discernement *m*.
judicature ['dʒuːdikətʃə] *n* Justice *f*, Cour *f*.
judicial [dʒuː'diʃəl] *a* juridique, judiciaire, légal, impartial.
judicious [dʒuː'diʃəs] *a* judicieux.
jug [dʒʌg] *n* broc *m*, cruche *f*, (*fam*) violon *m*.
jugged [dʒʌgd] *a* cuit à l'étuvée, en civet; emprisonné, coffré.
juggle ['dʒʌgl] *vi* jongler, faire des tours de passe-passe; **to — away** escamoter.
juggler ['dʒʌglə] *n* jongleur *m*, bateleur *m*
juggling ['dʒʌgliŋ] *n* jonglerie *f*, tours de passe-passe *m pl*.
juice [dʒuːs] *n* jus *m*.
juicy ['dʒuːsi] *a* juteux.
Julian ['dʒuːliən] Julien *m*.
July [dʒuː'lai] *n* juillet *m*.
jumble ['dʒʌmbl] *n* fouillis *m*; *vt* mêler, brouiller.
jump [dʒʌmp] *n* saut *m*, bond *m*, haut-le-corps *m*; *vi* sauter, bondir, tressaillir; *vt* sauter, franchir.
jumper ['dʒʌmpə] *n* sauteur, -euse, tricot *m*, vareuse *f*.
jumpiness ['dʒʌmpinis] *n* nervosité *f*.
jumping rope ['dʒʌmpiŋroup] *n* (*US*) corde *f* à sauter.
junction ['dʒʌŋkʃən] *n* jonction *f*, bifurcation *f*, gare d'embranchement *f*.
juncture ['dʒʌŋktʃə] *n* jointure *f*, conjoncture *f*.
June [dʒuːn] *n* juin *m*.
jungle ['dʒʌŋgl] *n* jungle *f*.
junior ['dʒuːniə] *an* cadet, -ette; *a* jeune; *n* subalterne *m*.
juniper ['dʒuːnipə] *n* genièvre *m*.
junk [dʒʌŋk] *n* vieilleries *f pl*, jonque *f*; **piece of —** rossignol *m*; (*US*) drogue *f*.
junket ['dʒʌŋkit] *n* lait caillé *m*, bombance *f*.
jurisdiction [ˌdʒuəris'dikʃən] *n* juridiction *f*, ressort *m*.
jurist ['dʒuərist] *n* juriste *m*
jury ['dʒuəri] *n* jury *m*.
just [dʒʌst] *a* juste, équitable; *ad* (tout) juste, au juste, justement, précisément, seulement, simplement, à l'instant, rien que; **I have — seen him** je viens de le voir; **he — laughed** il ne fit que rire; **— as** tout comme.
justice ['dʒʌstis] *n* justice *f*, juge *m*.
justifiable [ˌdʒʌsti'faiəbl] *a* justifiable, légitime.
justification [ˌdʒʌstifi'keiʃən] *n* justification *f*.

justify ['dʒʌstifai] *vt* justifier.
justness ['dʒʌstnis] *n* justice *f*, justesse *f*.
jut [dʒʌt] *vi* — **out** faire saillie, avancer.
jute [dʒu:t] *n* jute *m*
juvenile ['dʒu:vənail] *a* juvenile, jeune.
juxtapose ['dʒʌkstəpouz] *vt* juxtaposer.

K

kangaroo [.kæŋgə'ru:] *n* kangourou *m*.
keel [ki:l] *n* quille *f*.
keen [ki:n] *a* (*objet*) aiguisé, affilé; vif, acerbe; fin, perçant; (*pers*) zélé, passionné (de **on**), enragé (de); **I am not — on it** je n'y tiens pas.
keenness ['ki:nnis] *n* (*obj*) acuité *f*; (*pers*) empressement *m*, ardeur *f*, enthousiasme *m*.
keep [ki:p] *n* donjon *m*, subsistance *f*; *vt* garder, tenir, observer, célébrer; — **s.o. waiting** faire attendre qn; *vi* se tenir rester, se conserver, continuer (de); — **from** s'empêcher de; — **in** entretenir; **kept in** en retenue; — **on** continuer de, à; — **to** tenir, garder.
keeper ['ki:pə] *n* gardien, -ienne, conservateur *m*, garde *mf*.
keeping ['ki:piŋ] *n* garde *f*, harmonie *f*, observation *f*, célébration *f*.
keg [keg] *n* barillet *m*, caque *f*.
ken [ken] *n* portée *f*, connaissances *f pl*.
kennel ['kenl] *n* chenil *m*, niche *f*.
kept [kept] *pp pt of* **keep**.
kerb [kə:b] *n* bordure *f*, margelle *f*.
kerchief ['kə:tʃif] *n* fichu *m*, mouchoir de tête *m*.
kernel ['kə:nl] *n* amande *f*, chair *f*, grain *m*, noyau *m*, essentiel *m*.
kettle ['ketl] *n* bouilloire *f*.
kettledrum ['ketldrʌm] *n* timbale *f*.
key [ki:] *n* clé *f*, clef *f*, touche *f*, mot *m*, corrigé *m*; *a* essentiel, clé; *vt* accorder; **to — up** stimuler.
keyboard ['ki:bɔ:d] *n* clavier *m*.
keyhole ['ki:houl] *n* trou de la serrure *m*.
keynote ['ki:nout] *n* clé *f*, tonique *f*, note dominante *f*.
key-ring ['ki:riŋ] *n* porte-clefs *m inv*.
keystone ['ki:stoun] *n* clé de voûte *f*.
kick [kik] *n* coup de pied *m*, ruade *f*, recul *m*, ressort *m*; (*US*) plaintes *f pl*, critiques *f pl*; *vi* donner un coup de pied, ruer, reculer; *vt* pousser du pied, donner un coup de pied à, botter.
kick-off ['kikɔf] *n* coup d'envoi *m*.
kid [kid] *n* chevreau *m*, (*fam*) gosse *mf*.
kidnap ['kidnæp] *vt* enlever.
kidnapper ['kidnæpə] *n* ravisseur, -euse.
kidney ['kidni] *n* rein *m*, rognon *m*, acabit *m*, trempe *f*.
kill [kil] *n* mise à mort *f*; *vt* tuer, abattre.
killing ['kiliŋ] *n* tuerie *f*, massacre *m*; *a* meurtrier, tuant, mortel, tordant.
killjoy ['kildʒɔi] *n* rabat-joie *m*.
kiln [kiln] *n* four *m*.
kin [kin] *n* race *f*, souche *f*, parenté *f*, parents *m pl*; *a* allié, apparenté; **next of —** le plus proche parent, famille *f*.
kind [kaind] *n* espèce *f*, sorte *f*, genre *m*; **in —** en nature; *a* bon. aimable.
kindergarten ['kində,gɑ:tn] *n* école *f* maternelle, jardin *m* d'enfants.
kindle [kindl] *vt* allumer, enflammer; *vi* s'allumer, prendre feu, flamber.
kindly ['kaindli] *ad* avec bonté, ayez l'obligeance de; *a* bon, bienveillant.
kindness ['kaindnis] *n* bonté *f*, amabilité *f*.
kindred ['kindrid] *n* parenté *f*; *a* analogue.
king [kiŋ] *n* roi *m*, (*draughts*) dame *f*.
kingdom ['kiŋdəm] *n* royaume *m* règne *m*.
kingfisher ['kiŋfiʃə] *n* martin-pêcheur *m*.
kingly ['kiŋli] *a* royal.
kingship ['kiŋʃip] *n* art de régner *m*, royauté *f*.
kink [kiŋk] *n* nœud *m*, lubie *f*.
kinsfolk ['kinzfouk] *n* parenté *f*, famille *f*.
kipper ['kipə] *n* hareng fumé *m*; *vt* saler, fumer.
kirk [kə:k] *n* (*Scot*) église *f*.
kiss [kis] *n* baiser *m*; *vt* embrasser, baiser.
kissing ['kisiŋ] *n* embrassade.
kit [kit] *n* fourniment *m*, effets *m pl*, fourbi *m*, baluchon *m*, trousse *f*.
kit-bag ['kitbæg] *n* sac *m*.
kitchen ['kitʃin] *n* cuisine *f*.
kitchen-garden ['kitʃin'gɑ:dn] *n* jardin potager *m*.
kitchen-maid ['kitʃinmeid] *n* fille de cuisine *f*.
kitchen-range ['kitʃin'reindʒ] *n* fourneau *m*, cuisinière *f*.
kite [kait] *n* milan *m*, ballon d'essai *m*, cerf-volant *m*.
kitten ['kitn] *n* chaton *m*.
knack [næk] *n* tour *m* de main, adresse *f*, coup *m*, truc *m*.
knacker ['nækə] *n* équarisseur *m*.
knapsack ['næpsæk] *n* sac *m*, havre-sac *m*.
knave [neiv] *n* gredin *m*, (*cards*) valet *m*.
knead [ni:d] *vt* pétrir, masser.
kneading-trough ['ni:diŋ,trɔf] *n* pétrin *m*.
knee [ni:] *n* genou *m*.
knee-breeches ['ni: bri:tʃiz] *n* culotte *f*.
knee-cap ['ni:kæp] *n* rotule *f*; genouillère *f*.

kneel [ni:l] *vi* s'agenouiller.
knell [nel] *n* glas *m*.
knew [nju:] *pt of* **know.**
knickerbockers ['nikəbɔkəz] *n* culotte *f*.
knickers ['nikəz] *n* pantalon *m* (de femme), culotte *f*.
knife [naif] *n* couteau *m*; *vt* donner un coup de couteau à, suriner.
knife-board ['naifbɔ:d] *n* planche à couteaux *f*.
knife-grinder ['naif,graində] *n* rémouleur *m*.
knight [nait] *n* chevalier *m*; *vt* créer (armer) chevalier.
knighthood ['naithud] *n* rang de chevalier *m*
knit [nit] *vt* tricoter; **to — one's brows** froncer les sourcils; **well-—** serré.
knitting ['nitiŋ] *n* tricotage *m*, tricot *m*; — **needle** aiguille à tricoter *f*.
knob [nɔb] *n* bosse *f*, bouton *m*, morceau *m*, pomme *f*.
knock [nɔk] *n* coup *m*; *vti* frapper, cogner; **to — about** *vt* bousculer, malmener; *vi* rouler sa bosse; **to — down** renverser, abattre, adjuger; **to — off** quitter le travail; **to — out** mettre hors de combat, mettre knock-out.
knocker ['nɔkə] *n* marteau *m*.
knock-kneed ['nɔk'ni:d] *a* cagneux.
knoll [noul] *n* monticule *m*, tertre *m*.
knot [nɔt] *n* nœud *m*, groupe *m*; *vt* nouer, embrouiller.
knotty ['nɔti] *a* noueux, compliqué.
know [nou] *vt* connaître, reconnaître, savoir; **to be in the** — être dans le secret.
knowing ['nouiŋ] *a* averti, éveillé, fin, rusé, entendu.
knowingly ['nouiŋli] *ad* sciemment, finement, à bon escient.
knowledge ['nɔlidʒ] *n* connaissance *f*, savoir *m*, science *f*; **not to my** — pas que je sache; **without my** — à mon insu; **to have a thorough — of** connaître à fond.
knuckle ['nʌkl] *n* phalange *f*, articulation *f*, jointure *f*; — **of veal** jarret de veau *m*.
knuckle-bone ['nʌkl'boun] *n* osselet *m*.
knuckleduster ['nʌkl,dʌstə] *n* coup-de-poing américain *m*.
kola ['koulə] *n* — **nut** noix *f* de kola; — **tree** kolatier *m*.
Koran [kɔ:'ræn] *n* Coran *m*.

L

label ['leibl] *n* étiquette *f*; *vt* étiqueter, classer.
laboratory [lə'bɔrətəri] *n* laboratoire *m*.
laborious [lə'bɔ:riəs] *a* laborieux, ardu, pénible.
laboriousness [lə'bɔ:riəsnis] *n* application *f*.
labour ['leibə] *n* travail *m*, classe ouvrière *f*, main-d'œuvre *f*; — **exchange** bureau de placement *m*, bourse du Travail *f*; — **party** parti travailliste *m*; *vt* élaborer, travailler; *vi* travailler, peiner.
laboured ['leibəd] *a* cherché, travaillé, pénible.
labourer ['leibərə] *n* manœuvre *m*.
laburnum [lə'bə:nəm] *n* cytise *m*.
labyrinth ['læbərinθ] *n* labyrinthe *m*, dédale *m*.
lace [leis] *n* lacet *m*, galon *m*, dentelle *f*, point *m*; *vt* lacer, galonner, garnir de dentelle, nuancer, corser.
lace-maker ['leis'meikə] *n* fabricant de dentelles *m*, dentellière *f*.
lacerate ['læsəreit] *vt* lacérer.
lachrymal ['lækriməl] *a* lacrymal.
lachrymatory ['lækrimətəri] *a* lacrymogène.
lachrymose ['lækrimous] *a* larmoyant.
lack [læk] *n* manque *m*, défaut *m*, besoin *m*; **for — of** faute de; *vt* manquer de.
lackadaisical [,lækə'deizikəl] *a* maniéré, affecté, langoureux.
lackey ['læki] *n* laquais *m*.
lacking ['lækiŋ] *a* qui manque, en défaut; *prep* à défaut de, faute de.
lacquer ['lækə] *n* laque *m*, vernis-laque *m*; *vt* laquer.
lad [læd] *n* (jeune) garçon *m*, gars *m*, gaillard *m*.
ladder ['lædə] *n* échelle *f*, maille *f* filée.
lade [leid] *vt* charger; *n* bief *m*.
lading ['leidiŋ] *n* chargement *m*.
ladle ['leidl] *n* louche *f*.
lady ['leidi] *n* dame *f*, Lady; *pl* mesdames, mesdemoiselles; **—-in-waiting** dame d'honneur *f*; **L— Day** Annonciation *f*.
ladybird ['leidibə:d] *n* bête à bon Dieu *f*, coccinelle *f*.
ladylike ['leidilaik] *a* de dame, comme il faut.
lag [læg] *n* retard *m*, décalage *m*, cheval de retour *m*, repris de justice *m*; *vi* traîner, rester en arrière.
laggard ['lægəd] *n* traînard *m*, lambin(e) *mf*; *a* lent.
lagging ['lægiŋ] *n* revêtement calorifuge *m*.
lagoon [lə'gu:n] *n* lagune *f*.
laic ['leiik] *n* laïque.
laicize ['leiisaiz] *vt* laïciser.
laid [leid] *pt pp of* **lay**; — **up** mis en réserve, remisé, alité.
lain [lein] *pp of* **lie** (être couché).
lair [lɛə] *n* tanière *f*, repaire *m*.
laity ['leiiti] *n* laïques *m pl*, amateurs *m pl*.
lake [leik] *n* lac *m*; *a* lacustre.
lamb [læm] *n* agneau *m*.
lambkin ['læmkin] *n* agnelet *m*.

lame [leim] *a* boiteux, faible; *vt* rendre boiteux, estropier.
lameness ['leimnis] *n* boiterie *f*, claudication *f*, faiblesse *f*.
lament [lə'ment] *n* lamentation *f*; *vt* déplorer, pleurer; *vi* se lamenter.
lamentable ['læməntəbl] *a* lamentable, déplorable.
lamented [lə'mentid] *a* regretté.
lamp [læmp] *n* lampe *f*, lanterne *f*; **standard** — lampadaire *m*, lampe *f* de parquet.
lamplighter ['læmp'laitə] *n* allumeur de réverbères *m*.
lampoon [læm'puːn] *n* libelle *m*; *vt* déchirer, chansonner.
lampoonist [læm'puːnist] *n* libelliste *m*.
lamp-post ['læmppoust] *n* réverbère *m*.
lampshade ['læmpʃeid] *n* abat-jour *m*.
lance [lɑːns] *n* lance *f*.
lancer ['lɑːnsə] *n* lancier *m*.
lancet ['lɑːnsit] *n* lancette *f*.
land [lænd] *n* terre *f*, sol *m*, pays *m*; *vti* débarquer; *vi* atterrir, descendre; *vt* asséner.
landed ['lændid] *a* foncier.
land-holder ['lænd,houldə] *n* propriétaire *mf*, foncier, -ière.
landing ['lændiŋ] *n* débarquement *m*, atterrissage *m*, palier *m*; **forced** — atterrissage forcé *m*.
landing-place ['lændiŋpleis] *n* débarcadère *m*, terrain d'atterrissage *m*.
landing-net ['lændiŋnet] *n* épuisette *f*.
landlady ['læn,leidi] *n* propriétaire *f*.
landlord ['lænlɔːd] *n* propriétaire *m*, patron *m*.
landowner ['lænd,ounə] *n* propriétaire *mf*, foncier, -ière.
landscape ['lænskeip] *n* paysage *m*.
landslide ['lændslaid] *n* éboulement *m*.
land-tax ['lændtæks] *n* impôt foncier *m*.
lane [lein] *n* sentier *m*, ruelle *f*.
language ['læŋgwidʒ] *n* langage *m*, langue *f*.
languid ['læŋgwid] *a* languissant, mou.
languidly ['læŋgwidli] *ad* languissamment, mollement.
languish ['læŋgwiʃ] *vi* languir.
languishing ['læŋgwiʃiŋ] *a* langoureux.
languor ['læŋgə] *n* langueur *f*.
languorous ['læŋgərəs] *a* langoureux.
lank [læŋk] *a* efflanqué, plat.
lantern ['læntən] *n* lanterne *f*, fanal *m*, falot *m*.
lap [læp] *n* giron *m*, sein *m*, pan *m*, lobe *m*, creux *m*, tour *m* (de piste), lapement *m*, lampée *f*, clapotis *m*; *vt* laper, lamper, (*sea*) lécher, faire le tour de; *vi* clapoter.
lapdog ['læpdɔg] *n* bichon *m*.
lapel [lə'pel] *n* revers *m*.
lapidary ['læpidəri] *n* lapidaire *m*.
Lapland ['læplænd] *n* Laponie *f*.
lapse [læps] *n* faux-pas *m*, lapsus *m*, laps de temps *m*, déchéance *f*; *vi* s'écouler, déchoir, manquer (à **from**).
lapsed [læpst] *a* déchu, périmé, caduc.
larboard ['lɑːbəd] *n* bâbord *m*.
larceny ['lɑːsni] *n* larcin *m*.
larch [lɑːtʃ] *n* mélèze *m*.
lard [lɑːd] *n* saindoux *m*.
larder ['lɑːdə] *n* garde-manger *m*.
large [lɑːdʒ] *a* large, gros, grand, vaste; **at** — au large, en liberté.
largeness ['lɑːdʒnis] *n* (*width*) largeur *f*, grandeur *f*, grosseur *f*.
lark [lɑːk] *n* alouette *f*, farce *f*.
larkspur ['lɑːkspə] *n* pied-d'alouette *m*.
laser ['leizə] *n* laser *m*.
lash [læʃ] *n* coup de fouet *m*, lanière *f*; *vti* fouailler, cingler; *vt* attacher, amarrer; **to — out** éclater, se ruer.
lass [læs] *n* fille *f*, bonne amie *f*.
lassitude ['læsitjuːd] *n* lassitude *f*.
last [lɑːst] *n* forme *f*, fin *f*; *a* dernier; — **but one** avant-dernier; — **night** cette nuit, la nuit dernière, hier soir; *vi* durer, tenir, faire.
lastly ['lɑːstli] *ad* enfin.
latch [lætʃ] *n* loquet *m*; — **key** passe-partout *m*; *vt* fermer au loquet.
late [leit] *a* tard, tardif, en retard, dernier, feu; —**comer** retardataire; **to be — for** être en retard pour; **the train is** — le train a du retard; **it is getting** — il se fait tard.
lately ['leitli] *ad* récemment.
lateness ['leitnis] *n* heure tardive *f*, retard *m*.
latent ['leitənt] *a* latent.
lateral ['lætərəl] *a* latéral, transversal.
laterite ['lætərait] *n* terre de barre *f*, latérite *f*.
lath [lɑːθ] *n* latte *f*.
lathe [leið] *n* tour *m*.
lather ['lɑːðə] *n* mousse *f*, écume *f*; *vt* savonner, rosser; *vi* mousser, écumer.
latitude ['lætitjuːd] *n* largeur *f*, latitude *f*, liberté *f*.
latter ['lætə] *a* dernier, second, celui-ci, celle-ci, ceux-ci, celles-ci.
lattice ['lætis] *n* treillis *m*, treillage *m*.
laudable ['lɔːdəbl] *a* louable.
laudatory ['lɔːdətəri] *a* élogieux.
laugh [lɑːf] *n* rire *m*; *vi* rire.
laughable ['lɑːfəbl] *a* risible, ridicule.
laughing ['lɑːfiŋ] *n* rire *m*; *a* à rire; — **gas** gaz hilarant *m*; — **stock** risée *f*.
laughter ['lɑːftə] *n* rire *m*; **to roar with** — rire aux éclats, rire à gorge déployée.
launch [lɔːntʃ] *n* lancement *m*, chaloupe *f*; *vt* lancer, déclencher; *vi* se lancer.

launderette [lɔːndə'ret] *n* laverie *f*, blanchisserie *f* automatique.
laundress ['lɔːndris] *n* blanchisseuse *f*.
laundry ['lɔːndri] *n* blanchissage *m*, blanchisserie *f*, linge *n*.
laureate ['lɔːriit] *n* lauréat *m*.
laurel ['lɔrəl] *n* laurier *m*.
lava ['lɑːvə] *n* lave *f*.
lavatory ['lævətəri] *n* lavabo *m*, cabinets *m pl*, toilette *f*.
lavender ['lævində] *n* lavande *f*.
lavish ['læviʃ] *a* prodigue, somptueux; *vt* prodiguer, gaspiller.
lavishness ['læviʃnis] *n* prodigalité *f*.
law [lɔː] *n* loi *f*, droit *m*; **—-abiding** *a* respectueux de la loi; **L— Courts** Palais de Justice *m*.
lawful ['lɔːful] *a* légal, légitime.
lawfulness ['lɔːfulnis] *n* respect de la loi *m*, légalité *f*.
lawless ['lɔːlis] *a* sans foi ni loi, effréné, déréglé, anarchique.
lawlessness ['lɔːlishis] *n* mépris de la loi *m*, anarchie *f*.
lawn [lɔːn] *n* pelouse *f*, gazon *m*.
lawn-mower ['lɔːn,mouə] *n* tondeuse *f*.
lawsuit ['lɔːsjuːt] *n* procès *m*.
lawyer ['lɔːjə] *n* homme de loi *m*, jurisconsulte *m*.
lax [læks] *a* lâche, relâché, vague, mou, inexact.
laxity ['læksiti] *n* laxité *f*, relâchement *m*, mollesse *f*.
lay [lei] *pt of* **lie** (être couché); *n* lai *m*, spécialité *m*; *a* lai, laïque, profane, amateur; *vt* coucher, étendre, abattre, placer, mettre, déposer, parier, pondre; **to — the table** mettre le couvert; **to — aside** se défaire de, mettre de côté; **to — down** déposer, quitter; **to — off** congédier; **to — out** étaler, aménager, assomer, tracer.
lay-by ['leibai] *n* refuge *m*, parking *m*.
layer ['leiə] *n* couche *f*, marcotte *f*, banc *m*, pondeuse *f*.
lay-figure ['lei'figə] *n* mannequin *m*.
laying ['leiiŋ] *n* pose *f*, ponte *f*.
layout ['leiaut] *n* tracé *m*, dessin *m*, disposition *f* typographique.
lazily ['leizili] *ad* nonchalamment, paresseusement.
laziness ['leizinis] *n* paresse *f*.
lazy ['leizi] *a* paresseux.
lead [liːd] *n* exemple *m*, tête *f*, (*dogs*) laisse *f*, (*cards*) main *f*, câble *m*, premier rôle *m*; *vti* mener, conduire; *vt* diriger, porter; *vi* (*cards*) avoir la main.
lead [led] *n* plomb *m*.
leaden ['ledn] *a* de plomb, plombé, lourd.
leader ['liːdə] *n* chef *m*, directeur *m*, meneur *m*, guide *m*, éditorial *m*.
leadership ['liːdəʃip] *n* direction *f*, commandement *m*.
leading ['liːdiŋ] *a* principal, de tête; **— case** précédent *n*; **— question** question qui postule la réponse; **— strings** lisières *f pl*.
leaf, *pl* **leaves** [liːf, liːvz] *n* feuille *f*, rallonge *f*.
leafless ['liːflis] *a* sans feuilles, effeuillé, dépouillé.
leaflet ['liːflit] *n* feuillet *m*, prospectus *m*, papillon *m*.
leafy ['liːfi] *a* feuillu, touffu.
league [liːg] *n* lieue *f*, ligne *f*; **L— of Nations** Société des Nations *f*; *vi* se liguer.
leak [liːk] *n* fuite *f*, voie d'eau *f*; *vi* fuir, avoir une fuite, faire eau; **to — out** transpirer.
leakage ['liːkidʒ] *n* fuite *f*.
lean [liːn] *a* maigre; *n* inclinaison *f*; *vt* pencher, appuyer; *vi* s'appuyer, se pencher, incliner.
leaning ['liːniŋ] *n* penchant *m*, penchement *m*, tendance *f*.
leanness ['liːnnis] *n* maigreur *f*.
leant [lent] *pt pp of* **lean.**
leap [liːp] *n* saut *m*; **—-frog** saute-mouton *m*; **— year** année bissextile *f*; *vti* sauter.
leapt [lept] *pt pp of* **leap.**
learn [ləːn] *vt* apprendre.
learned ['ləːnid] *a* savant.
learning ['ləːniŋ] *n* savoir *m*, érudition *f*.
lease [liːs] *n* bail *m*; **on —** à bail; *vt* louer, affermer.
leaseholder ['liːshouldə] *n* locataire *mf*.
leash [liːʃ] *n* laisse *f*; *vt* tenir en laisse.
least [liːst] *n* le moins; *a* le, la moindre; **at —** au (du) moins; **not in the —** pas le moins du monde; *ad* (le) moins.
leather ['leðə] *n* cuir *m*; **patent —** cuir verni *m*.
leave [liːv] *n* permission *f*, congé *m*; **on —** en permission, en congé; **—taking** départ *m*, adieu *m*; *vt* laisser, quitter; *vi* partir.
leaven ['levn] *n* levain *m*; *vt* faire lever, tempérer.
Lebanon ['lebənən] *n* Liban *m*.
lecherous ['letʃərəs] *a* lascif, lubrique.
lechery ['letʃəri] *n* lasciveté *f*, luxure *f*.
lectern ['lektə(ː)n] *n* lutrin *m*.
lecture ['lektʃə] *n* conférence *f*, semonce *f*; *vi* faire des conférences; *vt* faire la leçon à; **to — on** faire un cours de.
lecturer ['lektʃərə] *n* conférencier *m*, maître de conférences *m*, chargé de cours *m*.
lectureship ['lektʃəʃip] *n* maîtrise de conférences *f*.
led [led] *pt pp of* **lead.**
ledge [ledʒ] *n* rebord *m*, corniche *f*, banc de rochers *m*.
ledger ['ledʒə] *n* grand-livre *m*.
lee [liː] *n* abri *m*; *a* abrité.
leech [liːtʃ] *n* sangsue *f*.

leek [li:k] *n* poireau *m*.
leer [liə] *n* regard de côté *m*, œillade *f*; *vi* regarder de côté, faire de l'œil (à **at**).
lees [li:z] *n* lie *f*.
leeward ['li:wəd] *a ad* sous le vent.
leeway ['li:wei] *n* dérive *f*, retard *m*.
left [left] *pt pp of* **leave**; *n* gauche *f*; *a* gauche; **on the —** à gauche; **—-handed** gaucher, morganatique, de la main gauche; **—-wing** de gauche; **— over** laissé de côté; **—overs** restes *m pl*.
leg [leg] *n* jambe *f*, cuisse *f*, gigot *m*, pied *m*.
legacy ['legəsi] *n* legs *m*.
legal ['li:gəl] *a* légal, judiciaire, licite.
legality [li(:)'gæliti] *n* légalité *f*.
legalize ['li:gəlaiz] *vt* légaliser, autoriser.
legate ['legit] *n* légat *m*.
legatee [,legə'ti:] *n* légataire *mf*.
legation [li'geiʃən] *n* légation *f*.
legator ['legitə] *n* testateur *m*.
legend ['ledʒənd] *n* légende *f*.
leggings ['legiŋs] *n* jambières *f pl*, guêtres *f pl*.
leggy ['legi] *a* haut sur pattes, dégingandé.
legibility [,ledʒi'biliti] *n* lisibilité *f*.
legible ['ledʒəbl] *a* lisible.
legion ['li:dʒən] *n* légion *f*.
legionary ['li:dʒənəri] *n* légionnaire *m*.
legislate ['ledʒisleit] *vi* légiférer.
legislation [,ledʒis'leiʃən] *n* législation *f*.
legislative ['ledʒislətiv] *a* législatif.
legislator ['ledʒisleitə] *n* législateur *m*.
legislature ['ledʒisleitʃə] *n* législature *f*.
legitimacy [li'dʒitiməsi] *n* légitimité *f*.
legitimate [li'dʒitimit] *a* légitime.
legitimation [li,dʒiti'meiʃən] *n* légitimation *f*.
legitimize [li'dʒitimaiz] *vt* légitimer, reconnaître.
leisure ['leʒə] *n* loisir *m*.
leisurely ['leʒəli] *a* qui n'est jamais pressé, tranquille; *ad* à loisir, à tête reposée.
lemon ['lemən] *n* citron *m*.
lemonade [,lemə'neid] *n* limonade *f*.
lend [lend] *vt* prêter; **— lease** prêt-bail *m*.
lender ['lendə] *n* prêteur, -euse.
length [leŋθ] *n* longueur *f*; **full —** en pied; **at —** longuement, enfin.
lengthwise ['leŋθwaiz] *a ad* dans le sens de la longueur.
lengthy ['leŋθi] *a* long.
leniency ['li:niənsi] *n* douceur *f*, indulgence *f*.
lenient ['li:niənt] *a* indulgent, doux.
leniently ['li:niəntli] *ad* avec douceur (indulgence).
lenity ['leniti] *n* clémence *f*.
lens [lenz] *n* lentille *f*, loupe *f*.
lent [lent] *pt pp of* **lend**.
Lent [lent] *n* carême *m*.
lentil ['lentil] *n* lentille *f*.
leopard ['lepəd] *n* léopard *m*.
leper ['lepə] *n* lépreux, -euse.
leprosy ['leprəsi] *n* lèpre *f*.
lesbian ['lezbiən] *an* lesbien, -enne, saphiste.
lesion ['li:ʒən] *n* lésion *f*.
less [les] *n* (le) moins; *a* moindre, moins de; *prep ad* moins, (*in many compounds*) sans.
lessee [le'si:] *n* locataire *mf*, tenancier, -ière, preneur *m*.
lessen ['lesn] *vti* diminuer; *vi* décroître.
lesser ['lesə] *a* moindre.
lesson ['lesn] *n* leçon *f*.
lessor [le'sɔ:] *n* bailleur, -eresse.
lest [lest] *cj* de peur que.
let [let] *vt* laisser, louer; **— us go** partons; **— him do it** qu'il le fasse; **— alone** sans parler de; **to — alone** laisser tranquille; **to — down** baisser, descendre, laisser tomber; **to — in** faire, laisser entrer; **to — on** cafarder; **to — off** décharger; **to — out** laisser échapper, (re)lâcher; **to — through** laisser passer; (*US*) **to — up** (*rain*) diminuer; se relâcher.
lethal ['li:θəl] *a* mortel, meurtrier.
lethargic [le'θɑ:dʒik] *a* léthargique.
lethargy ['leθədʒi] *n* léthargie *f*.
letter ['letə] *n* lettre *f*; **— bound** *a* esclave de la lettre; **—-box** boîte aux lettres *f*; **—-card** carte-lettre *f*; **— pad** bloc-notes *m*.
lettuce ['letis] *n* laitue *f*.
leukaemia [lju'ki:miə] *n* leucémie *f*.
levee ['levi] *n* lever *m*.
level [levl] *n* niveau *m*; *a* uni, régulier, en palier; **— with** au même niveau que, au ras de; **—-crossing** passage *m* à niveau; **—-headed** pondéré; *vt* niveler, viser.
leveller ['levələ] *n* niveleur *m*.
levelling ['levliŋ] *n* nivellement *m*.
lever ['li:və] *n* levier *m*, manette *f*.
leveret ['levərit] *n* levraut *m*.
levity ['leviti] *n* légèreté *f*.
levy ['levi] *n* levée *f*; *vt* lever, imposer, percevoir.
lewd [lju:d] *a* luxurieux.
lewdness ['lju:dnis] *n* luxure *f*, lasciveté *f*.
Lewis ['lu(:)is] Louis *m*.
lexicon ['leksikən] *n* lexique *m*.
liability [,laiə'biliti] *n* responsabilité *f*; *pl* engagements *m pl*, passif *m*.
liable ['laiəbl] *a* passible (de **for**), responsable, sujet (à **to**).
liar ['laiə] *n* menteur, -euse.
libel ['laibəl] *n* diffamation *f*, libelle *m*; *vt* diffamer.
libeller ['laibələ] *n* diffamateur, -trice.
libellous ['laibələs] *a* diffamatoire, calomnieux.
liberal ['libərəl] *n* libéral *m*; *a* large, libéral, prodigue.

liberalism ['libərəlizəm] *n* libéralisme *m*.
liberality [,libə'ræliti] *n* libéralité *f*, générosité *f*.
liberate ['libəreit] *vt* libérer.
liberation [,libə'reiʃən] *n* libération *f*.
liberator ['libəreitə] *n* libérateur, -trice.
libertine ['libə(:)ti:n] *an* libertin *m*; *n* débauché *m*.
liberty ['libəti] *n* liberté *f*.
librarian [lai'brɛəriən] *n* bibliothécaire *m*.
library ['laibrəri] *n* bibliothèque *f*; **lending** — b. de prêt; **free** — b. publique; **circulating** — b. circulante.
lice [lais] *n pl* poux *m pl*.
licence ['laisəns] *n* permission *f*, autorisation *f*, permis *m*, licence *f*, patente *f*.
license ['laisəns] *vt* autoriser, patenter, accorder un permis à.
licentious [lai'senʃəs] *a* libre, licencieux.
licentiousness [lai'senʃəsnis] *n* licence *f*.
lichen ['laikən] *n* lichen *m*.
licit ['lisit] *a* licite.
lick [lik] *n* coup *m* de langue; *vt* lécher, rosser, battre à plate couture, (sur)passer; **to — up** laper; **to — into shape** dégrossir.
licking ['likiŋ] *n* râclée *f*.
lid [lid] *n* couvercle *m*.
lie [lai] *n* mensonge *m*, démenti *m*; disposition *f*, tracé *m*, gîte *m*; *vi* mentir, être couché, étendu, être resté, se trouver, (*bank*) déposer; **it lies with** cela dépend de; **to — down** se coucher, filer doux; **to — up** garder la chambre, désarmer; **— in** *n* (*fam*) grasse matinée *f*.
lieutenant [lef'tenənt] *n* lieutenant *m*; **second-—** sous-lieutenant *m*.
life [laif] *n* vie *f*; **—boat** canot *m* de sauvetage; **—buoy** bouée *m* de sauvetage; **— estate** propriété *f* en viager; **— saving** sauvetage *m*; **— savings** économies *f pl*.
lifeless ['laiflis] *a* inanimé.
lifelike ['laiflaik] *a* d'après nature, vivant.
life-size ['laif'saiz] *a* en pied.
lifetime ['laiftaim] *n* vie *f*, vivant *m*.
lift [lift] *n* ascenseur *m*, monte-charge *m*, montée *f*, (*in a car*) place *f*, coup d'épaule *m*; *vt* lever, soulever, pendre, voler; *vi* s'élever, se dissiper.
light [lait] *n* lumière *f*, clarté *f*, jour *m*, phare *m*, feu *m*; *vt* allumer, éclairer; *vi* s'allumer, s'éclairer, s'abattre, tomber; *a* léger, clair; **—-handedness** légèreté de main *f*; **—-headed** étourdi; **—-hearted** gai, allègre; **— minded** frivole.
lighten ['laitn] *vt* alléger, soulager, éclairer, éclaircir; *vi* s'éclairer, faire des éclairs.
lighter ['laitə] *n* briquet *m*, chaland *m*.
lighthouse ['laithaus] *n* phare *m*.
lighting ['laitiŋ] *n* allumage *m*, éclairage *m*.
lightness ['laitnis] *n* légèreté *f*.
lightning ['laitniŋ] *n* éclair *m*, foudre *f*; *a* prompt comme l'éclair, foudroyant; **— conductor** paratonerre *m*.
light-ship ['laitʃip] *n* bateau-feu *m*, bouée lumineuse *f*.
lightweight ['laitweit] *a* léger, poids léger.
like [laik] *an* semblable *mf*, pareil, -eille *mf*; *a* ressemblant; *prep* comme; *vt* aimer, vouloir, désirer.
likeable ['laikəbl] *a* sympathique.
likelihood ['laiklihud] *n* vraisemblance *f*, probabilité *f*.
likely ['laikli] *a* probable, propre, susceptible, plein de promesse; *ad* probablement.
liken ['laikən] *vt* comparer.
likeness ['laiknis] *n* ressemblance *f*, portrait *m*.
likewise ['laikwaiz] *ad* de même, aussi.
liking ['laikiŋ] *n* goût *m*, penchant *m*, sympathie *f*, gré *m*.
lilac ['lailək] *n* lilas *m*.
lily ['lili] *n* lis *m*; *a* de lis; **— of the valley** muguet *m*.
limb [lim] *n* membre *m*, bras *m*, branche maîtresse *f*.
limber ['limbə] *n* avant-train *m*; *vt* atteler; *a* souple.
limbo ['limbou] *n* limbes *m pl*.
lime [laim] *n* glu *f*, chaux *f*, tilleul *m*, limon *m*.
lime-juice ['laimdʒu:s] *n* limonade *f*, jus de limon *m*.
lime-kiln ['laimkiln] *n* four à chaux *m*.
limelight ['laimlait] *n* rampe *f*, feu de la publicité *m*, vedette *f*.
limestone ['laimstoun] *n* pierre à chaux *f*.
limit ['limit] *n* limite *f*, borne *f*; comble *m*; *vt* limiter, borner, restreindre.
limitation [,limi'teiʃən] *n* limitation *f*.
limited ['limitid] *a* à responsabilité limitée, restreint.
limp [limp] *n* claudication *f*; *vi* boiter; *a* souple, mou.
limpid ['limpid] *a* limpide.
limpidity [lim'piditi] *n* limpidité *f*.
limy ['laimi] *a* gluant, calcaire.
linden ['lindən] *n* tilleul *m*.
line [lain] *n* ligne *f*, file *f*, voie *f*, trait *m*, corde *f*, câble *m*, fil *m*, vers *m*; *vt* tracer, régler, sillonner, rider, aligner, border, doubler, remplir, garnir; *vi* s'aligner; **to become lined** se rider.
lineage ['liniidʒ] *n* lignage *m*, lignée *f*.
lineament ['liniəmənt] *n* linéament *m*.

linear ['liniə] *a* linéaire.
linen ['linin] *n* toile *f* (de lin), linge *m*.
liner ['lainə] *n* paquebot *m*.
linger ['liŋgə] *vi* tarder, trainer, subsister, s'attarder.
lingerer ['liŋgərə] *n* lambin(e) *mf*, retardataire *mf*.
lining ['lainiŋ] *n* doublure *f*, coiffe *f*, garniture *f*.
link [liŋk] *n* chaînon *m*, anneau *m*, lien *m*, maille *f*; *vt* (re)lier, enchaîner, unir, serrer; *vi* s'attacher (à **to**); **to — arms** se donner le bras.
links [liŋks] *n* (terrain *m* de) golf.
linnet ['linit] *n* linotte *f*.
linseed ['linsi:d] *n* graîne de lin *f*.
lint [lint] *n* charpie *f*.
lintel ['lintl] *n* linteau *m*.
lion ['laiən] *n* lion *m*; **— cub** lionceau *m*.
lioness ['laiənis] *n* lionne *f*.
lip [lip] *n* lèvre *f*, babine *f*, bord *m*; *vt* toucher des lèvres.
lipstick ['lipstik] *n* rouge à lèvres *m*, bâton de rouge *m*
liquefaction [,likwi'fækʃən] *n* liquéfaction *f*.
liquefy ['likwifai] *vt* liquéfier.
liqueur [li'kjuə] *n* liqueur *f*; **— stand** cabaret *m*, cave à liqueurs *f*.
liquid ['likwid] *an* liquide *m*.
liquidate ['likwideit] *vt* liquider.
liquidation [,likwi'deiʃən] *n* liquidation *f*.
liquidator ['likwideitə] *n* liquidateur *m*.
liquidizer ['likwidaizə] *m*, mixe(u)r *m*.
liquor ['likə] *n* boisson alcoolique *f*.
liquorice ['likəris] *n* réglisse *f*.
lisp [lisp] *n* zézaiement *m*, bruissement *m*; *vti* zézayer.
lissom ['lisəm] *a* souple.
list [list] *n* liste *f*, tableau *m*, lisière *f*, bourrelet *m*, gîte *f*, (*pl*) lice *f*; **wine —** carte *f* des vins; **honours —** palmarès *m*; *vt* cataloguer; *vi* donner de la bande.
listen ['lisn] *vti* écouter.
listener ['lisnə] *n* écouteur, -euse, auditeur, -trice.
listless ['listlis] *a* apathique.
listlessness ['listlisnis] *n* apathie *f*.
lit [lit] *pt pp of* **light.**
litany ['litəni] *n* litanie *f*.
literal ['litərəl] *a* littéral.
literary ['litərəri] *a* littéraire; **— man** littérateur *m*, homme de lettres *m*.
literature ['litəritʃə] *n* littérature *f*.
lithe [laið] *a* souple.
litheness ['laiðnis] *n* souplesse *f*.
litigant ['litigənt] *n* plaideur, -euse, partie *f*.
litigate ['litigeit] *vi* plaider, être en procès.
litigation [,liti'geiʃən] *n* litige *m*.
litigious [li'tidʒəs] *a* litigieux, processif.
litter ['litə] *n* litière *f*, détritus *m*, fouillis *m*, portée *f*; **—-bin** poubelle *f*; *vt* encombrer.
little ['litl] *n* peu *m* (de chose); *ad* peu; *a* petit; **a —** un peu.
live [laiv] *a* vivant, vrai, vital, ardent, chargé.
live [liv] *vi* vivre, demeurer, habiter, durer; **to — down** user, faire oublier; **to — up to** se hausser à, faire honneur à; **long —!** vive!
livelihood ['laivlihud] *n* gagne-pain *m*, vie *f*.
liveliness ['laivlinis] *n* vivacité *f*, entrain *m*.
lively ['laivli] *a* vivant, vif, animé, plein de vie.
liven ['laivn] *vt* animer; **to — up** *vi* s'animer.
liver ['livə] *n* foie *m*.
liverish ['livəriʃ] *a* bilieux, amer.
livery ['livəri] *n* livrée *f*, compagnie *f*.
livestock ['laivstɔk] *n* bétail *m*, bestiaux *m pl*.
livid ['livid] *a* livide.
living ['liviŋ] *n* vie *f*, gagne-pain *m*, poste *m*, cure *f*; **—-room** salle *f* de séjour, living-room *m*.
lizard ['lizəd] *n* lézard *m*.
load [loud] *n* charge *f*, chargement *m*, poids *m*, tas *m*; *vt* charger, accabler, combler; *vi* prendre charge.
loaded ['loudid] *a* chargé; **— cane** canne plombée *f*; **— dice** dés pipés *m pl*.
loadstone ['loudstoun] *n* aimant *m*.
loaf [louf] *n* pain *m*; *vi* fainéanter.
loafer ['loufə] *n* fainéant *m*, voyou *m*.
loam [loum] *n* glaise *f*, torchis *m*.
loan [loun] *n* prêt *m*, emprunt *m*.
loath [louθ] *a* qui répugne à.
loathe [louð] *vt* détester, abhorrer.
loathsome ['louðsəm] *a* répugnant, écœurant.
lobby ['lɔbi] *n* salle *f*, vestibule *m*, couloirs *m pl*; *vi* (*US*) intriguer.
lobster ['lɔbstə] *n* homard *m*; **— pot** casier à homard *m*, langouste *f*.
local ['loukəl] *a* local, du lieu, du pays, en ville; **— road** route vicinale *f*; *n pl* examens locaux *m pl*.
locality [lou'kæliti] *n* localité *f*, emplacement *m*, parages *m pl*, région *f*, endroit *m*.
localize ['loukəlaiz] *vt* localiser.
locate [lou'keit] *vt* situer, repérer; *vi* (*US*) s'établir.
location [lou'keiʃən] *n* position *f*, repérage *m*.
loch [lɔx] *n* (*Scot*) lac *m*, bras de mer *m*.
lock [lɔk] *n* flocon *m*, mèche *f*, serrure *f*, écluse *f*, embouteillage *m*, enrayure *f*; *vt* fermer à clef, mettre sous clef, caler, serrer, écluser; *vi* se bloquer, s'empoigner.
locker ['lɔkə] *n* casier *m*, caisson *m*, armoire *f*.
locket ['lɔkit] *n* médaillon *m*.
lockjaw ['lɔkdʒɔ:] *n* tétanos *m*.

lock-out ['lɔkaut] *n* lockout *m*.
locksmith ['lɔksmiθ] *n* serrurier *m*.
lock-up ['lɔkʌp] *n* fermeture *f*, (*jail*) violon *m*, garage *m*, box *m*.
locomotive ['loukə,moutiv] *n* locomotive *f*.
locum ['loukəm] *n* remplaçant(e) *mf*.
locust ['loukəst] *n* sauterelle *f*, locuste *f*.
lode [loud] *n* filon *m*; **—stone** aimant *m*.
lodge [lɔdʒ] *n* loge *f*, atelier *m*, pavillon *m*; *vt* loger, (con)tenir, déposer; **to — a complaint** porter plainte; *vi* (se) loger.
lodger ['lɔdʒə] *n* locataire *mf*, pensionnaire *mf*.
lodging ['lɔdʒiŋ] *n* logement *m*, chambres *f pl* meublées, garni *m*; **— house** hôtel meublé *m*, hôtel à la nuit *m*.
loft [lɔft] *n* grenier *m*, soupente *f*, galerie *f*, pigeonnier *m*.
loftiness ['lɔftinis] *n* hauteur *f*, sublimité *f*, élévation *f*.
lofty ['lɔfti] *a* haut, hautain, élevé, sublime.
log [lɔg] *n* bûche *f*; *vt* débiter en bûches, enregistrer; **— book** livre de bord *m*, carnet de route *m*.
loggerhead ['lɔgəhed] *n* bûche *f*; **at —s** à couteaux tirés.
logic ['lɔdʒik] *n* logique *f*.
logical ['lɔdʒikəl] *a* logique.
loin [lɔin] *n* rein *m*, (*meat*) longe *f*; **—-chop** côtelette de filet *f*; **—cloth** pagne *m*.
loiter ['lɔitə] *vi* traîner (en route), s'attarder.
loiterer ['lɔitərə] *n* flâneur, -euse, rôdeur *m*.
loll [lɔl] *vi* pendre, se prélasser; **to — back** se renverser, s'appuyer; **to — about** flâner, fainéanter; **to — out its tongue** tirer la langue.
lollipop ['lɔlipɔp] *n* sucette *f*, sucre d'orge *m*.
London ['lʌndən] *n* Londres *m*.
lone [loun] *a* solitaire.
loneliness ['lounlinis] *n* solitude *f*, isolement *m*.
lonely ['lounli] *ad* esseulé, seul, solitaire.
loner ['lounə] *n* solitaire *m*.
long [lɔŋ] *a* long; *ad* (depuis, pendant, pour) longtemps; *vi* aspirer (à **to, for**), avoir bien envie (de **to, for**), attendre avec impatience; **—-sightedness** presbytie *f*, prévoyance *f*; **—-suffering** *a* patient.
longevity [lɔn'dʒeviti] *n* longévité *f*.
longhand ['lɔŋhænd] *n* écriture *f* ordinaire, courante.
longing ['lɔŋiŋ] *n* aspiration *f*, nostalgie *f*, grande envie *f*.
longitude ['lɔŋgitju:d] *n* longitude *f*.
long-standing [lɔŋ'stændiŋ] *a* de longue terme, durée, connaissance, date *f*.
longways ['lɔŋweiz] *ad* dans le sens de la longueur.
look [luk] *n* regard *m*, air *m*, mine *f*; *vi* regarder, avoir l'air (de); **to — after** prendre soin de; **to — at** regarder; **to — for** attendre, chercher, guetter; **to — in** regarder dans, entrer en passant; **to — out** regarder au dehors, prendre garde; **to — out on** donner sur; **to — through** parcourir, repasser.
looker-on ['lukər'ɔn] *n* spectateur, -trice badaud(e) *mf*.
look-out ['luk'aut] *n* qui-vive *m*, guet *m*, poste d'observation *m*, vigie *f*, guetteur *m*, perspective *f*.
looking-glass ['lukiŋglɑ:s] *n* miroir *m*, glace *f*.
loom [lu:m] *n* métier *m*; *vi* se montrer à l'horizon, surgir; **to — ahead, large** paraître imminent, menacer.
loony ['lu:ni] *a* (*fam*) cinglé.
loop [lu:p] *n* boucle *f*, anse *f*, huit *m*; *vt* boucler.
loophole ['lu:phoul] *n* meurtrière *f*, trou *m*, échappatoire *f*.
loose [lu:s] *a* libre, lâche, décousu, dissolu, desserré, détaché; *vt* délier, dénouer, défaire, détacher.
loosen ['lu:sn] *vt* relâcher, desserrer, dénouer; *vi* se défaire, se relâcher, se desserrer.
loot [lu:t] *n* butin *m*; *vt* piller, saccager.
lop [lɔp] *n* branchette *f*; *vt* élaguer, couper; *vi* pendre.
lopsided ['lɔp'saidid] *a* bancal, déjeté, de guingois.
lord [lɔ:d] *n* Seigneur *m*, Lord *m*, maître *m*; *vi* **to — it** faire son grand seigneur.
lordly ['lɔ:dli] *a* seigneurial, hautain.
lore [lɔ:] savoir *m*, science *f*.
lorry ['lɔri] *n* camion *m*.
lose [lu:z] *vt* perdre.
loser ['lu:zə] *n* perdant(e) *mf*.
loss [lɔs] *n* perte *f*; **at a —** à perte, désorienté; **at a — to** en peine de.
lost [lɔst] *pt pp of* **lose**; **— property office** bureau des objets trouvés *m*.
lot [lɔt] *n* (tirage *m* au) sort *m*, partage *m*, lot *m* tas *m*; *ad* beaucoup de, nombre de, quantité de.
lotion ['louʃən] *n* lotion *f*.
lottery ['lɔtəri] *n* loterie *f*.
loud [laud] *a* haut, fort, bruyant, criard, tapageur.
loudly ['laudli] *ad* à voix haute, bruyamment.
loudness ['laudnis] *n* hauteur *f*, force *f*, fracas *m*.
loudspeaker ['laud'spi:kə] *n* haut-parleur *m*.
lounge [laundʒ] *n* flânerie *f*, divan *m*, hall *m*, salon *m* (d'attente); *vi* flâner, tuer le temps, se prélasser.
lounger ['laundʒə] *n* flâneur, -euse.
lour ['lauə] *vi* se renfrogner, se couvrir, menacer.

louse [laus] *n* pou *m*; *pl* poux *m pl.*
lousy ['lauzi] *a* pouilleux; — **trick** sale coup *m*, cochonnerie *f*.
lout [laut] *n* butor *m*, rustre *m*, lourdaud *m*.
love [lʌv] *n* amour *m*, amitiés *f pl*; *vt* aimer; **—-letter** billet-doux *m*, lettre d'amour *f*; **—-making** cour *f*; **—-match** mariage d'amour *m*.
loveliness ['lʌvlinis] *n* charme *m*, beauté *f*, fraîcheur *f*.
lovely ['lʌvli] *a* ravissant, charmant, adorable.
lover ['lʌvə] *n* amant *m*, amoureux *m*, fiancé *m*.
loving ['lʌviŋ] *a* affectueux, tendre.
lovingly ['lʌviŋli] *ad* tendrement, affectueusement.
low [lou] *n* beuglement *m*; *vi* beugler, meugler, mugir; *a* bas, décolleté, commun; (*US*) **—down** *n* **to give s.o. the —down** renseigner qn; **—-grade** de qualité inférieure; *ad* bas; **at — level** à rase-mottes, bas, en contre-bas.
lower ['louə] *a* (plus) bas; *vt* baisser, abaisser, affaiblir.
lowliness ['loulinis] *n* humilité *f*.
lowly ['louli] *a* humble.
loyal ['lɔiəl] *a* loyal, fidèle.
loyalty ['lɔiəlti] *n* loyauté *f*, fidélité *f*.
lozenge ['lɔzindʒ] *n* losange *m*, tablette *f*.
lubber ['lʌbə] *n* pataud *m*, empoté *m*; **land—** terrien *m*, marin d'eau douce *m*.
lubricate ['lu:brikeit] *vt* lubrifier, graisser.
lucerne [lu:'sə:n] *n* luzerne *f*.
lucid ['lu:sid] *a* lucide.
lucidity [lu:'siditi] *n* lucidité *f*, transparence *f*.
luck [lʌk] *n* chance *f*, veine *f*; **bad —** malchance *f*, déveine *f*, guignon *m*.
luckily ['lʌkili] *ad* heureusement, par bonheur.
lucky ['lʌki] *a* heureux; **— dog** veinard(e) *mf*; **— penny** porte-bonheur *m*.
lucrative ['lu:krətiv] *a* lucratif.
lucre ['lu:kə] *n* lucre *m*.
Lucy ['lu:si] Lucie *f*, Luce *f*.
ludicrous ['lu:dikrəs] *a* absurde, grotesque.
lug [lʌg] *vt* traîner, trimbaler.
luggage ['lʌgidʒ] *n* bagages *m pl*; **— rack** filet *m*; **— room** salle des bagages *f*; **— ticket** bulletin *m*; **— van** fourgon *m*.
lugubrious [lu:'gu:briəs] *a* lugubre.
lukewarm ['lu:kwɔ:m] *a* tiède.
lull [lʌl] *n* accalmie *f*, trève *f*; *vt* bercer, endormir; *vi* se calmer, s'apaiser.
lullaby ['lʌləbai] *n* berceuse *f*.
lumbago [lʌm'beigou] *n* lumbago *m*.
lumber ['lʌmbə] *n* vieilleries *f pl*, fatras *m*, gros bois *m*; *vt* encombrer, entasser, embarrasser; *vi* marcher gauchement; **— mill** scierie *f*; **—-room** chambre de débarras *f*, capharnaüm *m*.
lumberjack ['lʌmbədʒæk] *n* bûcheron *m*.
luminosity [,lu:mi'nɔsiti] *n* luminosité *f*.
luminous ['lu:minəs] *a* lumineux.
lump [lʌmp] *n* morceau *m*, bosse *f*, (*in the throat*) boule *f*, tas *m*, enflure *f*, contusion *f*; **in the —** en bloc; **— sum** somme globale *f*; *vt* mettre dans le même sac, en tas.
lunacy ['lu:nəsi] *n* folie *f*.
lunar ['lu:nə] *a* lunaire.
lunatic ['lu:nətik] *n* fou, folle, aliéné(e) *mf*; *a* lunatique.
lunch [lʌntʃ] *n* déjeuner *m*; (*US*) petit repas *m*.
lung [lʌŋ] *n* poumon *m*.
lunge [lʌndʒ] *n* longe *f*, (*fencing*) botte *f*, ruée *f*; *vi* se fendre, se ruer, lancer un coup (à **at**).
lurch [lə:tʃ] *n* embardée *f*, embarras *m*; **in the —** en plan; *vi* embarder, tituber.
lure [ljuə] *n* leurre *m*, appât *m*, fascination *f*; *vt* entraîner, leurrer, séduire.
lurid ['ljuərid] *a* sinistre.
lurk [lə:k] *vi* se tapir.
lurking ['lə:kiŋ] *a* furtif, vague; **—-place** cachette *f*.
luscious ['lʌʃəs] *a* doux, savoureux, écœurant, fleuri.
lush [lʌʃ] *a* succulent.
lust [lʌst] *n* concupiscence *f*, désir *m*, soif *f*; *vt* **to — for** désirer violemment, avoir soif de, convoiter.
lustily ['lʌstili] *ad* de toutes ses forces, à pleins poumons.
lustre ['lʌstə] *n* lustre *m*, lustrine *f*, éclat *m*.
lustrous ['lʌstrəs] *a* lustré, glacé, éclatant.
lusty ['lʌsti] *a* robuste.
lute [lu:t] *n* luth *m*.
luxuriance [lʌg'zjuəriəns] *n* luxuriance *f*.
luxuriant [lʌg'zjuəriənt] *a* luxuriant, abondant.
luxurious [lʌg'zjuəriəs] *a* somptueux, luxueux.
luxury ['lʌkʃəri] *n* luxe *m*, amour du luxe *m*, objet de luxe *m*.
lying ['laiiŋ] *a* menteur, étendu, couché; **— in** en couches.
lymph [limf] *n* lymphe *f*.
lymphatic [lim'fætik] *a* lymphatique.
lynch [lintʃ] *vt* lyncher.
lynx [liŋks] *n* lynx *m*.
lyre ['laiə] *n* lyre *f*.
lyrical ['lirikəl] *a* lyrique.
lyricism ['lirisizəm] *n* lyrisme *m*.

M

macaroni [,mækə'rouni] *n* macaroni *m*.

macaroon [ˌmækəˈruːn] *n* macaron *m*.
mace [meis] *n* masse *f*, (*spice*) macis *m*.
macebearer [ˈmeisbɛərə] *n* massier *m*.
macerate [ˈmæsəreit] *vt* macérer.
maceration [ˌmæsəˈreiʃən] *n* macération *f*.
machine [məˈʃiːn] *n* machine *f*, automate *m*, appareil *m*; *vt* usiner, façonner.
machine-gun [məˈʃiːngʌn] *n* mitrailleuse *f*.
machinery [məˈʃiːnəri] *n* machinerie *f*, machines *f pl*, mécanisme *m*, rouages *m pl*.
machinist [məˈʃiːnist] *n* mécanicien *m*, machiniste *m*.
mackerel [ˈmækrəl] *n* maquereau *m*.
mac(kintosh) [ˈmæk(intɔʃ)] *n* imper (méable) *m*.
mad [mæd] *a* fou, fol, insensé, enragé, effrené.
madam [ˈmædəm] *n* Madame *f*.
madcap [ˈmædkæp] *an* étourdi(e) *mf*, écervelé(e) *mf*.
madden [ˈmædn] *vt* rendre fou, exaspérer.
maddeningly [ˈmædniŋli] *ad* à en devenir fou.
made [meid] *pt pp of* **make.**
madhouse [ˈmædhaus] *n* asile d'aliénés *m*.
made [meid] *pt pp of* **make.**
madman [ˈmædmən] *n* fou *m*, aliéné *m*, forcéné.
madness [ˈmædnis] *n* folie *f*.
madonna [məˈdɔnə] *n* madone *f*.
magazine [mægəˈziːn] *n* magasin *m*, dépôt *m*, magazine *m*, revue *f*; — **gun** fusil *m* à répétition.
Magdelene [ˈmægdəlin] Madeleine *f*.
maggot [ˈmægət] *n* larve *f*, ver *m*, asticot *m*.
magic [ˈmædʒik] *n* magie *f*; *a* magique, enchanté.
magician [məˈdʒiʃən] *n* magicien, -ienne.
magisterial [ˌmædʒisˈtiəriəl] *a* magistral, de magistrat.
magistracy [ˈmædʒistrəsi] *n* magistrature *f*.
magistrate [ˈmædʒistreit] *n* magistrat *m*, juge *m*.
magnanimity [ˌmægnəˈnimiti] *n* magnanimité *f*.
magnanimous [ˌmægˈnæniməs] *a* magnanime.
magnate [ˈmægneit] *n* magnat *m*, gros bonnet *m*.
magnesia [mægˈniːʃə] *n* magnésie *f*.
magnet [ˈmægnit] *n* aimant *m*.
magnetic [mægˈnetik] *a* magnétique, hypnotique.
magnetism [ˈmægnitizəm] *n* magnétisme *m*.
magnetize [ˈmægnitaiz] *vt* magnétiser, aimanter.
magneto [mægˈniːtou] *n* magnéto *f*.
magnificence [mægˈnifisns] *n* magnificence *f*.
magnificent [mægˈnifisnt] *a* magnifique, somptueux.
magnify [ˈmægnifai] *vt* (a)grandir, grossir, exalter.
magnifying glass [ˈmægnifaiiŋˌglɑːs] *n* loupe *f*.
magniloquent [mægˈniləkwənt] *a* grandiloquent.
magnitude [ˈmægnitjuːd] *n* grandeur *f*, ampleur *f*.
magpie [ˈmægpai] *n* pie *f*.
mahogany [məˈhɔgəni] *n* acajou *m*.
maid [meid] *n* fille *f*, pucelle *f*, bonne *f*; — **of all work** bonne à tout faire *f*; — **of honour** demoiselle d'honneur *f*.
maiden [ˈmeidn] *n* jeune fille *f*, vierge *f*; *a* de jeune fille, non mariée; — **voyage** voyage de baptème *m*; — **speech** début à la tribune *m*.
maidenhood [ˈmeidnhud] *n* célibat *m*.
maidenly [ˈmeidnli] *a* chaste, modeste.
mail [meil] *n* (cotte de) mailles *f pl*, courrier *m*, poste *f*; *vt* expédier; — **coach** wagon postal *m*; — **train** train poste *m*.
maim [meim] *vt* mutiler.
main [mein] *n* force *f*, conduite principale *f*, océan *m*; **in the** — en gros; *a* principal, premier, essentiel.
mainland [ˈmeinlənd] *n* continent *m*, terre ferme *f*.
mainly [ˈmeinli] *ad* surtout, en grande partie, pour la plupart.
mainstay [ˈmeinstei] *n* armature *f*, soutien *m*.
maintain [menˈtein] *vt* soutenir, maintenir, entretenir, garder, conserver.
maintenance [ˈmeintinəns] *n* moyens d'existence *m pl*, soutien *m*, maintien *m*, entretien *m*, pension *f*.
maize [meiz] *n* maïs *m*.
majestic [məˈdʒestik] *a* majestueux, auguste.
majesty [ˈmædʒisti] *n* majesté *f*.
major [ˈmeidʒə] *n* commandant *m*, chef d'escadron *m*, majeure *f*; (*US*, *school*) sujet *m* special; *a* majeur, principal, plus grand, aîné; (*US*) *vti* passer les examens universitaires.
major-general [ˈmeidʒəˈdʒenərəl] *n* général de brigade *m*.
majority [məˈdʒɔriti] *n* majorité *f*, la plus grande partie.
make [meik] *n* fabrication *f*, marque *f*, taille *f*, façon *f*; *vt* faire, façonner, fabriquer, confectionner, rendre, gagner, arriver à; **to — away with** se débarrasser de; **to — off** décamper, se sauver; **to — out** comprendre, distinguer, dresser, établir; **to — over** transférer, céder; **to — up** compléter, compenser, combler, rattraper, arranger, préparer dresser,

inventer; **to — up to** faire des avances à.
make-believe ['meikbi,li:v] *n* trompe-l'œil *m*, feinte *f*.
maker ['meikə] *n* faiseur, -euse, fabricant *m*, Créateur *m*.
makeshift ['meikʃift] *n* pis-aller *m*, expédient *m*; *a* de fortune.
make-up ['meikʌp] *n* maquillage *m*; composition *f*; *vi* se maquiller, se grimer.
making ['meikiŋ] *n* fabrication *f*, façon *f*, construction *f*, création *f*, main d'œuvre *f*; *pl* étoffe *f*, gains *m pl*.
maladjusted ['mælə'dʒʌstid] *a* inadapté.
malaria [mə'lεəriə] *n* malaria *f*, paludisme *m*.
male [meil] *an* mâle *m*.
malefactor ['mælifæktə] *n* malfaiteur, -trice.
maleficent [mə'lefisnt] *a* malfaisant, criminel.
malevolence [mə'levələns] *n* malveillance *f*.
malevolent [mə'levələnt] *a* malveillant.
malice ['mælis] *n* méchanceté *f*, malice *f*.
malicious [mə'liʃəs] *a* méchant, malveillant.
malign [mə'lain] *vt* calomnier, diffamer.
malignancy [mə'lignənsi] *n* méchanceté *f*, malignité *f*.
malignant [mə'lignənt] *a* malin, -gne, méchant.
malinger [mə'liŋgə] *vi* tirer au flanc.
malingerer [mə'liŋgərə] *n* tireur au flanc *m*.
mall [mɔ:l] *n* mail *m*.
mallard ['mæləd] *n* canard sauvage *m*.
mallet ['mælit] *n* maillet *m*.
mallow ['mælou] *n* mauve *f*.
malnutrition ['mælnju'triʃən] *n* sous-alimentation *f*, malnutrition *f*.
malodorous [mæ'loudərəs] *a* malodorant.
malpractice ['mæl'præktis] *n* négligence *f*, incurie *f*, malversation *f*.
malt [mɔ:lt] *n* malt *m*.
maltreat [mæl'tri:t] *vt* maltraiter.
maltreatment [mæl'tri:tmənt] *n* mauvais traitement *m*.
man [mæn] *n* homme *m*, domestique *m*, pion *m*, pièce *f*; **— in the street** homme moyen; **— of war** vaisseau *m* de guerre; *vt* servir, occuper, garnir (d'hommes), armer, équiper.
manacle(s) ['mænəkl(z)] *n* menotte(s) *f pl*; *vt* passer les menottes à.
manage ['mænidʒ] *vt* manier, diriger, mener, arranger, manœuvrer, maîtriser, réussir à, venir à bout de; *vi* s'arranger, en venir à bout, se débrouiller.
managed ['mænidʒd] *pp of* **manage** réussi, gouverné.
management ['mænidʒmənt] *n* direction *f*, conduite *f*, gestion *f*.
manager ['mænidʒə] *n* directeur *m*, régisseur *m*, gérant *m*, imprésario *m*.
manageress ['mænidʒəres] *n* directrice *f*, gérante *f*.
mandate ['mændeit] *n* mandat *m*.
mandate ['mændeit] *vt* mandater.
mandatory ['mændətəri] *an* mandataire *mf*, (*US*) obligatoire.
mandible ['mændibl] *n* mandibule *f*.
mandrake ['mændreik] *n* mandragore *f*.
mane [mein] *n* crinière *f*.
man-eater ['mæn,i:tə] *n* cannibale *m*, mangeur d'hommes *m*.
manful ['mænful] *a* viril, courageux.
mange [meindʒ] *n* gale *f*.
mangel-wurzel ['mæŋgl'wə:zl] *n* betterave *f*.
manger ['meindʒə] *n* mangeoire *f*, crèche *f*.
mangle ['mæŋgl] *n* calandreuse *f*; *vt* déchiqueter, estropier, défigurer, calandrer.
mango ['mæŋgou] *n* mangue *f*.
mangy ['meindʒi] *a* galeux.
manhandle ['mænhændl] *vt* faire à bras d'hommes, manutentionner, malmener.
manhood ['mænhud] *n* âge viril *m*, virilité *f*, humanité.
mania ['meiniə] *n* manie *f*.
maniac ['meiniæk] *n* fou furieux, maniaque *mf*, enragé(e) *mf*.
maniacal [mə'naiəkəl] *a* maniaque, de fou.
manicure ['mænikjuə] *vt* se faire faire les mains; *n* manucure *f*.
manicurist ['mænikjuərist] *n* manucure *mf*.
manifest ['mænifest] *a* manifeste; *vti* (se) manifester.
manifestation [,mænifes'teiʃən] *n* manifestation *f*.
manifesto [,mæni'festou] *n* manifeste *m*.
manifold ['mænifould] *a* divers, multiple; *vt* polycopier.
manikin ['mænikin] *n* mannequin *m*, gringalet *m*.
manipulate [mə'nipjuleit] *vt* manipuler, actionner, manœuvrer.
mankind [mæn'kaind] *n* humanité *f*, genre humain *m*.
manliness ['mænlinis] *n* virilité *f*.
manly ['mænli] *a* viril, mâle, d'homme.
manner ['mænə] *n* manière *f*, sorte *f*; *pl* manières *f pl*, mœurs *f pl*, savoir-vivre *m*.
mannered ['mænəd] *a* élevé, maniéré.
mannerism ['mænərizəm] *n* maniérisme *m*, particularité *f*, tic *m*.
mannerly ['mænəli] *a* poli, bien, courtois.
mannish ['mæniʃ] *a* masculin, hommassé, d'homme.

manœuvre [mə'nu:və] *vti* manœuvrer.
manor-house ['mænəhaus] *n* manoir *m*.
manpower ['mæn'pauəl *n* main d'œuvre *f*.
manse [mæns] *n* cure *f*, presbytère *m*.
mansion ['mænʃən] *n* résidence *f*, château *m*; hôtel *m*.
manslaughter ['mæn,slɔ:tə] *n* homicide involontaire *m*.
mantelpiece ['mæntlpi:s] *n* manteau de cheminée *m*.
mantis ['mæntis] *n* mante *f*; **praying** — mante religieuse.
mantle ['mæntl] *n* mante *f*, manteau *m*, (*gas*) manchon *m*; *vt* couvrir, dissimuler.
manual ['mænjuəl] *an* manuel *m*; *n* clavier *m*.
manufacture [,mænju'fæktʃə] *n* fabrication *f*; *vt* fabriquer, confectionner.
manufacturer [,mænju'fæktʃərə] *n* manufacturier *m*, fabricant *m*, industriel *m*.
manure [mə'njuə] *n* fumier *m*, engrais *m*; *vt* fumer, engraisser.
manuscript ['mænjuskript] *an* manuscrit *m*.
many ['meni] *n* foule *f*, masse *f*; *a* beacoup de, bien des, nombre de, nombreux; **as** — autant de, que; **how** —? combien?; **too** — trop (de), de trop.
many-sided ['meni'saidid] *a* complexe, multilatère.
many-sidedness ['meni'saididnis] *n* complexité *f*.
map [mæp] *n* carte *f*, (*world*) mappemonde *f*, plan *m*.
maple ['meipl] *n* érable *m*.
mar [mɑ:] *vt* ruiner, troubler, gâter.
maraud [mə'rɔ:d] *vti* marauder.
marauder [mə'rɔ:də] *n* maraudeur *m*.
marble ['mɑ:bl] *n* marbre *m*, bille *f*.
March [mɑ:tʃ] *n* mars *m*.
march [mɑ:tʃ] *vi* marcher, défiler; *vt* faire marcher; *n* marche *f*, pas *m*, frontière *f*; **forced** — marche forcée *f*; **quick** — pas accéléré *m*; — **past** défilé *m*
marchioness ['mɑ:ʃənis] *n* marquise *f*.
mare [mɛə] *n* jument *f*.
Margaret ['mɑ:gərit] Marguerite *f*.
margarine [,mɑ:dʒə'ri:n] *n* margarine *f*.
margin ['mɑ:dʒin] *n* bordure *f*, lisière *f*, marge *f*.
marginal ['mɑ:dʒinl] *a* marginal.
marigold ['mærigould] *n* souci *m*.
marine [mə'ri:n] *n* marine *f*, fusilier marin *m*; *a* marin, maritime.
mariner ['mærinə] *n* marin *m*.
mark [mɑ:k] *n* but *m*, point *m*, note *f*, marque *f*, empreinte *f*, signe *m*, repère *m*; **up to the** — à la hauteur; **of** — **d'importance**; *vt* marquer, repérer, montrer; — **you** remarquez bien.
markedly ['mɑ:kidli] *ad* nettement.
marker ['mɑ:kə] *n* marqueur *m*, signet *m*, jeton *m*, carnet-bloc *m*.
market ['mɑ:kit] *n* marché *m*, débouché *m*; *vt* trouver un débouché pour; *vi* faire son marché.
marketable ['mɑ:kitəbl] *a* qui a un marché, d'un débit facile.
market-gardener ['mɑ:kit'gɑ:dnə] *n* maraîcher, -ère.
market research ['mɑ:kitri'sə:tʃ] *n* étude *f* des marchés
marksman ['mɑ:ksmən] *n* bon tireur *m*.
marl [mɑ:l] *n* marne *f*.
marmalade ['mɑ:məleid] *n* marmelade *f*.
marmoset ['mɑ:məzet] *n* ouistiti *m*.
marmot ['mɑ:mət] *n* marmotte *f*.
maroon [mə'ru:n] *an* marron pourpré *m*; *n* pétard *m*, nègre marron *m*; **to be** —**ed** être coupé, isolé.
marquee [mɑ:'ki:] *n* (tente-)marquise *f*.
marquess, marquis ['mɑ:kwis] *n* marquis *m*.
marriage ['mæridʒ] *n* mariage *m*; — **lines** extrait de mariage *m*.
marriageable ['mæridʒəbl] *a* nubile, mariable, à marier.
married ['mærid] *a* en ménage.
marrow ['mærou] *n* moelle *f*, courge *f*.
marry ['mæri] *vt* épouser, (*of parent, priest*) marier; *vi* se marier.
marsh [mɑ:ʃ] *n* marais *m*.
marshal ['mɑ:ʃəl] *n* maréchal *m*, maître des cérémonies *m*; *vt* ranger rassembler, introduire, trier.
marshmallow [mɑ:ʃ'mælou] *n* guimauve *f*.
marshy ['mɑ:ʃi] *a* marécageux.
marten ['mɑ:tin] *n* martre *f*: **stone**- — fouine *f*; **pine** — martre *m* des pins.
martial ['mɑ:ʃəl] *a* martial, guerrier.
martin ['mɑ:tin] *n* martinet *m*
martinet [,mɑ:ti'net] *n* **to be a** — être à cheval sur la discipline.
martyr ['mɑ:tə] *n* martyr(e) *mf*.
martyrdom ['mɑ:tədəm] *n* martyre *m*.
marvel ['mɑ:vəl] *n* merveille *f*, prodige *m*; *vi* s'étonner, s'émerveiller (de **at**).
marvellous ['mɑ:viləs] *a* merveilleux, prodigieux.
Mary ['mɛəri] Marie *f*.
masculine ['mæskjulin] *an* masculin *m*.
mash [mæʃ] *n* moût *m*, mixture *f*, pâtée *f*; *vt* brasser, écraser mettre en purée, broyer.
mask [mɑ:sk] *n* masque *m*; *vt* masquer, déguiser voiler.
mason ['mei:sn] *n* maçon *m*.
masquerade [,mæskə'reid] *n* bal

masqué *m*, déguisement *m*, mascarade *f*; *vi* se déguiser, poser (pour **as**).
mass [mæs] *n* messe *f*; **high** — grand'messe; **low** — messe basse; foule *f*, masse *f*; — **meeting** meeting *m*; *vt* masser; *vi* se masser, s'amonceler.
massacre ['mæsəkə] *n* massacre *m*; *vt* massacrer.
massage ['mæsɑːʒ] *n* massage *m*; *vt* masser, malaxer.
massive ['mæsiv] *a* massif.
mass-production [ˌmæsprə'dʌkʃən] *m* fabrication *f* en série.
mast [mɑːst] *n* mât *m*, faîne *f*.
master ['mɑːstə] *n* maître *m*; *vt* maîtriser, surmonter, dompter, posséder à fond
masterful ['mɑːstəful] *a* impérieux, autoritaire.
master-key ['mɑːstəkiː] *n* passe-partout *m*.
masterly ['mɑːstəli] *ad* de maître.
masterpiece ['mɑːstəpiːs] *n* chef d'œuvre *m*.
masterstroke ['mɑːstəstrouk] *n* coup de maître *m*.
mastery ['mɑːsteri] *n* maîtrise *f*, connaissance parfaite *f*.
mastic ['mæstik] *n* mastic *m*.
masticate ['mæstikeit] *vt* mâcher.
mastication [ˌmæsti'keiʃən] *n* mastication *f*.
mastiff ['mæstif] *n* mâtin *m*, dogue *m*.
mat [mæt] *n* natte *f*, paillasson *m*, dessous de plat *m*; *vt* emmêler, tresser; *vi* s'emmêler.
match [mætʃ] *n* allumette *f*, match *m*, partie *f*; assortiment *m*, parti *m*, égal(e) *mf*, pareil, -eille; *vt* unir (à **with**), opposer (à), assortir, apparier, rivaliser avec, égaler; *vi* s'assortir; **well-—ed** bien assorti.
matchet ['mætʃet] *n* coupe-coupe.
matchless ['mætʃlis] *a* sans égal, incomparable.
match-maker ['mætʃˌmeikə] *n* marieuse *f*.
mate [meit] *n* camarade *mf*, copain *m*, compagnon *m*, compagne *f*, second *m*, aide *m*, époux *m*, épouse *f*; *vi* se marier, s'accoupler; *vt* accoupler.
material [mə'tiəriəl] *n* matériaux *m pl*, matière(s) *f pl*, matériel *m*, fournitures *f pl*; **raw** — matières premières *f pl*; *a* matériel, important, sensible.
materialism [mə'tiəriəlizəm] *n* matérialisme *m*.
materialist [mə'tiəriəlist] *n* matérialiste *mf*.
materialize [mə'tiəriəlaiz] *vi* se matérialiser, prendre corps, se réaliser.
maternal [mə'təːnl] *a* maternel.
maternity [mə'təːniti] *n* maternité *f*.
mathematician [ˌmæθimə'tiʃən] *n* mathématicien, -ienne.
mathematics [ˌmæθi'mætiks] *n* mathématiques *f pl*.
matriculate [mə'trikjuleit] *vt* immatriculer; *vi* s'inscrire (à l'université).
matriculation [məˌtrikju'leiʃən] *n* (*university*) inscription *f*.
matrimonial [ˌmætri'mouniəl] *a* matrimonial, conjugal.
matrimony ['mætriməni] *n* mariage *m*.
matron ['meitrən] *n* mère *f*, matrone *f*, infirmière en chef *f*.
matter ['mætə] *n* matière *f*, pus *m*, affaire *f*, question *f*; *vi* importer, suppurer; — **of course** *a* tout naturel, positif, prosaïque; **no** — n'importe; **what is the** — qu'est ce qu'il y a; **for that** — quant à cela; **—-of-fact** pratique.
Matthew ['mæθjuː] Mathieu *m*.
mattock ['mætək] *n* hoyau *m*.
mattress ['mætris] *n* matelas *m*; **spring** — sommier *m*.
mature [mə'tjuə] *a* mûr; *vti* mûrir; *vi* échoir.
maturity [mə'tjuəriti] *n* maturité *f*, échéance *f*.
Maud [mɔːd] Mathilde *f*.
maudlin ['mɔːdlin] *a* larmoyant, pompette.
maul [mɔːl] *n* maillet *m*; *vt* battre, abîmer, malmener.
mausoleum [ˌmɔːsə'liəm] *n* mausolée *m*.
maw [mɔː] *n* panse *f*, gueule *f*.
mawkish ['mɔːkiʃ] *a* fade.
mawkishness ['mɔːkiʃnis] *n* fadeur *f*, sensiblerie *f*.
maxim ['mæksim] *n* maxime *f*.
maximum ['mæksiməm] *n* maximum *m*.
May [mei] *n* mai *m*.
may [mei] *n* aubépine *f*; *v aux* pouvoir; **maybe** peut-être.
mayor [mɛə] *n* maire *m*.
mayoress ['mɛəris] *n* mairesse *f*.
maze [meiz] *n* labyrinthe *m*, dédale *m*.
me [miː] *pn* me, moi.
meadow ['medou] *n* pré *m*, prairie *f*.
meagre ['miːgə] *a* maigre, rare, chiche.
meagreness ['miːgənis] *n* maigreur *f*, rareté *f*.
meal [miːl] *n* repas *m*, farine *f*.
mealy ['miːli] *a* farineux, en bouillie, doucereux.
mean [miːn] *n* milieu *m*, moyen-terme *m*, moyenne *f*; *pl* moyens *m pl*, ressources *f pl*; *a* moyen, intermédiaire, minable, médiocre; — **job** besogne ennuyeuse; **to feel** — se sentir mal en train, mesquin, vilain, ladre; *vt* signifier, vouloir dire, avoir l'intention (de **to**), destiner, adresser.
meander [mi'ændə] *n* méandre *m*; *vi* serpenter.
meaning ['miːniŋ] *n* sens *f*.
meanness ['miːnnis] *n* mesquinerie *f*,

ladrerie *f*, médiocrité *f*, bassesse *f*.
means [mi:nz] *n* moyens *m pl*.
means-test ['mi:nztest] *n* relevé *m* des revenus.
meantime, -while ['mi:ntaim, -wail] *ad* en attendant, cependant.
measles ['mi:zlz] *n* rougeole *f*.
measure ['meʒə] *n* mesure *f*, démarche *f*; *vt* mesurer; *vi* (*US*) — **up** égaler qn, être l'égal de.
measurement ['meʒəmənt] *n* mesurage *m*, dimension *f*, tour *m*, mesure *f*.
meat [mi:t] *n* viande *f*.
Mecca ['mekə] *n* La Mecque.
mechanic [mi'kænik] *n* méchanicien *m*; *pl* mécanique *f*.
mechanical [mi'kænikəl] *a* mécanique, machinal, automatique.
mechanism ['mekənizəm] *n* mécanisme *m*, appareil *m*.
medal ['medl] *n* médaille *f*.
medallion [mi'dæljən] *n* médaillon *m*.
meddle ['medl] *vi* se mêler (de **with**), s'immiscer (dans **in**), toucher (à **with**).
meddlesome ['medlsəm] *a* indiscret, fouinard, officieux.
mediaeval [,medi'i:vəl] *a* médiéval, moyenâgeux.
mediate ['mi:dieit] *vi* s'entremettre, s'interposer.
mediator ['mi:dieitə] *n* médiateur, -trice.
medical ['medikəl] *a* médical, de (en) médecine.
medicine ['medsin] *n* médecine *f*, médicament *m*, purgatif *m*, sorcellerie *f*.
medicinal [me'disnl] *a* médicinal.
mediocre [,mi:di'oukə] *a* médiocre, quelconque.
meditate ['mediteit] *vti* méditer; *vi* se recueillir.
meditation [,medi'teiʃən] *n* méditation *f*, recueillement *m*.
meditative ['meditətiv] *a* méditatif, pensif, recueilli.
Mediterranean [,meditə'reiniən] *a* méditerranéen; — **Sea** *n* Méditerranée *f*.
medium ['mi:djəm] *n* milieu *m*, moyen *m*, médium *m*, intermédiaire *m*; *a* moyen.
medlar ['medlə] *n* nèfle *f*.
medley ['medli] *n* mélange *m*, bigarrure *f*, pot pourri *m*.
meek [mi:k] *a* doux, résigné.
meekness ['mi:knis] *n* douceur *f*, humilité.
meet [mi:t] *n* rendez-vous *m* de chasse; *vt* faire la connaissance de, se retrouver, aller à la rencontre, joindre, se croiser, payer; **to — with** trouver, subir; *vi* se recontrer, se retrouver, se rejoindre.
meeting ['mi:tiŋ] *n* rencontre *f*, réunion *f*, meeting *m*; *a* convenable, séant.
megalomania ['megəlou'meiniə] *n* mégalomanie *m*.
megaton ['megətʌn] *n* mégatonne *f*.
melancholy ['melənkəli] *n* mélancolie *f*; *a* mélancolique, triste.
mellow ['melou] *a* succulent, moëlleux, adouci, mûr, cordial; *vti* mûrir; *vt* adoucir; *vi* s'adoucir.
melodious [mi'loudiəs] *a* mélodieux, harmonieux.
melodrama ['melə,drɑ:mə] *n* mélodrame *m*.
melodramatic [,meloudrə'mætik] *a* mélodramatique.
melody ['melədi] *n* mélodie *f*, air *m*.
melon ['melən] *n* melon *m*.
melt [melt] *vti* fondre; *vt* attendrir; *vi* se fondre, s'attendrir.
melting ['meltiŋ] *n* fonte *f*.
melting-pot ['meltiŋpɔt] *n* creuset *m*.
member ['membə] *n* membre *m*.
membership ['membəʃip] *n* nombre des membres *m*, qualité de membre *f*.
memento [mi'mentou] *n* mémento *m*, souvenir *m*
memoir ['memwɑ:] *n* mémoire *m*.
memorable ['memərəbl] *a* mémorable.
memorandum [,memə'rændəm] *n* mémorandum *m*.
memorial [mi'mɔ:riəl] *n* monument *m*, pétition *f*; *a* commémoratif.
memorize ['meməraiz] *vt* apprendre par cœur.
memory ['meməri] *n* mémoire *f*.
menace ['menəs] *n* menace *f*; *vt* menacer.
mend [mend] *n* réparation *f*; *vt* raccommoder, réparer, (*fig*) améliorer, arranger; *vi* se rétablir, se corriger.
mendacious [men'deiʃəs] *a* menteur, mensonger.
mendacity [men'dæsiti] *n* penchant au mensonge *m*, fausseté *f*.
mendicant ['mendikənt] *an* mendiant(e) *mf*.
mendicity [men'disiti] *n* mendicité *f*.
menial ['mi:niəl] *n* domestique *mf*; *a* servile.
meningitis [,menin'dʒaitis] *n* méningite *f*.
menses ['mensi:z] *n pl* menstrues *f*, règles *f*.
mental ['mentl] *a* mental, de tête.
mentality [men'tæliti] *n* mentalité *f*.
mention ['menʃən] *n* mention *f*; *vt* mentionner, citer, prononcer, faire mention de.
mercantile ['mə:kəntail] *a* marchand, mercantile, commerçant.
mercenary ['mə:sinəri] *an* mercenaire *m*.
mercer ['mə:sə] *n* mercier, -ière.
merchandise ['mə:tʃəndaiz] *n* marchandise *f*.
merchant ['mə:tʃənt] *n* négociant(e), commerçant(e); *a* marchand.

merciful ['mɔːsiful] *a* clément.
mercifulness ['mɔːsifulnis] *n* clémence *f*.
merciless ['mɔːsilis] *a* inexorable, impitoyable.
mercilessness ['mɔːsilisnis] *n* implacabilité *f*.
mercurial [mɔː'kjuəriəl] *a* vif, inconstant, (*med*) mercuriel.
mercury ['mɔːkjuri] *n* mercure *m*, vif-argent *m*.
mercy ['mɔːsi] *n* pitié *f*, merci *f*, grâce *f*.
mere ['miə] *a* pur, simple, seul; *n* lac *m*.
merely ['miəli] *ad* tout simplement.
merge [mɔːdʒ] *vt* fondre, fusionner, amalgamer; *vi* se (con)fondre, s'amalgamer.
merger ['mɔːdʒə] *n* fusion *f*, combine *f*.
meridian [mə'ridiən] *n* méridian *m*.
merino [mə'riːnou] *n* mérinos *m*.
merit ['merit] *n* mérite *m*, valeur *f*; *vt* mériter.
meritorious [,meri'tɔːriəs] *a* méritoire, méritant.
mermaid ['mɔːmeid] *n* sirène *f*.
merriment ['merimənt] *n* gaieté *f*, réjouissance *f*.
merry ['meri] *a* joyeux, gai.
merry-go-round ['merigou,raund] *n* chevaux de bois *m pl*, carrousel *m*.
mesh [meʃ] *n* maille *f*, filets *m pl*; *vt* prendre, engrener; *vi* s'engrener.
mesmerize ['mezməraiz] *vt* hypnotiser.
mess [mes] *n* (*food*) plat *m*, pâtée *f*; saleté *f*, désordre *m*, pétrin *m*; (*army*) mess *m*; *vt* salir, gâcher; *vi* manger au mess, faire table.
message ['mesidʒ] *n* message *m*, course *f*, commission *f*.
messenger ['mesindʒə] *n* messager, -ère, chasseur *m*.
Messiah [mi'saiə] *n* Messie *m*.
metal ['metl] *n* métal *m*; — **fatigue** fatigue *f* des métaux.
metallic [mi'tælik] *a* métallique.
metallurgy [me'tælədʒi] *n* métallurgie *f*.
metamorphosis [,metə'mɔːfəsis] *n* métamorphose *f*.
metaphor ['metəfə] *n* métaphore *f*, image *f*.
meteor ['miːtiə] *n* météore *m*.
meteorology [,miːtjə'rɔlədʒi] *n* météorologie *f*.
meter ['miːtə] *n* compteur *m*.
method ['meθəd] *n* méthode *f*, ordre *m*, façon *f*, procédé *m*, manière *f*.
methodical [mi'θɔdikəl] *a* méthodique, réglé, qui a de l'ordre.
methylated spirits ['meθileitid 'spiritz] *n* alcool à brûler *m*.
meticulous [mi'tikjuləs] *a* méticuleux, exact.
metre ['miːtə] *a* mètre *m*, mesure *f*.
metric ['metrik] *a* métrique.
metropolis [mi'trɔpəlis] *n* métropole *f*.
metropolitan [,metrə'pɔlitən] *an* métropolitain *m*.
mettle ['metl] *n* fougue *f*, ardeur *f*, courage *m*.
mettlesome ['metlsəm] *a* fougueux, ardent.
mew [mjuː] *n* mue *f*, mouette *f*, miaulement *m*, piaillement *m*; *vt* enfermer; *vi* miauler, piailler.
mew *see* **miaow.**
Mexican ['meksikən] *a* mexicain.
miaow [mi'au] *vi* miauler, piailler; *n* miaulement, piaillement.
miasma [mi'æzmə] *n* miasme *m*.
mice [mais] *n pl* souris *f pl*.
Michael ['maikl] Michel *m*.
microbe ['maikroub] *n* microbe *m*.
microphone ['maikrəfoun] *n* micro *m*.
microscope ['maikrəskoup] *n* microscope *m*.
microscopic [,maikrəs'kɔpik] *a* microscopique.
midday ['middei] *n* midi *m*.
middle ['midl] *n* milieu; *a* du milieu, moyen.
middle-aged ['midl'eidʒd] *a* d'âge mûr.
middle class ['midl'klɑːs] *n* (haute) bourgeoisie *f*.
middleman ['midlmæn] *n* intermédiaire *mf*.
middling ['midliŋ] *a* passable.
midge [midʒ] *n* moucheron *m*, cousin *m*.
midget ['midʒit] *n* nain(e) *mf*, nabot(e) *mf*.
midlands ['midləndz] *n* comtés *m pl* du centre (de l'Angleterre).
midnight ['midnait] *n* minuit *m*.
midshipman ['midʃipmən] *n* aspirant *m*, midship *m*.
midsummer ['mid,sʌmə] *n* mi-été *f*, la Saint-Jean.
midwife ['midwaif] *n* sage-femme *f*.
mien [miːn] *n* mine *f*, air *m*.
might [mait] *pt of* **may**; *n* puissance *f*, force *f*.
mighty ['maiti] *a* puissant; (*US*) *ad* très.
migrate [mai'greit] *vi* émigrer.
migratory ['maigrətəri] *a* — **bird(s)**, oiseau(x) migrateur(s).
milch-cow ['miltʃkau] *n* vache à lait *f*.
mild [maild] *a* doux, faible, mou.
mildness ['maildnis] *n* douceur *f*, clémence *f*.
mile [mail] *n* mille *m*.
mileage ['mailidʒ] *n* indemnité *f* de déplacement; carnets de billets de chemin de fer.
milestone ['mailstoun] *n* borne milliaire *f*, étape *f*, événement *m*.
militant ['militənt] *a* militant, activiste.
militarist ['militərist] *n* militariste *m*.

military ['militəri] *a* militaire; *n* armée *f*.
militate ['militeit] *vi* militer.
militia [mi'liʃə] *n* milice *f*.
milk [milk] *n* lait *m*; *vt* traire; *a* de lait, lacté.
milkman, -maid ['milkmən, -meid] *n* laitier, -ière.
milksop ['milksɔp] *n* poule mouillée *f*.
milky ['milki] *a* laiteux, lacté; **the M— Way** la Voie Lactée.
mill [mil] *n* moulin *m*, pugilat *m*; (*US*) moteur *m* d'avion; *vti* moudre; *vt* fouler, fraiser, battre; *vi* tourner en rond.
millenary [mi'lenəri] *an* millénaire *m*.
miller ['milə] *n* meunier *m*, minotier *m*.
millet ['milit] *n* mil *m*, millet *m*.
milliard ['miljɑ:d] *n* milliard *m*.
milliner ['milinə] *n* modiste *f*.
millinery ['milinəri] *n* modes *f pl*.
million ['miljən] *n* million *m*.
millionaire [,miljə'nεə] *n* millionnaire *mf*, milliardaire *mf*.
millstone ['milstoun] *n* meule *f*; (*fig*) boulet *m*.
mimeograph ['mimiəgrɑ:f] *n* autocopiste *m* (au stencil).
mimic ['mimik] *n* imitateur -trice, mime *m*; *vt* contrefaire, singer, imiter.
mimicry ['mimikri] *n* mimique *f*, imitation *f*.
mince [mins] *n* hachis *m*; *vt* hacher; **not to — one's words** ne pas mâcher ses mots.
mincing ['minsiŋ] *a* affecté, minaudier.
mind [maind] *n* pensée *f*, esprit *m*, avis *m*, décision *f*, attention *f*, souvenir *m*, parti *m*; *vt* s'occuper de, garder, avoir soin de, faire attention à, regarder à, soigner, s'inquiéter de; **I don't —** cela m'est égal, je veux bien, ça ne me fait rien.
minded ['maindid] *a* disposé.
mindful ['maindful] *a* réfléchi, attentif, soucieux.
mine [main] *n* mine *f*; *vt* miner, creuser, mouiller des mines dans; *pn* le(s) mien(s), la mienne, les miennes, à moi.
minefield ['mainfi:ld] *n* région *f* minière, champ *m* de mines.
minelayer ['main,leiə] *n* mouilleur *m* de mines.
miner ['mainə] *n* mineur *m*.
mineralogy [,minə'rælədʒi] *n* minéralogie *f*.
minesweeper ['main,swi:pə] *n* dragueur *m* de mines.
mingle ['miŋgl] *vt* mêler, mélanger; *vi* se mêler, se mélanger.
miniature ['minətʃə] *n* miniature *f*; *a* en miniature, en petit.
miniaturist ['minətjuərist] *n* miniaturiste *mf*.
minimize ['minimaiz] *vt* diminuer, minimiser.
minimum ['miniməm] *n* minimum *m*.
mining ['mainiŋ] *a* minier; *n* industrie *f* minière.
minion ['minjən] *n* favori, -ite.
minister ['ministə] *n* ministre *m*, pasteur *m*; **to — to** soigner, veiller, subvenir à.
ministerial [,minis'tiəriəl] *a* ministériel, exécutif.
ministration [,minis'treiʃən] *n* bons soins *m pl*, bons offices *m pl*.
ministry ['ministri] *n* ministère *m*.
mink [miŋk] *n* vision *m*.
minor ['mainə] *an* mineur(e) *mf*; *a* moindre, jeune.
minority [mai'nɔriti] *n* minorité *f*.
minster ['minstə] *n* cathédrale *f*.
minstrel ['minstrəl] *n* ménestrel *m*, chanteur *m*.
mint [mint] *n* Monnaie *f*, trésor *m*, menthe *f*; *vt* frapper, forger.
minuet [,minju'et] *n* menuet *m*.
minus ['mainəs] *prep* moins, en moins; *a* négatif.
minute ['minit] *n* minute *f*; *pl* procès-verbal *m*.
minute [mai'nju:t] *a* menu, tout petit, minutieux.
minuteness [mai'nju:tnis] *n* minutie *f*, petitesse *f*.
minx [miŋks] *n* luronne *f*, friponne *f*.
miracle ['mirəkl] *n* miracle *m*, prodige *m*.
miraculous [mi'rækjuləs] *n* miraculeux, extraordinaire.
mirage ['mirɑ:ʒ] *n* mirage *m*.
mire ['maiə] *n* bourbier *m*, fange *f*, bourbe *f*, boue *f*.
mirror ['mirə] *n* miroir *m*, glace *f*; *vt* refléter.
mirth [mə:θ] *n* gaieté *f*.
misadventure ['misəd'ventʃə] *n* mésaventure *f*.
misalliance ['misə'laiəns] *n* mésalliance *f*.
misanthrope ['mizənθroup] *n* misanthrope *m*.
misapprehend ['mis,æpri'hend] *vt* comprendre de travers, se méprendre sur.
misapprehension ['mis,æpri'henʃən] *n* malentendu *m*, méprise *f*.
misappropriate ['misə'prouprieit] *vt* détourner.
misbegotten ['misbi'gɔtn] *a* illégitime.
misbehave ['misbi'heiv] *vi* se conduire mal.
miscalculate ['mis'kælkjuleit] *vt* mal calculer; *vi* se tromper.
miscarriage [mis'kæridʒ] *n* fausse couche *f*, égarement *m*, déni de justice *m*.
miscarry [mis'kæri] *vi* échouer, faire une fausse couche.
miscellaneous [,misi'leinəis] *a* varié, divers.

miscellany [mi'seləni] *n* mélange *m*, recueil *m*.
mischance [mis'tʃɑːns] *n* malchance *f*, malheur *m*.
mischief ['mistʃif] *n* malice *f*, méchant tour *m*, tort *m*, mal *m*.
mischievous ['mistʃivəs] *a* malicieux, malfaisant, méchant.
misconduct [mis'kɔndəkt] *n* inconduite *f*, mauvaise gestion *f*.
miscónduct ['miskən'dʌkt] *vt* mal gérer.
misconstrue ['miskən'struː] *vt* interpréter de travers.
miscount ['mis'kaunt] *n* malcompte *m*, erreur d'addition *f*; *vi* mal compter.
miscreant ['miskriənt] *n* mécréant *m*, gredin *m*.
misdeal ['mis'diːl] *n* mal donne *f*; *vt* mal donner.
misdeed ['mis'diːd] *n* méfait *m*, crime *m*.
misdemeanour [ˌmisdi'miːnə] *n* délit *m*, méfait *m*.
misdirect ['misdi'rekt] *vt* mal diriger, mal adresser.
miser ['maizə] *n* avare *mf*.
miserable ['mizərəbl] *a* malheureux, misérable.
miserliness ['maizəlinis] *n* avarice *f*.
miserly ['maizəli] *a* avare, sordide.
misery ['mizəri] *n* misère *f*.
misfire ['mis'faiə] *vi* rater, faire long feu, manquer son effet.
misfit ['misfit] *n* malfaçon *f*, laissé-pour-compte *m*, misfit *m*.
misfortune [mis'fɔːtʃən] *n* malchance *f*, malheur *m*.
misgiving [mis'giviŋ] *n* défiance *f*, soupçon *m*, .nquiétude *f*.
misguided ['mis'gaidid] *a* mal dirigé.
mishap ['mishæp] *n* accident *m*, mésaventure *f*.
misinformed ['misin'fɔːmd] *a* mal informé.
misjudge ['mis'dʒʌdʒ] *vt* maljuger.
mislay, -lead [mis'lei, -'liːd] *vt* égarer.
mismanage ['mis'mænidʒ] *vt* mal diriger, gâcher.
mismanagement ['mis'mænidʒmənt] *n* gestion inhabile *f*.
misplace ['mis'pleis] *vt* mal placer, déplacer, égarer.
misprint ['misprint] *n* coquille *f*, faute d'impression *f*.
misrepresent ['misˌrepri'zent] *vt* fausser, dénaturer, travestir.
miss [mis] *n* Mademoiselle *f*; ratage *m*, raté *m*, coup manqué *m*; *vt* manquer, rater.
missal ['misəl] *n* missel *m*.
missile ['misail] *n* projectile *m*, missile *m*.
missing ['misiŋ] *a* manquant, qui manque.
mission ['miʃən] *n* mission *f*.
missionary ['miʃnəri] *m* missionnaire *mf*.
miss out [mis'aut] *vt* oublier, omettre; *n* omission *f*.
misspell ['mis'spel] *vt* mal orthographier.
misspent ['mis'spent] *a* dissipé, dépensé à tort et à travers, mal employé.
mist [mist] *n* brume *f*, brouillard *m*.
mistake [mis'teik] *n* erreur *f*, méprise *f*, faute *f*; *vt* mal comprendre, se méprendre sur, se tromper de, confondre.
mistaken [mis'teikn] *a* dans l'erreur, faux, erroné.
mistakenly [mis'teiknli] *ad* par erreur.
mister ['mistə] *n* Monsieur *m*.
mistletoe ['misltou] *n* gui *m*.
mistress ['mistris] *n* maîtresse *f*.
mistrust ['mistrʌst] *n* méfiance *f*; *vt* se méfier de.
misty ['misti] *a* brumeux, confus, vague, estompé.
misunderstand ['misʌndə'stænd] *vt* mal comprendre, se méprendre sur.
misunderstanding ['misʌndə'stændiŋ] *n* malentendu *m*, mésintelligence *f*.
misuse ['mis'juːs] *n* mauvais usage *m*, abus *m*.
misuse ['mis'juːz] *vt* mésuser de, maltraiter.
mite [mait] *n* obole *f*, brin *m*, un rien *m*, (*fam*) môme *mf*.
mitigate ['mitigeit] *vt* apaiser, soulager, mitiger, atténuer.
mitigation [ˌmiti'geiʃən] *n* adoucissement *m*, atténuation *f*.
mitre ['maitə] *n* mitre *f*.
mitten ['mitn] *n* mitaine *f*.
mix [miks] *vt* mêler, mélanger, brasser, confondre; *vi* se mêler, se mélanger, frayer.
mixture ['mikstʃə] *n* mélange *m*, mixture *f*, panaché *m*.
mix-up ['miks'ʌp] *n* mélange *f*; *vi* confondre.
moan [moun] *n* gémissement *m*, plainte *f*; *vt* gémir.
moat [mout] *n* fossé *m*, douves *f pl*.
mob [mɔb] *n* foule *f*, racaille *f*, ramassis *m*; *vt* faire foule autour de, malmener.
mobile ['moubail] *a* mobile.
mobilization [ˌmoubilai'zeiʃən] *n* mobilisation *f*.
mock [mɔk] *a* d'imitation, simili, faux; *vt* se moquer de, narguer, en imposer à, contrefaire.
mockery ['mɔkəri] *n* raillerie *f*, parodie *f*, farce *f*.
mode [moud] *n* (*fashion*) mode *f*, mode *m*, manière *f*.
model ['mɔdl] *n* modèle *m*, (*fashion*) mannequin; *vt* modeler, copier.
modelling ['mɔdliŋ] *n* modelage *m*.
moderate ['mɔdərit] *a* modéré, médiocre, moyen, sobre.
moderate ['mɔdəreit] *vt* modérer, tempèrer; *vi* se modérer.

moderation [ˌmɔdə'reiʃən] *n* modération *f*, sobriété *f*, mesure *f*.
modern ['mɔdən] *a* moderne.
modernize ['mɔdənaiz] *vt* moderniser, renover.
modest ['mɔdist] *a* modeste, chaste, modéré.
modesty ['mɔdisti] *n* modestie *f*, modération *f*.
modification [ˌmɔdifi'keiʃən] *n* modification *f*.
modify ['mɔdifai] *vt* modifier, atténuer.
modish ['moudiʃ] *a* à la mode, faraud.
modulate ['mɔdjuleit] *vt* moduler, ajuster.
modulation [ˌmɔdju'leiʃən] *n* modulation *f*.
mohair ['mouhɛə] *n* mohair *m*.
moist [mɔist] *a* humide, moite, mouillé.
moisten ['mɔisn] *vt* humecter, mouiller.
moisture ['mɔistʃə] *n* humidité *f*, buée *f*, moiteur *f*.
molar ['moulə] *an* molaire *f*.
molasses [mə'læsiz] *n pl* mélasse *f*.
mole [moul] *n* jetée *f*, môle *m*, taupe *f*, grain de beauté *m*.
molecular [mou'lekjulə] *a* moléculaire.
molecule ['mɔlikjuːl] *n* molécule *m*.
molehill ['moulhil] *n* taupinière *f*.
molest [mou'lest] *vt* molester.
mollify ['mɔlifai] *vt* apaiser, adoucir.
mollusc ['mɔləsk] *n* mollusque *m*.
molten ['moultən] *a* fondu.
moment ['moumənt] *n* moment *m*, instant *m*, importance *f*; **of** — d'importance.
momentarily ['moumэntərili] *ad* momentanément, pour l'instant.
momentary ['moumэntəri] *a* momentané, passager.
momentous [mou'mentəs] *a* important, de conséquence.
monarch ['mɔnək] *n* monarque *m*.
monarchy ['mɔnəki] *n* monarchie *f*.
monastery ['mɔnəstəri] *n* monastère *m*.
monastic [mə'næstik] *a* monastique, monacal.
Monday ['mʌndi] *n* lundi *m*.
money ['mʌni] *n* argent *m*; monnaie *f*, **—-box** *n* tire-lire *f*, caisse *f*; **—-changer** *n* changeur *m*; **—-grubber** *n* grippe-sous *m*; **—-lender** *n* usurier *m*, bailleur de fonds *m*; **—-market** *n* marché financier *m*; **—-order** *n* mandat *m*; **ready** — argent comptant; **public** — trésor *m* public.
moneyed ['mʌnid] *a* riche.
monger ['mʌŋgə] *n* marchand (de . . .).
mongrel ['mʌŋgrəl] *n* métis, -isse, bâtard(e) *mf*.
monk [mʌŋk] *n* moine *m*.
monkey ['mʌŋki] *n* singe *m* (*f* guenon); *vti* singer; *vi* jouer des tours; — **business** filouterie *f*; — **wrench** clé anglaise *f*.
monkish ['mʌŋkiʃ] *a* monastique, monacal.
monogamy [mɔ'nɔgəmi] *n* monogamie *f*.
monogram ['mɔnəgræm] *n* monogramme *m*.
monologue ['mɔnəlɔg] *n* monologue *m*.
monomania ['mɔnou'meiniə] *n* monomanie *f*.
monopolist [mə'nɔpəlist] *n* accapareur, -euse.
monopoly [mə'nɔpəli] *n* monopole *m*.
monosyllabic ['mɔnəsi'læbik] *a* monosyllabique.
monosyllable ['mɔnəˌsiləbl] *n* monosyllabe *m*.
monotonous [mə'nɔtənəs] *a* monotone.
monotony [mə'nɔtəni] *n* monotonie *f*.
monsoon [mɔn'suːn] *n* mousson *f*.
monster ['mɔnstə] *n* monstre *m*.
monstrance ['mɔnstrəns] *n* ostensoir *m*.
monstrosity [mɔns'trɔsiti] *n* monstruosité *f*, énormité *f*.
monstrous ['mɔnstrəs] *a* monstrueux, énorme.
month [mʌnθ] *n* mois *m*.
monthly ['mʌnθli] *a* mensuel; *ad* mensuellement.
monument ['mɔnjumənt] *n* monument *m*.
monumental [ˌmɔnju'mentl] *a* monumental.
mood [muːd] *n* humeur *f*, mode *m*, disposition *f*.
moody ['muːdi] *a* morose, qui a des lubies, mal luné.
moon [muːn] *n* lune *f*; *vi* rêvasser; **to — about** musarder.
moonlight ['muːnlait] *n* clair de lune *m*.
moonshine ['muːnʃain] *n* clair de lune *m*, blague *f*.
moonstruck ['muːnstrʌk] *a* lunatique, toqué.
moor [muə] *n* lande *f*, bruyère *f*; *vt* amarrer; *vi* s'amarrer.
Moor [muə] *n* Maure *m*, Mauresque *f*.
moorhen ['muəhen] *n* poule *f* d'eau.
mooring ['muəriŋ] *n* amarrage *m*, mouillage *m*; *pl* amarres *f pl*.
mooring rope ['muəriŋroup] *n* amarre *f*.
Moorish ['muəriʃ] *a* maure, mauresque.
moot [muːt] *a* discutable.
mop [mɔp] *n* balai *m* à laver, lavette *f*, (*hair*) tignasse, (*naut*) faubert; *vt* éponger, s'essuyer, fauberder.
mope [moup] *n* ennuyé(e) *mf*, *pl* le cafard; *vi* s'ennuyer, avoir le spleen.
moral ['mɔrəl] *a* moral; *n* moralité *f*; *pl* mœurs *f pl*.

morale [mɔ'rɑːl] *n* moral *m*.
moralist ['mɔrəlist] *n* moraliste *mf*.
moralize ['mɔrəlaiz] *vi* moraliser.
morass [mə'ræs] *n* marais *m*, fondrière *f*.
morbid ['mɔːbid] *a* morbide, maladif.
more [mɔː] *a ad* plus (de); *prep* davantage; — **and** — de plus en plus; **the** — . . . **the** — . . . plus . . . plus . . .
moreover [mɔː'rouvə] *ad* en outre, d'ailleurs.
morning ['mɔːniŋ] *n* matin *m*, matinée *f*; *a* du matin, matinal.
Moroccan [mə'rɔkən] *an* marocain *m*; *n* Marocain(e) *mf*.
Morocco [mə'rɔkou] *n* Maroc *m*, (*leather*) maroquin *m*.
morose [mə'rous] *a* morose.
moroseness [mə'rousnis] *n* maussaderie *f*, morosité *f*.
morphia ['mɔːfiə] *n* morphine *f*.
morrow ['mɔrou] *n* lendemain *m*.
morsel ['mɔːsəl] *n* morceau *m*, bouchée *f*.
mortal ['mɔːtl] *a* mortel, funeste; — **fear** peur jaune *f*.
mortality [mɔː'tæliti] *n* mortalité *f*.
mortar ['mɔːtə] *n* mortier *m*; *vt* cimenter.
mortgage ['mɔːgidʒ] *n* hypothèque *f*; *vt* hypothéquer.
mortification [ˌmɔːtifi'keiʃən] *n* mortification *f*, (*med*) gangrène *f*.
mortify ['mɔːtifai] *vti* mortifier, (*med*) se gangrener.
mortise ['mɔːtis] *n* mortaise *f*.
mortuary ['mɔːtjuəri] *n* morgue *f*; *a* mortuaire.
mosaic [mə'zeiik] *a n* mosaïque *f*.
Moscow ['mɔskou] *n* Moscou *m*.
Moslem ['mɔzlem] *an* musulman(ne).
mosque [mɔsk] *n* mosquée *f*.
mosquito [məs'kiːtou] *n* moustique *m*; — **net** moustiquaire *f*.
moss [mɔs] *n* mousse *f*.
mossy ['mɔsi] *a* moussu.
most [moust] *a* le plus, la plupart de; *ad* le (au) plus, très; (*US*) presque.
mostly ['moustli] *ad* surtout, pour la plupart.
motel [mou'tel] *n* motel *m*.
moth [mɔθ] *n* phalène *f*, mite *f*.
moth-ball ['mɔθbɔːl] *n* boule de naphtaline *f*.
moth-eaten ['mɔθˌiːtn] *a* mangé aux mites, des vers.
mother ['mʌðə] *n* mère *f*; *vt* choyer, servir de mère à; — **country** mère-patrie *f*; —**-in-law** belle-mère *f*; —**-of-pearl** nacre *f*; — **tongue** langue maternelle *f*.
motherhood ['mʌðəhud] *n* maternité *f*.
motion ['mouʃən] *n* mouvement *m*, geste *m*, signe *m*; motion *f*, proposition *f*; *vt* diriger d'un geste, faire signe à.
motionless ['mouʃənlis] *a* immobile.
motivate ['moutiveit] *vt* motiver.
motivating ['moutiveitiŋ] *a* moteur.
motive ['moutiv] *n* motif *m*, mobile *m*.
motley ['mɔtli] *n* bariolage *m*; *a* bariolé, mêlé.
motor ['moutə] *a* moteur, automobile; *n* moteur *m*, automobile *f*; *vt* conduire en automobile; *vi* voyager, aller, en automobile; — **car** *n* auto(mobile) *f*; —**-cycle** *n* motocyclette *f*.
motoring ['moutriŋ] *n* automobilisme *m*.
motorist ['moutərist] *n* automobiliste *mf*.
motorway ['moutəwei] *n* autoroute *f*.
mottle ['mɔtl] *n* marbrure *f*, veine *f*; *vt* marbrer, veiner.
motto ['mɔtou] *n* devise *f*.
mould [mould] *n* terreau *m*, moule *m*, moisissure *f*; *vt* mouler, façonner, pétrir, former.
moulder ['mouldə] *vi* tomber en poussière, pourrir; *n* mouleur *m*.
moulding ['mouldiŋ] *n* moulage *m*, moulure *f*, formation *f*.
mouldy ['mouldi] *a* moisi.
moult [moult] *n* mue *f*; *vi* muer.
mound [maund] *n* tertre *m*.
mount [maunt] *n* mont *m*, monture *f*, cadre *m*; *vti* monter; *vt* monter sur.
mountain ['mauntin] *n* montagne *f*.
mountaineer [ˌmaunti'niə] *n* alpiniste *mf*, montagnard(e) *m(f)*.
mountaineering [ˌmaunti'niəriŋ] *n* alpinisme *m*.
mountainous ['mauntinəs] *a* de montagne, montagneux.
mountebank ['mauntibæŋk] *n* saltimbanque *m*, charlatan *m*.
mourn [mɔːn] *vti* pleurer; *vi* se lamenter, être en deuil.
mourners ['mɔːnəz] *n pl* le cortège *m* funèbre.
mournful ['mɔːnful] *a* triste, lugubre, endeuillé.
mournfulness ['mɔːnfulnis] *n* tristesse *f*.
mourning ['mɔːniŋ] *n* deuil *m*.
mouse [maus] *n* souris *f*; *vi* chasser les souris, fureter.
mousetrap ['maustræp] *n* souricière *f*.
mouth [mauθ] *n* bouche *f*, embouchure *f*, orifice *m*, grimace *f*, gueule *f*; *vti* déclamer; *vi* grimacer, discourir.
mouthful ['mauθful] *n* bouchée *f*.
mouthpiece ['mauθpiːs] *n* embouchure *f*, porte-parole *m*.
movable ['muːvəbl] *a* mobile, mobilier; *n pl* biens meubles *m pl*, effets mobiliers *m pl*.
move [muːv] *n* mouvement *m*, coup *m*, démarche *f*; *vt* (é)mouvoir, exciter, pousser, proposer, déplacer; *vi* bouger, déménager; **to** — **on** (faire) circuler; **to** — **back** *vt* faire reculer; *vi* (se) reculer; **to** — **forward** *vti* avancer; **to** — **in**

emménager; **to — on** s'avancer, circuler; **to — out** déménager.
movement ['mu:vmənt] *n* mouvement *m*, déplacement *m*.
movies ['mu:viz] *n* ciné(ma) *m*.
moving ['mu:viŋ] *a* émouvant, mobile, en marche.
mow [mou] *vt* faucher.
mower ['mouə] *n* faucheur, -euse, (*machine*) tondeuse *f*.
mown [moun] *pp of* **mow.**
Mr ['mistə] Monsieur *m*.
Mrs ['misiz] *n* Madame *f*.
much [mʌtʃ] *a* beaucoup de; *pn* beaucoup; *ad* de beaucoup, très; **too —** *pn* trop; *a* trop de.
mucilage ['mju:silidʒ] *n* colle *f* (de bureau).
muck [mʌk] *n* fumier *m*, ordure *f*; *vt* salir, gâcher.
mud [mʌd] *n* boue *f*, banco *m*; **mud walls** murs en banco.
muddle ['mʌdl] *n* confusion *f*, désordre *m*, pagaille *f*, gâchis *m*; *vt* (em)brouiller, emmêler; **to — through** se débrouiller, finir par s'en tirer.
muddleheaded ['mʌdl,hedid] *a* brouillon.
muddy ['mʌdi] *a* boueux, terne, épais, trouble, limoneux.
mudguard ['mʌdgɑ:d] *n* pareboue *m*.
muff [mʌf] *n* manchon *m*, pataud(e) *mf*, empoté(e) *mf*; *vt* rater.
muffle ['mʌfl] *n* mufle *m*, moufle *m*; *vt* emmitoufler, assourdir, étouffer.
muffled ['mʌfld] *a* étouffé, feutré, voilé.
muffler ['mʌflə] *n* cache-nez *m inv*.
mug [mʌg] *n* gobelet *m*, chope *f*, poire *f*, nigaud(e) *mf*.
muggy ['mʌgi] *a* étouffant, lourd et humide.
mulatto [mju'lætou] *n* mulâtre, -esse.
mulberry ['mʌlbəri] *n* mûre *f*.
mulberry-tree ['mʌlbəritri:] *n* mûrier *m*.
mulct [mʌlkt] *n* amende *f*; *vt* mettre à l'amende.
mule [mju:l] *n* mule *f*, mulet *m*.
multifarious [,mʌlti'fɛəriəs] *a* multiple, divers, varié.
multiple ['mʌltipl] *an* multiple *m*.
multiplication [,mʌltipli'keiʃən] *n* multiplication *f*.
multiplicity [,mʌlti'plisiti] *n* multiplicité *f*.
multiply ['mʌltiplai] *vt* multiplier; *vi* se multiplier.
multitude ['mʌltitju:d] *n* multitude *f*, foule *f*.
mum [mʌm] *a* silencieux; *n* maman *f*; *excl* silence! motus!
mumble ['mʌmbl] *n* marmottage *m*; *vti* marmonner, marmotter.
mummify ['mʌmifai] *vt* momifier.
mummy ['mʌmi] *n* maman *f*; momie *f*.
mumps [mʌmps] *n pl* oreillons *m pl*.
munch [mʌnʃ] *vti* mastiquer; *vt* mâcher.
mundane ['mʌndein] *a* mondain, terrestre.
municipal [mju'nisipəl] *a* municipal.
municipality [mju,nisi'pæliti] *n* municipalité *f*.
munificent [mju'nifisnt] *a* généreux, munificent.
munitions [mju'niʃəns] *n pl* munitions *f pl*.
mural ['mjuərəl] *a* mural.
murder ['mə:də] *n* meurtre *m*, assassinat *m*; *vt* assassiner, (*fig*) massacrer.
murderer ['mə:dərə] *n* meurtrier *m*, assassin *m*.
murderous ['mə:dərəs] *a* meurtrier, homicide.
murky ['mə:ki] *a* sombre, épais, ténébreux.
murmur ['mə:mə] *n* murmure *m*; *vti* murmurer.
muscle ['mʌsl] *n* muscle *m*; *vi* (*US*) s'immiscer (dans **in**), usurper.
muscular ['mʌskjulə] *a* musclé, musculaire.
muse [mju:z] *n* muse *f*; *vi* méditer, rêver.
museum [mju'ziəm] *n* musée *m*.
mushroom ['mʌʃrum] *n* champignon *m*; *vi* champignonner.
music ['mju:zik] *n* musique *f*; **— stand** pupitre *m*; **— stool** tabouret *m*.
musical ['mju:zikəl] *a* musical, mélodieux, musicien; *n* opérette *f*.
musician [mju'ziʃən] *n* musicien, -ienne.
musing ['mju:ziŋ] *n* rêverie *f*, méditation *f*.
musk [mʌsk] *n* musc *m*.
musket ['mʌskit] *n* mousquet *m*.
musketeer [,mʌski'tiə] *n* mousquetaire *m*.
muslin ['mʌzlin] *n* mousseline *f*.
musquash ['mʌskwɔʃ] *n* rat musqué *m*, castor *m*.
mussel ['mʌsl] *n* moule *f*.
mussy ['mʌsi] *a* (*US*) dérangé, sale.
must [mʌst] *n* moût *m*, moisissure *f*; *v aux* devoir, falloir; **they — go** il leur faut partir, ils doivent partir.
mustard ['mʌstəd] *n* moutarde *f*; **— plaster** sinapisme *m*.
muster ['mʌstə] *n* appel *m*, rassemblement *m*; *vt* rassembler, faire l'appel de, compter; *vi* se rassembler.
musty ['mʌsti] *a* moisi, désuet.
mutable ['mju:təbl] *a* sujet à déplacement, changeant.
mutation [mju'teiʃən] *n* mutation *f*.
mute [mju:t] *a* muet, sourd; *vt* assourdir, mettre la sourdine à.
mutilate ['mju:tileit] *vt* mutiler.
mutilation [,mju:ti'leiʃən] *n* mutilation *f*.
mutineer [,mju:ti'niə] *n* révolté *m*, mutiné *m*.

mutinous ['mju:tinəs] *a* mutin, rebelle.
mutiny ['mju:tini] *n* mutinerie *f*, révolte *f*.
mutter ['mʌtə] *n* murmure *m*; *vti* murmurer, marmotter.
mutton ['mʌtn] *n* mouton *m*; — **chop** côtelette *f*.
mutual ['mju:tjuəl] *a* mutuel, réciproque, respectif, commun.
mutuality [,mju:tju'æliti] *n* mutualité *f*.
muzzle ['mʌzl] *n* museau *m*, (*gun*) gueule *f*, muselière *f*; *vt* museler, bâillonner.
my [mai] *a* mon, ma, mes.
myrtle ['mə:tl] *n* myrte *m*.
myself [mai'self] *pn* moi-même.
mysterious [mis'tiəriəs] *a* mystérieux.
mystery ['mistəri] *n* mystère *m*.
mystic ['mistik] *an* mystique *mf*.
mysticism ['mistisizəm] *n* mysticisme *m*.
mystification [,mistifi'keiʃən] *n* mystification *f*, fumisterie *f*.
myth [miθ] *n* mythe *m*.
mythical ['miθikəl] *a* mythique.
mythology [,mi'θɔlədʒi] *n* mythologie *f*.
myxomatosis [,miksəmə'tousis] *n* myxomatose *f*.

N

nab [næb] *vt* pincer.
nabob ['neibɔb] *n* nabab *m*.
nag [næg] *n* bidet *m*; *vt* chamailler; *vi* grogner sur tout.
nagging ['nægiŋ] *a* hargneux; — **woman** chipie *f*.
nail [neil] *n* clou *m*, ongle *m*; *vt* clouer, fixer, empoigner.
naïve [nɑ:'i:v] *a* naïf ingénu.
naked ['neikid] *a* nu, à poil.
nakedness ['neikidnis] *n* nudité *f*.
name [neim] *n* nom *m*, renom *m*, mot *m*; *vt* nommer, dire, fixer; **Christian** — prénom *m*; **assumed** — nom d'emprunt, pseudonyme *m*.
nameless ['neimlis] *a* sans nom, innommable, anonyme.
namely ['neimli] *ad* à savoir.
namesake ['neimseik] *n* homonyme *m*.
nap [næp] *n* somme *m*, poil *m*; *vi* sommeiller.
napalm ['neipɑ:m] *n* napalm *m*.
nape [neip] *n* nuque *f*.
napkin ['næpkin] *n* serviette *f*, (*baby's*) couche.
napping ['næpiŋ] *a* endormi, hors de garde, au dépourvu.
nappy ['næpi] *n* (*fam*) couche *f*.
narcissus [nɑ:'sisəs] *n* narcisse *m*.
narcotic [nɑ:'kɔtik] *n* narcotique *m*; *an* stupéfiant *m*.

narrate [næ'reit] *vt* conter.
narration [næ:'reiʃən] *n* narration *f*, récit *m*.
narrative ['nærətiv] *n* récit *m*, narration *f*.
narrator [næ'reitə] *n* narrateur, -trice.
narrow ['nærou] *a* étroit, étranglé; *vt* rétrécir, resserrer, restreindre; *vi* se resserrer, se rétrécir, s'étrangler.
narrowness ['nærounis] *n* étroitesse *f*, exiguïté *f*.
narrows ['nærouz] *n* détroit *m*, défile *m*, étranglement *m*.
nasal ['neizəl] *n* nasale *f*; *a* nasal, de nez.
nastily ['nɑ:stili] *ad* méchamment.
nastiness ['nɑ:stinis] *n* méchanceté *f*, saleté *f*.
nasty ['nɑ:sti] *a* méchant, vilain, sale.
natal ['neitl] *a* natal.
nation ['neiʃən] *n* nation *f*.
national ['næʃənl] *a* national.
nationalism ['næʃnəlizəm] *n* nationalisme *m*.
nationality [,næʃə'næliti] *n* nationalité *f*.
nationalize ['næʃnəlaiz] *vt* nationaliser.
native ['neitiv] *n* originaire *mf*, indigène *mf*; *a* naturel, de naissance, natif du pays.
nativity [nə'tiviti] *n* nativité *f*.
natty ['næti] *a* soigné, adroit.
natural ['nætʃrəl] *a* naturel, inné, foncier.
naturalism ['nætʃrəlizəm] *n* naturalisme *m*.
naturalist ['nætʃrəlist] *n* naturaliste *m*.
naturalization [,nætʃrəlai'zeiʃən] *n* naturalisation *f*.
naturalize ['nætʃrəlaiz] *vt* naturaliser.
naturally ['nætʃrəli] *ad* naturellement, bien sûr.
naturalness ['nætʃrəlnis] *n* naturel *m*, simplicité *f*.
nature ['neitʃə] *n* nature *f*, sorte *f*, tempérament *m*.
naught [nɔ:t] *n* rien *m*, zéro *m*; **to come to** — échouer.
naughtiness ['nɔ:tinis] *n* méchanceté *f*.
naughty ['nɔ:ti] *a* vilain, méchant, polisson.
nausea ['nɔ:siə] *n* nausée *f*.
nauseating ['nɔ:sieitiŋ] *a* écœurant, nauséabond.
nauseous ['nɔ:siəs] *a* nauséabond, dégoûtant.
naval ['neivəl] *a* naval, maritime, de marine; — **base** port de guerre *m*.
nave [neiv] *n* nef moyeu *m*.
navel ['neivəl] *n* nombril *m*.
navigate ['nævigeit] *vi* naviguer; *vt* diriger, gouverner, piloter.
navigation [,nævi'geiʃən] *n* navigation *f*, manœuvre *f*, conduite *f*.

navigator ['nævigeitə] *n* navigateur *m*, pilote *m*.

navvy ['nævi] *n* terrassier *m*.

navy ['neivi] *n* marine *f*.

nay [nei] *ad* non, ou plutôt, voire.

near [niə] *a* proche, prochain, (r)approché; *prep* près de; *ad* (de) près, à peu de chose près.

nearly ['niəli] *ad* de près, presque.

nearness ['niənis] *n* proximité *f*, ladrerie *f*, fidélité *f*.

neat [ni:t] *a* net, élégant, bien tenu, en ordre, adroit, nature, (*drink*) pur.

neatness ['ni:tnis] *n* netteté *f*, (bon) ordre *m*, finesse *f*.

nebulous ['nebjuləs] *n* nébuleux.

necessary ['nesisəri] *n* nécessaire, indispensable.

necessitate [ni'sesiteit] *vt* nécessiter.

necessitous [ni'sesitəs] *a* nécessiteux, besogneux.

necessity [ni'sesiti] *n* nécessité *f*, besoin *m*, contrainte *f*.

neck [nek] *n* cou *m*, col *m*, collet *m*, encolure *f*, goulot *m*.

neckerchief ['nekətʃif] *n* fichu *m*, foulard *m*.

necklace ['neklis] *n* collier *m*.

necktie ['nektai] *n* cravate *f*.

need [ni:d] *n* besoin *m*, nécessité *f*; *vt* avoir besoin de, exiger, réclamer, falloir; **he needs a pound** il lui faut une livre.

needful ['ni:dful] *an* nécessaire *m*.

needle ['ni:dl] *n* aiguille *f*; **—woman** *n* lingère *f*, couturière *f*.

needless ['ni:dlis] *a* inutile.

needs [ni:dz] *ad* nécessairement; **he must — refuse** force lui est de refuser.

needy ['ni:di] *a* nécessiteux, besogneux.

nefarious [ni'fɛəriəs] *a* inique, abominable.

negative ['negətiv] *a* négatif; *n* négative *f*, négatif *m*, cliché *m*; *vt* rejeter, nier, neutraliser.

neglect [ni'glekt] *n* négligence *f*, incurie *f*; *vt* négliger.

neglectful [ni'glektful] *a* négligent, insoucieux.

negligently ['neglidʒəntli] *ad* négligemment.

negligible ['neglidʒəbl] *a* négligeable.

negotiable [ni'gouʃjəbl] *a* négociable.

negotiate [ni'gouʃieit] *vti* négocier; *vt* conclure, surmonter, franchir.

negotiation [ni,gouʃi'eiʃən] *n* négociation *f*.

negotiator [ni'gouʃieitə] *n* négociateur, -trice.

Negress ['ni:gris] *n* négresse *f*.

Negro ['ni:grou] *n* nègre *m*.

neigh [nei] *n* hennissement; *vi* hennir.

neighbour ['neibə] *n* voisin(e) *mf*.

neighbourhood ['neibəhud] *n* voisinage *m*, région *f*.

neighbouring ['neibəriŋ] *a* voisin, avoisinant.

neither ['naiðə] *pn* ni l'un ni l'autre; *ad* ni, non plus.

neo-colonialism[,nioukə'louniəlizm] *n* néo-colonialisme *m*.

nephew ['nevju] *n* neveu *m*.

nephritis [ne'fraitis] *n* néphrite *f*.

nepotism ['nepətizəm] *n* népotisme *m*.

nerve ['nə:v] *n* nerf *m*, sang-froid *m*, toupet *m*; *vt* fortifier; **to — oneself** se raidir, s'armer de courage.

nerveless ['nə:vlis] *a* mou, inerte.

nervous ['nə:vəs] *a* nerveux, excitable.

nervousness ['nə:vəsnis] *n* timidité *f*, nervosité *f*, peur *f*.

nest [nest] *n* nid *m*, nichée *f*; *vi* faire son nid, (se) nicher.

nestle ['nesl] *vi* se blottir, se nicher.

nestling ['nesliŋ] *n* oisillon *m*.

net [net] *n* filet *m*, réseau *n*, résille *f*, tulle *m*; *vt* rapporter net, prendre au filet, tendre des filets sur, dans; *vi* faire du filet; *vt* prendre au filet, couvrir de filets, tendre des filets dans; *a* net.

nether ['neðə] *a* inférieur, infernal.

Netherlands ['neðələndz] *n* Pays-Bas *m pl*.

netting ['netiŋ] *n* filet *m*, treillis *m*, pose de filets *f*.

nettle ['netl] *n* ortie *f*; *vt* piquer, irriter; **—-rash** *n* urticaire *f*.

network ['netwə:k] *n* réseau *m*, ligne *f*.

neuralgia [njuə:'rældʒə] *n* neuralgie *f*.

neurasthenia [,njuərəs'θi:niə] *n* neurasthénie *f*.

neurasthenic ['njuərəs'θenik] *a* neurasthénique.

neuritis [njuə'raitis] *n* névrite *f*.

neurology [njuə'rɔlədʒi] *n* neurologie *f*.

neuropath [njuərə'pɑ:θ] *n* névropathe *m*.

neurosis [njuə'rousis] *n* névrose *f*.

neurotic [njuə'rɔtik] *a* névrosé.

neuter ['nju:tə] *an* neutre *m*.

neutral ['nju:trəl] *a* neutre.

neutrality [nju'træliti] *n* neutralité *f*.

neutralize ['nju:trəlaiz] *vt* neutraliser.

neutron ['nju:trɔn] *n* neutron *m*.

never ['nevə] *ad* jamais, ne . . . jamais.

nevertheless [,nevəðə'les] *ad* cependant, néanmoins.

new [nju:] *a* neuf, nouveau, jeune, frais; **—-born** nouveau-né; **New Year** Le Nouvel An; **New Year's Day** le jour de l'an.

newly ['nju:li] *ad* nouvellement, fraîchement.

newness ['nju:nis] *n* nouveauté *f*, fraîcheur *f*.

news [nju:z] *n* nouvelle(s) *f pl*, (*radio*) informations *f pl*; **a piece of —** une nouvelle; **—agent,** (*US*) **—dealer** marchand *m* de journeaux; **—-boy** *n* vendeur de journaux *m*.

newspaper ['nju:s,peipə] *n* journal *m*.
news-reel ['nju:zri:l] *n* informations *f pl*, actualités *f pl*.
news-stand ['nju:zstænd] *n* kiosque à journaux *m*.
newt [nju:t] *n* salamandre *f*.
next [nekst] *a* le plus proche, prochain, suivant; *prep* près de, sur, à même; *ad* ensuite, après, près.
nib [nib] *n* bec *m*, pointe *f*.
nibble ['nibl] *vt* grignoter, mordiller, égratigner.
nice [nais] *a* délicat, gentil, joli, doux, fin, subtil.
nicely ['naisli] *ad* gentiment, précisément, bien.
nicety ['naisiti] *n* subtilité *f*; **to a —** exactement, à point.
niche [nitʃ] *n* niche *f*.
nick [nik] *n* entaille *f*, encoche *f*; *vt* entailler, deviner, attraper, pincer, couper au court; **in the — of time** juste à temps.
nickname ['nikneim] *n* surnom *m*, sobriquet *m*; *vt* baptiser, surnommer.
niece [ni:s] *n* nièce *f*.
niggard ['nigəd] *n* ladre *m*, pingre *m*.
niggardliness ['nigədlinis] *n* ladrerie *f*, pingrerie *f*.
niggardly ['nigədli] *a* ladre, pingre, mesquin.
nigger ['nigə] *n* moricaud(e) *mf*, nègre *m*, négresse *f*.
nigh [nai] *a* proche; *ad* presque.
night [nait] *n* nuit *f*, soir *m*.
night-club ['naitklʌb] *n* boîte de nuit *f*.
nightdress ['naitdres] *n* chemise de nuit *f*.
nightfall ['naitfɔ:l] *n* tombée de la nuit *f*.
nightingale ['naitiŋgeil] *n* rossignol *m*.
nightlight ['naitlait] *n* veilleuse *f*.
nightly ['naitli] *a* nocturne, de nuit.
nightmare ['naitmɛə] *n* cauchemar *m*.
night-watchman ['nait'wɔtʃmən] *n* veilleur de nuit *m*.
nil [nil] *n* rien *m*, zéro *m*; *a* nul.
nimble ['nimbl] *a* agile, délié, ingambe.
nincompoop ['ninkəmpu:p] *n* gros bêta *m*, nigaud *m*.
nine [nain] *an* neuf *m*, (*US*) équipe *f* de baseball.
ninepins ['nain'pinz] *n* quilles *f pl*.
nineteen ['nain'ti:n] *an* dix-neuf *m*.
nineteenth ['nain'ti:nθ] *an* dix-neuvième *mf*.
ninetieth ['naintiiθ] *an* quatre-vingt-dixième *mf*.
ninety ['nainti] *an* quatre-vingt-dix *m*.
ninny ['nini] *n* benêt *m*, niais(e) *mf*.
ninth [nainθ] *a* neuvième.
nip [nip] *n* pincement *m*, pinçon *m*, morsure *f*, sarcasme *m*, goutte *f*; *vt* pincer, mordre, piquer, flétrir.
nipper ['nipə] *n* gosse *m*; *pl* pince *f*, tenailles *f pl*.
nipple ['nipl] *n* tétin *m*, mamelon *m*.
no [nou] *nm ad* non; *a* aucun, nul; **— longer** ne . . . plus.
nobility [nou'biliti] *n* noblesse *f*.
noble ['noubl] *an* noble *mf*; *a* grandiose, majestueux.
nobody ['noubədi] *pn* personne; *n* nullité *m*, pauvre type *m*.
nocturnal [nɔk'tə:nl] *a* nocturne.
nod [nɔd] *n* signe de tête *m*; *vi* faire un signe de tête, dodeliner, somnoler.
nodding ['nɔdiŋ] *a* à la tête dodelinante.
node [noud] *n* nœud *m*.
noise [nɔiz] *n* bruit *m*, vacarme *m*; *vt* répandre, ébruiter.
noiseless ['nɔizlis] *a* sans bruit, silencieux.
noisily ['nɔizili] *ad* bruyamment.
noisome ['nɔisəm] *a* nuisible, offensant, malodorant, désagréable.
noisy ['nɔizi] *a* bruyant.
no-man's-land ['noumænzlænd] *n* zone neutre *m*, terrains *mpl* vagues, zone *m*.
nominal ['nɔminl] *a* nominal.
nominally ['nɔminəli] *ad* de nom, soi-disant.
nominate ['nɔmineit] *vt* proposer, désigner, nommer.
nomination [,nɔmi'neiʃən] *n* nomination *f*.
non-aligned countries *npl* le tiers monde *m*.
non-alignement ['nɔnə'lainmənt] *n* neutralisme.
non-appearance ['nɔnə'piərəns] *n* absence *f*; (*law*) défaut *m*.
non-committal ['nɔnkə'mitl] *a* évasif, (de) normand.
nondescript ['nɔndiskript] *a* vague, hétéroclite.
none [nʌn] *a pn* aucun, nul; *pn* pas une personne; *ad* en rien, pas.
nonentity [nɔ'nentiti] *n* nullité *f*, zéro *m*.
non-intervention ['non,intə'venʃən] *n* non-intervention *f*.
non-payment ['nɔn'peimənt] *n* défaut de payement *m*.
nonplus ['nɔn'plʌs] *vt* interloquer, interdire.
nonsense ['nɔnsəns] *n* nonsens *m*, galimatias *m*, absurdité *f*, bêtise *f*.
nonsensical [nɔn'sensikəl] *a* absurde.
non-stop ['nɔn'stɔp] *a* sans arrêt, direct
noodle ['nu:dl] *n* nigaud(e) *mf*, benêt *m*; *pl* nouilles *f pl*.
nook [nuk] *n* (re)coin *m*.
noon [nu:n] *n* midi *m*.
noose [nu:s] *n* nœud coulant *m*.
nor [nɔ:] *ad* ni, et ne pas.
normal ['nɔ:məl] *a* normal, moyen, ordinaire.
Norman ['nɔ:mən] *n* Normand(e) *mf*; *a* normand.

Normandy ['nɔ:məndi] *n* Normandie *f*.
north [nɔ:θ] *an* nord *m*; *a* du nord, septentrional.
northwards ['nɔ:θwədz] *a* vers le nord, au nord.
Norway ['nɔ:wei] *n* Norvège *f*.
nose [nouz] *n* nez *m*, flair *m*; *vt* sentir, flairer; **to — about** fureter; **to — out** éventer, flairer; **—bag** musette *f*; **—dive** descente en piqué *f*; *vi* piquer du nez.
nosegay ['nouzgei] *n* bouquet *m*.
nostril ['nɔstril] *n* narine *f*, naseau *m*.
nostrum ['nɔstrəm] *n* orviétan *m*, panacée *f*.
Nosey Parker ['nouzi'pɑ:kə] *n* fouinard(e) *mf*, fouille-au-pot *m*.
not [nɔt] *ad* ne . . . pas, pas, non.
notable ['noutəbl] *a* notable, éminent, insigne.
notch [nɔtʃ] *n* (en)coche *f*, (*US*) défilé *m*, gorge *f*; *vt* encocher, faire une coche à.
note [nout] *n* note *f*, ton *m*, signe *m*, mot *m*, marque *f*, réputation *f*; *vt* noter.
notebook ['noutbuk] *n* carnet *m*, bloc-notes *m*.
noted ['noutid] *a* connu, remarquable, célèbre (par **for**).
notepaper ['nout,peipə] *n* papier à lettres *m*.
noteworthy ['nout,wə:ði] *a* remarquable.
nothing ['nʌθiŋ] *n pn* rien *m*; *n* zéro *m*, néant *m*; *ad* en rien, nullement.
nothingness ['nʌθiŋnis] *n* néant *m*.
notice ['noutis] *n* avis *m*, informé *m*, avertissement *m*, affiche *f*, annonce *f*, compte *m*, connaissance *f*, congé *m*, notice *f*; *vt* remarquer, prendre garde à, s'apercevoir de apercevoir.
noticeable ['noutisəbl] *a* sensible, perceptible, digne de remarque.
noticeboard ['noutisbɔ:d] *n* panneau *m*, écriteau *m*.
notifiable ['noutifaiəbl] *a* à déclarer.
notification [,noutifi'keiʃən] *n* avis *m*, déclaration *f*, notification *f*.
notify ['noutifai] *vt* avertir, notifier, déclarer.
notion ['nouʃən] *n* notion *f*, idée *f*.
notoriety [,noutə'raiəti] *n* notoriété *f*.
notorious [nou'tɔ:riəs] *a* notoire, malfamé.
notwithstanding [,nɔtwiθ'stændiŋ] *prep* malgré; *ad* néanmoins; *cj* bien que.
nought [nɔ:t] *n* rien *m*, zéro *m*.
noun [naun] *n* nom *m*.
nourish ['nʌriʃ] *vt* nourrir, sustenter, alimenter.
nourishment ['nʌriʃmənt] *n* nourriture *f*.
novel ['nɔvəl] *a* original, étrange, nouveau; *n* roman *m*.
novelist ['nɔvəlist] *n* romancier *m*.
novelty ['nɔvəlti] *n* nouveauté *f*, innovation *f*.
November [nou'vembə] *n* novembre *m*.
novice ['nɔvis] *a* apprenti(e) *m*, débutant(e) *mf*, novice *mf*.
now [nau] *ad* à présent maintenant, tout de suite, dès lors, alors tantôt, or; *cj* maintenant que.
nowadays ['nauədeiz] *ad* de nos jours, aujourd hui.
nowhere ['nouwɛə] *ad* nulle part.
noxious ['nɔkʃəs] *a* nuisible, nocif.
nozzle ['nɔzl] *n* bec *m*, lance *f*, tuyau *m*, buse *f*.
nuclear ['nju:kliə] *a* nucléaire, atomique.
nucleus ['nju:kliəs] *n* noyau *m*.
nude [nju:d] *an* nu *m*.
nudge [nʌdʒ] *n* coup de coude *m*; *vt* pousser du coude.
nudity ['nju:diti] *n* nudité *f*.
nugget ['nʌgit] *n* pépite *f*.
nuisance ['nju:sns] *n* délit *m*, ennui *m*; **to be a —** être gênant assommant.
null [nʌl] *a* nul, nulle.
nullify ['nʌlifai] *vt* annuler, infirmer.
numb [nʌm] *a* engourdi; *vt* engourdir.
number ['nʌmbə] *n* nombre *m*, numéro *m*, chiffre *m*; *vt* compter numéroter.
numberless ['nʌmbəlis] *a* innombrable.
numbness ['nʌmnis] *n* engourdissement *m*.
numerator ['nju:məreitə] *n* numérateur *m*.
numerical [nju(:)'merikəl] *a* numérique.
numerous ['nju:mərəs] *a* nombreux.
nun [nʌn] *n* nonne *f*, religieuse *f*.
nunnery ['nʌnəri] *n* couvent *m*.
nuptial ['nʌpʃəl] *a* nuptial; *pl* noces *f pl*.
nurse [nə:s] *n* infirmière *f*, nurse *f*, nourrice *f*, bonne *f*; *vt* nourrir, élever, soigner, bercer, ménager, entretenir.
nursery ['nə:sri] *n* (*plants*) pépinière *f*, garderie *f*, nursery *f*.
nurseryman ['nə:srimən] *n* pépiniériste *m*.
nursing-home ['nə:siŋhoum] *n* clinique *f*, maison *f* de santé.
nursling ['nə:sliŋ] *n* nourrisson *m*, poupon, -onne.
nurture ['nə:tʃə] *n* éducation *f*, soin *m*, nourriture *f*, soin *m*, nourriture *f*; *vt* nourrir, élever, soigner.
nut [nʌt] *n* noix *f*, écrou *m*, (*fam*) tête *f*, caboche *f*; cinglé *m*; **—-crackers** *n* casse-noix *m*.
nutmeg ['nʌtmeg] *n* muscade *f*.
nutrition [nju(:)'triʃən] *n* nutrition *f*.
nutritious [nju(:)'triʃəs] *a* nourrissant.
nutritive ['nju:tritiv] *a* nutritif.
nutshell ['nʌtʃel] *n* coquille de noix *f*; **in a —** en deux mots.
nut-tree ['nʌttri:] *n* noyer *m*.

nutty ['nʌti] *a* à goût de noisette, toqué.
nuzzle ['nʌzl] *vt* flairer, fouiller, fourrer son nez dans, (contre); *vi* se blottir.
nymph [nimf] *n* nymphe *f*.

O

oak [ouk] *n* chêne *m*.
oakum ['oukəm] *n* étoupe *f*.
oar [ɔː] *n* rame *f*, aviron *m*; *vi* ramer.
oarsman ['ɔːzmən] *n* rameur *m*, nageur *m*.
oasis [ou'eisis] *n* oasis *f*.
oat(s) [outs] *n* avoine *f*; **to sow one's wild —** jeter sa gourme.
oath [ouθ] *n* serment *m*, juron *m*.
oatmeal ['outmiːl] *n* gruau *m*.
obduracy ['ɔbdjurəsi] *n* endurcissement *m*, obstination *f*.
obdurate ['ɔbdjurit] *a* endurci, obstiné.
obedience [ə'biːdjəns] *n* obéissance *f*, obédience *f*.
obedient [ə'biːdjənt] *a* obéissant, docile.
obeisance [ou'beisəns] *n* révérence *f*, hommage *m*.
obelisk ['ɔbilisk] *n* obélisque *m*.
obese [ou'biːs] *a* obèse.
obesity [ou'biːsiti] *n* obésité *f*.
obey [ə'bei] *vi* obéir; *vt* obéir à.
obituary [ə'bitjuəri] *n* notice nécrologique *f*.
object ['ɔbdʒikt] *n* objet *m*, but *m*, complément *m*.
object [əb'dʒekt] *vt* objecter; *vi* **to — to** trouver à redire à, s'opposer à, désapprouver.
objection [əb'dʒekʃən] *n* objection *f*, inconvénient *m*.
objectionable [əb'dʒekʃnəbl] *a* choquant, répugnant, désagréable.
objective [ɔb'dʒektiv] *an* objectif *m*; *n* but *m*.
objectivity [ˌɔbdʒek'tiviti] *n* objectivité *f*.
obligation [ˌɔbli'geiʃən] *n* obligation *f*, engagement *m*.
obligatory [ɔ'bligətəri] *a* obligatoire, de rigueur.
oblige [ə'blaidʒ] *vt* obliger, rendre service à.
obliging [ə'blaidʒiŋ] *a* obligeant, serviable.
oblique [ə'bliːk] *a* oblique.
obliterate [ə'blitəreit] *vt* effacer, oblitérer.
oblivion [ə'bliviən] *n* oubli *m*.
oblivious [ə'bliviəs] *a* oublieux.
oblong ['ɔblɔŋ] *a* oblong.
obloquy ['ɔbləkwi] *n* blâme *m*, opprobre *m*.
obnoxious [əb'nɔkʃəs] *a* offensant, déplaisant, odieux.
oboe ['oubou] *n* hautbois *m*.
obscene [ɔb'siːn] *a* impur, immonde, obscène.
obscenity [ɔb'seniti] *n* obscénité *f*, impieté *f*.
obscure [əb'skjuə] *a* obscur; *vt* obscurcir, éclipser, cacher.
obscurity [əb'skjuəriti] *n* obscurité *f*.
obsequies ['ɔbsikwiz] *n* obsèques *f pl*.
obsequious [əb'siːkwiəs] *a* obséquieux.
obsequiousness [əb'siːkwiəsnis] *n* obséquiosité *f*.
observable [əb'zəːvəbl] *a* observable.
observance [əb'zəːvəns] *n* observation *f*, observance *f*.
observant [əb'zəːvənt] *a* observateur.
observation [ˌɔbzə'veiʃən] *n* observation *f*.
observatory [əb'zəːvətri] *n* observatoire *m*.
observe [əb'zəːv] *vt* observer, faire remarquer.
obsess [əb'ses] *vt* obséder.
obsession [əb'seʃən] *n* obsession *f*, hantise *f*.
obsolete ['ɔbsəliːt] *a* désuet, hors d'usage.
obstacle ['ɔbstəkl] *n* obstacle *m*.
obstinacy ['ɔbstənəsi] *n* obstination *f*.
obstinate ['ɔbstinit] *a* obstiné, têtu, acharné.
obstinately ['ɔbstinitli] *ad* obstinément.
obstreperous [əb'strepərəs] *a* bruyant, turbulent.
obstreperousness [əb'strepərisnis] *n* rouspétance *f*.
obstruct [əb'strʌkt] *vt* obstruer, boucher, entraver, encombrer.
obstruction [əb'strʌkʃən] *a* obstruction *f*, encombrement *m*, obstacle *m*.
obtain [əb'tein] *vt* se procurer, obtenir; *vi* prévaloir, régner.
obtainable [əb'teinəbl] *a* qui peut s'obtenir, procurable.
obtrude [əb'truːd] *vti* (s')imposer, (se) mettre en avant.
obtrusion [əb'truːʒən] *n* ingérence *f*, intrusion *f*.
obtrusive [əb'truːsiv] *a* importun, indiscret.
obtuse [əb'tjuːs] *a* émoussé, obtus.
obtuseness [əb'tjuːsnis] *n* stupidité *f*.
obviate ['ɔbvieit] *vt* parer à, prévenir.
obvious ['ɔbviəs] *a* évident, manifeste, indiqué.
occasion [ə'keiʒən] *n* cause *f*, occasion *f*, sujet *m*, affaires *f pl*; *vt* occasionner.
occasional [ə'keiʒənl] *a* de circonstance, occasionnel; **— hand** extra *m*; épars.
occasionally [ə'keiʒənəli] *ad* à l'occasion, de temps en temps.
occident ['ɔksidənt] *n* occident *m*.
occult [ɔ'kʌlt] *a* occulte.
occultism ['ɔkəltizəm] *n* occultisme *m*

occupant ['ɔkjupənt] *n* occupant(e) *mf*, habitant(e) *mf*, locataire *mf*.
occupation [ˌɔkju'peiʃən] *n* métier *m*, occupation *f*.
occupy ['ɔkjupai] *vt* occuper, habiter, tenir.
occur [ə'kəː] *vi* arriver, se produire, venir à l'esprit.
occurrence [ə'kʌrəns] *n* occurrence *f*, événement *m*.
ocean ['ouʃən] *n* océan *m*.
October [ɔk'toubə] *n* octobre *m*.
octopus ['ɔktəpəs] *n* pieuvre *f*.
ocular ['ɔkjulə] *a* oculaire.
oculist ['ɔkjulist] *n* oculiste *mf*.
odd [ɔd] *a* impair, de plus, de reste, dépareillé, curieux, bizarre.
oddity ['ɔditi] *n* bizarrerie *f*, curiosité *f*, excentricité *f*.
oddments ['ɔdmənts] *n pl* fins de série *f pl*, articles soldés *m pl*, fonds de boutique *m pl*.
odds [ɔdz] *n* inégalité *f*, avantage *m*, chances *f pl*; — **and ends** pièces et morceaux.
odious ['oudiəs] *a* odieux.
odorous ['oudərəs] *a* odorant.
odour ['oudə] *n* odeur *f*.
odourless ['oudəlis] *a* inodore, sans odeur.
of [ɔv] *prep* de, d'entre, depuis, par, à, en.
off [ɔf] *prep* de, sur, sans, de dessus, au large de, à la hauteur de; *a* éloigné, extérieur, de liberté; *ad* coupé, fermé, libre, parti, éloigné; **I'm** — je m'en vais; **day** — jour de congé.
offal ['ɔfəl] *n* abats *m pl*, rebut *m*.
offence [ə'fens] *n* contravention *f*, délit *m*, offense *f*.
offend [ə'fend] *vt* offenser, enfreindre, blesser.
offender [ə'fendə] *n* délinquant(e) *mf*, coupable *mf*.
offensive [ə'fensiv] *n* offensive *f*; *a* offensant, répugnant, offensif.
offer ['ɔfə] *n* offre *f*; *vt* offrir; *vi* s'offrir, se présenter.
offering ['ɔfəriŋ] *n* offrande *f*.
offertory ['ɔfətəri] *n* quête *f*.
offhand ['ɔf'hænd] *a* improvisé, désinvolte.
offhandedly ['ɔf'hændidli] *ad* de haut, avec désinvolture.
office ['ɔfis] *n* poste *m*, bureau *m*, office *m*; **good** —s bons offices *m pl*.
officer ['ɔfisə] *n* officier *m*.
official [ə'fiʃəl] *a* officiel, réglementaire; *n* employé *m*, fonctionnaire *m*.
officialdom [ə'fiʃəldəm] *n* monde officiel *m*, bureaucratie *f*.
officiate [ə'fiʃieit] *vi* officier, remplir les fonctions (de **as**).
officious [ə'fiʃəs] *a* trop zélé, officieux.
officiousness [ə'fiʃəsnis] *n* excès de zèle *m*.
offing ['ɔfiŋ] *n* (*sea*) large *m*, perspective *f*.
off-peak ['ɔfpiːk] *a* — **hours** heures creuses *f pl*; — **tariff** tarif de nuit *m*.
off-season ['ɔf'siːzn] *n* morte saison *f*.
offset ['ɔfset] *n* œilleton *m*, rejeton *m*, éperon *m*, compensation *f*, repoussoir *m*.
offshoot ['ɔfʃuːt] *n* rejeton *m*.
offshore ['ɔfʃɔː] *ad a* de terre, éloigné de la côte.
offside ['ɔf'said] *a* hors jeu.
offspring ['ɔfspriŋ] *n* rejeton *m*, résultat *m*.
often ['ɔfn] *ad* souvent; — **and** — à mainte reprise.
ogle ['ougl] *n* œillade *f*; *vt* lorgner, faire de l'œil à.
oil [ɔil] *n* huile *f*, pétrole *m*; **crude** — mazout *m*; *vt* huiler, graisser; *vi* faire son plein de mazout; —**-can** *n* burette *f*; —**-painting** *n* peinture à l'huile; **coconut** — huile *f* de copra.
oilcake ['ɔilkeik] *n* tourteau *m*.
oilcloth ['ɔilklɔθ] *n* toile cirée *f*.
oiliness ['ɔilinis] *n* onctuosité *f*, état graisseux *m*.
oilskin ['ɔilskin] *n* ciré *m*.
oil-tanker ['ɔiltæŋkə] *n* pétrolier *m*.
oil-well ['ɔilwel] *n* puits pétrolifère *m*.
oily ['ɔili] *a* huileux, onctueux.
ointment ['ɔintmənt] *n* onguent *m*, pommade *f*.
old [ould] *a* vieux, vieil, vieille, ancien, âgé; **to grow** — vieillir; — **age** vieillesse *f*; —**-timer** (*US*) *n* vieillard *m*.
old-fashioned ['ould'fæʃənd] *a* démodé, suranné.
oldish ['ouldiʃ] *a* vieillot.
olive ['ɔliv] *n* olive *f*; *a* d'olive; — **tree** olivier *m*.
omen ['oumen] *n* présage *m*, augure *m*.
ominous ['ɔminəs] *a* menaçant, de mauvais augure.
omission [ou'miʃən] *n* omission *f*, oubli *m*.
omit [ou'mit] *vt* omettre, oublier.
omnifarious [ˌɔmni'fɛəriəs] *a* de toute espèce.
omnipotence [ɔm'nipətəns] *n* toute-puissance *f*.
omnivorous [ɔm'nivərəs] *a* omnivore.
on [ɔn] *prep* sur, à, lors de, en, sous, par, contre; *ad* en cours, en avant! mis, passé, allumé, ouvert.
once [wʌns] *ad* une fois; **at** — immédiatement, à la fois; —**-over** *n* (*US*) un coup d'œil scrutateur.
one [wʌn] *a* un, un seul; *pn* on.
one-eyed ['wʌn'aid] *a* borgne.
one's [wʌnz] *a* son, sa, ses.
oneself [wʌn'self] *pn* soi-même.
one-sided ['wʌn'saidid] *a* unilatéral, borné.
one-way ['wʌn'wei] *n* sens unique *m*; *a* à sens unique.
onerous ['ounərəs] *a* onéreux.

onion ['ʌnjən] *n* oignon *m*.
only ['ounli] *a* unique, seul; *ad* seulement; *cj* sauf que, mais.
onset ['ɔnset] *n* attaque *f*, assaut *m*, départ *m*, début *m*.
onslaught ['ɔnslɔːt] *see* **onset.**
onus ['ounəs] *n* poids *m*, charge *f*, respònsabilité *f*.
onward ['ɔnwəd] *a* progressif, avancé, avançant; *ad* en avant, dorénavant.
ooze [uːz] *n* boue *f*, limon *m*, suintement *m*; *vi* suinter, dégoutter.
opal ['oupəl] *n* opale *f*; *a* opalin.
opaque [ou'peik] *a* opaque.
opaqueness [ou'peiknis] *n* opacité *f*.
open ['oupən] *a* ouvert, public, exposé, franc, débouché, libre; **in the — (air)** en plein air, au grand air; *vt* ouvrir, entamer, déboucher, percer, engager; *vi* s'ouvrir, débuter, commencer, s'épanouir.
opening ['oupəniŋ] *n* ouverture *f*, début *m*, débouché *m*, inauguration *f*.
opera ['ɔpərə] *n* opéra *m*.
operate ['ɔpəreit] *vti* opérer; *vt* accomplir, actionner, faire marcher; *vi* fonctionner, agir; (*US*) gérer, exploiter.
operation [ˌɔpə'reiʃən] *n* opération *f*, action *f*, fonctionnement *m*.
operative ['ɔpərətiv] *n* ouvrier, -ière; *a* efficace, actif, opératif, en vigueur.
opinion [ə'pinjən] *n* opinion *f*, avis *m*.
opinionated [ə'pinjəneitəd] *a* obstiné, entier.
opium ['oupjəm] *n* opium *m*.
opponent [ə'pounənt] *n* adversaire *m*, antagoniste *mf*.
opportune ['ɔpətjuːn] *a* opportun.
opportunely ['ɔpətjuːnli] *ad* à propos, en temps opportun.
opportunism ['ɔpətjuːnizəm] *n* opportunisme *m*.
opportunity [ˌɔpə'tjuːniti] *n* occasion *f*, chance *f*.
oppose [ə'pouz] *vt* s'opposer à, opposer.
opposite ['ɔpəzit] *a* opposé, correspondant; *prep* face à, en face de; *ad* en face, en regard; *n* contraire *m*, contre-pied *m*.
opposition [ˌɔpə'ziʃən] *n* opposition *f*, concurrence *f*.
oppress [ə'pres] *vt* opprimer.
oppression [ə'preʃən] *a* oppression *f*.
oppressive [ə'presiv] *a* oppressif, lourd.
oppressor [ə'presə] *n* oppresseur *m*.
opprobrious [ə'proubriəs] *a* déshonorant, injurieux.
opprobrium [ə'proubriəm] *n* opprobre *m*.
opt [ɔpt] *vi* opter; **— out** s'esquiver.
optic ['ɔptik] *a* optique.
optician [ɔp'tiʃən] *n* opticien *m*
optics ['ɔptiks] *n* optique *f*.
optimism ['ɔptimizəm] *n* optimisme *m*.
optimistic [ˌɔpti'mistik] *a* optimiste.
option ['ɔpʃən] *n* option *f*, choix *m*.
optional ['ɔpʃənl] *a* facultatif.
opulence ['ɔpjuləns] *n* opulence *f*.
opulent ['ɔpjulənt] *a* opulent.
or [ɔː] *cj* ou, sinon.
oracle ['ɔrəkl] *n* oracle *m*.
oracular [ɔ'rækjulə] *a* oraculaire, obscur.
oral ['ɔːrəl] *a* oral.
orange ['ɔrindʒ] *n* orange *f*.
oration [ɔː'reiʃən] *n* discours *m*, harangue *f*.
orator ['ɔrətə] *n* orateur *m*.
oratorical [ˌɔrə'tɔrikəl] *a* oratoire, ampoulé, disert.
orb [ɔːb] *n* orbe *m*, globe *m*, sphère *f*.
orbit ['ɔːbit] *n* orbite *f*.
orchard ['ɔːtʃəd] *n* verger *m*.
orchestra ['ɔːkistrə] *n* orchestre *m*.
orchestrate ['ɔːkistreit] *vt* orchestrer.
orchid ['ɔːkid] *n* orchidée *f*.
ordain [ɔː'dein] *vt* ordonner, conférer les ordres à.
ordeal [ɔː'diːl] *n* épreuve *f*.
order ['ɔːdə] *n* ordre *m*; **to —** sur commande; **out of —** détraqué, déplacé, irrégulier; **in — to** afin de; *vt* commander, ordonner.
orderliness ['ɔːdəlinis] *n* (esprit *m* d') ordre *m*.
orderly ['ɔːdəli] *n* infirmier militaire *m*, planton *m*; *a* en ordre, rangé, discipinlé.
ordinary ['ɔːdnri] *a* ordinaire, typique, normal.
ordnance ['ɔːdnəns] *n* artillerie *f*, intendance *f*.
ore [ɔː] *n* mineral *m*.
organ ['ɔːgən] *n* organe *m*, orgue *m*.
organic [ɔː'gænik] *a* organique.
organism ['ɔːgənizəm] *n* organisme *m*.
organist ['ɔːgənist] *n* organiste *mf*.
organization [ˌɔːgənai'zeiʃən] *n* organisation *f*, organisme *m*.
organize ['ɔːgənaiz] *vt* organiser, arranger.
organizer ['ɔːgənaizə] *n* organisateur, -trice.
orient ['ɔːriənt] *n* orient *m*.
oriental [ˌɔːri'entl] *a* oriental, d'orient.
orientation [ˌɔːrien'teiʃən] *n* orientation *f*.
orifice ['ɔrifis] *n* orifice *m*, ouverture *f*.
origin ['ɔridʒin] *n* origine *f*.
original [ə'ridʒənl] *an* original *m*; *a* originel.
originality [əˌridʒi'næliti] *n* originalité *f*.
originate [ə'ridʒineit] *vt* donner naissance à; *vt* descendre, provenir, naître.
originator [ə'ridʒineitə] *n* auteur *m*, source *f*.
ornament ['ɔːnəmənt] *n* ornement *m*.
ornament [ɔːnə'ment] *vt* orner, agrémenter.

ornamental [ˌɔːnəˈmentl] *a* ornemental, décoratif.
ornamentation [ˌɔːnəmenˈteiʃən] *n* ornementation *f*, décoration *f*.
orphan [ˈɔːfən] *n* orphelin(e) *mf*.
orphanage [ˈɔːfənidʒ] *n* orphelinat *m*.
orthodox [ˈɔːθədɔks] *a* orthodoxe.
orthodoxy [ˈɔːθədɔksi] *n* orthodoxie *f*.
orthography [ɔːˈθɔgrəfi] *n* orthographe *f*.
oscillate [ˈɔsileit] *vi* osciller.
osier [ˈouʒə] *n* osier *m*.
ostensible [ɔsˈtensəbl] *a* soi-disant, prétendu.
ostentation [ˌɔstenˈteiʃən] *n* ostentation *f*, faste *m*.
ostentatious [ˌɔstenˈteiʃəs] *a* fastueux.
ostler [ˈɔslə] *n* garçon d'écurie *m*.
ostracize [ˈɔstrəsaiz] *vt* ostraciser, mettre au ban.
ostrich [ˈɔstritʃ] *n* autruche *f*.
other [ˈʌðə] *an pn* autre; *pl* d'autres, les autres.
otherwise [ˈʌðəwaiz] *ad* autrement, sans quoi.
otter [ˈɔtə] *n* loutre *f*.
ought [ɔːt] *v aux* devoir.
ounce [auns] *n* once *f*.
our [ˈauə] *a* notre, nos; **—self, (selves)** *pn* nous-même(s), nous.
ours [ˈauəz] *pn* le, la, les nôtre(s), à nous, nôtre.
oust [aust] *vt* jeter dehors, évincer, supplanter.
out [aut] *ad* dehors, au dehors, au large, sur pied, en grève; *a* épuisé, à bout, sorti, éteint, éclos; **— of** *prep* hors de, à l'abri de, dans, à, par, d'entre, parmi.
outbid [autˈbid] *vt* (r)enchérir sur.
outboard [ˈautbɔːd] *an* hors bord *m*.
outbreak [ˈautbreik] *n* explosion *f*, éruption *f*, émeute *f*, accès *m*.
outbuilding [ˈautbildiŋ] *n* dépendance *f*, annexe *f*.
outburst [ˈautbəːst] *n* explosion *f*, éclat *m*, élan *m*.
outcast [ˈautkɑːst] *n* paria *m*, proscrit(e) *mf*, exilé(e) *mf*.
outclass [autˈklɑːs] *vt* surclasser, surpasser.
outcome [ˈautkʌm] *n* résultat *m*, issue *f*.
outcrop [ˈautkrɔp] *n* affleurement *m*.
outcry [ˈautkrai] *n* clameur *f*, tollé *m*.
outdo [autˈduː] *vt* surpasser.
outer [ˈautə] *a* plus éloigné, extérieur, externe.
outfall [ˈautfɔːl] *n* embouchure *f*.
outfit [ˈautfit] *n* équipement *m*, trousseau *m*, trousse *f*, attirail *m*, (*US*) équipe *f* d'ouvriers.
outflank [ˈautˈflæŋk] *vt* déborder, circonvenir.
outflow [ˈautflou] *n* écoulement *m*, décharge *f*; *vi* provenir.
outgrow [autˈgrou] *vt* dépasser, devenir trop grand pour, faire craquer.
outhouse [ˈauthaus] *n* dépendance *f*.
outing [ˈautiŋ] *n* sortie *f* excursion *f*.
outlandish [autˈlændiʃ] *a* étranger, étrange, barbare, écarté, reculé.
outlaw [ˈautlɔː] *n* hors-la-loi *m*, proscrit(e) *mf*; *vt* proscrire.
outlay [ˈautlei] *n* dépenses *f pl*, frais *m pl*.
outlet [ˈautlet] *n* issue *f*, débouché *m*, départ *m*.
outline [ˈautlain] *n* contour *m*, esquisse *f*, silhouette *f*; *vt* esquisser, silhouetter.
outlive [autˈliv] *vt* survivre à.
outlook [ˈautluk] *n* (point *m* de) vue *f*, perspective *f*, philosophie *f*, aguets *m pl*.
outlying [ˈautˌlaiiŋ] *a* éloigné, excentrique.
outmatch [ˈautmætʃ] *vt* (*US*) surpasser en finesse.
outpost [ˈautpoust] *n* avant poste *m*.
outpouring [ˈautˌpɔːriŋ] effusion *f*, débordement *m*.
output [ˈautput] *n* production *f*, rendement *m*.
outrage [ˈautreidʒ] *n* outrage *m*; *vt* outrager, violenter.
outrageous [autˈreidʒəs] *a* outrageux, outrageant, excessif, indigne.
outrageously [autˈreidʒəsli] *ad* outre mesure, immodérément.
outright [ˈautrait] *a* net, direct; *ad* du (sur le) coup, complètement; *a* franc.
outset [ˈautset] *n* début *m*.
outshine [autˈʃain] *vt* éclipser, dépasser.
outside [ˈautˈsaid] *n* dehors *m*, impériale *f*, extérieur *m*, maximum *m*; *a* extérieur, du dehors; *ad* (en) dehors, à l'extérieur; *prep* hors de, en (au) dehors de.
outsider [ˈautˈsaidə] *n* étranger, -ère, intrus(e) *mf*, outsider *m*.
outskirts [ˈautskəːts] *n* lisière *f*, banlieue *f*, faubourgs *m pl*.
outspoken [autˈspoukən] *a* franc, brutal, rond, entier.
outstanding [autˈstændiŋ] *a* éminent, marquant en suspens, à recouvrer.
outstretch [autˈstretʃ] *vt* (é)tendre, déployer.
outstrip [autˈstrip] *vt* dé-,surpasser, distancer.
outward [ˈautwəd] *a* extérieur, de dehors, externe; *ad* pour l'étranger, vers le dehors.
outwards [ˈautwədz] *ad see* **outward.**
outwit [autˈwit] *vt* déjouer, rouler, dépister.
outworn [autˈwɔːn] *a* usé jusqu'à la corde, désuet.
oval [ˈouvəl] *an* ovale *m*.
ovary [ˈouvəri] *n* ovaire *m*.
ovation [ouˈveiʃən] *n* ovation *f*.

oven ['ʌvn] *n* four *m*.
over ['ouvə] *prep* sur, contre, par dessus, au dessus de, plus de; *ad* au dessus, et plus, au delà, de trop, à l'excès.
overall ['ouvərɔ:l] *n* salopette *f*, combinaison *f*, bleu *m* de travail, blouse *f*; *a* général.
overawe [,ouvər'ɔ:] *vt* en imposer à, intimider.
overbalance [,ouvə'bæləns] *vi* perdre l'équilibre; *vt* renverser.
overbearing [,ouvə'bɛəriŋ] *a* arrogant, autoritaire.
overboard ['ouvəbɔ:d] *ad* par dessus bord, à la mer.
overcast ['ouvəkɑ:st] *a* couvert, assombri.
overcharge ['ouvə'tʃɑ:dʒ] *n* majoration *f*, prix excessif *m*, surcharge *f*; *vt* surfaire, faire payer trop cher à, surcharger.
overcoat ['ouvəkout] *n* pardessus *m*.
overcome [,ouvə'kʌm] *vt* surmonter, dominer, venir à bout de, triompher de, vaincre, accabler.
overdo [,ouvə'du:] *vt* exagérer, outrer, trop cuire.
overdose ['ouvədous] *n* dose excessive *f*.
overdraft ['ouvədrɑ:ft] *n* dépassement de crédit *m*, découvert *m*.
overdraw ['ouvə'drɔ:] *vt* tirer à découvert, charger.
overdrive ['ouvə'draiv] *n* vitesse surmultipliée *f*.
overdue ['ouvə'dju:] *a* en retard, périmé, échu.
overestimate ['ouvər'estimeit] *vt* surestimer.
overflow ['ouvəflou] *n* trop plein *m*, déversoir *m*; [ouvə'flou] *vi* déborder; *vt* inonder.
overflowing [,ouvə'flouiŋ] *n* débordement *m*, inondation *f*; *a* débordant.
overgrow ['ouvə'grou] *vt* envahir; *vi* trop grandir.
overhang ['ouvə'hæŋ] *vt* surplomber.
overhaul ['ouvəhɔ:l] *vt* réviser, remettre en état, rattraper; *n* remise en état *f*, révision *f*, examen détaillé *m*.
overhead ['ouvəhed] *a ad* aérien; *n pl* frais généraux *m pl*.
overhear [,ouvə'hiə] *vt* surprendre.
overheat ['ouvə'hi:t] *vt* surchauffer.
overjoyed [,ouvə'dʒɔid] *a* transporté de joie, enchanté.
overland ['ouvəlænd] *a ad* par voie de terre.
overlap ['ouvəlæp] *vt* chevaucher; *vi* se chevaucher.
overleaf ['ouvə'li:f] *ad* au revers, au verso.
overlook [,ouvə'luk] *vt* avoir vue sur, dominer, oublier, laisser passer, négliger, surveiller.
overmuch ['ouvə'mʌtʃ] *ad* par trop, excessif.
overpass ['ouvəpɑ:s] *n* enjambement *m*.
overpopulated ['ouvə'pɔpjuleitid] *a* surpeuplé.
overpower [,ouvə'pauə] *vt* terrasser subjuger, maîtriser, accabler.
overpowering [,ouvə'pauəriŋ] *a* irrésistible, accablant.
overproduction ['ouvəprə'dʌkʃən] *n* surproduction *f*.
overrate ['ouvə'reit] *vt* surfaire surtaxer, présumer de.
overreach [,ouvə'ri:tʃ] *vt* duper, dépasser; **to — oneself** se surmener, se donner un effort.
overripe ['ouvə'raip] *a* trop mûr, trop fait, blet.
overrule [,ouvə'ru:l] *vt* annuler par autorité supérieure, casser, passer outre à.
overrun [,ouvə'rʌn] *vt* envahir, infester, excéder, dépasser, surmener.
oversea(s) ['ouvə'si:(z)] *a* d'outre-mer; *ad* outre-mer.
oversee ['ouvə'si:] *vt* surveiller.
overseer ['ouvəsiə] *n* surveillant(e) *mf*, contremaître, -tresse.
overshadow [,ouvə'ʃædou] *vt* ombrager, éclipser.
overshoes ['ouvəʃu:z] *n pl* caoutchoucs *m pl*.
overshoot ['ouvə'ʃu:t] *vi* tirer trop loin; *vt* dépasser.
oversight ['ouvəsait] *n* inadvertance *f*, oubli *m*.
overspill ['ouvəspil] *n* déversement *m* de population.
overstate ['ouvə'steit] *vt* exagérer.
overstatement ['ouvə'steitmənt] *n* exagération *f*.
overstep ['ouvə'step] *vt* outrepasser, dépasser.
overstrain ['ouvəstrein] *vt* tendre à l'excès, surmener.
overstrung ['ouvə'strʌŋ] *a* hypertendu.
overt ['ouvə:t] *a* public, évident.
overtake [,ouvə'teik] *vt* dépasser, doubler, rattraper, surprendre.
overthrow [,ouvə'θrou] *vt* renverser, mettre à bas.
overtime ['ouvətaim] *n* heures supplémentaires *f pl*; *ad* au delà du temps normal.
overtly ['ouvə:tli] *ad* au grand jour
overture ['ouvətjuə] *n* ouverture *f*.
overturn ['ouvətə:n] *vt* tourner sens dessus dessous, renverser; *vi* verser chavirer, se renverser, capoter.
overvaluation ['ouvə,vælju'eiʃən] *n* surestimation *f*.
overvalue ['ouvə'vælju:] *vt* surestimer.
overweening [,ouvə'wi:niŋ] *a* présomptueux.
overweight ['ouvə'weit] *n* excédent *m*, prépondérance *f*.
overwhelm [,ouvə'welm] *vt* accabler écraser, combler.

overwork ['ouvə'wəːk] *n* surmenage *m*.
overwork ['ouvə'wəːk] *vt* surmener; *vi* se surmener.
overwrought ['ouvə'rɔːt] *a* surmené, surexcité.
owe [ou] *vt* devoir.
owing ['ouiŋ] *a* dû; — **to** grâce à.
owl [aul] *n* hibou *m*, chouette *f*.
owlish ['auliʃ] *a* solennel, prétentieux, de hibou.
own [oun] *a* propre, à moi *etc*; *vt* posséder, admettre, reconnaître, avouer.
ownership ['ounəʃip] *n* propriété *f*, possession *f*.
ox [ɔks] (*pl* **oxen**) *n* bœuf *m*.
oxide ['ɔksaid] *n* oxyde *m*.
oxidize ['ɔksidaiz] *vt* oxyder; *vi* s'oxyder.
oxygen ['ɔksidʒən] *n* oxygène *m*.
oxygenate [ɔk'sidʒineit] *vt* oxygéner.
oyster ['ɔistə] *n* huître *f*; — **bed** banc d'huîtres *m*.

P

pace [peis] *n* pas *m*, allure *f*, vitesse *f*; *vt* arpenter, mesurer au pas, entraîner; *vi* marcher (à pas mesurés).
pacific [pə'sifik] *a* pacifique, paisible; *n* Pacifique *m*.
pacification [,pæsifi'keiʃən] *n* pacification *f*.
pacifier ['pæsifaiə] *n* pacificateur, -trice.
pacifism ['pæsifizəm] *n* pacifisme *m*.
pacifist ['pæsifist] *n* pacifiste *mf*.
pacify ['pæsifai] *vt* pacifier, apaiser.
pack [pæk] *n* paquet *m*, ballot *m*, jeu *m* (de cartes), bande *f*, meute *f*; —**-ice** banquise *f*; *vt* empaqueter, emballer, envelopper, entasser, bourrer; *vi* se presser, s'attrouper, se tasser, faire ses malles.
package ['pækidʒ] *n* empaquetage *m*, paquet *m*; — **tour** voyage organisé *m*.
packer ['pækə] *n* emballeur *m*.
packet ['pækit] *n* paquet *m*, colis *m*, paquebot *m*.
packing ['pækiŋ] *n* emballage *m*, tassement *m*.
pact [pækt] *n* pacte *m*.
pad [pæd] *n* bourrelet *m*, tampon *m*, coussin *m*, sous-main *m*, (*paper*) bloc *m*, (*fam*) pieu *m*; *vt* rembourrer, capitonner, garnir.
padding ['pædiŋ] *n* rembourrage *m*, capitonnage *m*, remplissage *m*.
paddle ['pædl] *n* pagaie *f*, palette *f*, aube *f*; *vti* pagayer; *vi* patauger, barboter, faire trempette.
paddock ['pædək] *n* pré *m*, paddock *m*, pesage *m*.
padlock ['pædlɔk] *n* cadenas *m*; *vt* cadenasser.
pagan ['peigən] *an* païen, -ïenne.
paganism ['peigənizəm] *n* paganisme *m*.
page [peidʒ] *n* page *f*, (*boy*) page *m*, chasseur *m*, groom *m*; *vt* paginer.
pageant ['pædʒənt] *n* cortège *m*, cavalcade *f*, fête *f*, spectacle *m*.
pail(ful) ['peil(ful)] *n* seau *m*.
pain [pein] *n* peine *f*, douleur *f*; *vt* faire mal à, faire de la peine à.
painful ['peinful] *a* douloureux, pénible.
pain-killer ['peinkilə] *n* calmant *m*, anodin *m*.
painless ['peinlis] *a* indolore, sans douleur.
painstaking ['peinz,teikiŋ] *a* laborieux, assidu, soigné.
paint [peint] *n* peinture *f*; *vti* peindre; *vi* faire de la peinture.
painter ['peintə] *n* peintre *m*, peintre décorateur *m*.
pair [pεə] *n* paire *f*, couple *mf*; *vt* accoupler, apparier, assortir.
pal [pæl] *n* copain *m*, copine *f*.
palace ['pælis] *n* palais *m*.
palatable ['pælətəbl] *a* délectable, agréable.
palate ['pælit] *n* palais *m*.
palaver [pə'lɑːvə] *n* palabre *f*; *vi* palabrer.
pale [peil] *n* pieu *m*, pal *m*; *a* pâle; *vi* pâlir.
palette ['pælit] *n* palette *f*.
paling ['peiliŋ] *n* palissade *f*, clôture *f*.
palish ['peiliʃ] *a* pâlot.
pall [pɔːl] *n* drap mortuaire *m*, voile *m*; *vi* s'affadir, se blaser.
pallbearer ['pɔːl,bεərə] *n* qui tient un cordon du poêle.
pallet ['pælit] *n* paillasse *f*.
palliate ['pælieit] *vt* pallier, atténuer.
palliative ['pæliətiv] *an* palliatif *m*.
pallid ['pælid] *a* blême, pâle.
palm [pɑːm] *n* paume *f*, palmier *m*, palme *f*, rameau *m*; **P— Sunday** dimanche des Rameaux; —**-nut** noix *f* de palme; — **wine** vin *n* de palme; *vt* escamoter; **to — off** repasser, refiler.
palmist ['pɑːmist] *n* chiromancien, -ienne.
palmistry ['pɑːmistri] *n* chiromancie *f*.
palmy ['pɑːmi] *a* triomphant, beau, heureux.
palpable ['pælpəbl] *a* palpable, évident.
palpitate ['pælpiteit] *vi* palpiter.
palsy ['pɔːlzi] *n* paralysie *f*.
paltry ['pɔːltri] *a* mesquin, pauvre, malheureux.
pamper ['pæmpə] *vt* dorloter, gâter.
pamphlet ['pæmflit] *n* brochure *f*, opuscule *m*.
pamphleteer [,pæmfli'tiə] *n* publiciste *m*, auteur *m* de brochures.
pan [pæn] *n* casserole *f*, sauteuse *f*, poêle *f*, bac *m*; **to — out** se passer, s'arranger.

panacea [,pænə'siə] *n* panacée *f.*
pancake ['pænkeik] *n* crêpe *f.*
pandemonium [,pændi'mouniəm] *n* charivari *m*, tapage infernal *m.*
pander ['pændə] **to — to** se prêter à, encourager.
pane [pein] *n* carreau *m*, vitre *f.*
panel ['pænl] *n* tableau *m* panneau *m*, lambris *m*, jury *m*; *vt* lambrisser, plaquer.
panelling ['pænliŋ] *n* lambrissage *m.*
pang [pæŋ] *n* serrement de cœur *m*, douleur *f*; **—s of death** affres de la mort *f pl.*
panic ['pænik] *an* panique *f*; *vi* s'affoler; **—monger** *n* fauteur *m* de panique, paniquard *m.*
panicky ['pæniki] *a* alarmiste, qui s'affole pour rien.
panoply ['pænəpli] *n* panoplie *f.*
pansy ['pænzi] *n* pensée *f.*
pant [pænt] *vi* haleter, panteler, aspirer (à **after**).
panties ['pæntiz] *n pl* slip *m*, culotte *f.*
pantheism ['pænθiizəm] *n* panthéisme *m.*
panther ['pænθə] *n* panthère *f.*
pantry ['pæntri] *n* office *m*, garde-manger *m.*
pants [pænts] *n* caleçon *m*, (*US*) pantalon *m.*
pap [pæp] *n* tétin *m*, mamelon *m*, bouillie *f.*
papacy ['peipəsi] *n* papauté *f.*
paper ['peipə] *n* papier *m*, journal *m*, article *m*, essai *m*, épreuve *f*, copie *f*; *vt* tapisser; **—hanger** *n* colleur de papier *m*; **—knife** *n* coupe-papier *m*; **—weight** *n* presse-papier *m*; **—clip** *n* trombone *m*; pince *f.*
papermill ['peipəmil] *n* papeterie *f.*
papist ['peipist] *n* papiste *mf.*
par [pɑ:] *n* égalité *f*, pair *m*, moyenne *f.*
parable ['pærəbl] *n* parabole *f.*
parachute ['pærəʃu:t] *n* parachute *m.*
parachutist ['pærəʃu:tist] *n* parachutiste *mf.*
parade [pə'reid] *n* parade *f*, revue *f*, défilé *m*; *vt* faire étalage de, faire défiler, passer en revue; *vi* défiler, parader.
paradise ['pærədais] *n* paradis *m.*
paradox ['pærədɔks] *n* paradoxe *m.*
paradoxical [,pærə'dɔksikəl] *a* paradoxal.
paraffin ['pærəfin] *n* paraffine *f*, pétrole *m.*
paragon ['pærəgən] *n* parangon *m.*
paragraph ['pærəgrɑ:f] *n* paragraphe *m*, alinéa *m*, entrefilet *m.*
parakeet ['pærəki:t] *n* perruche *f.*
parallel ['pærəlel] *a* parallèle, pareil; *n* parallèle *mf*; *vt* mettre en parallèle, comparer.
paralyse ['pærəlaiz] *vt* paralyser.
paralysis [pə'rælisis] *n* paralysie *f.*
paramount ['pærəmaunt] *a* suprême.
parapet ['pærəpit] *n* parapet *m*, garde-fou *m.*
paraphernalia [,pærəfə'neiljə] *n* attirail *m*, boutique *f*, bataclan *m*, affaires *f pl.*
paraphrase ['pærəfreiz] *n* paraphrase *f*; *vt* paraphraser.
parasite ['pærəsait] *n* parasite *m*, pique-assiette *m.*
paratrooper ['pærətru:pə] *n* parachutiste *m.*
parasol ['pærəsɔl] *n* parasol *m*, ombrelle *f.*
parcel ['pɑ:sl] *n* paquet *m*, colis *m*, parcelle *f*, bande *f*; *vt* morceler, emballer.
parch [pɑ:tʃ] *vt* rôtir, (des)sécher, griller.
parchment ['pɑ:tʃmənt] *n* parchemin *m.*
parde [pɑ:d] *n* (*US*) libération *f* conditionnelle.
pardon ['pɑ:dn] *n* pardon *m*; *vt* pardonner.
pardonable ['pɑ:dnəbl] *a* pardonnable, excusable.
pare [pɛə] *vt* peler, rogner, tailler.
parent ['pɛərənt] *n* père *m*, mère *f*; *pl* parents *m pl.*
parentage ['pɛərəntidʒ] *n* extraction *f*, naissance *f.*
parenthesis [pə'renθisis] *n* parenthèse *f.*
pariah ['pæriə] *n* paria *m.*
parish ['pæriʃ] *n* paroisse *f.*
parishioner [pə'riʃənə] *n* paroissien, -ienne.
Parisian [pə'riziən] *an* parisien.
park [pɑ:k] *n* parc *m*, jardin public *m*; *vt* parquer; *vi* stationner.
parking ['pɑ:kiŋ] *n* stationnement *m*, parcage *m*; **— meter** *n* parcomètre *m*, compteur *m.*
parley ['pɑ:li] *n* pourparlers *m pl*; *vi* parlementer, entrer en pourparlers.
parliament ['pɑ:ləmənt] *n* parlement *m.*
parliamentary [,pɑ:lə'mentəri] *a* parlementaire.
parlour ['pɑ:lə] *n* salle *f*, petit salon *m*, parloir *m*, (*US*) salon de coiffure *m.*
parochial [pə'roukiəl] *a* paroissial, étroit.
parochialism [pə'roukiəlizem] *n* esprit de clocher *m.*
parody ['pærədi] *n* parodie *f*, pastiche *m*; *vt* parodier, pasticher
parole [pə'roul] *n* parole *f.*
paroxysm ['pærəksizəm] *n* paroxysme *m*, crise *f.*
parricide ['pærisaid] *n* parricide (*crime*) *m*, (*person*) *mf.*
parrot ['pærət] *n* perroquet *m.*
parry ['pæri] *n* parade *f*; *vt* parer, détourner.
parse [pɑ:z] *vt* analyser.

parsimonious [ˌpɑːsi'mounias] *a* parcimonieux, ladre.
parsimony ['pɑːsimani] *n* parcimonie *f*, ladrerie *f*.
parsley ['pɑːsli] *n* persil *m*.
parsnip ['pɑːsnip] *n* panais *m*.
parson ['pɑːsn] *n* prêtre *m*, pasteur *m*.
parsonage ['pɑːsnidʒ] *n* cure *f*, presbytère *m*.
part [pɑːt] *n* partie *f*, parti *m*, région *f*, (*theatre*) rôle *m*, côté *m*; *vt* diviser, séparer; *vi* se séparer, se rompre; **to — with** céder, se séparer de.
partake [pɑː'teik] **to — of** participer à, prendre part à, partager, tenir de, sentir.
partial ['pɑːʃəl] *a* partial, qui a un faible (pour **to**).
partiality [ˌpɑːʃi'æliti] *n* partialité *f*, penchant *m*.
participate [pɑː'tisipeit] *vi* participer (à, de **in**).
participation [pɑːˌtisi'peiʃən] *n* participation *f*.
participle ['pɑːtsipl] *n* participe *m*.
particle ['pɑːtikl] *n* particule *f*, parcelle *f*, brin *m*, semblant *m*.
particular [pə'tikjulə] *a* spécial, minutieux, difficile; *n pl* détails *m pl*, renseignements *m pl*.
particularity [pəˌtikju'læriti] *n* particularité *f*, minutie *f*.
particularize [pə'tikjuləraiz] *vt* spécifier; *vi* préciser.
parting ['pɑːtiŋ] *n* séparation *f*, rupture *f*, (*hair*) raie *f*, (*ways*) croisée *f*; *a* de départ, d'adieu.
partisan [ˌpɑːti'zæn] *n* partisan *m*.
partition [pɑː'tiʃən] *n* partage *m* démembrement *m*, morcellement *m*, cloison *f*; *vt* démembrer, morceler, partager, cloisonner.
partner ['pɑːtnə] *n* partenaire *mf*, associé(e) *mf*, cavalier *m*, danseuse *f*; *vt* associer, être associé à mener, être le partenaire de.
partnership ['pɑːtnəʃip] *n* association *f*, société *f*.
partridge ['pɑːtridʒ] *n* perdrix *f*.
part-time ['pɑːt'taim] *a* à mi-temps.
party ['pɑːti] *n* parti *m*, réception *f*, partie *f*, bande *f*, détachement *m*.
pass [pɑːs] *n* défilé *m*, col *m*, permission *f*, passe *f*, (*school*) moyenne *f*; *vt* (faire) passer, passer près de, disparaître, dépasser, franchir, doubler, voter, approuver, réussir à (un examen), recevoir; *vi* passer, s'écouler, se passer, être reçu.
passable ['pɑːsəbl] *a* passable, praticable, traversable.
passage ['pæsidʒ] *n* passage *m*, corridor *m*, échange *m*, passe d'armes *f*, traversée *f*.
pass-book ['pɑːsbuk] *n* carnet de comptes *m*.
passenger ['pæsindʒə] *n* passager, -ère, voyageur, -euse.
passer-by ['pɑːsə'bai] *n* passant(e) *mf*.
passing ['pɑːsiŋ] *n* passage *m*, mort *f*, écoulement *m*; *a* passager, fugitif.
passion ['pæʃən] *n* passion *f*, colère *f*.
passionate ['pæʃənit] *a* ardent, passionné, irascible.
passionately ['pæʃənitli] *ad* passionnément.
passive ['pæsiv] *a* passif.
passiveness ['pæsivnis] *n* passivité *f*, inertie *f*.
pass-key ['pɑːskiː] *n* passe-partout *m*.
passport ['pɑːspɔːt] *n* passeport *m*.
password ['pɑːswəːd] *n* mot de passe *m*.
past [pɑːst] *an* passé *m*; *a* ancien, ex—; *prep* après, au delà de, plus loin que.
paste [peist] *n* pâte *f*, colle *f*; *vt* coller, (*fam*) rosser.
pasteboard ['peistbɔːd] *n* carton *m*.
pastel ['pæstəl] *n* pastel *m*.
pasteurize ['pæstəraiz] *vt* pasteuriser.
pastime ['pɑːstaim] *n* passetemps *m*, distraction *f*.
pastor ['pɑːstə] *n* pasteur *m*.
pastoral ['pɑːstərəl] *a* pastoral.
pastry ['peistri] *n* pâtisserie *f*, pâte *f*; **—-cook** *n* pâtissier, -ière; **—-shop** *n* pâtisserie *f*.
pasture ['pɑːstʃə] *n* pâture *f*, pâturage *m*, pacage *m*; *vt* faire paître.
pasty ['peisti] *n* pâté *m*; *a* pâteux, terreux.
pat [pæt] *n* tape *f*, coquille *f*, motte *f*, rondelle *f*; *vt* tapoter, caresser; *ad* à point, du tac au tac, tout prêt.
patch [pætʃ] *n* pièce *f*, emplâtre *m*, mouche *f*, tache *f*, (*peas*) planche *f*, carré *m*; *vt* rapiécer; **to — up** replâtrer, rafistoler.
patchwork ['pætʃwəːk] *n* rapiéçage *m*, mosaïque *f*.
patchy ['pætʃi] *a* fait de pièces et de morceaux, inégal, irrégulier.
paten ['pætən] *n* patène *f*.
patent ['peitənt] *n* brevet *m*, lettres patentes *f pl*; *a* breveté, patenté, manifeste; *vt* faire breveter.
paternal [pə'təːnl] *a* paternel.
paternity [pə'təːniti] *n* paternité *f*.
path [pɑːθ] *n* sentier *m*, course *f*, chemin *m*.
pathetic [pə'θetik] *a* pathétique, triste, attendrissant.
pathfinder ['pɑːθˌfaində] *n* éclaireur *m*, pionnier *m*.
patience ['peiʃəns] *n* patience *f*, (*cards*) réussite *f*.
patient ['peiʃənt] *n* malade *mf*, patient(e) *mf*; *a* patient.
patiently ['peiʃəntli] *ad* patiemment, avec patience.
patriarch ['peitriɑːk] *n* patriarche *m*.

patriarchal [ˌpeitri'ɑ:kəl] *a* patriarcal.
Patrick ['pætrik] Patrice *m*.
patrimony ['pætriməni] *n* patrimoine *m*.
patriot ['peitriət] *n* patriote *mf*.
patriotic [ˌpætri'ɔtik] *a* patriotique, (*person*) patriote.
patriotism ['pætriətizəm] *n* patriotisme *m*.
patrol [pə'troul] *n* patrouille *f*, ronde *f*; *vti* patrouiller.
patron, -ess ['peitrən, is] *n* patron, -onne, protecteur, -trice, client(e) *mf*, habitué(e) *mf*.
patronage ['pætrənidʒ] *n* patronage *m*, protection *f*, clientèle *f*, airs protecteurs *m pl*.
patronize ['pætrənaiz] *vt* patronner, protéger, traiter de haut, accorder sa clientèle à, se fournir chez.
patter ['pætə] *n* crépitement *m*, trottinement *m* piétinement *m*, fouettement *m*, bagout *m*, boniment *m*; *vi* crépiter, trottiner, jaser.
pattern ['pætən] *n* modèle *m*, échantillon *m*, dessin *m*.
patty ['pæti] *n* petit pâté *m*.
paucity ['pɔ:siti] *n* rareté *f*, disette *f*, manque *m*.
Paul [pɔ:l] Paul *m*.
paunch ['pɔ:ntʃ] *n* panse *f*, bedaine *f*.
pauper ['pɔ:pə] *n* indigent(e) *mf*, mendiant(e) *mf*.
pause [pɔ:z] *n* pause *f*, arrêt *m*, silence *m*, point d'orgue *m*; *vi* s'arrêter, faire la pause, hésiter.
pave [peiv] *vt* paver, carreler, frayer (la voie).
pavement ['peivmənt] *n* pavé *m*, pavage *m*, trottoir *m*; (*US*) chaussée *f*.
pavilion [pə'viljən] *n* tente *f*, pavillon *m*.
paw [pɔ:] *n* patte *f*; *vt* frapper du pied, tripoter; *vi* piaffer.
pawn [pɔ:n] *n* pion *m*, gage *m*; *vt* mettre en gage.
pawnbroker ['pɔ:nˌbroukə] *n* prêteur *m* sur gages.
pawnshop ['pɔ:nʃɔp] *n* mont-de-piété *m*; (*fam*) tante *f*.
pawpaw ['pɔ:pɔ:] *n* papaye *f*.
pay [pei] *n* paie *f*, gages *m pl*, salaire *m*, solde *f*; *vt* payer, rétribuer, acquitter, faire; — **in** verser, encaisser; — **a visit** rendre visite (à **to**).
payer ['peiə] *n* payeur, -euse, payant(e) *mf*.
paying-guest ['peiiŋˌgest] *n* hôte payant *m*.
paymaster ['peiˌmɑ:stə] *n* trésorier *m*, payeur *m*.
payment ['peimənt] *n* paiement *m*, rémunération *f*, règlement *m*, versement *m*.
pea [pi:] *n* pois *m*; **green** —s petits pois; **sweet** — pois de senteur.
peace [pi:s] *n* paix *f*.
peaceful ['pi:sful] *a* paisible, pacifique.
peacefulness ['pi:sfulnis] *n* paix *f*, humeur paisible *f*.
peacemaker ['pi:sˌmeikə] *n* pacificateur, -trice.
peach [pi:tʃ] *n* pêche *f*.
peach-tree ['pi:tʃtri:] *n* pêcher *m*.
peacock ['pi:kɔk] *n* paon *m*.
peahen ['pi:hen] *n* paonne *f*.
peak [pi:k] *n* pic *m*, cime *f*, pointe *f*, visière *f*, apogée *f*, plus fort *m*; *a* maximum, de pointe.
peaked [pi:kt] *a* à (en) pointe, pointu, hâve.
peal [pi:l] *n* carillon *m*, volée de cloches *f*, coup *m*, grondement *m*; *vti* sonner; *vi* carillonner, gronder.
peanut ['pi:nʌt] *n* caca(h)ouète *f*.
pear [pɛə] *n* poire *f*.
pearl [pə:l] *n* perle *f*.
pearly ['pə:li] *a* nacré, perlé.
pear-tree ['pɛətri:] *n* poirier *m*.
peasant ['pezənt] *n* paysan, -anne.
peasantry ['pezəntri] *n* paysannerie *f*.
peat [pi:t] *n* tourbe *f*; — **bog** tourbière.
pebble ['pebl] *n* galet *m*, caillou *m*.
peck [pek] *n* coup de bec *m*, bécot *m*; *vt* picoter, donner un coup de bec à, bécoter; *vti* manger du bout des lèvres; *vi* picorer.
pecker ['pekə] *n* **to keep one's — up** ne pas se laisser décourager.
peculiar [pi'kju:liə] *a* particulier, excentrique, singulier.
peculiarity [piˌkju:li'æriti] *n* singularité *f*, particularité *f*.
pecuniary [pi'kju:niəri] *a* pécuniaire, d'argent.
pedal ['pedl] *n* pédale *f*; *vi* pédaler.
pedant ['pedənt] *n* pédant(e) *mf*.
pedantic [pi'dæntik] *a* pédantesque, pédant.
pedantry ['pedəntri] *n* pédantisme *m*.
peddle ['pedl] *vt* colporter; *vi* faire le colportage.
pedestrian [pi'destriən] *n* piéton *m*; *a* à pied, terre à terre, banal; — **crossing** passage clouté *m*.
pedigree ['pedigri:] *n* généalogie *f*, pedigree *m*.
pediment ['pedimənt] *n* fronton *m*.
pedlar ['pedlə] *n* colporteur *m*, porteballe *m*; **itinerant** — dioula *m*.
peel [pi:l] *n* peau *f*, écorce *f*, pelure *f*; *vti* peler; *vt* éplucher; *vi* s'écailler.
peep [pi:p] *n* coup d'œil *m*, point du jour *m*, pépiement *m*, piaulement *m*; *vi* pépier, risquer un coup d'œil, se montrer; **—-hole** *n* judas *m*.
peer [piə] *n* pair *m*, pareil, -eille, égal(e) *mf*; *vi* risquer un coup d'œil; **to — at** scruter.
peerage ['piəridʒ] *n* pairie *f*.
peerless ['piəlis] *a* incomparable, sans pareil.

peevish ['pi:viʃ] *a* bougon, revêche, irritable, maussade.
peevishness ['pi:viʃnis] *n* humeur bourrue *f*.
peg [peg] *n* cheville *f*, patère *f*, piquet *m*; **to come down a —** en rabattre; *vt* cheviller, marquer, accrocher; **— away** bûcher.
pellet ['pelit] *n* boulette *f*, pilule *f*, grain de plomb *m*.
pelt [pelt] *n* peau *f*; **at full —** à toutes jambes; *vt* bombarder; *vi* (*rain*) tomber à verse.
pen [pen] *n* parc *m*, plume *f*, stylo *m*; *vt* enfermer, parquer, écrire.
penal ['pi:nl] *a* pénal, punissable; **— servitude** *n* travaux forcés *m pl*.
penalty ['penlti] *n* amende *f*, peine *f*, sanction *f*, pénalité *f*; (*football*) penalty *m*; inconvénient *m*, rançon *f*.
penance ['penəns] *n* pénitence *f*.
pencil ['pensl] *n* crayon *m*, faisceau *m*; *vt* crayonner, marquer au crayon.
pendant ['pendənt] *n* pendant(if) *m*, pendeloque *f*, (*flag*) flamme *f*.
pending ['pendiŋ] *prep* pendant, en attendant.
pendulum ['pendjuləm] *n* pendule *m*, balancier *m*.
penetrate ['penitreit] *vti* pénétrer.
penetrating ['penitreitiŋ] *a* pénétrant, perçant.
penguin ['peŋgwin] *n* pingouin *m*.
penholder ['pen,houldə] *n* porte-plume *m*.
penicillin [,peni'silin] *n* pénicilline *f*.
peninsula [pi'ninsjulə] *n* péninsule *f*.
penitence ['penitəns] *n* pénitence *f*.
penitent ['penitənt] *an* pénitent(e) *mf*; *a* contrit.
penitentiary [,peni'tenʃəri] *n* pénitencier *m*, prison *f*.
penknife ['pennaif] *n* canif *m*.
pen-name ['penneim] *n* pseudonyme *m*.
pennant ['penənt] *n* flamme *f*, banderole *f*.
penniless ['penilis] *a* sans le sou.
penny ['peni] *n* sou *m*, deux sous *m pl*; **—worth** pour deux sous; **—-wise** *a* lésineur.
pension ['penʃən] *n* pension *f*, retraite *f*; *vt* pensionner; **to — off** mettre à la retraite.
pensive ['pensiv] *a* pensif.
pensiveness ['pensivnis] *n* rêverie *f*, air rêveur *m*.
pent [pent] *a* **— in** renfermé, confiné; **— up** contenu, refoulé.
Pentecost ['pentikɔst] *n* Pentecôte *f*.
penthouse ['penthaus] *n* appentis *m*, auvent *m*.
penurious [pi'njuəriəs] *a* pauvre, avare.
penury ['penjuri] *n* pénurie *f*, misère *f*.
peony ['piəni] *n* pivoine *f*.
people ['pi:pl] *n* peuple *m*, habitants *m pl*, gens *m pl*, personnes *f pl*, monde *m*, famille *f*, on, vous; *vt* peupler.
pep [pep] *n* vigueur *f*, allant *m*; **to — up** remonter.
pepper ['pepə] *n* poivre *m*; *vt* poivrer, cribler.
pepper-box, -pot ['pepəbɔks, -pɔt] *n* poivrière *f*.
peppermint ['pepəmint] *n* menthe poivrée *f*.
peppery ['pepəri] *a* poivré, emporté, colérique.
pep-pill ['pep'pil] *n* remontant *m*.
per [pə:] *prep* par, pour, à, par l'entremise de.
peradventure [pərəd'ventʃə] *ad* d'aventure, par hasard.
perambulate [pə'ræmbjuleit] *vi* déambuler, se promener.
perambulator ['præmbjuleitə] *n* voiture d'enfant *f*.
perceive [pə'si:v] *vt* percevoir, comprendre, s'apercevoir (de).
percentage [pə'sentidʒ] *n* pourcentage *m*, proportion *f*.
perceptible [pə'septəbl] *a* perceptible, sensible.
perception [pə'sepʃən] *n* perception *f*.
perch [pə:tʃ] *n* perche *f*, perchoir *m*; *vi* se percher, se jucher.
perchance [pə'tʃɑ:ns] *ad* par hasard.
percolate ['pə:kəleit] *vt* filtrer.
percolator ['pə:kəleitə] *n* percolateur *m*, filtre *m*.
percussion [pə:'kʌʃən] *n* percussion *f*, choc *m*.
perdition [pə:'diʃən] *n* ruine *f*, perte *f*.
peremptory [pə'remptəri] *a* péremptoire, catégorique, absolu.
perennial [pə'reniəl] *a* perpétuel, vivace.
perfect ['pə:fikt] *a* parfait.
perfect [pə'fekt] *vt* perfectionner, parfaire, achever.
perfection [pə'fekʃən] *n* perfection *f*.
perfidious [pə:'fidiəs] *a* perfide, traître.
perfidy ['pə:fidi] *n* perfidie *f*.
perforate ['pə:fəreit] *vt* perforer, percer.
perforation [,pə:fə'reiʃən] *n* perforation *f*, percement *m*.
perforce [pə'fɔ:s] *ad* de (par) force.
perform [pə'fɔ:m] *vt* remplir, exécuter; *vti* jouer.
performance [pə'fɔ:məns] *n* exécution *f*, (*theatre*) représentation *f*, (*cine*) séance *f*, exploit *m*, fonctionnement *m*, performance *f*.
performer [pə'fɔ:mə] *n* exécutant(e) *mf*, artiste *mf*.
perfume ['pə:fju:m] *n* parfum *m*.
perfume [pə'fju:m] *vt* parfumer.
perfumery [pə'fju:məri] *n* parfumerie *f*.
perfunctory [pə'fʌŋktəri] *a* de pure forme, superficiel, négligent.

perhaps [pə'hæps] *ad* peut-être.
peril ['peril] *n* péril *m*, danger *m*; **at your —** à vos risques et périls.
perilous ['periləs] *a* périlleux, dangereux.
period ['piəriəd] *n* période *f*, délai *m*, époque *f*, point *m*, phase *f*, style *m*; *pl* (*med*) règles *f pl*.
perish ['periʃ] *vi* périr, mourir, se détériorer.
perishable ['periʃəbl] *a* périssable, éphémère.
perished ['periʃt] *a* mort, détérioré.
peritonitis [,peritə'naitis] *n* péritonite *f*.
periwinkle ['peri,wiŋkl] *n* pervenche *f*, bigorneau *m*.
perjure ['pə:dʒə] *vt* **to — oneself** se parjurer.
perjurer ['pə:dʒərə] *n* parjure *mf*.
perjury ['pə:dʒəri] *n* parjure *m*, faux témoignage *m*.
perk [pə:k] *vt* **to — up** ravigoter, remettre le moral à; *vi* se ranimer, se retaper; *n* (*fam*) *see* **perquisite.**
perky ['pə:ki] *a* impertinent, coquet, dégagé, guilleret.
perm(anent-wave) ('pə:m(ənənt 'weiv)] *n* (ondulation *f*) permanente.
permanent ['pə:mənənt] *a* permanent, fixe.
permanently ['pə:mənəntli] *ad* de façon permanente, à titre définitif.
permeable ['pə:miəbl] *a* perméable.
permeate ['pə:mieit] *vt* pénétrer; *vi* s'insinuer, filtrer.
permission [pə'miʃən] *n* permission *f*, autorisation *f*.
permit ['pə:mit] *n* permis *m*, autorisation *f*.
permit [pə'mit] *vt* permettre (à), autoriser.
pernicious [pə:'niʃəs] *a* pernicieux, fatal.
perpendicular [,pə:pən'dikjulə] *an* perpendiculaire *f*.
perpetrate ['pə:pitreit] *vt* commettre, perpétrer.
perpetration [,pə:pi'treiʃən] *n* perpétration *f*.
perpetrator ['pə:pitreitə] *n* auteur *m*.
perpetual [pə'petjuəl] éternel, perpétuel.
perpetuate [pə'petjueit] *vt* perpétuer.
perpetuity [,pə:pi'tju(:)iti] *n* perpétuité *f*.
perplex [pə'pleks] *vt* embarrasser.
perplexed [pə'plekst] *a* perplexe, embarrassé.
perplexity [pə'pleksiti] *n* perplexité *f*.
perquisite ['pe:kwizit] *n* profit *m*, pourboire *m*, casuel *m*, gratte *f*.
persecute ['pə:sikju:t] *vt* persécuter.
persecution [,pə:si'kju:ʃən] *n* persécution *f*.
perseverance [,pə:si'viərəns] *n* persévérance *f*.
persevere [,pə:si'viə] *vi* persévérer, s'obstiner.
persevering [,pə:si'viəriŋ] *a* persévérant, assidu.
Persia ['pə:ʃə] *n* Perse *f*.
Persian ['pə:ʃən] *n* Persan(e) *mf*; *an* persan *m*.
persist [pə'sist] *vi* persister, s'obstiner, s'entêter.
persistency [pə'sistənsi] *n* persistance *f*, obstination *f*.
person ['pə:sn] *n* personne *f*.
personage ['pə:snidʒ] *n* personnage *m*.
personal ['pə:snl] *a* personnel, individuel.
personality [,pə:sə'næliti] *n* personnalité *f*, personnage *m*.
personification [pə:,sɔnifi'keiʃən] *n* personnification *f*.
personify [pə:'sɔnifai] *vt* personnifier.
personnel [,pə:sə'nel] *n* personnel *m*.
perspective [pə'spektiv] *n* perspective *f*.
perspicacious [,pə:spi'keiʃəs] *a* perspicace.
perspicacity [,pə:spi'kæsiti] *n* perspicacité *f*.
perspicuity [,pə:spi'kju(:)iti] *n* clarté *f*, netteté *f*.
perspicuous [pə'spikjuəs] *a* clair, évident.
perspiration [,pə:spə'reiʃən] *n* transpiration *f*.
perspire [pəs'paiə] *vi* transpirer.
persuade [pə'sweid] *vt* persuader, décider.
persuasion [pə'sweiʒən] *n* persuasion *f*, conviction *f*, confession *f*.
persuasive [pə'sweisiv] *a* persuasif.
pert [pə:t] *a* effronté, impertinent.
pertinacious [,pə:ti'neiʃəs] *a* opiniâtre, entêté, obstiné.
pertinacity [,pə:ti'næsiti] *n* opiniâtreté *f*.
pertinence ['pə:tinəns] *n* pertinence *f*, à-propos *m*.
pertinent ['pə:tinənt] *a* pertinent, juste.
pertinently ['pə:tinəntli] *ad* pertinemment, à-propos.
perturb [pə'tə:b] *vt* bouleverser, troubler, inquiéter.
perturbation [,pə:tə:'beiʃən] *n* bouleversement *m*, inquiétude *f*, trouble *m*.
perusal [pə'ru:zəl] *n* examen *m*, lecture *f*.
peruse [pə'ru:z] *vt* étudier, prendre connaissance de.
pervade [pə:'veid] *vt* pénétrer, animer, régner dans.
perverse [pə'və:s] *a* pervers, contrariant.
perversion [pə'və:ʃən] *n* perversion *f*, travestissement *m*.
perversity [pə'və:siti] *n* perversité *f*, esprit de contradiction *m*.
pervert ['pə:və:t] *n* perverti(e) *mf*, apostat *m*.

pervert [pə'vəːt] *vt* pervertir, fausser.
pervious ['pəːviəs] *a* perméable, accessible.
pessimism ['pesimizəm] *n* pessimisme *m*.
pessimistic [ˌpesi'mistik] *a* pessimiste.
pest [pest] *n* peste *f*, fléau *m*.
pester ['pestə] *vt* tracasser, importuner, infester.
pestilence ['pestiləns] *n* pestilence *f*.
pestilential [ˌpesti'lenʃəl] *a* pestilentiel, pernicieux.
pestle ['pesl] *n* pilon *m*; *vt* piler, broyer.
pet [pet] *a* animal *m* familier, favori *m*, chouchou *m*; **to take the —** prendre la mouche; *vt* caresser, choyer.
petal ['petl] *n* pétale *m*.
Peter ['piːtə] Pierre *m*.
peter out ['piːtə'aut] *vi* faire long feu, s'épuiser, s'arrêter.
petition [pə'tiʃən] *n* pétition *f*, prière *f*, demande *f*; *vt* adresser une pétition à.
petitioner [pə'tiʃənə] *n* pétitionaire *mf*, requérant(e) *mf*.
petrel ['petrəl] *n* pétrel *m*.
petrify ['petrifai] *vt* pétrifier.
petrol ['petrəl] *n* essence *f*.
petroleum [pi'trouliəm] *n* pétrole *m*.
petticoat ['petikout] *n* jupon *m*, jupe *f*.
pettifoggery ['petifɔgəri] *n* chicane *f*.
pettiness ['petinis] *n* mesquinerie *f*.
pettish ['petiʃ] *a* grincheux.
petty ['peti] *a* petit, mesquin; **— cash** menue monnaie *f*.
petty-officer ['peti'ɔfisə] *n* contremaître *m*; *pl* maistrance *f*.
petulance ['petjuləns] *n* pétulance *f*, vivacité *f*.
petulant ['petjulənt] *a* pétulant, vif.
pew [pjuː] *n* banc *m*.
pewit ['piːwit] *n* vanneau *m*.
pewter ['pjuːtə] *n* étain *m*.
phantom ['fæntəm] *n* fantôme *m*; *a* illusoire.
Pharisee ['færisiː] *n* pharisien *m*.
pharyngitis [ˌfærin'dʒaitis] *n* pharingite *f*.
pharynx ['færiŋks] *n* pharynx *m*.
phase [feiz] *n* phase *f*.
pheasant ['feznt] *n* faisan *m*, faisane *f*.
phenomenal [fi'nɔminl] *a* phénoménal.
phenomenon [fi'nɔminən] *n* phénomène *m*.
phial [faiəl] *n* fiole *f*.
philander [fi'lændə] *vi* papillonner, conter fleurette (à).
philanderer [fi'lændərə] *n* flirteur *m*.
philologist [fi'lɔlədʒist] *n* philologue *m*.
philology [fi'lɔlədʒi] *n* philologie *f*.
philosopher [fi'lɔsəfə] *n* philosophe *m*.
philosophy [fi'lɔsəfi] *n* philosophie *f*; **moral —** morale *f*; **natural —** physique *f*.
philtre ['filtə] *n* philtre *m*.
phlebitis [fli'baitis] *n* phlébite *f*.
phlegm [flem] *n* flegme *m*.
phlegmatic [fleg'mætik] *a* flegmatique.
phonetician [ˌfɔni'tiʃən] *n* phonéticien *m*.
phonetics [fə'netiks] *n* phonétique *f*.
phoney ['founi] *a* drôle, faux.
phosphate ['fɔsfeit] *n* phosphate *m*.
phosphorous ['fɔsfərəs] *a* phosphoreux.
phosphorus ['fɔsfərəs] *n* phosphore *m*.
photograph ['foutəgrɑːf] *n* photographie *f*; *vt* photographier.
photographer [fə'tɔgrəfə] *n* photographe *m*.
photographic [ˌfoutə'græfik] *a* photographique.
phrase [freiz] *n* phrase *f*, locution *f*, expression *f*; *vt* exprimer, rédiger.
phraseology [ˌfreizi'ɔlədʒi] *n* phraséologie *f*.
phthisis ['θaisis] *n* phtisie *f*.
physic ['fizik] *n* (*fam*) médecine *f*, médicaments *m pl*.
physical ['fizikəl] *a* physique.
physician [fi'ziʃən] *n* médecin *m*.
physicist ['fizisist] *n* physicien, -ienne.
physics ['fiziks] *n* physique *f*.
physiognomy [ˌfizi'ɔnəmi] *n* physionomie *f*.
pianist ['piənist] *n* pianiste *mf*.
piano ['piænou] *n* piano *m*; *ad* piano; **grand —** piano à queue; **upright —** piano droit.
pick [pik] *n* pic *m*, pioche *f*, élite *f*, dessus du panier *m*; *vt* piocher, picorer, cueillir, choisir, trier, (*lock*) crocheter; **to — out** repérer, choisir, faire le tri de; **to — up** *vt* ramasser, prendre, relever, racoler, draguer; *vi* reprendre des forces.
pickaback ['pikəbæk] *ad* sur le dos.
pickaxe ['pikæks] *n* pioche *f*.
picket ['pikit] *n* piquet *m*, pieu *m*.
picking ['pikiŋ] *n* cueillette *f*, épluchage *m*, crochetage *m*; *pl* bribes *f pl*, glanures *f pl*, gratte *f*.
pickle ['pikl] *n* saumure *f*, marinade *f*; *pl* condiments *m pl*, conserves au vinaigre *f pl*; *vt* conserver, mariner.
pickpocket ['pikˌpɔkit] *n* pickpocket *m*, voleur à la tire *m*.
picnic ['piknik] *n* piquenique *m*; *vi* faire un piquenique.
pictorial [pik'tɔːriəl] *a* illustré, pittoresque.
picture ['piktʃə] *n* tableau *m*, image *f*; *pl* cinéma *m*; *vt* représenter, se figurer.
picturesque [ˌpiktʃə'resk] *a* pittoresque.
picturesqueness [ˌpiktʃə'resknis] *n* pittoresque *m*.

pie [pai] *n* pâté *m*, tourte *f*, (*US*) tarte *f*.
piece [pi:s] *n* morceau *m*, pièce *f*; *vt* assembler, rapiécer.
piecemeal ['pi:smi:l] *ad* pièce à pièce, un à un.
piecework ['pi:swə:k] *n* travail à la pièce *m*.
pier [piə] *n* jetée *f*, pile *f*, pilier *m*.
pierce [piəs] *vt* percer, pénétrer.
piety ['paiəti] *n* piété *f*.
pig [pig] *n* porc *m*, pourceau *m*, cochon *m*.
pigeon ['pidʒin] *n* pigeon *m*; **—hole** *n* casier *m*; **to —hole** *vt* classer.
pigheaded ['pig'hedid] *a* buté, têtu.
pigsty ['pigstai] *n* porcherie *f*, étable *f*, bauge *f*.
pigtail ['pigteil] *n* natte *f*.
pike [paik] *n* pique *f*, brochet *m*, tourniquet *m*.
pikestaff ['paikstɑ:f] *n* hampe *f*.
pile [pail] *n* pieu *m*, pilotis *m*, pile *f*, (*fam*) fortune *f*, poil *m*; *pl* hémorroïdes *f pl*; *vt* empiler, entasser, (*fam*) charrier.
pilfer ['pilfə] *vt* chaparder.
pilferer ['pilfərə] *n* chapardeur, -euse.
pilfering ['pilfəriŋ] *n* chapardage *m*.
pilgrim ['pilgrim] *n* pèlerin(e) *mf*.
pilgrimage ['pilgrimidʒ] *n* pèlerinage *m*.
pill [pil] *n* pilule *f*.
pillage ['pilidʒ] *n* pillage *m*; *vt* piller, saccager.
pillar ['pilə] *n* pilier *m*, colonne *f*.
pillar-box ['piləbɔks] *n* boîte aux lettres *f*.
pill-box ['pilbɔks] *n* blockhaus *m*, boîte *f* à pilules.
pillow ['pilou] *n* oreiller *m*.
pillow-case ['piloukeis] *n* taie *f*.
pilot ['pailət] *n* pilote *m*; *vt* piloter.
pimple ['pimpl] *n* bouton *m*, pustule *f*.
pimply ['pimpli] *a* boutonneux.
pin [pin] *n* épingle *f*, cheville *f*, (*fam*) quille *f*; *vt* épingler, clouer, lier, accrocher, goupiller; **—s and needles** fourmis *f pl*.
pinafore ['pinəfɔ:] *n* tablier *m*.
pincers ['pinsəz] *n* pince *f*, tenailles *f pl*.
pinch [pintʃ] *n* pincée *f*, prise *f*, pincement *m*; *vt* pincer, blesser, gêner, chiper.
pincushion ['pin,kuʃin] *n* pelote à épingles *f*.
pine [pain] *n* pin *m*; *vi* languir, dépérir; **to — for** soupirer après, aspirer à.
pineapple ['pain,æpl] *n* ananas *m*.
pinion ['pinjən] *n* aileron *m*, aile *f*, (*tec*) pignon *m*; *vt* couper les ailes à, lier.
pink [pink] *n* œillet *m*; *an* rose *m*; *vt* percer; *vi* (*motor*) cliqueter.
pin-money ['pin mʌni] *n* argent de poche *m*.
pinnacle ['pinəkl] *n* clocheton *m*, cime *f*, apogée *f*.
pinprick ['pinprik] *n* piqûre d'épingle *f*.
pint [paint] *n* pinte *f*.
pioneer [,paiə'niə] *n* pionnier *m*.
pious ['paiəs] *a* pieux.
pip [pip] *n* pépie *f*, pépin *m*, point *m*, cafard *m*.
pipe [paip] *n* tuyau *m*, pipe *f*, pipée *f*, sifflet *m*, chalumeau *m*; *pl* cornemuse *f*; *vi* jouer de la cornemuse, siffler, crier; *vt* jouer sur la cornemuse.
piper ['paipə] *n* joueur de cornemuse *m*.
pippin ['pipin] *n* reinette *f*.
piquancy ['pi:kənsi] *n* piquant *m*, sel *m*.
pique [pi:k] *n* pique *f*, dépit *m*; *vt* piquer, dépiter.
pirate ['paiərit] *n* pirate *m*.
pistol ['pistl] *n* pistolet *m*.
piston ['pistən] *n* piston *m*.
pit [pit] *n* trou *m*, puits *m*, fosse *f*, creux *m*, marque *f*, arène *f*, parterre *m*, aisselle *f*; *vt* enfouir, mettre face à face, marquer, opposer.
pitch [pitʃ] *n* poix *m*, degré *m*, hauteur *f*, diapason *m*, comble *m*, terrain *m*, tangage *m*; *a* noir; *vt* dresser, poisser, régler le ton de, lancer, jeter; *vi* tanguer, tomber.
pitched [pitʃt] *a* rangé, en règle.
pitcher ['pitʃə] *n* cruche *f*, broc *m*.
pitchfork ['pitʃfɔ:k] *n* fourche *f*.
piteous ['pitiəs] *a* lamentable, piteux.
pitfall ['pitfɔ:l] *n* trappe *f*, traquenard *m*, piège *m*.
pith [piθ] *n* moelle *f*, essence *f*, vigueur *f*, sève *f*.
pitiable ['pitiəbl] *a* pitoyable.
pitiful ['pitiful] *a* compatissant, lamentable, qui fait pitié.
pitiless ['pitilis] *a* impitoyable, cruel.
pittance ['pitəns] *n* pitance *f*.
pitted ['pitid] *a* troué, marqué.
pity ['piti] *n* pitié *f*; **it is a —** c'est dommage; *vt* plaindre.
pivot ['pivət] *n* pivot *m*; *vt* monter sur pivot, fair pivoter; *vi* pivoter.
placard ['plækɑ:d] *n* affiche *f*; *vt* placarder, afficher, couvrir d'affiches.
placate [plə'keit] *vt* calmer, apaiser.
place [pleis] *n* place *f*, endroit *m*, lieu *m* résidence *f*; *vt* placer, mettre, situer, poser, classer.
placebo [plə'si:bou] *n* remède factice *m*.
plagiarism ['pleidʒjərizəm] *n* plagiat *m*.
plagiarist ['pleidʒjərist] *n* plagiaire *m*.
plagiarize ['pleidʒjəraiz] *vt* plagier, contrefaire.
plague [pleig] *n* peste *f*, fléau *m*; *vt* tracasser
plaice [pleis] *n* plie *f*, carrelet *m*.
plain [plein] *n* plaine *f*; *a* plan, plat,

clair, uni, franc, simple, commun, ordinaire; **in — clothes** en civil; **she is —** elle n'est pas belle; **—-dealing** *n* loyauté *f*; **—-spoken** *a* franc, rond, carré.

plainly ['pleinli] *ad* clairement, simplement, sans détours.

plainness ['pleinnis] *n* air *m*, commun, clarté *f*, netteté *f*, franchise *f*, simplicité *f*.

plaint [pleint] *n* plainte *f*.

plaintiff ['pleintif] *n* plaignant(e) *mf*, demandeur, -eresse.

plaintive ['pleintiv] *a* plaintif.

plait [plæt] *n* pli *m*, tresse *f*, natte *f*; *vt* plisser, natter.

plan [plæn] *n* plan *m*, projet *m*; *vt* relever, projeter, arrêter le plan de, combiner.

plane [plein] *n* platane *m*, rabot *m*, plan *m*, niveau *m*, avion *m*; *a* plan, uni; *vt* raboter, aplanir; *vi* voler, planer.

planet ['plænit] *n* planète *f*.

plank [plæŋk] *n* planche *f*, programme *m*.

plant [plɑːnt] *n* plante *f*, outillage *m*, machinerie *f*; *vt* planter (là), établir, fonder; **to — out** dépoter, déplanter.

plantation [plæn'teiʃən] *n* plantation *f*, bosquet *m*.

planter ['plɑːntə] *n* planteur *m*.

plash [plæʃ] *n* flac *m*, clapotis *m*, éclaboussure *f*; *vi* faire flac, clapoter, éclabousser.

plaster ['plɑːstə] *n* (em)plâtre *m*; *vt* plâtrer, enduire, couvrir.

plasterer ['plɑːstərə] *n* plâtrier *m*.

plastic ['plæstik] *an* plastique *f*.

plate [pleit] *n* plaque *f*, planche *f*, assiette *f*, vaisselle *f*, dentier *m*; *vt* plaquer; **—ful** *n* assiettée *f*; **—-rack** *n* égouttoir *m*.

platform ['plætfɔːm] *n* plate-forme *f*, estrade *f*, quai *m*, trottoir *m*.

platinum ['plætinəm] *n* platine *m*.

platitude ['plætitjuːd] *n* platitude *f*, lieu commun *m*.

platoon [plə'tuːn] *n* peloton *m*, section *f*.

plausible ['plɔːzəbl] *a* plausible, vraisemblable.

plausibility [,plɔːzə'biliti] *n* plausibilité *f*.

play [plei] *n* jeu *m*, pièce *f* (de théâtre), carrière *f*; **fair —** franc jeu *m*; *vti* jouer; *vi* folâtrer, gambader.

player ['pleiə] *n* joueur, -euse, acteur, -trice, exécutant(e) *mf*.

playful ['pleiful] *a* enjoué.

playground ['pleigraund] *n* terrain de jeu *m*, cour *f*.

playmate ['pleimeit] *n* camarade *mf* de jeu, ami(e) d'enfance.

playpen ['pleipen] *n* parc *m* (d'enfant).

playtime ['pleitaim] *n* récréation *f*.

plaything ['pleiθiŋ] *n* jouet *m*.

playwright ['pleirait] *n* auteur dramatique *m*.

plea [pliː] *n* argument *m*, plaidoyer *m*. excuse *f*.

plead [pliːd] *vti* plaider; *vt* prétexter, invoquer; *vi* s'avouer.

pleader ['pliːdə] *n* défenseur *m*, plaideur *m*.

pleasant ['pleznt] *a* agréable, aimable.

pleasantly ['plezntli] *ad* agréablement.

pleasantness ['plezntnis] *n* agrément *m*, affabilité *m*, charme *m*.

please [pliːz] *vt* plaire à; *vi* plaire; s'il vous plaît.

pleased [pliːzd] *a* très heureux, content.

pleasure ['pleʒə] *n* plaisir *m*, gré *m*, plaisance *f*.

pleat [pliːt] *n* pli *m*: *vt* plisser.

plebiscite ['plebisit] *n* plébiscite *m*.

pledge [pledʒ] *n* gage *m*, promesse *f*, toast *m*; *vt* mettre en gage, engager, porter un toast à.

plenipotentiary [,plenipə'tenʃəri] *an* plénipotentiaire *m*.

plentiful ['plentiful] *a* abondant, copieux.

plenty ['plenti] *n* abondance *f*.

pleurisy ['pluərisi] *n* pleurésie *f*.

pliability [,plaiə'biliti] *n* souplesse *f*, flexibilité *f*.

pliant ['plaiənt] *a* souple, flexible, complaisant.

pliers ['plaiəz] *n* pince *f*.

plight [plait] *n* (triste) état *m*; *vt* engager.

plighted ['plaitid] *a* engagé, lié.

plod [plɔd] *n* lourde tâche *f*; *vi* avancer (cheminer) péniblement, travailler laborieusement, bûcher.

plot [plɔt] *n* lopin *m*, complot *m*, intrigue *f*; *vt* tracer, relever; *vti* comploter; *vi* conspirer.

plotter ['plɔtə] *n* intrigant(e) *mf*, conspirateur, -trice.

plough [plau] *n* charrue *f*; *vt* labourer, rider, sillonner, (*exam*) refuser, recaler.

ploughman ['plaumən] *n* laboureur *m*.

ploughshare ['plauʃɛə] *n* soc *m*

plover ['plʌvə] *n* pluvier *m*.

pluck [plʌk] *n* courage *m*, cran *m*; *vt* cueillir, arracher, plumer, tirer; **to — up courage** prendre courage.

plug [plʌg] *n* cheville *f*, bouchon *m*, tampon *m*, prise de courant *f*; *vt* boucher, tamponner.

plum [plʌm] *n* prune *f*, meilleur morceau *m*, poste *etc*.

plumage ['pluːmidʒ] *n* plumage *m*.

plumb [plʌm] *n* plomb *m*; *a* d'aplomb, vertical, tout pur; *vt* sonder; *ad* d'aplomb, juste, en plein.

plumber ['plʌmə] *n* plombier *m*.

plumb-line ['plʌmlain] *n* fil à plomb *m*.

plume [pluːm] *n* plume *f*, plumet *m*, panache *m*; **to — oneself on** se piquer de, se flatter de.

plummet ['plʌmit] *n* plomb *m*, sonde *f*.
plump [plʌmp] *a* rondelet, dodu, bien en chair; *n* chute *f*, bruit sourd *m*, plouf *m*; *ad* tout net; *vt* laisser tomber, flanquer; *vi* tomber, se laisser tomber lourdement.
plum-tree ['plʌmtriː] *n* prunier *m*.
plunder ['plʌndə] *n* pillage *m*, butin *m*; *vt* piller.
plunderer ['plʌndərə] *n* pillard *m*.
plunge [plʌndʒ] *n* plongeon *m*; *vti* plonger; *vi* se jeter, s'enfoncer, piquer du nez, tanguer.
plural ['pluərəl] *an* pluriel *m*; *a* plural.
plus [plʌs] *n prep* plus; *a* positif, actif.
plush [plʌʃ] *n* peluche *f*.
plutocracy [pluː'tɔkrəsi] *n* ploutocratie *f*.
ply [plai] *n* pli *m*, épaisseur *f*; *vt* manier, exercer, travailler, gorger, assaillir; *vi* faire la navette, faire le service.
plywood ['plaiwud] *n* contre-plaqué *m*.
pneumatic [nju(ː)'mætik] *an* pneumatique *m*.
pneumonia [nju(ː)'mouniə] *n* pneumonie *f*.
poach [poutʃ] *vt* pocher; *vi* braconner; *vt* braconner (dans); *vi* **to — upon** empiéter sur.
poacher ['poutʃə] *n* braconnier *m*.
poaching ['poutʃiŋ] *n* braconnage *m*.
pocket ['pɔkit] *n* poche *f*, sac *m*; **—-book** calepin *m*, portefeuille *m*; *vt* empocher, mettre dans sa poche.
pock-marked ['pɔk,maːkt] *a* grêlé.
pod [pɔd] *n* cosse *f*, (*coco*) cabosse *f*; *vt* écosser, écaler.
poem ['pouim] *n* poème *m*.
poet ['pouit] *n* poète *m*.
poetry ['pouətri] *n* poésie *f*.
poignant ['pɔinənt] *a* âpre, piquant, poignant.
point [pɔint] *n* point *m*, pointe *f*, extrémité *f*, sujet *m*; (*rl*) aiguille *f*; **—-blank** à bout portant; **on — duty** de faction; *vt* tailler, aiguiser, pointer, diriger, braquer; **to — out** indiquer, représenter, montrer du doigt, faire observer; **to — at** montrer du doigt; **to — to** annoncer, laisser supposer.
pointed ['pɔintid] *a* pointu, aigu, en pointe, mordant, direct.
pointer ['pɔintə] *n* aiguille *f*, baguette *f*, chien d'arrêt *m*, tuyau *m*, indication *f*.
pointless ['pɔintlis] *a* émoussé, qui manque d'à-propos, fade.
pointsman ['pɔintsmən] *n* aiguilleur *m*.
poise [pɔiz] *n* équilibre *m*, port *m*, dignité *f*, attente *f*; *vt* équilibrer, soupeser, balancer.
poison ['pɔizn] *n* poison *m*; *vt* empoisonner, intoxiquer.
poisoning ['pɔizniŋ] *n* empoisonnement *m*, intoxication *f*.
poisonous ['pɔiznəs] *a* empoisonné, toxique, (*plant*) vénéneux, (*animal*) venimeux.
poke [pouk] *n* coup *m* (de coude *etc*), poussée *f*; *vt* piquer, pousser du coude, tisonner, fourrer, passer; **to — about** fureter, fouiller; **to — fun at** se moquer de.
poker ['poukə] *n* tisonnier *m*, (*game*) poker *m*.
Poland ['poulənd] *n* Pologne *f*.
polar ['poulə] *a* polaire; **— bear** ours *m* blanc.
pole [poul] *n* perche *f*, échalas *m*, mât *m*, poteau *m*, montant *m*, timon *m*, pôle *m*; **—-jump** saut *m* à la perche.
Pole [poul] *n* Polonais(e) *mf*.
police [pə'liːs] *n* police *f*; *vt* maintenir l'ordre dans, policer.
policeman [pə'liːsmən] *n* agent *m*.
police station [pə'liːs'steiʃən] *n* commissariat *m* de police, poste *m*.
policy ['pɔlisi] *n* politique *f*, police d'assurance *f*.
polish ['pɔliʃ] *n* poli *m*, éclat *m*, cirage *m*, encaustique *f*, vernis *m*, blanc d'Espagne *m*, raffinement *m*; *vt* cirer, astiquer, fourbir, polir; **to — off** finir, régler son compte à, expédier.
Polish ['pouliʃ] *an* polonais *m*.
polite [pə'lait] *a* poli, cultivé, élégant.
politely [pə'laitli] *ad* poliment.
politeness [pə'laitnis] *n* politesse *f*, courtoisie.
political [pə'litikəl] *a* politique.
politician [,pɔli'tiʃən] *n* homme politique *m*, politicien *m*.
politics ['pɔlitiks] *n* politique *f*.
poll [poul] *n* scrutin *m*, vote *m*; *vt* obtenir les voix, étêter, écorner; *vi* voter.
pollute [pə'luːt] *vt* polluer, profaner.
poltroon [pɔl'truːn] *n* poltron *m*.
polygamist [pɔ'ligəmist] *n* polygame *m*.
polygamy [pɔ'ligəmi] *n* polygamie *f*.
polyglot ['pɔliglɔt] *an* polyglotte *mf*.
polygon ['pɔligən] *n* polygone *m*.
pomegranate ['pɔmi,grænit] *n* grenade *f*.
pomp [pɔmp] *n* pompe *f*, faste *m*, apparat *m*.
pomposity [pɔm'pɔsiti] *n* solennité *f*, pompe *f*, suffisance *f*, emphase *f*.
pompous ['pɔmpəs] *a* pompeux, suffisant, ampoulé.
pond [pɔnd] *n* bassin *m*, étang *m*, vivier *m*.
ponder ['pɔndə] *vt* peser, réfléchir sur, considérer; *vi* ruminer, réfléchir.
ponderous ['pɔndərəs] *a* pesant, lourd.
pontiff ['pɔntif] *n* pontife *m*, prélat *m*.

pontificate [pɔn'tifikeit] *n* pontificat *m*; *vi* pontifier.
pontoon [pɔn'tu:n] *n* ponton *m*.
pontoon bridge [pɔn'tu:nbridʒ] *n* pont de bateaux *m*.
pony ['pouni] *n* poney *m*.
poodle ['pu:dl] *n* caniche *mf*.
pooh-pooh [pu:'pu] *vt* tourner en dérision; *excl* bah!
pool [pu:l] *n* mare *f*, flaque *f*, (*swimming-*) piscine *f*, (*games*) poule *f*, fonds commun *m*, cartel *m*; *vt* mettre en commun, répartir.
poop [pu:p] *n* poupe *f*, dunette *f*.
poor [puə] *a* pauvre, malheureux, médiocre, maigre, piètre, faible; **the** — les pauvres.
poorly ['puəli] *ad* tout doucement, pas fort, médiocrement; *a* souffrant.
poorness ['puənis] *n* pauvreté *f*, manque *m*, infériorité *f*.
pop [pɔp] *n* bruit sec *m*; *excl* pan! *vi* sauter, péter, éclater; *vt* faire sauter, fourrer, mettre au clou.
pope [poup] *n* pape *m*, pope *m*.
popery ['poupəri] *n* papisme *m*.
poplar ['pɔplə] *n* peuplier *m*.
poplin ['pɔplin] *n* popeline *f*.
poppy ['pɔpi] *n* coquelicot *m*, pavot *m*.
pop-song ['pɔpsɔŋ] *n* chanson *f* (à la mode).
populace ['pɔpjuləs] *n* peuple *m*, populace *f*.
popular ['pɔpjulə] *a* populaire, aimé, couru, à la mode.
popularity [,pɔpju'læriti] *n* popularité *f*.
popularize ['pɔpjuləraiz] *vt* populariser, vulgariser.
populate ['pɔpjuleit] *vt* peupler.
population [,pɔpju'leiʃən] *n* population *f*.
populous ['pɔpjuləs] *a* populeux.
porch [pɔ:tʃ] *n* porche *m*, marquise *f*.
porcupine ['pɔ:kjupain] *n* porc-épic *m*.
pore [pɔ:] *n* pore *m*; *vi* **to — over** s'absorber dans.
pork [pɔ:k] *n* porc *m*; —**-butcher** *n* charcutier *m*.
porous ['pɔ:rəs] *a* poreux, perméable.
porpoise ['pɔ:pəs] *n* marsouin *m*.
porridge ['pɔridʒ] *n* bouillie d'avoine *f*.
porringer ['pɔrindʒə] *n* écuelle *f*.
port [pɔ:t] *n* port *m*; **home** — port d'attache; sabord *m*, bâbord *m*, allure *f*; (*wine*) porto *m*; *vt* mettre à bâbord, présenter; *vi* venir sur bâbord.
portable ['pɔ:təbl] *a* portatif, transportable.
portal ['pɔ:tl] *n* portail *m*.
portcullis [pɔ:t'kʌlis] *n* herse *f*.
portend [pɔ:'tend] *vt* présager, faire pressentir, annoncer.
portent ['pɔ:tent] *n* présage *m*.
portentous [pɔ:'tentəs] *a* formidable, **menaçant,** de mauvais augure.
porter ['pɔ:tə] *n* portier *m*, concierge *m*,porteur *m*, chasseur *m*.
porterage ['pɔ:təridʒ] *n* factage *m*, transport *m*.
portfolio [pɔ:t'fouliou] *n* portefeuille *m*, chemise *f*, serviette *f*, carton *m*.
porthole ['pɔ:thoul] *n* hublot *m*, sabord *m*.
portico ['pɔ:tikou] *n* portique *m*.
portion ['pɔ:ʃən] *n* **portion** *f*, part *f*, partie *f*, dot *f*; *vt* **partager**, doter.
portly ['pɔ:tli] *a* corpulent, imposant.
portmanteau [pɔ:t'mæntou] *n* valise *f*.
portrait ['pɔ:trit] *n* portrait *m*.
portray [pɔ:'trei] *vt* faire le portrait de, (dé)peindre.
Portugal ['pɔ:tjugəl] *n* Portugal *m*.
Portuguese [,pɔ:tju'gi:z] *an* Portugais(e).
pose [pouz] *n* pose *f*, affectation *f*; *vti* poser, (*fam*) coller; **to — as** s'ériger en, se faire passer pour.
poser ['pouzə] *n* question embarrassante *f*, colle *f*.
position [pə'ziʃən] *n* position *f*, condition *f*, place *f*, état *m*.
positive ['pɔzətiv] *a* positif, catégorique, formel, authentique.
possess [pə'zes] *vt* posséder, tenir, s'approprier, avoir.
possession [pə'zeʃən] *n* possession *f*.
possessive [pə'zesiv] *a* possessif.
possibility [,pɔsə'biliti] *n* possibilité *f*, éventualité *f*.
possible ['pɔsəbl] *an* possible *m*; *a* éventuel.
possibly ['pɔsəbli] *ad* peut-être.
post [poust] *n* poste *f*, courrier *m*, levée *f*, mât *m*, poteau *m*, place *f*, emploi *m*; *vt* mettre à la poste, poster, affecter; **first** — appel *m*; **last** — sonnerie aux morts *f*, retraite *f*; (*US*) — **no bills** défense d'afficher.
postage ['poustidʒ] *n* affranchissement *m*; — **stamp** timbre (-poste) *m*.
postcard ['poustkɑ:d] *n* carte postale *f*.
post-date ['poust'deit] *vt* postdater.
poster ['poustə] *n* affiche *f*, afficheur *m*.
posterior [pɔs'tiəriə] *an* postérieur *m*.
posterity [pɔs'teriti] *n* postérité *f*.
postern ['poustə:n] *n* poterne *f*, porte de derrière *f*.
post-free ['poust'fri:] *a* franco, en franchise.
posthumous ['pɔstjuməs] *a* posthume.
postman ['poustmən] *n* facteur *m*.
postmark ['poustmɑ:k] *n* timbre d'oblitération *m*; *vt* timbrer.
postmaster ['poust,mɑ:stə] *n* receveur *m*, directeur des postes *m*.
post-mortem ['poust'mɔ:təm] *n* autopsie *f*.
post office ['poust,ɔfis] *n* (bureau *m* de) poste *f*.

post-paid ['poust'peid] *a* port payé.
postpone [poust'poun] *vt* ajourner, remettre, reculer.
postscript ['pousskript] *n* post-scriptum *m*.
postulate ['postjulit] *n* postulat *m*; ['pɔstjuleit] *vt* postuler, demander, stipuler.
posture ['pɔstʃə] *n* posture *f*, état *m*, attitude *f*.
posy ['pouzi] *n* petit bouquet *m*.
pot [pɔt] *n* pot *m*, marmite *f*.
potash ['pɔtæʃ] *n* potasse *f*.
potato [pə'teitou] *n* pomme de terre *f*.
pot-bellied ['pɔt,belid] *a* ventru, bedonnant.
pot-boiler ['pɔt,bɔilə] *n* besogne *f* alimentaire.
potent ['poutənt] *a* puissant, fort, violent.
potential [pə'tenʃəl] *an* potentiel *m*, possible *m*; *a* en puissance, latent.
potentiality [pə,tenʃi'æliti] *n* virtualité *f*, potentialité *f*, potentiel *m*.
pother ['pɔðə] *n* nuage *m*, tapage *m*, embarras *m pl*.
potion ['pouʃən] *n* potion *f*, sirop *m*, philtre *m*.
pot-luck ['pɔt'lʌk] *n* fortune du pot *f*.
potter ['pɔtə] *n* potier *m*; *vi* baguenauder, bricoler.
pottery ['pɔtəri] *n* poterie *f*.
pouch [pautʃ] *n* blague *f*, cartouchière *f*, sac *m*, poche *f*, bourse *f*.
poulterer ['poultərə] *n* marchand de volailles *m*.
poultice ['poultis] *n* cataplasme *m*.
poultry ['poultri] *n* volaille *f*; **—-yard** *n* basse-cour *f*.
pounce [pauns] *n* serre *f*, attaque *f*; *vt* poncer; **to — on** fondre sur, sauter sur.
pound [paund] *n* livre *f*, fourrière *f*, enclos *m*; *vt* piler, broyer, (*mil*) pilonner.
pour [pɔː] *n* pluie torrentielle *f*; *vt* verser; *vi* se jeter, pleuvoir à verse.
pout [paut] *n* moue *f*, bouderie *f*; *vi* faire la moue, bouder.
poverty ['pɔvəti] *n* pauvreté *f*, rareté *f*, misère *f*.
powder ['paudə] *n* poudre *f*; *vt* (sau)poudrer, pulvériser.
powdered ['paudəd] *a* en poudre.
powder-magazine ['paudəmægə,ziːn] *n* poudrière *f*.
powder-puff ['paudəpʌf] *n* houppe *f*.
powdery ['paudəri] *a* poudreux, friable.
power ['pauə] *n* pouvoir *m*, puissance *f*, faculté *f*, vigueur *f*, (*el*) force *f*; *vt* actionner.
powerful ['pauəful] *a* puissant, énergique, vigoureux.
powerlessness ['pauəlisnis] *n* impuissance *f*, inefficacité *f*.
practicable ['præktikəbl] *a* praticable, faisable, pratique.
practical ['præktikəl] *a* pratique.
practice ['præktis] *n* pratique *f*, étude *f*, clientèle *f*, usage *m*, habitude *f*, exercice *m*, entraînement *m*.
practise ['præktis] *vt* pratiquer, exercer, s'exercer à, étudier; *vi* s'entraîner, faire des exercices.
practitioner [præk'tiʃnə] *n* praticien *m*; **general —** omnipraticien *m*.
prairie ['prɛəri] *n* prairie *f*, savane *f*.
praise [preiz] *n* éloge *m*, louange *f*; *vt* louer, glorifier.
praiseworthy ['preiz,wəːði] *a* louable.
prance [prɑːns] *vi* se cabrer, piaffer, se pavaner.
prank [præŋk] *n* farce *f*, niche *f*, fredaine *f*, les cents coups *m pl*; *vt* orner, pavoiser.
prate [preit] *n* bavardage *m*; *vi* bavarder.
prattle ['prætl] *n* babil *m*; *vi* babiller, jaser.
prattling ['prætliŋ] *a* jaseur.
prawn [prɔːn] *n* crevette rose *f*.
pray [prei] *vti* prier.
prayer [prɛə] *n* prière *f*.
prayer book ['prɛəbuk] *n* rituel *m*, livre de messe *m*, paroissien *m*.
preach [priːtʃ] *vti* prêcher.
preamble [priː'æmbl] *n* préambule *m*.
precarious [pri'kɛəriəs] *a* précaire, incertain.
precariousness [pri'kɛəriəsnis] *n* précarité *f*.
precaution [pri'kɔːʃən] *n* précaution *f*.
precede [pri(ː)'siːd] *vt* précéder, préfacer.
precedence ['presidəns] *n* préséance *f*, pas *m*.
precedent ['presidənt] *n* précédent *m*.
precept ['priːsept] *n* précepte *m*.
preceptor [pri'septə] *n* précepteur *m*.
precincts ['priːsiŋkts] *n pl* enceinte *f*, limites *f pl*, (*US*) circonscription *f* électorale.
precious ['preʃəs] *a* précieux, de grand prix.
preciousness ['preʃəsnis] *n* haute valeur *f*, préciosité *f*.
precipice ['presipis] *n* précipice *m*.
precipitate [pri'sipitit] *n* précipité *m*; [pri'sipiteit] *vt* précipiter, brusquer.
precipitation [pri,sipi'teiʃən] *n* précipitation *f*.
precipitous [pri'sipitəs] *a* à pic, escarpé.
precise [pri'sais] *a* précis, exact, pointilleux.
precisely [pri'saisli] *ad* précisément, avec précision.
precision [pri'siʒən] *n* précision *f*.
preclude [pri'kluːd] *vt* exclure, prévenir, priver.
precocious [pri'kouʃəs] *a* précoce.
precociousness [pri'kouʃəsnis] *n* précocité *f*.

precursor [pri(ː)'kəːsə] *n* précurseur *m*, avant-coureur *m*, devancier *m*.
predate [pri'deit] *vt* antidater.
predatory ['predətəri] *a* rapace, de proie, de brigand.
predecessor ['priːdisesə] *n* prédécesseur *m*.
predicament [pri'dikəmənt] *n* difficulté *f*, situation fâcheuse *f*.
predict [pri'dikt] *vt* prédire.
predilection [ˌpriːdi'lekʃən] *n* prédilection *f*.
predispose ['priːdis'pouz] *vt* prédisposer.
predisposition ['priːˌdispə'ziʃən] *n* prédisposition *f*.
predominate [pri'dɔmineit] *vi* prédominer.
pre-eminence [pri(ː)'eminəns] *n* prééminence *f*.
preen [priːn] **to — oneself** se bichonner, se faire beau, faire des grâces, se piquer (de **on**).
preface ['prefis] *n* préface *f*; *vt* préfacer, préluder à.
prefect ['priːfekt] *n* préfet *m*.
prefer [pri'fəː] *vt* préférer, aimer mieux, avancer.
preferably ['prefərəbli] *ad* de préférence.
preference ['prefərəns] *n* préférence *f*.
preferential [ˌprefə'renʃəl] *a* préférentiel, de faveur.
preferment [pri'fəːmənt] *n* avancement *m*.
pregnancy ['pregnənsi] *n* grossesse *f*.
pregnant ['pregnənt] *a* enceinte, grosse, fertile, plein.
prejudice ['predʒudis] *n* préjudice *m*, tort *m*, préjugé *m*; *vt* faire tort à, prévenir.
prejudicial [ˌpredʒu'diʃəl] *a* préjudiciable, nuisible.
prelate ['prelit] *n* prélat *m*.
preliminary [pri'liminəri] *an* préliminaire *m*; *a* préalable; *n* prélude *m*; *pl* préliminaires *m pl*.
prelude ['preljuːd] *n* prélude *m*; *vi* préluder (à); *vt* annoncer.
premature [ˌpremə'tjuə] *a* prématuré.
prematurely [ˌpremə'tjuəli] *ad* prématurément.
premeditate [pri(ː)'mediteit] *vt* préméditer.
premeditation [pri(ː)ˌmedi'teiʃən] *n* préméditation *f*.
premier ['premjə] *a* premier; *n* premier ministre *m*, président du conseil *m*.
premise ['premis] *n* prémisse *f*; *pl* maison *f*, lieux *m pl*, local *m*.
premium ['priːmjem] *n* prime *f*, boni *m*; **to be at a —** faire prime.
preoccupation [pri(ː)ˌɔkju'peiʃən] *n* préoccupation *f*.
preoccupied [pri(ː)'ɔkjupaid] *a* préoccupé.
preparation [ˌprepə'reiʃən] *n* préparation *f*; *pl* préparatifs *m pl*.
preparatory [pri'pærətəri] *a* préparatoire, préalable.
prepare [pri'pɛə] *vt* préparer, apprêter; *vi* se préparer, se disposer (à).
prepay ['priː'pei] *vt* payer d'avance.
preponderance [pri'pɔndərəns] *n* prépondérance *f*.
preponderate [pri'pɔndəreit] *vi* l'emporter (sur **over**).
preposition [ˌprepə'ziʃən] *n* préposition *f*.
prepossessing [ˌpriːpə'zesiŋ] *a* captivant, prévenant.
preposterous [pri'pɔstərəs] *a* absurde, saugrenu.
prerequisite ['priː'rekwizit] *n* condition préalable *f*; *a* nécessaire.
prerogative [pri'rɔgətiv] *n* prérogative *f*, apanage *m*.
presage ['presidʒ] *n* présage *m*, pressentiment *m*, *vt* présager, annoncer, augurer.
prescribe [pris'kraib] *vt* prescrire, ordonner.
prescription [pris'kripʃən] *n* ordonnance *f*, prescription *f*, ordre *m*.
presence ['prezns] *n* présence *f*, distinction *f*, maintien *m*, prestance *f*.
present ['preznt] *n* cadeau *m*, présent *m*; *a* présent.
present [pri'zent] *vt* présenter, offrir, faire cadeau de, soumettre.
presentation [ˌprezen'teiʃən] *n* présentation *f*, don *m*, remise *f*, cadeau-souvenir *m*.
presentiment [pri'zentimənt] *n* pressentiment *m*.
presently ['prezntli] *ad* avant (sous) peu, tout à l'heure, bientôt.
preservation [ˌprezə(ː)'veiʃən] *n* préservation *f*, conservation *f*.
preservative [pri'zəːvətiv] *an* préservatif *m*.
preserve [pri'zəːv] *n* chasse (pêche) gardée *f*; *pl* conserves *f pl*, confiture *f*; *vt* préserver, conserver, confire, maintenir, garder, observer, garantir (de **from**).
preside [pri'zaid] *vi* présider.
presidency ['prezidənsi] *n* présidence *f*.
president ['prezidənt] *n* président(e) *mf*.
press [pres] *n* presse *f*, pressoir *m*, pression *f*, foule *f*, hâte *f*, placard *m*, imprimerie *f*; *vt* appuyer sur, presser, serrer, pressurer, donner un coup de fer à; *vi* appuyer, se serrer, peser.
press-stud ['pres'stʌd] *n* bouton pression *m*.
pressing ['presiŋ] *a* pressant, urgent; *n* pressage *m*, pression *f*.
pressure ['preʃə] *n* pression *f*, poussée *f*, urgence *f*.
pressure-cooker ['preʃəˌkukə] *n* cocotte minute *f*.
prestige [pres'tiːʒ] *n* prestige, embarras *m*, tension *f*.

prestressed ['pri'strest] *a* précontraint.
presume [pri'zju:m] *vt* présumer, supposer, se permettre de croire, aimer à croire; **to — on** se prévaloir de, abuser de.
presumption [pri'zʌmpʃən] *n* présomption *f*.
presumptive [pri'zʌmptiv] *a* présomptif.
presumptuous [pri'zʌmptjuəs] *a* présomptueux.
pretence [pri'tens] *n* prétence *f*, prétexte *m*, (faux) semblant *m*.
pretend [pri'tend] *vt* feindre, faire semblant de, simuler, prétendre.
pretender [pri'tendə] *n* prétendant *m*, soupirant *m*.
pretension [pri'tenʃən] *n* prétention *f*.
pretentious [pri'tenʃəs] *a* prétentieux.
pretext ['pri:tekst] *n* prétexte *m*.
prettiness ['pritinis] *n* joliesse *f*, mignardise *f*.
pretty ['priti] *a* joli, beau, mignon, gentil; *ad* à peu près, assez.
prevail [pri'veil] *vi* l'emporter (sur **over**), prévaloir (contre, sur **over**), régner; **to — upon s.o. to** amener qn à, décider qn à, persuader à qn de.
prevailing [pri'veiliŋ] *a* courant, régnant, général.
prevalent ['prevələnt] *a* prédominant, répandu.
prevaricate [pri'værikeit] *vi* tergiverser, ergoter, mentir.
prevarication [pri,væri'keiʃən] *n* chicane *f*, tergiversation *f*, mensonge *m*.
prevent [pri:'vent] *vt* empêcher, prévenir.
prevention [pri'venʃən] *n* empêchement *m*, protection *f*.
preventive [pri'ventiv] *an* préventif *m*.
preview ['pri:'vju:] *n* exhibition préalable *f*, avant-première *f*.
previous ['pri:viəs] *a* précédent, préalable, antérieur.
previously ['pri:viəsli] *ad* précédemment, auparavant, au préalable.
prey [prei] *n* proie *f*; **to — upon** vivre sur, dévorer.
price [prais] *n* prix *m*; *vt* mettre un prix à, estimer.
priceless ['praislis] *a* sans prix, impayable.
prick [prik] *n* piqûre *f*, remords *m*; *vt* piquer, tendre, dresser.
pricker ['prikə] *n* poinçon *m*.
prickle ['prikl] *n* épine *f*, piquant *m*, picotement *m*; *vti* piquer, picoter.
pride [praid] *n* orgueil *m*, fierté *f*; **to — oneself on** s'enorgueillir de, se piquer de.
priest [pri:st] *n* prêtre *m*, prêtresse *f*.
priesthood ['pri:sthud] *n* prêtrise *f*.
prig [prig] *n* poseur *m*.
priggish ['prigiʃ] *a* pédantesque, poseur, bégueule, suffisant.
priggishness ['prigiʃnis] *n* bégueulerie *f*, suffisance *f*.
prim [prim] *a* affecté, collet monté, compassé.
primary ['praiməri] *a* primaire, premier, primitif, brut.
primate ['praimit] *n* primat *m*.
prime [praim] *n* fleur *f* (de l'âge), force *f*, commencement *m*; *a* premier, primordial, de première qualité; *vt* préparer, (*engine*) amorcer.
primer ['praimə] *n* abécédaire *m*, éléments *m pl*.
primeval [prai'mi:vəl] *a* primordial, primitif, vierge.
primitive ['primitiv] *a* primitif (-ve), primaire.
primness ['primnis] *n* affectation *f*, air pincé *m*, air collet monté *m*.
primrose ['primrouz] *n* primevère *f*.
prince [prins] *n* prince *m*.
princely ['prinsli] *a* princier, royal.
princess ['prinses] *n* princesse *f*.
principal ['prinsəpəl] *an* principal *m*; *n* directeur *m*, chef *m*.
principality [,prinsi:'pæliti] *n* principauté *f*.
principle ['prinsəpl] *n* principe *m*.
print [print] *n* empreinte *f*, imprimé *m*, gravure *f*, estampe *f*, impression *f*, épreuve *f*, (tissu *m*) imprimé (*m*).
printer ['printə] *n* imprimeur *m*, typographe *m*.
printing ['printiŋ] *n* impression *f*, imprimerie *f*, tirage *m*, typographie *f*; **— office** *n* imprimerie *f*.
prior ['praiə] *n* prieur *m*; *a* antérieur, préalable; *ad* antérieurement (à **to**).
prism ['prizəm] *n* prisme *m*.
prison ['prizn] *n* prison *f*.
prisoner ['priznə] *n* prisonnier, -ière.
privacy ['privəsi] *n* intimité *f*, solitude *f*, secret *m*.
private ['praivit] *n* soldat *m* sans grade, particulier, -ière; *a* privé, personnel, intime, confidentiel, retiré, particulier.
privately ['praivitli] *ad* en particulier, dans l'intimité, en confidence.
privation [prai'veiʃən] *n* privation *f*, manque *m*.
privet ['privit] *n* troène *m*.
privilege ['privilidʒ] *n* privilège *m*, bonne fortune *f*.
privileged ['privilidʒd] *a* privilégié.
privy ['privi] *n* privé *m*, cabinets *m pl*.
prize [praiz] *n* prix *m*, (*at sea*) prise *f*; *vt* apprécier, évaluer, faire grand cas de.
pro [prou] *prep* pour; *an* professionel, -elle.
probability [,prɔbə'biliti] *n* probabilité *f*, vraisemblance *f*.
probable ['prɔbəbl] *a* probable, vraisemblable.
probation [prə'beiʃən] *n* noviciat *m*,

épreuve *f*, surveillance *f*, stage *m*.
probe [proub] *n* sonde *f*; (*US*) enquête *f*, sondage *m*; *vt* sonder, examiner, approfondir.
probity ['proubiti] *n* probité *f*.
problem ['prɔbləm] *n* problème *m*.
problematic [ˌprɔbli'mætik] *a* problématique, incertain.
procedure [prə'siːdʒə] *n* procédure *f*, façon d'agir *f*.
proceed [prə'siːd] *vi* continuer, poursuivre, passer, se rendre, venir, procéder, se prendre.
proceeding [prə'siːdiŋ] *n* procédé *m*, façon d'agir *f*; *pl* poursuites *f pl*, débats *m pl*, réunion *f*, cérémonie *f*.
proceeds ['prousiːdz] *n pl* produit *m*, recette *f*.
process ['prouses] *n* cours *m*, marche *f*, procédé *m*, processus *m*; *vt* apprêter.
procession [prə'seʃən] *n* procession *f*, défilé *m*, cortège *m*.
proclaim [prə'kleim] *vt* proclamer, déclarer, trahir.
proclamation [ˌprɔklə'meiʃən] *n* proclamation *f*.
procrastinate [prou'kræstineit] *vi* temporiser.
procrastination [prouˌkræsti'neiʃən] *n* temporisation *f*.
procuration [ˌprɔkjuə'reiʃən] *n* procuration *f*, commission *f*, obtention *f*.
procure [prə'kjuə] *vt* obtenir, (se) procurer.
procurement [prə'kjuəmənt] *n* (*US*) approvisionnement *m* (d'un service).
procurer [prə'kjuərə] *n* proxénète *m*.
prod [prɔd] *vt* bourrer les côtes à, pousser.
prodigal ['prɔdigəl] *an* prodigue *mf*.
prodigality [ˌprɔdi'gæliti] *n* prodigalité *f*.
prodigious [prə'didʒəs] *a* prodigieux, mirobolant.
prodigy ['prɔdidʒi] *n* prodige *m*, merveille *f*.
produce ['prɔdjuːs] *n* produit *m*, rendement *m*, fruits *m pl*, denrées *f pl*.
produce [prə'djuːs] *vt* produire, présenter, provoquer, (*theatre*) monter, mettre en scène.
producer [prə'djuːsə] *n* producteur, -trice, metteur en scène *m*.
product ['prɔdəkt] *n* produit *m*, résultat *m*.
production [prə'dʌkʃən] *n* production *f*, produit *m*, œuvre *f*, (re)présentation *f*, mise en scène *f*, fabrication *f*.
productive [prə'dʌktiv] *a* productif, qui rapporte, fécond.
profane [prə'fein] *a* profane, impie; *vi* profaner, violer.
profanity [prə'fæniti] *n* impiété *f*, blasphème *m*.
profess [prə'fes] *vt* professer, faire profession de, exercer, prétendre; **to — to be** se faire passer pour.
professed [prə'fest] *a* déclaré, avoué, soi-disant.
profession [prə'feʃən] *n* profession *f*, carrière *f*, métier *m*, déclaration *f*, affirmation *f*.
professional [prə'feʃənl] *an* professionel, -elle; *a* de carrière, de métier.
professor [prə'fesə] *n* professeur *m* (d'université).
proffer ['prɔfə] *vt* offrir, présenter.
proficiency [prə'fiʃənsi] *n* aptitude *f*, compétence *f*.
proficient [prə'fiʃənt] *a* bon, fort, compétent, capable.
profile ['proufail] *n* profil *m*.
profit ['prɔfit] *n* profit *m*, gain *m*, bénéfice(s) *m* (*pl*); *vti* profiter (à, de by).
profitable ['prɔfitəbl] *a* profitable, lucratif, avantageux.
profiteer [ˌprɔfi'tiə] *n* mercanti *m*, exploitation *f*, mercantilisme *m*.
profligacy ['prɔfligəsi] *n* débauche *f*.
profligate ['prɔfligit] *an* débauché(e) *mf*, libertin(e) *mf*.
profound [prə'faund] *a* profond, approfondi.
profoundly [prə'faundli] *ad* profondément.
profuse [prə'fjuːs] *a* prodigue, copieux, excessif.
profusely [prə'fuːsli] abondamment.
profusion [prə'fjuːʒən] *n* profusion *f*, abondance *f*.
progeny ['prɔdʒini] *n* rejeton *m*, progéniture *f*.
prognostic [prəg'nɔstik] *n* prognostic *m*.
prognosticate [prəg'nɔstikeit] *vt* pronostiquer, prédire.
program(me) ['prougræm] *n* programme *m*.
progress ['prougres] *n* progrès *m*, cours *m*.
progress [prə'gres] *vi* (s')avancer, progresser.
progression [prə'greʃən] *n* progression *f*.
progressive [prə'gresiv] *a* progressif, de progrès, progressiste, d'avant-garde.
prohibit [prə'hibit] *vt* défendre, interdire (de).
prohibition [ˌproui'biʃən] *n* prohibition *f*, défense *f*, interdiction *f*.
prohibitive [prə'hibitiv] *a* prohibitif, inabordable.
project ['prɔdʒekt] *n* projet *m*.
project [prə'dʒekt] *vt* projeter; *vi* s'avancer, faire saillie.
projectile [prə'dʒektail] *n* projectile *m*.
projection [prə'dʒekʃən] *n* projection *f*, saillie *f*.
projector [prə'dʒektə] *n* lanceur *m*, projecteur *m*.
proletarian [ˌproule'tɛəriən] *an* prolétaire *mf*.
proletariat [ˌproule'tɛəriət] *n* prolétariat *m*.

prolific [prə'lifik] *a* prolifique, fécond.
prolix ['prouliks] *a* prolixe.
prolong [prə'lɔŋ] *vt* allonger, prolonger.
prolongation [,proulɔŋ'geiʃən] *n* prolongation *f*, prolongement *m*.
promenade [,prɔmi'nɑːd] *n* promenade *f*, esplanade *f*, promenoir *m*; *vi* se promener.
prominence ['prɔminəns] *n* (pro) éminence *f*, importance *f*.
prominent ['prɔminənt] *a* saillant, éminent, en vue, proéminent.
promiscuity [,prɔmis'kju(ː)iti] *n* promiscuité *f*.
promiscuous [prə'miskjuəs] *a* confus, mêlé, en commun.
promise ['prɔmis] *n* promesse *f*; *vt* promettre.
promising ['prɔmisiŋ] *a* qui promet, prometteur.
promontory ['prɔməntri] *n* promontoire *m*.
promote [prə'mout] *vt* promouvoir, nommer, avancer, encourager, soutenir.
promoter [prə'moutə] *n* promoteur *m*, lanceur *m*, auteur *m*.
promotion [prə'mouʃən] *n* avancement *m*, promotion *f*.
prompt [prɔmpt] *a* actif, prompt; *vt* pousser, inspirer, souffler.
prompter ['prɔmptə] *n* souffleur *m*; **—'s box** trou du souffleur *m*.
promptitude ['prɔmptitjuːd] *n* promptitude *f*, empressement *m*.
prone [proun] *a* couché sur le ventre, porté (à **to**).
prong [prɔŋ] *n* branche *f*, dent *f*, fourchon *m*.
pronoun ['prounaun] *n* pronom *m*.
pronounce [prə'nauns] *vt* prononcer, déclarer.
pronouncement [prə'naunsmənt] *n* déclaration *f*.
pronunciation [prə,nʌnsi'eiʃən] *n* prononciation *f*.
proof [pruːf] *n* preuve *f*, épreuve *f*; *a* à l'épreuve de, à l'abri (de **against**), imperméable, étanche, insensible; *vt* imperméabiliser.
prop [prɔp] *n* étai *m*, tuteur *m*, soutien *m*; *vt* étayer, soutenir, appuyer.
propaganda [,prɔpə'gændə] *n* propagande *f*.
propagate ['prɔpəgeit] *vt* propager, répandre.
propagation [,prɔpə'geiʃən] *n* propagation *f*, dissémination *f*.
propel [prə'pel] *vt* lancer, propulser.
propeller [prə'pelə] *n* hélice *f*.
propensity [prə'pensiti] *n* penchant *m*, inclination *f*, tendance *f* (à, vers **to, towards**).
proper ['prɔpə] *a* propre, approprié, décent, vrai, correct, convenable, bon, opportun.
properly ['prɔpəli] *ad* bien, comme il faut, convenablement, correctement, complètement.
property ['prɔpəti] *n* propriété *f*, biens *m pl*, immeuble *m*; *pl* accessoires *m pl*; **—man** *n* machiniste *m*.
prophecy ['prɔfisi] *n* prophétie *f*.
prophesy ['prɔfisai] *vti* prophétiser; *vt* prédire.
prophet ['prɔfit] *n* prophète *m*.
propinquity [prə'piŋkwiti] *n* voisinage *m*, proche parenté *f*, ressemblance *f*.
propitiate [prə'piʃieit] *vt* apaiser, se concilier.
propitious [prə'piʃəs] *a* propice, favorable.
proportion [prə'pɔːʃən] *n* proportion *f*, rapport *m*, part *f*; *vt* proportionner.
proportional [prə'pɔːʃənl] *a* proportionnel, proportionné.
proposal [prə'pouzəl] *n* offre *f*, proposition *f*, projet *m*, demande en mariage *f*.
propose [prə'pouz] *vt* (se) proposer; *vi* demander en mariage.
proposition [,prɔpə'ziʃən] *n* proposition *f*, affaire *f*, entreprise *f*.
propound [prə'paund] *vt* proposer, produire, exposer, émettre.
proprietary [prə'praiətəri] *a* possédant, de propriétaire, de propriété.
proprietor [prə'praiətə] *n* propriétaire *mf*.
propriety [prə'praiəti] *n* convenances *f pl*, bienséance *f*, propriété *f*, correction *f*.
proscribe [prəs'kraib] *vt* proscrire, interdire.
proscription [prəs'kripʃən] *n* proscription *f*, interdiction *f*.
prose [prouz] *n* prose *f*, thème *m*.
prosecute ['prɔsikjuːt] *vt* poursuivre, mener.
prosecution [,prɔsi'kjuːʃən] *n* poursuite(s) *f* (*pl*), accusation *f*, le ministère public *m*, plaignants *m pl*, exercice *m* (d'un métier).
prosecutor ['prɔsikjuːtə] *n* demandeur *m*, le ministère public *m*, procureur du roi *m*.
prose-writer ['prouz'raitə] *n* prosateur *m*.
prospect ['prɔspekt] *n* vue *f*, perspective *f*, chance *f*; *pl* espérances *f pl*.
prospect [prəs'pekt] *vti* prospecter.
prospective [prəs'pektiv] *a* futur, à venir, éventuel.
prospector [prəs'pektə] *n* prospecteur *m*.
prosper ['prɔspə] *vi* prospérer, réussir.
prosperity [prɔs'periti] *n* prospérité *f*.
prosperous ['prɔspərəs] *a* prospère.
prostitute ['prɔstitjuːt] *n* prostituée *f*; *vt* (se) prostituer, se vendre.
prostrate ['prɔstreit] *a* prosterné, prostré, abattu.

prostrate [prɔs'treit] *vt* abattre, accabler; **to — oneself** se prosterner.
prostration [prɔs'treiʃən] *n* prostration *f*, prosternement *m*, abattement *m*.
prosy ['prouzi] *a* prosaïque, fastidieux.
protect [prə'tekt] *vt* protéger, défendre, sauvegarder.
protection [prə'tekʃən] *n* protection *f*, défense *f*, sauvegarde *f*.
protective [prə'tektiv] *a* protecteur.
protein ['prouti:n] *n* protéine *f*.
protest ['proutest] *n* protestation *f*, protêt *m*.
protest [prə'test] *vti* protester; *vt* protester de.
protestant ['prɔtistənt] *n* protestant (e) *mf*.
protocol ['proutəkɔl] *n* protocole *m*.
prototype ['proutətaip] *n* prototype *m*, archétype *m*.
protract [prə'trækt] *vt* prolonger.
protraction [prə'trækʃən] *n* prolongation *f*.
protrude [prə'tru:d] *vi* faire saillie, s'avancer.
proud [praud] *a* fier, orgueilleux.
prove [pru:v] *vt* prouver, démontrer; *vi* se montrer, s'avérer.
provender ['prɔvində] *n* fourrage *m*.
proverb ['prɔvəb] *n* proverbe *m*.
provide [prə'vaid] *vt* fournir, pourvoir, munir, stipuler; *vi* **to — against** se prémunir contre.
provided [prə'vaidid] *cj* pourvu que.
providence ['prɔvidəns] *n* prévoyance *f*, économie *f*, Providence *f*.
provident ['prɔvidənt] *a* prévoyant, économe.
providential [,prɔvi'denʃəl] *a* providentiel.
province ['prɔvins] *n* province *f*.
provincial [prə'vinʃəl] *an* provincial (e) *mf*.
provision [prə'viʒən] *n* provision *f*, approvisionnement *m*, stipulation *f*.
proviso [prə'vaizou] *n* condition *f*, clause *f*.
provocation [,prɔvə'keiʃən] *n* provocation *f*.
provocative [prə'vɔkətiv] *a* provoquant, provocateur.
provoke [prə'vouk] *vt* provoquer, exciter, exaspérer.
provost ['prɔvəst] *n* prévôt *m*, maire *m*.
prow [prau] *n* proue *f*.
prowess ['prauis] *n* courage *m*, prouesse *f*.
prowl [praul] *vi* rôder.
proximate ['prɔksimit] *a* prochain, proche.
proximity [prɔk'simiti] *n* proximité *f*.
proxy ['prɔksi] *n* procuration *f*, mandataire *mf*, fondé *m* de pouvoir(s).
prudence ['pru:dəns] *n* prudence *f*, sagesse *f*.
prudent ['pru:dənt] *a* prudent, sage.
prudery ['pru:dəri] *n* pruderie *f*, pudibonderie *f*.
prudish ['pru:diʃ] *a* prude, bégueule, pudibond.
prune [pru:n] *n* pruneau *m*; *vt* émonder, tailler, élaguer (de **off**).
pruning ['pru:niŋ] *n* élagage *m*, émondage *m*, taille *f*; **—-shears** *n* sécateur *m*.
pry [prai] *vi* fureter, fourrer le nez (dans **into**).
psalm [sɑ:m] *n* psaume *m*.
psalmody ['sælmədi] *n* psalmodie *f*.
pseudonym ['psju:dənim] *n* pseudonyme *m*.
psychiatrist [sai'kaiətrist] *n* psychiatre *m*.
psychoanalysis [,saikouə'nælisis] *n* psychanalyse *f*.
psychologist [sai'kɔlədʒist] *n* psychologue *m*.
psychology [sai'kɔlədʒi] *n* psychologie *f*.
pub [pʌb] *n* bistro *m*, bar *m*.
puberty ['pju:bəti] *n* puberté *f*.
public ['pʌblik] *an* public *m*.
publication [,pʌbli'keiʃən] *n* publication *f*.
publicist ['pʌblisist] *n* publiciste *m*.
publicity [pʌb'lisiti] *n* publicité *f*, réclame *f*.
publish ['pʌbliʃ] *vt* publier, faire paraître.
publisher ['pʌbliʃə] *n* éditeur *m*.
publishing ['pʌbliʃiŋ] *n* publication *f*; **— house** maison *f* d'édition.
puck [pʌk] *n* lutin *m*, palet *m*.
pucker ['pʌkə] *n* ride *f*, pli *m*, fronce *f*; *vt* plisser, rider, froncer; *vi* se froncer.
pudding ['pudiŋ] *n* pudding *m*; **black —** boudin *m*.
puddle ['pʌdl] *n* flaque *f*, gâchis *m*; *vi* barboter; *vt* brasser, corroyer.
puff [pʌf] *n* souffle *m*, bouffée *f*, houppe *f*, bouffant *m*, feuilleté *m*, réclame *f*; *vi* haleter, souffler, lancer des bouffées; *vt* vanter, gonfler, essouffler.
puffed ['pʌft] *a* essoufflé, bouffant.
puffy ['pʌfi] *a* gonflé, bouffi.
pug(-nose) ['pʌgnouz] *n* nez *m* épaté.
pugnacious [pʌg'neiʃəs] *a* batailleur.
pull [pul] *n* tirage *m*, influence *f*, avantage *m*, piston *m*, lampée *f*, effort *m*; *vt* traîner; *vti* tirer; **to — down** démolir, baisser, renverser; **to — off** enlever, gagner; **to — out** *vt* tirer, arracher; *vi* démarrer, sortir; **to — through** *vt* tirer d'affaire; *vi* se tirer d'affaire; **to — up** *vt* arracher, relever, arrêter; *vi* s'arrêter; **to — oneself together** se ressaisir.
pullet ['pulit] *n* poulette *f*.
pulley ['puli] *n* poulie *f*.
pullover ['pul,ouvə] *n* pull-over *m*, tricot *m*.
pulp [pʌlp] *n* pulpe *f*, pâte *f*, chair *f*.
pulpit ['pulpit] *n* chaire *f*.

pulsate [pʌl'seit] *vi* battre, palpiter, vibrer.
pulse [pʌls] *n* pouls *m*, pulsation *f*, battement *m*; *vi* battre, palpiter.
pulverize ['pʌlvəraiz] *vt* pulvériser, broyer.
pumice(-stone) ['pʌmis(stoun)] *n* pierre ponce *f*.
pump [pʌmp] *n* pompe *f*; *vt* pomper, tirer les vers du nez à.
pumpkin ['pʌmpkin] *n* citrouille *f*.
pun [pʌn] *n* jeu de mots *m*, calembour *m*.
punch [pʌntʃ] *n* poinçon *m*, Polichinelle *m*, coup de poing *m*; *vt* poinçonner, trouer, étamper, donner un coup de poing à.
punctilious [pʌŋk'tiliəs] *a* pointilleux, chatouilleux.
punctual ['pʌŋktjuəl] *a* exact, ponctuel.
punctuality [ˌpʌŋktju'æliti] *n* ponctualité *f*, exactitude *f*.
punctuate ['pʌŋktjueit] *vt* ponctuer.
punctuation [ˌpʌŋktju'eiʃən] *n* ponctuation *f*.
puncture ['pʌŋktʃə] *n* piqûre *f*, crevaison *f*; *vti* crever.
pundit [pʌndit] *n* pontife *m*.
pungency ['pʌndʒənsi] *n* âcreté *f*, mordant *m*, saveur *f*.
pungent ['pʌndʒənt] *a* aigu, -uë, mordant, piquant, âcre.
punish ['pʌniʃ] *vt* punir, corriger.
punishable ['pʌniʃəbl] *a* punissable, délictueux.
punishment ['pʌniʃmənt] *n* punition *f*.
punt [pʌnt] *n* bachot *m*, coup de volée *m*.
puny ['pju:ni] *a* chétif, mesquin.
pup(py) ['pʌp(i)] *n* chiot *m*, petit chien *m*.
pupil ['pju:pl] *n* élève *mf*, (*eye*) pupille *f*.
puppet ['pʌpit] *n* marionnette *f*, pantin *m*.
purblind ['pə:blaind] *a* myope, obtus.
purchase ['pə:tʃəs] *n* achat *m*, acquisition *f*, prise *f*, point d'appui *m*; *vt* acheter.
purchaser ['pə:tʃəsə] *n* acheteur, -euse, acquéreur, -euse.
pure [pjuə] *a* pur.
purgation [pə:'geiʃən] *n* purification *f*, purgation *f*, purge *f*.
purgative ['pə:gətiv] *an* purgatif *m*.
purgatory ['pə:gətəri] *n* purgatoire *m*.
purge [pə:dʒ] *n* purge *f*, épuration *f*; *vt* purger, épurer.
purify ['pjuərifai] *vt* purifier.
Puritan ['pjuəritən] *an* puritain(e) *mf*.
purity ['pjuəriti] *n* pureté *f*.
purl [pə:l] *n* murmure *m*; *vi* murmurer.
purlieu ['pə:lju:] *n* lisière *f*, alentours *m pl*, bornes *f pl*.
purloin ['pə:lɔin] *vt* voler, soustraire.
purple ['pə:pl] *an* violet *m*, cramoisi *m*, pourpre *m*; *n* pourpre *f*.
purport ['pə:pət] *n* sens *m*, teneur *f*.
purport [pə:'pɔ:t] *vt* signifier, impliquer.
purpose ['pə:pəs] *n* dessein *m*, intention *f*, objet *m*; *vt* se proposer (de).
purposeful ['pə:pəsful] *a* calculé, réfléchi, énergique, avisé.
purposeless ['pə:pəslis] *a* sans objet, inutile.
purposely ['pə:pəsli] *ad* à dessein.
purr [pə:] *n* ronronnement *m*: *vi* ronronner.
purse [pə:s] *n* porte-monnaie *m*, bourse *f*; *vt* plisser, serrer, froncer.
purser ['pə:sə] *n* commissaire *m*.
pursuance [pə'sju(:)əns] *n* exécution *f*, conséquence *f*; **in — of** conformément à.
pursue [pə'sju:] *vti* poursuivre.
pursuit [pə'sju:t] *n* poursuite *f*, occupation *f*, recherche *f*.
purvey [pə:'vei] *vt* fournir.
purveyor [pə:'veiə] *n* fournisseur, -euse.
purview ['pə:vju:] *n* teneur *f*, portée *f*.
pus [pʌs] *n* pus *m*.
push [puʃ] *n* poussée *f*, coup *m* (d'épaule), effort *m*, pression *f*, crise *f*, entregent *m*; *vti* pousser; *vt* presser, appuyer.
pushing ['puʃiŋ] *a* intrigant, entreprenant, débrouillard, ambitieux.
puss [pus] *n* minet, -ette, minou *m*.
put [put] *vt* mettre, remettre, placer, estimer, lancer, verser; **to — back** retarder, remettre à sa place; **to — by** mettre de côté; **to — down** (dé) poser, réprimer, supprimer, noter, attribuer, rabattre; **to — in** *vt* installer, introduire, glisser, passer; *vi* **to — in at** faire escale à; **to — off** *vt* ajourner, remettre, ôter, dérouter; *vi* démarrer; **to — on** mettre, passer, revêtir, feindre; **to — out** éteindre, tendre, déconcerter, mettre à la porte, sortir, démettre, publier; **to — through** exécuter, mettre en communication; **to — up** *vt* (faire) dresser, construire, monter, hausser, lever, apposer, présenter, loger, héberger, proposer; *vi* descendre, loger; **to — up with** s'accommoder de, supporter.
putrefy ['pju:trifai] *vi* pourrir, se putréfier.
putrid ['pju:trid] *a* putride, infect.
putty ['pʌti] *n* mastic *m*.
puzzle ['pʌzl] *n* enigme *f*, devinette *f*, embarras *m*; **jigsaw — puzzle** *m*; *vt* intriguer, embarrasser; *vi* se creuser la tête.
pygmy ['pigmi] *n* pygmée *m*.
pyjamas [pə'dʒɑ:məz] *n* pyjama(s) *m* (*pl*).
pylon ['pailən] *n* pylône *m*.

pyramid ['pirəmid] *n* pyramide *f*.
pyre ['paiə] *n* bûcher *m*.
pyx [piks] *n* ciboire *m*.

Q

quack [kwæk] *n* charlatan *m*, couin-couin *m*.
quackery ['kwækəri] *n* charlatanisme *m*.
quadrangle ['kwɔ,dræŋgl] *n* quadrilatère *m*, cour *f*.
quadruple ['kwɔdrupl] *an* quadruple *m*.
quaff [kwɑːf] *vt* lamper, vider d'un seul trait.
quagmire ['kwægmaiə] *n* fondrière *f*.
quail [kweil] *n* caille *f*; *vi* flancher, défaillir.
quaint [kweint] *a* désuet, délicat, étrange, archaïque, fantasque, vieux jeu.
quake [kweik] *vi* trembler.
qualification [,kwɔlifi'keiʃən] *n* réserve *f*, atténuation *f*, condition *f*, nom *m*; *pl* titres *m*.
qualify ['kwɔlifai] *vt* qualifier, traiter (de), atténuer, modifier, modérer; *vi* acquérir les titres, se qualifier.
quality ['kwɔliti] *n* qualité *f*.
qualm [kwɔːm] *n* scrupule *m*, remords *m*.
quandary ['kwɔnderi] *n* embarras *m*, impasse *f*.
quantity ['kwɔntiti] *n* quantité *f*.
quarantine ['kwɔrəntiːn] *n* quarantaine *f*.
quarrel ['kwɔrəl] *n* querelle *f*, dispute *f*; *vi* se quereller, se disputer.
quarrelsome ['kwɔrəlsəm] *a* querelleur.
quarry ['kwɔri] *n* proie *f*, carrière *f*; *vt* extraire.
quarter ['kwɔːtə] *n* quart *m*, trimestre *m*, région *f*, fogement *m*, quartier *m*, (*US*) pièce d'½ dollar; *vt* couper en quatre, loger, équarrir, écarteler; **— of an hour** quart d'heure *m*; **a — to** moins le quart; **a — past** et quart; **—-deck** *n* gaillard d'arrière *m*; **—-master-sergeant** *n* maréchal des logis *m*.
quarterly ['kwɔːtəli] *a* trimestriel.
quartet [kwɔː'tet] *n* quatuor *m*.
quarto ['kwɔːtou] *n* inquarto *m*.
quash [kwɔʃ] *vt* casser, annuler.
quaver ['kweivə] *n* chevrotement *m*, trille *m*, croche *f*; *vi* faire des trilles, trembloter, chevroter.
quay [kiː] *n* quai *m*.
queasy ['kwiːzi] *a* barbouillé, scrupuleux.
queen ['kwiːn] *n* reine *f*, (*cards*) dame *f*.
queer ['kwiə] *a* étrange, bizarre, louche.
quell [kwel] *vt* réprimer, écraser, apaiser.
quench [kwentʃ] *vt* éteindre, étancher.
querulous ['kwerulǝs] *a* plaintif, grognon.
query ['kwiəri] *n* question *f*, (point *m* d')interrogation *f*; *vt* demander, mettre en question.
quest [kwest] *n* quête *f*, recherche *f*.
question ['kwestʃən] *n* question *f*, hésitation *f*, doute *m*; *excl* c'est à savoir! *vt* interroger, questionner, mettre en doute, contester; **— mark** *n* point d'interrogation *m*.
questionable ['kwestʃənəbl] *a* douteux, contestable.
queue [kjuː] *n* queue *f*; *vi* faire la queue.
quibble ['kwibl] *n* jeu *m* de mots, faux-fuyant *m*, équivoque *f*; *vi* ergoter.
quibbler ['kwiblə] *n* ergoteur, -euse.
quick [kwik] *n* vif *m*, fond *m*, moelle *f*; *a* vif, éveillé, rapide, fin; *ad* rapidement, vite; **—-tempered** emporté; **—-witted** vif.
quicken ['kwikən] *vt* hâter, exciter, animer; *vi* s'animer, s'accélérer.
quicklime ['kwiklaim] *n* chaux vive *f*.
quickly ['kwikli] *ad* vite.
quickness ['kwiknis] *n* vivacité *f*, promptitude *f*, rapidité *f*, acuité *f*.
quicksand ['kwik,sænd] *n* sable mouvant *m*.
quicksilver ['kwik,silvə] *n* mercure *m*, vif-argent *m*.
quiet ['kwaiət] *n* calme *m*; paix *f*; *a* tranquille, en paix; *vt* apaiser, calmer.
quietly ['kwaiətli] *ad* doucement, silencieusement.
quietness ['kwaiətnis] *n* tranquillité *f*, repos *m*, quiétude *f*, sagesse *f*.
quill [kwil] *n* plume *f* (d'oie), curedent *m*, bobine *f*; *vt* gaufrer, enrouler, rucher.
quilt [kwilt] *n* couverture piquée *f*, édredon *m*; *vt* piquer, ouater.
quince [kwins] *n* coing *m*.
quinine [kwi'niːn] *n* quinine.
quinsy ['kwinzi] *n* angine *f*.
quip [kwip] *n* sarcasme *m*, mot fin *m*, pointe *f*.
quire ['kwaiə] *n* main *f* (de papier).
quirk [kwəːk] *n* argutie *f*, méchant tour *m*, fioriture *f*.
quit [kwit] *a* libre, quitte, débarrassé; *vt* quitter; *vi* démissionner, abandonner la partie.
quite ['kwait] *ad* tout (à fait), bien.
quits [kwits] *n ad* quitte(s).
quiver ['kwivə] *n* carquois *m*, tremblement *m*; *vi* trembler, frémir.
quiz [kwiz] *n* jeu *m*, colle *f*, mystification *f*, original *m*; *vt* dévisager, lorgner, railler.
quizzical ['kwizikəl] *a* ironique, railleur.
quoit [kɔit] *n* anneau *m*, palet *m*.
quota ['kwoutə] *n* quotepart *f*.

quotation [kwou'teiʃən] *n* citation *f*, cote *f*, cours *m*; — **marks** *n pl* guillemets *m pl*.
quote [kwout] *vt* citer, coter; *n* citation *f*.
quotient ['kwouʃənt] *n* quotient *m*.

R

rabbi ['ræbai] *n* rabbin *m*.
rabbit ['ræbit] *n* lapin *m*.
rabble ['ræbl] *n* canaille *f*.
rabid ['ræbid] *a* enragé, acharné, fanatique.
rabies ['reibiz] *n* rage *f*.
race [reis] *n* race *f*, course *f*, courant *m*, cours *m*; *vi* faire une course, lutter de vitesse, courir; *vt* faire courir, (*engine*) emballer; —**course** *n* champ de course *m*; —**horse** *n* cheval de course *m*.
raciness ['reisinis] *n* verve *f*, saveur *f*, goût de terroir *m*.
rack [ræk] *n* râtelier *m*, filet *m*, égouttoir *m*, étagère *f*, chevalet *m*; *vt* torturer, pressurer; **to — one's brains** se creuser la cervelle; —**ed by hunger** tenaillé par la faim.
racket ['rækit] *n* raquette *f*, vacarme *m*, vie joyeuse *f*, affaire véreuse *f*, combine *f*.
racketeer [,ræki'tiə] *n* gangster *m*, combinard *m*.
racy ['reisi] *a* de terroir, savoureux, piquant, salé.
radiance ['reidiəns] *n* rayonnement *m*, éclat *m*.
radiant ['reidiənt] *a* rayonnant, radieux, resplendissant.
radiate ['reidieit] *vi* rayonner, irradier; *vt* dégager, émettre.
radiator ['reidieitə] *n* radiateur *m*.
radical ['rædikəl] *a* radical, foncier.
radicalism ['rædikəlizəm] *n* radicalisme *m*.
radio ['reidiou] *n* radio *f*; *vt* émettre par la radio; — **control** téléguidage; *vt* téléguider.
radioactive ['reidiou'æktiv] *a* radioactif; — **material** matière *f* rayonnante.
radiograph ['reidiougrɑ:f] *vt* radiographier; *n* radio(graphie) *f*.
radiography [reidi'ɔgrəfi] *n* radiographie *f*.
radish ['rædiʃ] *n* radis *m*.
radius ['reidiəs] *n* rayon *m*.
raffle ['ræfl] *n* loterie *f*, tombola *f*; *vt* mettre en loterie, en tombola.
raft [rɑ:ft] *n* radeau *m*, train de bois *m*.
rafter ['rɑ:ftə] *n* chevron *m*.
rag [ræg] *n* chiffon *m*, haillon *m*, chahut *m*, monôme *m*, brimade *f*; *vt* chahuter, brimer.
ragamuffin ['rægə,mʌfin] *n* loqueteux, -euse, va-nu-pieds *m*.
rage [reidʒ] *n* rage *f*, fureur *f*; *vi* rager, faire rage; **to be all the —** faire fureur.
ragged ['rægid] *a* en loques, déchiqueté, désordonné.
raging ['reidʒiŋ] *a* furieux, démonté, fou, brûlant.
ragman ['rægmæn] *n* chiffonnier *m*.
raid [reid] *n* raid *m*, rafle *f*; *vt* razzier, faire une rafle dans, bombarder.
rail [reil] *n* rail *m*, rampe *f*, balustrade *f*, barrière *f*, parapet *m*, garde-fou *m*; *pl* bastingages *m pl*; *vi* se déchaîner (contre **at**).
railhead ['reilhed] *n* tête *f* de ligne.
railing(s) ['reiliŋ(z)] *n* grille *f*, clôture *f*.
railroad ['reilroud] *n* (*US*) chemin *m* de fer; *vt* faire voter en vitesse un projet de loi.
railway ['reilwei] *n* chemin de fer *m*; — **line** *n* voie ferrée *f*; — **station** *n* gare *f*, station *f*.
rain [rein] *n* pluie *f*; *vi* pleuvoir.
rainbow ['reinbou] *n* arc-en-ciel *m*.
raincoat ['reinkout] *n* imperméable *m*.
rainfall ['reinfɔ:l] *n* précipitation *f*.
rain-pipe ['rein,paip] *n* (tuyeau *m* de) descente *f*.
rainy ['reini] *a* pluvieux.
raise [reiz] *vt* (é-, sou-, re-)lever, faire pousser, cultiver, (res)susciter, provoquer, dresser, hausser, augmenter; (*US*) *n* augmentation *f* (de salaire).
raisin ['reizn] *n* raisin sec *m*.
rake [reik] *n* râteau *m*, roué *m*; *vt* ratisser, râcler, balayer; — **off** gratte *f*; **to — up** *vt* attiser, raviver.
rakish ['reikiʃ] *a* coquin, dissolu, désinvolte, bravache.
rally ['ræli] *n* ralliement *m*, réunion *f*, rallye *m*, rétablissement *m*, dernier effort *m*; *vt* rallier, rétablir; *vi* se rallier, se reformer, retrouver des forces, se reprendre.
Ralph [rælf] Raoul, Rodolphe *m*.
ram [ræm] *n* bélier *m*, éperon *m*, marteau-pilon *m*; *vt* éperonner, pilonner, tasser, bourrer, enfoncer, tamponner.
ramble ['ræmbl] *n* flânerie *f*, promenade *f*, divagation *f*; *vi* errer, flâner, divaguer.
rambler ['ræmblə] *n* flâneur, -euse, plante grimpante *f*.
rambling ['ræmbliŋ] *a* errant, vagabond, décousu; *n pl* promenades *f pl*, divagations *f pl*.
ramp [ræmp] *n* rampe *f*, pente *f*, scandale *m*, affaire véreuse *f*, supercherie *f*, coup monté *m*.
rampant ['ræmpənt] *a* forcené, répandu, envahissant, rampant.
rampart ['ræmpɑ:t] *n* rempart *m*.
ramshackle ['ræm,ʃækl] *a* branlant, délabré.
ran [ræn] *pt of* **run**.
ranch [rɑ:ntʃ] *n* ranch *m*, prairie *f*

d'élevage; *vi* faire de l'élevage.
rancid ['rænsid] *a* rance.
rancidness ['rænsidnis] *n* rancidité *f*.
rancorous ['ræŋkərəs] *a* rancunier.
rancour ['ræŋkə] *n* rancœur *f*, rancune *f*.
random ['rændəm] *n* **at —** à l'aventure, au hasard.
rang [ræŋ] *pt of* **ring**.
range ['reindʒ] *n* rangée *f*, étendue *f*, gamme *f*, rang *m*, direction *f*, portée *f*, fourneau *m* de cuisine, champ de tir *m*, grand pâturage *m*; *vt* ranger, (*gun*) porter, braquer; *vi* s'étendre, errer.
rank ['ræŋk] *n* rang *m*, classe *f*, grade *m*; *vt* ranger; *vi* se ranger, compter; *a* luxuriant, rance, fort, absolu, flagrant, criant, pur.
rankle ['ræŋkl] *vi* s'envenimer, laisser une rancœur.
ransack ['rænsæk] *vt* fouiller, piller.
ransom ['rænsəm] *n* rançon *f*; *vt* rançonner, racheter.
rant [rænt] *n* tirade enflammée *f*, rodomontades *f pl*; *vi* pérorer.
rap [ræp] *n* tape *f*, coup sec *m*, (*fig*) pomme *f*; *vt* donner sur les doigts à; *vti* frapper.
rapacious [rə'peiʃəs] *a* rapace.
rape [reip] *n* viol *m*, (*bot*) colza *m*; *vt* violer.
rapid ['ræpid] *a* rapide.
rapt [ræpt] *a* ravi, recueilli.
rapture ['ræptʃə] *n* ravissement *m*, ivresse *f*.
rapturous ['ræptʃərəs] *a* ravissant, frénétique, extasié.
rare [rɛə] *a* rare.
rarefaction [ˌrɛəri'fækʃən] *n* raréfaction *f*.
rarefy ['rɛərifai] *vt* raréfier.
rarity ['rɛəriti] *n* rareté *f*.
rascal ['rɑːskəl] *n* gredin *m*, fripon *m*, coquin *m*.
rash [ræʃ] *n* éruption *f*; *a* impulsif, casse-cou, irréfléchi.
rasher ['ræʃə] *n* tranche de lard *f*.
rashness ['ræʃnis] *n* impulsivité *f*, témérité *f*.
rasp [rɑːsp] *n* râpe *f*; *vt* râper, racler; *vi* grincer.
raspberry ['rɑːzbəri] *n* framboise *f*.
rat [ræt] *n* rat *m*, faux frère *m*, mouchard *n*; **to smell a —** soupçonner anguille sous roche; *vi* tourner casaque.
ratchet ['rætʃit] *n* cliquet *m*, rochet *m*.
rate [reit] *n* taux *m*, prix *m*, raison *f*, vitesse *f*, impôt municipal *m*, cas *m*; **at any —** en tout cas; *vt* estimer, compter, considérer, classer, imposer; *vi* passer, être classé.
ratepayer ['reitˌpeiə] *n* contribuable *mf*.
rather ['rɑːðə] *ad* plutôt, assez.
ratification [ˌrætifi'keiʃən] *n* ratification *f*.
ratify ['rætifai] *vt* ratifier, approuver.
ratio ['reiʃiou] *n* proportion *f*, raison *f*.
ration ['ræʃən] *n* ration *f*; *vt* rationner.
rational ['ræʃənl] *a* raisonnable, raisonné, rationnel.
rationalist ['ræʃnəlist] *an* rationaliste *mf*.
rationing ['ræʃniŋ] *n* rationnement *m*.
rat-race ['rætreis] *n* course *f* aux sous.
rattle ['rætl] *n* (bruit de) crécelle *f*, hochet *m*, râle *m*, cliquetis *m*, tintamarre *m*, fracas *m*, crépitement *m*; *vt* faire cliqueter, faire sonner, bouleverser; *vi* ferrailler, cliqueter, crépiter, trembler; **—-snake** *n* serpent *m* à sonnettes.
raucous ['rɔːkəs] *a* rauque.
ravage ['rævidʒ] *n* ravage *m*; *vt* ravager, dévaster.
rave [reiv] *vi* hurler, délirer, radoter, s'extasier (sur **about**), raffoler (de **about**).
ravel ['rævəl] *vt* embrouiller; **to — out** débrouiller, effilocher.
raven ['reivn] *n* corbeau *m*.
ravenous ['rævinəs] *a* dévorant, vorace, affamé.
ravine [rə'viːn] *n* ravin *m*.
raving ['reiviŋ] *n* hurlement *m*, délire *m*, *a* délirant; **— mad** fou à lier.
ravish ['ræviʃ] *vt* ravir, violer.
raw [rɔː] *n* vif *m*; *a* cru, (*oil*) brut, âpre, mal dégrossi, inexpérimenté; **— materials** matières premières *f pl*.
rawness ['rɔːnis] *n* crudité *f*, âpreté *f*, inexpérience *f*.
ray [rei] *n* rayon *m*, (*fish*) raie *f*.
rayon ['reiɔn] *n* soie artificielle *f*, rayonne *f*.
raze [reiz] *vt* raser.
razor ['reizə] *n* rasoir *m*.
reach [riːtʃ] *n* portée *f*, (*sport*) allonge *f*, **brief** *m*; *vt* atteindre, arriver à, parvenir à, (é)tendre; *vi* s'étendre.
react [riː'ækt] *vi* réagir.
reaction [riː'ækʃən] *n* réaction *f*, contre-coup *m*.
reactor [riː'æktə] *n* réacteur *m* atomique; **breeder —** pile couvreuse.
read [riːd, *pp* red] *vt* lire, étudier; **to — through** parcourir.
readable ['riːdəbl] *a* lisible, d'une lecture facile.
reader ['riːdə] *n* lecteur, -trice, liseur, -euse, professeur adjoint *m*, livre de lecture *m*.
readily ['redili] *ad* volontiers, facilement.
readiness ['redinis] *n* empressement *m*, alacrité *f*, facilité *f*.
reading ['riːdiŋ] *n* lecture *f*, interprétation *f*.
readjust ['riːə'dʒʌst] *vt* rajuster, rectifier.

ready ['redi] *a* prêt, facile, prompt; —**-made** *a* prêt à porter, tout fait; — **reckoner** *n* barême *m*.
real [riəl] *n* réel *m*; *a* vrai, naturel, réel, foncier; *ad* (*US*) vraiment.
reality [ri'æliti] *n* réalité *f*.
realization [ˌriəlai'zeiʃən] *n* réalisation *f*.
realize ['riəlaiz] *vt* comprendre, se rendre compte de, réaliser.
really ['riəli] *ad* vraiment, en effet.
realm [relm] *n* royaume *m*, domaine *m*.
realtor ['riːəltə] *n* (*US*) agent *m* immobilier.
ream [riːm] *n* rame *f*.
reap [riːp] *vt* moissonner, récolter.
reaper ['riːpə] *n* moissonneur, -euse, (machine *f*) moissonneuse *f*.
reaping-hook ['riːpiŋhuk] *n* faucille *f*.
reappear ['riːə'piə] *vi* réapparaître.
rear [riə] *n* arrière(s) *m* (*pl*), derrière *m*, queue *f*, dernier rang *m*; *a* (d') arrière, de queue; *vt* élever, dresser, ériger; *vi* se cabrer, s'élever, se dresser; —**guard** *n* arrière-garde *f*.
reason ['riːzn] *n* raison *f*, motif *m*; *vi* raisonner.
reasonable ['riːznəbl] *a* raisonnable.
reassemble ['riːə'sembl] *vt* rassembler, remonter.
rebate ['riːbeit] *n* rabais *m*, ristourne *f*, escompte *m*.
rebel ['rebl] *n* rebelle *mf*; *a* insurgé.
rebel [ri'bel] *vi* se révolter.
rebellion [ri'beljən] *n* rébellion *f*, révolte *f*.
rebellious [ri'beljəs] *a* rebelle.
rebound [ri'baund] *n* recul *m*, ricochet *m*, réaction *f*; *vi* rebondir, ricocher.
rebuff [ri'bʌf] *n* rebuffade *f*, échec *m*; *vt* rabrouer, repousser.
rebuke [ri'bjuːk] *n* semonce *f*, réprimande *f*; *vt* rembarrer, réprimander.
rebut [ri'bʌt] *vt* repousser, réfuter.
recall [ri'kɔːl] *n* rappel *m*, annulation *f*; *vt* (se) rappeler, révoquer, reprendre.
recant [ri'kænt] *vt* retirer, rétracter; *vi* se rétracter.
recapitulate [ˌriːkəː'pitjuleit] *vt* récapituler.
recede [ri'siːd] *vi* reculer, se retirer, baisser, s'enfuir, fuir.
receipt [ri'siːt] *n* réception *f*, recette *f*, reçu *m*, récepissé *m*, quittance *f*; *vt* acquitter.
receive [ri'siːv] *vt* recevoir, admettre, accueillir.
receiver [ri'siːvə] *n* receleur, -euse, recepteur *m*, destinataire *mf*; **official** — syndic.
recent ['riːsnt] *a* récent.
recently ['riːsntli] *ad* récemment, dernièrement.
receptacle [ri'septəkl] *n* réceptacle *m*, récipient *m*.
reception [ri'sepʃən] *n* réception *f*, accueil *m*.
recess [ri'ses] *n* vacances parlementaires *f pl*, repli *m*, recoin *m*, alcôve *f*.
recipe ['resipi] *n* recette *f*, ordonnance *f*, formule *f*.
reciprocal [ri'siprəkəl] *a* réciproque.
reciprocate [ri'siprəkeit] *vt* (se) rendre, payer de retour; *vi* rendre la pareille.
recital [ri'saitl] *n* exposé *m*, recitation *f*, récital *m*.
recite [ri'sait] *vt* réciter, énumérer.
reckless ['reklis] *a* imprudent, forcené, casse-cou.
recklessness ['reklisnis] *n* imprudence *f*, témérité *f*.
reckon ['rekən] *vt* calculer, compter; *vi* estimer.
reckoning ['rekniŋ] *n* règlement de comptes *m*, calcul *m*, compte *m*.
reclaim [ri'kleim] *vt* reprendre, réformer, récupérer.
recline [ri'klain] *vt* pencher, étendre, reposer; *vi* (se) reposer, être appuyé.
recluse [ri'kluːs] *an* reclus(e) *mf*; *n* anachorète *m*.
recognition [ˌrekəg'niʃən] *n* reconnaissance *f*.
recognizable [ˌrekəg'naizəbl] *a* reconnaissable.
recognizance [ri'kɔgnizəns] *n* engagement *m*, caution *f*.
recognize ['rekəgnaiz] *vt* reconnaître, avouer.
recoil [ri'kɔil] *n* recul *m*, rebondissement *m*; *vi* reculer, retomber, rejaillir, se détendre.
recollect [ˌrekə'lekt] *vt* se rappeler, se souvenir de.
recollection [ˌrekə'lekʃən] *n* mémoire *f*, souvenir *m*.
recommend [ˌrekə'mend] *vt* confier, recommander, conseiller.
recompense ['rekəmpens] *n* récompense *f*, compensation *f*; *vt* récompenser, dédommager.
reconcilable ['rekənsailəbl] *a* conciliable.
reconcile ['rekənsail] *vt* (ré)concilier (à, avec).
reconciliation [ˌrekənsili'eiʃən] *n* (ré)conciliation *f*.
recondite [ri'kɔndait] *a* abstrus, obscur.
recondition [ˌriːkən'diʃən] *vt* remettre en état, à neuf.
reconnoitre [ˌrekə'nɔitə] *vt* reconnaître; *vi* faire une reconnaissance.
record ['rekɔːd] *n* document *m*, dossier *m*, casier *m*, record *m*, disque *m*, enregistrement *m*, passé *m*; — **player** tourne-disques *m inv*.
record [ri'kɔːd] *vt* rapporter, enregistrer, prendre acte de.
recorder [ri'kɔːdə] *n* archiviste *m*, greffier, appareil enregistreur *m*, flûte à bec *f*.
recount ['riː'kaunt] *vt* raconter.
recoup [ri'kuːp] *vt* défalquer, dé-

-dommager; to — **one's losses** se rattraper de ses pertes.
recourse [ri'kɔːs] *n* recours *m*.
recover [ri'kʌvə] *vt* recouvrer, récupérer, reprendre, rattraper; *vi* se rétablir, se remettre, se ressaisir.
recovery [ri'kʌvəri] *n* recouvrement *m*, récupération *f*, rétablissement *m*, relèvement *m*.
recreation [ˌrekri'eiʃən] *n* délassement *m*, divertissement *m*.
recriminate [ri'krimineit] *vi* récriminer.
recruit [ri'kruːt] *n* recrue *f*; *vt* recruter, racoler.
recruiting [ri'kruːtiŋ] *n* recrutement *m*.
rectangle ['rekˌtæŋgl] *an* rectangle *m*.
rectification [ˌrektifi'keiʃən] *n* rectification *f*, redressement *m*.
rectify ['rektifai] *vt* rectifier, réparer, redresser.
rector ['rektə] *n* recteur *m*.
recumbent [ri'kʌmbənt] *a* couché.
recuperate [ri'kjuːpəreit] *vt* récupérer; *vi* se rétablir.
recur [ri'kəː] *vi* revenir, se reproduire.
red [red] *a* rouge, roux; **—handed** *a* pris sur le fait; — **herring** *n* hareng saur *m*, diversion *f*; **—hot** chauffé au rouge; **—letter** *a* heureux, mémorable; — **tape** *n* paperasserie *f*, bureaucratie *f*.
redbreast ['redbrest] *n* rouge-gorge *m*.
Red Cross ['red'krɔs] *n* Croix-Rouge *f*.
redden ['redn] *vti* rougir.
reddish ['rediʃ] *a* rougeâtre.
redeem [ri'diːm] *vt* racheter, sauver.
redeemer [ri'diːmə] *n* sauveur *m*, rédempteur *m*.
redemption [ri'dempʃən] *n* rédemption *f*, salut *m*, rachat *m*.
redness ['rednis] *n* rougeur *f*, rousseur *f*.
redolent ['redələnt] *a* qui sent, parfumé.
redouble [ri'dʌbl] *vti* redoubler; *vt* plier en quatre, (*bridge*) surcontrer.
redoubt [ri'daut] *n* redoute *f*.
redoubtable [ri'dautəbl] *a* redoutable.
redress [riː'dres] *n* réparation *f*; *vt* redresser, réparer.
reduce [ri'djuːs] *vt* réduire, diminuer, ravaler, ramener; *vi* maigrir.
reduced [ri'djuːst] *a* diminué, appauvri.
reducible [ri'djuːsəbl] *a* réductible.
reduction [ri'dʌkʃən] *n* réduction *f*, baisse *f*, rabais *m*.
redundant [ri'dʌndənt] *a* redondant, superflu.
reed [riːd] *n* roseau *m*, pipeau *m*, anche *f*.
reef [riːf] *n* récif *m*, écueil *m*, filon *m*, ris *m*.
reek [riːk] *n* fumée *f*, vapeur *f*, relent *m*; *vi* fumer; to — **of** empester.
reel ['riːl] *n* bobine *f*, dévidoir *m*, moulinet *m*; *vt* enrouler, dévider; *vi* tituber, tourner, être ébranlé.
re-elect ['riːi'lekt] *vt* réélire.
re-embark ['riːim'bɑːk] *vti* rembarquer.
re-embarkation ['riːˌembɑː'keiʃən] *n* rembarquement *m*.
re-enter ['riː'entə] *vi* rentrer, se présenter de nouveau.
re-establish ['riːis'tæbliʃ] *vt* rétablir.
re-establishment ['riːis'tæbliʃmənt] *n* rétablissement *m*.
refection [ri'fekʃən] *n* réfection *f*, collation *f*.
refectory [ri'fektəri] *n* réfectoire *m*.
refer [ri'fəː] *vt* rapporter, référer, renvoyer, attribuer; *vi* se reporter, se rapporter, se référer, avoir trait (à **to**), faire allusion (à **to**).
referee [ˌrefə'riː] *n* arbitre *m*, répondant *m*; *vti* arbitrer.
reference ['refrəns] *n* référence *f*, renvoi *m*, rapport *m*, allusion *f*, mention *f*.
refine [ri'fain] *vt* purifier, (r)affiner.
refinement [ri'fainmənt] *n* (r)affinage *m*, finesse *f*, raffinement *m*.
refinery [ri'fainəri] *n* raffinerie *f*.
refit ['riː'fit] *vt* radouber, rééquiper, réarmer, rajuster, remonter.
reflect [ri'flekt] *vti* réfléchir; *vt* refléter, renvoyer; *vi* méditer, rejailler, faire du tort (à **upon**).
reflection [ri'flekʃən] *n* réflexion *f*, reflet *m*, image *f*, critique *f*, atteinte *f*.
reflector [ri'flektə] *n* réflecteur *m*, cabochon *m*.
reflex ['riːfleks] *n* réflexe *m*, reflet *m*.
reflexive [ri'fleksiv] *a* réfléchi.
reform [ri'fɔːm] *n* réforme *f*; *vt* réformer; *vi* se reformer.
reformation [ˌrefə'meiʃən] *n* réforme *f*, réformation *f*.
reformer [ri'fɔːmə] *n* réformateur, -trice.
refract [ri'frækt] *vt* réfracter.
refraction [ri'frækʃən] *n* réfraction *f*.
refractory [ri'fræktəri] *a* réfractaire, insoumis.
refrain [ri'frein] *n* refrain *m*; *vi* s'abstenir, s'empêcher.
refresh [ri'freʃ] *vt* rafraîchir, ranimer.
refreshment [ri'freʃmənt] *n* rafraîchissement *m*; — **room** *n* buffet *m*, buvette *f*.
refrigerator [ri'fridʒəreitə] *n* réfrigérateur *m*, glacière *f*.
refuel [ri'fjuəl] *vt* ravitailler en combustible; *vi* se ravitailler en combustible, faire le plein (d'essence).
refuge ['refjuːdʒ] *n* refuge *m*, abri *m*.
refugee ['refjuː'dʒiː] *n* réfugié(e) *mf*.
refund ['riːfʌnd] *n* remboursement *m*; ['riː'fʌnd] *vt* rembourser.

refusal [ri'fju:zəl] *n* refus *m*.
refuse ['refju:s] *n* rebut *m*, ordures *f pl*, déchets *m pl*, détritus *m*.
refuse [ri'fju:z] *vt* refuser, repousser.
refutation [,refju:'teiʃən] *n* réfutation *f*.
refute [ri'fju:t] *vt* réfuter.
regain [ri'gein] *vt* regagner, reprendre, recouvrer.
regal ['rigəl] *a* royal.
regale [ri'geil] *vt* régaler.
regalia [ri'geiliə] *n* joyaux *m pl*, insignes *m pl*.
regard [ri'gɑ:d] *vt* regarder, considérer, concerner, tenir compte de; *n* égard *m*, attention *f*, estime *f*; *pl* compliments *m pl*; **with — to** quant à, en égard à.
regardless [ri'gɑ:dlis] *a* inattentif; **— of** sans égard à, sans regarder à.
regency ['ri:dʒənsi] *n* régence *f*.
regenerate [ri'dʒenəreit] *vt* régénérer.
regent ['ri:dʒənt] *n* régent(e) *mf*.
regiment [,redʒiment] *n* régiment *m*; *vt* enrégimenter.
regimentals [,redʒi'mentlz] *n* uniforme *m*.
region ['ri:dʒən] *n* région *f*.
register ['redʒistə] *n* registre *m*; *vt* enregistrer, inscrire, (*post*) recommander, immatriculer.
registrar [,redʒis'trɑ:] *n* secrétaire *m*, greffier *m*, officier de l'état civil *m*.
registry ['redʒistri] *n* mairie *f*, bureau de l'état civil *m*, bureau de placement *m*.
regret [ri'gret] *n* regret *m*; *vt* regretter.
regretful [ri'gretful] *a* désolé.
regretfully [ri'gretfuli] *ad* à (avec) regret.
regular ['regjulə] *a* régulier, habituel, réglé, rangé, normal, réglementaire, permanent.
regularity [,regju'læriti] *n* régularité *f*.
regularize ['regjuləraiz] *vt* régulariser.
regulate ['regjuleit] *vt* régler, ajuster, réglementer.
regulation [,regju'leiʃən] *n* règlement *m*, réglementation *f*, réglage *m*; *a* réglementaire, d'ordonnance.
rehearsal [ri'hə:səl] *n* répétition *f*, **dress —** répétition générale.
rehearse [ri'hə:s] *vt* répéter, énumérer.
reign [rein] *n* règne *m*; *vi* régner.
rein [rein] *n* rêne *f*, guide *f*.
reindeer ['reindiə] *n* renne *m*.
reinforce [,ri:in'fɔ:s] *vt* renforcer, appuyer.
reinforced [,ri:in'fɔ:st] *a* renforcé, armé.
reinforcement [,ri:in'fɔ:smənt] *n* renforcement *m*.
reinstate ['ri:in'steit] *vt* rétablir, réintégrer.
reinstatement ['ri:in'steitmənt] *n* rétablissement *m*, réintégration *f*.
reinvest ['ri:in'vest] *vt* replacer.
reiterate [ri:'itəreit] *vt* réitérer.
reiteration [,ri:itə'reiʃən] *n* réitération *f*.
reject [ri'dʒekt] *vt* rejeter, refuser, repousser; ['ri:dʒekt] *n* rebut *m*, article de rebut *m*.
rejection [ri'dʒekʃən] *n* rejet *m*, refus *m*, rebut *m*.
rejoice [ri'dʒɔis] *vt* réjouir; *vi* se réjouir.
rejoicing [ri'dʒɔisiŋ] *n* réjouissance *f*, allégresse *f*.
rejoin ['ri:'dʒɔin] *vi* riposter, répliquer.
rejoin ['ri:'dʒɔin] *vt* rejoindre, rallier; *vi* se rejoindre, se réunir.
rejoinder [ri'dʒɔində] *n* riposte *f*, réplique *f*.
relapse [ri'læps] *n* rechute *f*; *vi* retomber, avoir une rechute.
relate [ri'leit] *vt* (ra)conter, relater, rapporter, rattacher; *vi* avoir rapport (à to), se rapporter (à to).
related [ri'leitid] *a* apparenté, connexe, parent.
relation [ri'leiʃən] *n* relation *f*, rapport *m*, récit *m*, parent(e) *m(f)*.
relationship [ri'leiʃənʃip] *n* parenté *f*, connexion *f*, rapport *m*.
relative ['relətiv] *n* parent(e) *m(f)*; *a* relatif.
relax [ri'læks] *vt* détendre, relâcher, délasser, adoucir; *vi* se détendre, se relâcher, s'adoucir.
relaxation [,ri:læk'seiʃən] *n* distraction *f*, détente *f*, adoucissement *m*.
relaxing [ri:'læksiŋ] *a* apaisant, reposant, énervant.
relay [ri'lei] *vt* relayer; *n* relais *m*, relève *f*.
release [ri'li:s] *n* délivrance *f*, élargissement *m*, décharge *f*, déclenchement *m*, lancement *m*, reçu *m*, transfert *m*; *vt* remettre, déclencher, lâcher, dégager, desserrer, faire jouer.
relegate ['religeit] *vt* reléguer, confier.
relent [ri'lent] *vi* se radoucir.
relentless [ri'lentlis] *a* inexorable, implacable, acharné.
relentlessness [ri'lentlisnis] *n* inflexibilité *f*, acharnement *m*.
relevant ['relivənt] *a* pertinent, qui a rapport (à to).
reliability [ri,laiə'biliti] *n* sûreté *f*, régularité *f*.
reliable [ri'laiəbl] *a* sûr, de confiance, sérieux, solide, digne de foi.
reliance [ri'laiəns] *n* confiance *f*.
relic ['relik] *n* relique *f*; *pl* restes *m pl*, souvenirs *m pl*.
relief [ri'li:f] *n* soulagement *m*, secours *m*, délivrance *f*, relève *f*, relief *m*.
relieve [ri'li:v] *vt* soulager, secourir, délivrer, relever, mettre en relief.
religion [ri'lidʒən] *n* religion *f*, culte *m*.

religious [ri'lidʒəs] *a* religieux, pieux, dévot.
relinquish [ri'liŋkwiʃ] *vt* abandonner, renoncer à.
relinquishment [ri'liŋkwiʃmənt] *n* abandon *m*, renonciation *f*.
relish ['reliʃ] *n* saveur *f*, goût *m*, assaisonnement *m*; *vt* relever, aimer, goûter.
reluctance [ri'lʌktəns] *n* répugnance *f*.
reluctantly [ri'lʌktəntli] *ad* à contrecœur, à regret.
rely [ri'lai] *vi* s'appuyer (sur **on**), compter (sur **on**).
remain [ri'mein] *vi* rester, demeurer.
remainder [ri'meində] *n* reste *m*, restant *m*.
remains [ri'meinz] *n* restes *m pl*, dépouille mortelle *f*.
remand [ri'mɑːnd] *n* renvoi *m*; *vt* renvoyer en prison.
remark [ri'mɑːk] *n* attention *f*, remarque *f*, observation *f*; *vt* remarquer, (faire) observer.
remarkable [ri'mɑːkəbl] *a* remarquable, frappant.
remedy ['remidi] *n* remède *m*; *vt* remédier à.
remember [ri'membə] *vt* se souvenir de, se rappeler, penser à.
remembrance [ri'membrəns] *n* mémoire *f*, souvenir *m*.
remind [ri'maind] *vt* rappeler, faire penser.
reminder [ri'maində] *n* agenda *m*, rappel *m*.
remiss [ri'mis] *a* négligent, lent, apathique.
remission [ri'miʃən] *n* rémission *f*, remise *f*, relâchement *m*, pardon *m*.
remit [ri'mit] *vt* remettre, relâcher, (r)envoyer.
remittance [ri'mitəns] *n* envoi de fonds *m*.
remnant ['remnənt] *n* reste *m*, (*cloth*) coupon *m*.
remonstrance [ri'mɔnstrəns] *n* remontrance *f*.
remonstrate [ri'mɔnstreit] **to — with** faire des représentations à.
remorse [ri'mɔːs] *n* remords *m*.
remorseful [ri'mɔːsful] *a* plein de remords.
remorseless [ri'mɔːslis] *a* sans remords, implacable.
remote [ri'mout] *a* lointain, reculé, écarté, vague, peu probable, distant.
remoteness [ri'moutnis] *n* éloignement *m*.
removable [ri'muːvəbl] *a* amovible, détachable.
removal [ri'muːvəl] *n* déménagement *m*, enlèvement *m*, suppression *f*.
remove [ri'muːv] *vt* enlever, supprimer, déplacer, effacer, révoquer, retirer, écarter, déménager.
remunerate [ri'mjuːnəreit] *vt* rémunérer.
remuneration [ri,mjuːnə'reiʃən] *n* rémunération *f*.
remunerative [ri'mjuːnərətiv] *a* rémunérateur.
rend [rend] *vt* déchirer, arracher, fendre.
render ['rendə] *vt* rendre, remettre, fondre.
renegade ['renəgeid] *n* renégat *m*.
renew [ri'njuː] *vt* renouveler, rafraîchir.
renewal [ri'njuːəl] *n* renouvellement *m*, reprise *f*.
renounce [ri'nauns] *vt* renoncer à, dénoncer, répudier, renier.
renouncement [ri'naunsmənt] *n* renoncement *m*.
renovate ['renəveit] *vt* rénover, remettre à neuf.
renovation [,renə'veiʃən] *n* rénovation *f*, remise à neuf *f*.
renown [ri'naun] *n* renom *m*, renommée *f*.
renowned [ri'naund] *a* célèbre, illustre.
rent [rent] *n* déchirure *f*, accroc *m*, loyer *m*; *vt* louer, affermer.
renunciation [ri,nʌnsi'eiʃən] *n* renoncement *m*, renonciation *f*, reniement *m*.
reopen ['riː'oupən] *vti* rouvrir; *vi* se rouvrir, rentrer.
reopening ['riː'oupniŋ] *n* rentrée *f*, réouverture *f*.
repair [ri'pɛə] *n* (état de) réparation *f*, radoub *m*; *vt* réparer, raccommoder; *vi* se rendre.
repartee [,repɑː'tiː] *n* repartie *f*.
repast [ri'pɑːst] *n* repas *m*.
repatriate [riː'pætrieit] *vt* rapatrier.
repatriation ['riːpætri'eiʃən] *n* rapatriement *m*.
repay [riː'pei] *vt* rembourser, rendre, s'acquitter envers.
repayment [riː'peimənt] *n* remboursement *m*, récompense *f*.
repeal [ri'piːl] *n* abrogation *f*; *vt* abroger, révoquer.
repeat [ri'piːt] *vt* répéter, rapporter, renouveler.
repeatedly [ri'piːtidli] *ad* à mainte reprise.
repeating [ri'piːtiŋ] *a* à répétition.
repel [ri'pel] *vt* repousser, répugner à.
repellent [ri'pelənt] *a* répugnant, repoussant.
repent [ri'pent] *vt* regretter, se repentir de; *vi* se repentir.
repentance [ri'pentəns] *n* repentir *m*.
repertory ['repətəri] *n* répertoire *m*.
repetition [,repi'tiʃən] *n* répétition *f*, reprise *f*, récitation *f*.
replace [ri'pleis] *vt* remplacer, replacer, remettre en place.
replaceable [ri'pleisəbl] *a* remplaçable.
replacement [ri'pleismənt] *n* remplacement *m*, pièce de rechange *f*.
replenish [ri'pleniʃ] *vt* remplir de nouveau, regarnir, remonter.

replete [ri'pliːt] *a* plein, bondé, rassasié.
reply [ri'plai] *n* réponse *f*; *vi* répondre.
report [ri'pɔːt] *n* bruit *m*, nouvelle *f*, compte-rendu *m*, bulletin *m*, rapport *m*, réputation *f*, détonation *f*; *vt* faire un rapport sur, rendre compte de, signaler, faire le reportage de; *vi* se présenter, dénoncer.
reporter [ri'pɔːtə] *n* reporter *m*, journaliste *mf*, rapporteur *m*.
repose [ri'pouz] *n* repos *m*; *vi* (se) reposer.
reposeful [ri'pouzful] *a* reposant.
reprehend [,repri'hend] *vt* blâmer, reprendre.
reprehensible [repri'hensəbl] *a* répréhensible.
represent [,repri'zent] *vt* représenter.
representative [,repri'zentətiv] *n* représentant(e) *mf*; *a* représentatif.
repress [ri'pres] *vt* réprimer, refouler, étouffer.
repression [ri'preʃən] *n* répression *f*.
reprieve [ri'priːv] *n* sursis *m*, grâce *f*, répit *m*; *vt* surseoir à, grâcier.
reprimand ['reprimaːnd] *n* réprimande *f*; *vt* réprimander.
reprint ['riː'print] *n* réimpression *f*; *vt* réimprimer.
reprisal [ri'praizəl] *n* représaille(s) *f* (*pl*).
reproach [ri'proutʃ] *n* honte *f*, reproche *m*; *vt* reprocher, faire des reproches à.
reproachfully [ri'proutʃfuli] *ad* sur un ton de reproche.
reprobate ['reproubeit] *n* réprouvé(e) *mf*, scélérat *m*.
reproduce [,riːprə'djuːs] *vt* reproduire.
reproduction [,riːprə'dʌkʃən] *n* reproduction *f*.
reproof [ri'pruːf] *n* blâme *m*, reproche *m*, rebuffade *f*.
reprove [ri'pruːv] *vt* blâmer, réprouver, réprimander, reprendre, condamner.
reptile ['reptail] *n* reptile *m*.
republic [ri'pʌblik] *n* république *f*.
republican [ri'pʌblikən] *an* républicain(e) *mf*.
repudiate [ri'pjuːdieit] *vt* répudier, désavouer, renier.
repudiation [ri,pjuːdi'eiʃən] *n* répudiation *f*, reniement *m*.
repugnance [ri'pʌgnəns] *n* répugnance *f*, antipathie *f*.
repugnant [ri'pʌgnənt] *a* répugnant, incompatible.
repulse [ri'pʌls] *n* échec *m*, rebuffade *f*; *vt* repousser.
repulsion [ri'pʌlʃən] *n* répulsion *f*, aversion *f*.
repulsive [ri'pʌlsiv] *a* répulsif, repoussant.
reputable ['repjutəbl] *a* honorable, estimable.
reputation [,repjuː'teiʃən] *n* réputation *f*, renom *m*.
repute [ri'pjuːt] *n* réputation *f*, renommée *f*, renom *m*.
reputed [ri'pjuːtəd] *a* réputé, censé, putatif.
request [ri'kwest] *n* requête *f*, prière *f*; *vt* demander, prier.
require [ri'kwaiə] *vt* requérir, exiger, réclamer, avoir besoin de, falloir.
requirement [ri'kwaiəmənt] *n* exigence *f*, besoin *m*, demande *f*.
requisite ['rekwizit] *n* condition *f*; *pl* articles *m pl*, accessoires *m pl*; *a* requis, voulu, indispensable.
requisition [,rekwi'ziʃən] *n* requête *f*, réquisition(s) *f* (*pl*), commande *f*; *vt* réquisitionner.
requital [ri'kwaitl] *n* revanche *f*, monnaie de sa pièce *f*, retour *m*.
requite [ri'kwait] *vt* recompenser, rendre, payer de retour.
rescind [ri'sind] *vt* annuler.
rescission [ri'siʒən] *n* annulation *f*, abrogation *f*.
rescue ['reskjuː] *n* délivrance *f*, sauvetage *m*; *vt* délivrer, sauver.
rescuer ['reskjuːə] *n* sauveteur *m*, libérateur, -trice.
research [ri'səːtʃ] *n* recherche(s) *f* (*pl*).
resemblance [ri'zembləns] *n* ressemblance *f*, image *f*.
resemble [ri'zembl] *vt* ressembler à.
resent [ri'zent] *vt* ressentir, s'offenser de.
resentful [ri'zentful] *a* plein de ressentiment, rancunier.
resentment [ri'zentmənt] *n* ressentiment *m*, dépit *m*.
reservation [,rezə'veiʃən] *n* réservation *f*, réserve *f*, place retenue *f*.
reserve [ri'zəːv] *n* réserve *f*; *vt* réserver, retenir, louer.
reservoir ['rezəvwaː] *n* réservoir *m*.
reshuffle ['riː'ʃʌfl] *n* refonte *f*, remaniement *m*; *vt* refondre, remanier, rebattre.
reside [ri'zaid] *vi* résider.
residence ['rezidəns] *n* résidence *f*, séjour *m*.
resident ['rezidənt] *a* résident; *n* habitant(e) *mf*.
residue ['rezidjuː] *n* reste *m*, reliquat *m*, résidu *m*.
resign [ri'zain] *vt* résigner; *vi* démissionner.
resignation [,rezig'neiʃən] *n* résignation *f*, démission *f*, abandon *m*.
resilience [ri'ziliəns] *n* élasticité *f*, ressort *m*.
resilient [ri'ziliənt] *a* élastique, rebondissant, qui a du ressort.
resin ['rezin] *n* résine *f*.
resist [ri'zist] *vt* résister à; *vi* résister.
resistance [ri'zistəns] *n* résistance *f*.
resolute ['rezəluːt] *a* résolu.
resolutely ['rezəluːtli] *ad* résolument, avec fermeté.

resolution [ˌrezə'luːʃən] *n* résolution *f*.
resolve [ri'zɔlv] *vt* résoudre; *vi* se résoudre.
resort [ri'zɔːt] *n* recours *m*, ressort *m*, séjour *m*, station (balnéaire) *f*; *vi* recourir (à **to**), se rendre (à **to**).
resound [ri'zaund] *vi* retentir, résonner.
resource [ri'sɔːs] *n* ressource *f*.
resourceful [ri'sɔːsful] *a* débrouillard, ingénieux.
resourcefulness [ri'sɔːsfulnis] *n* ingéniosité *f*.
respect [ris'pekt] *n* respect *m*, égard *m*, rapport *m*; *vt* respecter.
respectability [risˌpektə'biliti] *n* respectabilité *f*.
respectable [ris'pektəbl] *a* respectable.
respectful [ris'pektful] *a* respectueux.
respecting [ris'pektiŋ] *prep* relativement à, quant à.
respective [ris'pektiv] *a* respectif.
respiration [ˌrespə'reiʃən] *n* respiration *f*.
respiratory [ris'paiərətəri] *a* respiratoire.
respite ['respait] *n* répit *m*, sursis *m*; soulager, différer.
resplendent [ris'plendənt] *a* resplendissant.
respond [ris'pɔnd] *vi* répondre, obéir, réagir.
response [ris'pɔns] *n* réponse *f*, réaction *f*.
responsibility [ris'pɔnsəbiliti] *n* responsabilité *f*.
responsible [ris'pɔnsəbl] *a* responsable (devant **to**); **to be — for** répondre de.
responsive [ris'pɔnsiv] *a* sympathique, sensible, souple.
rest [rest] *n* repos *m*, appui *f*, reste, *m*, réserves *f pl*; *vt* (faire) reposer, appuyer; *vi* se reposer, s'appuyer.
restaurant ['restərɔ̃ːŋ] *n* restaurant *m*.
restful ['restful] *a* reposant, paisible.
restitution [ˌresti'tjuːʃən] *n* restitution *f*.
restive ['restiv] *a* rétif, nerveux, impatient.
restless ['restlis] *a* agité.
restlessness ['restlisnis] *n* agitation *f*, impatience *f*.
restoration [ˌrestə'reiʃən] *n* restitution *f*, restauration *f*, rétablissement *m*.
restorative [ris'tɔrətiv] *an* fortifiant *m*.
restore [ris'tɔː] *vt* restituer, restaurer, rétablir.
restrain [ris'trein] *vt* réprimer, retenir, contenir, empêcher.
restraint [ris'treint] *n* discrétion *f*, contrôle *m*, sobriété *f*, contrainte *f*.
restrict [ris'trikt] *vt* réduire, limiter, restreindre.
restriction [ris'trikʃən] *n* restriction *f*, réduction *f*.
result [ri'zʌlt] *n* résultat *m*; *vi* résulter, aboutir (à **in**).
resume [ri'zjuːm] *vt* reprendre, résumer.
resumption [ri'zʌmpʃən] *n* reprise *f*.
resurrection [ˌrezə'rekʃən] *n* résurrection *f*.
resuscitate [ri'sʌsiteit] *vt* ressusciter.
retail ['riːteil] *n* vente au détail *f*.
retail [riː'teil] *vt* vendre au détail.
retailer [riː'teilə] *n* détaillant *m*.
retain [ri'tein] *vt* (con-, sou-, re-) tenir, conserver.
retainer [ri'teinə] *n* provision *f*, honoraires *m pl*, suivant *m*; *pl* suite *f*.
retaliate [ri'tælieit] *vi* rendre la pareille (à **on**), riposter.
retaliation [riˌtæli'eiʃən] *n* représailles *f pl*, revanche *f*.
retard [ri'tɑːd] *vt* retarder.
retch ['riːtʃ] *n* haut-le-cœur *m*; *vi* avoir des haut-le-cœur.
retentive [ri'tentiv] *a* fidèle.
retina ['retinə] *n* rétine *f*.
retinue ['retinjuː] *n* suite *f*.
retire [ri'taiə] *vt* mettre à la retraite, retirer; *vi* se retirer, reculer, battre en retraite, prendre sa retraite.
retirement [ri'taiəmənt] *n* retraite *f*, retrait *m*.
retort [ri'tɔːt] *n* riposte *f*, cornue *f*; *vi* riposter, rétorquer.
retrace [ri'treis] *vt* reconstituer, revenir sur.
retract [ri'trækt] *vt* rétracter, rentrer, escamoter; *vi* se rétracter.
retreat [ri'triːt] *n* retraite *f*, abri *m*; *vi* battre en retraite.
retrench [riː'trentʃ] *vt* retrancher; *vi* faire des économies; **—ment** *n* retranchement *m*.
retribution [ˌretri'bjuːʃən] *n* juste récompense *f*.
retrieve [ri'triːv] *vt* rapporter, retrouver, réparer, rétablir.
retrograde ['retrougreid] *vi* rétrograder; *a* rétrograde.
retrospect ['retrouspekt] *n* regard *m* en arrière.
retrospective [ˌretrou'spektiv] *a* rétrospectif.
return [ri'təːn] *n* retour *m*, restitution *f*, rendement *m*, échange *m*, revanche *f*, rapport *m*; *pl* recettes *f pl*, profit *m*; **— ticket** (billet *m* d') aller et retour *m*; *vi* retourner, revenir, rentrer; *vt* rendre, renvoyer, répliquer, élire.
reunion ['riː'juːnjən] *n* réunion *f*.
reunite ['riːjuː'nait] *vt* réunir; *vi* se réunir.
reveal [ri'viːl] *vt* révéler, découvrir, faire voir.
reveille [ri'væli] *n* réveil *m*, diane *f*.
revel ['revl] *n* fête *f*, orgie *f*; *pl* réjouissances *f pl*; *vi* faire la fête, se délecter (à **in**).

revelation [ˌreviˈleiʃən] *n* révélation *f.*
reveller [ˈrevlə] *n* noceur, -euse, fêtard(e) *mf.*
revenge [riˈvendʒ] *n* revanche *f*, vengeance *f*; *vt* venger; **to — oneself** se venger.
revengeful [riˈvendʒful] *a* vindicatif, vengeur, -eresse.
revenue [ˈrevinjuː] *n* revenu *m.*
reverberate [riˈvəːbəreit] *vt* réfléchir, renvoyer; *vti* réverbérer; *vi* se réfléchir.
reverberation [riˌvəːbəˈreiʃən] *n* réverbération *f*, répercussion *f.*
revere [riˈviə] *vt* révérer.
reverence [ˈrevərəns] *n* révérence *f.*
reverend [ˈrevərənd] *a* révérend, vénérable.
reverent [ˈrevərənt] *a* respectueux.
reverse [riˈvəːs] *n* revers *m*, envers *m*, marche arrière *f*, contraire *m*; *a* contraire, opposé; *vt* renverser, faire reculer, annuler; *vi* faire machine arrière.
review [riˈvjuː] *n* revue *f*, révision *f*, compte-rendu *m*; *vt* revoir, passer en revue, admettre à révision, faire le compte-rendu de.
reviewer [riˈvjuːə] *n* critique *m.*
revile [riˈvail] *vt* vilipender, injurier.
revise [riˈvaiz] *vt* réviser, revoir, corriger.
revision [riˈviʒən] *n* révision *f.*
revival [riˈvaivəl] *n* renaissance *f*, renouveau *m*, reprise *f.*
revive [riˈvaiv] *vt* ranimer, renouveler, remonter; *vi* revivre, renaître, reprendre connaissance, se ranimer.
revocation [ˌrevəˈkeiʃən] *n* révocation *f*, annulation *f.*
revoke [riˈvouk] *vt* annuler, révoquer.
revolt [riˈvoult] *n* révolte *f*; *vt* révolter; *vi* se révolter.
revolution [ˌrevəˈluːʃən] *n* révolution *f.*
revolutionary [ˌrevəˈluːʃnəri] *an* révolutionnaire *mf.*
revolutionize [ˌrevəˈluːʃnaiz] *vt* révolutionner.
revolve [riˈvɔlv] *vt* faire tourner, retourner; *vi* rouler, tourner.
reward [riˈwɔːd] *n* récompense *f*; *vt* récompenser, payer (de retour).
rhetoric [ˈretərik] *n* éloquence *f*, rhétorique *f.*
rheumatic [ruːˈmætik] *an* rhumatisant(e) *mf.*
rheumatism [ˈruːmətizəm] *n* rhumatisme *m.*
rhubarb [ˈruːbɑːb] *n* rhubarbe *f.*
rhyme [raim] *n* rime *f*; *vi* rimer; *vt* faire rimer.
rhythm [ˈriðəm] *n* rythme *m.*
rib [rib] *n* côte *f*, nervure *f*, baleine *f.*
ribald [ˈribəld] *a* paillard, graveleux.
ribaldry [ˈribəldri] *n* obscénité *f*, paillardises *f pl.*
ribbon [ˈribən] *n* ruban *m*, cordon *m.*
rice [rais] *n* riz *m.*
rich [ritʃ] *a* riche, somptueux, chaud, plein.
riches [ˈritʃiz] *n pl* richesses *f pl.*
rick [rik] *n* meule *f.*
rickets [ˈrikits] *n* rachitisme *m.*
rickety [ˈrikiti] *a* rachitique, branlant.
rid [rid] *inf pt pp of* **rid**; *vt* débarrasser; **to get — of** se débarrasser de.
riddance [ˈridəns] *n* débarras *m.*
ridden [ˈridn] *pp of* **ride.**
riddle [ˈridl] *n* crible *m*, énigme *f*, devinette *f*; *vt* cribler.
ride [raid] *n* promenade à cheval *f*, en auto, tour *m*; *vi* monter (aller) à cheval (à bicyclette), chevaucher, flotter, voguer, être mouillé; *vt* monter.
rider [ˈraidə] *n* cavalier, -ière, amazone *f*, écuyer, -ère, jockey *m*, annexe *f*, recommandation *f.*
ridge [ridʒ] *n* arête *f*, crête *f*, faîte *f*, ride *f.*
ridicule [ˈridikjuːl] *n* ridicule *m*, raillerie *f*; *vt* ridiculiser, se moquer de.
ridiculous [riˈdikjuləs] *a* ridicule, absurde.
riding-school [ˈraidiŋˌskuːl] *n* manège *m*, école *f* d'équitation.
rife [raif] *a* commun, courant, fourmillant; **to be —** sévir.
rifle [ˈraifl] *n* carabine *f*; *vt* dévaliser, vider, fouiller, rayer.
rift [rift] *n* fente *f*, fêlure *f.*
rig [rig] *n* gréement *m*, accoutrement *m*, tenue *f*; *vt* gréer, accoutrer, truquer; **to — up** installer, monter.
rigging [ˈrigiŋ] *n* agrès *m pl*, équipement *m.*
right [rait] *n* droite *f*, droit *m*, dû *m*; *a* juste, exact, droit; **to be —** avoir raison; *ad* droit, juste, très bien; *vt* redresser, réparer, corriger.
righteous [ˈraitʃəs] *a* pur, juste, sans faute, vertueux.
righteousness [ˈraitʃəsnis] *n* impeccabilité *f*, rectitude *f*, vertu *f.*
rightful [ˈraitful] *a* légitime, équitable.
right-handed [ˈraitˈhændid] *a* droitier.
rightness [ˈraitnis] *n* justesse *f.*
rigid [ˈridʒid] *a* rigide, raide, strict, inflexible.
rigidity [riˈdʒiditi] *n* rigidité *f*, sévérité *f.*
rigmarole [ˈrigməroul] *n* calembredaine *f.*
rigorous [ˈrigərəs] *a* rigoureux.
rigour [ˈrigə] *n* rigueur *f*, sévérité *f.*
rim [rim] *n* bord *m*, cercle *m*, jante *f.*
rime [raim] *n* rime *f*, givre *m*; *vi* rimer.
rimmed [rimd] *a* cerclé, bordé, cerné, à bord.
rind [raind] *n* peau *f*, croûte *f*, écorce *f*, couenne *f.*
ring [riŋ] *n* anneau *m*, bague *f*, cercle *m*, cerne *f*, bande *f*, piste *f*,

sonnerie *f*, coup *m* de sonnette; *vti* sonner; **to — off** couper; **— finger** *n* annulaire *m*.
ringleader ['riŋ,li:də] *n* meneur *m*.
ringworm ['riŋ wə:m] *n* pelade *f*, teigne *f*.
rink [riŋk] *n* patinoire *f*.
rinse [rins] *vt* rincer; *n* rinçage *m*.
riot ['raiət] *n* émeute *f*, orgie *f*; *vi* s'ameuter.
rioter ['raiətə] *n* émeutier *m*.
riotous ['raiətəs] *a* turbulent, tapageur.
rip [rip] *n* déchirure *f*; *vt* déchirer, fendre; *vi* se déchirer, se fendre.
ripe [raip] *a* mûr.
ripen ['raipən] *vti* mûrir.
ripping ['ripiŋ] *a* épatant.
ripple ['ripl] *n* ride *f*, murmure *m*; *vi* se rider, onduler, perler; *vt* rider.
rise [raiz] *n* montée *f*, éminence *f*, avancement *m*, augmentation *f*, hausse *f*, source *f*, naissance *f*, essor *m*; *vi* se lever, s'élever, se soulever, monter, naître.
risen ['rizn] *pp of* **rise.**
rising ['raiziŋ] *n* lever *m*, crue *f*, soulèvement *m*, résurrection *f*, hausse *f*.
risk [risk] *n* risque *m*, péril *m*; *vt* risquer.
risky ['riski] *a* risqué, hasardeux.
rite [rait] *n* rite *m*.
ritual ['ritjuəl] *an* rituel *m*.
rival ['raivəl] *an* rival(e) *mf*; *n* émule *mf*; *vt* rivaliser avec.
rivalry ['raivəlri] *n* rivalité *f*.
rive [raiv] *vt* fendre.
riven ['rivən] *pp of* **rive.**
river ['rivə] *n* rivière *f*, fleuve *m*.
rivet ['rivit] *n* rivet *m*; *vt* river.
rivulet ['rivjulit] *n* ruisselet *m*.
roach [routʃ] *n* gardon *m*.
road [roud] *n* route *f*, rue *f*, rade *f*.
roadside ['roud,said] *n* bas-côté *m*; **— repairs** dépannage *m*.
roadway ['roudwei] *n* chaussée *f*.
roam [roum] *vi* rôder, errer.
roar [rɔ:] *n* mugissement *m*, rugissement *m*, grondement *m* vrombissement *m*, gros éclat de rire *m*; *vi* rugir, mugir, vrombir, hurler, s'esclaffer.
roast [roust] *n* rôti *m*, rosbif *m*; *vt* rôtir, griller.
rob [rɔb] *vt* dérober, voler, piller, détrousser.
robber ['rɔbə] *n* voleur, -euse.
robbery ['rɔbəri] *n* vol *m*, brigandage *m*.
robe [roub] *n* robe *f*.
Robert ['rɔbət] Robert *m*.
robin ['rɔbin] *n* rouge-gorge *m*.
robot ['roubɔt] *n* automate *m*; *a* automatique.
robust [rə'bʌst] *a* robuste, vigoureux.
rock [rɔk] *n* roc *m*, rocher *m*, roche, *f*; *vt* bercer, balancer, (é)branler, basculer; *vi* osciller, (se) balancer.
rocket ['rɔkit] *n* fusée *f*; *a* à fusée.
rocking ['rɔkiŋ] *a* à bascule.
rocky ['rɔki] *a* rocheux, rocailleux, instable.
rod [rɔd] *n* baguette *f*, tringle *f*, perche *f*, gaule *f*, canne à pêche *f*, verge(s) *f (pl)*, piston *m*.
rode [roud] *pt of* **ride.**
rodent ['roudənt] *an* rongeur *m*.
roe [rou] *n* **hard —** œufs *m pl*; **soft —** laitance *f*.
roe(buck) ['rou(bʌk)] *n* chevreuil *m*.
rogue [roug] *n* coquin(e) *mf*, fripon, -onne, gredin *m*.
roguish ['rougiʃ] *a* fripon, coquin, espiègle, malin, -igne.
roll [roul] *n* rouleau *m*, boudin *m*, petit pain *m*, tableau *m*, roulis *m*, roulement *m*; *vt* rouler, enrouler, laminer; *vi* (se) rouler, s'enrouler.
roller ['roulə] *n* rouleau *m*, bande *f*, laminoir *m*, grosse lame *f*; **— skates** patins à roulettes *m pl*.
Roman ['roumən] *a* romain; *n* Romain(e) *mf*.
romance [rə'mæns] *an* roman *m*; *n* idylle *f*, romanesque *m*; *vi* romancer, faire du roman, exagérer.
romantic [rə'mæntik] *a* romanesque, romantique.
romanticism [rə'mæntisizəm] *n* romantisme *m*.
Romany ['rɔməni] *n* bohémien, -ienne.
romp [rɔmp] *n* petit(e) diable(sse), jeu de vilain *m*, gambades *f pl*; *vi* jouer, s'ébattre, gambader.
rood [ru:d] *n* crucifix *n*, quart d'arpent *m*.
roof [ru:f] *n* toit *m*, toiture *f*, (*mouth*) palais *m*.
rook [ruk] *n* corneille *f*, bonneteur *m*, escroc *m*.
room [rum] *n* chambre *f*, pièce *f*, salle *f*, place *f*, lieu *m*.
roomy ['rumi] *a* spacieux, ample.
roost [ru:st] *n* perchoir *m*; *vi* se percher, se jucher.
root [ru:t] *n* racine *f*, source *f*; *vt* planter, enraciner, clouer; *vi* s'enraciner.
rope [roup] *n* corde *f*, cordage *m*, câble *m*, glane *f*, collier *m*; *vt* corder, lier, hâler.
rosary ['rouzəri] *n* rosaire *m*, chapelet *m*.
rose [rouz] *n* rose *f*, rosace *f*, rosette *f*, pomme d'arrosoir *f*; **—bud** *n* bouton *m* de rose; **—bush** *n* rosier *m*.
rosemary ['rouzməri] *n* romarin *m*.
rosin ['rɔzin] *n* colophane *f*.
roster ['rɔstə] *n* tableau *m*, liste *f*, roulement *m*.
rosy ['rouzi] *a* rose, rosé, attrayant.
rot [rɔt] *n* pourriture *f*, carie *f*, démoralisation *f*, bêtises *f pl*; *vti* pourrir; *vi* se carier, se décomposer.
rota ['routə] *n* liste *f*, roulement *m*.
rotate [rou'teit] *vt* faire tourner, alterner; *vi* tourner, pivoter.

rote [rout] *n* routine *f*; **by —** machinalement.
rotten ['rɔtn] *a* pourri, carié, fichu, moche, patraque.
rotter ['rɔtə] *n* propre à rien *m*, sale type *m*, salaud *m*.
rotund [rou'tʌnd] *a* arrondi, sonore.
rouge [ruːʒ] *n* rouge *m*, fard *m*; *vt* farder.
rough [rʌf] *a* rugueux, grossier, brutal, rude, brut, approximatif; **to — it** vivre à la dure.
roughcast ['rʌfkaːst] *vt* ébaucher, crépir; *n* crépi *m*.
rough copy ['rʌf'kɔpi] *n* brouillon *m*.
roughen ['rʌfn] *vt* rendre grossier, rude; *vi* grossir.
roughly ['rʌfli] *ad* en gros, brutalement, à peu près.
roughness ['rʌfnis] *n* rugosité *f*, rudesse *f*, grossièreté *f*.
roughshod ['rʌfʃɔd] *a* ferré à glace; **to ride — over s.o.** fouler qn aux pieds.
round [raund] *n* rond *m*, ronde *f*, tournée *f*, tour *m*, échelon *m*, (*sport*) circuit *m*, reprise *f*, série *f*, cartouche *f*, salve *f*; *a* rond; *prep* autour de; *ad* en rond, à la ronde; *vt* arrondir, contourner, doubler; **to — up** rassembler, rafler.
roundabout ['raundəbaut] *n* manège *m* (de chevaux de bois), rondpoint *m*.
roundly ['raundli] *ad* rondement, net.
roundworm ['raund,wəːm] *n* chique *f*.
rouse [rauz] *vt* réveiller, exciter, remuer.
rousing ['rauziŋ] *a* retentissant, vibrant.
rout [raut] *n* bande *f*. déroute *f*; *vt*. mettre en déroute.
route [ruːt] *n* itinéraire *m*, parcours *m*, route *f*.
routine [ruː'tiːn] *n* routine *f*.
rove [rouv] *vi* rôder; *vt* parcourir.
rover ['rouvə] *n* vagabond *m*, coureur *m*, pirate *m*.
row [rou] *n* rang *m*, rangée *f*, file *f*, partie de canotage *f*; *vi* ramer, faire du canotage; *vt* conduire à l'aviron.
row [rau] *n* dispute *f*, bagarre *f*, semonce *f*; *vt* attraper; *vi* se chamailler.
rowdy ['raudi] *n* voyou *m*; *a* violent, turbulent.
rowdyism ['raudiizəm] *n* désordre *m*, chahutage *m*.
rower ['rouə] *n* rameur, -euse, canotier *m*.
rowlock ['rɔlək] *n* tolet *m*
royal ['rɔiəl] *a* royal.
royalist ['rɔiəlist] *n* royaliste *mf*.
royalty ['rɔiəlti] *n* royauté *f*; *pl* droits d'auteur *m pl*.
rub [rʌb] *n* frottement *m*, friction *f*, hauts et bas *m pl*, hic *m*; *vti* frotter; *vt* frictionner, calquer, polir, masser; **to — out** effacer.
rubber ['rʌbə] *n* gomme *f*, caoutchouc *m*, frotteur, -euse; **— tree** *n* hévia *m*.
rubbish ['rʌbiʃ] *n* ordures *f pl*, détritus *m*, décombres *m pl*, niaiseries *f pl*; **— chute** vide-ordures *m*.
rubble ['rʌbl] *n* gravats *m pl*.
rubric ['ruːbrik] *n* rubrique *f*.
ruby ['ruːbi] *n* rubis *m*.
rudder ['rʌdə] *n* gouvernail *m*.
ruddy ['rʌdi] *a* coloré, rougeaud, rougeoyant.
rude [ruːd] *a* grossier, mal élevé, violent, brusque, brut.
rudeness ['ruːdnis] *n* rudesse *f*, grossièreté *f*.
rudiment ['ruːdimənt] *n* rudiment *m*.
rudimentary [,ruːdi'mentəri] *a* rudimentaire.
rue [ruː] *vt* regretter, se repentir de.
rueful ['ruːful] *a* triste.
ruefulness ['ruːfulnis] *n* tristesse *f*, regret *m*.
ruffian ['rʌfiən] *n* bandit *m*, brute *f*, polisson *m*.
ruffle ['rʌfl] *n* ride *f*, manchette *f*, jabot *m*; *vt* hérisser, rider, ébouriffer, émouvoir.
rug [rʌg] *n* couverture *f*, tapis *m*.
rugged ['rʌgid] *a* rugueux, inégal, sauvage, rude.
ruin ['ruin] *n* ruine *f*; *vt* ruiner.
ruinous ['ruinəs] *a* ruineux.
rule [ruːl] *n* règle *f*, règlement *m*, autorité *f*; *vt* régir, gouverner, régler, décider; **to — out** écarter.
ruler ['ruːlə] *n* souverain(e) *mf*, dirigeant(e) *mf*, règle *f*.
ruling ['ruːliŋ] *n* décision *f*.
rum [rʌm] *n* rhum *m*; *a* bizarre, louche.
rumble ['rʌmbl] *n* grondement *m*, roulement *m*; *vi* rouler, gronder.
ruminate ['ruːmineit] *vi* ruminer.
rummage ['rʌmidʒ] *vti* fouiller; *vi* fureter.
rumour ['ruːmə] *n* rumeur *f*, bruit *m*; *vt* **it is —ed** le bruit court.
rump [rʌmp] *n* croupe *f*, croupion *m*, culotte *f*.
rumple ['rʌmpl] *vt* froisser, friper.
run [rʌn] *n* course *f*, marche *f*, promenade *f*, direction *f*, série *f*, demande *f*, ruée *f*, moyenne *f*, enclos *m*, libre usage *m*; *vti* courir; *vi* marcher, fonctionner, couler, s'étendre, passer, déteindre, tenir l'affiche; *vt* diriger, exploiter, tenir, entretenir, promener.
runaway ['rʌnəwei] *a* fugitif, emballé.
rung [rʌŋ] *pp of* **ring**; *n* barreau *m*, échelon *m*.
runner ['rʌnə] *n* coureur, -euse, messager *m*, glissoir *m*, patin *m*.
running ['rʌniŋ] *n* course *f*, marche *f*, direction *f*; *a* courant, coulant, continu, de suite.
running-board ['rʌniŋ,bɔːd] *n* marche-pied *m*.

runway ['rʌnwei] *n* piste *f.*
rupee [ru:'pi:] roupie *f.*
rupture ['rʌptʃə] *n* rupture *f*, hernie *f*; *vt* rompre; *vi* se rompre.
rural ['ruərəl] *a* rural, agreste, des champs.
rush [rʌʃ] *n* jonc *m*, ruée *f*, hâte *f*, presse *f*, montée *f*; *a* de pointe, urgent; *vt* précipiter, brusquer, expédier, bousculer, envahir; *vi* s'élancer, se précipiter, se jeter, faire irruption.
rusk [rʌsk] *n* biscotte *f.*
russet ['rʌsit] *n* reinette grise *f*; *a* brun-roux.
Russia ['rʌʃə] *n* Russie *f.*
Russian ['rʌʃən] *an* russe *m*; *n* Russe *mf.*
rust [rʌst] *n* rouille *f*; *vt* rouiller; *vi* se rouiller.
rustic ['rʌstik] *n* paysan, -anne, campagnard(e) *mf*, rustre *m*; *a* rustique, paysan.
rustle ['rʌsl] *n* frou-frou *m*, bruissement *m*; *vi* bruire, faire frou-frou; *vt* froisser.
rustless ['rʌstlis] *a* inoxydable.
rusty ['rʌsti] *a* rouillé.
rut [rʌt] *n* ornière *f*, rut *m.*
ruthless ['ru:θlis] *a* implacable, impitoyable.
ruthlessness ['ru:θlisnis] *n* férocité *f*, implacabilité *f.*
rye [rai] *n* seigle *m.*

S

Sabbath ['sæbəθ] *n* sabbat *m*, dimanche *m.*
sable ['seibl] *n* zibeline *f*; *a* noir.
sabotage ['sæbətɑ:ʒ] *n* sabotage *m*; *vt* saboter.
sabre ['seibə] *n* sabre *m.*
saccharine ['sækərin] *n* saccharine *f.*
sack [sæk] *n* sac *m*, pillage; *vt* saccager, renvoyer, mettre en sac.
sacrament ['sækrəmənt] *n* sacrement *m.*
sacred ['seikrid] *a* sacré, saint, religieux, consacré.
sacrifice ['sækrifais] *n* sacrifice *m*, victime *f*; *vt* sacrifier, immoler.
sacrilege ['sækrilidʒ] *n* sacrilège *m.*
sad [sæd] *a* triste, cruel, lourd, déplorable.
sadden ['sædn] *vt* attrister.
saddle ['sædl] *n* selle *f*; *vt* seller, mettre sur le dos de.
saddler ['sædlə] *n* sellier *m*, bourrelier *m.*
sadness ['sædnis] *n* tristesse *f.*
safe [seif] *n* garde-manger *m*, coffre-fort *m*; *a* sauf, sûr, prudent, à l'abri, en sûreté.
safe-conduct ['seif'kɔndəkt] *n* sauf-conduit *m.*
safeguard ['seifgɑ:d] *n* sauvegarde *f*, garantie *f.*
safely ['seifli] *ad* sain et sauf, bien.
safety ['seifti] *n* sûreté *f*, sécurité *f*; *a* de sûreté.
sag [sæg] *vi* céder, fléchir, se détendre, gondoler, baisser; *n* fléchissement *m*, ventre *m.*
sagacious [sə'geiʃəs] *a* sagace, perspicace, intelligent.
sagacity [sə'gæsiti] *n* sagacité *f*, intelligence *f.*
sage [seidʒ] *n* (*bot*) sauge *f*; *an* sage *m.*
sago ['seigou] *n* tapioca *m.*
said [sed] *pt pp of* **say.**
sail [seil] *n* voile *f*, voilure *f*, aile *f*, traversée *f*, promenade en bateau *f*; *vi* naviguer, mettre à la voile, planer, voguer; *vt* conduire, naviguer; **—ing** *n* mise à la voile *f*, départ *m*, navigation *f*; **to go sailing** faire du bateau.
sailor ['seilə] *n* matelot *m*, marin *m*; **to be a good —** avoir le pied marin.
saint [seint] *an* saint(e) *mf.*
sake [seik] **for the — of** par égard pour, pour l'amour de, pour les beaux yeux de, dans l'intérêt de.
salad ['sæləd] *n* salade *f.*
salaried ['sælərid] *a* rétribué, salarié.
salary ['sæləri] *n* traitement *m*, appointements *m pl.*
sale [seil] *n* vente *f*, solde(s) *f.*
saleable ['seiləbil] *a* vendable, de vente courante.
salesman ['seilzmən] *n* vendeur *m*, courtier *m*, commis *m.*
salient ['seiliənt] *an* saillant *m.*
saliva [sə'laivə] *n* salive *f.*
sallow ['sælou] *a* blafard, jaunâtre, olivâtre.
sally ['sæli] *n* sortie *f*, saillie *f*; *vi* faire une sortie, sortir.
salmon ['sæmən] *n* saumon *m*; **—-trout** *n* truite saumonée *f.*
saloon [sə'lu:n] *n* salon *m*, salle *f*, cabaret *m*; **— car** *n* (voiture *f* à) conduite intérieure *f.*
salt [sɔ:lt] *n* sel *m*, loup *m* de mer; *a* salé; *vt* saler; **—-cellar** *n* salière *f.*
saltpetre ['sɔ:lt,pi:tə] *n* salpêtre *m.*
salubrious [sə'lu:briəs] *a* salubre, sain.
salubrity [sə'lu:briti] *n* salubrité *f.*
salutary ['sæljutəri] *a* salutaire.
salute [sə'lu:t] *n* salut *m*, salve *f*; *vt* saluer.
salvage ['sælvidʒ] *n* sauvetage *m*, matériel récupéré *m*; *vt* récupérer.
salvation [sæl'veiʃən] *n* salut *m.*
salve [sælv] *vt* calmer, apaiser; *n* pommade *f*, baume *m.*
salver ['sælvə] *n* plateau *m.*
salvo ['sælvou] *n* salve *f.*
same [seim] *a* même, monotone; **to do the —** faire de même.
sameness ['seimnis] *n* ressemblance *f*, monotonie *f*, uniformité *f.*
sample ['sɑ:mpl] *n* échantillon *m*; *vt* éprouver, tâter de, échantillonner, déguster.
sanctify ['sæŋktifai] *vt* sanctifier, consacrer.

sanctimonious [ˌsæŋkti'mounìəs] *a* bigot, papelard.
sanction ['sæŋkʃən] *n* sanction *f*, approbation *f*; *vt* sanctionner, approuver.
sanctity ['sæŋktiti] *n* sainteté *f*, inviolabilité *f*.
sanctuary ['sæŋktjuəri] *n* sanctuaire *m*, asile *m*, réfuge *m*.
sand [sænd] *n* sable *m*; *pl* plage *f*; — **dune** dune *f*; —**paper** papier de verre *m*; —**shoes** souliers *mpl* bains de mer, espadrilles *f pl*.
sandal ['sændl] *n* sandale *f*, samara *m*.
sandalwood ['sændlwud] *n* santal *m*.
sandbag ['sændbæg] *n* sac de terre *m*, assommoir *m*; *vt* protéger avec des sacs de terre, assommer.
sandy ['sændi] *a* sablonneux, blond-roux.
sandwich ['sænwidʒ] *n* sandwich *m*.
sane [sein] *a* sain, sensé.
sang [sæŋ] *pt of* **sing**.
sanguinary ['sæŋgwinəri] *a* sanglant, sanguinaire.
sanguine ['sæŋgwin] *a* sanguin, convaincu, optimiste.
sanitary ['sænitəri] *a* sanitaire, hygiénique.
sanity ['sæniti] *n* raison *f*, santé *f* mentale.
sank [sæŋk] *pt of* **sink**.
sap [sæp] *n* sève *f*, sape *f*; *vt* épuiser, saper, miner.
sapling ['sæpliŋ] *n* plant *m*, baliveau *m*, adolescent(e).
sapper ['sæpə] *n* sapeur *m*.
sapphire ['sæfaiə] *n* saphir *m*.
sarcasm ['sɑːkæzəm] *n* sarcasme *m*, ironie *f*.
sarcastic [sɑː'kæstik] *a* sarcastique; —**ally** *ad* d'un ton sarcastique.
sardine [sɑː'diːn] *n* sardine *f*.
Sardinia [sɑː'diniə] *n* Sardaigne *f*.
sash [sæʃ] *n* châssis *m*, ceinture *f*, écharpe *f*; — **window** *n* fenêtre à guillotine *f*.
sat [sæt] *pt pp of* **sit**.
satchel ['sætʃəl] *n* sacoche *f*, cartable *m*.
sate [seit] *vt* assouvir, rassasier.
sated ['seitid] *a* repu.
sateen [sæ'tiːn] *n* satinette *f*.
satiate ['seiʃieit] *vt* apaiser, rassasier.
satiety [sə'taiəti] *n* satiété *f*.
satin ['sætin] *n* satin *m*.
satire ['sætaiə] *n* satire *f*.
satirical [sə'tirikl] *a* satirique.
satirist ['sætərist] *n* satirique *m*.
satisfaction [ˌsætis'fækʃən] *n* paiement *m*, rachat *m*, satisfaction *f*.
satisfactory [ˌsætis'fæktəri] *a* satisfaisant.
satisfy ['sætisfai] *vt* satisfaire, convaincre, remplir.
saturate ['sætʃəreit] *vt* tremper, imprégner, saturer.
Saturday ['sætədi] *n* samedi *m*.
satyr ['sætə] *n* satyre *m*.
sauce [sɔːs] *n* sauce *f*, assaisonnement *m*, insolence *f*; —**boat** *n* saucière *f*; —**pan** *n* casserole *f*.
saucer ['sɔːsə] *n* soucoupe *f*.
sauciness ['sɔːsinis] *n* impertinence *f*.
saucy ['sɔːsi] *a* impertinent, effronté, fripon.
saunter ['sɔːntə] *n* flânerie *f*; *vt* flâner.
sausage ['sɔsidʒ] *n* saucisse *f*, saucisson *m*.
sausage-meat ['sɔsidʒmiːt] *n* chair à saucisse *f*.
savage ['sævidʒ] *n* sauvage *mf*; *a* féroce, brutal, barbare.
savagery ['sævidʒəri] *n* sauvagerie *f*, férocité *f*, barberie *f*.
savanna(h) [sə'vænə] *n* savane *f*.
save [seiv] *vt* sauver, préserver, économiser, épargner, ménager; *prep* sauf, excepté.
saving ['seiviŋ] *n* salut *m*, économie *f*; *a* économe, qui rachète.
saviour ['seivjə] *n* sauveur *m*.
savour ['seivə] *n* saveur *f*, goût *m*, pointe *f*; *vi* **to — of** sentir, tenir de.
savoury ['seivəri] *a* relevé, savoureux, succulent.
Savoy [sə'vɔi] Savoie *f*.
savvy ['sævi] *n* jugeotte *f*; *vti* piger.
saw [sɔː] *n* scie *f*; adage *m*; maxime *f*, proverbe *m*; *vt* scier.
sawdust ['sɔːdʌst] *n* sciure *f*.
sawmill ['sɔːmil] *n* scierie *f*.
sawyer ['sɔːjə] *n* scieur *m*.
sawn [sɔːn] *pp of* **saw**.
say [sei] *n* mot *m*, voix *f*; *vti* dire.
saying ['seiiŋ] *n* dicton *m*, récitation *f*.
scab [skæb] *n* croûte, gourme *f*, gale *f*, jaune *m*, faux-frère *m*; *vi* se cicatriser.
scabbard ['skæbəd] *n* fourreau *m*, gaine *f*.
scabby ['skæbi] *a* galeux, croûteux, mesquin.
scabies ['skeibiiːz] *n* gale *f*.
scabrous ['skeibrəs] *a* scabreux, raboteux.
scaffold ['skæfəld] *n* échafaud *m*.
scaffolding ['skæfəldiŋ] *n* échafaudage *m*.
scald [skɔːld] *n* brûlure *f*; *vt* ébouillanter, échauder.
scale [skeil] *n* plateau *m*, balance *f*, bascule *f*, échelle *f*, gamme *f*, écaille *f*, dépôt *m*, tartre *m*; *vt* écailler, peler, écosser, râcler, décrasser, escalader, graduer; *vi* s'écailler, s'incruster.
scallop ['skɔləp] *n* coquille Saint-Jacques *f*, feston *m*.
scalp [skælp] *n* cuir chevelu *m*, scalpe *m*; *vt* scalper.
scalpel ['skælpəl] *n* scalpel *m*.
scamp [skæmp] *n* vaurien *m*; *vt* bâcler.
scamper ['skæmpə] *vi* détaler.
scan [skæn] *vt* scander, scruter, embrasser du regard, parcourir.

scandal ['skændl] *n* scandale *m*, honte *f*, cancans *m pl*.
scandalize ['skændəlaiz] *vt* scandaliser.
scandalous ['skændələs] *a* scandaleux, honteux.
scansion ['skænʃən] *n* scansion *f*.
scanty ['skænti] *a* mince, rare, insuffisant, étroit, peu de, juste, sommaire.
scapegoat ['skeipgout] *n* bouc émissaire *m*, souffre-douleur *m*.
scapegrace ['skeipgreis] *n* étourneau *m*, mauvais sujet *m*.
scar [skɑː] *n* cicatrice *f*; *vt* balafrer; *vi* se cicatriser.
scarab ['skærəb] *n* scarabée *m*.
scarce [skɛəs] *a* rare.
scarcely ['skɛəsli] *ad* à peine, ne . . . guère.
scarcity ['skɛəsiti] *n* rareté *f*, pénurie *f*.
scare [skɛə] *n* panique *f*, alarme *f*; *vt* terrifier, effrayer; **—crow** *n* épouvantail *m*; **—monger** *n* alarmiste *mf*.
scarf [skɑːf] *n* écharpe *f*, foulard *m*, cache-col *m*.
scarlet ['skɑːlit] *an* écarlate *f*; **— fever** *n* (fièvre) scarlatine *f*.
scathing ['skeiðiŋ] *a* mordant, cinglant.
scatter ['skætə] *vt* disperser, éparpiller, semer; *vi* se disperser, s'égailler, se dissiper; **—brain** *n* écervelé(e).
scattered ['skætəd] *a* épars, éparpillé, semé.
scattering ['skætəriŋ] *n* dispersion *f*, éparpillement *m*, poignée *f*.
scavenger ['skævindʒə] *n* balayeur *m*, boueux *m*.
scene [siːn] *n* scène *f*, spectacle *m*, lieu *m*, théâtre *m*.
scenery ['siːnəri] *n* décor(s) *m* (*pl*), paysage *m*.
scenic ['siːnik] *a* scénique, théâtral.
scent [sent] *n* odeur *f*, parfum *m*, piste *f*, flair *m*; *vt* flairer, parfumer, embaumer.
sceptical ['skeptikəl] *a* sceptique.
scepticism ['skeptisizəm] *n* scepticisme *m*
sceptre ['septə] *n* sceptre *m*.
schedule ['ʃedjul] *n* horaire *m*, plan *m*, annexe *f*.
scheme [skiːm] *n* plan *m*, projet *m*, intrigue *f*, combinaison *f*; *vi* comploter, intriguer; *vt* combiner, projeter.
schemer ['skiːmə] *n* homme *m* à projets, intrigant(e) *mf*.
schism ['sizəm] *n* schisme *m*.
scholar ['skɔlə] *n* érudit *m*, savant(e) *mf*, boursier, -ière, écolier, -ière.
scholarship ['skɔləʃip] *n* science *f*, érudition *f*, bourse *f*.
school [skuːl] *n* école *f*, faculté *f*; *vt* instruire, dresser, former, entraîner.
schoolmaster ['skuːl mɑːstə] *n* instituteur *m*, professeur *m*, directeur *m*.
schoolmate ['skuːlmeit] *n* camarade de classe *mf*.
schoolroom ['skuːlrum] *n* (salle de) classe *f*.
schooner ['skuːnə] *n* goélette *f*.
science ['saiəns] *n* science *f*.
scientist ['saiəntist] *n* savant(e) *mf*, homme de science *m*, scientifique *m*.
scion ['saiən] *n* rejeton *m*, bouture *f*.
scissors ['sizəz] *n* ciseaux *m pl*.
scoff [skɔf] *n* raillerie *f*; *vt* railler; *vi* se moquer (de **at**).
scold [skould] *n* mégère *f*; *vti* gronder; *vt* attraper.
scolding ['skouldiŋ] *n* semonce *f*, savon *m*.
sconce [skɔns] *n* applique *f*, bobèche.
scoop ['skuːp] *n* pelle *f*, louche *f*, écope *f*, cuiller *f*, reportage *m* en exclusivité; *vt* creuser, vider, écoper, rafler.
scope [skoup] *n* portée *f*, envergure *f*, champ *m*, carrière *f*, compétence *f*.
scorch [skɔːtʃ] *vt* brûler, roussir, rôtir; *vi* filer à toute vitesse, brûler le pavé.
score [skɔː] *n* marque *f*, score *m*, point *m*, compte *m*, partition *f*, coche *f*, éraflure *f*, vingt; *vt* marquer, remporter, (en)cocher, érafler, orchestrer; *vi* marquer les points, avoir l'avantage; (*US*) réprimander, censurer.
scorn [skɔːn] *n* mépris *m*; *vt* mépriser.
scornful ['skɔːnful] *a* méprisant.
Scotch ['skɔtʃ] *n* Écossais(e) *mf*; *an* écossais *m*; *n* whisky *m*.
scotfree ['skɔt'friː] *a* indemne, sans rien payer.
Scotland ['skɔtlənd] *n* Écosse *f*.
Scot(sman, -swoman) [skɔt(smən, wumən)] *n* Écossais, Écossaise.
Scots, Scottish [skɔts, 'skɔtiʃ] *a* écossais, d'Écosse.
scoundrel ['skaundrəl] *n* canaille *f*, gredin *m*, coquin *m*.
scour ['skauə] *vt* frotter, récurer, purger, battre, balayer, (par)courir.
scourge [skəːdʒ] *n* fléau *m*; *vt* châtier, flageller.
scout [skaut] *n* éclaireur *m*, scout *m*; *vt* reconnaître, rejeter; *vi* partir en reconnaissance.
scowl [skaul] *n* air renfrogné *m*; *vi* faire la tête, se renfrogner.
scrag [skræg] *n* squelette *m*, cou *m*, collet *m*.
scraggy ['skrægi] *a* décharné.
scramble ['skræmbl] *n* mêlée *f*, lutte *f*; *vt* (eggs) brouiller; *vi* se battre, se bousculer.
scrap [skræp] *n* morceau *m*, chiffon *m*, coupure *f*, bribe *f*, bagarre *f*; *pl* déchets *m pl*, restes *m pl*; *vt* mettre au rebut, réformer; *vi* se battre, se bagarrer.
scrape [skreip] *n* grincement *m*,

grattage *m*, embarras *m*; *vti* gratter, frotter; *vt* râcler, décrotter.
scraper ['skreipə] *n* grattoir *m*, décrottoir *m*.
scratch [skrætʃ] *n* égratignure *f*, trait (grincement *m*) de plume *mf*, coup de griffe *m*; — **pad** *n* (*US*) bloc-notes *m*; *vti* égratigner, gratter, griffonner.
scrawl [skrɔːl] *n* gribouillage *m*; *vt* gribouiller.
scream [skriːm] *n* cri (perçant) *m*; *vi* pousser un cri, crier, se tordre (de rire).
screaming ['skriːmiŋ] *a* désopilant, criard.
screen [skriːn] *n* écran *m*, paravent *m*, rideau *m*, crible *m*, jubé *m*; *vt* couvrir, cacher, protéger, projeter, cribler, mettre à l'écran.
screw [skruː] *n* vis *f*, hélice *f*, écrou *m*, pingre *m*; *vt* visser, (res)serrer, pressurer; **to — up one's courage** prendre son courage à deux mains.
screwdriver ['skruː draivə] *n* tournevis *m*.
scribble ['skribl] *see* **scrawl.**
scrimmage ['skrimidʒ] *n* bagarre *f*, mêlée *f*.
scrimp [skrimp] *vti* lésiner (sur), saboter.
scripture ['skriptʃə] *n* Écriture *f*.
scroll [skroul] *n* rouleau *m*, volute *f*, fioriture *f*.
scrounge [skraundʒ] *vt* chiper, écornifler.
scrounger ['skraundʒə] *n* chipeur *m*, pique-assiette *m*.
scrub [skrʌb] *n* broussailles *f pl*, coup de brosse *m*, frottée *f*; *vt* frotter, récurer.
scrubbing ['skrʌbiŋ] *n* frottage *m*, récurage *m*.
scrubby ['skrʌbi] *a* rabougri, chétif.
scruple ['skruːpl] *n* scrupule *m*; *vi* se faire scrupule (de **about**).
scrupulous ['skruːpjuləs] *a* scrupuleux, méticuleux.
scrutinize ['skruːtinaiz] *vt* scruter, examiner de près.
scrutiny ['skruːtini] *n* examen serré *m*, second compte *m*.
scuffle ['skʌfl] *n* bousculade *f*; *vi* bousculer.
scull [skʌl] *n* godille *f*; *vi* godiller, ramer.
sculptor ['skʌlptə] *n* sculpteur *m*.
sculpture ['skʌlptʃə] *n* sculpture *f*; *vt* sculpter.
scum [skʌm] *n* écume *f*, rebut *m*; *vti* écumer.
scurf [skəːf] *n* pellicule *f*.
scurrilous ['skʌriləs] *a* grossier, ordurier, obscène.
scurvy ['skəːvi] *n* scorbut *m*; *a* bas, méprisable.
scuttle ['skʌtl] *n* seau *m*, hublot *m*, fuite *f*; *vt* saborder; *vi* décamper.
scythe [saið] *n* faux *f*; *vt* faucher.
sea [siː] *n* mer *f*; *a* marin, maritime, de mer; **—-coast** *n* littoral *m*; **—gull** *n* mouette *f*; **—-horse** *n* mouton *m*; **—-level** *n* niveau de la mer *m*; **—plane** *n* hydravion *m*; **—port** *n* port (maritime) *m*; **—-sickness** *n* mal de mer *m*; **—-wall** *n* digue *f*.
seal [siːl] *n* (*zool*) phoque *m*; cachet *m*, sceau *m*; *vt* sceller, cacheter.
sealing-wax ['siːliŋwæks] *n* cire à cacheter *f*.
seam [siːm] *n* couture *f*, suture *f*, cicatrice *f*, veine *f*, filon *m*.
seaman ['siːmən] *n* marin *m*, matelot *m*.
seamstress ['semstris] *n* couturière *f*.
seamy side ['siːmisaid] *n* envers *m*, les dessous *m pl*.
sear [siə] *a* séché, flétri; *vt* brûler au fer rouge, flétrir.
search [səːtʃ] *n* quête *f*, visite *f*, perquisition *f*, recherche(s) *f* (*pl*); *vt* fouiller, inspecter, scruter, sonder, examiner; *vti* chercher.
searching ['səːtʃiŋ] *a* pénétrant, minutieux.
searchlight ['səːtʃlait] *n* projecteur *m*, phare *m*.
season ['siːzn] *n* saison *f*, période *f*, bon moment *m*; *vt* endurcir, aguerrir, mûrir, assaisonner, tempérer.
seasonable ['siːznəbl] *a* de saison, saisonnier, opportun.
seasoning ['siːzniŋ] *n* assaisonnement *m*.
season-ticket ['siːzn'tikit] *n* abonnement *m*.
seat [siːt] *n* siège *m*, selle *f*, centre *m*, foyer *m*, propriété *f*, fond *m* (de culotte); *vt* contenir, faire asseoir, installer.
seaweed ['siːwiːd] *n* goémon *m*, algue *f*, varech *m*.
secede [si'siːd] *vi* se séparer.
secession [si'seʃən] *n* sécession *f*.
seclude [si'kluːd] *vt* écarter.
seclusion [si'kluːʒən] *n* retraite *f*, solitude *f*.
second ['sekənd] *n* seconde *f*, second *m*; *a* second, deuxième; **— to none** sans égal; *vt* seconder, appuyer, (*mil*) détacher; **—-hand** *a* d'occasion. **—-rate** *a* médiocre, inférieur.
secrecy ['siːkrisi] *n* secret *m*, réserve *f*, dissimulation *f*.
secret ['siːkrit] *a* secret, réservé, retiré; *n* secret *m*, confidence *f*.
secretariat [ˌsekrə'tεəriət] *n* secrétariat *m*.
secretary ['sekrətri] *n* secrétaire *mf*.
secrete [si'kriːt] *vt* cacher, sécréter.
secretion [si'kriːʃən] *n* sécrétion *f*.
secretive ['siːkritiv] *a* secret, réservé, cachottier, renfermé.
sect [sekt] *n* secte *f*.
sectarian [sek'tεəriən] *n* sectaire *m*.
section ['sekʃən] *n* section *f*, coupe *f*, tranche *f*, profil *m*.
sector ['sektə] *n* secteur *m*.
secular ['sekjulə] *a* séculier, profane, séculaire.

secure [si'kjuə] *a* sûr, assuré, en sûreté, assujetti; *vt* mettre en lieu sûr, fixer, s'assurer, obtenir, assujettir.
security [si'kjuəriti] *n* sécurité *f*, sûreté(s) *f* (*pl*), sauvegarde *f*, garantie *f*, solidité *f*.
sedate [si'deit] *a* posé.
sedentary ['sedntəri] *a* sédentaire.
sedge [sedʒ] *n* jonc *m*, laîche *f*.
sediment ['sedimənt] *n* sédiment *m*, lie *f*, dépôt *m*.
sedition [si'diʃən] *n* sédition *f*.
seditious [si'diʃəs] *a* séditieux.
seduce [si'dju:s] *vt* séduire.
seducer [si'dju:sə] *n* séducteur *m*.
seduction [si'dʌkʃən] *n* séduction *f*.
seductive [si'dʌktiv] *a* séduisant.
seductiveness [si'dʌktivnis] *n* attrait *m*, séduction *f*.
sedulous ['sedjuləs] *a* assidu, empressé.
see [si:] *n* évêché *m*, siège *m*; *vti* voir, saisir, comprendre; — **here!** toi, écoute!
seed [si:d] *n* semence *f*, graine *f*, pépin *m*; *vi* monter en graine; *vt* ensemencer, semer.
seedling ['si:dliŋ] *n* plant *m*, sauvageon *m*.
seedy ['si:di] *a* monté en graine, râpé, souffreteux, minable.
seek [si:k] *vt* (re)chercher.
seem [si:m] *vi* sembler, paraître.
seeming ['si:miŋ] *a* apparent, soi-disant.
seemingly ['si:miŋli] *ad* apparemment.
seemly ['si:mli] *a* séant.
seemliness ['si:mlinis] *n* bienséance *f*.
seesaw ['si:sɔ:] *n* bascule *f*, balançoire *f*.
seethe [si:ð] *vi* bouillonner, grouiller, être en effervescence.
seize [si:z] *vt* saisir, s'emparer de; *vi* se caler, gripper.
seizure ['si:ʒə] *n* saisie *f*, attaque *f*.
seldom ['seldəm] *ad* rarement.
select [si'lekt] *a* choisi, de choix, d'élite; *vt* choisir, trier, sélectionner.
selection [si'lekʃən] *n* choix *m*, sélection *f*.
self [self] *n* personnalité *f*, moi *m*, égoïsme *m*; *a* même, monotone, uniforme, auto-; **—-conscious** emprunté, gêné, conscient; **—-contained** (ren)fermé, indépendant; **—-control** maîtrise *f* de soi, sang-froid *m*; **—-defence** légitime défense *f*; **—-denial** sacrifice *m*, abnégation *f*; **—-educated** autodidacte; **—-government** autonomie *f*; **—-indulgence** *n* complaisance *f* (pour soi-même), faiblesse; **—-interest** égoïsme, intérêt personnel *m*; **—-respect** amour-propre *m*; **—same** *a* identique.
self-determination ['selfdi,tə:mi'neiʃən] *n* autodétermination *f*.
selfish ['selfiʃ] *a* égoïste.
selfishness ['selfiʃnis] *n* égoïsme *m*.
selfless ['selflis] *a* désintéressé.
selflessness ['selflisnis] *n* abnégation *f*.
self-possessed ['selfpə'zəst] *a* maître de soi, qui à de l'aplomb *m*.
self-starter ['self'stɑ:tə] *n* démarreur *m*.
self-willed ['self'wild] *a* obstiné, volontaire.
sell [sel] *vt* vendre; *vi* se vendre, se placer, (*US*) populariser.
seller ['selə] *n* vendeur, -euse, marchand(e) *mf*.
semblance ['sembləns] *n* air *m*, apparence *f*, semblant *m*.
semi-colon ['semi'koulən] *n* point-virgule *m*.
seminary ['seminəri] *n* séminaire *m*, pépinière *f*.
semi-official ['semiə'fiʃəl] *a* officieux.
semolina [,semə'li:nə] *n* semoule *f*.
senate ['senit] *n* sénat *m*.
send [send] *vt* envoyer, expédier; **to — down** renvoyer; **to — for** faire venir; **to — off** reconduire, expédier.
sender ['sendə] *n* envoyeur, -euse, expéditeur, -trice.
sending ['sendiŋ] *n* envoi *m*, expédition *f*.
senior ['si:njə] *an* ancien, -ienne, aîné(e) *mf*.
seniority [,si:ni'ɔriti] *n* ancienneté *f*, aînesse *f*.
sensation [sen'seiʃən] *n* sentiment *m*, sensation *f*, impression *f*.
sensational [sen'seiʃənl] *a* sensationnel, à sensation.
sense [sens] *n* (bon) sens *m*, sentiment *m*; *vt* sentir, pressentir.
senseless ['senslis] *a* déraisonnable, sans connaissance.
sensibility [,sensi'biliti] *n* sensibilité *f*.
sensible ['sensəbl] *a* raisonnable, sensé, perceptible, sensible.
sensitive ['sensitiv] *a* sensible, impressionable.
sensual ['sensjuəl] *a* sensuel.
sensuality [,sensju'æliti] *n* sensualité *f*.
sent [sent] *pt pp of* **send.**
sentence ['sentəns] *n* phrase *f*, sentence *f*; *vt* condamner.
sententious [sen'tenʃəs] *a* sentencieux.
sentiment ['sentimənt] *n* sentiment *m*, opinion *f*.
sentimentality [,sentimen'tæliti] *n* sentimentalité *f*.
sentry ['sentri] *n* sentinelle *f*, factionnaire *m*.
sentry-box ['sentribɔks] *n* guérite *f*.
separate ['seprit] *a* distinct, détaché, séparé.
separate ['sepəreit] *vt* séparer, détacher, dégager; *vi* se séparer, se détacher.
sepoy ['si:pɔi] *n* cipaye *m*.

September [səp'tembə] *n* septembre *m*.
septic ['septik] *a* septique.
sepulchre ['sepəlkə] *n* sépulcre *m*.
sequel ['si:kwəl] *n* suite *f*.
sequence ['si:kwəns] *n* série *f*, suite *f*, séquence *f*.
sequester [si'kwestə] *vt* séquestrer, enfermer.
seraglio [sə'rɑ:liou] *n* sérail *m*.
serene [si'ri:n] *a* serein, calme.
serenity [si'reniti] *n* sérénité *f*, calme *m*.
serf [sə:f] *n* serf *m*.
serfdom ['sə:fdəm] *n* servage *m*.
serge [sə:dʒ] *n* serge *f*.
sergeant ['sɑ:dʒənt] *n* sergent *m*, maréchal des logis *m*, (*police*) brigadier *m*.
serial ['siəriəl] *n* feuilleton *m*; *a* en série.
seriatim [ˌsiəri'eitim] *ad* point par point.
series ['siəri:z] *n* série *f*, suite *f*.
serious ['siəriəs] *a* sérieux, grave.
seriousness ['siəriəsnis] *n* sérieux *m*, gravité *f*.
sermon ['sə:mən] *n* sermon *m*.
sermonize ['sə:mənaiz] *vt* sermonner.
serpent ['sə:pənt] *n* serpent *m*.
serpentine ['sə:pəntain] *a* serpentin, sinueux.
servant ['sə:vənt] *n* domestique *mf*, serviteur *m*, servante *f*.
serve [sə:v] *vt* servir, être utile à, subir, remettre, desservir purger.
service ['sə:vis] *n* service *m*, emploi *m*, entretien *m* office *m*, culte *m*; *a* d'ordonnance, de service.
serviceable ['sə:visəbl] *a* serviable, de bon usage, pratique, utilisable.
servile ['sə:vail] *a* servile.
servility [sə:'viliti] *n* servilité *f*.
servitude ['sə:vitju:d] *n* servitude *f*, esclavage *m*.
session ['seʃən] *n* session *f*, séance *f*, (*US*) classe *f*, cours *m pl*.
set [set] *n* (*tools etc*) jeu *m*, collection *f*, (*people*) groupe *m* cercle *f*, *tea etc*) service *m*, (TV *etc*) poste *m*, appareil *m*, (*theatre*) décor(s) *m* (*pl*), (*pearls*) rangée *f*, (*linen*) parure *f*, (*hair*) mise-en-plis *f*, (*idea*) direction *f*; *a* fixe, pris, stéréotype; *vt* régler, mettre (à **in**), fixer, (*print*) composer, (*jewels*) sertir, (*trap*) tendre, (*blade*) aiguiser; *vi* se mettre (à), prendre, durcir, se fixer, (*sun*) se coucher; **to — going** commencer; **to — aside** mettre de côté, écarter; **to — forth** exposer, faire valoir; **to — in** *vi* avancer; **— off** *vi* partir, *vt* déclencher; **to — out** *vi* partir, *vt* arranger; **to — up** *vti* monter, s'établir, préparer; **to — upon** attaquer.
set-back ['setbæk] *n* recul *m*, échec *m*.
set-off ['set'ɔf] *n* contraste *m*, repoussoir *m*.
set-to ['set'tu:] *n* pugilat *m*, échauffouré *m*.
settee [se'ti:] *n* divan *m*.
setter ['setə] *n* chien d'arrêt *m*.
setting ['setiŋ] *n* monture *f*, pose *f*, cadre *m*, mise *f* (en scène, en marche *etc*), coucher *m*.
settle ['setl] *vt* établir, installer, fixer, ranger, poser, régler, placer; *vi* s'établir, s'installer, se poser, déposer, s'arranger; *n* banc *m*, canapé *m*.
settlement ['setlmənt] *n* établissement *m*, colonie *f*, contrat *m*, règlement *m*.
settler ['setlə] *n* colon *m*, immigrant *m*.
seven ['sevn] *an* sept *m*.
sevenfold ['sevnfould] *a* septuple; *ad* sept fois autant.
seventeen ['sevn'ti:n] *an* dix-sept *m*.
seventeenth ['sevn'ti:nθ] *an* dix-septième *mf*.
seventh ['sevnθ] *an* septième *mf*.
seventy ['sevnti] *an* soixante-dix *m*.
sever ['sevə] *vt* séparer, trancher, couper.
several ['sevrəl] *a* respectif, personnel; *a pn* plusieurs.
severe [si'viə] *a* sévère, rigoureux, vif.
severity [si'veriti] *n* sévérité *f*, rigueur *f*, violence *f*.
sew [sou] *vt* coudre, suturer.
sewage ['sjuidʒ] *n* vidanges *f pl*, eaux *f pl* d'égout.
sewer ['souə] *n* couturière, brocheuse *f*.
sewer ['sjuə] *n* égout *m*.
sewing-machine ['souiŋməˌʃi:n] *n* machine à coudre *f*.
sewn [soun] *pp of* **sew**.
sex [seks] *n* sexe *m*; **—-appeal** *n* sex-appeal *m*.
sexton ['sekstən] *n* sacristain *m*, fossoyeur *m*.
sexual ['seksjuəl] *a* sexuel.
sexy ['seksi] *a* (*fam*) capiteuse, excitante; **to be —** avoir du sex-appeal.
shabby ['ʃæbi] *a* pingre, râpé, minable, délabré, mesquin, défraîchi.
shackle ['ʃækl] *n* chaîne *f*, maillon *m*; *pl* fers *m pl*, entraves *f pl*; *vt* enchaîner, entraver.
shade [ʃeid] *n* ombre *f*, retraite *f*, nuance *f*, (*US*) store *m*; *pl* lunettes de soleil *f pl*; *vt* abriter, ombrager, masquer, assombrir, ombrer; *vi* dégrader.
shadow ['ʃædou] *n* ombre *f*; *vt* filer.
shadowy ['ʃædoui] *a* ombrageux, vaseux.
shady ['ʃeidi] *a* ombragé, ombreux, furtif, louche.
shaft [ʃɑ:ft] *n* hampe *f*, trait *m*, tige *f*, fût *m*, manche *m*, brancard *m*, arbre *m*, puits *m*.
shaggy ['ʃægi] *a* hirsute, touffu, en broussailles.

shake [ʃeik] *n* secousse *f*, hochement *m*, tremblement *m*; *vt* secouer, agiter, hocher, ébranler, serrer; *vi* trembler, branler.
shaky ['ʃeiki] *a* branlant, tremblant, chancelant.
shallot [ʃə'lɔt] *n* échalote *f*.
shallow ['ʃælou] *n* bas-fond *m*, haut-fond *m*; *a* peu profond, creux, superficiel.
sham [ʃæm] *n* feinte *f*, trompe-l'œil *m*, faux semblant *m*; *a* faux, simulé, postiche, en toc; *vt* feindre, simuler, faire semblant de.
shamble ['ʃæmbl] *vi* trainer les pieds.
shambles ['ʃæmblz] *n* abattoir *m*, tuerie *f*.
shame [ʃeim] *n* honte *f*, pudeur *f*; *vt* faire honte à, couvrir de honte.
shameful ['ʃeimful] *a* honteux, scandaleux.
shameless ['ʃeimlis] *a* éhonté, effronté.
shampoo [ʃæm'puː] *n* shampooing *m*; *vt* donner un shampooing à.
shamrock ['ʃæmrɔk] *n* trèfle *m*.
shandy ['ʃændi] *n* bière panachée *f*.
shank [ʃæŋk] *n* jambe *f*, tige *f*, fût *m*, manche *m*, tibia *m*.
shape [ʃeip] *n* forme *f*, tournure *f*, moule *m*; *vt* former, façonner; *vi* prendre forme, prendre tournure.
shapeless ['ʃeiplis] *a* informe.
shapely ['ʃeipli] *a* gracieux, bien fait.
share [ʃɛə] *n* part *f*, action *f*, contribution *f*, soc *m*; *vti* partager; *vt* prendre part à.
shareholder ['ʃɛəˌhouldə] *n* actionnaire *mf*.
shark [ʃɑːk] *n* requin *m*, (*US*) *n* fort (en maths).
sharp [ʃɑːp] *a* pointu, aigu, tranchant, aigre, vif, fin, malhonnête, (*US*) expert; *ad* juste, brusquement; tapant.
sharpen ['ʃɑːpən] *vt* aiguiser, affiler, tailler.
sharper ['ʃɑːpə] *n* tricheur *m*, escroc *m*.
sharply ['ʃɑːpli] *ad* vertement, d'un ton tranchant.
sharpness ['ʃɑːpnis] *n* acuité *f*, netteté *f*, finesse *f*.
sharpshooter ['ʃɑːpˌʃuːtə] *n* bon tireur *m*, tirailleur *m*.
shatter ['ʃætə] *vt* mettre en pièces, fracasser.
shave [ʃeiv] *vt* raser, frôler; *vi* se raser; **to have a —** se (faire) raser; **to have a close —** l'échapper belle.
shaving ['ʃeiviŋ] *n* copeau *m*; **—brush** *n* blaireau *m*.
shawl [ʃɔːl] *n* châle *m*.
she [ʃiː] *pn* elle, (*ship*) il; *n* femelle *f*.
sheaf [ʃiːf] *n* gerbe *f*, liasse *f*.
shear [ʃiə] *vt* tondre.
shearing ['ʃiəriŋ] *n* tonte *f*.
shears [ʃiəz] *n* cisailles *f pl*.
sheath [ʃiːθ] *n* fourreau *m*, gaine *f*, étui *m*.
sheathe [ʃiːð] *vt* (r)engainer, encaisser, doubler.
shed [ʃed] *n* hangar *m*, remise *f*, étable *f*, appentis *m*; *vt* perdre, mettre au rencart, se dépouiller de, verser.
sheep [ʃiːp] *n* mouton *m*.
sheepdog ['ʃiːpdɔg] *n* chien de berger *m*.
sheepish ['ʃiːpiʃ] *a* gauche, timide, penaud, honteux.
sheer [ʃiə] *a* pur, à pic, transparent.
sheet [ʃiːt] *n* drap *m*, feuille *f*, nappe *f*, tôle *f*.
shelf [ʃelf] *n* rayon *m*, corniche *f*.
shell [ʃel] *n* coquille *f*, coque *f*, cosse *f*, écaille *f*, carapace *f*, douille *f*, obus *m*; *vt* écosser, décortiquer, bombarder.
shellfish ['ʃelfiʃ] *n* coquillage *m*.
shelter ['ʃeltə] *n* abri *m*, couvert *m*, asile *m*; *vt* abriter, couvrir, recueillir; *vi* s'abriter, se mettre à l'abri.
shelve [ʃelv] *vt* mettre à l'écart, (en disponibilité, au panier), ajourner.
shepherd ['ʃepəd] *n* berger *m*; *vt* rassembler, garder, conduire.
sherry ['ʃeri] *n* Xérès *m*.
shield [ʃiːld] *n* bouclier *m*, défense *f*; *vt* protéger, couvrir.
shift [ʃift] *n* changement *m*, équipe *f*, expédient *m*, faux-fuyant *m*; **to work in —s** se relayer; *vti* changer; *vt* déplacer; *vi* se déplacer; **to — for oneself** se débrouiller.
shifty ['ʃifti] *a* fuyant, retors, sournois.
shin(-bone) ['ʃin(boun)] *n* tibia *m*; *vi* grimper.
shine [ʃain] *n* brillant *m*, éclat *m*, beau-temps *m*; *vi* briller, reluire, rayonner.
shingle ['ʃingl] *n* galets *m pl*; *vt* couper court.
shingles ['ʃinglz] *n pl* zona *m*.
ship [ʃip] *n* vaisseau *m*, navire *m*, bâtiment *m*; *vt* embarquer, charger, expédier; **—-broker** courtier *m* maritime; **—-load** chargement *m*, cargaison *f*; **—building** construction *f* navale.
shipping ['ʃipiŋ] *n* marine *f*, tonnage *m*, expédition *f*, navires *m pl*.
shipwreck ['ʃiprek] *n* naufrage *m*; *vi* faire échouer, faire naufrager; **to be —ed** faire naufrage.
shipwright ['ʃiprait] *n* charpentier de navires *m*.
shipyard ['ʃip'jɑːd] *n* chantier maritime *m*.
shirk [ʃəːk] *vt* esquiver, renâcler à, se dérober à.
shirker ['ʃəːkə] *n* tire-au-flanc *m*, renâcleur *m*.
shirt [ʃəːt] *n* chemise *f*.
shirt-front ['ʃəːtfrʌnt] *n* plastron *m*.
shiver ['ʃivə] *n* frisson *m*; *vi* frissonner, grelotter.

shoal [ʃoul] *n* banc *m*, masse *f*, haut-fond *m*.
shock [ʃɔk] *n* secousse *f*, heurt *m*, choc *m*, coup *m*; *vt* choquer, frapper, scandaliser.
shoddy ['ʃɔdi] *n* camelote *f*; *a* de pacotille.
shoe [ʃu:] *n* soulier *m*, chaussure *f*, fer à cheval *m*; *vt* chausser, ferrer, armer; **—black** cireur *m*; **—horn** chausse-pied *m*; **—lace** lacet *m*, cordon *m*; **—maker** cordonnier *m*.
shone [ʃɔn] *pt pp of* **shine.**
shoot [ʃu:t] *n* pousse *f*, sarment *m*, gourmand *m*, rapide *m*, partie de chasse *f*, chasse *f*; *vi* pousser, jaillir, tirer, filer; *vt* tirer, abattre, fusiller, lancer, décocher, darder.
shooting ['ʃu:tiŋ] *n* tir *m*, fusillade *f*, chasse (gardée) *f*; **—-box** pavillon de chasse *m*; **—-party** partie de chasse *f*; **—-range** *n* champ de tir *m*; **—-star** *n* étoile filante *f*.
shop [ʃɔp] *n* magasin *m*, boutique *f*, atelier *m*; *vi* faire ses achats; **—-assistant** vendeur *m*, vendeuse *f*; **—-boy (-girl)** garçon (demoiselle *f*) de magasin *m*; **—keeper** boutiquier *m*, marchand *m*; **—lifter** voleur *m* à l'étalage; **— window** vitrine *f*.
shore [ʃɔ:] *n* côte *f*, rivage *m*, étai *m*; *vt* étayer.
shorn [ʃɔ:n] *pp of* **shear.**
short [ʃɔ:t] *n* brève *f*, court-métrage *m*, (*drinks*) alcool *m*; *a* bref, court(aud), concis, à court de, cassant; **in — bref**; **—ly** *ad* brièvement, de court, sous peu.
shortage ['ʃɔ:tidʒ] *n* manque *m*, crise *f*, pénurie *f*.
shortbread ['ʃɔ:tbred] *n* sablé *m*.
short-circuit ['ʃɔ:t'sə:kit] *n* court-circuit *m*.
shortcoming [ʃɔ:t'kʌmiŋ] *n* défaut *m*, insuffisance *f*, imperfection *f*.
shorten ['ʃɔ:tn] *vti* raccourcir, abréger.
shorthand ['ʃɔ:thænd] *n* sténographie *f*.
shortness ['ʃɔ:tnis] *n* brièveté *f*, manque *m*.
shorts [ʃɔ:ts] *n* culotte *f*, short *m*.
short-sighted ['ʃɔ:t'saitid] *a* myope, imprévoyant, de myope.
short-sightedness ['ʃɔ:t'saitidnis] *n* myopie *f*, imprévoyance *f*.
short-tempered ['ʃɔ:t'tempəd] *a* irritable.
short-winded ['ʃɔ:twindid] *a* court d'haleine, poussif.
shot [ʃɔt] *pt pp of* **shoot**; *n* balle *f*, boulet *m*; plombs *m pl*, coup *m* (de feu), tireur *m*, tentative *f*, portée *f*, prise de vue *f*; **—gun** fusil *m*.
shoulder ['ʃouldə] *n* épaule *f*; *vt* mettre, charger, porter, sur l'épaule; **—-blade** omoplate *f*; **—-strap** bretelle *f*, patte d'épaule *f*; **— bag** sac *m* en bandoulière.
shout [ʃaut] *n* cri *m*; *vti* crier; **to — down** huer; **to — for** (*US*) supporter.
shove [ʃʌv] *n* coup d'épaule *m*; *vti* pousser; *vt* fourrer.
shovel ['ʃʌvl] *n* pelle *f*.
shovelful ['ʃʌvlful] *n* pelletée *f*.
show [ʃou] *n* spectacle *m*, exposition *f*, montre *f*, étalage *m*, apparence *f*, simulacre *m*, affaire *f*, ostentation *f*; **motor —** salon *m* de l'automobile; *vt* montrer, exposer, exhiber, accuser, indiquer, faire preuve de; *vi* se montrer, paraître; **to — in** faire entrer, introduire; **to — out** reconduire; **to — off** *vt* faire étalage de, mettre en valeur; *vi* faire de l'épate, se faire valoir; **to — up** démasquer.
show-case ['ʃoukeis] *n* vitrine *f*.
shower ['ʃauə] *n* ondée *f*, averse *f*, pluie *f*, douche *f*, volée *f*; *vt* faire pleuvoir, arroser, accabler.
showiness ['ʃouinis] *n* ostentation *f*, épate *f*.
showman ['ʃoumən] *n* forain *m*, imprésario *m*.
shown [ʃoun] *pp of* **show.**
showroom ['ʃourum] *n* salon d'exposition *m*.
show-window ['ʃou'windou] *n* étalage *m*.
showy ['ʃoui] *a* voyant, criard, prétentieux.
shrank [ʃræŋk] *pt of* **shrink.**
shred [ʃred] *n* pièce *f*, lambeau *m*, brin *m*; *vt* mettre en pièces, effilocher.
shrew [ʃru:] *n* mégère *f*; (*mouse*) musaraigne *f*.
shrewd [ʃru:d] *a* perspicace, entendu, judicieux.
shrewdness ['ʃru:dnis] *n* sagacité *f*, perspicacité *f*, finesse *f*.
shriek [ʃri:k] *n* cri aigu *m*; *vi* crier, déchirer l'air, pousser un cri.
shrill [ʃril] *a* aigu, -uë, perçant.
shrimp [ʃrimp] *n* crevette (grise) *f*, gringalet *m*.
shrine [ʃrain] *n* châsse *f*, tombeau *m*, sanctuaire *m*.
shrink [ʃrink] *vt* rétrécir; *vi* se rétrécir, reculer.
shrinkage ['ʃriŋkidʒ] *n* rétrécissement *m*.
shrivel ['ʃrivl] *vi* se ratatiner, se recroqueviller; *vt* ratatiner, brûler.
shroud [ʃraud] *n* linceul *m*, suaire *m*, hauban *m*, voile *m*; *vt* envelopper, cacher, voiler.
Shrove Tuesday ['ʃrouv'tju:zdi] *n* mardi gras *m*.
shrub [ʃrʌb] *n* arbrisseau *m*.
shrubbery ['ʃrʌbəri] *n* taillis *m*, bosquet *m*.
shrug [ʃrʌg] *n* haussement d'épaules *m*; *vi* **to — one's shoulders** hausser les épaules.
shudder ['ʃʌdə] *n* frisson *m*; *vi* frissonner.
shuffle ['ʃʌfl] *vt* brouiller, (*cards*) battre, mêler, traîner; *vi* traîner la jambe, louvoyer, tergiverser.
shun [ʃʌn] *vt* éviter, fuir.

shunt [ʃʌnt] *vt* garer, manœuvrer, écarter.
shunting ['ʃʌntiŋ] *n* garage *m*, manœuvre *f*.
shut [ʃʌt] *vtir* fermer, serrer; *vi* (se) fermer; **to — down** arrêter, fermer; **to — in** enfermer, confiner; **to — off** couper; **to — up** *vt* enfermer; *vi* fermer çà.
shut-out ['ʃʌtaut] *n* lock-out *m*.
shutter ['ʃʌtə] *n* volet *m*, obturateur *m*.
shuttle ['ʃʌtl] *n* navette *f*.
shuttlecock ['ʃʌtlkɔk] *n* volant *m*.
shy [ʃai] *n* sursaut *m*, écart *m*, essai *m*; *a* timide, ombrageux; (*US*) **to be — of** être à court de; *vi* sursauter, faire un écart; *vt* lancer.
sick [sik] *a* malade, écœuré, dégoûté; **—room** *n* chambre *f* de malade.
sicken ['sikn] *vi* tomber malade; *vt* écœurer.
sickle ['sikl] *n* faucille *f*.
sickly ['sikli] *a* maladif, malsain, fade, pâle.
sickness ['siknis] *n* maladie *f*, mal de cœur *m*.
side ['said] *n* côté *m*, flanc *m*, côte *f*, parti *m*, équipe *f*, chichi *m*; *a* de coté, latéral.
sideboard ['saidbɔːd] *n* dressoir *m*, buffet *m*.
sidecar ['saidkɑː] *n* sidecar *m*.
sidelong ['saidlɔŋ] *a* oblique, de côté, en coulisse.
siding ['saidiŋ] *n* voie de garage *f*.
sidewalk ['saidwɔːk] *n* (*US*) trottoir *m*.
sideways ['saidweiz] *ad* de côté.
siege [siːdʒ] *n* siège *m*.
sieve [siv] *n* tamis *m*, crible *m*, écumoire *f*.
sift [sift] *vt* cribler, tamiser.
sigh [sai] *n* soupir *m*; *vi* soupirer.
sight [sait] *n* vue *f*, hausse *f*, guidon *m*, spectacle *m*; *vt* apercevoir, aviser; (*gun*) pointer.
sightless ['saitlis] *a* aveugle.
sightly ['saitli] *a* bon à voir, avenant.
sightseeing ['sait,siːiŋ] *n* tourisme *m*, visite *f*.
sign [sain] *n* signe *m*, marque *f*, indication *f*, enseigne *f*; *vt* signer; *vi* faire signe; **—board** enseigne *f*; **—post** poteau indicateur *m*.
signal ['signl] *n* signal *m*, indicatif *m*; *vti* signaler.
signatory ['signətəri] *n* signataire *mf*.
signature ['signitʃə] *n* signature *f*; **— tune** indicatif musical *m*.
significance [sig'nifikəns] *n* sens *m*, importance *f*.
significant [sig'nifikənt] *a* significatif, important.
signification [,signifi'keiʃən] *n* signification *f*.
signify ['signifai] *vt* annoncer, signifier; *vi* importer.
silence ['sailəns] *n* silence *m*; *excl* motus! chut!; *vt* réduire au silence, faire taire, étouffer.
silencer ['sailənsə] *n* silencieux *m*.
silent ['sailənt] *a* silencieux, muet, taciturne.
silk [silk] *n* soie *f*; *a* de, en, soie; **—worm** ver à soie *m*.
silk cotton tree ['silkkɔtntriː] *n* kapokier *m*, fromager *m*.
silken ['silkən] *a* soyeux, suave, doucereux.
sill [sil] *n* seuil *m*, rebord *m*.
silliness ['silinis] *n* sottise.
silly ['sili] *a* sot, sotte, bête.
silt [silt] *n* vase *f*; *vt* ensabler, envaser; *vi* s'ensabler.
silver ['silvə] *n* argent *m*, argenterie *f*; *a* d'argent, argenté; *vt* argenter, étamer; **— gilt** vermeil *m*;**— paper** papier d'étain *m*; **—side** gîte à la noix *m*; **—smith** orfèvre *m*.
silvery ['silvəri] *a* argenté, argentin.
similar ['similə] *a* semblable; **—ly** *ad* de même.
similarity [simi'læriti] *n* similarité *f*, ressemblance *f*.
simile ['simili] *n* comparaison *f*.
similitude [si'militjuːd] *n* ressemblance *f*, apparence *f*, similitude *f*.
simmer ['simə] *vti* mijoter; *vi* frémir, fermenter.
simper ['simpə] *n* sourire *m* apprêté; *vi* minauder.
simple ['simpl] *a* simple.
simpleton ['simpltən] *n* niais(e) *mf*.
simplicity [sim'plisiti] *n* simplicité *f*, candeur *f*.
simplify ['simplifai] *vt* simplifier.
simplification [,simplifi'keiʃən] *n* simplification *f*.
simulate ['simjuleit] *vt* simuler, feindre, imiter.
simulation [,simju'leiʃən] *n* simulation *f*.
simulator ['simjuleitə] *n* simulateur, -trice.
simultaneous [,siməl'teiniəs] *a* simultané.
simultaneousness [,siməl'teiniəsnis] *n* simultanéité *f*.
sin [sin] *n* péché *m*; *vi* pécher.
since [sins] *prep* depuis; *ad* depuis; *cj* depuis que, puisque.
sincere [sin'siə] *a* sincère.
sincerely [sin'siəli] *ad* **yours —** recevez l'expression de mes sentiments distingués.
sincerity [sin'seriti] *n* sincérité *f*, bonne foi *f*.
sinecure ['sainikjuə] *n* sinécure *f*.
sinew ['sinjuː] *n* tendon *m*, muscle *m*, force *f*; *pl* nerf(s) *m* (*pl*).
sinewy ['sinjuːi] *a* musclé, musculeux, nerveux.
sinful ['sinful] *a* coupable.
sing [siŋ] *vti* chanter.
singe [sindʒ] *vt* roussir, flamber.
singer ['siŋə] *n* chanteur, -euse, chantre *m*; **praise —** griot *m*.
single ['siŋgl] *a* seul, singulier, pour

une personne, célibataire, droit, sincère; *n* (*ticket*) aller *m*, (*tennis*) simple *m*; *vt* **to — out** distinguer, désigner; **—-handed** sans aide, d'une seule main.
singleness ['siŋglnis] *n* unité *f*, droiture *f*.
singular ['siŋgjulə] *a* singulier.
singularity [ˌsiŋgju'læriti] *n* singularité *f*.
sinister ['sinistə] *a* sinistre, mauvais.
sink [siŋk] *n* évier *m*, cloaque *m*, trappe *f*; *vi* baisser, tomber, s'abaisser, défaillir, sombrer, couler au fond, s'enfoncer; *vt* placer à fonds perdus, couler, baisser, forer, abandonner, sacrifier.
sinking ['siŋkiŋ] *n* coulage *m*, défaillance *f*, enfoncement *m*, abaissement *m*; **—-fund** fonds d'amortissement *m*.
sinner ['sinə] *n* pécheur, pécheresse.
sinuous ['sinjuəs] *a* sinueux, souple.
sip [sip] *n* gorgée *f*, goutte *f*; *vt* siroter, déguster.
siphon ['saifən] *n* siphon *m*.
sir [səː] *n* monsieur *m*.
sire ['saiə] *n* sire *m*, père *m*.
siren ['saiərin] *n* sirène *f*.
sirloin ['səːlɔin] *n* aloyau *m*, faux-filet *m*.
sister ['sistə] *n* sœur *f*; **—-in-law** belle sœur *f*.
sisterhood ['sistəhud] *n* état de sœur *m*, communauté *f*.
sisterly ['sistəli] *a* de sœur.
sit [sit] *vi* être assis, rester assis, se tenir, (s')asseoir, siéger, couver, poser; **to — in** occuper; *vt* asseoir.
site [sait] *n* terrain *m*, emplacement *m*.
sitter ['sitə] *n* couveuse *f*, modèle *m*.
sitting ['sitiŋ] *n* séance *f*, couvaison *f*, siège *m*; *a* assis.
sitting room ['sitiŋrum] *n* petit salon *m*, salle *f* de séjour.
situated ['sitjueitid] *a* situé.
situation [ˌsitju'eiʃən] *n* situation *f*, place *f*.
six [siks] *an* six *m*.
sixteen ['siks'tiːn] *an* seize *m*.
sixteenth ['siks'tiːnθ] *an* seizième *m*.
sixth [siksθ] *an* sixième *mf*.
sixty ['siksti] *an* soixante *m*.
size [saiz] *n* taille *f*, dimension *f*, grandeur *f*, pointure *f*, format *m*, calibre *m*; **to — up** mesurer, juger.
skate [skeit] *n* patin *m*, (*fish*) raie *f*; *vi* patiner.
skating-rink ['skeitiŋriŋk] *n* patinoire *f*.
skein [skein] *n* écheveau *m*.
skeleton ['skelitn] *n* squelette *m*, charpente *f*, canevas *m*; **— in the cupboard** secret *m*, tare *f*; **—-key** passe-partout *m*, rossignol *m*.
sketch [sketʃ] *n* croquis *m*, sketch *m*; *vt* esquisser.
skew [skjuː] *a* oblique, de biais.
skewer ['skjuə] *n* brochette *f*.
skid [skid] *n* dérapage *m*, sabot *m*, patin *m*; *vi* déraper, patiner.
skilful ['skilful] *a* habile, adroit.
skill [skil] *n* habileté *f*, adresse *f*, tact *m*.
skilled [skild] *a* qualifié, expert, habile, versé.
skim [skim] *vti* écumer, écrémer, effleurer; **to — through** parcourir, feuilleter.
skimmer ['skimə] *n* écumoire *f*.
skimp [skimp] *vt* lésiner sur, mesurer.
skin ['skin] *n* peau *f*, outre *f*, robe *f*, pelure *f*; **— deep** à fleur de peau; *vt* écorcher, peler, éplucher, se cicatriser.
skinner ['skinə] *n* fourreur *m*.
skinny ['skini] *a* décharné.
skip [skip] *n* saut *m*; *vi* sauter, gambader.
skipper ['skipə] *n* patron *m*.
skirmish ['skəːmiʃ] *n* escarmouche *f*.
skirt [skəːt] *n* jupe *f*, basque *f*, pan *m*, lisière *f*; *vt* longer, contourner.
skit [skit] *n* pièce satirique *f*, charge *f*.
skittle ['skitl] *n* quille *f*; *pl* jeu de quilles *m*.
skulk [skʌlk] *vi* se terrer, tirer au flanc, rôder.
skull [skʌl] *n* crâne *m*, tête de mort *f*.
skull-cap ['skʌlkæp] *n* calotte *f*.
skunk [skʌŋk] *n* sconse *m*, mouffette *f*, salaud *m*.
sky [skai] *n* ciel *m*; **—lark** alouette *f*; **—light** lucarne *f*; **—line** horizon *m*; **—scraper** gratte-ciel *m*.
slab [slæb] *n* dalle *f*, plaque *f*, tablette *f*, pavé *m*.
slack [slæk] *n* poussier *m*, mou *m*, jeu *m*; *a* mou, flasque, veule, desserré, creux; *vi* (*fam*) flemmarder, se relâcher.
slacken ['slækən] *vt* ralentir, (re) lâcher, détendre, desserrer; *vi* ralentir, se relâcher.
slacker ['slækə] *n* flemmard(e) *mf*.
slackness ['slæknis] *n* veulerie *f*, laisser-aller *m*, relâchement *m*, marasme *m*, mollesse *f*, mou *m*.
slag [slæg] *n* scorie *f*, mâchefer *m*, crasses *f pl*.
slain [slein] *pp of* **slay**.
slake [sleik] *vt* étancher, assouvir.
slam [slæm] *n* claquement *m*, schlem *m*; *vti* claquer.
slander ['slɑːndə] *n* calomnie *f*, diffamation *f*; *vt* calomnier, diffamer.
slanderer ['slɑːndərə] *n* diffamateur, -trice, calomniateur, -trice.
slanderous ['slɑːndərəs] *a* diffamatoire, calomnieux.
slang [slæŋ] *n* argot *m*.
slant [slɑːnt] *n* obliquité *f*, pente *f*, biais *m*, (*US*) point *m* de vue; *vi* diverger, obliquer, s'incliner, être en pente; *vt* incliner, déverser.
slap [slæp] *n* gifle *f*, soufflet *m*, tape *f*; *vt* gifler; *ad* en plein.
slash [slæʃ] *n* estafilade *f*, balafre *f*, taillade *f*; *vt* balafrer, taillader,

fouailler, éreinter, (*price*) réduire.
slashing ['slæʃiŋ] *a* cinglant, mordant.
slate [sleit] *n* ardoise *f*; *vt* ardoiser, tancer, éreinter.
slaughter ['slɔːtə] *n* abattage *m*, massacre *m*, boucherie *f*; *vt* massacrer, égorger, abattre; **—house** abattoir *m*.
slave [sleiv] *n* esclave *mf*; *vi* travailler comme un nègre, s'échiner.
slaver ['sleivə] *n* bave *f*, lèche *f*; *vi* baver, flagorner.
slave-trade ['sleivtreid] *n* traite des nègres *f*.
slavery ['sleivəri] *n* esclavage *m*, asservissement *m*.
slavish ['sleiviʃ] *n* servile.
slay [slei] *vt* égorger, tuer.
sledge [sledʒ] *n* traîneau *m*.
sledge(-hammer) ['sledʒ(ˌhæmə)] *n* masse *f*; (*fig*) massue *f*.
sleek [sliːk] *a* lisse, lustré, onctueux.
sleep [sliːp] *n* sommeil *m*; *vi* dormir, coucher; **to go to —** s'endormir, s'engourdir.
sleeper ['sliːpə] *n* dormeur, traverse *f*, wagon-lit *m*.
sleeping-car ['sliːpiŋkɑː] *n* wagon-lit *m*.
sleeping-draught ['sliːpiŋdrɑːft] *n* soporifique *m*.
sleeping-sickness ['sliːpiŋ'siknis] *n* maladie du sommeil *f*.
sleeplessness ['sliːplisnis] *n* insomnie *f*.
sleepy ['sliːpi] *a* ensommeillé, endormi.
sleet [sliːt] *n* neige fondue *f*, grésil *m*, giboulée *f*; *vi* grésiller.
sleeve [sliːv] *n* manche *f*.
sleigh [slei] *n* traîneau *m*.
sleight [slait] *n* **— of hand** adresse *f*, tour de main *m*, prestidigitation *f*.
slender ['slendə] *a* mince, élancé, svelte, faible, maigre.
slenderness ['slendənis] *n* sveltesse *f*, exiguïté *f*.
slept [slept] *pt pp of* **sleep**.
slew [sluː] *pt of* **slay**.
slice [slais] *n* tranche *f*, rond *m*, rondelle *f*, (*fish*) truelle *f*; *vt* couper (en tranches), trancher.
slid [slid] *pt pp of* **slide**.
slide [slaid] *vti* glisser; *vi* faire des glissades; *n* glissement *m*, glissement *m*, glissade *f*, glissoire *f*, coulisse *f*.
sliding ['slaidiŋ] *a* à coulisse, à glissières, gradué mobile.
slight [slait] *n* affront *m*; *vt* manquer d'égards envers; *a* léger, frêle, peu de.
slightest ['slaitist] *a* le, la (les) moindre(s).
slim [slim] *a* mince, svelte, délié, rusé.
slime [slaim] *n* vase *f*, limon *m*, bave *f*.
slimy ['slaimi] *a* gluant, visqueux.
sling [sliŋ] *n* fronde *f*, bretelle *f*, écharpe *f*; *vt* lancer, hisser, suspendre.
slink [sliŋk] *vi* marcher furtivement, raser les murs.
slip [slip] *n* faux-pas *m*, lapsus *m*, peccadille *f*, erreur *f*, bouture *f*, bande *f*, coulisse *f*, laisse *f*, enveloppe *f*, slip *m*; *vt* glisser, filer, échapper à; *vi* (se) glisser, se tromper; **to — away** se sauver, fuir; **to — off** enlever; **to — on** enfiler, passer.
slipper ['slipə] *n* pantoufle *f*, patin *m*.
slippery ['slipəri] *a* glissant, fuyant, souple, rusé.
slipshod ['slipʃɔd] *a* négligé, bâclé.
slit [slit] *n* incision *f*, fente *f*, entrebâillement *m*; *vt* déchirer, couper, fendre; *vi* se fendre, se déchirer.
slogan ['slougən] *n* slogan *m*, mot d'ordre *m*.
slogger ['slɔgə] *n* cogneur *m*, bûcheur *m*.
slope [sloup] *n* pente *f*, rampe *f*, talus *m*; *vi* incliner, pencher, être en pente.
slop [slɔp] *vt* répandre; *vt* **to — over** *vt* s'attendrir sur.
slop-pail ['slɔppeil] *n* seau *m* de toilette.
slops [slɔps] *n* eaux sales *f pl*, bouillie *f*.
sloppy ['slɔpi] *a* détrempé, inondé, sale, pleurard, larmoyant, bâclé.
slot [slɔt] *n* rainure *f*, fente *f*.
slot-machine ['slɔtməˌʃiːn] *n* distributeur automatique *m*.
sloth ['slouθ] *n* paresse *f*.
slothful ['slouθful] *a* paresseux, indolent.
slouch [slautʃ] *n* démarche penchée *f*; *a* au bord rabattu; *vi* pencher, se tenir mal, traîner le pas; *vt* rabattre le bord de (son chapeau).
slough [slau] *n* fondrière *f*.
slough [slʌf] *n* dépouille *f*, tissu mort *m*; *vi* faire peau neuve, muer; *vt* jeter.
Slovak ['slouvæk] *n* Slovaque *mf*; *a* slovaque.
sloven ['slʌvn] *n* souillon *f*.
slovenly ['slʌvənli] *a* négligé, sale, désordonné.
slow [slou] *a* lent, en retard.
slowly ['slouli] *ad* lentement, au ralenti.
slowness ['slounis] *n* lenteur *f*.
slug [slʌg] *n* limace *f*, limaçon *m*, (*US*) lampée *f* (d'alcool); (*tec*) lingot *m*; *vt* terrasser.
sluggard ['slʌgəd] *n* paresseux *m*, flemmard *m*.
sluggish ['slʌgiʃ] *a* paresseux, inerte, endormi, lourd.
sluggishly ['slʌgiʃli] *ad* indolemment, lentement.
sluggishness ['slʌgiʃnis] *n* inertie *f*, paresse *f*.
sluice [sluːs] *n* écluse *f*; *vt* vanner, laver à grande eau; **—gate** vanne *f*.

slum [slʌm] *n* taudis *m*.
slumber ['slʌmbə] *n* somme *m*, sommeil *m*; *vt* somnoler, sommeiller.
slump [slʌmp] *n* crise *f*, dégringolade *f*; *vi* baisser, dégringoler, se laisser tomber.
slung [slʌŋ] *pt pp of* **sling.**
slunk [slʌŋk] *pt pp of* **slink.**
slur [slə:] *n* blâme *m*, tache *f*, bredouillement *m*, liaison *f*, macule *f*, griffonnage *m*; *vt* bredouiller, griffonner, couler, passer (sur **over**).
sly [slai] *a* retors, malin, madré, en dessous.
smack [smæk] *n* arrière-goût *m*, teinture *f*, bateau *m* de pêche, claquement *m*, gifle *f*, essai *m*, gros baiser *m*; *vt* gifler, faire claquer, taper; *ad* tout droit, en plein, paf; **to — of** sentir.
small [smɔ:l] *a* petit, faible, mesquin, modeste, peu important, peu de.
smallness ['smɔ:lnis] *n* petitesse *f*, mesquinerie *f*.
smallpox ['smɔ:lpɔks] *n* variole *f*, petite vérole *f*.
smart [smɑ:t] *n* douleur cuisante *f*; *vi* faire mal, picoter, en cuire à; *a* vif, débrouillard, fin, malin, chic.
smartness ['smɑ:tnis] *n* vivacité *f*, finesse *f*, élégance *f*.
smash [smæʃ] *n* collision *f*, coup de poing *m*, faillite *f*, sinistre *m*, effondrement *m*; *vt* mettre en pièces, écraser, heurter; *vi* faire faillite, se fracasser.
smattering ['smætəriŋ] *n* teinture *f*, notions *f pl*.
smear [smiə] *n* tache *f*, souillure *f*; *vt* graisser, barbouiller, enduire.
smell [smel] *n* odorat *m*, flair *m*, odeur *f*; *vt* flairer; *vti* sentir.
smelt [smelt] *pt pp of* **smell**; *n* éperlan *m*; *vt* fondre.
smile [smail] *nm vi* sourire.
smirch [smə:tʃ] *vt* salir, souiller.
smirk [smə:k] *n* sourire *m* affecté; *vi* minauder.
smite [smait] *vt* punir, frapper.
smitten ['smitn] *pp* atteint, épris.
smith [smiθ] *n* forgeron *m*.
smithereens ['smiðə'ri:nz] *n* miettes *f pl*, morceaux *m pl*.
smithy ['smiði] *n* forge *f*.
smock [smɔk] *n* blouse *f*, sarrau *m*.
smoke [smouk] *n* fumée *f*; *vti* fumer; *vi* sentir la fumée; *vt* enfumer.
smoker ['smoukə] *n* fumeur *m*.
smokeless ['smouklis] *a* sans fumée.
smoking-car ['smoukiŋˌkɑ:] *n* compartiment pour fumeurs *m*.
smoking-room ['smoukiŋˌrum] *n* fumoir *m*.
smoky ['smouki] *a* fumeux, enfumé, noirci par la fumée.
smooth [smu:ð] *a* lisse, uni, calme, doux, aisé, flatteur, apaisant, souple; *vt* aplanir, adoucir, lisser, apaiser, pallier.
smoothness ['smu:ðnis] *n* égalité *f*, calme *m*, douceur *f*, souplesse *f*.
smote [smout] *pt of* **smite.**
smother ['smʌðə] *vt* étouffer, couvrir, suffoquer.
smoulder ['smouldə] *vi* couver, brûler et fumer.
smudge [smʌdʒ] *n* barbouillage *m*; *vt* barbouiller, salir.
smug [smʌg] *a* bête et solennel, content de soi, béat.
smuggle ['smʌgl] *vt* passer en fraude.
smuggler ['smʌglə] *n* contrebandier *m*.
smuggling ['smʌgliŋ] *n* contrebande *f*, fraude *f*.
smut [smʌt] *n* (grain *m* de) suie *f*, nielle *f*, obscénités *f pl*.
snack [snæk] *n* casse-croûte *m*.
snail [sneil] *n* escargot *m*, limace *f*.
snake [sneik] *n* serpent *m*.
snap [snæp] *n* claquement *m*, bruit sec *m*, déclic *m*, bouton-pression *m*, fermoir *m*, coup *m* (de froid), instantané *m*; *a* immédiat; *vt* happer, dire aigrement, casser, (faire) claquer, prendre un instantané de; *vi* claquer, se casser.
snappish ['snæpiʃ] *n* hargneux, irritable.
snapshot ['snæpʃɔt] *n* instantané *m*.
snare [snɛə] *n* piège *m*; *vt* prendre au piège.
snarl [snɑ:l] *n* grognement *m*; *vi* grogner, gronder.
snatch [snætʃ] *n* geste pour saisir *m*, fragment *m*, à-coup *m*, bribe *f*; *vt* saisir, arracher, enlever.
sneak [sni:k] *n* louche individu *m*, mouchard *m*; *vi* se glisser, cafarder, moucharder.
sneaking ['sni:kiŋ] *a* furtif, inavoué, servile.
sneer [sniə] *n* ricanement *m*; *vt* ricaner; **to — at** bafouer, dénigrer.
sneeze [sni:z] *n* éternuement *m*; *vi* éternuer.
sniff [snif] *n* reniflement *m*; *vt* humer; *vti* renifler.
snipe [snaip] *n* bécassine *f*; **to — at** canarder; (*US*) mégot *m*.
sniper ['snaipə] *n* tireur embusqué *m*, canardeur *m*.
snob [snɔb] *n* snob *m*, prétentieux *m*.
snobbery ['snɔbəri] *n* snobisme *m*, prétention *f*.
snooze [snu:z] *n* somme *m*; *vi* faire un somme.
snore [snɔ:] *n* ronflement *m*; *vi* ronfler.
snort [snɔ:t] *vi* renâcler, s'ébrouer, ronfler, dédaigner.
snout [snaut] *n* museau *m*, mufle *m*, groin *m*, boutoir *m*.
snow [snou] *n* neige *f*; *vi* neiger; **to — under** accabler; **—drop** perce-neige *m or f*; **—flake** flocon *m*; **—-plough** chasse-neige *m*; **—-shoes** raquettes *f pl*; **—storm** tempête *f*, rafale *f* de neige; **—field** champ *m* de neige; **—ball** boule *f* de neige.

snub [snʌb] *n* rebuffade *f*; *vt* rabrouer; *a* camus, retroussé.
snuff [snʌf] *n* tabac à priser *m*, prise *f*; *vi* priser; *vt* moucher, éteindre; **—-box** tabatière *f*.
snuffle ['snʌfl] *vi* renifler, nasiller.
snug [snʌg] *a* abrité, douillet, gentil, petit, bien.
so [sou] *ad* si, tellement, ainsi, comme ça, de même, à peu près, le; *cj* donc, si bien que; **—-called** soi-disant; — **far** jusqu'ici (là); — **long** à bientôt; — **much** tant, autant de; — **much for** assez; — **on** ainsi de suite; — **and** — un(e) tel(le), machin; **in** — **far as** en tant que, dans la mesure où; — **that** de manière à (que), si bien que; — **as to** de façon à, afin de; **so so** comme ci, comme ça.
soak [souk] *vt* tremper, imbiber, pénétrer, (*US*) abattre, donner un coup de bambou; *vi* s'imbiber, s'infiltrer, baigner.
soaking ['soukiŋ] *n* trempage *m*, douche *f*.
soap [soup] *n* savon *m*; *vt* savonner.
soapy ['soupi] *a* savonneux, onctueux.
soar [sɔː] *vi* prendre l'essor, monter, planer.
sob [sɔb] *n* sanglot *m*; *vi* sangloter.
sober ['soubə] *a* sobre, sérieux, impartial, non ivre.
soberness ['soubənis] *n* sobriété *f*, modération *f*.
sociable ['souʃəbl] *a* sociable, (*US*) *n* réunion *f*, réception *f*.
sociability [.souʃə'biliti] *n* sociabilité *f*.
social ['souʃəl] *n* réunion *f*; *a* social.
socialism ['souʃəlizəm] *n* socialisme *m*.
socialist ['souʃəlist] *n* socialiste *mf*.
socialize ['souʃəlaiz] *vt* socialiser.
society [sə'saiəti] *n* société *f*, **monde** *m*.
sock [sɔk] *n* chaussette *f*.
socket ['sɔkit] *n* trou *m*, **orbite** *m*, godet *m*, douille *f*, alvéole *m*.
sod [sɔd] *n* motte de gazon *f*.
soda ['soudə] *n* soude *f*, cristaux *m pl*; **—-water** eau de Seltz *f*.
sodden ['sɔdn] *a* (dé)trempé, pâteux, hébété, abruti.
sofa ['soufə] *n* canapé *m*, sofa *m*.
soft [sɔft] *a* mou, tendre, doux, facile, ramolli.
soften ['sɔfn] *vt* amollir, adoucir, attendrir.
softness ['sɔftnis] *n* douceur *f*, mollesse *f*, tendresse *f*.
soil [sɔil] *n* terre *f*, sol *m*; *vt* salir, souiller; *vi* se salir.
sojourn ['sɔdʒəːn] *n* séjour *m*; *vi* séjourner.
solace ['sɔləs] *n* consolation *f*; *vt* consoler.
sold [sould] *pt pp of* **sell.**
solder ['sɔldə] *n* soudure *f*; *vt* souder; **—ing iron** lampe *f* à souder.
soldier ['souldʒə] *n* soldat *m*.
soldiery ['souldʒəri] *n* troupe *f*, (*pej*) soldatesque *f*.
sole [soul] *n* plante du pied *f*, semelle *f*, sole *f*; *vt* ressemeler; *a* seul, unique.
solemn ['sɔləm] *a* solennel.
solemnity [sə'lemniti] *n* solennité *f*.
solemnize ['sɔləmnaiz] *vt* célébrer, solemniser.
solicit [sə'lisit] *vt* solliciter.
solicitation [sə.lisi'teiʃən] *n* sollicitation *f*.
solicitor [sə'lisitə] *n* avoué *m*.
solicitous [sə'lisitəs] *a* zélé, anxieux, préoccupé.
solicitude [sə'lisitjud] *n* sollicitude *f*, anxiété *f*.
solid ['sɔlid] *an* solide *m*; *a* massif.
solidify [sə'lidifai] *vt* solidifier; *vi* se solidifier, se fixer.
solidity [sə'liditi] *n* solidité *f*.
soliloquy [sə'liləkwi] *n* soliloque *m*, monologue *m*.
solitary ['sɔlitəri] *a* solitaire.
solitude ['sɔlitjuːd] *n* solitude *f*, isolement *m*.
soluble ['sɔljubl] *an* soluble *m*.
solution [sə'luːʃən] *n* solution *f*.
solvability [.sɔlvə'biliti] *n* solvabilité *f*.
solve [sɔlv] *vt* résoudre.
solvency ['sɔlvənsi] *n* solvabilité *f*.
solvent ['sɔlvənt] *an* dissolvant *m*; *a* solvable.
some [sʌm] *a* du, de la, des, un peu de, quelques, certains; *pn* quelques-un(e)s, certains, en; *ad* quelque, environ.
somebody ['sʌmbədi] *pn* quelqu'un(e).
somehow ['sʌmhau] *ad* de manière ou d'autre; — **or other** je ne sais comment.
someone ['sʌmwʌn] *pn* quelqu'un.
somersault ['sʌməsɔːlt] *n* saut périlleux *m*, culbute *f*; *vi* faire la culbute, culbuter, capoter.
something ['sʌmθiŋ] *pn* quelque chose.
sometime ['sʌmtaim] *ad* un de ces jours, autrefois.
sometimes ['sʌmtaimz] *ad* quelquefois.
somewhat ['sʌmwɔt] *ad* quelque peu.
somewhere ['sʌmwɛə] *ad* quelque part.
son [sʌn] *n* fils *m*; **—-in-law** gendre *m*, beau-fils *m*.
song [sɔŋ] *n* chant *m*, chanson *f*.
songster ['sɔŋstə] *n* chanteur *m*.
sonority [sə'nɔriti] *n* sonorité *f*.
sonorous ['sɔnərəs] *a* sonore.
soon [suːn] *ad* (bien)tôt; **as — as** aussitôt que, dès que.
sooner ['suːnə] *ad* plus tôt, plutôt.
soot [sut] *n* suie *f*.
soothe [suːð] *vt* calmer, apaiser, flatter.

sooty ['suti] *a* noir de (comme) suie, fuligineux.
sop [sɔp] *n* trempette *f*, gâteau *m*; *vt* tremper; *vi* être trempé.
sophisticated [sə'fistikeitid] *a* artificiel, blasé, sophistiqué, frelaté.
soporific [ˌsɔpə'rifik] *an* soporifique *m*.
sorcerer ['sɔːsərə] *n* sorcier *m*.
sorcery ['sɔːsəri] *n* sorcellerie *f*.
sordid ['sɔːdid] *a* sordide.
sordidness ['sɔːdidnis] *n* sordidité *f*.
sore [sɔː] *n* mal *m*, plaie *f*, blessure *f*; *a* douloureux, envenimé, sévère, malade.
sorely ['sɔːli] *ad* fâcheusement, cruellement, gravement.
sorrel ['sɔrəl] *n* oseille *f*.
sorrow ['sɔrou] *n* chagrin *m*; *vi* s'affliger.
sorrowful ['sɔrəful] *a* affligé, pénible.
sorry ['sɔri] *a* désolé, fâché, pauvre, pitoyable, triste, méchant; **—!** pardon! excusez-moi.
sort [sɔːt] *n* sorte *f*, espèce *f*; **— of** pour ainsi dire; **out of —s** hors de son assiette; *vt* trier, assortir, classifier.
sorting ['sɔːtiŋ] *n* triage *m*, assortiment *m*.
sot [sɔt] *n* ivrogne *m*.
sottish ['sɔtiʃ] *a* abruti par la boisson.
sough [sau] *vi* gémir, siffler, soupirer, susurrer.
sought [sɔːt] *pt pp of* **seek**; **— after** *a* demandé, recherché.
soul [soul] *n* âme *f*; **not a —** pas âme qui vive, pas **un chat**.
soulful ['soulful] *a* pensif, sentimental, expressif.
sound [saund] *n* son *m*, sonde *f*, détroit *m*, chenal *m*; *vt* sonner, prononcer, sonder, ausculter; *vi* (ré)sonner, retentir; *a* sain, solide.
sounding ['saundiŋ] *n* sondage *m*, auscultation *f*.
soundless ['saundlis] *a* silencieux.
soup [suːp] *n* potage *m*, soupe *f*.
sour ['sauə] *a* aigre, vert; *vti* aigrir; *vi* s'aigrir.
source [sɔːs] *n* source *f*, origine *f*, foyer *m*.
sourish ['sauriʃ] *a* aigrelet.
south [sauθ] *n* sud *m*, midi *m*; *a* du sud.
southern ['sʌðən] *a* méridional, du midi, du sud.
southwards ['sauθwədz] *ad* vers le sud, au sud.
sovereign ['sɔvrin] *an* souverain(e) *mf*.
sovereignty ['sɔvrənti] *n* souveraineté *f*.
sow [sau] *n* truie *f*.
sow [sou] *vt* semer, ensemencer.
sower ['souə] *n* semeur, -euse.
sowing ['souiŋ] *n* semailles *f pl*, semis *m*.
sown [soun] *pp of* **sow**.
spa [spɑː] *n* station thermale *f*.
space [speis] *n* espace *m*, place *f*, durée *f*, intervalle *m*, étendue *f*; *vt* espacer.
spacious ['speiʃəs] *a* spacieux, vaste, ample.
spade [speid] *n* bêche *f*, (*cards*) pique *m*.
Spain [spein] *n* Espagne *f*.
span [spæn] *pt of* **spin**; *n* durée *f*, longueur *f*, arche *f*, envergure *f*, écartement *m*; *vt* enjamber, embrasser, mesurer.
spangle ['spæŋgl] *n* paillette *f*.
Spaniard ['spænjəd] *n* Espagnol(e).
spaniel ['spænjəl] *n* épagneul *m*.
Spanish ['spæniʃ] *a* espagnol.
spank [spæŋk] *vt* fesser; **to — along** aller grand trot, filer.
spanking ['spæŋkiŋ] *n* fessée *f*; *a* épatant.
spanner ['spænə] *n* clef *f*; **screw —** clef anglaise *f*.
spar [spɑː] *n* épar *m*, mât *m*, perche *f*; *vi* boxer, se harceler, s'escrimer.
spare [spεə] *a* frugal, frêle, libre, de reste, de réserve, de rechange, à perdre; *vt* ménager, se passer de, épargner, accorder.
sparing ['spεəriŋ] *a* économe, avare, chiche.
spark [spɑːk] *n* étincelle *f*; *vi* étinceler, pétiller, mousser; **—ing plug** *n* bougie *f* (d'allumage).
sparkle ['spɑːkl] *vi* étinceler, pétiller, chatoyer.
sparkling ['spɑːkliŋ] *a* mousseux, brillant.
sparrow ['spærou] *n* moineau *m*.
sparse [spɑːs] *a* clairsemé.
spasm ['spæzəm] *n* spasme *m*, accès *m*, quinte *f*, crampe *f*, à-coup *m*.
spat [spæt] *pt pp of* **spit**.
spat [spæt] *n* guêtre *f*; (*US*) querelle *f*.
spate [speit] *n* crue *f*, flot *m*.
spatter ['spætə] *n* éclaboussure *f*; *vt* éclabousser.
spawn [spɔːn] *n* frai *m*; *vi* frayer.
speak [spiːk] *vti* parler, dire.
speaker ['spiːkə] *n* parleur, -euse, orateur *m*, président des communes *m*; **loud —**haut-parleur *m*.
spear [spiə] *n* lance *f*, javelot *m*, épieu *m*, harpon *m*, sagaie *f*; **—head** extrême pointe *f*.
special ['speʃəl] *a* spécial, particulier; **— delivery** (*US*) express *m*, pneumatique *m*.
specialist ['speʃəlist] *n* spécialiste *mf*.
speciality [ˌspeʃi'æliti] *n* spécialité *f*, particularité *f*.
specialize ['speʃəlaiz] *vt* spécialiser; *vi* se spécialiser.
species ['spiːʃiːz] *n* espèce *f*.
specific [spi'sifik] *a* spécifique, explicite, précis.
specify ['spesifai] *vt* spécifier, déterminer.

specimen ['spesimin] *n* spécimen *m*, échantillon *m*.
specious ['spiːʃəs] *a* spécieux, captieux.
speck [spek] *n* grain *m*, point *m*, tache *f*.
speckled ['spekld] *a* taché, tacheté, grivelé.
spectacle ['spektəkl] *n* spectacle *m*; *pl* lunettes *f pl*.
spectacular [spek'tækjulə] *a* spectaculaire, à grand spectacle.
spectator [spek'teitə] *n* spectateur, -trice, assistant(e) *mf*.
spectral ['spektrəl] *a* spectral.
spectre ['spektə] *n* spectre *m*.
speculate ['spekjuleit] *vi* spéculer.
speculation [ˌspekju'leiʃən] *n* spéculation *f*.
speculative ['spekjulətiv] *a* spéculatif.
speculator ['spekjuleitə] *n* spéculateur *m*.
speech [spiːtʃ] *n* parole *f*, discours *m*.
speechless ['spiːtʃlis] *a* interdit, interloqué.
sped [sped] *pt pp of* **speed.**
speed [spiːd] *n* vitesse *f*; *vt* activer, hâter, régler; *vi* se presser, se hâter, faire de la vitesse, filer.
speediness ['spiːdinis] *n* promptitude *f*, rapidité *f*.
speedometer [spi'dɔmitə] *n* indicateur de vitesse *m*.
speedy ['spiːdi] *a* rapide, prompt.
spell [spel] *n* charme *m*, sort *m*, maléfice *m*, tour *m*, moment *m*, période *f*; *vt* épeler, écrire, signifier.
spellbound ['spelbaund] *a* fasciné, sous le charme.
spelling ['speliŋ] *n* orthographe *f*.
spelt [spelt] *pt pp of* **spell.**
spend [spend] *vt* dépenser, passer, épuiser.
spendthrift ['spendθrift] *n* dépensier, -ière, panier percé *m*.
spent [spent] *pt pp of* **spend**; *a* fini, à bout, éteint, mort.
spew [spjuː] *vti* vomir; *vt* cracher.
sphere [sfiə] *n* sphère *mf*, domaine *m*, zone *f*, ressort.
spherical ['sferikəl] *a* sphérique.
spice [spais] *n* épice *f*, pointe *f*; *vt* épicer, relever.
spick and span [ˌspikən'spæn] *a* flambant neuf, tiré à quatre épingles, propret.
spicy ['spaisi] *a* épicé, poivré, relevé, pimenté, criard.
spider ['spaidə] *n* araignée *f*.
spike [spaik] *n* épi *m*, clou *m*, crampon *m*, pointe *f*; *vt* (en)clouer.
spill [spil] *n* chute *f*, bûche *f*, allume-feu *m*; *vt* (ren)verser, jeter bas; *vi* se répandre.
spilt [spilt] *pt pp of* **spill.**
spin [spin] *n* tour *m*, effet *m*, vrille *f*; **—-drier** *n* essoreuse *f*; *vt* filer; *vi* tourner, rouler, patiner.
spinach ['spinidʒ] *n* épinards *m pl*.
spindle ['spindl] *n* fuseau *m*, broche *f*, essieu *m*.
spindly ['spindli] *a* fluet, de fuseau.
spine [spain] *n* épine dorsale *f*.
spineless ['spainlis] *a* mou.
spinner ['spinə] *n* métier *m*, tisserand(e) *mf*, filateur *m*.
spinney ['spini] *n* petit bois *m*.
spinning-mill ['spiniŋmil] *n* filature *f*.
spinning-wheel ['spiniŋwiːl] *n* rouet *m*.
spinster ['spinstə] *n* vieille fille *f*, célibataire *f*.
spiny ['spaini] *a* épineux.
spiral ['spaiərəl] *n* spirale *f*; *a* en spirale, en colimaçon, spiral.
spire ['spaiə] *n* flèche *f*, aiguille *f*, pointe *f*.
spirit ['spirit] *n* esprit *m*, âme *f*, humeur *f*, cran *m*, ardeur *f*, feu *m*, alcool *m*; **to — away** escamoter.
spirited ['spiritid] *a* animé, fougueux, vif, hardi.
spiritless ['spiritlis] *a* déprimé, mou, terne.
spiritual ['spiritjuəl] *a* spirituel.
spiritualism ['spiritjuəlizəm] *n* spiritisme *m*, spiritualisme *m*.
spiritualist ['spiritjuəlist] *n* spirite *mf*.
spirituous ['spiritjuəs] *a* spiritueux, alcoolique.
spit [spit] *n* broche *f*, langue *f* (de terre), crachement *m*, crachat *m*; *vt* embrocher, mettre à la broche, cracher; *vi* cracher, bruiner, crachiner.
spite [spait] *n* dépit *m*, rancune *f*; *vt* mortifier, vexer.
spiteful ['spaitful] *a* rancunier, méchant.
spitfire ['spitfaiə] *n* boute-feu *m*, soupe-au-lait *mf*.
spittle ['spitl] *n* crachat *m*.
spittoon [spi'tuːn] *n* crachoir *m*.
splash [splæʃ] *n* éclaboussement *m*, éclaboussure *f*, tache *f*, clapotis *m*, sensation *f*; *vt* éclabousser, asperger; *vi* piquer un plat ventre, clapoter, barboter; **to make a —** faire de l'épate.
splash-board ['splæʃbɔːd] *n* garde-boue *m*.
splay [splei] *n* ébrasure *f*; *a* plat, large, évasé; *vt* ébraser.
spleen [spliːn] *n* rate *f*, spleen *m*, bile *f*.
splendid ['splendid] *a* splendide, magnifique.
splendour ['splendə] *n* splendeur *f*, éclat *m*.
splint [splint] *n* attelle *f*, éclisse *f*.
splinter ['splintə] *n* éclat *m*, esquille *f*, écharde *f*; *vt* faire voler en éclats; *vi* voler en éclats.
split [split] *n* fente *f*, fissure *f*, scission *f*; *pl* grand écart *m*; *vt* fendre, couper, diviser, partager; *vi* se fendre, se diviser, se briser.

spoil(s) [spɔil(z)] *n* butin *m*; *pl* dépouilles *f pl*, profits *m pl*.
spoil [spɔil] *vt* dépouiller, gâter, abîmer, avarier, déparer; *vi* s'abîmer, se gâter.
spoilsport ['spɔilspɔːt] *n* trouble-fête *m*, rabat-joie *m*.
spoke [spouk] *n* rayon *m*, échelon *m*, bâton *m* (dans les roues).
spoke, -ken [spouk, spoukən] *pt pp of* **speak**.
spokesman ['spouksmən] *n* porte-parole *m*.
spoliation [ˌspouli'eiʃən] *n* spoliation *f*, pillage *m*.
sponge [spʌndʒ] *n* éponge *f*; *vt* passer l'éponge sur, éponger, effacer; **to — on someone** vivre sur qn, vivre aux crochets de qn.
sponge-cake ['spʌndʒ'keik] *n* gâteau de Savoie *m*.
sponger ['spʌndʒə] *n* parasite *m*, pique-assiette *m*.
spongy ['spʌndʒi] *a* spongieux.
sponsor ['spɔnsə] *n* parrain *m*, marraine *f*, garant *m*.
spontaneity [ˌspɔntə'niːiti] *n* spontanéité *f*.
spontaneous [spɔn'teiniəs] *a* spontané.
spontaneously [spɔn'teiniəsli] *ad* spontanément.
spool [spuːl] *n* bobine *f*, tambour *m*, rouleau *m*.
spoon [spuːn] *n* cuiller *f*.
spoonful ['spuːnful] *n* cuillerée *f*.
sport ['spɔːt] *n* jeu *m*, jouet *m*, sport *m*, chic type *m*; *vi* s'amuser, se divertir; *vt* arborer.
sporting ['spɔːtiŋ] *a* loyal, de chasse, sport, sportif.
sportive ['spɔːtiv] *a* enjoué, folâtre.
sportsman ['spɔːtsmən] *n* sportif *m*, beau joueur *m*, chasseur *m*.
sportsmanship ['spɔːtsmənʃip] *n* franc jeu *m*, l'esprit sportif *m*.
spot [spɔt] *n* endroit *m*, tache *f*, bouton *m*, pois *m*, marque *f*, goutte *f*; *vt* tacher, marquer, dépister, repérer.
spotted ['spɔtid] *a* tacheté, marqueté, à pois.
spotless ['spɔtlis] *a* sans tache, immaculé.
spouse [spauz] *n* époux *m*, épouse *f*.
spout [spaut] *n* bec *m*, jet *m*, gouttière *f*, colonne *f*; *vt* lancer, déclamer; *vi* jaillir, pérorer.
sprain [sprein] *n* entorse *f*, foulure *f*; *vt* se fouler.
sprang [spræŋ] *pt of* **spring**.
sprawl [sprɔːl] *vi* s'étendre, se vautrer, tomber les quatre pattes en l'air, rouler.
spray [sprei] *n* branche *f*, embrun *m*, vaporisateur *m*, bouquet *m*; *vt* asperger, vaporiser.
spread [spred] *n* envergure *f*, largeur *f*, diffusion *f*, propagation *f*; *vtir* répandre, (é)tendre, déployer; *vi* se répandre, s'étendre, se disperser.
sprig [sprig] *n* branchette *f*, brin *m*, rejeton *m*.
sprightliness ['spraitlinis] *n* gaîté *f*, vivacité *f*.
sprightly ['spraitli] *a* vif, sémillant, allègre.
spring [spriŋ] *n* printemps *m*, source *f*, saut *m*, bond *m*, ressort *m*, élasticité *f*; *vi* bondir, s'élever, poindre, sortir, (*wood*) jouer, se fendre; *vt* lancer, (*trap*) tendre, suspendre.
spring-board ['spriŋbɔːd] *n* tremplin *m*.
springy ['spriŋi] *a* élastique, flexible.
sprinkle ['spriŋkl] *n* pincée *f*; *vt* asperger, éparpiller, saupoudrer.
sprinkler ['spriŋklə] *n* aspersoir *m*, goupillon *m*.
sprinkling ['spriŋkliŋ] *n* aspersion *f*, saupoudrage *m*.
sprite [sprait] *n* lutin *m*.
sprout [spraut] *n* pousse *f*; **Brussels —** chou de Bruxelles *m*; *vti* pousser.
spruce [spruːs] *n* sapin *m*; *a* net, pimpant, soigné.
sprung [sprʌŋ] *pp of* **spring**.
spun [spʌn] *pp of* **spin**.
spur [spəː] *n* éperon *m*, ergot *m*, coup de fouet *m*; *vt* éperonner, exciter, stimuler.
spurious ['spjuəriəs] *a* faux, controuvé, contrefait.
spurn [spəːn] *vt* rejeter, dédaigner, traiter avec dédain.
sputter ['spʌtə] *vti* bredouiller; *vi* grésiller, cracher.
spy [spai] *n* espion; *vt* espionner, épier; **—-glass** longue-vue *f*; **—-hole** judas *m*.
squabble ['skwɔbl] *n* bisbille *f*; *vi* se chamailler.
squad [skwɔd] *n* escouade *f*, peloton *m*, équipe *f*.
squadron ['skwɔdrən] *n* escadron *m*, escadre *f*.
squalid ['skwɔlid] *a* sordide.
squall [skwɔːl] *n* rafale *f*, grain *m*, cri *m*; *pl* grabuge *m*; *vi* piailler.
squander ['skwɔndə] *vt* gaspiller, dissiper, manger.
squanderer ['skwɔndərə] *n* prodigue *m*, gaspilleur, -euse.
square [skwɛə] *n* carré *m*, équerre *f*, square *m*, place *f*; *a* carré, régulier, loyal, tout net, quitté; *vt* accorder, régler, payer, carrer, équarrir; *vi* s'accorder, cadrer.
squash [skwɔʃ] *n* foule *f*, presse *f*, (*drink*) jus de fruit *m*; bouillie *f*, bruit mou *m*; *vt* écraser, rembarrer; *vi* se serrer, s'écraser.
squat [skwɔt] *vi* s'accroupir; *a* trapu, ramassé.
squeak [skwiːk] *n* cri aigu *m*, grincement *m*, couic *m*; *vi* grincer, crier.
squeal [skwiːl] *n* cri aigu *m*; *vi* crier,

criailler, protester; **to — on** dénoncer, moucharder, vendre.
squeamish ['skwi:miʃ] *a* dégoûté, scrupuleux, prude.
squeamishness ['skwi:miʃnis] *n* bégueulerie *f*, délicatesse *f*.
squeeze [skwi:z] *n* pression *f*, presse *f*, écrasement *m*, (*pol*) l'austérité *f*; *vt* presser, serrer, écraser, faire pression sur, extorquer, faire entrer sur, extorquer, faire entrer de force; *vi* **to — up** se serrer.
squint [skwint] *n* strabisme *m*, coup d'œil oblique *m*; *vi* loucher.
squirrel ['skwirəl] *n* écureuil *m*, petit gris *m*.
squirt [skwə:t] *n* seringue *f*, jet *m*; *vt* lancer, injecter; *vi* jaillir, gicler.
stab [stæb] *n* coup *m* de couteau; *vt* poignarder, porter un coup de couteau à.
stability [stə'biliti] *n* stabilité *f*, constance *f*.
stabilize ['steibilaiz] *vt* stabiliser.
stable ['steibl] *n* écurie *f*; *a* stable, consistant, solide.
stack [stæk] *n* meule *f*, pile *f*, cheminée *f*, (*mil*) faisceau *m*; *vt* entasser, empiler.
staff [stɑ:f] *n* bâton *m*, mât *m*, hampe *f*, crosse *f*, état-major *m*, personnel *m*.
stag [stæg] *n* cerf *m*.
stage [steidʒ] *n* scène *f*, estrade *f*, échafaudage *m*, étape *f*, phase *f*, relais *m*, débarcadère *m*; *vt* monter, mettre en scène.
stage-coach ['steidʒkoutʃ] *n* diligence *f*.
stage-fright ['steidʒfrait] *n* trac *m*.
stage-hand ['steidʒhænd] *n* machiniste *m*.
stagger ['stægə] *vt* faire chanceler, ébranler, renverser, échelonner; *vi* chanceler, tituber.
stagnant ['stægnənt] *a* stagnant.
stagnate ['stægneit] *vi* croupir, être stagnant, s'encroûter.
stagnation [stæg'neiʃən] *n* stagnation *f*, marasme *m*.
staid [steid] *a* posé, rangé.
stain [stein] *n* tache *f*, colorant *m*; *vti* tacher, colorer.
stainless ['steinlis] *n* inoxydable, immaculé.
stair [stɛə] *n* marche *f*; *pl* escalier *m*.
staircase ['stɛəkeis] *n* escalier *m*.
stake [steik] *n* poteau *m*, bûcher *m*, pieu *m*, (en)jeu *m*, risque *m*, pari *m*; *vt* parier, risquer, jouer, miser.
stale [steil] *a* rassis, éventé, vicié, rebattu.
stalemate ['steil'meit] *n* point mort *m*, pat *m*.
stalk [stɔ:k] *n* tige *f*, pied *m*, trognon *m*, queue *f*.
stall [stɔ:l] *n* stalle *f*, banc *m*, baraque *f*, étal *m*, étalage *m*; *vt* bloquer; *vi* se bloquer.
stallion ['stæljən] *n* étalon *m*.
stalwart ['stɔ:lwət] *a* solide, résolu, robuste.
stamen ['steimən] *n* étamine *f*.
stamina ['stæminə] *n* vigueur *f*, fond *m*.
stammer ['stæmə] *n* bégaiement *m*; *vti* bégayer.
stammerer ['stæmərə] *n* bègue *mf*.
stamp [stæmp] *n* timbre *m*, cachet *m*, poinçon *m*, coin *m*, estampille *f*, marque *f*, trempe *f*; *vt* timbrer, imprimer, marquer, affranchir; *vi* frapper du pied.
stampede [stæm'pi:d] *n* débandade *f*, panique *f*; *vi* se débander, se ruer.
stanch [stɑ:ntʃ] *vt* étancher.
stand [stænd] *n* halte *f*, position *f*, station *f*, socle *m*, guéridon *m*, étalage *m*, stand *m*, (*US*) barre *f*; *vi* se tenir (debout), se dresser, s'arrêter, rester, durer, tenir; *vt* supporter, offrir, payer; **to — for** représenter; **to — out** ressortir.
standard ['stændəd] *n* étendard *m*, étalon *m*, moyenne *f*, niveau *m*, qualité *f*; *a* classique, définitif, standard, courant.
standardize ['stændədaiz] *vt* standardiser, unifier.
standing ['stændiŋ] *n* réputation *f*, situation *f*, ancienneté *f*; *a* établi, permanent.
stand-offish ['stænd'ɔfiʃ] *a* distant.
stand-offishness ['stænd'ɔfiʃnis] *n* réserve *f*, hauteur *f*.
standpoint ['stændpɔint] *n* point de vue *m*.
stank [stæŋk] *pt of* **stink**.
stanza ['stænzə] *n* stance *f*, strophe *f*.
staple ['steipl] *n* gâche *f*, crampon *m*, agrafe *f*; *a* principal.
stapler ['steiplə] *n* agrafeuse *f*.
star [stɑ:] *n* étoile *f*, astre *m*, astérisque *m*; *vi* tenir le premier rôle, être en vedette.
starboard ['stɑ:bəd] *n* tribord *m*.
starch [stɑ:tʃ] *n* amidon *m*, raideur *f*; *vt* empeser.
starched [stɑ:tʃt] *a* empesé, gourmé, collet monté.
stare [stɛə] *n* regard fixe *m*; *vi* regarder fixement, s'écarquiller; **to — at** regarder fixement, fixer, dévisager; **it is staring you in the face** cela vous saute aux yeux.
staring ['stɛəriŋ] *a* éclatant, fixe.
stark [stɑ:k] *a* raide, tout pur; *ad* complètement.
start [stɑ:t] *n* sursaut *m*, départ *m*, début *m*, avance *f*; *vi* commencer; *vt* lancer, entamer, mettre en marche, provoquer.
starter ['stɑ:tə] *n* démarreur *m*, starter *m*, partant *m*, auteur *m*.
startle ['stɑ:tl] *vt* faire tressaillir, effarer, effrayer.
startling ['stɑ:tliŋ] *a* saisissant, sensationnel.
starvation [stɑ:'veiʃən] *n* faim *f*, inanition *f*, famine *f*.

starve [stɑːv] *vi* mourir de faim, être transi; *vt* affamer, priver, faire mourir de faim.
state [steit] *n* état *m*, rang *m*, situation *f*, pompe *f*; *a* d'état, d'apparat; *vt* déclarer, prétendre, énoncer, fixer.
stately ['steitli] *a* noble, imposant, princier, majestueux.
statement ['steitmənt] *n* déclaration *f*, énoncé *m*, rapport *m*, expression *f*, relevé *m*.
statesman ['steitsmən] *n* homme d'état *m*.
station ['steiʃən] *n* poste *m*, gare *f*, station *f*, rang *m*; *vt* poster, placer; — **house** (*US*) poste *m* de police.
stationary ['steiʃnəri] *a* stationnaire, immobile.
stationer ['steiʃnə] *n* papetier *m*.
stationery ['steiʃnəri] *n* papeterie *f*.
stationmaster ['steiʃən,mɑːstə] *n* chef de gare *m*.
statistics [stə'tistiks] *n* statistique *f*.
statue ['stætjuː] *n* statue *f*.
stature ['stætjə] *n* stature *f*, taille *f*.
status ['steitəs] *n* rang *m*, titre *m*, position *f*, statu quo *m*.
statute ['stætjuːt] *n* statut *m*, ordonnance *f*.
statutory ['stætjutəri] *a* statutaire, réglementaire.
staunch [stɔːntʃ] *a* ferme, loyal, étanche; *vt* étancher.
stave [steiv] *n* douve *f*, barreau *m*, stance *f*, portée *f*; *vt* — **in** défoncer, enfoncer; **to** — **off** détourner, conjurer, écarter.
stay [stei] *n* séjour *m*, sursis *m*, frein *m*, soutien *m*; *vi* rester, séjourner, tenir; *vt* arrêter, ajourner, soutenir.
stay-at-home ['steiəthoum] *an* casanier, -ière.
stays [steiz] *n* corset *m*.
stead [sted] *n* lieu *m*, place *f*; **to stand s.o. in good** — être d'un grand secours à qn.
steadfast ['stedfəst] *a* ferme, constant.
steadfastness ['stedfəstnis] *n* constance *f*, fixité *f*.
steadiness ['stedinis] *n* fermeté *f*, régularité, stabilité *f*.
steady ['stedi] *a* ferme, régulier, constant, tranquille, rangé, continu, persistant; (*US*) *n* petit(e) ami(e); *vt* assurer, (r)affermir, caler.
steak [steik] *n* tranche *f*, bifteck *m*, entrecôte *f*.
steal [stiːl] *vti* voler; *vt* dérober; **to** — **in** entrer à pas de loup.
stealth [stelθ] *n* secret *m*.
stealthily ['stelθili] *ad* secrètement, à la dérobée.
stealthy ['stelθi] *a* furtif.
steam [stiːm] *n* vapeur *f*, buée *f*; *vt* cuire à l'étuvée, vaporiser; *vi* fumer, marcher à la vapeur.
steamboat, -ship ['stiːmbout, -ʃip] *n* vapeur *m*.
steamer ['stiːmə] *n* steamer *m*; marmite à vapeur *f*.
steaming ['stiːmiŋ] *a* fumant, sous vapeur, tout chaud.
steed [stiːd] *n* étalon *m*.
steel [stiːl] *n* acier *m*, baleine *f*; *vt* tremper, aciérer; **to** — **oneself** se raidir, s'armer de courage.
steep [stiːp] *a* raide, escarpé, fort.
steeple ['stiːpl] *n* clocher *m*, flèche *f*.
steeplechase ['stiːpl'tʃeis] *n* steeple *m*, course d'obstacles *f*.
steer [stiə] *vt* diriger, gouverner, piloter.
steering-wheel ['stiəriŋwiːl] *n* volant *m*.
steersman ['stiəzmən] *n* barreur *m*, timonier *m*.
stem [stem] *n* tige *f*, queue *f*, souche *f*, étrave *f*, branche *f*, pied *m*, tuyau *m*; *vt* arrêter, endiguer, remonter.
stench [stentʃ] *n* puanteur *f*.
stencil ['stensl] *n* pochoir *m*, poncif *m*; *vt* imprimer au pochoir, polycopier.
step [step] *n* pas *m*, marche *f*, marche-pied *m*, échelon *m*, promotion *f*, démarche *f*; *pl* échelle *f*, escalier *m*, mesures *f pl*; — **ladder** escabeau *m*; *vi* échelonner.
stepbrother ['step,brʌðə] *n* demi-frère *m*; —**daughter** belle-fille *f*; —**father** beau-père *m*; —**mother** belle-mère *f*; —**sister** demi-sœur *f*; —**son** beau-fils *m*.
Stephen ['stiːvn] Étienne *m*.
stepping-stone ['stepiŋstoun] *n* marche-pied *m*, tremplin *m*.
sterile ['sterail] *a* stérile.
sterility [ste'riliti] *n* stérilité *f*.
sterilize ['sterilaiz] *vt* stériliser.
sterling ['stəːliŋ] *a* pur, d'or, de bon aloi, massif.
stern [stəːn] *n* arrière *m*, poupe *f*; *a* sévère, austère.
sternness ['stəːnnis] *n* austérité *f*, sévérité *f*.
stevedore ['stiːvidɔː] *n* débardeur *m*.
stew [stjuː] *n* ragoût *m*, civet *m*; **in a** — sur des charbons ardents; *vt* cuire à la casserole, (faire) mijoter; *vi* mijoter, faire une compote.
steward ['stjuəd] *n* intendant *m*, gérant *m*, économe *m*, garçon *m*, commissaire *m*.
stewardess ['stjuədis] *n* femme de chambre *f*, stewardess *f*.
stick [stik] *n* bâton *m*, canne *f*, baguette *f*, manche *m*, crosse *f*; *pl* du petit bois, brindilles *f pl*; *vt* enfoncer, fourrer, piquer, percer, afficher, coller, supporter, tenir; *vi* s'enfoncer, se ficher, se piquer, s'attacher, (s'en) tenir, coller, happer, rester (en panne), persister; **to** — **it** tenir le coup, tenir bon; **to** — **at** repugner à, reculer devant, s'obstiner à; **to** — **out** *vt* passer, bomber, tirer; *vi* faire saillie, saillir; **to** — **to** s'en tenir à,

persister à, adhérer à, rester fidèle à.
sticky ['stiki] *a* collant, visqueux, difficile.
stiff [stif] *a* raide, ardu, (*price*) salé, courbaturé, engourdi, gourmé.
stiffen ['stifn] *vt* raidir; *vi* se raidir.
stiff-necked ['stif'nekt] *a* têtu, intraitable.
stiffness ['stifnis] *n* raideur *f*, contrainte *f*, difficulté *f*, fermeté *f*, courbatures *f pl*.
stifle ['staifl] *vt* étouffer, asphyxier, suffoquer.
stigma ['stigmə] *n* marque *f*, stigmate *m*.
stigmatize ['stigmətaiz] *vt* stigmatiser, flétrir.
stile [stail] *n* échalier *m*.
still [stil] *n* alambic *m*; *a* immobile, tranquille, silencieux; *vt* apaiser, calmer; *ad* encore, toujours, cependant.
still-born ['stilbɔːn] *a* mort-né.
still-life ['stil'laif] *n* nature morte *f*.
stillness ['stilnis] *n* calme *m*, paix *f*.
stilt [stilt] *n* échasse *f*.
stilted ['stiltid] *a* guindé.
stimulate ['stimjuleit] *vt* stimuler, aiguillonner.
stimulant ['stimjulənt] *an* stimulant *m*.
stimulation [,stimju'leiʃən] *n* stimulation *f*.
stimulus ['stimjuləs] *n* stimulant *m*, coup de fouet *m*, aiguillon *m*.
sting [stiŋ] *n* dard *m*, aiguillon *m*, crochet *m*, piqûre *f*, pointe *f*; *vti* piquer, mordre.
stinginess ['stindʒinis] *n* ladrerie *f*, lésine *f*.
stingy ['stindʒi] *a* ladre, chiche, pingre, radin.
stink [stiŋk] *n* puanteur *f*; *vti* puer; *vt* empester.
stint [stint] *n* limite *f*, relâche *f*, tâche *f*; *vt* limiter, regarder à, mesurer.
stipend ['staipend] *n* traitement *m*, appointements *m pl*.
stipulate ['stipjuleit] *vt* stipuler.
stipulation [,stipju'leiʃən] *n* stipulation(s) *f* (*pl*).
stir [stəː] *n* remue-ménage *m*, sensation *f*, émoi *m*; *vt* remuer, secouer, agiter, émouvoir; *vi* remuer, bouger.
stirring ['stəːriŋ] *a* excitant, vibrant, mouvementé, empoignant.
stirrup ['stirəp] *n* étrier *m*.
stitch [stitʃ] *n* point *m*, maille *f*, suture *f*; *vt* coudre, raccommoder, brocher, suturer.
stoat [stout] *n* ermine *f* d'été.
stock [stɔk] *n* tronc *m*, souche *f*, provision *f*, stock *m*, fonds *m pl*, giroflée *f*, bouillon; — **cube** concentré *m*; *pl* rentes *f pl*; *vt* approvisionner, tenir, meubler, garnir, stocker; —**-account** inventaire *m*; —**broker** agent de change *m*; — **exchange** bourse *f*; — **jobber** agioteur *m*.
stocking ['stɔkiŋ] *n* bas *m*.
stock-phrase ['stɔk'freiz] *n* cliché *m*.
stocky ['stɔki] *a* épais, trapu.
stodgy ['stɔdʒi] *a* lourd, indigeste, bourré.
stoker ['stoukə] *n* chauffeur *m*.
stole [stoul] *pt of* **steal**; *n* étole *f*, écharpe *f*.
stolen ['stoulən] *pp of* **steal.**
stolid ['stɔlid] *a* stupide, obstiné, flegmatique.
stolidity [stɔ'liditi] *n* stupidité *f*, flegme *m*.
stomach ['stʌmək] *n* estomac *m*, ventre *m*, bedaine *f*, appétit *m*, courage *m*, patience *f*; *vt* manger, avaler, supporter.
stone [stoun] *n* pierre *f*, caillou *m*, noyau *m*, pépin *m*, calcul *m*, 14 livres; *vt* lapider, empierrer, énoyauter.
stony ['stouni] *a* pierreux, dur, glacial, glacé.
stool [stuːl] *n* tabouret *m*, escabeau *m*, selle *f*.
stoop [stuːp] *vi* se pencher, être voûté, daigner, s'abaisser.
stop [stɔp] *n* arrêt *m*, halte *f*, fin *f*; **full** — point *m*; *vt* arrêter, boucher, (*tooth*) plomber, barrer, mettre fin à, ponctuer, empêcher, bloquer, couper; *vi* s'arrêter, cesser.
stoppage ['stɔpidʒ] *n* arrêt *m*, encombrement *m*, occlusion *f*, obstruction. *f*.
stopper ['stɔpə] *n* bouchon *m*.
storage ['stɔːridʒ] *n* emmagasinage *m*, entrepôts *m pl*.
store [stɔː] *n* dépôt *m*, entrepôt *m*, magasin *m*, provision *f*, réserve *f*; *vt* garnir, rentrer, entreposer, tenir, emmagasiner, meubler.
stor(e)y ['stɔːri] *n* étage *m*.
stork [stɔːk] *n* cigogne *f*.
storm [stɔːm] *n* orage *m*, tempête *f*, assaut *m*; *vt* emporter d'assaut; *vi* faire rage, tempêter.
stormy ['stɔːmi] *a* orageux, houleux.
story ['stɔːri] *n* histoire *f*, version *f*, conte *m*, récit *m*, étage *m*; —**teller** raconteur *m*, narrateur *m*, griot *m*.
stout [staut] *a* brave, résolu, fort, gros, vigoureux.
stoutness ['stautnis] *n* courage *m*, grosseur *f*, embonpoint *m*, corpulence *f*.
stove [stouv] *pt pp of* **stave**; *n* poêle *m*.
stow [stou] *vt* bien empaqueter, arrimer.
stowaway ['stouəwei] *n* voyageur de fond de cale *m*.
straddle ['strædl] *vt* enfourcher, enjamber, s'installer sur, (*artillery*) encadrer, (*US*) s'abstenir.
strafe [strɑːf] *vt* (*fam*) punir.
straggle ['strægl] *vi* traîner en arrière, s'écarter.

straggler ['strægləl] *n* retardataire *mf*, attardé *m*, traînard *m*.
straight [streit] *n* ligne droite *f*; *ad* droit, juste, directement; *a* droit, rectiligne, loyal, juste.
straighten ['streitn] *vt* redresser, arranger, défausser.
straightforward [streit'fɔːwəd] *a* loyal, droit.
straightforwardness [streit'fɔːwədnis] *n* droiture *f*, franchise *f*.
strain [strein] *n* tension *f*, effort *m*, ton *m*, veine *f*, entorse *f*; *pl* accents *m pl*; *vt* (é)tendre, tirer (sur), forcer, filtrer, fatiguer, faire violence à, (se) fouler.
strainer ['streinə] *n* passoire *f*, filtre *m*.
strait [streit] *n* détroit *m*.
straits [streits] *n* détroit *m*, gêne *f*.
strait-jacket ['streit'dʒækit] *n* camisole de force *f*.
strand [strænd] *n* rive *f*; *vt* échouer.
stranded ['strændid] *a* perdu, en panne, sans ressources.
strange [streindʒ] *a* étrange, singulier, étranger, dépaysé.
strangeness ['streindʒnis] *n* étrangeté *f*, nouveauté *f*.
stranger ['streindʒə] *n* étranger, inconnu.
strangle ['stræŋgl] *vt* étrangler, étouffer.
strangulation [ˌstræŋgju'leiʃən] *n* strangulation *f*, étranglement *m*.
strap [stræp] *n* courroie *f*, sangle *f*, bande *f*, étrivière *f*; *vt* sangler, attacher, aiguiser, bander, frapper.
strapping ['stræpiŋ] *a* robuste, solide.
stratagem ['strætidʒəm] *n* stratagème *m*, ruse *f*.
strategist ['strætidʒist] *n* stratège *m*.
strategy ['strætidʒi] *n* stratégie *f*.
straw [strɔː] *n* paille *f*, fétu *m*; **it is the last** — il ne manquait plus que cela.
strawberry ['strɔːbəri] *n* fraise *f*, fraisier *m*.
stray [strei] *n* bête perdue *f*; *a* égaré, espacé, épars, perdu; *vi* se perdre, s'égarer.
streak [striːk] *n* raie *f*, bande *f*, veine *f*; *vt* rayer, strier; **to — past** passer en trombe.
streaked ['striːkt] *a* rayé, zébré.
stream [striːm] *n* cours d'eau *m*, courant *m*, ruisseau *m*, flot *m*, (*Africa*) marigot *m*; **down—**, **up—** en aval, en amont; *vi* couler, ruisseler, flotter.
street [striːt] *n* rue *f*.
street-arab ['striːtˌærəb] *n* gavroche *m*, voyou *m*.
strength [streŋθ] *n* force(s) *f* (*pl*), solidité *f*, complet *m*, effectifs *m pl*.
strengthen ['streŋθən] *vt* renforcer, fortifier, (r)affermir.
strenuous ['strenjuəs] *a* énergique, appliqué, ardu.
strenuousness ['strenjuəsnis] *n* vigueur *f*, ardeur *f*.
stress [stres] *n* accent *m*, force *f*, pression *f*, tension *f*; *vt* accentuer, insister sur, souligner, fatiguer.
stretch [stretʃ] *n* étendue *f*, extension *f*, envergure *f*, élasticité *f*; *vt* (é)tendre, étirer, exagérer, élargir, bander; *vi* s'étendre, s'étirer, s'élargir.
stretcher ['stretʃə] *n* civière *f*, brancard *m*.
strew [struː] *vt* semer, joncher.
strict [strikt] *a* strict, sévère, rigoureux, formel.
strictures ['striktʃəz] *n* critiques *f pl*.
stride [straid] *n* enjambée *f*; *vi* marcher à grands pas.
strife [straif] *n* conflict *m*.
strike [straik] *n* grève *f*; *vt* frapper, heurter contre, sonner, trouver, frotter, conclure, (*flag*) amener; *vi* faire grève, porter coup.
striker ['straikə] *n* gréviste *mf*, marteau *m*.
striking ['straikiŋ] *a* frappant, saisissant.
string [striŋ] *n* ficelle *f*, corde *f*, chapelet *m*, enfilade *f*, cordon *m*, fil *m*, lacet *m*, file *f*, (*US*) (*journal*) série *f*; *pl* instruments à cordes *m*; *vt* ficeler, enfiler.
stringent ['strindʒənt] *a* strict, rigoureux, étroit, serré.
strip [strip] *n* bande *f*, langue *f*; *vt* dépouiller, dégarnir, vider, écorcer; *vi* se déshabiller, se dévêtir.
stripe [straip] *n* bande *f*, barre *f*, raie *f*, (*mil*) galon *m*, chevron *m*; *vt* barrer, rayer.
strive [straiv] *vi* s'efforcer, lutter, rivaliser.
strode [stroud] *pt of* **stride.**
stroke [strouk] *n* coup *m*, attaque *f*, trait *m*, brassée *f*, caresse *f*; *vt* caresser, flatter.
stroll [stroul] *vi* flâner, faire un tour; *n* tour *m*, balade *f*.
strolling ['strouliŋ] *a* ambulant, forain, vagabond.
strong [strɔŋ] *a* fort, robuste, vigoureux, ferme, accusé, puissant, énergique.
strong-box ['strɔŋbɔks] *n* coffre fort *m*.
stronghold ['strɔŋhould] *n* forteresse *f*.
strong-minded ['strɔŋ'maindid] *a* volontaire, décidé.
strop [strɔp] *n* cuir *m*; *vt* affiler, repasser.
structure ['strʌktʃə] *n* structure *f*, construction *f*, édifice *m*, bâtiment *m*.
struck [strʌk] *pt pp of* **strike.**
struggle ['strʌgl] *n* lutte *f*; *vi* lutter, se démener.
strung [strʌŋ] *pt pp of* **string.**
strut [strʌt] *n* étai *m*, traverse *f*; *vi*

se pavaner; *vt* étayer, entretoiser.
stub [stʌb] *n* bout *m*, mégot *m*, chicot *m*, tronçon *m*, souche *f*, (*US*) talon *m* de chèque; *vt* déraciner, heurter; — **out** éteindre.
stubble ['stʌbl] *n* chaume *m*.
stubbly ['stʌbli] *a* hérissé, couvert de chaume.
stubborn ['stʌbən] *a* têtu, obstiné.
stubbornness ['stʌbənnis] *n* entêtement *m*, ténacité *f*.
stuck [stʌk] *pt pp of* **stick.**
stud [stʌd] *n* bouton *m*, clou *m*, rivet *m*, écurie *f*, haras *m*.
studded ['stʌdid] *a* semé, orné, clouté.
student ['stju:dənt] *n* étudiant(e) *mf*, homme *m* qui étudie.
studied ['stʌdid] *a* étudié, délibéré, recherché.
studio ['stju:diou] *n* atelier *m*, studio *m*.
studious ['stju:diəs] *a* studieux, étudié.
study ['stʌdi] *n* étude *f*, cabinet de travail *m*; *vti* étudier; *vi* faire ses études, apprendre (à).
stuff [stʌf] *n* étoffe *f*, marchandise *f*, camelote *f*, substance *f*, sottise *f*; *vt* bourrer, empiler, empailler, farcir, fourrer, boucher.
stuffy ['stʌfi] *a* étouffant, mal aéré, guindé.
stultify ['stʌltifai] *vt* rendre ridicule, infirmer, ruiner.
stumble ['stʌmbl] *n* faux-pas *m*; *vi* trébucher, se fourvoyer.
stumbling-block ['stʌmbliŋblɔk] *n* pierre d'achoppement *f*.
stump [stʌmp] *n* souche *f*, tronçon *m*, chicot *m*, moignon *m*, bout *m*, (*cricket*) piquet *m*; *vt* estomper, coller; **to** — **in** entrer clopin-clopant.
stumpy ['stʌmpi] *a* trapu, ramassé.
stung [stʌŋ] *pt pp of* **sting.**
stun [stʌn] *vt* étourdir, assommer, assourdir, renverser.
stunk [stʌŋk] *pp of* **stink.**
stupefaction [ˌstju:pi'fækʃən] *n* stupéfaction *f*.
stupefy ['stju:pifai] *vt* hébéter, stupéfier, engourdir.
stupefying ['stju:pifaiiŋ] *a* stupéfiant.
stupendous [stju:'pendəs] *a* prodigieux, formidable.
stupid ['stju:pid] *a* stupide, bête.
stupidity [stju:'piditi] *n* stupidité *f*, bêtise *f*.
sturdy ['stə:di] *a* robuste, vigoureux.
sturgeon ['stə:dʒən] *n* esturgeon *m*.
stutter ['stʌtə] *vti* bredouiller, bégayer.
sty [stai] *n* porcherie *f*, bouge *m*, orgelet *m*.
style [stail] *n* style *m*, genre *m*, titre *m*, espèce *f*; *vt* appeler.
stylish ['stailiʃ] *a* qui a du style, chic, élégant.
subaltern ['sʌbltən] *an* subalterne *m*
subdue [səb'dju:] *vt* soumettre, maîtriser, dompter, adoucir, tamiser.
subdued [səb'dju:d] *a* vaincu, tamisé, étouffé.
subject ['sʌbdʒikt] *n* sujet *m*; matière *f*, objet *m*; *an* sujet, -ette; *a* soumis, assujetti, passible; *ad* sous réserve (de **to**).
subject [səb'dʒekt] *vt* soumettre, subjuguer, exposer.
subjection [səb'dʒekʃən] *n* sujétion *f*, assujettissement *m*, soumission *f*.
subjugation [ˌsʌbdʒu'geiʃən] *n* soumission *f*, assujettissement *m*.
subjugate ['sʌbdʒugeit] *vt* subjuguer.
sublime [sə'blaim] *a* sublime, suprême.
sublimity [sə'blimiti] *n* sublimité *f*.
submarine ['sʌbməri:n] *an* sous-marin *m*.
submerge [səb'mə:dʒ] *vt* submerger; *vi* plonger.
submersion [səb'mə:ʃən] *n* submersion *f*.
submission [səb'miʃən] *n* soumission *f*.
submit [səb'mit] *vt* soumettre; *vi* se soumettre.
subordinate [sə'bɔ:dənit] *an* inférieur(e) *mf*, subordonné(e) *mf*; *vt* subordonner.
subordination [səˌbɔ:di'neiʃən] *n* subordination *f*.
suborn [sʌ'bɔ:n] *vt* suborner.
subpoena [səb'pi:nə] *n* assignation *f*; *vt* citer.
subscribe [səb'skraib] *vt* souscrire (pour); **to** — **to** s'abonner à, être abonné à.
subscriber [səb'skraibə] *n* souscripteur *m*, abonné(e) *mf*.
subscription [səb'skripʃən] *n* souscription *f*.
subsequent ['sʌbsikwənt] *a* subséquent, ultérieur.
subsequently ['sʌbsikwəntli] *ad* subséquemment, dans la suite.
subservience [səb'sə:vjəns] *n* soumission *f*, obséquiosité *f*.
subservient [səb'sə:vjənt] *a* utile, obséquieux.
subside [səb'said] *vi* s'affaisser, déposer, s'apaiser.
subsidence [səb'saidəns] *n* affaissement *m*, baisse *f*.
subsidize ['sʌbsidaiz] *vt* subventionner, primer.
subsidy ['sʌbsidi] *n* subvention *f*, prime *f*.
subsist [səb'sist] *vi* subsister, persister, vivre.
substance ['sʌbstəns] *n* substance *f*, matière *f*, fond *m*, fortune *f*.
substantial [səb'stænʃəl] *a* matériel, substantiel, solide, riche, important, copieux.
substantiate [səb'stænʃieit] *vt* fonder, justifier.
substitute ['sʌbstitju:t] *n* substitut

m, équivalent *m*, doublure *f*, suppléant(e) *mf*, remplaçant(e) *mf*; *vt* substituer; to — **for** remplacer.
substitution [ˌsʌbsti'tjuːʃən] *n* substitution *f*, remplacement *m*.
subterfuge ['sʌbtətjuːdʒ] *n* subterfuge *m*, faux-fuyant *m*.
subtle ['sʌtl] *a* subtil, fin, astucieux.
subtlety ['sʌtlti] *n* subtilité *f*, finesse *f*.
subtract [səb'trækt] *vt* retrancher, soustraire.
subtraction [səb'trækʃən] *n* soustraction *f*.
suburb ['sʌbəːb] *n* faubourg *m*, banlieue *f*; *a* suburbain, de banlieue.
subvention [səb'venʃən] *n* subvention *f*.
subversion [səb'vəːʃən] *n* subversion *f*.
subversive [səb'vəːsiv] *a* subversif.
subvert [sʌb'vəːt] *vt* renverser.
subway ['sʌbwei] *n* passage souterrain *m*; (*US*) métro *m*.
succeed [sək'siːd] *vti* succéder (à), réussir.
success [sək'ses] *n* succès *m*, réussite *f*, suite *f*.
successful [sək'sesful] *a* heureux, réussi, reçu, qui a du succès.
succession [sək'seʃən] *n* succession *f*, suite *f*, série *f*.
successive [sək'sesiv] *a* successif, consécutif, de suite.
successor [sək'sesə] *n* successeur *m*.
succinct [sək'siŋkt] *n* succinct, concis.
succour ['sʌkə] *n* secours *m*; *vt* secourir.
succumb [sə'kʌm] *vi* succomber.
such [sʌtʃ] *a* tel, pareil, le même; *pn* tel, celui (qui), en qualité de; **—as** tel que, comme.
suchlike ['sʌtʃlaik] *a* analogue, de la sorte.
suck [sʌk] *n* tétée *f*, succion *f*, sucée *f*; *vti* sucer; *vt* téter.
sucking ['sʌkiŋ] *a* à la mamelle, de lait, en herbe.
suckle ['sʌkl] *vt* allaiter.
suckling ['sʌkliŋ] *n* nourisson *m*, allaitement *m*.
sudden ['sʌdn] *a* soudain, brusque, subit; **—ly** *adv* tout à coup.
suddenness ['sʌdnnis] *n* soudaineté *f*, brusquerie *f*.
sue [suː] *vt* poursuivre, demander.
suet [suit] *n* graisse de rognon *f*.
suffer ['sʌfə] *vti* souffrir; *vt* subir, éprouver, supporter.
sufferance ['sʌfərəns] *n* tolérance *f*.
sufferer ['sʌfərə] *n* patient(e) *mf*, victime *f*.
suffering ['sʌfəriŋ] *n* souffrance *f*.
suffice [sə'fais] *vi* suffire.
sufficiency [sə'fiʃənsi] *n* fortune suffisante *f*, suffisance *f*, aisance *f*.
sufficient [sə'fiʃənt] *a* suffisant, assez de.
sufficiently [sə'fiʃəntli] *ad* suffisamment, assez.
suffocate ['sʌfəkeit] *vti* étouffer, suffoquer.
suffocation [ˌsʌfə'keiʃən] *n* suffocation *f*, asphyxie *f*.
suffrage ['sʌfridʒ] *n* suffrage *m*, droit de vote *m*.
suffuse [sə'fjuːz] *vt* colorer, humecter, se répandre sur.
sugar ['ʃugə] *n* sucre *m*; **castor —** sucre en poudre; **loaf —** sucre en pain; *vt* sucrer; **—-basin** sucrier *m*; **—-beet** betterave à sucre *f*; **—-cane** canne à sucre *f*; **—-tongs** pince *f*.
sugary ['ʃugəri] *a* sucré, mielleux, doucereux, mièvre.
suggest [sə'dʒest] *vt* suggérer, inspirer, proposer.
suggestion [sə'dʒestʃən] *n* suggestion *f*, nuance *f*.
suggestive [sə'dʒestiv] *a* suggestif, équivoque.
suicide ['sjuisaid] *n* suicide *m*, suicidé(e) *mf*.
suit [sjuːt] *n* requête *f*, demande *f*, procès *m*, (*cards*) couleur *f*, complet *m*, tailleur *m*; *vt* adapter, accommoder, arranger, convenir à, aller à.
suitable ['sjuːtəbl] *a* approprié, convenable, assorti, qui convient.
suite [swiːt] *n* suite *f*, appartement *m*, mobilier *m*.
suitor ['sjuːtə] *n* plaignant *m*, solliciteur *m*, prétendant *m*, soupirant *m*.
sulk [sʌlk] *vi* bouder; **—s** *n pl* bouderie *f*.
sulky ['sʌlki] *a* boudeur.
sullen ['sʌlən] *a* rancunier, maussade, renfrogné.
sullenness ['sʌlənnis] *n* maussaderie *f*, air renfrogné *m*.
sully ['sʌli] *vt* salir, souiller.
sulphur ['sʌlfə] *n* soufre *m*.
sultan ['sʌltən] *n* sultan *m*.
sultana [səl'tɑːnə] *n* raisin de Smyrne *m*; sultane *f*.
sultriness ['sʌltrinis] *n* lourdeur *f*.
sultry ['sʌltri] *a* étouffant, lourd.
sum [sʌm] *n* somme *f*, calcul *m*; **to — up** calculer, récapituler, resumer.
summary ['sʌməri] *n* sommaire *m*, résumé *m*; *a* sommaire, récapitulatif.
summer ['sʌmə] *n* été *m*; *a* estival, d'été.
summing-up ['sʌmiŋ'ʌp] *n* résumé *m*.
summit ['sʌmit] *n* sommet *m*, cîme *f*, comble *m*.
summon ['sʌmən] *vt* citer, convoquer.
summons ['sʌmənz] *n* citation *f*, convocation *f*, procès-verbal *m*.
sumptuous ['sʌmptjuəs] *a* somptueux, fastueux.
sumptuousness ['sʌmptjuəsnis] *n* somptuosité *f*.
sun [sʌn] *n* soleil *m*; *vt* exposer (chauffer) au soleil; **—burn** hâle *m*; **—burnt** *a* hâlé, basané, bronzé.
Sunday ['sʌndi] *n* dimanche *m*.

sundial ['sʌndaiəl] *n* cadran solaire *m*.
sunder ['sʌndə] *vt* séparer.
sundry ['sʌndri] *a* chacun à part, divers, différent; *n pl* faux frais *m pl*.
sung [sʌŋ] *pp of* **sing**.
sunk [suŋk] *pp of* **sink**.
sunny ['sʌni] *a* ensoleillé, de soleil.
sunrise ['sʌnraiz] *n* lever du soleil *m*.
sunset ['sʌnset] *n* coucher du soleil *m*.
sunshade ['sʌnʃeid] *n* ombrelle *f*, parasol *m*.
sunshine ['sʌnʃain] *n* (lumière *f* du) soleil, grand jour *m*.
sunstroke ['sʌnstrouk] *n* coup de soleil *m*, insolation *f*.
sup [sʌp] *n* gorgée *f*; *vt* boire à petites gorgées; *vi* souper.
superabundance [ˌsju:pərə'bʌndəns] *n* surabondance *f*.
superabundant [ˌsju:pərə'bʌndənt] *a* surabondant.
superannuated [ˌsju:pə'rænjueitid] *a* en (à la) retraite, suranné.
superb [sju:'pə:b] *a* superbe, magnifique, sensationel.
supercilious [ˌsju:pə'siliəs] *a* dédaigneux, pincé.
superficial [ˌsju:pə'fiʃəl] *a* superficiel.
superficiality [ˌsju:pəˌfiʃi:'æliti] *n* superficialité *f*.
superfluous [sju:'pə:fluəs] *a* superflu, de trop.
superfluity [ˌsju:pə'flu:iti] *n* superfluité *f*, embarras *m*, excédent *m*.
superhuman [ˌsju:pə'hju:mən] *a* surhumain.
superintend [ˌsju:prin'tend] *vt* contrôler, surveiller.
superintendence [ˌsju:prin'tendəns] *n* surintendance *f*, surveillance *f*.
superintendent [ˌsju:prin'tendənt] *n* surintendant *m*, surveillant(e) *mf*.
superior [sju:'piəriə] *an* supérieur(e) *mf*.
superiority [sju:ˌpiəri'ɔriti] *n* supériorité *f*.
superlative [sju:'pə:lətiv] *an* superlatif *m*; *a* suprême.
superman ['sju:pəmæn] *n* surhomme *m*.
supernatural [ˌsju:pə'nætʃrəl] *an* surnaturel *m*.
superpose [ˌsju:pə'pouz] *vt* superposer.
supersede [ˌsju:pə'si:d] *vt* supplanter, écarter, remplacer.
superstition [ˌsju:pə'stiʃən] *n* superstition *f*.
superstitious [ˌsju:pə'stiʃəs] *a* superstitieux.
superstructure ['sju:pəˌstrʌktʃə] *n* superstructure *f*, tablier *m*.
supertax ['sju:pətæks] *n* surtaxe *f*.
supervise ['sju:pəvaiz] *vt* surveiller, contrôler.
supervision [ˌsju:pə'viʒən] *n* surveillance *f*, contrôle *m*.
supervisor ['sju:pəvaizə] *n* surveillant(e) *mf*.
supine ['sju:pain] *a* couché sur le dos, indolent.
supper ['sʌpə] *n* souper *m*.
supplant [sə'plɑ:nt] *vt* supplanter, évincer.
supple ['sʌpl] *a* souple, flexible.
supplement ['sʌplimənt] *n* supplément *m*.
supplement ['sʌpliment] *vt* ajouter à, augmenter.
suppleness ['sʌplnis] *n* souplesse *f*.
supplicate ['sʌplikeit] *vti* supplier.
supplication [ˌsʌpli'keiʃən] *n* supplication *f*.
supplier [sə'plaiə] *n* fournisseur, -euse.
supply [sə'plai] *n* offre *f*, fourniture *f*, provision *f*; *pl* vivres *m pl*; fournitures *f pl*, intendance *f*; *vt* fournir, munir.
support [sə'pɔ:t] *n* support *m*, soutien *m*, appui *m*; *vt* supporter, appuyer, soutenir.
supporter [sə'pɔ:tə] *n* soutien *m*, partisan *m*, supporter *m*.
suppose [sə'pouz] *vt* supposer, s'imaginer.
supposing [sə'pouziŋ] *cj* à supposer que.
supposition [ˌsʌpə'ziʃən] *n* supposition *f*.
suppress [sə'pres] *vt* supprimer, réprimer, étouffer, refouler.
suppression [sə'preʃən] *n* suppression *f*, répression *f*.
suppurate ['sʌpjuəreit] *vi* suppurer.
supremacy [sju'preməsi] *n* suprématie *f*.
supreme [sju:'pri:m] *a* suprême.
sura, surate ['suərə, su'ræt] *n* sourate *f*.
surcharge ['sə:tʃɑ:dʒ] *n* surcharge *f*, surtaxe *f*; *vt* surcharger, surtaxer.
sure [ʃuə] *a* sûr, assuré, certain; **to be —** *ad* sûrement.
surety ['ʃuəti] *n* garant(e) *mf*, caution *f*.
surf [sə:f] *n* ressac *m*, surf *m*, barre *f*.
surface ['sə:fis] *n* surface *f*, apparence *f*.
surfboard ['sə:fbɔ:d] *n* aquaplane *m*.
surfboat ['sə:fbout] *n* pirogue *f*.
surfing ['sə:fiŋ] *n* planking *m*.
surfeit ['sə:fit] *n* excès *m*, satieté *f*, indigestion *f*, écœurement *m*; *vt* gaver, rassasier.
surge [sə:dʒ] *n* lame *f*, houle *f*, soulèvement *m*; *vi* se soulever, onduler, se répandre en flots.
surgeon ['sə:dʒən] *n* chirurgien *m*.
surgery ['sə:dʒəri] *n* chirurgie *f*, clinique *f*.
surgical ['sə:dʒikəl] *a* chirurgical.
surliness ['sə:linis] *n* morosité *f*, air bourru *m*.
surly ['sə:li] *a* revêche, bourru, morose.
surmise ['sə:maiz] *n* soupçon *m*,

conjecture *f*; [sə:'maiz] *vt* soupçonner, conjecturer.
surmount [sə:'maunt] *vt* surmonter, triompher de.
surname ['sə:neim] *n* nom *m* de famille; *vt* nommer.
surpass [sə:'pɑ:s] *vt* surpasser, dépasser, excéder.
surplice ['sə:pləs] *n* surplis *m*.
surplus ['sə:pləs] *n* surplus *m*, excédent *m*, boni *m*, rabiot *m*.
surprise [sə'praiz] *n* surprise *f*; *vt* surprendre; **by** — à l'improviste.
surprising [sə'praiziŋ] *a* surprenant, étonnant.
surrender [sə'rendə] *n* reddition *f*, capitulation *f*; *vt* rendre, renoncer à, livrer; *vi* se rendre, se livrer.
surreptitious [ˌsʌrəp'tiʃəs] *a* subreptice, clandestin.
surround [sə'raund] *vt* entourer, cerner.
surrounding [sə'raundiŋ] *a* environnant.
surroundings [sə'raundiŋs] *n pl* environs *m pl*, ambiance *f*, alentours *m pl*.
surtax ['sə:tæks] *n* surtaxe *f*.
survey ['sə:vei] *n* coup d'œil *m*, examen *m*, arpentage *m*, cadastre *m*, aperçu *m*, expertise *f*, plan *m*.
survey [sə:'vei] *vt* examiner, relever, arpenter, embrasser du regard, contempler.
surveyor [sə:'veiə] *n* arpenteur *m*, inspecteur *m*, ingénieur *m* du service vicinal.
survival [sə'vaivəl] *n* survivance *f*.
survive [sə'vaiv] *vi* survivre; *vt* survivre à.
Susan ['su:zn] Suzanne *f*.
susceptibility [səˌseptə'biliti] *n* susceptibilité *f*, sensibilité *f*.
susceptible [sə'septəbl] *a* susceptible, sensible, impressionnable.
suspect [səs'pekt] *vt* soupçonner, suspecter, se douter de.
suspect ['sʌspekt] *a* suspect.
suspend [səs'pend] *vt* (sus)pendre, mettre à pied, surseoir à.
suspender-belt [səs'pendəbelt] *n* porte-jarretelles *m*.
suspenders [səs'pendəz] *n* jarretelles *f pl*, fixe-chaussettes *n pl*, (*US*) bretelles *f pl*.
suspense [səs'pens] *n* attente *f*, inquiétude *f*, suspens *m*.
suspension [səs'penʃən] *n* suspension *f*, mise à pied *f*, retrait *m*.
suspicion [səs'piʃən] *n* suspicion *f*, soupçon *m*.
suspicious [səs'piʃəs] *a* soupçonneux, suspect, méfiant, louche.
sustain [səs'tein] *vt* soutenir, sustenter, souffrir, subir.
sustenance ['sʌstinəns] *n* moyens de se soutenir *m pl*, nourriture *f*.
swab [swɔb] *n* faubert *m*, tampon *m*; *vt* balayer, nettoyer, laver à grande eau.
swaddle ['swɔdl] *vt* emmailloter.
swaddling-clothes ['swɔdliŋklouðz] *n* langes *m pl*.
swagger ['swægə] *n* suffisance *f*, rodomontades *f pl*; *vi* se gober, se pavaner, crâner.
swain [swein] *n* berger *m*, amoureux *m*, tourtereau *m*.
swallow ['swɔlou] *n* hirondelle *f*, gosier *m*, gorgée *f*; *vt* avaler, engloutir.
swam [swæm] *pt of* **swim.**
swamp ['swɔmp] *n* marais *m*; *vt* inonder, déborder.
swan [swɔn] *n* cygne *m*.
swank [swæŋk] *vi* faire de l'épate, se donner des airs.
swap [swɔp] *vt* troquer, échanger.
sward [swɔ:d] *n* gazon *m*.
swarm [swɔ:m] *n* essaim *m*, nuée *f*; *vi* essaimer, fourmiller, grimper.
swarthy ['swɔ:ði] *a* hâlé, boucané.
swash [swɔʃ] *n* clapotis *m*; *vi* clapoter.
swastika ['swɔstikə] *n* croix gammée *f*.
swath [swɔ:θ] *n* andain *m*.
swathe [sweið] *vt* emmailloter, emmitoufler.
sway [swei] *n* balancement *m*, pouvoir *m*, gouvernement *m*; *vi* se balancer, vaciller, incliner; *vt* balancer, courber, porter, faire pencher, gouverner.
swear [swɛə] *n* juron *m*; *vti* jurer; *vt* assermenter.
sweat [swet] *n* sueur *f*, transpiration *f*; *vti* suer; *vi* transpirer, peiner; *vt* exploiter.
sweater ['swetə] *n* sweater *m*, pullover *m*, chandail *m*, exploiteur *m*.
sweating ['swetiŋ] *n* suée *f*, transpiration *f*.
swede [swi:d] *n* rutabaga *m*.
Swede [swi:d] *n* Suédois(e) *mf*.
Sweden ['swi:dn] *n* Suède *f*.
Swedish ['swi:diʃ] *an* suédois *m*.
sweep [swi:p] *n* mouvement *m*, large courbe *f*, allée *f*, portée *f*, coup de balai *m*, godille *f*, ramoneur *m*; *vt* balayer, emporter, ramoner, draguer; *vi* s'élancer, fondre, s'étendre; **to — aside** écarter; **to — down** *vt* charrier, emporter; *vi* dévaler.
sweeper ['swi:pə] *n* balayeur *m*, balai *m* mécanique, balayeuse *f*; **mine—** dragueur *m* de mines.
sweeping ['swi:piŋ] *n* balayage *m*, dragage *m*, ramonage *m*; *a* excessif, radical, impétueux, large.
swept [swept] *pt pp of* **sweep.**
sweet [swi:t] *a* doux, sucré, gentil; *n* bonbon *m*; *pl* sucreries *f pl*, bonbons *m pl*, douceurs *f pl*.
sweetbread ['swi:tbred] *n* ris de veau *m*.
sweeten ['swi:tn] *vt* sucrer, adoucir.
sweetheart ['swi:thɑ:t] *n* ami(e) *mf*, fiancé(e) *mf*, chéri(e) *mf*.

sweetish ['swi:tiʃ] *a* douceâtre.
sweetmeat ['swi:tmi:t] *n* bonbon *m*; *pl* sucreries *f pl*.
sweetness ['swi:tnis] *n* douceur *f*, charme *m*.
sweet-pea ['swi:t'pi:] *n* pois de senteur *m*.
swell [swel] *n* enflure *f*, houle *f*; *pl* (*fam*) élégants *m pl*, gens de la haute *m pl*; *a* (*fam*) chic, épatant; *vt* enfler, gonfler; *vi* se gonfler, (s')enfler, se soulever.
swelter ['sweltə] *n* fournaise *f*; *vi* étouffer de chaleur, être en nage.
swerve [swə:v] *vi* faire un écart, une embardée, donner un coup de volant.
swift [swift] *n* martinet *m*; *a* rapide, prompt.
swiftness ['swiftnis] *n* rapidité *f*, vitesse *f*, promptitude *f*.
swill [swil] *n* rinçage *m*, lavasse *f*, pâtée *f*; *vt* rincer, boire goulûment, lamper.
swim [swim] *vi* nager, flotter, tourner; *vt* traverser à la nage.
swimmer ['swimə] *n* nageur, -euse.
swimming ['swimiŋ] *n* natation *f*, nage *f*.
swindle ['swindl] *n* escroquérie *f*; *vt* escroquer.
swindler ['swindlə] *n* escroc *m*.
swine [swain] *n* cochon *m*, porc *m*, pourceau *m*, salaud *m*.
swing [swiŋ] *n* oscillation *f*, balancement *m*, balançoire *f*, cours *m*, courant *m*, entrain *m*, revirement *m*; *vi* se balancer, tourner, ballotter, danser; *vt* balancer, faire osciller, tourner.
swirl [swə:l] *n* tourbillon *m*, remous *m*; *vi* tourbillonner.
swish [swiʃ] *n* banco *m*; latérite *f*; *vi* bruire.
Swiss [swis] *a* suisse; *n* Suisse, -esse.
switch [switʃ] *n* baguette *f*, badine *f*, (*rails*) aiguille *f*, commutateur *m*, bouton *m*; *vt* cingler, remuer, aiguiller; **to — on (off)** donner (couper) le courant.
switchboard ['switʃbɔ:d] *n* tableau *m*.
swivel ['swivl] *n* pivot *m*; *vi* pivoter, tourner.
swoon [swu:n] *n* syncope *f*, défaillance *f*; *vi* s'évanouir.
swoop [swu:p] *n* descente *f*, attaque foudroyante *f*, rafle *f*; *vi* fondre, s'abattre.
sword [sɔ:d] *n* sabre *m*, épée *f*, glaive *m*.
swore [swɔ:] *pt of* **swear**.
sworn [swɔ:n] *pp of* **swear**; *a* assermenté, intimé, juré.
swot [swɔt] *vti* potasser, bûcher.
swum [swʌm] *pp of* **swim**.
swung [swʌŋ] *pt pp of* **swing**.
syllable ['siləbl] *n* syllabe *f*, mot *m*.
syllabus ['siləbəs] *n* programme *m*, ordre du jour *m*.
symbol ['simbəl] *n* symbole *m*, emblème *m*.
symbolic(al) [sim'bɔlik(əl)] *a* symbolique.
symbolism ['simbəlizəm] *n* symbolisme *f*.
symbolize ['simbəlaiz] *vt* symboliser.
symmetrical [si'metrikəl] *a* symétrique.
symmetry ['simitri] *n* symétrie *f*.
sympathetic [,simpə'θetic] *a* compatissant, de sympathie, sympathique.
sympathize ['simpəθaiz] *vi* compatir, partager la douleur (de), comprendre.
sympathy ['simpəθi] *n* compassion *f*, sympathie *f*.
symphony ['simfəni] *n* symphonie *f*.
symptom ['simptəm] *n* symptôme *m*.
synagogue ['sinəgɔg] *n* synagogue *f*.
syndicate ['sindikit] *n* syndicat *m*; ['sindikeit] *vt* syndiquer.
synod ['sinəd] *n* synode *m*.
synonym ['sinənim] *n* synonyme *m*.
synonymous [si'nɔniməs] *a* synonyme.
synopsis [si'nɔpsis] *n* vue d'ensemble *f*, résumé *m*, mémento *m*.
synoptic(al) [si'nɔptik(əl)] *a* synoptique.
syntax ['sintæks] *n* syntaxe *f*.
synthesis ['sinθisis] *n* synthèse *f*.
synthetic(al) [sin'θetik(əl)] *a* synthétique.
Syria ['siriə] *n* Syrie *f*.
Syrian ['siriən] *a* syrien; *n* Syrien, -ienne.
syringe ['sirindʒ] *n* seringue *f*.
syrup ['sirəp] *n* sirop *m*.
syrupy ['sirəpi] *a* sirupeux.
system ['sistim] *n* système *m*.
systematic [,sisti'mætik] *a* systématique.
systematize ['sistimətaiz] *vt* systématiser.

T

tab [tæb] *n* étiquette *f*, oreille *f*, patte *f*, ferret *m*, touche *f*.
table ['teibl] *n* table *f*, tablier *m*, plaque *f*, tablée *f*.
tablecloth ['teiblklɔθ] *n* nappe *f*.
tableland ['teibllænd] *n* plateau *m*.
table-leaf ['teiblli:f] *n* rallonge *f*.
tablespoon ['teiblspu:n] *n* cuiller à bouche *f*.
tablet ['tæblit] *n* tablette *f*, cachet *m*, comprimé *m*, plaque *f*, commémorative *f*.
tabloid ['tæblɔid] *n* journal *m* à sensation.
taboo [tə'bu:] *n* tabou *m*; *vt* interdire.
tabulate ['tæbjuleit] *vt* cataloguer, classifier.
tacit ['tæsit] *a* tacite.
taciturn ['tæsitə:n] *a* taciturne.

taciturnity [ˌtæsiˈtəːniti] *n* taciturnité *f*.
tack [tæk] *n* faufil *m*, (*nail*) semence *f*, bordée *f*, voie *f*; *vt* clouer, faufiler; *vi* louvoyer, tirer des bordées, virer.
tackle [ˈtækl] *n* poulie *f*, attirail *m*, palan *m*, engins *m pl*; *vt* empoigner, aborder, s'attaquer à, plaquer.
tact [tækt] *n* tact *m*, savoir-faire *m*, doigté *m*.
tactful [ˈtæktful] *a* de tact, délicat.
tactician [tækˈtiʃən] *n* tacticien *m*.
tactics [ˈtæktiks] *n* tactique *f*.
tactless [ˈtæktlis] *a* sans tact, indiscret.
tactlessness [ˈtæktlisnis] *n* manque de tact *m*.
tadpole [ˈtædpoul] *n* têtard *m*.
tag [tæg] *n* aiguillette *f*, bout *m*, appendice *m*, cliché *m*, refrain *m*; (*US*) fiche *f*.
tail [teil] *n* queue *f*, basque *f*, pan *m*, (*tossing*) pile *m*; **to — off** s'éteindre; (*US*) *vt* suivre, pister.
tail-light [ˈteilˈlait] *n* feu arrière *m*.
tailor [ˈteilə] *n* tailleur *m*; **— made** *a* tailleur, fait sur mesure.
taint [teint] *n* grain *m*, touche *f*, trace *f*, corruption *f*, tare *f*; *vt* corrompre, vicier, gâter.
take [teik] *vti* prendre; *vt* gagner, captiver, tenir (pour), falloir, mettre, demander, vouloir; **to — off** décoller; **to — out** (faire) sortir, tirer, emmener; **to — to** prendre goût à, se prendre d'amitié pour; **to — up** monter, relever, ramasser, occuper.
take-in [ˈteikˈin] *n* fraude *f*, attrape *f*.
take-off [ˈteikɔf] *n* départ *m*, décollage *m*.
taking [ˈteikiŋ] *a* attrayant; *n* prise *f*.
takings [ˈteikiŋz] *n pl* recette *f*.
taken [ˈteikən] *pp of* **take**.
tale [teil] *n* conte *m*, racontar *m*.
tale-teller [ˈteilˌtelə] *n* conteur *m*, cancanier *m*, rapporteur, -euse, cafard(e) *mf*.
talent [ˈtælənt] *n* talent *m*.
talented [ˈtæləntid] *a* de talent, doué.
talk [tɔːk] *n* conversation *f*, parole *f*, causerie *f*, fable *f*; *vi* causer; *vti* parler.
talkative [ˈtɔːkətiv] *a* bavard, loquace.
talking of [tɔːkiŋəv] *prep* à propos de.
tall [tɔːl] *a* très grand, haut, raide, fort, extravagant.
tallow [ˈtælou] *n* suif *m*; **— candle** chandelle *f*.
tally [ˈtæli] *n* taille *f*, coche *f*, étiquette *f*; *vt* compter, concorder; *vi* s'accorder, cadrer.
talon [ˈtælən] *n* serre *f*.
tame [teim] *a* apprivoisé, domestique banal, plat; *vt* apprivoiser, aplatir.
tameness [ˈteimnis] *n* soumission *f*, banalité *f*, fadeur *f*.
tamper [ˈtæmpə] *vi* se mêler; **to — with** se mêler de, toucher à, falsifier, altérer.
tan [tæn] *n* tan *m*, hâle *m*; *vt* tanner, hâler, bronzer; *vi* brunir, se basaner.
tandem [ˈtændəm] *n* tandem *m*.
tang [tæŋ] *n* saveur *f*, piquant *m*, goût *m*.
tangent [ˈtændʒənt] *n* tangente *f*; *a* tangent.
tangerine [ˌtændʒəˈriːn] *n* mandarine *f*.
tangible [ˈtændʒəbl] *a* tangible, sensible, réel, palpable.
tangle [ˈtæŋgl] *n* confusion *f*, enchevêtrement *m*, fouillis *m*; *vt* embrouiller; *vi* s'embrouiller, s'emmêler.
tank [tæŋk] *n* réservoir *m*, citerne *f*, cuve *f*, tank *m*, char d'assaut *m*.
tankard [ˈtæŋkəd] *n* pot *m*, chope *f*.
tanner [ˈtænə] *n* tanneur *m*, pièce de sixpence *f*.
tannery [ˈtænəri] *n* tannerie *f*.
tantalize [ˈtæntəlaiz] *vt* tantaliser, tourmenter.
tantalizing [ˈtæntəlaiziŋ] *a* provoquant, décevant.
tantamount [ˈtæntəmaunt] *a* équivalent, qui revient à.
tantrum [ˈtæntrəm] *n* accès de colère *m*.
tap [tæp] *n* robinet *m*, tape *f*; *vt* mettre en perce, inciser, ponctionner, intercepter, taper, tapoter.
tape [teip] *n* ruban *m*, ganse *f*, bande *f*; *vt* attacher, border, brocher.
tape-measure [ˈteipˌmeʒə] *n* mètre ruban *m*.
taper [ˈteipə] *n* cierge *m*, bougie *f*, rat de cave *m*; *vt* effiler; *vi* amincir, s'effiler.
tape-recorder [ˈteipriˌkɔːdə] *n* magnétophone *m*.
tapestry [ˈtæpistri] *n* tapiserie *f*.
tapeworm [ˈteipwəːm] *n* ver solitaire *m*, ténia *m*.
tapioca [ˌtæpiˈoukə] *n* tapioca *m*.
tar [tɑː] *n* goudron *m*, (*fam*) loup *m* de mer; *vt* goudronner.
tardiness [ˈtɑːdinis] *n* lenteur *f*, tardivité *f*, retard *m*.
tardy [ˈtɑːdi] *a* lent, tardif.
tare [tɛə] *n* tare *f*, ivraie *f*.
target [ˈtɑːgit] *n* cible *f*, disque *m*, objectif *m*.
tariff [ˈtærif] *n* tarif *m*.
tarmac [ˈtɑːmæk] *n* macadam *m*, piste de décollage *f*.
tarnish [ˈtɑːniʃ] *n* ternissure *f*; *vt* ternir; *vi* se ternir.
tarpaulin [tɑːˈpɔːlin] *n* bâche (goudronnée) *f*.
tarragon [ˈtærəgən] *n* estragon *m*.
tarry [ˈtæri] *vi* rester, attendre, s'attarder.
tart [tɑːt] *n* tarte *f*, fourte *f*; (*fam*) putain *f*; *a* acide, âpre, piquant, aigre.
tartness [ˈtɑːtnis] *n* aigreur *f*, verdeur *f*, acidité *f*.

task [tɑːsk] *n* tâche *f*, devoir *m*, besogne *f*; **to take to** — prendre à partie.
tassel ['tæsəl] *n* gland *m*, signet *m*.
taste [teist] *n* goût *m*, saveur *f*; *vt* goûter (à), sentir, toucher à, déguster.
tasteful ['teistful] *a* qui a du goût, de bon goût.
tasteless ['teistlis] *a* insipide, fade, sans goût.
taster ['teistə] *n* dégustateur *m*.
tasty ['teisti] *a* savoureux.
tatter ['tætə] *n* chiffon *m*; *pl* loques *f pl*, guenilles *f pl*.
tattle ['tætl] *n* bavardage *m*, commérages *m pl*; *vi* bavarder.
tattler ['tætlə] *n* bavard(e) *mf*, cancanier, -ière.
tattoo [tə'tuː] *n* (*mil*) retraite *f*, tatouage *m*; *vi* tambouriner; *vt* tatouer.
taught [tɔːt] *pt pp of* **teach.**
taunt [tɔːnt] *n* reproche *m*, quolibet *m*; *vt* reprocher (à), accabler de quolibets, se moquer de, se gausser de.
taut [tɔːt] *a* tendu, raide.
tavern ['tævən] *n* taverne *f*, cabaret *m*.
tawdriness ['tɔːdrinis] *n* clinquant *m*, faux luxe *m*.
tawdry ['tɔːdri] *a* criard.
tawny ['tɔːni] *a* fauve, basané.
tax [tæks] *n* impôt *m*, taxe *f*, contribution *f*; *vt* taxer, imposer, frapper d'un impôt.
taxation [tæk'seiʃən] *n* imposition *f*, taxation *f*.
tax-collector ['tækskə.lektə] *n* percepteur *m*.
taxi ['tæksi] *n* taxi *m*.
taxpayer ['tæks.peiə] *n* contribuable *mf*.
tea [tiː] *n* thé *m*; —**caddy** boîte *f* à thé; —**cloth** napperon *m*; —**pot** théière *f*; —**spoon** cuiller *f* à thé; — **chest** caisse *f* à thé.
teach [tiːtʃ] *vt* enseigner, apprendre (à), instruire.
teacher ['tiːtʃə] *n* professeur *m*, (*primary*) instituteur *m*, institutrice *f*, maître *m*, maîtresse *f*.
teaching ['tiːtʃiŋ] *n* enseignement *m*, doctrine *f*, leçons *f pl*.
teak [tiːk] *n* tek *m*.
team [tiːm] *n* équipe *f*, attelage *m*; *vt* atteler.
tear [tiə] *n* larme *f*, goutte *f*, bulle *f*.
tear [tɛə] *n* déchirure *f*, accroc *m*; *vt* déchirer, arracher.
tearful ['tiəful] *a* larmoyant, en larmes, éploré.
tease [tiːz] *vt* taquiner, effilocher, démêler; *n* taquin(e) *mf*.
teasel ['tiːzl] *n* chardon *m*, carde *f*.
teaser ['tiːzə] *n* problème *m*, colle *f*.
teasing ['tiːziŋ] *n* taquinerie *f*, effilochage *m*; *a* taquin.
teat [tiːt] *n* tétin *m*, tétine *f*, tette *f*.
technical ['teknikəl] *a* technique.
technicality [.tekni'kæliti] *n* technicité *f*, détail *m* d'ordre technique.
technique [tek'niːk] *n* technique *f*.
tedious ['tiːdjəs] *a* ennuyeux, fastidieux.
teem [tiːm] *vi* pulluler, abonder, fourmiller, grouiller.
teeth [tiːθ] *n pl of* **tooth.**
teethe [tiːð] *vi* faire ses dents.
teething ['tiːðiŋ] *n* dentition *f*.
teetotal [tiː'toutl] *a* de tempérance, antialcoolique.
teetotaller [tiː'toutlə] *n* abstinent(e) *mf*.
telegram ['teligræm] *n* télégramme *m*, dépêche *f*.
telegraph ['teligrɑːf] *n* télégraphe *m*; *vt* télégraphier.
telegraphic [.teli'græfik] *a* télégraphique.
telegraphist [ti'legrəfist] *n* télégraphiste *mf*.
telepathy [ti'lepəθi] *n* télépathie *f*.
telephone ['telifoun] *n* téléphone *m*; *vt* téléphoner.
telescope ['teliskoup] *n* télescope *f*, longue-vue *f*; *vt* télescoper; *vi* se télescoper.
television ['teli.viʒən] *n* télévision *f*.
tell [tel] *vt* dire, conter, parler de, distinguer; *vi* porter, compter, militer; **all told** tout compris.
teller ['telə] *n* caissier *m*, conteur, -euse, recenseur *m*.
telltale ['telteil] *n* rapporteur, cafard (e) *mf*; *a* révélateur.
temerity [ti'meriti] *n* témérité *f*.
temper ['tempə] *n* humeur *f*, colère *f*, sang-froid *m*, mélange *m*, trempe *f*; *vt* mêler, tremper, tempérer.
temperament ['tempərəmənt] *n* tempérament *m*.
temperamental [.tempərə'mentl] *a* inégal, capricieux, nerveux, quinteux.
temperance ['tempərəns] *n* tempérance *f*, sobriété *f*, retenue *f*.
temperate ['tempərit] *a* tempéré, modéré, tempérant, sobre.
temperature ['tempritʃə] *n* température *f*, fièvre *f*.
tempest ['tempist] *n* tempête *f*.
tempestuous [tem'pestjuəs] *a* tempétueux, orageux, violent.
temple ['templ] *n* temple *m*, tempe *f*.
tempo ['tempou] *n* rythme *m*.
temporal ['tempərəl] *a* temporel.
temporary ['tempərəri] *a* temporaire, provisoire.
temporize ['tempəraiz] *vi* temporiser.
temporizer ['tempəraizə] *n* temporisateur *m*.
tempt [tempt] *vt* tenter.
temptation [temp'teiʃən] *n* tentation *f*.
tempter ['temptə] *n* tentateur *m*, séducteur *m*.
ten [ten] *ad* dix.

tenable ['tenəbl] *a* (sou)tenable, défendable.
tenacious [ti'neiʃəs] *a* tenace.
tenacity [ti'næsiti] *n* ténacité *f*.
tenancy ['tenənsi] *n* location *f*.
tenant ['tenənt] *n* locataire *mf*.
tench [tenʃ] *n* tanche *f*.
tend [tend] *vi* tendre (à), se diriger (vers); *vt* soigner, veiller sur, servir.
tendency ['tendənsi] *n* tendance *f*, disposition *f*.
tendentious [ten'denʃəs] *a* tendancieux.
tender ['tendə] *n* devis *m*, offre *f*, monnaie *f*, tender *m*; *vt* offrir; *vi* soumissionner; *a* tendre, délicat, sensible, fragile.
tenderness ['tendənis] *n* tendresse *f*, sensibilité *f*.
tendril ['tendril] *n* vrille *f*.
tenement ['tenimənt] *n* propriété *f*, appartement *m*, maison de rapport *f*.
tenet ['tenit] *n* doctrine *f*, opinion *f*, article de foi *m*.
tenfold ['tenfould] *a* décuple; *ad* dix fois.
tennis ['tenis] *n* tennis *m*; **—-court** tennis *m*, court *m*.
tenor ['tenə] *n* teneur *f*, cours *m*, ténor *m*.
tense [tens] *n* temps *m*; *a* tendu, raide.
tension ['tenʃən] *n* tension *f*.
tent [tent] *n* tente *f*.
tentacle ['tentəkl] *n* tentacule *m*.
tentative ['tentətiv] *a* d'essai, expérimental.
tentatively ['tentətivli] *ad* à titre d'essai.
tenth [tenθ] *an* dixième *mf*, dix *m*.
tenuity [te'njuːiti] *n* rareté *f*, ténuité *f*.
tenuous ['tenjuəs] *a* délié, ténu, mince.
tenure ['tenjuə] *n* exercice de fonctions *m*, occupation *f*, tenure *f*.
tepid ['tepid] *a* tiède.
term [təːm] *n* durée *f*, fin *f*, trimestre *m*, terme *m*; *pl* conditions *f pl*; *vt* nommer, désigner.
terminate ['təːmineit] *vt* terminer; *vi* se terminer.
termination [ˌtəːmi'neiʃən] *n* terminaison *f*, conclusion *f*, fin *f*.
terminus ['təːminəs] *n* terminus *m*, tête de ligne *f*.
terrace ['terəs] *n* terrasse *f*.
terrestrial [ti'restriəl] *a* terrestre.
terrible ['terəbl] *a* terrible, atroce, affreux.
terrific [tə'rifik] *a* terrifiant, terrible, formidable.
terrify ['terifai] *vt* terrifier, effrayer.
territorial [ˌteri'tɔːriəl] *a* territorial, terrien.
territory ['teritəri] *n* territoire *m*.
terror ['terə] *n* terreur *f*.
terrorism ['terərizəm] *n* terrorisme *m*.
terrorize ['terəraiz] *vt* terroriser.
terse [təːs] *a* net, délié, sobre, concis.
terseness ['təːsnis] *n* netteté *f*, concision *f*.
test [test] *n* pierre de touche *f*, épreuve *f*, test *m*, réactif *m*; *vt* éprouver, essayer, mettre à l'épreuve, vérifier.
testament ['testəmənt] *n* testament *m*.
testamentary [ˌtestə'mentəri] *a* testamentaire.
testify ['testifai] *vt* attester, témoigner; *vi* déposer.
testily ['testili] *ad* en bougonnant, avec humeur.
testimonial [ˌtesti'mouniəl] *n* recommandation *f*, certificat *m*.
testimony ['testiməni] *n* déposition *f*, témoignage *m*.
testiness ['testinis] *n* irascibilité *f*, susceptibilité *f*.
testy ['testi] *a* chatouilleux, irascible.
tetanus ['tetənəs] *n* tétanos *m*.
tether ['teðə] *n* longe *f*, attache *f*, moyens *m pl*, rouleau *m*; *vt* attacher.
text [tekst] *n* texte *m*.
text-book ['tekstbuk] *n* manuel *m*.
textile ['tekstail] *an* textile *m*; *n* tissu *m*.
textual ['tekstjuəl] *a* textuel, de texte.
texture ['tekstʃə] *n* (con)texture *f*, structure *f*, grain *m*, trace *f*.
Thames [temz] *n* la Tamise *f*.
than [ðən] *cj* que, de.
thank [θæŋk] *vt* remercier, rendre grâce(s) à.
thanks [θæŋks] *n pl* remerciements *m pl*, grâces *f pl*; **— to** grâce à.
thankful ['θæŋkful] *a* reconnaissant.
thankfulness ['θæŋkfulnis] *n* reconnaissance *f*.
thankless ['θæŋklis] *a* ingrat.
thanklessness ['θæŋklisnis] *n* ingratitude *f*.
thanksgiving ['θæŋks'giviŋ] *n* action de grâces *f*; (*US*) fête *f* d'action de grâces.
that [ðæt] *a* ce, cet, cette; *pn* celui, celle (-là), cela, ça, qui, que, tant de; *cj* que, pour que, si seulement, plaise à Dieu que, dire que.
thatch [θætʃ] *n* chaume *m*; *vt* couvrir de chaume.
thatched [θætʃt] *a* (couvert) de chaume.
thaw [θɔː] *n* dégel *m*; *vi* dégeler.
the [ðə] *def art* le, la, l', les, ce, cet, cette, ces, quel(s), quelle(s); *ad* d'autant; **— more** plus.
theatre ['θiətə] *n* théâtre *m*.
theatrical [θi'ætrikəl] *a* théâtral, scénique.
thee [ðiː] *pn* te, toi.
theft [θeft] *n* vol *m*.
their [ðɛə] *a* leur(s).
theirs [ðɛəz] *pn* le (la) leur, les leurs, à eux (elles).
them [ðem] *pn* les, eux, elles, leur.
theme [θiːm] *n* thème *m*, motif *m*.

themselves [ðəm'selvz] *pn* se, eux-(elles)-mêmes.
then [ðen] *ad* alors, puis, ensuite, donc.
thence [ðens] *ad* de là, par conséquent.
thenceforth ['ðens'fɔ:θ] *ad* dès (depuis) lors, désormais.
theologian [θiə'loudʒjən] *n* théologien *m*.
theological [θiə'lɔdʒikəl] *a* théologique.
theology [θi'ɔlədʒi] *n* théologie *f*.
theorem ['θiərəm] *n* théorème *m*.
theoretic(al) [θiə'retikəl] *a* théorique.
theory ['θiəri] *n* théorie *f*.
there [ðεə] *ad* là, y, il; *excl* voilà.
thereabout(s) ['ðεərəbauts] *ad* par là, environ.
thereby ['ðεə'bai] *ad* de ce fait, par là, par ce moyen.
therefore [ðεə'fɔ:] *ad* donc.
thereupon ['ðεərə'pɔn] *ad* sur quoi, en conséquence, là-dessus.
thermometer [θə'mɔmitə] *n* thermomètre *m*.
these [ði:z] *a* ces; *pn* ceux, celles(-ci).
thesis ['θi:sis] *n* thèse *f*.
they [ðei] *pn* ils, elles, on, eux, elles, ceux, celles.
thick [θik] *a* épais, touffu, dur, gros, fort, obtus; *ad* dur; *n* plus fort *m*.
thicken ['θikən] *vt* épaissir, lier; *vi* s'épaissir, se lier.
thicket ['θikit] *n* fourré *m*, bosquet *m*.
thickness ['θiknis] *n* épaisseur *f*.
thief [θi:f] *n* voleur, -euse.
thieve [θi:v] *vti* voler.
thigh [θai] *n* cuisse *f*; **—-bone** fémur *m*.
thimble ['θimbl] *n* dé *m*.
thimbleful ['θimblful] *n* dé *m*, doigt *m*.
thin [θin] *a* mince, faible, fin, léger, grêle, clair(semé); *vt* éclaircir, amincir; *vi* s'éclaircir, maigrir, s'amincir.
thine [ðain] *pn* à toi, le (les) tien(s), la (les) tienne(s).
thing [θiŋ] *n* chose *f*, objet *m*, machin *m*, être *m*; *pl* affaires *f pl*, effets *m pl*.
thingummy ['θiŋəmi] *n* chose *m*, machin *m*, truc *m*.
think [θiŋk] *vti* penser, réfléchir; *vt* trouver, juger, s'imaginer; **to — about** penser à, songer à; **to — of** penser de, (à), avoir égard à.
thinker ['θiŋkə] *n* penseur *mf*.
thinness ['θinnis] *n* minceur *f*, maigreur *f*, fluidité *f*.
third [θə:d] *n* tiers *m*, tierce *f*; *a* troisième, tiers.
thirdly ['θə:dli] *ad* tertio, en troisième lieu, troisièmement.
thirst [θə:st] *n* soif *f*; *vi* avoir soif (de **for**).
thirsty ['θə:sti] *a* altéré, assoiffé.
thirteen ['θə:'ti:n] *an* treize *m*.
thirteenth ['θə:'ti:nθ] *an* treizième *mf*, treize *m*.
thirtieth ['θə:tiiθ] *an* trentième *mf*, trente *m*.
thirty ['θə:ti] *an* trente *m*.
this [ðis] *a* ce, cet(te); *pn* ceci, ce, celui-ci, ceux-ci, celle(s)-ci.
thistle ['θisl] *n* chardon *m*.
thither ['ðiðə] *ad* y, là.
thong [θɔŋ] *n* courroie *f*, lanière *f*.
thorn [θɔ:n] *n* épine *f*.
thorny ['θɔ:ni] *a* épineux.
thorough ['θʌrə] *a* soigné, minutieux, complet, achevé.
thoroughbred ['θʌrəbred] *an* pur-sang *m*.
thoroughfare ['θʌrefεə] *n* rue *f*, voie *f*, passage *m*; **no —** entrée interdite.
thoroughly ['θʌrəli] *ad* à fond, complètement, parfaitement.
thou [ðau] *pn* tu, toi.
though [ðou] *cj* bien que, quoique, même si; *ad* cependant, mais.
thought [θɔ:t] *pt pp of* **think**; *n* pensée *f*, considération *f*, idée *f*, réflexion *f*.
thoughtful ['θɔ:tful] *a* réfléchi, pensif, rêveur, attentionné, plein de prévenance.
thoughtfulness ['θɔ:tfulnis] *n* réflexion *f*, méditation *f*, égards *m pl*, prévenance *f*.
thoughtless ['θɔ:tlis] *a* étourdi, mal avisé.
thoughtlessness ['θɔ:tlisnis] *n* étourderie *f*, manque d'égards *m*, imprévoyance *f*.
thousand ['θauzənd] *an* mille *m*.
thraldom ['θrɔ:ldəm] *n* esclavage *m*, servitude *f*.
thrash [θræʃ] *vt* battre, rosser.
thrashing ['θræʃiŋ] *n* battage *m*, correction *f*, raclée *f*.
thread [θred] *n* fil *m*, filet *m*, filon *m*; *vt* enfiler; **to — one's way** se faufiler.
threadbare ['θredbεə] *a* usé jusqu'à la corde, râpé.
threat [θret] *n* menace *f*.
threaten ['θretn] *vti* menacer.
threefold ['θri:fould] *a* triple; *ad* trois fois autant.
thresh [θreʃ] *vt* battre.
threshing ['θreʃiŋ] *n* battage *m*.
threshing-machine ['θreʃiŋmə,ʃin] *n* batteuse *f*.
threshold ['θreʃhould] *n* seuil *m*.
threw [θru:] *pt of* **throw**.
thrice [θrais] *ad* trois fois.
thrift [θrift] *n* frugalité *f*, économie *f*.
thriftless ['θriftlis] *a* dépensier, prodigue.
thriftlessness ['θriftlisnis] *n* prodigalité *f*.
thrifty ['θrifti] *a* frugal, économe, ménager.
thrill [θril] *n* frisson *m*, émotion *f*; *vt* émouvoir, électriser, faire frémir; *vi* frémir, frissonner; (*US*) **I am thrilled** ça m'intéresse.

thriller ['θrilə] *n* roman à sensation *m*; roman série noire.
thrilling ['θriliŋ] *a* émouvant, empoignant, palpitant, sensationnel.
thrive [θraiv] *vi* prospérer, pousser dru, bien marcher.
thriving ['θraiviŋ] *a* prospère, vigoureux.
throat [θrout] *n* gorge *f*.
throaty ['θrouti] *a* guttural, rauque.
throb [θrɔb] *n* battement *m*, pulsation *f*, palpitation *f*, vrombissement *m*; *vi* battre, vibrer, vrombir.
throes [θrouz] *n pl* douleurs *f pl*, affres *f pl*, agonie *f*.
throne [θroun] *n* trône *m*.
throng [θrɔŋ] *n* foule *f*, cohue *f*; *vt* encombrer, remplir; *vi* affluer, se presser.
throttle ['θrɔtl] *n* régulateur *m*, obturateur *m*; *vt* étrangler.
through [θru:] *a* direct; *prep* à travers, par, au travers de, pendant, dans, à cause de, faute de; *ad* à travers, en communication, jusqu'au bout, à bonne fin, hors d'affaire; **I am — with you** j'en ai fini avec toi.
throughout [θru:'aut] *ad* de fond en comble, d'un bout à l'autre; *prep* d'un bout à l'autre de, partout dans.
throw [θrou] *n* lancement *m*, jet *m*, distance *f*, portée *f*; *vt* (re)jeter (bas, dehors *etc*), lancer, projeter, désarçonner; piquer; **to — away** (re)jeter, gaspiller; **to — back** renvoyer, réverbérer; **to — off** secouer, abandonner, quitter, dégager; **to — out** chasser, mettre à la porte, rejeter, lancer; **to — over** abandonner, plaquer; **to — up** abandonner, rendre, jeter en l'air.
thrown [θroun] *pp of* **throw.**
thrush [θrʌʃ] *n* grive *f*.
thrust [θrʌst] *n* coup de pointe *m*, coup d'estoc *m*, attaque *f*, trait *m*, poussée *f*, botte *f*; *vt* pousser, imposer, enfoncer.
thug [θʌg] *n* assassin *m*, bandit *m*, voyou *m*.
thumb [θʌm] *n* pouce *m*, influence *f*; (*US*) **—tack** punaise *f*; *vt* feuilleter, manier; (*fam*) **to — a lift** faire de l'autostop.
thump [θʌmp] *n* coup de poing *m*, bruit sourd *m*; *vt* frapper à bras raccourcis, cogner sur.
thunder ['θʌndə] *n* tonnerre *m*; *vti* tonner, fulminer; **—bolt** foudre *f*; **—clap** coup de tonnerre *m*; **—storm** orage *m*; **—struck** foudroyé, renversé, sidéré.
Thursday ['θə:zdi] *n* jeudi *m*.
thus [ðʌs] *ad* ainsi, de cette façon, donc.
thwart [θwɔ:t] *vt* déjouer, contrecarrer.
thy [ðai] *a* ton, ta, tes.
thyme [taim] *n* thym *m*; **wild —** serpolet *m*.
thyself [ðai'self] *pn* te, toi-même.
tiara [ti'ɑ:rə] *n* tiare *f*.
tick [tik] *n* déclic *m*, tic-tac *m*, marque *f*, coche *f*, toile *f*, tique *f*, crédit *m*, instant *m*; *vi* faire tic-tac; **to — off** pointer, (*fam*) rembarrer.
ticket ['tikit] *n* billet *m*, ticket *m*, bulletin *m*, étiquette *f*, programme *m*; *vt* étiqueter; **—-collector** contrôleur *m*; **—-punch** poinçon *m*.
tickle ['tikl] *n* chatouillement *m*; *vt* chatouiller, amuser.
ticklish ['tikliʃ] *a* chatouilleux, délicat.
tidal wave ['taidl'weiv] *n* ras de marée *m*.
tide [taid] *n* marée *f*, courant *m*.
tidings ['taidiŋz] *n* nouvelles *f pl*.
tidy ['taidi] *a* bien rangé, ordonné, bien tenu, qui a de l'ordre, coquet; *vt* ranger, arranger, mettre de l'ordre dans.
tie [tai] *n* cravate *f*, lien *m*, match nul *m*; *vt* attacher, lier, nouer; *vi* faire match nul, être premier ex aequo.
tier [tiə] *n* gradin *m*, étage *m*.
tiff [tif] *n* pique *f*, petite querelle *f* bisbille *f*.
tiger ['taigə] *n* tigre *m*.
tight [tait] *a* compact, étroit, serré, tendu, étanche, ivre.
tighten ['taitn] *vt* (re)serrer, rétrécir, renforcer.
tight-fisted ['tait'fistid] *a* avare, pingre, radin.
tight-fitting ['tait'fitiŋ] *a* collant, bien ajusté.
tightly ['taitli] *ad* ferme, dur, bien, hermétiquement.
tightness ['taitnis] *n* compacité *f*, étanchéité *f*, étroitesse *f*, tension *f*.
tights [taits] *n* (maillot) collant *m*.
tigress ['taigris] *n* tigresse *f*.
tile [tail] *n* tuile *f*, carreau *m*; *vt* couvrir de tuiles, carreler.
till [til] *n* caisse *f*; *vt* labourer; *prep* jusqu'à; *cj* jusqu'à ce que.
tillage ['tilidʒ] *n* culture *f*, labourage *m*.
tiller ['tilə] *n* cultivateur *m*, laboureur *m*.
tiller ['tilə] *n* barre *f*.
tilt [tilt] *n* bâche *f*, pente *f*, joute *f*; *vt* bâcher, incliner, faire basculer, (faire) pencher; *vi* jouter, pencher, s'incliner, basculer.
timber ['timbə] *n* bois de charpente *m*, poutre *f*, (*US*) calibre *m*, envergure *f*.
timbrel ['timbrəl] *n* tambourin *m*.
time [taim] *n* temps *m*, fois *f*, époque *f*, moment *m*, cadence *f*, mesure *f*; *vt* choisir le temps de, fixer l'heure de, noter la durée de, chronométrer, régler, juger, mesurer; **—server** opportuniste *mf*; **—table** horaire *m*, emploi du temps *m*.
timeless ['taimlis] *a* éternel, sans fin.
timely ['taimli] *a* opportun.
timid ['timid] *a* timide.

timorous ['timərəs] *a* peureux, timore.
Timothy ['timəθi] Timothé *m*.
tin [tin] *n* étain *m*, fer-blanc *m*, boîte *f*; *vt* étamer.
tinfoil ['tinfɔil] *n* papier d'étain *m*, tain *m*.
tinned [tind] *a* en boîte, de conserve.
tin-hat ['tin'hæt] *n* casque *m*.
tin-opener ['tinoupənə] *n* ouvre-boîte *m*.
tinplate ['tinpleit] *vt* étamer; *n* ferblanterie *f*.
tinware ['tinwɛə] *n* vaisselle d'étain *f*.
tincture ['tiŋktʃə] *n* teinture *f*, saveur *f*, teinte *f*; *vt* colorer, relever, teinter.
tinder ['tində] *n* amadou *m*.
tinge [tindʒ] *n* teinte *f*, nuance *f*, saveur *f*, point *f*; *vt* colorer, teinter, nuancer.
tingle ['tiŋgl] *n* fourmillement *m*, picotement *m*, tintement *m*; fourmiller, cuire, picoter, tinter.
tinker ['tiŋkə] *n* rétameur *m*; *vt* rétamer, retaper; *vi* toucher, bricoler, tripoter.
tinkle ['tiŋkl] *n* tintement *m*, drelin *m*; *vi* tinter; *vt* faire tinter.
tinsel ['tinsəl] *n* paillette *f*, clinquant *m*; *vt* pailleter.
tint [tint] *n* teinte *f*, nuance *f*; *vt* teinter, colorer.
tiny ['taini] *a* tout petit, minuscule.
tip [tip] *n* bout *m*, pointe *f*, pourboire *m*, tuyau *m*; *vt* donner un pourboire à, graisser la patte à, donner un tuyau à, faire basculer, faire pencher, renverser, effleurer.
tippet ['tipit] *n* pèlerine *f*.
tipple ['tipl] *vt* boire sec.
tipsy ['tipsi] *a* ivre, gris.
tiptoe ['tiptou] *n* pointe des pieds *f*.
tiptop ['tip'tɔp] *n* le nec plus ultra; *a* de premier ordre.
tirade [tai'reid] *n* tirade *f*, diatribe *f*.
tire ['taiə] *vt* fatiguer; *vi* se fatiguer, se lasser; *n* (*US*) pneu *m*.
tired ['taiəd] *a* fatigué, las, dégouté, contrarié.
tireless ['taiəlis] *a* infatigable.
tiresome ['taiəsəm] *a* fatigant, ennuyeux.
tissue ['tisjuː] *n* tissu *m*, étoffe *f*.
tissue-paper ['tisjuː'peipə] *n* papier de soie *m*.
tit [tit] *n* mésange *f*.
titbit ['titbit] *n* morceau de choix *m*, friandise *f*.
tithe [taið] *n* dîme *f*.
titillate ['titileit] *vt* chatouiller, émoustiller, titiller.
titillation [ˌtiti'leiʃən] *n* titillation *f*, chatouillement *m*, émoustillement *m*.
title ['taitl] *n* titre *m*, droit *m*.
titled ['taitld] *a* titré.
titter ['titə] *n* rire étouffé *m*; *vi* rire sous cape.
tittle ['titl] *n* fétu *m*.
tittle-tattle ['titlˌtætl] *n* cancans *m pl*, potins *m pl*; *vi* cancaner.
titular ['titjulə] *a* titulaire.
to [tuː] *prep* à, de, pour, jusqu'à, (en)vers, contre, à côté de, à l'égard de.
toad [toud] *n* crapaud *m*.
toady ['toudi] *n* parasite *m*, flagorneur *m*; **to — to** faire du plat à, flagorner.
toast [toust] *n* rôtie *f*, pain grillé *m*, toast *m*, canapé *m*; *vti* griller, rôtir; *vt* boire à la santé de, porter un toast à.
tobacco [tə'bækou] *n* tabac *m*; **— pouch** blague à tabac *f*.
tobacconist [tə'bækənist] *n* marchand de tabac *m*.
tobacconist's [tə'bækənists] *n* bureau (débit *m*) de tabac *m*.
today [tə'dei] *n ad* aujourd'hui *m*; **— week** d'aujourd'hui en huit.
toddle ['tɔdl] *vt* trottiner, flâner.
to-do [tə'duː] *n* grabuge *m*, scène *f*.
toe [tou] *n* doigt de pied *m*, orteil *m*.
toffee ['tɔfi] *n* caramel *m*.
tog [tɔg] **to — oneself up** se faire beau.
together [tə'geðə] *ad* ensemble, à la fois.
toil [tɔil] *n* peine *f*, tâche *f*; *vi* peiner.
toilet ['tɔilit] *n* toilette *f*.
toilsome ['tɔilsəm] *a* pénible, fatigant.
token ['toukən] *n* signe *m*, gage *m*, jeton *m*, bou *m*.
told [tould] *pt pp of* **tell.**
tolerable ['tɔlərəbl] *a* tolérable, passable.
tolerance ['tɔlərəns] *n* tolérance *f*.
tolerant ['tɔlərənt] *a* tolérant.
tolerate ['tɔləreit] *vt* tolérer.
toll [toul] *n* droit *m*, péage *m*, octroi *m*; *vi* tinter, sonner le glas.
tolling ['touliŋ] *n* tintement *m*, glas *m*.
tomato [tə'mɑːtou] *n* tomate *f*.
tomb [tuːm] *n* tombe *f*, tombeau *m*, fosse *f*.
tombstone ['tuːmstoun] *n* pierre tombale *f*.
tomboy ['tɔmbɔi] *n* garçon manqué *m*, luronne *f*.
tomcat ['tɔm'kæt] *n* matou *m*.
tome [toum] *n* tome *m*.
tomfool ['tɔm'fuːl] *n* nigaud *m*.
tomfoolery ['tɔm'fuːləri] *n* pasquinade *f*, niaiseries *f pl*.
tomtit ['tɔm'tit] *n* mésange *f*.
tomorrow [tə'mɔrou] *n* demain *m*; **— week** demain en huit.
ton [tʌn] *n* tonne *f*, (*ship*) tonneau *m*.
tone [toun] *n* son *m*, bruit *m*, ton *m*, accent *m*; *vt* aviver, accorder; **to — down** dégrader, adoucir; **to — up** tonifier, ravigoter, remonter.
tongs [tɔŋz] *n* pincettes *f pl*, tenailles *f pl*.
tongue [tʌŋ] *n* langue *f*, languette *f*.

tonic ['tɔnik] *an* tonique *m*; *n* fortifiant *m*.
tonight [tə'nait] *ad* ce soir *m*, cette nuit *f*.
tonnage ['tʌnidʒ] *n* tonnage *m*.
tonsil ['tɔnsl] *n* amygdale *f*.
tonsilitis [ˌtɔnsi'laitis] *n* amygdalite *f*, angine *f*.
tonsure ['tɔnʃə] *n* tonsure *f*; *vt* tonsurer.
too [tuː] *ad* trop (de), aussi, et de plus.
took [tuk] *pt of* **take**.
tool [tuːl] *n* outil *m*, instrument *m*.
tooth [tuːθ] *n* dent *f*; **milk** — dent de lait; **molar** — molaire *f*; **wisdom** — dent de sagesse; **false** — fausse dent; —**ache** mal de dents *m*; —**brush** brosse à dents *f*; —**paste** pâte dentifrice *f*; —**pick** cure-dents *m*.
toothless ['tuːθlis] *a* édenté, sans dents.
toothsome ['tuːθsəm] *a* succulent, friand.
top [tɔp] *n* haut *m*, sommet *m*, premier *m*, tête *f*, toupie *f*, impériale *f*, dessus *m*, haut bout *m*, prise directe *f*, hune *f*; *a* supérieur, plus haut, dernier, du (de) dessus, du haut, premier; *vt* couvrir, étêter, atteindre, dominer, couronner, dé(sur)passer, surmonter, être à la tête de.
top coat ['tɔp'kout] *n* pardessus *m*.
top hat ['tɔp'hæt] *n* chapeau haut de forme *m*.
top-heavy ['tɔp'hevi] *a* trop lourd par le haut.
topaz ['toupæz] *n* topaze *f*.
toper ['toupə] *n* ivrogne *m*.
topic ['tɔpik] *n* sujet *m*, thème *m*, question *f*.
topical ['tɔpikəl] *a* d'actualité, local, topique.
topmost ['tɔpmoust] *a* le plus haut.
topple ['tɔpl] *vi* culbuter, s'écrouler, trébucher; **to — over** *vt* faire tomber, *vi* tomber.
topsy-turvy ['tɔpsi'təːvi] *a* sens dessus dessous, en désordre.
torch [tɔːtʃ] *n* torche *f*, flambeau *m*, lampe électrique *f*.
tore [tɔː] *pt of* **tear**.
torment ['tɔːmənt] *n* souffrance atroce *f*, supplice *m*, tourment *m*.
torment [tɔː'ment] *vt* tourmenter, torturer.
torn [tɔːn] *pp of* **tear**.
tornado [tɔː'neidou] *n* tornade *f*, ouragan *m*.
torpedo [tɔː'piːdou] *n* torpille *f*; —**boat** torpilleur *m*; —**tube** lance-torpilles *m*.
torpid ['tɔːpid] *a* engourdi, paresseux, inerte.
torrent ['tɔrənt] *n* torrent *m*.
torrential [tə'renʃəl] *a* torrentiel.
torrid ['tɔrid] *a* torride.
torridity [tə'riditi] *n* chaleur torride *f*.
tortoise ['tɔːtəs] *n* tortue *f*; —**shell** écaille *f*.
tortuous ['tɔːtjuəs] *a* tortueux, sinueux, enchevêtré.
torture ['tɔːtʃə] *n* torture *f*, supplice *m*; *vt* torturer, mettre au supplice.
toss [tɔs] *vt* lancer (en l'air), jeter, ballotter, secouer; *vi* s'agiter, être ballotté, se tourner et se retourner, jouer à pile ou face.
tossing ['tɔsiŋ] *n* ballottement *m*.
total ['toutl] *an* total *m*; *n* montant *m*; *vt* totaliser, additionner; *vi* se monter à.
totalizator ['toutəlaiˌzeitə] *n* totalisateur *m*, pari-mutuel *m*.
totter ['tɔtə] *vi* chanceler, tituber.
touch [tʌtʃ] *n* toucher *m*, touche *f*, attouchement *m*, brin *m*, soupçon *m*, contact *m*, communication *f*, courant *m*; *vt* toucher, effleurer, égaler; *vi* se toucher.
touchiness ['tʌtʃinis] *n* susceptibilité *f*, irascibilité *f*.
touchstone ['tʌtʃstoun] *n* pierre de touche *f*.
touchy ['tʌtʃi] *a* chatouilleux, susceptible.
tough [tʌf] *a* dur, coriace, tenace, ardu, solide; *n* apache *m*; — **guy** dur à cuire *m*.
toughness ['tʌfnis] *n* dureté *f*, ténacité *f*, coriacité *f*.
tour [tuə] *n* tour *m*, tournée *f*, voyage *m*, excursion *f*; *vt* faire le tour de, parcourir; *vi* être en voyage, être en tournée.
touring ['tuəriŋ] *n* tourisme *f*.
tourist ['tuərist] *n* touriste *mf*.
tournament ['tuənəmənt] *n* tournoi *m*, concours *m*.
tousle ['tauzl] *vt* tirer, emmêler, ébouriffer.
tout [taut] *n* démarcheur *m*, racoleur *m*, pisteur *m*, espion *m*; **to — for** relancer (les clients), pister, solliciter.
tow [tou] *n* filasse *f*, étoupe *f*, remorque *f*; *vt* haler, remorquer, prendre à la remorque; —**path** chemin *m* de halage.
toward(s) [tə'wɔːd(z)] *prep* vers, envers, en vue de, pour, à l'égard de.
towel ['tauəl] *n* essuie-mains *m*, serviette (de toilette) *f*; *vt* essuyer avec une serviette; —**rail** porte-serviettes *m inv*.
tower ['tauə] *n* tour *f*; *vi* planer, dominer; **church** — clocher *m*; **water** — château *m* d'eau.
towing ['touiŋ] *n* halage *m*, remorquage *m*, remorque *f*.
town [taun] *n* ville *f*.
town council ['taun'kaunsl] *n* conseil municipal *m*.
town councillor ['taun'kaunsilə] *n* conseiller (-ère) municipal(e) *mf*.
town hall ['taun'hɔːl] *n* hôtel de ville *m*, mairie *f*.
town-planning ['taun'plæniŋ] *n* urbanisme *m*.

townsman ['taunzmən] *n* citadin *m*, concitoyen *m*.
toy [tɔi] *n* jouet *m*, joujou *m*, jeu *m*; *vi* jouer, s'amuser.
trace [treis] *n* trace *f*, vestige *m*, trait *m*; *vt* tracer, calquer, suivre, trouver trace de, suivre la piste de; **to — back to** faire remonter à.
tracer ['treisə] *n* obus traceur *m*, balle traceuse *f*.
track [træk] *n* trace *f*; piste *f*, sillage *m*, sens *m*, sentier *m*, (*rails*) voie *f*, chenille *f*; *vt* suivre à la piste, traquer.
trackage ['trækidʒ] *n* (*US rails*) réseau *m*.
tracing paper ['treisiŋ peipə] *n* papier-calque *m*.
tract [trækt] *n* étendue *f*, tract *m*.
tractable ['træktəbl] *a* traitable, maniable, arrangeant.
traction ['trækʃən] *n* traction *f*; *a* moteur.
tractor ['træktə] *n* tracteur *m*.
trade [treid] *n* commerce *m*, métier *m*, échange *m*, affaires *f pl*; *vi* être dans le commerce, faire le commerce (de **in**); **to — on** abuser de, exploiter.
trader ['treidə] *n* négociant(e) *mf*, commerçant(e) *mf*, navire marchand *m*.
trade-mark ['treidmɑːk] *n* marque de fabrique *f*.
tradesman ['treidzmən] *n* commerçant *m*.
trade-union [ˌtreid'juːnjən] *n* syndicat *m* (ouvrier).
trade-unionism [ˌtreid'juːnjənizəm] *n* syndicalisme *m*.
trade-unionist [ˌtreid'juːnjənist] *n* syndicaliste *mf*.
trade wind ['treidwind] *n* (vent) alizé *m*.
trading ['treidiŋ] *n* commerce *m*; **— in** reprise *f* (en compte); **— station** *n* factorerie *f*.
tradition [trə'diʃən] *n* tradition *f*.
traditional [trə'diʃənl] *a* traditionnel.
traditionalist [trə'diʃnəlist] *n* traditionaliste *mf*.
traduce [trə'djuːs] *vt* calomnier, diffamer.
traducer [trə'djuːsə] *n* calomniateur, -trice.
traffic ['træfik] *n* trafic *m*, circulation *f*, traite *f*.
traffic indicator ['træfik'indikeitə] *n* indicateur *m* (de direction), flèche *f*.
traffic jam ['træfikdʒæm] *n* embouteillage *m*.
trafficker ['træfikə] *n* trafiquant *m*, trafiqueur *m*.
traffic-light ['træfiklait] *n* feu *m*, signal *m*.
tragedian [trə'dʒiːdjən] *n* poète *mf*, (acteur, -trice) tragique.
tragedy ['trædʒidi] *n* tragédie *f*, drame *m*.
tragic ['trædʒik] *a* tragique.
trail [treil] *n* traînée *f*, trace *f*, piste *f*, sillon *m*; *vti* traîner; *vt* remorquer, traquer, filer; **to — off** s'éteindre, se perdre.
trailer ['treilə] *n* baladeuse *f*, remorque *f*.
train [trein] *n* traîne *f*, suite *f*, file *f*, série *f*, convoi *m*, train *m*; **express —** rapide *m*; **slow —** omnibus *m*; **through —** train direct *m*; **corridor —** train à couloirs *m*; *vt* former, dresser, entraîner, élever, exercer, préparer, braquer; *vi* s'entraîner.
trainer ['treinə] *n* entraîneur *m*, dresseur *m*.
training ['treiniŋ] *n* éducation *f*, instruction *f*, formation *f*, entraînement *m*; **— college** école normale *f*; **— ship** vaisseau école *m*.
traitor ['treitə] *n* traître *m*.
trajectory ['trædʒiktəri] *n* trajectoire *f*.
tramcar ['træmkɑː] *n* tramway *m*, tram *m*.
trammel ['træməl] *n* entrave *f*, crémaillère *f*.
tramp [træmp] *n* bruit de pas *m*, marche *f*, chemineau *m*; *vi* marcher (lourdement), trimarder; *vt* parcourir à pied, faire à pied.
trample ['træmpl] *vt* fouler aux pieds, piétiner.
trampoline ['træmpouliːn] *n* matelas *m* élastique.
trance [trɑːns] *n* transe *f*, hypnose *f*, catalepsie *f*, extase *f*.
tranquil ['træŋkwil] *a* tranquille.
tranquilliser ['træŋkwilaizə] *n* tranquillisant, calmant.
tranquillity [træŋ'kwiliti] *n* tranquillité *f*, calme *m*.
transact [træn'zækt] *vt* passer, traiter.
transaction [træn'zækʃən] *n* conduite *f*; *pl* transactions *f pl*, rapports *m pl*.
transcend [træn'send] *vt* dépasser, exceller, surpasser.
transcribe [træns'kraib] *vt* transcrire.
transcription [træns'kripʃən] *n* transcription *f*.
transept ['trænsept] *n* transept *m*.
transfer [træns'fəː] *vt* transférer, déplacer, calquer.
transfer ['trænsfə] *n* transfert *m*, déplacement *m*, transport *m*.
transfigure [træns'figə] *vt* transfigurer.
transfix [træns'fiks] *vt* transpercer, (*fig*) pétrifier.
transform [træns'fɔːm] *vt* transformer, convertir.
transformer [træns'fɔːmə] *n* transformateur *m*.
transfuse [træns'fjuːz] *vt* transfuser.
transfusion [træns'fjuːʒən] *n* transfusion *f*.
transgress [træns'gres] *vt* transgresser, violer.

transgressor [træns'gresə] *n* transgresseur *m*, pécheur *m*.
tranship [træn'ʃip] *vt* transborder; *vi* changer de vaisseau.
transient ['trænziənt] *a* passager, éphémère.
transistor [træn'sistə] *n* transistor *m*.
transit ['trænsit] *n* traversée *f*, passage *m*, transit *m*.
transition [træn'siʒən] *n* transition *f*, passage *m*.
transitory ['trænsitəri] *a* transitoire, fugitif.
translatable [træns'leitəbl] *a* traduisible.
translate [træns'leit] *vt* traduire, interpréter, transférer.
translation [træns'leiʃən] *n* traduction *f*.
translator [træns'leitə] *n* traducteur *m*.
transmission [trænz'miʃən] *n* transmission *f*.
transmit [træns'mit] *vt* transmettre; **—ter** *n* émmetteur *m*, transmetteur.
transmute [trænz'mju:t] *vt* transmuer.
transparency [træns'pɛərənsi] *n* transparence *f*.
transparent [træns'pɛərənt] *a* transparent.
transpire [træns'paiə] *vi* transpirer.
transplant [træns'plɑ:nt] *vt* transplanter, repiquer, greffer.
transport ['trænspɔ:t] *n* transport *m*.
transport [træns'pɔ:t] *vt* transporter.
transposable [træns'pouzəbl] *a* transposable.
transpose [træns'pouz] *vt* transposer.
trap [træp] *n* trappe *f*, piège *m*, traquenard *m*, cabriolet *m*; *vt* attraper, tendre un piège à, prendre; *vi* trapper.
trapdoor ['træp,dɔ:] *n* trappe *f*.
trapper ['træpə] *n* trappeur *m*.
trappings ['træpiŋz] *n* harnachement *m*, falbalas *m*, atours *m pl*, apparat *m*.
trash [træʃ] *n* camelote *f*, fatras *m*, niaiserie *f*, (*US*) racaille *f*.
trashy ['træʃi] *a* de camelote, sans valeur.
trauma ['trɔ:mə] *n* traumatisme *m*.
travel ['trævl] *n* voyage(s) *m pl*; *vi* voyager, être en voyage, marcher, aller; *vt* parcourir.
travel agency ['trævl'eidʒinsi] *n* agence *f* de voyages.
traveller ['trævlə] *n* voyageur, -euse; **commercial —** commis voyageur *m*.
travelling ['trævliŋ] *a* de voyage, ambulant; *n* voyages *m pl*.
traverse ['trævəs] *n* traverse *f*, bordée *f*, plaque tournante *f*; *vt* traverser.
travesty ['trævisti] *n* travestissement *m*; *vt* travestir, parodier.
trawl [trɔ:l] *n* chalut *m*; *vi* pêcher au chalut.
trawler ['trɔ:lə] *n* chalutier *m*.
tray ['trei] *n* plateau *m*, (*trunk*) compartiment *m*, éventaire *m*.
treacherous ['tretʃərəs] *a* traître, infidèle.
treachery ['tretʃəri] *n* traîtrise *f*, perfidie *f*.
treacle ['tri:kl] *n* mélasse *f*.
tread [tred] *n* pas *m*, allure *f*, (*of tyre*) chape *f*; *vi* marcher; *vt* fouler, écraser.
treadle ['tredl] *n* pédale *f*.
treason ['tri:zn] *n* trahison *f*; **high —** lèse-majesté *f*.
treasure ['treʒə] *n* trésor *m*; *vt* garder précieusement, priser.
treasurer ['treʒərə] *n* trésorier, -ière, économe *mf*.
treasury ['treʒəri] *n* trésor *m*, trésorerie *f*.
treat [tri:t] *n* plaisir *m*, fête *f*, réga *m*; *vti* traiter; *vt* régaler, payer.
treatise ['tri:tiz] *n* traité *m*.
treatment ['tri:tmənt] *n* traitement *m*, cure *f*.
treaty ['tri:ti] *n* traité *m*, accord *m*.
treble ['trebl] *n* triple *m*, soprano *m*; *a* triple, trois fois.
tree [tri:] *n* arbre *m*.
trefoil ['trefɔil] *n* trèfle *m*.
trellis ['trelis] *n* treillis *m*, treillage *m*.
tremble ['trembl] *n* tremblement *m*; *vi* trembler.
tremendous [tri'mendəs] *a* énorme, formidable.
tremor ['tremə] *n* tremblement *m*, frisson *m*, secousse *f*.
tremulous ['tremjuləs] *a* tremblant, craintif, tremblotant.
trench [trentʃ] *n* tranchée *f*, fossé *m*; *vt* creuser.
trencher ['trentʃə] *n* trenchoir *m*.
trend [trend] *n* direction *f*, tendance *f*; *vi* se diriger, tendre.
trepan [tri'pæn] *n* trépan *m*; *vt* trépaner.
trepanning [tri'pæniŋ] *n* trépanation *f*.
trepidation [,trepi'deiʃən] *n* tremblement *m*, trépidation *f*.
trespass ['trespəs] *n* délit *m*, péché *m*, intrusion *f*, offense *f*; *vi* entrer sans permission; **to — upon** empiéter sur, abuser de, offenser.
trespasser ['trespəsə] *n* délinquant *m*, intrus *m*, transgresseur *m*.
tress [tres] *n* tresse *f*, natte *f*; *vt* natter, tresser.
trestle ['tresl] *n* tréteau *m*, chevalet *m*.
trial ['traiəl] *n* épreuve *f*, essai *m*, procès *m*, jugement *m*, ennui *m*.
triangle ['traiæŋgl] *n* triangle *m*.
triangular [trai'æŋgjulə] *a* triangulaire.
tribal ['traibəl] *a* de la tribu, triba..
tribe [traib] *n* tribu *f*.
tribulation [,tribju'leiʃən] *n* tribulation *f*, affliction *f*.
tribunal [trai'bju:nl] *n* tribunal *m*, cour *f*.

tribune ['tribju:n] *n* tribun *m*, tribune *f*.
tributary ['tribjutəri] *an* tributaire *m*; *n* affluent *m*.
tribute ['tribju:t] *n* tribut *m*, hommage *m*.
trick [trik] *n* tour *m*, farce *f*, ruse *f*, truc *m*, levée *f*; *vt* tromper, (dé)jouer.
trickery ['trikəri] *n* tromperie *f*, fourberie *f*.
trickle ['trikl] *vi* couler goutte à goutte, dégouliner; *n* filet *m*.
trickster ['trikstə] *n* escroc *m*, fourbe *m*.
tricky ['triki] *a* rusé, épineux.
tricycle ['traisikl] *n* tricycle *m*.
trifle ['traifl] *n* bagatelle *f*, (*cook*) diplomate *m*; *vi* badiner, jouer.
trifling ['traifliŋ] *a* insignifiant, futile, minime.
trigger ['trigə] *n* détente *f*, gâchette *f*, manette *f*.
trill [tril] *n* trille *m*, chant perlé *m*; *vi* vibrer, trembler; *vt* rouler, triller.
trim [trim] *n* ordre *m*, état *m*; *a* net, soigné, propret, en ordre; *vt* arranger, tailler, rafraîchir, soigner, orner, arrimer.
trimming ['trimiŋ] *n* mise en état *f*, arrangement *m*, taille *f*; *pl* fournitures *f pl*, garniture *f*, passementerie *f*, rognures *f pl*.
trinity ['triniti] *n* trinité *f*.
trinket ['triŋkit] *n* babiole *f*, bibelot *m*.
trip [trip] *n* excursion *f*, faux-pas *m*, croc-en-jambe *m*; *vi* marcher légèrement, trébucher, déraper, se tromper; *vt* pincer, faire trébucher, faucher les jambes à.
tripe [traip] *n* tripes *f pl*, bêtises *f pl*.
triple ['tripl] *a* triple; *vti* tripler.
triplet ['triplit] *n* trio *m*, tercet *m*, l'un de trois jumeaux.
triplicate ['triplikit] *a* triple, triplé; **in** — en trois exemplaires; *vt* tripler.
tripod ['traipəd] *n* trépied *m*.
trite [trait] *a* banal, usé, rebattu.
triteness ['traitnis] *n* banalité *f*.
triumph ['traiəmf] *n* triomphe *m*, miracle *m*; *vi* triompher, exulter.
triumphal [trai'ʌmfəl] *a* triomphal, de triomphe.
triumphant [trai'ʌmfənt] *a* triomphant, de triomphe.
trivial ['triviəl] *a* trivial, banal, futile.
triviality [,trivi'æliti] *n* trivialité *f*, futilité *f*, insignifiance *f*.
trod, trodden [trɔd, 'trɔdn] *pp of* **tread.**
trolley ['trɔli] *n* chariot *m*, diable *m*, serveuse *f*, trolley *m*.
trombone [trɔm'boun] *n* trombone *m*.
troop [tru:p] *n* troupe(s) *f* (*pl*), bande *f*; *vi* s'attrouper, marcher en troupe.
trooper ['tru:pə] *n* cavalier *m*.
troop-ship ['tru:pʃip] *n* transport *m*.
trophy ['troufi] *n* trophée *m*.
tropic ['trɔpik] *an* tropique *m*; *a* tropical.
tropical ['trɔpikəl] *a* tropical.
trot [trɔt] *n* trot *m*; *vi* trotter; *vt* faire trotter.
trotter ['trɔtə] *n* (bon) trotteur *m*.
trouble ['trʌbl] *n* difficulté *f*, trouble *m*, ennui *m*, peine *f*, affection *f*, panne *f*, conflits *m pl*, discorde *f*; *vt* inquiéter, affliger, soucier, déranger, embarrasser, troubler, prier; *vi* s'inquiéter, se déranger, se donner la peine (de **to**).
troublemaker ['trʌbl,meikə] *n* trublion *m*.
troublesome ['trʌblsəm] *a* ennuyeux, gênant, fatigant, énervant.
trough [trɔf] *n* auge *f*, cuve *f*, pétrin *m*, creux *m*.
trounce [trauns] *vt* rouer de coups, rosser, battre à plates coutures, écraser.
trousers ['trauzəz] *n* pantalon *m*.
trout [traut] *n* truite *f*.
trowel ['trauəl] *n* truelle *f*, déplantoir *m*.
truant ['truənt] *a* fainéant *m*, vagabond(e) *mf*; **to play** — faire l'école buissonnière.
truce [tru:s] *n* trève *f*.
truck [trʌk] *n* benne *f*, (*US*) camion *m*, chariot *m*, troc *m*, camelote *f*.
trudge [trʌdʒ] *vi* traîner la jambe, clopiner.
true [tru:] *a* vrai, loyal, sincère.
truffle ['trʌfl] *n* truffe *f*.
truly ['tru:li] *ad* à vrai dire, sincèrement.
trump [trʌmp] *n* atout *m*, trompette *f*; *vt* couper; **to — up** inventer.
trumpet ['trʌmpit] *n* trompette *f*, cornet acoustique *m*; *vi* trompeter, barir; *vt* proclamer.
trumpeter ['trʌmpitə] *n* trompette *m*, trompettiste *m*.
truncate ['trʌŋkeit] *vt* tronquer.
truncheon ['trʌntʃən] *n* matraque *f*, bâton *m*.
trundle ['trʌndl] *n* roulette *f*; *vti* rouler; *vt* pousser, trimbaler.
trunk [trʌŋk] *n* tronc *m*, malle *f*, trompe *f*; — **call** appel interurbain *m*; — **line** grande ligne *f*; — **road** grand-route *f*, artère *f*.
truss [trʌs] *n* trousse *f*, botte *f*, cintre *m*, bandage *m*; *vt* botteler, renforcer, soutenir, trousser, ligoter.
trust [trʌst] *n* confiance *f*, espoir *m*, parole *f*, dépôt *m*, charge *f*, trust *m*; *vt* confier, en croire, se fier à, faire crédit à; *vi* espérer, mettre son espoir (en **in**).
trustee [trʌs'ti:] *n* administrateur *m*, curateur, -trice.
trusteeship [trʌs'ti:ʃip] *n* administration *f*, curatelle *f*.
trustful ['trʌstful] *a* confiant.
trustworthiness ['trʌst,wə:ðinis] *n* loyauté *f*, exactitude *f*.

trustworthy ['trʌst,wə:ði] *a* sûr, fidèle, digne de foi.
trusty ['trʌsti] *a* sûr, loyal.
truth [tru:θ] *n* vérité *f*; **the — is, to tell the —** à vrai dire.
truthful ['tru:θful] *a* véridique, fidèle.
truthfulness ['tru:θfulnis] *n* véracité *f*, fidélité *f*.
try [trai] *vt* essayer, mettre à l'épreuve, juger; *n* tentative *f*, essai *m*, coup *m*.
trying ['traiiŋ] *a* fatigant, pénible.
try-on ['trai'ɔn] *n* bluff *m*.
tsetse fly ['tsetsiflai] *n* tsé-tsé *f*.
tub [tʌb] *n* cuve *f*, baquet *m*, caisse *f*, tub *m*, bain *m*.
tube [tju:b] *n* tube *m*, tuyau *m*, métro *m*, chambre à air *f*.
tubercle ['tju:bə:kl] *n* tubercule *m*.
tuberculosis [tju:,bə:kju'lousis] *n* tuberculose *f*.
tuck [tʌk] *n* pli *m*, rempli *m*, pâtisserie *f*; *vt* (re)plier, remplier, plisser, border; **to — in** *vi* bouffer; *vt* border, retrousser.
Tuesday ['tju:zdi] *n* mardi *m*.
tuft [tʌft] *n* touffe *f*, houpe *f*, huppe *f*, flocon *m*, mèche *f*.
tug [tʌg] *n* effort *m*, secousse *f*, remorqueur *m*; *vti* tirer fort; *vt* remorquer, tirer; **to — at** tirer sur.
tuition [tju'iʃən] *n* leçons *f pl*, instruction *f*.
tulip ['tju:lip] *n* tulipe *f*.
tumble ['tʌmbl] *n* chute *f*, culbute *f*, désordre *m*; *vi* dégringoler, tomber, faire des culbutes; *vt* déranger, bouleverser, ébouriffer.
tumbledown ['tʌmbldaun] *a* délabré, croulant.
tumbler ['tʌmblə] *n* acrobate *mf*, gobelet *m*.
tumbrel ['tʌmbrəl] *n* caisson *m*, tombereau *m*.
tumour ['tju:mə] *n* tumeur *f*.
tumult ['tju:mʌlt] *n* tumulte *m*, agitation *f*, émoi *m*.
tun [tʌn] *n* tonneau *m*.
tune [tju:n] *n* air *m*, ton *m*, note *f*, accord *m*; *vt* accorder, adapter; **to — in** régler.
tuneful ['tju:nful] *a* harmonieux.
tuneless ['tju:nlis] *a* discordant.
tuner ['tju:nə] *n* accordeur *m*.
tuning-fork ['tju:niŋfɔ:k] *n* diapason *m*.
tunic ['tju:nik] *n* tunique *f*.
tunnel ['tʌnl] *n* tunnel *m*.
tunny ['tʌni] *n* thon *m*.
turbid ['tə:bid] *a* trouble.
turbine ['tə:bin] *n* turbine *f*.
turbot ['tə:bət] *n* turbot *m*.
turbulent ['tə:bjulənt] *a* turbulent.
tureen [tə'ri:n] *n* soupière *f*.
turf [tə:f] *n* gazon *m*, motte *f*, turf *m*.
turgid ['tə:dʒid] *a* boursouflé, enflé, ampoulé.
Turk [tə:k] *n* Turc, Turque.
Turkey ['tə:ki] *n* Turquie *f*.
turkey ['tə:ki] *n* dinde *f*; **—cock** dindon *m*.
Turkish ['tə:kiʃ] *an* turc *m*.
turmoil ['tə:mɔil] *n* effervescence *f*, remous *m*.
turn [tə:n] *n* tour *m*, tournant *m*, virage *m*, tournure *f*, numéro *m*, crise *f*, service *m*; **in —** à tour de rôle; **to a —** à point; *vti* tourner; *vt* retourner, changer, faire tourner, diriger; *vi* prendre, se tourner, se transformer, recourir (à **to**); **to — down** baisser, refuser, rabattre; **to — off** fermer, couper, renvoyer; **to — on** *vt* ouvrir, donner; *vi* dépendre de; **to — out** *vt* mettre dehors, à la porte, faire sortir, éteindre, retourner, produire; *vi* tourner, arriver, s'arranger; **to — up** *vt* relever, retrousser, déterrer, retourner, remonter; *vi* se présenter, se retrousser.
turncoat ['tə:nkout] *n* renégat *m*, girouette *f*.
turner ['tə:nə] *n* tourneur *m*.
turning ['tə:niŋ] *n* tournant *m*.
turning-lathe ['tə:niŋleið] *n* tour *m*.
turning point ['tə:niŋpɔint] *n* tournant *m*.
turnip ['tə:nip] *n* navet *m*.
turn-out ['tə:n,aut] *n* assistance *f*, grève *f*, équipage *m*, tenue *f*, production *f*.
turnover ['tə:n,ouvə] *n* chiffre d'affaires *m*, (*cook*) chausson *m*.
turnpike ['tə:npaik] *n* barrière *f*.
turnspit ['tə:nspit] *n* tournebroche *m*.
turnstile ['tə:nstail] *n* tourniquet *m*.
turntable ['tə:n,teibl] *n* plaque tournante *f*.
turpentine ['tə:pəntain] *n* térébenthine *f*.
turret ['tʌrit] *n* tourelle *f*.
turtle ['tə:tl] *n* tortue *f*.
turtle-dove ['tə:tldʌv] *n* tourterelle *f*.
tusk [tʌsk] *n* défense *f*.
tussle ['tʌsl] *n* lutte *f*; *vi* se battre, s'escrimer.
tutelage ['tju:tilidʒ] *n* tutelle *f*.
tutor ['tju:tə] *n* précepteur *m*, directeur d'études *m*, méthode *f*.
twaddle ['twɔdl] *n* verbiage *m*, balivernes *f pl*; *vi* bavasser, radoter.
twain [twein] *an* (*old*) deux.
twang [twæŋ] *n* grincement *m*, nasillement *m*; *vi* grincer, nasiller, vibrer; *vt* pincer.
tweed [twi:d] *n* tweed *m*.
tweezers ['twi:zəz] *n* pince *f*.
twelfth [twelfθ] *an* douzième *mf*; *a* douze.
twelve [twelv] *an* douze *m*.
twentieth ['twentiiθ] *an* vingtième *mf*; *a* vingt.
twenty ['twenti] *an* vingt *m*.
twice [twais] *ad* deux fois.
twig [twig] *n* branchette *f*, brindille *f*.
twilight ['twailait] *n* crépuscule *m*, petit jour *m*.

twin [twin] *n* jumeau *m*, jumelle *f*; *a* accouplé, jumeau, jumelé.
twine [twain] *n* ficelle *f*; *vt* tordre, entrelacer, enrouler.
twinge [twindʒ] *n* élancement *m*, lancinement *m*.
twinkle ['twiŋkl] *n* clignement *m*, scintillement *m*, lueur *f*; *vi* cligner, scintiller.
twinkling ['twiŋkliŋ] *n* clin d'œil *m*, scintillement *m*.
twirl [twəːl] *n* tournoiement *m*, fioriture *f*, pirouette *f*; *vi* tournoyer, tourbillonner, pirouetter; *vt* (*moustache*) tortiller.
twist [twist] *n* cordonnet *m*, torsion *f*, papillote *f*, rouleau *m*, torsade *f*, tour *m*; *vt* tortiller, tordre, entrelacer, se fouler, fausser; *vi* se tordre, tourner, vriller.
twit [twit] *vt* reprocher, railler.
twitch [twitʃ] *n* secousse *f*, tic *m*, contraction *f*, crispation *f*; *vt* crisper, tirer, contracter; *vi* se crisper, se contracter.
twitter ['twitə] *n* gazouillement *m*; *vi* gazouiller.
two [tuː] *an* deux.
two-edged ['tuː'edʒd] *a* à double tranchant.
twofold ['tuːfould] *a* double; *ad* deux fois.
tympan ['timpæn] *n* tympan *m*.
type [taip] *n* type *m*, modèle *m*, caractère d'imprimerie *m*; *vt* taper à la machine, dactylographier.
typescript ['taipskript] *n* texte *m* dactylographié.
typewriter ['taip,raitə] *n* machine à écrire *f*.
typhoid ['taifɔid] *n* typhoïde *f*.
typhus ['taifəs] *n* typhus *m*.
typhoon [tai'fuːn] *n* typhon *m*.
typical ['tipikəl] *a* caractéristique, typique.
typify ['tipifai] *vt* incarner, représenter, être caractérisque de.
typist ['taipist] *n* dactylo(graphe) *mf*.
typographer [tai'pɔgrəfə] *n* typographe *m*.
typography [tai'pɔgrəfi] *n* typographie *f*.
tyrannical [ti'rænikəl] *a* tyrannique.
tyrannize ['tirənaiz] *vt* tyranniser.
tyranny ['tirəni] *n* tyrannie *f*.
tyrant ['taiərənt] *n* tyran *m*.
tyre ['taiə] *n* pneu(matique) *m*, bandage *m*; — **lever** *n* démonte-pneus *m inv*.

U

U-boat ['juːbout] *n* sous-marin *m* allemand.
udder ['ʌdə] *n* pis *m*, mamelle *f*, tétine *f*.
ugliness ['ʌglinis] *n* laideur *f*.
ugly ['ʌgli] *a* laid.
ulcer ['ʌlsə] *n* ulcère *m*.
ulcerate ['ʌlsəreit] *vt* ulcérer; *vi* s'ulcérer.
ulterior [ʌl'tiəriə] *a* ultérieur, caché.
ultimate ['ʌltimit] *a* dernier, définitif, fondamental.
ultimately ['ʌltimitli] *ad* en fin de compte.
ultimatum [,ʌlti'meitəm] *n* ultimatum *m*.
ultimo ['ʌltimou] *a* du mois dernier.
umbrage ['ʌmbridʒ] *n* ombrage *m*.
umbrella [ʌm'brelə] *n* parapluie *m*.
umbrella-stand [ʌm'breləstænd] *n* porte-parapluies *m inv*.
umpire ['ʌmpaiə] *n* arbitre *m*; *vt* arbitrer.
umpiring ['ʌmpaiəriŋ] *n* arbitrage *m*.
unabated ['ʌnə'beitid] *a* dans toute sa force, non diminué.
unable ['ʌn'eibl] *a* incapable, hors d'état (de **to**).
unabridged ['ʌnə'bridʒd] *a* intégral, non abrégé.
unaccomplished ['ʌnə'kʌmpliʃd] *a* inachevé, inaccompli.
unaccountable ['ʌnə'kauntəbl] *a* inexplicable.
unaccustomed ['ʌnə'kʌstəmd] *a* inaccoutumé.
unacknowledged ['ʌnək'nɔlidʒd] *a* sans réponse, non reconnu.
unacquainted ['ʌnə'kweintid] *a* **to be — with** ne pas connaître.
unadorned ['ʌnə'dɔːnd] *a* simple, nu, pur.
unadulterated [,ʌnə'dʌltəreitid] *a* non frelaté, pur.
unadvisable ['ʌnəd'vaizəbl] *a* malavisé, imprudent.
unaffected ['ʌnə'fektid] *a* naturel, sincère, insensible.
unaffectedly [,ʌnə'fektidli] *ad* sans affectation.
unalleviated [,ʌnə'liːvieitid] *a* sans soulagement.
unalloyed ['ʌnə'lɔid] *a* pur, sans alliage (mélange).
unambiguous ['ʌnæm'bigjuəs] *a* catégorique, clair.
unambitious [,ʌnæm'biʃəs] *a* sans ambition.
unanimous [ju'næniməs] *n* unanime.
unanimity [,juːnə'nimiti] *n* unanimité *f*.
unanswerable [ʌn'ɑːnsərəbl] *a* sans réplique.
unanswered ['ʌn'ɑːnsəd] *a* sans réponse, irréfuté.
unarmed ['ʌn'ɑːmd] *a* sans arme.
unassailable [,ʌnə'seiləbl] *a* inattaquable, indiscutable.
unassisted ['ʌnə'sistid] *a* sans aide, tout seul.
unassuming ['ʌnə'sjuːmiŋ] *a* sans prétention(s), modeste.
unattainable ['ʌnə'teinəbl] *a* hors d'atteinte, inaccessible.
unattractive [,ʌnə'træktiv] *a* peu attrayant.
unavailable [,ʌnə'veiləbl] *a* in-

accessible, impossible à obtenir, indisponible.

unavailing ['ʌnə'veiliŋ] *a* inutile, vain.

unavoidable [ˌʌnə'vɔidəbl] *a* inévitable.

unaware ['ʌnə'wɛə] *a* **to be — of** ignorer, ne pas avoir conscience de.

unawares ['ʌnə'wɛəz] *ad* à l'improviste, au dépourvu.

unbalanced ['ʌn'bælənst] *a* déséquilibré, instable.

unbearable [ʌn'bɛərəbl] *a* intolérable.

unbecoming [ˌʌnbi'kʌmiŋ] *a* malséant.

unbeknown ['ʌnbi'noun] *ad* **— to** à l'insu de.

unbelief ['ʌnbi'liːf] *n* incrédulité *f*.

unbelievable [ˌʌnbi'liːvəbl] *a* incroyable.

unbeliever ['ʌnbi'liːvə] *n* incrédule *mf*, incroyant(e) *mf*.

unbend ['ʌn'bend] *vt* détendre; *vi* se dérider, se détendre.

unbending ['ʌn'bendiŋ] *a* raide, inflexible.

unbiased ['ʌn'baiəst] *a* impartial, objectif, sans parti pris.

unbind ['ʌn'baind] *vt* délier, dénouer.

unbleached ['ʌn'bliːtʃt] *a* non blanchi, écru.

unblemished [ʌn'blemiʃt] *a* sans tache, immaculé.

unblended [ʌn'blendid] *a* pur.

unblushing [ʌn'blʌʃiŋ] *a* effronté, éhonté.

unbolt ['ʌn'boult] *vt* déverrouiller.

unborn ['ʌn'bɔːn] *a* encore à naître, futur.

unbosom [ʌn'buzəm] *vt* révéler; **to — oneself** ouvrir son cœur.

unbound ['ʌn'baund] *a* délié, broché.

unbounded [ʌn'baundid] *a* illimité, sans bornes.

unbreakable [ʌn'breikəbl] *n* incassable.

unbreathable ['ʌn'briːðəbl] *a* irrespirable.

unbroken ['ʌn'broukən] *a* intact, ininterrompu, continu.

unburden [ʌn'bəːdn] *vt* décharger, alléger, épancher.

unburied ['ʌn'berid] *a* sans sépulture.

unbusinesslike [ʌn'biznislaik] *a* peu pratique, sans méthode.

unbutton ['ʌn'bʌtn] *vt* déboutonner.

uncalled-for [ʌn'kɔːldfɔː] *a* non désiré, indiscret, déplacé, immérité.

uncanny [ʌn'kæni] *a* fantastique, inquiétant, mystérieux.

uncared-for ['ʌn'kɛədfɔː] *a* négligé.

uncaring [ʌn'kɛəriŋ] *a* insouciant.

unceasing [ʌn'siːsiŋ] *a* incessant, soutenu.

unceasingly [ʌn'siːsiŋli] *ad* sans cesse.

unceremoniously ['ʌnˌseri'mouniəsli] *ad* sans cérémonie, sans gêne, sans façons.

uncertain [ʌn'səːtn] *a* incertain, inégal, douteux.

unchallenged ['ʌn'tʃælindʒd] *a* sans provocation, indisputé.

unchangeable [ʌn'tʃeindʒəbl] *a* immuable.

uncharitable [ʌn'tʃæritəbl] *a* peu charitable.

unchaste ['ʌn'tʃeist] *a* impudique.

unchecked ['ʌn'tʃekt] *a* sans opposition, non maîtrisé.

uncivil ['ʌn'sivl] *a* impoli.

unclasp ['ʌn'klɑːsp] *vt* dégrafer, desserrer.

uncle ['ʌnkl] *n* oncle *m*; (*pawnbroker*) tante *f*.

unclean ['ʌn'kliːn] *a* malpropre, impur.

unclothe ['ʌn'klouð] *vt* dévêtir.

unclouded ['ʌn'klaudid] *a* sans nuage, limpide, pur.

uncomfortable [ʌn'kʌmfətəbl] *a* mal à l'aise, incommode, peu confortable.

uncommon [ʌn'kɔmən] *a* peu commun, rare, singulier.

uncommonly [ʌn'kɔmənli] *ad* singulièrement.

uncomplimentary ['ʌnˌkɔmpli'mentəri] *a* peu flatteur.

uncompromising [ʌn'kɔmprəmaiziŋ] *a* intransigeant, intraitable.

unconcern ['ʌnkən'səːn] *n* indifférence *f*, détachement *m*.

unconcerned ['ʌnkən'səːnd] *a* comme étranger, indifférent, dégagé.

unconcernedly ['ʌnkən'səːnidli] *ad* d'un air détaché.

unconditional ['ʌnkən'diʃnəl] *a* sans conditions, absolu.

uncongenial ['ʌnkən'dʒiːnjəl] *a* antipathique, ingrat.

unconquerable [ʌn'kɔŋkərəbl] *a* invincible.

unconquered ['ʌn'kɔŋkəd] *a* invaincu.

unconscionable [ʌn'kɔnʃnəbl] *a* inconcevable, sans conscience.

unconscious [ʌn'kɔnʃəs] *a* inconscient, sans connaissance.

unconsciousness [ʌn'kɔnʃəsnis] *n* inconscience *f*, évanouissement *m*.

unconstitutional ['ʌnˌkɔnsti'tjuːʃənl] *n* inconstitutionnel.

uncontrollable [ˌʌnkən'trouləbl] *a* incontrôlable, irrésistible, ingouvernable.

unconventional ['ʌnkən'venʃənl] *a* original.

unconvinced ['ʌnkən'vinst] *a* sceptique.

uncooked ['ʌn'kukt] *a* mal cuit, cru.

uncork ['ʌn'kɔːk] *vt* déboucher.

uncouth [ʌn'kuːθ] *a* rude, grossier, gauche, négligé.

uncover [ʌn'kʌvə] *vt* découvrir, dévoiler.

uncrossed ['ʌn'krɔst] *a* non barré.

unction ['ʌŋkʃən] *n* onction *f*.
unctuous ['ʌŋktjuəs] *a* onctueux, huileux.
undaunted [ʌn'dɔːntid] *a* indompté, intrépide.
undeceive ['ʌndi'siːv] *vt* détromper.
undecided ['ʌndi'saidid] *a* indécis, irrésolu, mal défini.
undecipherable ['ʌndi'saifərəbl] *a* indéchiffrable.
undefiled ['ʌndi'faild] *a* sans tache, pur.
undeniable [.ʌndi'naiəbl] *a* indéniable, incontestable.
under ['ʌndə] *prep* sous, au-dessous de; *a* de dessous, inférieur, subalterne.
underclothes ['ʌndəklouðz] *n pl* sous-vêtements *m pl*, linge de corps *m*.
underdeveloped ['ʌndədi'veləpt] *a* sous-développé.
underdog ['ʌndədɔg] *n* (*fam*) lampiste *m*, faible *m*.
underdone ['ʌndə'dʌn] *a* saignant.
underfed ['ʌndə'fed] *a* sous-alimenté.
undergo [.ʌndə'gou] *vt* souffrir, subir.
undergraduate [.ʌndə'grædjuit] *n* étudiant(e) *mf*.
underground ['ʌndəgraund] *n* métro *m*; *a* souterrain, clandestin; *ad* sous terre.
undergrowth ['ʌndəgrouθ] *n* taillis *m*, fourré *m*.
underhand ['ʌndəhænd] *a* souterrain, sournois, clandestin; *ad* par dessous main, en dessous.
underline ['ʌndəlain] *vt* souligner.
underling ['ʌndəliŋ] *n* sous-ordre *m*, barbin *m*, subordonné(e) *mf*.
undermine [.ʌndə'main] *vt* miner, saper.
underneath [.ʌndə'niːθ] *prep* au-dessous de, sous; *ad* dessous, par-dessous, au-dessous; *a* de dessous.
underrate [.ʌndə'reit] *vt* sous-estimer.
under-secretary ['ʌndə'sekrətəri] *n* sous-secrétaire *mf*.
undersell ['ʌndə'sel] *vt* vendre moins cher que.
undershirt ['ʌndəʃəːt] *n* (*US*) tricot *m*, gilet *m* (de corps).
undersigned [.ʌndə'saind] *a* soussigné.
understand [.ʌndə'stænd] *vt* comprendre, s'entendre à, sous-entendre.
understandable [.ʌndə'stændəbl] *a* intelligible, compréhensible.
understanding [.ʌndə'stændiŋ] *n* entendement *m*, intelligence *f*, compréhension *f*.
understatement ['ʌndə'steitmənt] *n* atténuation *f*, amoindrissement *m*.
understood [.ʌndə'stud] *pp of* **understand** compris.
understudy ['ʌndə'stʌdi] *n* doublure *f*; *vt* doubler.
undertake [.ʌndə'teik] *vt* entreprendre, s'engager à, se charger de.
undertaker ['ʌndə.teikə] *n* entrepreneur de pompes funèbres *m*.
undertaking [.ʌndə'teikiŋ] *n* entreprise *f*, engagement *m*.
undertook [.ʌndə'tuk] *pp of* **undertake**.
undertow ['ʌndətou] *n* ressac *m*, barre *f*.
underwear ['ʌndəwɛə] *n* sous-vêtements *m pl*, dessous *m pl*, lingerie *f*.
underwood ['ʌndəwud] *n* sous-bois *m*.
underworld ['ʌndəwəːld] *n* pègre *f*, bas fonds *m pl*, enfers *m pl*.
underwrite ['ʌndərait] *vt* souscrire, assurer.
underwriter ['ʌndə.raitə] *n* assureur maritime *m*.
undeserved ['ʌndi'zəːvd] *a* immérité.
undeserving ['ʌndi'zəːviŋ] *a* indigne.
undesignedly ['ʌndi'zainidli] *ad* sans intention, innocemment.
undesirable ['ʌndi'zaiərəbl] *a* indésirable.
undigested ['ʌndi'dʒestid] *a* mal digéré, indigeste.
undignified [ʌn'dignifaid] *a* sans dignité.
undiluted ['ʌndai'ljuːtid] *a* pur, non dilué.
undimmed ['ʌn'dimd] *a* non voilé, brillant.
undiscernible ['ʌndi'səːnəbl] *a* indiscernable, imperceptible.
undiscerning ['ʌndi'səːniŋ] *a* sans discernement.
undischarged ['ʌndis'tʃɑːdʒd] *a* non libéré, inacquitté, inaccompli.
undisguised ['ʌndis'gaizd] *a* sans déguisement, évident, franc.
undismayed ['ʌndis'meid] *a* imperturbable.
undisputed ['ʌndis'pjuːtid] *a* incontesté.
undistinguished ['ʌndis'tiŋgwiʃt] *a* commun, médiocre, banal.
undisturbed ['ʌndis'təːbd] *a* non dérangé, non troublé, paisible.
undivided ['ʌndi'vaidid] *a* entier, indivisé, unanime.
undo ['ʌn'duː] *vt* défaire, dénouer, dégrafer, ruiner, annuler.
undoing ['ʌn'duiŋ] *n* perte *f*, ruine *f*.
undone ['ʌn'dʌn] *a* défait, inachevé, perdu.
undoubted [ʌn'dautid] *a* certain, incontestable.
undoubtedly [ʌn'dautidli] *ad* sans aucun doute.
undreamt [ʌn'dremt] *a* dont on n'osait rêver, merveilleux.
undress ['ʌn'dres] *n* petite tenue *f*, négligé *m*; *vt* déshabiller; *vi* se déshabiller.
undrinkable ['ʌn'driŋkəbl] *a* imbuvable, non potable.
undue ['ʌn'djuː] *a* excessif, indu.
undulate ['ʌndjuleit] *vti* onduler.

undulating ['ʌndjuleitiŋ] *a* vallonné, ondoyant, onduleux.
unduly ['ʌn'dju:li] *ad* indûment, à l'excès.
undying [ʌn'daiiŋ] *a* immortel, impérissable.
unearned ['ʌn'ə:nd] *a* — **income** plus-value *f*.
unearth ['ʌn'ə:θ] *vt* déterrer, exhumer.
unearthly [ʌn'ə:θli] *a* qui n'est pas de ce monde, surnaturel.
uneasiness [ʌn'i:zinis] *a* inquiétude *f*, gêne *f*.
uneasy [ʌn'i:zi] *a* mal à l'aise, inquiet, gêné.
uneatable ['ʌn'i:təbl] *a* immangeable.
uneducated ['ʌn'edjukeitid] *a* inculte, sans éducation.
unemployable ['ʌnim'plɔiəbl] *a* bon à rien.
unemployed ['ʌnim'plɔid] *a* désœuvré, sans travail; **the** — les chômeurs *m pl*.
unemployment ['ʌnim'plɔimənt] *n* chômage *m*.
unending [ʌn'endiŋ] *a* interminable, sans fin.
unequal ['ʌn'i:kwəl] *a* inégal; **to be** — **to** ne pas être à la hauteur de, ne pas être de force à.
unequalled ['ʌn'i:kwəld] *a* sans égal, inégalé.
unessential ['ʌni'senʃəl] *a* secondaire.
uneven ['ʌn'i:vən] *a* inégal, irrégulier, rugueux.
uneventful ['ʌni'ventful] *a* sans incident, terne, monotone.
unexceptionable [ˌʌnik'sepʃnəbl] *a* irréprochable.
unexpected ['ʌniks'pektid] *a* inattendu, inespéré, imprévu.
unexpectedly ['ʌniks'pektidli] *ad* à l'improviste.
unexpectedness ['ʌniks'pektidnis] *n* soudaineté *f*, caractère imprévu *m*.
unexplored ['ʌniks'plɔ:d] *a* inexploré.
unfailing [ʌn'feiliŋ] *a* immanquable, impeccable, inaltérable.
unfair ['ʌn'fɛə] *a* injuste, déloyal.
unfairness ['ʌn'fɛənis] *n* injustice *f*, déloyauté *f*, mauvaise foi *f*.
unfaithful ['ʌn'feiθful] *a* infidèle; —**ness** *n* infidélité.
unfamiliar ['ʌnfə'miliə] *a* peu familier, étranger.
unfashionable ['ʌn'fæʃnəbl] *a* pas à la mode, démodé.
unfasten ['ʌn'fɑ:sn] *vt* détacher, dégrafer, déverrouiller.
unfathomable [ʌn'fæðəməbl] *a* insondable, impénétrable.
unfavourable ['ʌn'feivərəbl] *a* défavorable, impropice, désavantageux.
unfeasible ['ʌn'fi:zəbl] *a* infaisable, irréalisable.
unfeeling [ʌn'fi:liŋ] *a* insensible, froid, sec.
unfettered ['ʌn'fetəd] *a* sans entraves, libre.
unfinished ['ʌn'finiʃt] *a* inachevé.
unfit ['ʌn'fit] *a* inapte, en mauvaise santé.
unflagging [ʌn'flægiŋ] *a* sans défaillance, soutenu.
unfledged ['ʌn'fledʒd] *a* sans plumes, novice.
unflinchingly [ʌn'flintʃiŋli] *ad* sans fléchir, de pied ferme.
unfold ['ʌn'fould] *vt* déplier, dérouler, révéler; *vi* se dérouler, se déployer.
unforeseeable ['ʌnfɔ:'siəbl] *a* imprévisible.
unforeseen ['ʌnfɔ:'si:n] *a* imprévu.
unforgettable ['ʌnfə'getəbl] *a* inoubliable.
unforgivable ['ʌnfə'givəbl] *a* impardonnable.
unforgiving ['ʌnfə'giviŋ] *a* implacable.
unforgotten ['ʌnfə'gɔtn] *a* inoublié.
unfortunate [ʌn'fɔ:tʃnit] *a* malheureux.
unfortunately [ʌn'fɔ:tʃnitli] *ad* malheureusement.
unfounded ['ʌn'faundid] *a* sans fondement.
unfrequented ['ʌnfri'kwentid] *a* solitaire, écarté.
unfriendly ['ʌn'frendli] *a* inamical, hostile.
unfruitful ['ʌn'fru:tful] *a* infructueux, stérile.
unfulfilled ['ʌnful'fild] *a* irréalisé, inexaucé, inachevé.
unfurl [ʌn'fə:l] *vt* dérouler, déployer, déferler.
unfurnished ['ʌn'fə:niʃt] *a* non meublé.
ungainly [ʌn'geinli] *a* gauche, (*fam*) mastoc, dégingandé.
ungentlemanly [ʌn'dʒentlmənli] *a* indigné d'un galant homme, impoli.
ungovernable [ʌn'gʌvənəbl] *a* ingouvernable, irrésistible.
ungracious ['ʌn'greiʃəs] *a* sans grâce, désagréable.
ungrateful [ʌn'greitful] *a* ingrat.
ungratefulness [ʌn'greitfulnis] *n* ingratitude *f*.
ungrudgingly [ʌn'grʌdʒiŋli] *ad* sans grogner, de bon cœur, sans compter.
unguarded ['ʌn'gɑ:did] *a* sans défense, non gardé, inconsidéré.
unhallowed [ʌn'hæloud] *a* profane, impie.
unhandy [ʌn'hændi] *a* difficile à manier, incommode, gauche.
unhappiness [ʌn'hæpinis] *n* malheur *m*.
unhappy [ʌn'hæpi] *a* malheureux, infortuné.
unharmed ['ʌn'hɑ:md] *a* indemne, sain et sauf.
unharness ['ʌn'hɑ:nis] *vt* dételer.

unhealthiness [ʌn'helθinis] *n* état malsain *m*, insalubrité *f.*
unhealthy [ʌn'helθi] *a* malsain, insalubre, maladif.
unheard of [ʌn'hə:dɔv] *a* inouï, inconnu.
unheeded ['ʌn'hi:did] *a* inaperçu, négligé.
unhelpful ['ʌn'helpful] *a* peu serviable, de pauvre secours, inutile.
unhesitatingly [ʌn'heziteitiŋli] *ad* sans hésitation.
unhinge [ʌn'hindʒ] *vt* faire sortir des gonds, déranger.
unholy [ʌn'houli] *a* impie, impur, (*fam*) du diable, affreux.
unhonoured [ʌn'ɔnəd] *a* sans honneur, dédaigné.
unhook ['ʌn'huk] *vt* décrocher, dégrafer.
unhoped for [ʌn'houptfɔ:] *n* inespéré.
unhurt ['ʌn'hə:t] *a* sans mal, indemne.
unicorn ['ju:nikɔ:n] *n* licorne *f.*
unification [.ju:nifi'keiʃən] *n* unification *f.*
uniform ['ju:nifɔ:m] *an* uniforme *m.*
uniformly ['ju.nifɔ:mli] *ad* uniformément.
unify ['ju:nifai] *vt* unifier.
unilateral ['ju:ni'lætərəl] *a* unilatéral.
unimaginable [.ʌni'mædʒinəbl] *a* inimaginable.
unimaginative ['ʌni'mædʒinətiv] *a* sans imagination.
unimpaired ['ʌnim'pɛəd] *a* dans toute sa force, intact.
unimpeachable [.ʌnim'pi:tʃəbl] *a* irréprochable, irrécusable.
unimportant ['ʌnim'pɔ:tənt] *a* sans importance.
unimpressed ['ʌnim'prest] *a* non impressionné, froid.
unimpressive [ʌn'impresiv] *a* peu impressionnant.
uninhabitable ['ʌnin'hæbitəbl] *a* inhabitable.
uninhabited ['ʌnin'hæbitid] *a* inhabité.
unintelligent ['ʌnin'telidʒənt] *a* inintelligent.
unintentional ['ʌnin'tenʃənl] *a* sans (mauvaise) intention, involontaire.
uninteresting ['ʌn'intristiŋ] *a* sans intérêt.
uninterrupted ['ʌn.intə'rʌptid] *a* ininterrompu.
union ['ju:njən] *n* union *f*, accord *m*, syndicat ouvrier *m.*
unionist ['ju:njənist] *n* syndiqué(e) *mf*, syndicaliste *mf*, unioniste *mf.*
Union Jack ['ju:njən'jæk] *n* pavillon britannique *m.*
unique [ju:'ni:k] *a* unique.
unison ['ju:nizn] *n* unisson *m.*
unit ['ju:nit] *n* unité *f.*
unite [ju:'nait] *vt* unir, unifier; *vi* s'unir.
unity ['ju:niti] *n* unité *f*, union *f.*
universal [.ju:ni'və:səl] *a* universel.
universe ['ju:nivə:s] *n* univers *m.*
university [.ju:ni'və:siti] *n* université *f.*
unjust ['ʌn'dʒʌst] *a* injuste.
unjustifiable [ʌn'dʒʌstifaiəbl] *a* injustifiable.
unkempt ['ʌn'kempt] *a* mal peigné, dépeigné, mal tenu.
unkind [ʌn'kaind] *a* peu aimable, désobligeant, dur.
unkindness [ʌn'kaindnis] *n* méchanceté *f*, désobligeance *f.*
unknowingly ['ʌn'nouiŋli] *ad* sans le savoir (vouloir).
unknown to ['ʌn'nountu:] *ad* à l'insu de.
unlamented ['ʌnlə'mentid] *a* non pleuré.
unlatch ['ʌnlætʃ] *vt* ouvrir.
unlawful ['ʌn'lɔ:ful] *a* illégal, illicite.
unlawfulness ['ʌn'lɔ:fulnis] *n* illégalité *f.*
unlearn ['ʌn'lə:n] *vt* désapprendre, oublier.
unleash [ʌn'li:ʃ] *vt* détacher, déchaîner, lâcher.
unleavened ['ʌn'levnd] *a* sans levain, azyme.
unless [ən'les] *cj* à moins que (de), si . . . ne pas.
unlike ['ʌn'laik] *a* différent; *ad* à la différence de.
unlikely [ʌn'laikli] *a* improbable.
unlimited [ʌn'limitid] *a* illimité.
unload ['ʌn'loud] *vt* décharger.
unlock ['ʌn'lɔk] *vt* ouvrir.
unlooked for [ʌn'luktfɔ:] *a* inattendu, inespéré.
unlucky [ʌn'lʌki] *a* malchanceux, malheureux, maléfique.
unmanageable [ʌn'mænidʒəbl] *a* intraitable, impossible, difficile à manœuvrer.
unmanly ['ʌn'mænli] *a* peu viril, efféminé.
unmannerliness [ʌn'mænəlinis] *n* manque d'éducation *m*, impolitesse *f.*
unmannerly [ʌn'mænəli] *a* mal élevé, malappris.
unmarketable [ʌn'mɑ:kitəbl] *a* sans marché (demande), invendable.
unmarried ['ʌn'mærid] *a* célibataire, non marié.
unmask ['ʌn'mɑ:sk] *vt* démasquer, dévoiler.
unmentionable [ʌn'menʃnəbl] *a* innommable, dont on ne peut parler.
unmerciful [ʌn'mə:siful] *a* sans pitié, impitoyable.
unmerited ['ʌn'meritid] *a* immérité.
unmindful [ʌn'maindful] *a* oublieux, insouciant.
unmistakable ['ʌnmis'teikəbl] *a* impossible à méconnaître.
unmistakably ['ʌnmis'teikəbli] *ad* à n'en pas douter, à ne pas s'y méprendre.

unmitigated [ʌn'mitigeited] *a* pur, complet, fieffé, parfait.
unmoor ['ʌn'muə] *vt* démarrer.
unmoved ['ʌn'mu:vd] *a* indifférent, impassible.
unnamed ['ʌn'neimd] *a* sans nom, innomé, anonyme.
unnatural [ʌn'nætʃrəl] *a* pas naturel, dénaturé, anormal.
unnecessary [ʌn'nesisəri] *a* pas nécessaire, inutile, gratuit.
unneighbourly ['ʌn'neibəli] *a* de mauvais voisin.
unnerve ['ʌn'nə:v] *vt* énerver, faire perdre son sang-froid à.
unnoticed ['ʌn'noutist] *a* inaperçu.
unnumbered ['ʌn'nʌmbəd] *a* innombrable, non-numéroté.
unobjectionable ['ʌnəb'dʒekʃnəbl] *a* qui défie toute objection.
unobliging ['ʌnə'blaidʒiŋ] *a* désobligeant, peu obligeant.
unobservant ['ʌnəb'zə:vənt] *a* peu observateur.
unobtainable ['ʌnəb'teinəbl] *a* introuvable.
unobtrusive ['ʌnəb'tru:siv] *a* effacé, discret, pas gênant.
unoccupied ['ʌn'ɔkjupaid] *a* inoccupé.
unoffending ['ʌnə'fendiŋ] *a* qui n'a rien de blessant, innocent.
unofficial ['ʌnə'fiʃəl] *a* officieux, inofficiel.
unostentatious ['ʌn,ɔsten'teiʃəs] *a* sans ostentation, simple.
unpack ['ʌn'pæk] *vt* dépaqueter, déballer, défaire; *vi* défaire sa malle.
unpalatable [ʌn'pælətəbl] *a* dur à avaler, amer, désagréable.
unparalleled [ʌn'pærəleld] *a* incomparable, sans précédent.
unpardonable [ʌn'pɑ:dnəbl] *a* impardonnable.
unperceived ['ʌnpə'si:vd] *a* inaperçu.
unperturbed ['ʌnpə'tə:bd] *a* imperturbable, peu ému, impassible.
unpleasant [ʌn'pleznt] *a* déplaisant, désagréable.
unpleasantness [ʌn'plezntnis] *n* désagrément *m*, ennui *m*.
unpolished ['ʌn'pɔliʃt] *a* terne, brut, mat, fruste, grossier.
unpopular ['ʌn'pɔpjulə] *a* impopulaire.
unpopularity ['ʌn,pɔpju'læriti] *n* impopularité *f*.
unpractical ['ʌn'præktikəl] *a* peu pratique, chimérique.
unpractised [ʌn'præktist] *a* mal entraîné, novice, inexpérimenté.
unprecedented [ʌn'presidəntid] *a* sans précédent.
unpredictable ['ʌnpri'diktəbl] *a* imprévisible.
unprejudiced [ʌn'predʒudist] *a* impartial.
unpremeditated ['ʌnpri'mediteitid] *a* sans préméditation, inopiné.
unprepared ['ʌnpri'pɛəd] *a* pas préparé, inapprêté, improvisé.
unprepossessing ['ʌn,pri:pə'zesiŋ] *a* peu engageant, de mauvaise mine.
unprincipled [ʌn'prinsəpld] *a* sans principes.
unproductive ['ʌnprə'dʌktiv] *a* improductif, stérile.
unprofitable [ʌn'prɔfitəbl] *a* sans profit, ingrat, peu lucratif.
unprogressive ['ʌnprə'gresiv] *a* stagnant, rétrograde.
unprompted [ʌn'prɔmptid] *a* spontané.
unpropitious ['ʌnprə'piʃəs] *a* de mauvais augure, impropice.
unprotected ['ʌnprə'tektid] *a* sans protection, exposé, inabrité.
unprovided ['ʌnprə'vaidid] *a* sans ressources, démuni.
unpublished ['ʌn'pʌbliʃt] *a* inédit, non publié.
unqualified ['ʌn'kwɔlifaid] *a* incompétent, sans titres, sans réserve, absolu, catégorique.
unquestionable [ʌn'kwestʃənəbl] *a* indiscutable.
unravel [ʌn'rævəl] *vt* démêler, affiler.
unreasonable [ʌn'ri:znəbl] *a* déraisonnable, exorbitant, extravagant.
unreasonableness [ʌn'ri:znəblnis] *n* déraison *f*, extravagance *f*.
unreciprocated ['ʌnri'siprəkeitid] *a* non payé de retour.
unrecognizable ['ʌn'rekəgnaizəbl] *a* méconnaissable.
unreconcilable ['ʌn'rekənsailəbl] *a* irréconciliable.
unredeemed ['ʌnri'di:md] *a* non racheté, inaccompli, sans compensation.
unrelated ['ʌnri'leitid] *a* étranger, sans rapport.
unrelenting ['ʌnri'lentiŋ] *a* inexorable, acharné.
unreliable ['ʌnri'laiəbl] *a* peu sûr, incertain.
unremitting [,ʌnri'mitiŋ] *a* incessant, acharné; — **efforts** efforts soutenus.
unrepentant ['ʌnri'pentənt] *a* impénitent.
unreservedly [,ʌnri'zə:vidli] *ad* sans réserve.
unresponsive ['ʌnris'pɔnsiv] *a* renfermé, réservé, froid.
unrest ['ʌn'rest] *n* inquiétude *f*, agitation *f*, malaise *m*.
unrestrained ['ʌnris'treind] *a* déréglé, déchaîné, immodéré.
unrestricted ['ʌnris'triktid] *a* sans restriction, absolu.
unripe ['ʌn'raip] *a* pas mûr, vert.
unrivalled [ʌn'raivəld] *a* inégalé, sans rival.
unroll ['ʌn'roul] *vt* dérouler; *vi* se dérouler.
unruffled ['ʌn'rʌfld] *a* imperturbable, serein, calme.

unruly [ʌn'ruːli] *a* indiscipliné, turbulent, déréglé.
unsafe ['ʌn'seif] *a* dangereux, hasardeux.
unsaleable ['ʌn'seiləbl] *a* invendable.
unsavoury ['ʌn'seivəri] *a* fade, nauséabond, répugnant, vilain.
unsay ['ʌn'sei] *vt* retirer, rétracter, se dédire de.
unscathed ['ʌn'skeiðd] *a* sans une égratignure, indemne.
unscrew ['ʌn'skruː] *vt* dévisser.
unscripted ['ʌn'skriptəd] *a* en direct.
unscrupulous [ʌn'skruːpjuləs] *a* sans scrupules, indélicat.
unseal ['ʌn'siːl] *vt* décacheter, desceller.
unseasonable [ʌn'siːznəbl] *a* hors de saison, inopportun, déplacé.
unseat ['ʌn'siːt] *vt* démonter, désarçonner, invalider, faire perdre son siège à.
unseemly [ʌn'siːmli] *ad* inconvenant.
unseen ['ʌn'siːn] *a* inaperçu, invisible.
unselfish ['ʌn'selfiʃ] *a* désintéressé, généreux.
unserviceable ['ʌn'səːvisəbl] *a* hors de service, usé, inutilisable.
unsettled ['ʌn'setld] *a* indécis, variable, impayé.
unshaken ['ʌn'ʃeikən] *a* inébranlable.
unsheathe ['ʌn'ʃiːð] *vt* dégainer.
unship ['ʌn'ʃip] *vt* décharger, débarquer.
unshrinkable ['ʌn'ʃrinkəbl] *a* irrétrécissable.
unsightly [ʌn'saitli] *a* laid, vilain.
unskilled ['ʌn'skild] *a* inexpert.
unsociable [ʌn'souʃəbl] *a* insociable, farouche.
unsoiled [ʌn'sɔild] *a* sans tache.
unsold ['ʌn'sould] *a* invendu.
unsolicited ['ʌnsə'lisitid] *a* spontané.
unsophisticated ['ʌnsə'fistikeitid] *a* naturel, nature, ingénu.
unsound ['ʌn'saund] *a* malsain, dérangé, erroné.
unsparing [ʌn'spɛəriŋ] *a* prodigue, infatigable.
unspeakable [ʌn'spiːkəbl] *a* indicible, innommable.
unspoilt ['ʌn'spɔilt] *a* non gâté, vierge, bien élevé.
unstable ['ʌn'steibl] *a* instable.
unstamped ['ʌn'stæmpt] *a* non affranchi, non estampillé.
unsteadiness ['ʌn'stedinis] *n* instabilité *f*, indécision *f*, variabilité *f*, irrégularité *f*.
unsteady ['ʌn'stedi] *a* instable, mal assuré, irrésolu, irrégulier, chancelant, variable.
unstuck ['ʌn'stʌk] *a* **to come** — se décoller, se dégommer, (*fig*) s'effondrer.
unsuccessful ['ʌnsək'sesful] *a* malheureux, manqué, raté, vain.
unsuccessfully ['ʌnsək'sesfuli] *ad* sans succès.
unsuitable ['ʌn'sjuːtəbl] *a* inapproprié, impropre, inapte, inopportun.
unsuited ['ʌn'sjuːtid] *a* impropre (à **for**), mal fait (pour **for**).
unsullied ['ʌn'sʌlid] *a* sans tache.
unsurpassable ['ʌnsə'pɑːsəbl] *a* impossible à surpasser.
unsurpassed ['ʌnsə'pɑːst] *a* sans égal.
unsuspected ['ʌnsəs'pektid] *a* insoupçonné.
unsuspicious ['ʌnsəs'piʃəs] *a* confiant, qui ne se doute de rien.
untamable ['ʌn'teiməbl] *a* indomptable.
untaught ['ʌn'tɔːt] *a* ignorant, illettré.
untenanted ['ʌn'tenəntid] *a* vacant, inoccupé.
unthankful ['ʌn'θæŋkful] *a* ingrat.
unthankfulness ['ʌn'θæŋkfulnis] *n* ingratitude *f*.
unthinkable [ʌn'θiŋkəbl] *a* inconcevable.
unthoughtful ['ʌn'θɔːtful] *a* irréfléchi.
untidy [ʌn'taidi] *a* négligé, débraillé, en désordre, mal tenu, mal peigné.
untie ['ʌn'tai] *vt* délier, détacher, défaire.
until [ən'til] *prep* jusqu'à, avant, ne . . . que; *cj* jusqu'à ce que, avant que, ne . . que quand.
untimely [ʌn'taimli] *a* prématuré, intempestif, mal à propos.
untiring [ʌn'taiəriŋ] *a* infatigable.
untold ['ʌn'tould] *a* tu, passé sous silence, inouï, incalculable.
untoward [ʌn'touəd] *a* fâcheux, malencontreux.
untrammelled [ʌn'træməld] *a* sans entraves, libre.
untranslatable ['ʌntræns'leitəbl] *a* intraduisible.
untried ['ʌn'traid] *a* neuf, qui n'a pas été mis à l'épreuve.
untrodden ['ʌn'trɔdn] *a* vierge, inexploré.
untrue ['ʌn'truː] *a* faux, infidèle, déloyal.
untrustworthy ['ʌn'trʌst.wəːði] *a* indigne de confiance.
untruth ['ʌn'truːθ] *n* mensonge *m*.
untruthful ['ʌn'truːθful] *a* menteur, mensonger, faux.
unusual [ʌn'juːʒuəl] *a* insolite, rare.
unutterable [ʌn'ʌtərəbl] *a* inexprimable, parfait.
unveil [ʌn'veil] *vt* dévoiler, inaugurer.
unveiling [ʌn'veiliŋ] *n* inauguration *f*.
unwarranted ʌn'wɔrəntid] *a* injustifié, déplacé, gratuit.
unwary [ʌn'wɛəri] *a* imprudent.
unwavering [ʌn'weivəriŋ] *a* constant, inaltérable. résolu.
unwaveringly [ʌn'weivəriŋli] *ad* de pied ferme, résolument.
unwearying [ʌn'wiəriiŋ] *a* infatigable.

unwelcome [ʌn'welkəm] *a* mal venu, importun, désagréable.
unwell ['ʌn'wel] *a* indisposé, mal en train, souffrant.
unwholesome ['ʌn'houlsəm] *a* malsain, insalubre.
unwieldy [ʌn'wiːldi] *a* difficile à manier, encombrant.
unwilling ['ʌn'wiliŋ] *a* malgré soi, de mauvaise volonté.
unwillingly [ʌn'wiliŋli] *ad* à contre cœur.
unwind ['ʌn'waind] *vt* dérouler, dévider, débobiner.
unwise ['ʌn'waiz] *a* malavisé, imprudent.
unwittingly [ʌn'witiŋli] *ad* sans y penser, étourdiment, sans le savoir.
unwonted [ʌn'wountid] *a* rare, inaccoutumé.
unworkable ['ʌn'wəːkəbl] *a* impraticable, inexploitable.
unworthiness [ʌn'wəːðinis] *a* indignité *f*, peu de mérite *m*.
unworthy [ʌn'wəːði] *a* indigne.
unwrap ['ʌn'ræp] *vt* déballer, défaire.
unwritten ['ʌn'ritn] *a* tacite, oral, non écrit.
unyielding [ʌn'jiːldiŋ] *a* inflexible, intransigeant.
up [ʌp] *a* debout, levé, droit, fini, expiré; *ad* en dessus, plus fort, en montant, en l'air, en avance; — **to** jusque, jusqu'à; **it is all — with him** il est fichu, perdu; — **there** là-haut; **to be — to sth.** mijoter qch, être à la hauteur de qch; **the —s and downs** les vicissitudes *f pl*, accidents *m pl*; **to walk — and down** marcher de long en large.
upbraid [ʌp'breid] *vt* morigéner, faire des reproches à.
upbraiding [ʌp'breidiŋ] *n* réprimande *f*.
upbringing ['ʌp,briŋiŋ] *n* éducation *f*.
upheaval [ʌp'hiːvəl] *n* soulèvement *m*, convulsion *f*.
uphill ['ʌp'hil] *a* ardu, montant; *ad* en montant.
uphold [ʌp'hould] *vt* soutenir.
upholder [ʌp'houldə] *n* partisan *m*, soutien *m*.
upholster [ʌp'houlstə] *vt* tapisser.
upholsterer [ʌp'houlstərə] *n* tapissier *m*.
upholstery [ʌp'houlstəri] *n* tapisserie *f*, garniture *f*, capitonnage *m*.
upkeep ['ʌpkiːp] *n* entretien *m*.
uplift ['ʌplift] *n* inspiration *f*, prêchi-prêcha *m*; [ʌp'lift] *vt* élever, exalter.
upon [ə'pɔn] *prep* sur; *see* **on**.
upper ['ʌpə] *n* empeigne *f*; *a* supérieur, de dessus, haut.
uppermost ['ʌpəmoust] *a* le plus haut, premier, du premier rang; *ad* en dessus.
uppish ['ʌpiʃ] *a* hautain, présomptueux
upright ['ʌprait] *a* vertical, droit, debout, juste, honnête.
uprightness ['ʌp,raitnis] *n* droiture *f*.
uprising [ʌp'raiziŋ] *n* soulèvement *m*, lever *m*.
uproar ['ʌp,rɔː] *n* tumulte *m*, brouhaha *m*.
uproarious [ʌp'rɔːriəs] *a* bruyant, tapageur.
uproot [ʌp'ruːt] *vt* déraciner, extirper, arracher.
upset [ʌp'set] *n* bouleversement *m*, renversement *m*, dérangement *m*; *vt* bouleverser, renverser, déranger, indisposer.
upshot ['ʌpʃɔt] *n* conclusion *f*, issue *f*, fin mot *m*.
upside-down ['ʌpsaid'daun] *ad* sens dessus dessous, à l'envers, la tête en bas.
upstairs ['ʌp'steəz] *ad* en haut.
upstart ['ʌpstɑːt] *n* parvenu(e) *mf*.
up-to-date ['ʌptu'deit] *a* à la page, au courant.
upturn [ʌp'təːn] *vt* retourner, (re) lever.
upward ['ʌpwəd] *a* montant, ascendant; **—s** *ad* en montant, en-(au-) dessus; *ad* en haut, au-dessus, plus de.
urban ['əːbən] *a* urbain.
urbane [əː'bein] *a* affable, suave, courtois.
urbanity [əː'bæniti] *n* urbanité *f*.
urchin ['əːtʃin] *n* oursin *m*, gosse *mf*, gamin(e) *mf*.
urge [əːdʒ] *n* impulsion *f*, besoin *m*; *vt* presser, talonner, alléguer, pousser, recommander.
urgency ['əːdʒənsi] *n* urgence *f*.
urgent ['əːdʒənt] *a* urgent, pressant, instant.
urgently ['əːdʒəntli] *ad* instamment, avec urgence.
urn [əːn] *n* urne *f*.
us [ʌs] *pn* nous.
usable ['juːzəbl] *a* utilisable.
usage ['juːzidʒ] *n* traitement *m*, usage *m*, emploi *m*.
use [juːs] *n* usage *m*, emploi *m*; **it is no —** il ne sert à rien; **what is the —?** à quoi bon?
use [juːz] *vt* employer, se servir de, traiter, avoir l'habitude de; **to — up** consommer, épuiser; **to get —d to** s'habituer, s'accoutumer à.
useful ['juːsful] *a* utile, pratique.
usefulness ['juːsfulnis] *n* utilité *f*.
useless ['juːslis] *a* inutile.
user ['juːzə] *n* usager, -ère.
usher ['ʌʃə] *n* huissier *m*, répétiteur *m*, pion *m*; ouvreuse *f*; **to — in** inaugurer, annoncer, introduire, faire entrer; **to — out** reconduire.
usual ['juːʒuəl] *a* usuel, courant, d'usage.
usually ['juːʒuəli] *ad* d'habitude, d'ordinaire.
usufruct ['juːsjufrʌkt] *n* usufruit *m*.
usurer ['juːʒərə] *n* usurier *m*.

usurp [juː'zəːp] *vt* usurper, empiéter sur.
usurpation [ˌjuːzəː'peiʃən] *n* usurpation *f*.
usury ['juːʒuri] *n* usure *f*.
utensil [ju'tensl] *n* ustensile *m*, attirail *m*, outil *m*.
utilitarian [ˌjuːtili'tɛəriən] *a* utilitaire.
utilitarianism [ˌjuːtili'tɛəriənizəm] *n* utilitarisme *m*.
utility [ju'tiliti] *n* utilité *f*.
utilization [ˌjuːtilai'zeiʃən] *n* utilisation *f*.
utilize ['juːtilaiz] *vt* utiliser, tirer parti de.
utmost ['ʌtmoust] *n* tout le possible; *a* extrême, dernier, le plus grand.
utopia [juː'toupiə] *n* utopie *f*.
utopian [juː'toupiən] *a* utopique.
utter ['ʌtə] *a* extrême, absolu, achevé; *vt* émettre, exprimer, dire, pousser.
utterance ['ʌtərəns] *n* voix *f*, parole *f*, expression *f*, articulation *f*.
utterly ['ʌtəli] *ad* absolument.

V

vacancy ['veikənsi] *n* vacance *f*, vide *m*.
vacant ['veikənt] *a* vacant, vide, absent, hébété.
vacate [və'keit] *vt* vider, évacuer, quitter, annuler.
vacation [və'keiʃən] *n* vacances *f pl*.
vaccinate ['væksineit] *vt* vacciner.
vaccination [ˌvæksi'neiʃən] *n* vaccination *f*.
vaccine ['væksiːn] *n* vaccin *m*.
vacillate ['væsileit] *vi* vaciller, hésiter.
vacuous ['vækjuəs] *a* vide, hébété, niais.
vacuum ['vækjuəm] *n* vide *m*.
vagabond ['vægəbɔnd] *n* vagabond(e) *mf*, chemineau *m*.
vagabondage ['vægəbɔndidʒ] *n* vagabondage *m*.
vagary ['veigəri] *n* lubie *f*, chimère *f*, fantaisie *f*.
vagrancy ['veigrənsi] *n* vagabondage *m*.
vagrant ['veigrənt] *n* vagabond(e) *mf*, chemineau *m*; *a* errant, vagabond.
vague [veig] *a* vague, estompé, indécis.
vagueness ['veignis] *n* vague *m*, imprécision *f*.
vain [vein] *a* vain, inutile, vaniteux.
vainglorious [vein'glɔːriəs] *a* fier, glorieux.
vainglory [vein'glɔːri] *n* gloriole *f*.
vainly ['veinli] *ad* en vain, avec vanité.
vale [veil] *n* val *m*.
valiant ['væljənt] *a* vaillant.
valiantly ['væljəntli] *ad* vaillamment.
valid ['vælid] *a* valide, valable, solide.
validate ['vælideit] *vt* rendre valide, ratifier.
validity [və'liditi] *n* validité *f*.
valley ['væli] *n* vallée *f*.
valorous ['vælərəs] *a* valeureux.
valour ['vælə] *n* valeur *f*.
valuable ['væljuəbl] *a* de grande valeur, de prix, précieux; *n* objet de prix *m*.
valuation [ˌvælju'eiʃən] *n* évaluation *f*, prix *m*, expertise *f*.
value ['væljuː] *n* valeur *f*, prix *m*; *vt* évaluer, apprécier, estimer.
valve [vælv] *n* soupape *f*, valve *f*, valvule *f*, lampe *f*.
vamp [væmp] *n* femme fatale *f*, vamp *f*, empeigne *f*; *vt* flirter avec, rapiécer, (*fam*) retaper, improviser.
vampire ['væmpaiə] *n* vampire *m*.
van [væn] *n* camion *m*, fourgon *m*, avant-garde *f*.
vane [vein] *n* girouette *f*, aile *f*, pale(tte) *f*.
vanilla [və'nilə] *n* vanille *f*.
vanish ['væniʃ] *vi* disparaître, s'évanouir.
vanity ['væniti] *n* vanité *f*.
vanquish ['væŋkwiʃ] *vt* vaincre, venir à bout de.
vantage ['vaːntidʒ] *n* avantage *m*.
vapid ['væpid] *a* fade, plat.
vaporization [ˌveipərai'zeiʃən] *n* vaporisation *f*.
vaporize ['veipəraiz] *vt* vaporiser; *vi* se vaporiser.
vaporizer ['veipəraizə] *n* vaporisateur *m*, atomiseur *m*.
vapour ['veipə] *n* vapeur *f*, buée *f*.
variable ['vɛəriəbl] *a* variable, inconstant.
variance ['vɛəriəns] *n* désaccord *m*, discorde *f*.
variant ['vɛəriənt] *n* variante *f*.
variation [ˌvɛəri'eiʃən] *n* variation *f*, écart *m*.
varicose ['værikous] *a* variqueux; — **vein** varice *f*.
varied ['vɛərid] *a* varié.
variegated ['vɛərigeitid] *a* bigarré, panaché, diapré.
variety [və'raiəti] *n* variété *f*, diversité *f*.
various ['vɛəriəs] *a* varié, divers, plusieurs.
variously ['vɛəriəsli] *ad* diversement.
varnish ['vaːniʃ] *n* vernis *m*; *vt* vernir.
varnishing ['vaːniʃiŋ] *n* vernissage *m*.
vary ['vɛəri] *vti* varier; *vi* différer, ne pas être d'accord.
vase [vaːz] *n* vase *m*.
vast [vaːst] *a* vaste, énorme.
vat [væt] *n* cuve *f*.
vault [vɔːlt] *n* voûte *f*, cave *f*,

caveau *m*, saut *m*; *vt* voûter; *vti* sauter.
vaunt [vɔːnt] *n* vantardise *f*; *vt* se vanter de.
veal [viːl] *n* veau *m*.
veer [viə] *vi* tourner, virer, sauter.
vegetable ['vedʒitəbl] *n* légume *m*; *a* végétal.
vegetarian [ˌvedʒi'tɛəriən] *an* végétarien, -ienne.
vegetate ['vedʒiteit] *vi* végéter.
vegetation [ˌvedʒi'teiʃən] *n* végétation *f*.
vehemence ['viːiməns] *n* véhémence *f*.
vehement ['viːimənt] *a* véhément.
vehicle ['viːikl] *n* véhicule *m*, voiture *f*.
veil [veil] *n* voile *m*, voilette *f*; *vt* voiler, masquer.
vein [vein] *n* veine *f*, humeur *f*.
veined [veind] *a* veiné.
vellum ['veləm] *n* vélin *m*.
velocity [vi'lɔsiti] *n* vélocité *f*, rapidité *f*.
velvet ['velvit] *n* velours *m*; *a* de velours, velouté.
velveteen ['velvi'tiːn] *n* velours de coton *m*.
venal ['viːnl] *a* vénal.
venality [viː'næliti] *n* vénalité *f*.
vendor ['vendɔː] *n* vendeur, -euse, marchand(e) *mf*.
veneer [və'niə] *n* placage *m*, glacis *m*, vernis *m*, mince couche *f*; *vt* plaquer.
venerable ['venərəbl] *a* vénérable.
venerate ['venəreit] *vt* vénérer.
veneration [ˌvenə'reiʃən] *n* vénération *f*.
venereal [vi'niəriəl] *a* vénérien.
venetian blind [vi'niːʃən'blaind] *n* jalousie *f*.
vengeance ['vendʒəns] *n* vengeance *f*.
vengeful ['vendʒful] *a* vindicatif.
venial ['viːniəl] *a* véniel.
venison ['venzn] *n* venaison *f*.
venom ['venəm] *n* venin *m*.
venomous ['venəməs] *a* venimeux, méchant.
vent [vent] *n* trou *m*, passage *m*, cours *m*, carrière *f*, fente *f*; *vt* décharger.
ventilate ['ventileit] *vt* aérer, produire en public.
ventilation [ˌventi'leiʃən] *n* ventilation *f*, aération *f*.
ventilator ['ventileitə] *n* ventilateur *m*, soupirail *m*.
ventriloquist [ven'triləkwist] *n* ventriloque *mf*.
venture ['ventʃə] *n* risque *m*, entreprise *f*; *vt* s'aventurer à, oser, hasarder.
venturesome ['ventʃəsəm] *a* aventureux, risqué.
veracious [və'reiʃəs] *a* véridique.
veracity [ve'ræsiti] *n* véracité *f*.
verb [vəːb] *n* verbe *m*.
verbal ['vəːbəl] *a* verbal, oral.
verbally ['vəːbəli] *ad* de vive voix.
verbatim [vəː'beitim] *ad* mot pour mot.
verbena [və(ː)'biːnə] *n* verveine *f*.
verbose [vəː'bous] *a* verbeux.
verbosity [vəː'bɔsiti] *n* verbosité *f*.
verdant ['vəːdənt] *a* verdoyant.
verdict ['vəːdikt] *n* verdict *m*, jugement *m*.
verge [vəːdʒ] *n* bord *m*, bordure *f*, point *m*, verge *f*, lisière *f*; **to — on** longer, côtoyer, friser.
verger ['vəːdʒə] *n* bedeau *m*, huissier *m*.
verifiable ['verifaiəbl] *a* vérifiable.
verification [ˌverifi'keiʃən] *n* vérification *f*, contrôle *m*.
verify ['verifai] *vt* vérifier, confirmer, justifier.
verisimilitude [ˌverisi'militjuːd] *n* vraisemblance *f*.
veritable ['veritəbl] *a* véritable.
vermicelli [ˌvəːmi'seli] *n* vermicelle *m*.
vermin ['vəːmin] *n* vermine *f*.
versatile ['vəːsətail] *a* aux talents variés, universel, souple, étendu.
versatility [ˌvəːsə'tiliti] *n* diversité *f*, universalité *f*, souplesse *f*.
verse [vəːs] *n* vers *m*, strophe *f*, verset *m*, poésie *f*.
versed [vəːst] *a* instruit (de **in**), rompu (à **in**), fort (en **in**), versé (en **in**).
versification [ˌvəːsifi'keiʃən] *n* versification *f*.
versify ['vəːsifai] *vti* versifier, écrire en vers.
version ['vəːʃən] *n* version *f*, interprétation *f*.
vertebra ['vəːtibrə] *n* vertèbre *f*.
vertical ['vəːtikəl] *a* vertical.
very ['veri] *a* vrai, même, seul, propre; *ad* très, fort, bien, tout.
vespers ['vespəz] *n* vêpres *f pl*.
vessel ['vesl] *n* vaisseau *m*, vase *m*, récipient *m*.
vest [vest] *n* gilet *m*, maillot *m* (de corps), (*US*) chemise *f*; *vt* investir (de **with**), conférer (à **with**).
vested ['vestid] *a* acquis.
vestibule ['vestibjuːl] *n* vestibule *m*.
vestige ['vestidʒ] *n* vestige *m*, trace *f*, ombre *f*.
vestment ['vestmənt] *n* vêtement *m*.
vestry ['vestri] *n* sacristie *f*, conseil de fabrique *m*.
veteran ['vetərən] *n* vétéran *m*.
veterinary ['vetərinəri] *an* vétérinaire *m*.
veto ['viːtou] *n* veto; *vt* mettre son veto (à, sur).
vex [veks] *vt* irriter, vexer.
vexation [vek'seiʃən] *n* dépit *m*, colère *f*, ennui *m*.
vexatious [vek'seiʃəs] *a* vexant, fâcheux, vexatoire.
vexed [vekst] *a* très discuté, vexé.
via ['vaiə] *prep* par, via.
viaduct ['vaiədʌkt] *n* viaduc *m*.
vial ['vaiəl] *n* fiole *f*.

viands ['vaiəndz] *n pl* victuailles *f pl.*
viaticum [vai'ætikəm] *n* viatique *m.*
vibrate [vai'breit] *vi* osciller, vibrer.
vibration [vai'breiʃən] *n* vibration *f.*
vicar ['vikə] *n* curé *m*, vicaire *m.*
vice [vais] *n* vice *m*, étau *m*; *prep* à la place de; *prefix* vice-.
vicinity [vi'siniti] *n* voisinage *m*, alentours *m pl.*
vicious ['viʃəs] *a* vicieux, pervers, méchant.
viciousness ['viʃəsnis] *n* perversité *f*, méchanceté *f.*
vicissitude [vi'sisitju:d] *n* vicissitude *f*, péripétie *f.*
victim ['viktim] *n* victime *f.*
victimize ['viktimaiz] *vt* persécuter, tromper.
victor ['viktə] *n* vainqueur *m.*
victorious [vik'tɔ:riəs] *a* victorieux.
victory ['viktəri] *n* victoire *f.*
victuals ['vitlz] *n pl* comestibles *m pl*, vivres *m pl.*
vie [vai] *vi* rivaliser, le disputer (à **with**).
view [vju:] *n* (point *m* de) vue *f*, perspective *f*, panorama *m*, regard *m*, opinion *f*; *vt* voir, regarder; **with a — to** dans l'intention de; **bird's eye —** vue *f* à vol d'oiseau.
viewer ['vju:ə] *n* téléspectateur, -trice, visionneuse *f*, viseur *m*, inspecteur, -trice.
view-finder ['vju:ˌfaində] *n* viseur *m.*
vigil ['vidʒil] *n* veille *f*, vigile *f.*
vigilance ['vidʒiləns] *n* vigilance *f.*
vigilant ['vidʒilənt] *a* vigilant, alerte.
vigorous ['vigərəs] *a* vigoureux, solide.
vigour ['vigə] *n* vigueur *m*, énergie *f.*
vile [vail] *a* vil, infâme, abominable.
vileness ['vailnis] *n* bassesse *f.*
vilify ['vilifai] *vt* vilipender.
village ['vilidʒ] *n* village *m.*
villager ['vilidʒə] *n* villageois(e) *mf.*
villain ['vilən] *n* scélérat *m*, coquin(e) *mf.*
villainous ['vilənəs] *a* vil, infâme.
villainy ['viləni] *n* scélératesse *f*, infamie *f.*
vindicate ['vindikeit] *vt* défendre, justifier.
vindication [ˌvindi'keiʃən] *n* défense *f*, justification *f.*
vindicator ['vindikeitə] *n* vengeur *m*, défenseur *m.*
vindictive [vin'diktiv] *a* vindicatif.
vindictiveness [vin'diktivnis] *n.* esprit vindicatif *m.*
vine [vain] *n* vigne *f.*
vinegar ['vinigə] *n* vinaigre *m.*
vineyard ['vinjəd] *n* vignoble *m.*
vintage ['vintidʒ] *n* vendange *f*, cru *m*, année *f.*
vintner ['vintnə] *n* marchand de vins *m.*
viol ['vaiəl] *n* viole *f.*
violate ['vaiəleit] *vt* violer.
violation [ˌvaiə'leiʃən] *n* viol *m*, violation *f*, infraction *f.*
violator ['vaiəleitə] *n* violateur, -trice, ravisseur *m.*
violence ['vaiələns] *n* violence *f.*
violent ['vaiələnt] *a* violent.
violently ['vaiələntli] *ad* violemment.
violet ['vaiələt] *n* violette *f*; *a* violet.
violin [ˌvaiə'lin] *n* violon *m.*
violinist ['vaiəlinist] *n* violoniste *mf.*
violoncello [ˌvaiələn'tʃelou] *n* violoncelle *m.*
viper ['vaipə] *n* vipère *f.*
virago [vi'rɑ:gou] *n* mégère *f.*
virgin ['və:dʒin] *n* vierge *f.*
virginal ['və:dʒinl] *a* virginal.
virginity [və:'dʒiniti] *n* virginité *f.*
virile ['virail] *a* viril, mâle.
virility [vi'riliti] *n* virilité *f.*
virtual ['və:tjuəl] *a* virtuel, de fait, vrai.
virtue ['və:tju:] *n* vertu *f*, qualité *f.*
virtuoso [ˌvə:tju'ouzou] *n* virtuose *mf.*
virtuous ['və:tjuəs] *a* vertueux.
virulence ['virjuləns] *n* virulence *f.*
virulent ['virjulənt] *a* virulent.
virus ['vaiərəs] *n* virus *m.*
visa ['vi:zə] *n* visa *m.*
viscount ['vaikaunt] *n* vicomte *m.*
viscountess ['vaikauntis] *n* vicomtesse *f.*
viscous ['viskəs] *a* visqueux.
visibility [vizi'biliti] *n* visibilité *f.*
visible ['vizəbl] *a* visible.
vision ['viʒən] *n* vision *f*, vue *f.*
visionary ['viʒnəri] *an* visionnaire *mf*; *a* chimérique.
visit ['vizit] *n* visite *f*; *vt* rendre visite à, visiter.
visitation [ˌvizi'teiʃən] *n* tournée d'inspection *f*, épreuve *f*, calamité *f*, (*fam*) visite fâcheuse *f*, (*eccl*) visitation.
visiting ['vizitiŋ] *a* en (termes de) visite; **— card** carte de visite *f.*
visitor ['vizitə] *n* visiteur, -euse, visite *f*, voyageur, euse, estivant, -ante.
visor ['vaizə] *n* visière *f.*
vista ['vistə] *n* perspective *f*, percée *f*, échappée *f.*
visual ['vizjuəl] *a* visuel.
visualize ['vizjuəlaiz] *vt* se représenter, envisager.
vital ['vaitl] *a* vital, mortel, capital, essentiel; **— statistics** statistiques démographiques *f pl*, (*fam*) mensurations *f pl.*
vitality [vai'tæliti] *n* vitalité *f*, vigueur *f.*
vitamin ['vitəmin] *n* vitamine *f.*
vitiate ['viʃieit] *vt* vicier, corrompre.
vituperate [vi'tju:pəreit] *vt* injurier, vilipender.
vituperation [viˌtju:pə'reiʃən] *n* injures *f pl.*
vivacious [vi'veiʃəs] *a* vif, vivace.
vivacity [vi'væsiti] *n* vivacité *f*, animation *f.*
viva voce ['vaivə'vousi] *an* oral *m*; *ad* de vive voix.

Vivian ['viviən] Vivianne, Vivienne *f.*
vivid ['vivid] *a* vif, éclatant.
vividness ['vividnis] *n* éclat *m.*
vivify ['vivifai] *vt* vivifier, animer.
vivisect [,vivi'sekt] *vt* disséquer à vif.
vivisection [,vivi'sekʃən] *n* vivisection *f.*
vixen ['viksn] *n* renarde *f,* mégère *f.*
viz [viz] *ad* c'est à dire.
vocable ['voukəbl] *n* vocable *m.*
vocabulary [və'kæbjuləri] *n* vocabulaire *m.*
vocal ['voukəl] *a* vocal.
vocation [vou'keiʃən] *n* vocation *f,* carrière *f.*
vocational [vou'keiʃənl] *a* professionnel.
vociferate [vou'sifəreit] *vti* vociférer.
vociferation [vou,sifə'reiʃən] *n* vocifération *f,* clameurs *f pl.*
vogue [voug] *n* vogue *f.*
voice [vɔis] *n* voix *f; vt* exprimer, énoncer.
voiceless ['vɔislis] *a* aphone, muet.
void [vɔid] *n* vide *m; a* vide, vacant, dénué, non avenu.
volatile ['vɔlətail] *a* volatil, vif, gai, volage.
volcanic [vɔl'kænik] *a* volcanique.
volcano [vɔl'keinou] *n* volcan *m.*
volley ['vɔli] *n* volée *f,* décharge *f,* salve *f; vi* tirer à toute volée; *vt* reprendre de volée, lâcher.
volt [voult] *n* volte *f,* volt *m.*
volubility [,vɔlju'biliti] *n* volubilité *f.*
voluble ['vɔljubl] *a* volubile, facile, coulant.
volume ['vɔljum] *n* volume *m,* tome *m,* livre *m.*
voluminous [və'lju:minəs] *a* volumineux, ample.
voluntary ['vɔləntəri] *an* volontaire *mf; a* spontané.
volunteer [,vɔlən'tiə] *n* volontaire *m,* homme de bonne volonté *m; vt* offrir spontanément; *vi* s'offrir, s'engager comme volontaire.
voluptuous [və'lʌptjuəs] *a* voluptueux.
voluptuousness [və'lʌptjuəsnis] *n* volupté *f,* sensualité *f.*
vomit ['vɔmit] *vti* vomir, rendre.
vomiting ['vɔmitiŋ] *n* vomissement *m.*
voracious [və'reiʃəs] *a* vorace.
voracity [vɔ'ræsiti] *n* voracité *f.*
vortex ['vɔ:teks] *n* tourbillon *m.*
vote [vout] *n* vote *m,* voix *f; vti* voter; *vt* proposer.
voter ['voutə] *n* votant *m,* électeur, -trice.
voting ['voutiŋ] *n* scrutin *m;* — **paper** bulletin de vote *m.*
vouch [vautʃ] *vt* attester, garantir; **to — for** répondre de.
voucher ['vautʃə] *n* garantie *f,* attestation *f,* reçu *m,* bon *m.*
vouchsafe [vautʃ'seif] *vt* daigner, accorder.
vow [vau] *n* serment *m,* vœu *m; vt* vouer, jurer.
vowel ['vauəl] *n* voyelle *f.*
voyage [vɔiidʒ] *n* voyage *m* (par eau).
vulgar ['vʌlgə] *a* vulgaire.
vulgarity [vʌl'gæriti] *n* vulgarité *f.*
vulgarization [,vʌlgərai'zeiʃən] *n* vulgarisation *f.*
vulgarize ['vʌlgəraiz] *vt* vulgariser.
vulnerability [,vʌlnərə'biliti] *n* vulnérabilité *f.*
vulnerable ['vʌlnərəbl] *a* vulnérable.
vulture ['vʌltʃə] *n* vautour *m,* charognard *m.*

W

wad [wɔd] *n* bourre *f,* liasse *f,* tampon *m; vt* (rem)bourrer, ouater.
waddle ['wɔdl] *n* dandinement *m; vi* marcher comme un canard, se dandiner.
wade [weid] *vi* patauger; *vti* passer à gué.
wadi ['wɔdi] *n* oued *m.*
wafer ['weifə] *n* oublie *f,* gaufrette *f,* hostie *f,* pain à cacheter *m.*
waffle ['wɔfl] *n* gaufre *f,* (*fam*) radotages *m pl; vi* parloter, radoter.
waft [wɑ:ft] *n* bouffée *f,* souffle *m,* coup d'aile *m; vt* glisser, porter; *vi* flotter.
wag [wæg] *n* hochement *m,* branlement *m,* mouvement *m,* farceur *m; vt* remuer, hocher, lever; *vi* se remuer, aller.
wage(s) ['weidʒ(iz)] *n* salaire *m,* gages *m pl;* — **freeze** *n* blocage *m* des salaires.
wager ['weidʒə] *n* pari *m,* gageure *f; vt* parier.
waggish ['wægiʃ] *a* facétieux, blagueur, fumiste.
waggishness ['wægiʃnis] *n* espièglerie *f.*
waggle ['wægl] *vti* remuer.
wagon ['wægən] *n* camion *m,* chariot *m,* fourgon *m,* wagon *m,* (*US*) voiture *f.*
wagoner ['wægənə] *n* camionneur *m,* charretier *m,* roulier *m.*
wagtail ['wægteil] *n* bergeronnette *f,* hochequeue *m.*
waif [weif] *n* enfant abandonné *m,* épave *f.*
wail [weil] *n* lamentation *f,* plainte *f; vi* se lamenter, vagir.
wainscot ['weinskət] *n* boiserie *f,* lambris *m; vt* lambrisser.
waist [weist] *n* taille *f,* ceinture *f.*
waistband ['weistbænd] *n* ceinture *f,* ceinturon *m.*
waistcoat ['weiskout] *n* gilet *m.*
wait [weit] *n* attente *f,* embuscade *f,* battement *m; pl* chanteurs de Noël *m pl; vti* attendre; *vi* servir à table.
waiter ['weitə] *n* garçon *m.*
waiting-room ['weitiŋrum] *n* salle d'attente *f.*

waitress ['weitris] *n* serveuse *f*, (*US*) domestique *f*.
waive [weiv] *vt* écarter, renoncer à, lever.
wake [weik] *n* veillée *f*, sillage *m*; *vi* s'éveiller; *vt* réveiller.
wakeful ['weikful] *a* éveillé, vigilant.
wakefulness ['weikfulnis] *n* insomnie *f*, vigilance *f*.
waken ['weikən] *vi* s'éveiller, se réveiller; *vt* (r)éveiller.
Wales [weilz] *n* pays de Galles *m*.
walk [wɔːk] *n* (dé)marche *f*, promenade *f*, allée *f*, promenoir *m*; *vi* se promener, marcher, aller à pied; *vt* promener, faire à pied, faire marcher; **to — in** entrer; **to — off** *vi* s'en aller; *vt* emmener.
walker ['wɔːkə] *n* marcheur, -euse, piéton *m*, promeneur, -euse.
walking ['wɔːkiŋ] *a* ambulant; *n* marche *f*; **— stick** canne *f*.
walk-out ['wɔːk'aut] *n* (*US*) grève *f* (spontanée).
walk-over ['wɔːk'ouvə] *n* victoire *f* par forfait, jeu d'enfant *m*.
wall [wɔːl] *n* mur *m*, muraille *f*, paroi *f*.
wallet ['wɔlit] *n* porte-feuille *m*, besace *f*, sacoche *f*.
wallflower ['wɔːl,flauə] *n* giroflée *f*; **to be a —** faire tapisserie.
wallop ['wɔləp] *n* coup vigoureux *m*; *vt* rosser, fesser.
walloping ['wɔləpiŋ] *n* rossée *f*, fessée *f*, raclée *f*.
wallow ['wɔlou] *vi* rouler, se vautrer, se baigner.
wallpaper ['wɔːl,peipə] *n* papier peint *m*, tenture *f*.
walnut ['wɔːlnət] *n* noix *f*; **— tree** noyer *m*.
walrus ['wɔːlrəs] *n* morse *m*.
waltz [wɔːls] *n* valse *f*; *vi* valser.
wan [wɔn] *a* blafard, pâle.
wand [wɔnd] *n* baguette *f*, bâton *m*.
wander ['wɔndə] *vi* errer, se perdre, divaguer; *vt* (par)courir.
wanderer ['wɔndərə] *n* voyageur, -euse, promeneur, -euse.
wandering ['wɔndəriŋ] *a* errant, vagabond, distrait, égaré; *n* vagabondage *m*; *pl* divagations *f pl*.
wane [wein] *n* déclin *m*; *vi* décliner, décroître.
wanness ['wɔnnis] *n* pâleur *f*, lividité *f*.
want [wɔnt] *n* manque *m*, défaut *m*, gêne *f*, besoin *m*; **for — of** faute de; *vt* manquer de, avoir besoin de, demander, réclamer.
wanted ['wɔntid] *a* on demande, recherché (par la police).
wanton ['wɔntən] *n* gourgandine *f*, femme impudique *f*; *a* joueur, capricieux, impudique, débauché, gratuit.
war [wɔː] *n* guerre *f*.
warble ['wɔːbl] *n* gazouillement *m*; *vi* gazouiller.
warbler ['wɔːblə] *n* fauvette *f*.
ward [wɔːd] *n* garde *f*, tutelle *f*, pupille *mf*, arrondissement *m*, division *f*, cellule *f*, salle *f* (d'hôpital); *vt* garder; **to — off** écarter, parer.
warden ['wɔːdn] *n* directeur *m* (d'une institution, d'une prison) *f* recteur *m*; gardien *m*, conservateur *m*; **game —** garde-chasse *m*.
warder ['wɔːdə] *n* gardien *m*.
wardrobe ['wɔːdroub] *n* armoire *f*, garde-robe *f*.
wardroom ['wɔːdrum] *n* carré des officiers *m*.
ware [wɛə] *n* vaisselle *f*; *pl* marchandises *f pl*.
warehouse ['wɛəhaus] *n* entrepôt *m*, magasin *m*; *vt* entreposer, emmagasiner.
warfare ['wɔːfɛə] *n* guerre *f*.
wariness ['wɛərinis] *n* prudence *f*, méfiance *f*.
warlike ['wɔːlaik] *a* belliqueux.
warm [wɔːm] *a* chaud, chaleureux, pimenté, vif, échauffé, au chaud; *vt* (ré)chauffer; *vi* se (ré)chauffer, s'animer, s'échauffer.
warming ['wɔːmiŋ] *n* chauffage *m*.
warming-pan ['wɔːmiŋpæn] *n* bassinoire *f*.
warmth [wɔːmθ] *n* chaleur *f*, ardeur *f*.
warn [wɔːn] *vt* avertir, mettre en garde, prévenir.
warning ['wɔːniŋ] *n* avertissement *m*, congé *m*.
warp [wɔːp] *n* chaîne *f*, corde *f*, (*wood*) jeu *m*, gauchissement *m*, dépôt *m*; *vt* ourdir, remorquer, jouer, gauchir, fausser; *vi* gauchir, se voiler, se déformer.
warrant ['wɔrənt] *n* autorité *f*, garantie *f*, bon *m*, brevet *m*, mandat *m* (d'amener), pouvoir *m*; *vt* autoriser, garantir, justifier.
warrantable ['wɔrəntəbl] *a* justifiable.
warrantor ['wɔrəntɔː] *n* garant *m*, répondant *m*.
warren ['wɔrin] *n* garenne *f*.
warrior ['wɔriə] *n* guerrier *m*, soldat *m*; *a* martial, guerrier.
wart [wɔːt] *n* verrue *f*.
wart-hog ['wɔːt'hɔg] *n* phacochère *m*.
wary ['wɛəri] *a* prudent, méfiant, avisé.
wash [wɔʃ] *n* lavage *m*, lessive *f*, lavasse *f*, lotion *f*, remous *m*, sillage *m*, couche *f*, lavis *m*; *vt* laver, blanchir, badigeonner; *vi* se laver; **to — away** emporter; **to — down** arroser, laver à grande eau; **to — out** rincer, passer l'éponge sur, supprimer; **to — up** faire la vaisselle.
washable ['wɔʃəbl] *a* lavable.
wash-basin ['wɔʃ,beisn] *n* cuvette *f*.
washed-out ['wɔʃt'aut] *a* (*fam*) lessivé; délavé, (*fam*) flapi.
washer ['wɔʃə] *n* laveur, -euse, rondelle *f*; **—-up** plongeur *m*.

washerwoman ['wɔʃəˌwumən] *n* blanchisseuse *f*, lavandière *f*.
wash-house ['wɔʃhaus] *n* buanderie *f*, lavoir *m*.
washing ['wɔʃiŋ] *n* lavage *m*, linge *m*, vaisselle *f*, lessive *f*, blanchissage *m*.
wash-out ['wɔʃaut] *n* fiasco *m*, four *m*, débâcle *f*, raté(e).
washstand ['wɔʃstænd] *n* lavabo *m*.
washy ['wɔʃi] *a* insipide, fade.
wasp [wɔsp] *n* guêpe *f*; **—'s nest** guêpier *m*; **mason —** guêpe maçonne *f*.
waspish ['wɔspiʃ] *a* venimeux, méchant, de guêpe.
waste [weist] *n* désert *m*, usure *f*, déchets *m pl*, gaspillage *m*, perte *f*; *a* inculte, désert, de rebut; *vt* gaspiller, épuiser, perdre, rater, gâcher; *vi* s'user, se perdre, s'épuiser.
wasteful ['weistful] *a* ruineux, prodigue, gaspilleur.
waste-paper basket [weist'peipəˌbɑːskit] *n* corbeille à papier *f*.
waster ['weistə] *n* vaurien *m*, gaspilleur, -euse.
watch [wɔtʃ] *n* garde *f*, guet *m*, quart *m*, montre *f*; *vt* (sur)veiller, observer, regarder, guetter; *vi* prendre garde, veiller, faire attention.
watchdog ['wɔtʃdɔg] *n* chien *m* de garde; (*US*) **— committee** comité *f* de surveillance.
watchful ['wɔtʃful] *a* attentif, vigilant.
watchfulness ['wɔtʃfulnis] *n* vigilance *f*.
watchmaker ['wɔtʃˌmeikə] *n* horloger *m*.
watchman ['wɔtʃmən] *n* veilleur de nuit *m*, guetteur *m*.
watchword ['wɔtʃwəːd] *n* mot d'ordre *m*.
water ['wɔːtə] *n* eau *f*; *vt* arroser, abreuver; *vi* faire de l'eau, (*eyes*) se mouiller; **to — down** affaiblir, diluer, atténuer, frelater.
water bottle ['wɔːtəˌbɔtl] *n* bidon *m*, gourde *f*; **hot—** bouillotte *f*.
water-closet ['wɔːtəˌklɔzit] *n* cabinets *m pl*.
water-colour ['wɔːtəˌkʌlə] *n* aquarelle *f*.
watercress ['wɔːtəkres] *n* cresson *m*.
waterfall ['wɔːtəfɔːl] *n* cascade *f*.
watering ['wɔːtəriŋ] *n* arrosage *m*, dilution *f*.
watering-can ['wɔːtəriŋkæn] *n* arrosoir *m*.
watering-place ['wɔːtəriŋpleis] *n* abreuvoir *m*, ville d'eau *f*, plage *f*.
water-lily ['wɔːtəˌlili] *n* nénuphar *m*.
waterline ['wɔːtəlain] *n* ligne de flottaison *f*.
waterlogged ['wɔːtəlɔgd] *a* plein d'eau, détrempé.
watermark ['wɔːtəmɑːk] *n* filigrane *m*.
water-melon ['wɔːtə'melən] *n* pastèque *f*.
water-pipe ['wɔːtəpaip] *n* conduite *f* d'eau.
water-power ['wɔːtəˌpauə] *n* force hydraulique *f*.
waterproof ['wɔːtəpruːf] *an* imperméable *m*.
watershed ['wɔːtəʃed] *n* ligne de partage des eaux *f*.
waterskiing ['wɔːtə'skiːiŋ] *n* ski nautique *m*.
waterspout ['wɔːtəspaut] *n* trombe *f*.
watertight ['wɔːtətait] *a* étanche.
waterway ['wɔːtəwei] *n* voie navigable *f*.
waterworks ['wɔːtəwəːks] *n pl* canalisations *f pl*, usine hydraulique *f*.
watery ['wɔːtəri] *a* aqueux, humide, dilué, déteint, chargé de pluie, insipide.
wattle ['wɔtl] *n* claie *f*, fanon *m*, barbe *f*.
wave [weiv] *n* vague *f*, ondulation *f*, (*radio*) onde *f*, signe *m*; *vt* brandir, agiter; *vti* onduler, ondoyer; *vi* s'agiter, flotter, faire signe (de la main).
wavelength ['weivleŋθ] *n* longueur *f* d'onde.
waver ['weivə] *vi* hésiter, défaillir, fléchir, vaciller, trembler.
wavy ['weivi] *a* ondulé, onduleux, tremblé.
wax [wæks] *n* cire *f*, (*cobbler's*) poix *f*; *vt* cirer, encaustiquer; *vi* croître, devenir.
waxwork ['wækswəːk] *n* figure de cire *f*, modelage en cire *m*; *pl* musée des figures de cire *m*.
waxy ['wæksi] *a* de cire, cireux, plastique.
way [wei] *n* chemin *m*, voie *f*, distance *f*, côté *m*, sens *m*, habitude *f*, manière *f*, point de vue *m*, état *m*; **by the —** à propos; **by — of** par manière de, en guise de; **this —** par ici; **under —** en train; **out of the —** insolite, écarté.
wayfarer ['wei fɛərə] *n* voyageur, -euse.
waylay [wei'lei] *vt* dresser un guet-apens à.
way-out ['wei'aut] *n* sortie *f*, échappatoire *f*.
wayside ['weisaid] *n* bord *m* de route, bas côté *m*; *a* du bord de la route.
way train ['weiˌtrein] *n* (*US*) train *m* omnibus.
wayward ['weiwəd] *a* entêté, capricieux.
waywardness ['weiwədnis] *n* humeur fantasque *f*.
we [wiː] *pn* nous.
weak [wiːk] *a* faible, chétif, léger, doux.
weaken ['wiːkən] *vt* affaiblir; *vi* s'affaiblir, fléchir.
weakish ['wiːkiʃ] *a* faiblard.

weakness ['wi:knis] *n* faiblesse *f*, faible *m*.
weal [wi:l] *n* bien *m*, zébrure *f*.
wealth [welθ] *n* richesse(s) *f* (*pl*), profusion *f*.
wealthy ['welθi] *a* riche.
wean [wi:n] *vt* sevrer, guérir.
weaning ['wi:niŋ] *n* sevrage *m*.
weapon ['wepən] *n* arme *f*.
wear [wεə] *n* usage *m*, usure *f*; *vt* porter, mettre, user; *vi* s'user, tirer.
weariness ['wiərinis] *n* fatigue *f*, lassitude *f*.
wearisome ['wiərisəm] *a* ennuyeux, fastidieux.
weary ['wiəri] *a* fatigué, assommant; *vt* ennuyer, fatiguer; *vi* s'ennuyer, languir.
weasel ['wi:zl] *n* belette *f*.
weather ['weðə] *n* temps *m*; *vt* exposer aux intempéries, échapper à, survivre à, (*cape*) doubler.
weather-beaten ['weðə,bi:tn] *a* battu par la tempête, hâlé.
weather-bound ['weðəbaund] *a* retenu par le mauvais temps.
weathercock ['weðəkɔk] *n* girouette *f*.
weathered ['weðəd] *a* décoloré, rongé, patiné.
weather forecast ['weðə'fɔ:kɑ:st] *n* bulletin météorologique *m*.
weather station ['weðə'steiʃən] *n* station météorologique *f*.
weave [wi:v] *vt* tisser, tramer.
weaver ['wi:və] *n* tisserand *m*.
weaving ['wi:viŋ] *n* tissage *m*.
web [web] *n* tissu *m*, toile *f*.
webbing ['webiŋ] *n* sangles *f pl*, ceinture *f*.
web-footed ['web,futid] *a* palmé.
wed [wed] *vt* marier, se marier avec, épouser.
wedded ['wedid] *a* conjugal, marié.
wedding ['wediŋ] *n* mariage *m*, noce(s) *f* (*pl*).
wedding breakfast ['wediŋ'brekfəst] *n* repas de noces *m*.
wedge [wedʒ] *n* coin *m*, cale *f*, part *f*; *vt* coincer, presser, caler.
wedlock ['wedlɔk] *n* (état *m* de) mariage *m*, vie conjugale *f*.
Wednesday ['wenzdi] *n* mercredi *m*.
wee [wi:] *a* tout petit; *vi* faire pipi.
weed [wi:d] *n* mauvaise herbe *f*, tabac *m*; *vt* sarcler; **to — out** trier, éliminer.
weeds [wi:dz] *n pl* deuil de veuve *m*.
week [wi:k] *n* semaine *f*; **today —** d'aujourd'hui en huit.
weekday ['wi:kdei] *n* jour *m* de semaine.
weekend ['wi:k'end] *n* weekend *m*.
weekly ['wi:kli] *a* hebdomadaire; *ad* tous les huit jours.
weep [wi:p] *vi* pleurer, suinter.
weeping willow ['wi:piŋ'wilou] *n* saule pleureur *m*.
weft [weft] *n* trame *f*.
weigh [wei] *vti* peser; *vt* (*anchor*) lever, calculer; **to — down** courber, accabler.
weight [weit] *n* poids *m*, pesanteur *f*, gravité *f*.
weighty ['weiti] *a* pesant, de poids, puissant.
weir [wiə] *n* barrage *m*.
weird [wiəd] *a* fantastique, bizarre, mystérieux.
welcome ['welkəm] *n* bienvenue *f*, accueil *m*; *a* bienvenu, acceptable; *vt* (bien) accueillir, souhaiter la bienvenue à.
weld [weld] *vt* souder, unir.
welding ['weldiŋ] *n* soudure *f*, soudage *m*.
welfare ['welfεə] *n* bien-être *m*, bonheur *m*.
well [wel] *n* puits *m*, source *f*, fontaine *f*, cage d'escalier *f*, godet *m*; *vi* jaillir, sourdre; *a* bien portant; *ad* bien; **— enough** pas mal; **all very —** bel et bien; *excl* eh bien!
wellbeing ['wel'bi:iŋ] *n* bien-être *m*.
well-bred ['wel'bred] *a* bien élevé, (*horse*) racé.
well-built ['wel'bilt] *a* bien bâti.
well-done ['wel'dʌn] *a* bien fait, (*cook*) bien cuit; *excl* bravo!
well-meaning ['wel'mi:niŋ] *a* bien intentionné.
well-off ['wel'ɔf] *a* cossu, à l'aise.
Welsh [welʃ] *an* gallois *m*.
Welshman ['welʃmən] *n* Gallois(e) *mf*.
welter ['weltə] *n* confusion *f*, fatras *m*; *vi* baigner, se vautrer.
wen [wen] *n* loupe *f*, goître *m*.
wench [wentʃ] *n* fille *f*, gaillarde *f*.
went [went] *pt of* **go**.
wept [wept] *pt pp of* **weep**.
west [west] *n* ouest *m*, occident *m*; *a* à (de, vers) l'ouest, ouest, occidental.
western ['westən] *a see* **west**.
westwards ['westwədz] *ad* vers l'ouest.
wet [wet] *n* humidité *f*, pluie *f*; *a* humide, mouillé, trempé; **— blanket** rabat-joie *m*; *vt* mouiller, humecter.
wet-nurse ['wetnə:s] *n* nourrice *f*.
wetting ['wetiŋ] *n* douche *f*; **to get a —** se faire tremper.
whack [wæk] *n* coup de bâton *m*, essai *m*, part *f*; *vt* bâtonner, rosser, écraser; *excl* vlan!
whacking ['wækiŋ] *n* rossée *f*, raclée *f*.
whale [weil] *n* baleine *f*.
whaleboat ['weilbout] *n* baleinière *f*.
whalebone ['weilboun] *n* fanon *m*, baleine *f*.
wharf [wɔ:f] *n* quai *m*.
what [wɔt] *rel pn* ce qui, ce que, ce dont; *inter pn* qu'est-ce qui?, qu'est ce que?, que?, quoi?, combien?; *a inter excl* quel(s)?, quelle(s); *excl* quoi! comment!
what(so)ever [,wɔt(sou)'evə] *pn* tout ce qui, tout ce que, quoi qui quoi,

que, n'importe quoi; *a* quel que, quelque . . . qui (que), quelconque.
wheat [wi:t] *n* blé *m*, froment *m*.
wheatear ['wi:tiər] *n* traquet *m*.
wheedle ['wi:dl] *vt* cajoler, engager; **to — out of** soutirer par cajolerie.
wheedler ['wi:dlə] *n* enjôleur, -euse.
wheel [wi:l] *n* roue *f*, tour *m*, cercle *m*, (*US*) vélo *m*; *vt* rouler, tourner; *vi* tournoyer; **to — round** se retourner, faire volte-face, demi-tour.
wheelbarrow ['wi:l,bærou] *n* brouette *f*.
wheelwright ['wi:lrait] *n* charron *m*.
wheeze [wi:z] *n* respiration asthmatique *f*; *vi* respirer péniblement.
wheezing ['wi:ziŋ] *n* sifflement *m*, râle *m*.
wheezy ['wi:zi] *a* asthmatique, poussif.
whelp [welp] *n* jeune chien *etc*, petit *m*, drôle *m*; *vi* mettre bas.
when [wen] *cj* quand, lorsque, où, que; *inter ad* quand?
whence [wens] *ad* d'où.
whenever [wen'evə] *cj* toutes les fois que.
where [wɛə] *ad* où, là où, (à) l'endroit où.
whereabouts ['wɛərəbauts] *ad* où (donc); *n* lieu *m* où on est; **his —** où il est.
whereas [wɛər'æz] *cj* vu que, tandis que, alors que.
whereby [wɛə'bai] *ad* par quoi? par lequel.
wherefore ['wɛəfɔ:] *ad* en raison de quoi, donc, pourquoi.
wherein [wɛər'in] *ad* en quoi, où.
whereupon [,wɛərə'pɔn] *ad* sur quoi.
wherever [wɛər'evə] *ad* partout où, où que.
wherewithal ['wɛəwi'ðɔ:l] *n* moyen(s) de quoi *m* (*pl*).
whet [wet] *vt* aiguiser, repasser, affiler, exciter.
whether ['weðə] *cj* si; **— . . . or** soit (que) . . . soit (que).
whetstone ['wetstoun] *n* pierre à aiguiser *f*.
whey [wei] *n* petit lait *m*.
which [witʃ] *a* quel(s), quelle(s); *rel pn* qui, que, lequel, laquelle, lesquels, lesquelles, ce qui, ce que, ce dont; *inter pn* lequel *etc*.
whichever [witʃ'evə] *rel pn* celui qui, celui que, n'importe lequel; *a* que que, quelque . . . que, n'importe quel.
whiff [wif] *n* bouffée *f*.
while [wail] *n* temps *m*, instant *m*; *cj* pendant que, tandis que, tout en; **once in a —** à l'occasion; **to — away** passer, tuer, tromper.
whim [wim] *n* caprice *m*, toquade *f*, fantaisie *f*.
whimper ['wimpə] *n* geignement *m*, pleurnichement *m*; *vi* geindre, pleurnicher.
whimsical ['wimzikəl] *a* fantasque, bizarre.
whimsicality [,wimzi'kæliti] *n* bizarrerie *f* humeur *f* fantasque.
whine [wain] *n* gémissement *m*, jérémiade *f*; *vi* gémir, pleurnicher, se plaindre.
whinny ['wini] *n* hennissement *m*; *vi* hennir.
whip [wip] *n* fouet *m*, cravache *f*, cocher *m*, piqueur *m*, chef de file *m*, convocation urgente *f*; *vti* fouetter; *vt* battre; **to — off** enlever vivement; **to — round** se retourner brusquement, faire un tête à queue; **to — up** fouetter, activer.
whipcord ['wipkɔ:d] *n* corde *f*.
whiphand ['wip'hænd] *n* haute main *f*, avantage *m*.
whiplash ['wip:læʃ] *n* mèche de fouet *f*.
whipping ['wipiŋ] *n* fouettée *f*; **to give a — to** donner le fouet à.
whir(r) [wə:] *n* bourdonnement *m*, battement d'ailes *m*, ronronnement *m*, ronflement *m*; *vi* bourdonner, ronfler, ronronner.
whirl [wə:l] *n* tourbillon *m*, tournoiement *m*; **to be in a —** avoir la tête à l'envers; *vi* tournoyer, tourbillonner, pirouetter, tourner, virevolter.
whirlpool ['wə:lpu:l] *n* tourbillon *m*, remous *m*.
whirlwind ['wə:lwind] *n* trombe *f*, tourbillon *m*.
whisk [wisk] *n* fouet *m* (à crême), frétillement *m*; plumeau *m*, époussette *f*; *vt* fouetter, battre, remuer; **to — away** enlever vivement, escamoter, chasser.
whisker(s) ['wiskə(z)] *n* (*of cat*) moustache(s) *f* (*pl*), favoris *m pl*.
whisper ['wispə] *n* murmure *m*, chuchotement *m*, bruissement *m*; *vti* murmurer, chuchoter.
whistle ['wisl] *n* sifflet *m*, sifflement *m*; *vt* siffler; **to — for** siffler.
whistler ['wislə] *n* siffleur, -euse.
white [wait] *a* blanc, à blanc; *n* blanc *m*; **— heat** incandescence *f*; **— horses** moutons *m pl*; **— hot** chauffé à blanc; **— lead** céruse *f*; **— paper** rapport ministériel *m*; **— slavery** traite des blanches *f*.
whiten ['waitn] *vt* blanchir; *vi* pâlir.
whiteness ['waitnis] *n* blancheur *f*, pâleur *f*.
whitening ['waitniŋ] *n* blanchiment *m*, blanchissement *m*.
whitewash ['waitwɔʃ] *n* lait de chaux *m*, badigeon *m*, poudre aux yeux *f*; *vt* blanchir, badigeonner en blanc.
whither ['wiðə] *ad* où, là où.
whiting ['waitiŋ] *n* merlan *m*.
whitish ['waitiʃ] *a* blanchâtre.
whitlow ['witlou] *n* panaris *m*, mal blanc *m*.
Whitsun ['witsn] *n* Pentecôte *f*.
whittle ['witl] *vt* (dé)couper, amenui-

ser, amincir, diminuer, rogner.
whizz [wiz] *n* sifflement *m*; *vi* siffler; **to — along** filer à toute vitesse.
who [hu:] *rel pn* qui, lequel *etc*; *inter pn* qui? qui est-ce qui? quel?
who(so)ever [ˌhu:(sou)'evə] *pn* quiconque, toute personne qui.
whole [houl] *n* tout *m*, ensemble *m*, totalité *f*; **on the —** en somme, à tout prendre, dans l'ensemble; *a* tout, entier, complet, intégral, intact.
wholeheartedly ['houl'hɑ:tidli] *ad* de grand (tout) cœur.
wholeheartedness ['houl'hɑ:tidnis] *n* cordialité *f*, ardeur *f*, ferveur *f*.
wholesale ['houlseil] *n* vente en gros *f*; *a* général, en masse; *ad* en gros.
wholesome ['houlsəm] *a* salubre, sain, salutaire.
wholesomeness ['houlsəmnis] *n* santé *f*, salubrité *f*.
wholly ['houlli] *ad* sans réserve, intégralement, entièrement, tout à fait.
whom [hu:m] *rel pn* que, lequel *etc*; *inter pn* qui? qui est-ce que?
whoop [hu:p] *vi* (*US*) augmenter.
whooping-cough ['hu:piŋkɔf] *n* coqueluche *f*.
whore [hɔ:] *n* prostituée *f*.
whose [hu:z] *rel pn* dont, de qui, duquel *etc*; *poss pn* à qui? de qui?
why [wai] *nm ad* pourquoi; *excl* allons! mais! tiens! voyons!
wick [wik] *n* mèche *f*.
wicked ['wikid] *a* méchant, vicieux, pervers, inique.
wickedly ['wikidli] *ad* méchamment.
wickedness ['wikidnis] *n* méchanceté *f*.
wicker ['wikə] *n* osier *m*.
wicket ['wikit] *n* guichet *m*, tourniquet *m*, barrière *f*, portillon *m*.
wide [waid] *a* large, vaste, (tout) grand; **— of** *prep* loin de, au large de.
wide awake ['waidə'weik] *a* bien éveillé, (*fam*) déluré.
widely ['waidli] *ad* grandement, très, largement.
widen ['waidn] *vt* élargir, étendre; *vi* s'élargir.
widening ['waidniŋ] *n* élargissement *m*, extension *f*.
widespread ['waidspred] *a* très répandu.
widow ['widou] *n* veuve *f*.
widowed ['widoud] *a* (devenu(e)) veuf, veuve.
widower ['widouə] *n* veuf *m*.
width [widθ] *n* largeur *f*.
wield [wi:ld] *vt* (dé)manier, tenir, exercer.
wife [waif] *n* femme *f*, épouse *f*.
wig [wig] *n* perruque *f*.
wild [waild] *a* sauvage, fou, égaré, violent, farouche, déréglé.
wilderness ['wildənis] *n* déser *m*, pays inculte *m*.
wildfire ['waild.faiə] *n* feu grégeois *m*, (*fig*) poudre *f*; **like —** comme une traînée de poudre.
wildly ['waildli] *ad* sauvagement, à l'aveugle, d'une façon extravagante.
wilds [waildz] *n pl* désert *m*, solitude *f*, brousse *f*, bled *m*, pays sauvage *m*.
wile [wail] *n* astuce *f*, ruse *f*.
wilful ['wilful] *a* volontaire, obstiné, prémédité.
wilfulness ['wilfulnis] *n* opiniâtreté *f*, obstination *f*.
will [wil] *n* volonté *f*, vouloir *m*, (*free*) arbitre *m*, testament *m*; *vt* vouloir, ordonner, léguer.
William ['wiljəm] Guillaume *m*.
willing ['wiliŋ] *a* tout disposé, de bonne volonté.
willingly ['wiliŋli] *ad* volontiers.
willingness ['wiliŋnis] *n* empressement *m*, bonne volonté *f*.
will-o'-the-wisp ['wiləðə'wisp] *n* feu follet *m*, chimère *f*.
willow ['wilou] *n* saule *m*.
willy-nilly ['wili'nili] *ad* bon gré mal gré.
wilt [wilt] *vi* dépérir, se flétrir, se dégonfler.
wily ['waili] *a* retors, rusé.
win [win] *vt* gagner, remporter, vaincre; **to — over** gagner.
wince [wins] *n* haut-le-corps *m*, tressaillement *m*; *vi* tressaillir, broncher.
winch [wintʃ] *n* treuil *m*, manivelle *f*.
wind [wind] *n* vent *m*, instruments à vent *m pl*, souffle *m*, haleine *f*; **to have the — up** avoir la trouille; *vt* essouffler.
wind [waind] *vt* enrouler, remonter, sonner; *vi* serpenter, tourner, s'enrouler; **to — up** remonter, liquider, régler.
windbag ['windbæg] *n* moulin à paroles *m*.
winded ['windid] *a* essoufflé, hors d'haleine.
windfall ['windfɔ:l] *n* aubaine *f*, fruit tombé *m*.
winding ['waindiŋ] *a* sinueux, tortueux, tournant; *n* enroulement *m*, cours sinueux *m*; *pl* méandres *m pl*, sinuosités *f pl*, lacets *m pl*.
winding-sheet ['waindiŋʃi:t] *n* linceul *m*.
winding-up ['waindiŋ'ʌp] *n* conclusion *f*, liquidation *f*, remontage *m*.
windlass ['windləs] *n* cabestan *m*, treuil *m*.
windmill ['winmil] *n* moulin à vent *m*.
window ['windou] *n* fenêtre *f*, croisée *f*, (*shop*) vitrine *f*; **stained-glass —** verrière *f*.
window-dressing ['windouˌdresiŋ] *n* art de l'étalage *m*, trompe-l'œil *m*.
window fastening ['windou'fɑ:sniŋ] *n* espagnolette *f*.
window frame ['windou'freim] *n* châssis *m* de fenêtre.

window pane ['windoupein] *n* carreau *m*, vitre *f*, glace *f*.
window-shopping ['windou'ʃɔpiŋ] *n* lèche-vitrine *m*.
windscreen ['windskri:n] *n* paravent *m*, pare-brise *m*; — **wiper** *n* essuie-glace *m*.
windshield ['windʃi:ld] *n* (*US*) pare-brise *m*.
windswept ['windswept] *a* (*hair style*) en coup de vent, (*place*) venteux.
windy ['windi] *a* venteux, balayé par le vent, agité, creux, verbeux, vide, qui a la frousse.
wine [wain] *n* vin *m*.
wine-merchant ['wain'mə:tʃənt] *n* négociant en vins *m*.
wine-press ['wainpres] *n* pressoir *m*.
wing [wiŋ] *n* aile *f*, essor *m*, vol *m*; *vt* donner des ailes à, empenner, blesser à l'aile.
winged [wiŋd] *a* ailé.
winger ['wiŋə] *n* ailier *m*.
wink [wiŋk] *n* clin d'œil *m*; *vi* cligner, clignoter, faire de l'œil (à **at**); **to — at** fermer les yeux sur.
winker ['wiŋkə] *n* (*aut*) clignotant *m*.
winner ['winə] *n* gagnant(e) *mf*, vainqueur *m*, grand succès *m*.
winning ['winiŋ] *a* gagnant, engageant, décisif; **—-post** *n* poteau d'arrivée *m*.
winnow ['winou] *vt* vanner, trier.
winnower ['winouə] *n* vanneur, -euse, (*machine*) vanneuse *f*.
winsome ['winsəm] *a* charmant, séduisant.
winter ['wintə] *n* hiver *m*; *vi* passer l'hiver, hiverner.
wintry ['wintri] *a* d'hiver, hivernal, glacial.
wipe [waip] *n* coup de balai *m*, de torchon, d'éponge; *vt* balayer, essuyer; **to — out** effacer, liquider, anéantir.
wire ['waiə] *n* fil de fer *m*, dépêche *f*, télégramme *m*; *vt* grill(ag)er, rattacher avec du fil de fer; *vti* télégraphier.
wire-cutter ['waiə,kʌtə] *n* cisailles *f pl*.
wire-haired ['waiəhɛəd] *a* à poil rêche.
wireless ['waiəlis] *n* radio *f*, télégraphie sans fil *f*; *vt* envoyer par la radio; *vi* envoyer un sans-fil; *a* sans-fil.
wire-netting ['waiə'netiŋ] *n* treillis (métallique) *m*.
wire-puller ['waiə,pulə] *n* combinard *m*, intrigant(e) *mf*.
wire-pulling ['waiə,puliŋ] *n* manipulation *f*, intrigues *f pl*, manigances *f pl*.
wiry ['waiəri] *a* tout nerfs, sec, nerveux, en fil de fer.
wisdom ['wizdəm] *n* sagesse *f*, prudence *f*.
wise [waiz] *n* manière *f*; *a* sage, savant, prudent, informé, averti.
wiseacre ['waiz,eikə] *n* gros bêta *m*, faux sage *m*.
wisecrack ['waizkræk] *n* (*US*) bon mot *m*; *vi* faire de l'esprit.
wish [wiʃ] *n* souhait *m*, désir *m*, vœu *m*; *vt* souhaiter, désirer, vouloir.
wishful ['wiʃful] *a* désireux, d'envie; — **thinking** optimisme béat *m*.
wisp [wisp] *n* bouchon *m* (de paille), petit bout *m*, mèche folle *f*, traînée *f* (de fumée).
wistful ['wistful] *a* pensif, plein de regret, insatisfait, d'envie.
wistfully ['wistfuli] *ad* d'un air pensif, avec envie.
wit [wit] *n* esprit *m*, homme d'esprit *m* (de ressource); **to —** à savoir.
witch [witʃ] *n* sorcière *f*, ensorceleuse *f*; *vt* ensorceler.
witchcraft ['witʃkrɑ:ft] *n* sorcellerie *f*, magie noire *f*.
witch-doctor ['witʃ,dɔktə] *n* sorcier *m*.
with [wið] *prep* avec, à, au, à la, aux, chez, auprès de, envers, pour ce qui est de; **to be — it** être dans le vent.
withal [wi'ðɔ:l] *ad* avec cela, d'ailleurs, en même temps.
withdraw [wið'drɔ:] *vt* (re)tirer, reprendre, annuler, soustraire; *vi* se retirer, se replier, se rétracter.
withdrawal [wið'drɔ:əl] *n* retrait *m*, retraite *f*, rétraction *f*, repliement *m*, rappel *m*.
wither ['wiðə] *vt* dessécher, flétrir; *vi* se flétrir, se faner, dépérir.
withhold [wið'hould] *vt* retenir, refuser, cacher.
within [wi'ðin] *prep* dans, en dedans de, à l'intérieur de, en, entre, en moins de, à . . . près; *ad* au (en) dedans, à l'intérieur.
without [wi'ðaut] *prep* sans, hors de, en (au) dehors de; *ad* en (au) dehors, à l'extérieur.
withstand [wið'stænd] *vt* résister à, soutenir.
witness ['witnis] *n* témoin *m*, témoignage *m*; *vi* témoigner; *vt* attester, certifier, assister à, être témoin de.
witness-box ['witnis,bɔks] *n* banc *m*, barre des témoins *f*.
witticism ['witisizəm] *n* mot (trait *m*) d'esprit *m*, bon mot *m*.
wittingly ['witiŋli] *ad* à dessein, sciemment.
witty ['witi] *a* spirituel.
wizard ['wizəd] *n* magicien *m*, sorcier *m*, escamoteur *m*.
wizened ['wiznd] *a* ratatiné, desséché.
wobble ['wɔbl] *n* vacillation *f*, dandinement *m*; *vi* aller de travers, vaciller, trembler, branler, tituber, zigzaguer.
woe [wou] *n* malheur *m*.
woebegone ['woubi,gɔn] *a* lamentable, désolé.

woeful ['wouful] *a* triste, atroce, déplorable, affligé.
wold [would] *n* lande *f*.
wolf [wulf] *n* loup *m*; — **whistle** (*fam*) sifflement admiratif *m*.
wolf-cub ['wulfkʌb] *n* louveteau *m*.
woman ['wumən] *n* femme *f*.
womanhood ['wumənhud] *n* âge de femme *m*, fémininité *f*.
womanish ['wumәniʃ] *a* efféminé.
womanly ['wumәnli] *a* féminin, de femme.
womb [wu:m] *n* matrice *f*, sein *m*.
won [wʌn] *pt pp of* **win.**
wonder ['wʌndə] *n* merveille *f*, prodige *m*, émerveillement *m*; **no** — rien d'étonnant, (*fam*) bien entendu; *vi* s'étonner; *vt* se demander; **to — at** admirer, s'étonner de.
wonderful ['wʌndəful] *a* étonnant, merveilleux.
wonderingly ['wʌndəriŋli] *ad* d'un air étonné.
wonderment ['wʌndəmənt] *n* étonnement *m*, émerveillement *m*
wont [wount] *n* habitude *f*; **to be — to** avoid l'habitude de.
wonted ['wountid] *a* habituel, coutumier.
woo [wu:] *vt* courtiser, faire la cour à.
wood [wud] *n* bois *m*, forêt *f*.
woodcock ['wudkɔk] *n* bécasse *f*.
woodcut ['wudkʌt] *m* gravure sur bois *f*.
woodcutter ['wudkʌtə] *n* bûcheron *m*, graveur sur bois *m*.
wooden ['wudn] *a* de (en) bois.
woodland ['wudlənd] *n* pays boisé *m*.
woodman ['wudmən] *n* garde forestier *m*, bûcheron *m*.
woodpecker ['wud,pekə] *n* pic *m*, pivert *m*.
woodwork ['wudwə:k] *n* boisage *m*, boiserie *f*, menuiserie *f*, charpenterie *f*.
wool [wul] *n* laine *f*.
woollen ['wulin] *n* lainage *m*; *a* de laine, laineux.
woolly ['wuli] *a* de laine, laineux, ouaté, flou, cotonneux, (*fig*) confus, vaseux; *n* vêtement de laine *m*, pull-over *m*.
word [wə:d] *n* mot *m*, parole *f*; *vt* exprimer, rédiger, formuler, énoncer.
wordiness ['wə:dinis] *n* verbosité *f*.
wording ['wə:diŋ] *n* expression *f*, rédaction *f*, énoncé *m*, libellé *m*.
wordy ['wə:di] *a* verbeux, diffus, prolixe.
wore [wɔ:] *pt of* **wear.**
work [wə:k] *n* travail *m* (*pl* travaux), ouvrage *m*, œuvre *f*; *pl* usine *f*, atelier *m*, chantier *m*, mécanisme *m*; *vti* travailler; *vi* marcher, fonctionner, agir; *vt* faire travailler, faire marcher, actionner, exploiter, diriger, opérer, façonner; **to — out** *vt* élaborer, calculer; *vi* se monter (à **at**); **to — up** *vt* perfectionner, développer, préparer, exciter; *vi* se développer, se préparer, remonter.
workable ['wə:kəbl] *a* faisable, réalisable, exploitable.
work-basket ['wə:k,bɑ:skit] *n* corbeille à ouvrage *f*.
workday ['wə:kdei] *n* jour ouvrable *m*.
worker ['wə:kə] *n* ouvrier, -ière.
workhouse ['wə:khaus] *n* asile *m*, hospice *m*.
working ['wə:kiŋ] *n* travail *m*, (*wine*) fermentation *f*, fonctionnement *m*; *a* — **class** classe ouvrière *f*, prolétariat *m*; — **majority** majorité suffisante *f*.
workmanlike ['wə:kmənlaik] *a* bien fait, pratique, en bon ouvrier.
workmanship ['wə:kmənʃip] *n* habileté manuelle *f*, fin travail *m*, façon *f*.
workshop ['wə:kʃɔp] *n* atelier *m*, usine *f*.
work-table ['wə:k,teibl] *n* table à ouvrage *f*.
world [wə:ld] *n* monde *m*.
worldliness ['wə:ldlinis] *n* mondanité *f*.
worldly ['wə:ldli] *a* de ce monde, matériel, du siècle.
worldwide ['wə:ldwaid] *a* mondial, universel.
worm [wə:m] *n* ver *m*; *vi* ramper, se glisser; **to — it out of s.o.** tirer les vers du nez à qn; **to — one's way into** se faufiler dans, s'insinuer dans.
worm-eaten ['wə:m,i:tn] *a* mangé des vers, vermoulu.
wormwood ['wə:mwud] *n* absinthe *f*.
worn [wɔ:n] *pp of* **wear.**
worn-out ['wɔ:n'aut] *a* épuisé, usé.
worried ['wʌrid] *a* soucieux.
worry ['wʌri] *n* souci *m*, tracas *m*, ennui *m*; *vt* tourmenter, inquiéter; *vi* se tourmenter, s'inquiéter.
worse [wə:s] *n* pis; *an* pire *m*; *ad* pis, moins bien, plus mal.
worsen ['wə:sn] *vti* empirer; *vt* aggraver; (*fam*) avoir le dessus sur; *vi* s'aggraver.
worship ['wə:ʃip] *n* culte *m*, adoration *f*, Honneur *m*; *vt* adorer, rendre un culte à.
worshipper ['wə:ʃipə] *n* fidèle *mf*, adorateur, -trice.
worst [wə:st] *n* le pis *m*, le pire *m*, le dessous *m*, désavantage *m*; *a* le pire; *ad* au pis, le pis, le plus mal; *vt* battre.
worsted ['wustid] *n* laine *f*, peigné *m*.
worth [wə:θ] *n* valeur *f*, mérite *m*; *a* qui vaut (la peine de), de la valeur de; **to be** — valoir.
worthiness ['wə:ðinis] *n* mérite *m*, justice *f*.
worthless ['wə:θlis] *a* sans valeur, bon à rien.
worthwhile ['wə:θ'wail] *a* de valeur, qui en vaut la peine.
worthy ['wə:ði] *a* digne, respectable; *n* personnage (notable) *m*.

would [wud] *part. of* **will.**
would-be ['wudbi:] *a* soi-disant, prétendu.
wound [waund] *pt pp of* **wind.**
wound [wu:nd] *n* blessure *f*, plaie *f*; *vt* blesser, atteindre.
wove, woven [wouv, 'wouvən] *pt pp of* **weave.**
wrack [ræk] *n* varech *m*.
wraith [reiθ] *n* fantôme *m*, apparition *f*.
wrangle ['ræŋgl] *n* dispute *f*; *vi* se disputer.
wrap [ræp] *vt* envelopper.
wrapped [ræpt] *a* enveloppé, absorbé.
wrapper ['ræpə] *n* bande *f*, couverture *f*, écharpe *f*.
wrath [rɔθ] *n* courroux *m*.
wreak [ri:k] *vt* assouvir, décharger.
wreath [ri:θ] *n* couronne *f*, volute *f*.
wreathe [ri:ð] *vt* couronner de fleurs, tresser, entourer, enrouler.
wreathed [ri:ðd] *a* enveloppé, baigné; — **in smiles** épanoui, rayonnant.
wreck [rek] *n* ruine *f*, naufrage *m*, épave(s) *f* (*pl*); *vt* perdre, ruiner, saboter, démolir, faire dérailler.
wreckage ['rekidʒ] *n* débris *m pl*; **piece of** — épave *f*.
wrecked [rekt] *a* jeté à la côte, naufragé, ruiné; **to be** — faire naufrage.
wrecker ['rekə] *n* naufrageur *m*, pilleur d'épaves *m*, dérailleur *m*, (*US*) dépanneur *m* (*aut*), récupérateur *m* (d'épaves).
wrecking ['rekiŋ] *n* (*US*) sauvetage *m*, renflouage *m* (de navire); — **train** carvée *f* de secours; — **lorry** dépanneuse *f*.
wren [ren] *n* roitelet *m*.
wrench [rentʃ] *n* torsion *f*, tour *m*, secousse *f*, coup *m*, clé *f*, entorse *f*; *vt* tordre, arracher; **to** — **open** ouvrir violemment, forcer.
wrest [rest] *vt* tourner, forcer, arracher.
wrestle ['resl] *n* lutte *f*; *vi* lutter; **to** — **with** lutter contre, s'attaquer à.
wrestler ['reslə] *n* lutteur *m*.
wrestling ['resliŋ] *n* lutte *f*, catch *m*.
wretch [retʃ] *n* malheureux, -euse, scélérat *m*, pauvre diable *m*, triste sire *m*, fripon(ne).
wretched ['retʃid] *a* misérable, lamentable, minable.
wretchedness ['retʃidnis] *n* état *m* misérable, malheur *m*, misère *f*.
wriggle ['rigl] *n* tortillement; *vt* tortiller, agiter; *vi* se tortiller, s'insinuer, se faufiler, frétiller.
wring [riŋ] *n* torsion *f*, pression *f*; *vt* presser, tordre, détourner, extorquer.
wrinkle ['riŋkl] *n* ride *f*, tuyau *m*; *vt* rider, froncer; *vi* se rider, se plisser.
wrist [rist] *n* poignet *m*.
wrist-watch ['ristwɔtʃ] *n* montre-bracelet *f*.
writ [rit] *n* écriture *f*, assignation *f*, mandat d'arrêt *m*.
write [rait] *vti* écrire; **to** — **down** noter, coucher par écrit, estimer, décrier; **to** — **off** réduire, défalquer, déduire, annuler; **to** — **up** rédiger, faire un éloge exagéré de, faire de la réclame pour, décrire, mettre à jour.
writer ['raitə] *n* écrivain *m*, auteur *m*, commis aux écritures *m*.
writhe [raið] *vi* se tordre, se crisper.
writing ['raitiŋ] *n* écriture *f*, œuvre *f*, écrit *m*, métier d'écrivain *m*.
writing-case ['raitiŋkeis] *n* nécessaire à écrire *m*.
writing-desk ['raitiŋdesk] *n* bureau *m*.
writing-pad ['raitiŋpæd] *n* sous-main *m*, bloc *m* de papier à lettres.
writing-paper ['raitiŋ.peipə] *n* papier à lettres *m*.
written ['ritn] *pp of* **write.**
wrong [rɔŋ] *n* tort *m*, mal *m*, injustice *f*, préjudice *m*; *a* dérangé, mauvais, faux, inexact; *ad* mal, à tort, de travers; *vt* léser, faire tort à; **to be** — se tromper, avoir tort.
wrongdoer ['rɔŋ'duə] *n* malfaiteur, -trice, coupable *mf*.
wrongdoing ['rɔŋ'du(:)iŋ] *n* méfaits *m pl*, mauvaises actions *f pl*.
wrongful ['rɔŋful] *a* injuste, faux.
wrongfully ['rɔŋfuli] *ad* à tort, de travers.
wrote [rout] *pt of* **write.**
wroth [rouθ] *a* en colère.
wrung [rʌŋ] *pt pp of* **wring.**
wrought [rɔ:t] *pt pp of* **work**; *a* travaillé, forgé, excité.
wry [rai] *a* tors, tordu, de travers.

X

X-ray ['eks'rei] *n pl* rayons X *m pl*; *vt* radiographier, passer aux rayons X; — **treatment** radiothérapie.

Y

yacht [jɔt] *n* yacht *m*.
yam [jæm] *n* igname *f*.
yank [jæŋk] *vt* tirer brusquement; *n* coup sec *m*.
yap [jæp] *n* jappement *m*; *vi* japper.
yard [jɑ:d] *n* mètre *m*, cour *f*, chantier *m*, vergue *f*; —**stick** mètre *m*, aune *f*.
yarn [jɑ:n] *n* fil *m*, conte *m*, histoire *f*.
yaw [jɔ:] *n* embardée *f*; *vi* embarder.
yawl [jɔ:l] *n* yole *f*.
yawn [jɔ:n] *n* bâillement *m*; *vi* bâiller, béer.
ye [ji:] *pn* vous.
yea [jei] *ad* oui, voire.
year [jə:] *n* an *m*, année *f*.

year-book ['jə:buk] *n* annuaire *m*.
yearling ['jə:liŋ] *a* d'un an.
yearly ['jə:li] *a* annuel; *ad* annuellement.
yearn [jə:n] *vi* aspirer (à **after**), soupirer (après **after**).
yearning ['jə:niŋ] *n* aspiration *f*, désir passionné *m*; *a* ardent.
yeast [ji:st] *n* levure *f*, levain *m*.
yell [jel] *n* hurlement *m*; *vti* hurler.
yellow ['jelou] *an* jaune *m*; *a* lâche.
yellowish ['jelouiʃ] *a* jaunâtre.
yellowness ['jelounis] *n* couleur jaune *f*.
yelp [jelp] *n* jappement *m*, glapissement *m*; *vi* japper, gémir, glapir.
yes [jes] *n* oui *m*; *ad* oui, si.
yes-man ['jesmæn] *n* qui dit amen à tout, béni-oui-oui *m*.
yesterday ['jestədi] *n ad* hier *m*; **the day before** — avant-hier.
yet [jet] *ad* encore, de plus, jusqu'ici, déjà; *cj* pourtant, tout de même.
yew [ju:] *n* if *m*.
yield [ji:ld] *n* produit *m*, rendement *m*, rapport *m*, revenu *m*, production *f*; *vt* rendre, rapporter, donner; *vti* céder; *vi* se rendre, succomber, plier, fléchir.
yielding ['ji:ldiŋ] *a* arrangeant, faible, mou.
yoke [jouk] *n* joug *m*, paire (de bœufs) *f*; *vt* atteler, lier, unir.
yolk [jouk] *n* jaune d'œuf *m*, suint *m*.
yonder ['jɔndə] *ad* là-bas.
yore [jɔ:] *n* **of** — d'antan, du temps jadis.
you [ju:] *pn* vous.
young [jʌŋ] *n* petit, jeune; *a* jeune.
younger ['jʌŋgə] *a* jeune, cadet, puîné.
youngish ['jʌŋiʃ] *a* jeunet.
youngster ['jʌŋstə] *n* enfant *mf*, gosse *mf*.
your [jɔ:] *a* votre, vos, ton, ta, tes.
yours [jɔ:z] *pn* vôtre(s), à vous; le, la, (les) vôtre(s); tien(s), tienne(s), à toi; le(s) tien(s), la tienne, les tiennes.
yourself, -selves [jɔ:'self, selvz] *pn* vous-même(s).
youth [ju:θ] *n* jeunesse *f*, jeune homme *m*.
youthful ['ju:θful] *a* jeune, juvénile.

Z

zeal [zi:l] *n* zèle *m*, empressement *m*.
zealous ['zeləs] *a* zélé, empressé.
zealously ['zeləsli] *ad* avec empressement.
zebra ['zi:brə] *n* zèbre *m*.
zebu ['zi:bu] *n* zébu *m*.
zenith ['zeniθ] *n* zénith *m*.
zero ['ziərou] *n* zéro *m*.
zest [zest] *n* piquant *m*, enthousiasme *m*, entrain *m*.
zigzag ['zigzæg] *n* zigzag *m*; *vi* zigzaguer.
zinc [ziŋk] *n* zinc *m*.
zip [zip] *n* sifflement *m*: — **fastener** fermeture éclair *f*.
zither ['ziðə] *n* cithare *f*.
zone [zoun] *n* zone *f*, ceinture *f*.
zoo [zu:] *n* jardin d'acclimatation *m*, (*US*) pénitencier *m*, prison *f*.
zoological [ˌzouə'lɔdʒikəl] *a* zoologique.
zoologist [zou'ɔlədʒist] *n* zoologiste *m*.
zoology [zou'ɔlədʒi] *n* zoologie *f*.

Mesures et monnaies françaises
French measures, weights and money

MESURES DE LONGUEUR—LENGTH

1 millimètre	=	·001 mètre	=	·0394 inch.
1 centimètre	=	·01 mètre	=	·394 inch.
1 mètre	=	39·4 inches	=	*1 yard.
1 kilomètre	=	1000 mètres	=	*1094 yards or ⅝ mile.
8 kilomètres	=	5 miles.		

MESURES DE SURFACE—AREA

1 are = *120 square yards.
1 hectare = 100 ares = *2½ acres.

MESURES DE CAPACITÉ—CAPACITY (FLUIDS AND GRAIN)

1 centilitre	=	·01 litre	=	·0176 pint.		
1 litre	=	*1¾ pints	=	·2201 gallon.		
1 hectolitre	=	100 litres	=	*22 gallons	=	2¾ bushels.
1 kilolitre	=	1000 litres	=	*220 gallons	=	27½ bushels.

MESURES DE POIDS—WEIGHTS

1 milligramme	=	·001 gramme	=	·0154 grain.
1 centigramme	=	·01 gramme	=	·1543 grain.
1 gramme			=	15·43 grains.
1 hectogramme	=	100 grammes	=	*3½ oz.
1 livre	=	500 grammes	=	1 lb. 1½ oz.
1 kilogramme	=	1000 grammes	=	*2 lbs. 3 oz.
1 quintal	=	100 kilogrammes	=	*2 cwts.
1 tonne	=	1000 kilogrammes	=	*1 ton.

MESURES THERMOMÉTRIQUES—THE THERMOMETER

Point de congélation Freezing point	—Centigrade 0° —Fahrenheit 32°
Point d'ébullition Boiling point	—Centigrade 100° —Fahrenheit 212°

To convert Centigrade to Fahrenheit degrees, divide by 5, multiply by 9 and add 32.

MONNAIES—MONEY

100 centimes = 1 franc.

* roughly.

Notes on French Grammar

A. THE ARTICLE

(i) The *definite article* is **le** (*m*), **la** (*f*), and **les** (*mf pl*). **Le** and **la** are shortened to **l'** before a vowel or H-mute.

(ii) The *indefinite article* is **un** (*m*), **une** (*f*).

(iii) When the prepositions **à** or **de** are used before the definite article they combine with **le** to form **au** and **du** respectively. They combine with **les** to form **aux** and **des**. They make no change before **la** or **l'**.

(iv) The partitive article, **du** (*m*), **de la** (*f*), **des** (*mf pl*), corresponds to the English *some* or *any* when the latter denotes an indefinite quantity. e.g. Have you any milk? **Avez-vous du lait?**

B. THE NOUN

(i) The plural is usually formed in **s**. Nouns ending in **s**, **x**, **z** have the same form in the plural. Those ending in **au**, and **eu** (except **bleu**) and some in **ou** (**bijou**, **caillou**, **hibou**, **genou**, **chou**, **pou**, **joujou**) form their plural in **x**. Those ending in **al** and **ail** form their plural in **aux**. **Aïeul**, **ciel**, **œil** become **aïeux**, **cieux** and **yeux**.

(ii) All French nouns are either masculine or feminine in gender. Most nouns ending in mute **e** are feminine, except those in **isme**, **age** (**image**, **rage**, **nage** are *f*) and **iste** (often either *m* or *f*). Most nouns ending in a consonant or a vowel other than mute **e** are masculine, but nouns ending in **tion** and **té** (**été**, **pâté** are *m*) are feminine.

(iii) The feminine is usually formed by adding **e** to the masculine. Nouns ending in **er** have a femine in **ère**, and those ending in **en**, **on** have a feminine in **enne**, **onne**. Nouns ending in **eur** have a feminine in **euse**, except those ending in **ateur** which give **atrice**. A few words ending in **e** have a feminine in **esse**.

C. THE ADJECTIVE

(i) The plural is usually formed by adding an **s**. Adjectives ending in **s**, **x** are the same in the plural. Those ending in **al** have a plural in **aux**, but the following take an **s**: **bancal**, **fatal**, **final**, **glacial**, **natal**, **naval**.

(ii) The feminine is usually formed by adding **e** to the masculine form. Adjectives ending in **f** change **f** into **ve**, and those ending in **x** change **x** into **se**. Adjectives ending in **er** have **ère** in the feminine form. To form the feminine of adjectives ending in **el**, **eil**, **en**, **et**, **on**, the final consonant must be doubled before adding an **e**.

(iii) Comparison of adjectives. The Comparative is formed **regularly** by adding **plus** to the ordinary form, and the **Superlative** by adding **le**, **la**, or **les**, as required, to the Comparative form. **Moins** (= less) is employed in the same way as **plus**, giving, for example, **moins long**—less long, **les moins récentes**—the least recent. Irregular forms are: **bon**, **meilleur**, **le meilleur**; **mauvais**, **pire** or **plus mauvais**, **le pire** or **le plus mauvais**; **petit**, **moindre** or **plus petit**, **le moindre** or **le plus petit**. 'Than' is always rendered by **que**. Other expressions of comparison are: **aussi . . que**, as . . . as; **pas si . . . que**, not so (as) . . . as; **autant (de) . . . que**, as much (or many) . . . as; **pas tant (de) . . . que**, not so much (or many) . . . as.

(iv) The demonstrative adjectives 'this' and 'that' and their plural 'these' or 'those' are in French **ce**, **cet** (*m*), **cette** (*f*) and **ces** (*pl*). **Ce** is used with all masculine words except before those beginning with a vowel or an H-mute in which case **cet** is used. The opposition between 'this' and 'that' may be emphasized by adding the suffix **-ci** or **-là** to the noun concerned. 'That of' is in French **celui** (*f* **celle**, *pl* **ceux celles**) **de**. Expressions such as 'he who', 'the one which' 'those or they who' should be translated by **celui** (**celle**, **ceux**, **celles**) **qui**.

(v) Possessive adjectives.

my	**mon** (*m*)	**ma** (*f*)	**mes** (*pl*)
your	**ton**	**ta**	**tes**
his	**son**	**sa**	**ses**
our	**notre**	**notre**	**nos**
your	**votre**	**votre**	**vos**
their	**leur**	**leur**	**leurs**

All of these agree in gender with the following noun.

D. THE PRONOUN

I. (i) Unstressed forms.

	Nom.	*Acc.*	*Dat.*	*Gen.*
1st sing.	**je**	**me**	**me**	
2nd sing.	**tu**	**te**	**te**	
3rd sing.	**il, elle**	**le, la (se)**	**lui, y**	**en**
	Nom.	*Acc.*	*Dat.*	*Gen.*
1st plur.	**nous**	**nous**	**nous**	
2nd plur.	**vous**	**vous**	**vous**	
3rd plur.	**ils, elles**	**les (se)**	**leur, y (se)**	**en**

(i) **Tu** and **te** are normally used when speaking to one person who is a close relative or an intimate friend. They are also used to any child or an animal. Otherwise the 2nd plural **vous** is normally used to address single persons. In this use it retains a plural verb, but its other agreements (with adjectives, participles etc.) are singular, provided it refers to a single person.

(ii) The forms **me, te, se, nous, vous, se** may be used in reflexive verbs, and also to denote mutual participation in an action. E.g. they looked at each other, **ils se regardaient.**

II. Stressed forms.

	Singular	*Plural*
1st Person	**moi**	**nous**
2nd Person	**toi**	**vous**
3rd Person m	**lui**	**eux**
f	**elle**	**elles**
Reflexive	**soi**	

(i) This form is used when the pronoun is governed by a preposition.

(ii) It is used where people are singled out or contrasted, i.e. for emphasis.

(iii) It is also used when a pronoun stands as the sole word in a sentence, stands as the antecedent of a relative, forms part of a double subject or object of a verb, is the complement of **être** or when it stands after **que** in comparative sentences.

III. When used together, personal pronouns are positioned according to the following scheme.

me	**le**	**lui**	**y**	**en**
te	**la**	**leur**		
nous	**les**			
vous				
se				

IV. Possessive pronouns.

	Singular	*Plural*
1st sing. m	**le mien**	**les miens**
f	**la mienne**	**les miennes**
2nd sing. m	**le tien**	**les tiens**
f	**la tienne**	**les tiennes**
3rd sing. m	**le sien**	**les siens**
f	**la sienne**	**les siennes**
1st plur.	**le (la) nôtre**	**les nôtres**
2nd plur.	**le (la) vôtre**	**les vôtres**
3rd plur.	**le (la) leur**	**les leurs**

E.g. I have lost my pen; lend me yours = **j'ai perdue ma plume, prêtez-moi la vôtre.**

V. Relative pronouns. 'Who' is translated by **qui**; 'whom' by **que** (or by **qui** after a preposition); 'whose' by **dont**; 'which' by **qui** (subject) or **que** (object). After a preposition 'which' is translated by **lequel** (*m*), **laquelle** (*f*), **lesquels** (*m pl*) and **lesquelles** (*f pl*). With the prepositions **à** and **de** the following contractions take place: **auquel** (but **à laquelle**), **auxquels**, **auxquelles**; **duquel** (but **de laquelle**), **desquels**, **desquelles.**

VI. Interrogative pronouns. 'Who' and 'whom' are both **qui**. 'What', when object, is **que** and when subject is **qu'est-ce qui**. When 'what' is used adjectivally it should be translated by **quel**, **quelle**, **quels**, **quelles.**

E. ADVERBS

Most French adverbs are formed by adding **ment** to the feminine form of the corresponding adjective. Adjectives ending in **ant** and **ent** have adverbial endings in **amment** and **emment** respectively.

Negative forms. 'Not' is **ne . . . pas**, 'nobody' **ne . . . personne**, 'nothing' **ne . . . rien** and 'never' is **ne . . . jamais.**

Examples. I do not know, **je ne sais pas**. I know nothing, **je ne sais rien.**

'Nobody and 'nothing' when subject are rendered by **personne ne . . ., rien ne . . .**

F. VERBS

I. Regular verbs.

There are three principal types of regular conjugation of French verbs, corresponding to the three infinitive endings: **-er**, **-ir**, **-re.** They provide patterns for conjugating large numbers of verbs which have one or other of these infinitive endings. As a convenient simplification, each part of a verb may be stated to consist of a basic stem and a characteristic ending. From the stem and ending of the present infinitive and of the present participle, all parts of a regular verb may be built up.

Examples. **parler, finir, vendre.**

Present infinitive	**parl/er**	**fin/ir**	**vend/re**
Present participle	**parl/ant**	**finiss/ant**	**vend/ant**
Past participle	stem + **-é**	stem + **-i**	stem + **-u**

Present indicative	stem+**-e**, **-es**, -e, **-ons**, **-ez**, **-ent** stem+**-is**, **-is**, **-it**, **-issons**, **-issez**, **-issent** stem+**-s**, **-s**, -, **-ons**, **-ez**, **-ent**
Imperative	2nd singular, 1st plural and 2nd plural of present indicative, without subject pronouns. First conjugation drops final **s** of 2nd singular, except before **y**, **en**.
Imperfect	stem of present participle+**-ais**, **-ais**, **-ait**, **-ions**, **-iez**, **-aient**.
Past historic	stem+**-ai**, **-as**, **-a**, **-âmes**, **-âtes**, **-èrent** stem+**-is**, **-is**, **-it**, **-îmes**, **-îtes**, **-irent**
Future	infinitive+**-ai**, **-as**, **-a**, **-ons**, **-ez**, **-ont**. Third conjugation drops final **e** of infinitive.
Conditional	infinitive+**-ais**, **-ais**, **-ait**, **-ions**, **-iez**, **-aient**. Third conjugation drops final **e** of infinitive.
Present subjunctive	stem of present participle+ **-e**, **-es**, **-e**, **-ions**, **-iez**, **-ent**.
Imperfect subjunctive	remove final **e** from 2nd singular of past historic and add **-sse**, **-sses**, **ît**, **-ssions**, **-ssiez**, **-ssent**.

Compound tenses are formed with the auxiliary **avoir** and the past participle, except reflexive verbs and some common intransitive verbs (like **aller**, **arriver**, **devenir**, **partir**, **rester**, **retourner**, **sortir**, **tomber**, **venir** etc.) which are conjugated with **être**. The following scheme is applicable to all three conjugations.

Perfect	present indicative of **avoir** (or **être**)+past participle.
Pluperfect	imperfect of **avoir** (or **être**)+ past participle.
Future perfect	future of **avoir** (or **être**)+past participle.
Conditional perfect	conditional of **avoir** (or **être**)+ past participle.
Perfect infinitive	infinitive of **avoir** (or **être**)+ past participle.

Note on agreement. The French past participle always agrees with the noun to which it is either an attribute or an adjective. It agrees with the object of a verb conjugated with **avoir** only when the object comes before it. E.g. I loved that woman, **j'ai aimé cette femme**; the women I have loved, **les femmes que j'ai aimées.**

For the conjugation of the auxiliaries **avoir** and **être** consult the list of irregular verbs.

G. MISCELLANEOUS NOTES

(i) Verbs having a mute **e** or closed **é** in the last syllable but one of the present infinitive, change the mute **e** or closed **é** to open **è** before a mute syllable (except in the future and conditional tenses). E.g. **espérer, j'espère, il espérera, il espérerait.**

(ii) Verbs with infinitive endings in **-cer** have **ç** before endings in **a, o.** E.g. **commencer, je commençais, nous commençons.**

(iii) Verbs with infinitive endings in **-ger** have an additional **e** before endings in **a, o.** E.g. **manger, je mangeais, nous mangeons.**

(iv) Verbs ending in **-eler, -eter** double the **l** or **t** before a mute **e.** E.g. **appeler, j'appelle; jeter, je jette.** The following words do not obey this rule and take only **è**: **acheter, agneler, bégueter, celer, ciseler, congeler, corseter, crocheter, déceler, dégeler, démanteler, écarteler, fureter, geler, harceler, marteler, modeler, peler, racheter, receler, regeler.**

(v) Verbs with infinitive endings in **-yer** change **y** into **i** before a mute **e.** They require a **y** and an **i** in the first two persons plural of the imperfect indicative and of the present subjunctive. Verbs with infinitive endings in **-ayer** may keep the **y** or change it to **i** before a mute **e.** Verbs with infinitive endings in **-eyer** keep the **y** throughout the conjugation.

IRREGULAR VERBS

Order of principal tenses and essential parts of the French irregular verbs in most frequent use. (1) Present Participle; (2) Past Participle; (3) Present Indicative; (4) Imperfect Indicative; (5) Preterite; (6) Future; (7) Present Subjunctive.

Prefixed verbs not included in this list follow the root verb, e.g., sourire—rire: abattre—battre.

acquérir (1) acquérant; (2) acquis; (3) acquiers, acquiers, acquiert, acquérons, acquérez, acquièrent; (4) acquérais; (5) acquis; (6) acquerrai; (7) acquière.

aller (1) allant; (2) allé; (3) vais, vas, va, allons, allez, vont; (4) allais; (5) allai; (6) irai; (7) aille.

asseoir (1) asseyant; (2) assis; (3) assieds, assieds, assied, asseyons, asseyez, asseyent; (4) asseyais; (5) assis; (6) assiérai or asseyerai; (7) asseye.

atteindre (1) atteignant; (2) atteint; (3) atteins, atteins, atteint, atteignons, atteignez, atteignent; (4) atteignais; (5) atteignis; (6) atteindrai; (7) atteigne.

avoir (1) ayant; (2) eu; (3) ai, as, a, avons, avez, ont; (4) avais; (5) eus; (6) aurai; (7) aie. *N.B.*—Imperative aie, ayons, ayez.

battre (1) battant; (2) battu; (3) bats, bats, bat, battons, battez, battent; (4) battais; (5) battis; (6) battrai; (7) batte.

boire (1) buvant; (2) bu; (3) bois, bois, boit, buvons, buvez, boivent; (4) buvais; (5) bus; (6) boirai; (7) boive.

bouillir (1) bouillant; (2) bouilli; (3) bous, bous, bout, bouillons, bouillez, bouillent; (4) bouillais; (5) bouillis; (6) bouillirai; (7) bouille.

conclure (1) concluant; (2) conclu; (3) conclus, conclus, conclut, concluons, concluez, concluent; (4) concluais; (5) conclus; (6) conclurai; (7) conclue.

conduire (1) conduisant; (2) conduit; (3) conduis, conduis, conduit, conduisons, conduisez, conduisent; (4) conduisais; (5) conduisis; (6) conduirai; (7) conduise.

connaître (1) connaissant; (2) connu; (3) connais, connais, connaît, connaissons, connaissez, connaissent; (4) connaissais; (5) connus; (6) connaîtrai; (7) connaisse.

coudre (1) cousant; (2) cousu; (3) couds, couds, coud, cousons, cousez, cousent; (4) cousais; (5) cousis; (6) coudrai; (7) couse.

courir (1) courant; (2) couru; (3) cours, cours, court, courons, courez, courent; (4) courais; (5) courus; (6) courrai; (7) coure.

couvrir (1) couvrant; (2) couvert; (3) couvre, couvres, couvre, couvrons, couvrez, couvrent; (4) couvrais; (5) couvris; (6) couvrirai; (7) couvre.

craindre (1) craignant; (2) craint; (3) crains, crains, craint, craignons, craignez, craignent; (4) craignais; (5) craignis; (6) craindrai; (7) craigne.

croire (1) croyant; (2) cru; (3) crois, crois, croit, croyons, croyez, croient; (4) croyais; (5) crus; (6) croirai; (7) croie.

croître (1) croissant; (2) crû, crue (*pl* crus, crues); (3) croîs, croîs, croît, croissons, croissez, croissent; (4) croissais; (5) crûs; (6) croîtrai; (7) croisse.

cueillir (1) cueillant; (2) cuelli; (3) cueille, cueilles, cueille, cueillons, cueillez, cueillent; (4) cueillais; (5) cueillis; (6) cueillerai; (7) cueille.

devoir (1) devant; (2) dû, due (*pl* dus, dues); (3) dois, dois, doit, devons, devez, doivent; (4) devais; (5) dus; (6) devrai; (7) doive.

dire (1) disant; (2) dit; (3) dis, dis, dit, disons, dites, disent; (4) disais; (5) dis; (6) dirai; (7) dise.

dormir (1) dormant; (2) dormi; (3) dors, dors, dort, dormons, dormez, dorment; (4) dormais; (5) dormis; (6) dormirai; (7) dorme.

écrire (1) écrivant; (2) écrit; (3) écris, écris, écrit, écrivons, écrivez, écrivent; (4) écrivais; (5) écrivis; (6) écrirai; (7) écrive.

être (1) étant; (2) été; (3) suis, es, est, sommes, êtes, sont; (4) étais; (5) fus; (6) serai; (7) sois. *N.B.*—Imperative sois, soyons, soyez.

faire (1) faisant; (2) fait; (3) fais, fais, fait, faisons, faites, font; (4) faisais; (5) fis; (6) ferai; (7) fasse.

falloir (2) fallu; (3) faut; (4) fallait; (5) fallut; (6) faudra; (7) faille.

fuir (1) fuyant; (2) fui; (3) fuis, fuis, fuit, fuyons, fuyez, fuient; (4) fuyais; (5) fuis; (6) fuirai; (7) fuie.

joindre (1) joignant; (2) joint; (3) joins, joins, joint, joignons, joignez, joignent; (4) joignais; (5) joignis; (6) joindrai; (7) joigne.

lire (1) lisant; (2) lu; (3) lis, lis, lit, lisons, lisez, lisent; (4) lisais; (5) lus; (6) lirai; (7) lise.

luire (1) luisant; (2) lui; (3) luis, luis, luit, luisons, luisez, luisent; (4) luisais; (5) luisis; (6) luirai; (7) luise.

maudire (1) maudissant; (2) maudit; (3) maudis, maudis, maudit, maudissons, maudissez, maudissent; (4) maudissait; (5) maudis; (6) maudirai; (7) maudisse.

mentir (1) mentant; (2) menti; (3) mens, mens, ment, mentons, mentez, mentent; (4) mentais; (5) mentis; (6) mentirai; (7) mente.

mettre (1) mettant; (2) mis; (3) mets, mets, met, mettons, mettez, mettent; (4) mettais; (5) mis; (6) mettrai; (7) mette.

mourir (1) mourant; (2) mort; (3) meurs, meurs, meurt, mourons, mourez, meurent; (4) mourais; (5) mourus; (6) mourrai; (7) meure.

naître (1) naissant; (2) né; (3) nais, nais, naît, naissons, naissez, naissent; (4) naissais; (5) naquis; (6) naîtrai; (7) naisse.

offrir (1) offrant; (2) offert; (3) offre, offres, offre, offrons, offrez, offrent; (4) offrais; (5) offris; (6) offrirai; (7) offre.

partir (1) partant; (2) parti; (3) pars, pars, part, partons, partez, partent; (4) partais; (5) partis; (6) partirai; (7) parte.

plaire (1) plaisant; (2) plu; (3) plais, plais, plaît, plaisons, plaisez, plaisent; (4) plaisais; (5) plus; (6) plairai; (7) plaise.

pleuvoir (1) pleuvant; (2) plu; (3) pleut, pleuvent; (4) pleuvait; (5) plut; (6) pleuvra; (7) pleuve.

pourvoir (1) pourvoyant; (2) pourvu; (3) pourvois, pourvois, pourvoit, pourvoyons, pourvoyez, pourvoient; (4) pourvoyais; (5) pourvus; (6) pourvoirai; (7) pourvoie.

pouvoir (1) pouvant; (2) pu; (3) puis or peux, peux, peut, pouvons, pouvez, peuvent; (4) pouvais; (5) pus; (6) pourrai; (7) puisse.

prendre (1) prenant; (2) pris; (3) prends, prends, prend, prenons, prenez, prennent; (4) prenais; (5) pris; (6) prendrai; (7) prenne.

prévoir like voir. *N.B.*—(7) prévoirai.

recevoir (1) recevant; (2) reçu; (3) reçois, reçois, reçoit, recevons, recevez, reçoivent; (4) recevais; (5) reçus; (6) recevrai; (7) reçoive.

résoudre (1) résolvant; (2) résolu; (3) résous, résous, résout, résolvons, résolvez, résolvent; (4) résolvais; (5) résolus; (6) résoudrai; (7) résolve.

rire (1) riant; (2) ri; (3) ris, ris, rit, rions, riez, rient; (4) riais; (5) ris; (6) rirai; (7) rie.

savoir (1) sachant; (2) su; (3) sais, sais, sait, savons, savez, savent; (4) savais; (5) sus; (6) saurai; (7) sache. *N.B.*— Imperative sache, sachons, sachez.

servir (1) servant; (2) servi; (3) sers, sers, sert, servons, servez, servent; (4) servais; (5) servis; (6) servirai; (7) serve.

sortir (1) sortant; (2) sorti; (3) sors, sors, sort, sortons, sortez, sortent; (4) sortais; (5) sortis; (6) sortirai; (7) sorte.

souffrir (1) souffrant; (2) souffert; (3) souffre, souffres, souffre, souffrons, souffrez, souffrent; (4) souffrais; (5) souffris; (6) souffrirai; (7) souffre.

suffire (1) suffisant; (2) suffi; (3) suffis, suffis, suffit, suffisons, suffisez, suffisent; (4) suffisais; (5) suffis; (6) suffirai; (7) suffise.

suivre (1) suivant; (2) suivi; (3) suis, suis, suit, suivons, suivez, suivent; (4) suivais; (5) suivis; (6) suivrai; (7) suive.

taire (1) taisant; (2) tu; (3) tais, tais, tait, taisons, taisez, taisent; (4) taisais; (5) tus; (6) tairai; (7) taise.

tenir (1) tenant; (2) tenu; (3) tiens, tiens, tient, tenons, tenez, tiennent; (4) tenais; (5) tins; (6) tiendrai; (7) tienne.

vaincre (1) vainquant; (2) vaincu; (3) vaincs, vaincs, vainc, vainquons, vainquez, vainquent; (4) vainquais; (5) vainquis; (6) vaincrai; (7) vainque.

valoir (1) valant; (2) valu; (3) vaux, vaux, vaut, valons, valez, valent; (4) valais; (5) valus; (6) vaudrai; (7) vaille.

venir (1) venant; (2) venu; (3) viens, viens, vient, venons, venez, viennent; (4) venais; (5) vins; (6) viendrai; (7) vienne.

vivre (1) vivant; (2) vécu; (3) vis, vis, vit, vivons, vivez, vivent; (4) vivais; (5) vécus; (6) vivrai; (7) vive.

voir (1) voyant; (2) vu; (3) vois, vois, voit, voyons, voyez, voient; (4) voyais; (5) vis; (6) verrai; (7) voie.

vouloir (1) voulant; (2) voulu; (3) veux, veux, veut, voulons, voulez, veulent; (4) voulais; (5) voulus; (6) voudrai; (7) veuille. *N.B.*—Imperative veuille. veuillons, veuillez.

English measures, weights and money
Mesures et monnaies anglaises

LENGTH—MESURES DE LONGUEUR

Inch (in.) = 25 millimètres.
Foot (ft.) (12 in.) = 304 mm.
Yard (yd.) (3 ft.) = 914 mm. (approximativement 1 mètre).
Fathom (fthm.) (2 yds.) = 1 mètre 828 mm.
Mile (8 furlongs, 1760 yds.) = 1609 mètres (approximativement 1 kilomètre et demi).
Nautical mile, knot = 1853 mètres.
5 miles = 8 kilomètres.

AREA—MESURES DE SURFACE

Square inch = 6 centimètres carrés.
Square foot = 929 centimètres carrés.
Square yard = 0·8360 mètre carré.
Acre = 4047 mètres carrés.

CAPACITY (FLUIDS AND GRAIN)—MESURES DE CAPACITÉ

Pint = 0·567 litre (approximativement ½ litre).
Quart (2 pints) = 1·135 litre.
Gallon (4 quarts) = 4·543 litres.
Peck (2 gallons) = 9·086 litres.
Bushel (8 gallons) = 36·348 litres.
Quarter (8 bushels) = 290·781 litres.

WEIGHTS (AVOIRDUPOIS)—MESURES DE POIDS

Ounce (oz.) = 28·35 grammes.
Pound (lb.—16 oz.) = 453·59 grammes.
Stone (st.—14 lb.) = 6 kilos 350 grammes.
Quarter (qr.—28 lb.) = 12·7 kilos.
Hundredweight (cwt.—112 lb.) = 50·8 kilos.
Ton (T.—20 cwts.) = 1016 kilos.

THE THERMOMETER—MESURES THERMOMÉTRIQUES

Freezing point Point de congélation	— Fahrenheit 32° — Centigrade 0°
Boiling point Point d'ébullition	— Fahrenheit 212° — Centigrade 100°

Pour convertir les mesures Fahrenheit en mesures Centigrade soustraire 32, multiplier par 5 et diviser par 9

MONEY—MONNAIES

20 shillings = 1 pound
12 pence = 1 shilling
A partir de 1971:
100 pence = 1 pound

Verbes forts et irréguliers anglais

PRÉSENT	PRÉTÉRIT	PARTICIPE PASSÉ
abide	abode	abode
arise	arose	arisen
(a)wake	(a)woke	(a)woken
be	was	been
bear	bore	born(e)
beat	beat	beaten
become	became	become
befall	befell	befallen
begin	began	begun
behold	beheld	beheld
bend	bent	bent
bereave	bereft	bereft
beseech	besought	besought
bespeak	bespoke	bespoke(n)
bet	bet	bet
bid	bade, bid	bidden
bid	bid	bid
bind	bound	bound
bite	bit	bitten
bleed	bled	bled
blow	blew	blown
break	broke	broken
breed	bred	bred
bring	brought	brought
build	built	built
burn	burnt	burnt
burst	burst	burst
buy	bought	bought
cast	cast	cast
catch	caught	caught
chidé	chid	chid(den)
choose	chose	chosen
cling	clung	clung
come	came	come

cost	cost	cost
creep	crept	crept
cut	cut	cut
deal	dealt	dealt
dig	dug	dug
do	did	done
draw	drew	drawn
dream	dreamt	dreamt
drink	drank	drunk
drive	drove	driven
dwell	dwelt	dwelt
eat	ate	eaten
fall	fell	fallen
feed	fed	fed
feel	felt	felt
fight	fought	fought
find	found	found
flee, fly	fled	fled
fling	flung	flung
fly	flew	flown
forbid	forbade	forbidden
forget	forgot	forgotten
forgive	forgave	forgiven
forsake	forsook	forsaken
freeze	froze	frozen
get	got	got
give	gave	given
go	went	gone
grind	ground	ground
grow	grew	grown
hang	hung	hung
have	had	had
hear	heard	heard
hew	hewed	hewn
hide	hid	hid(den)
hit	hit	hit
hold	held	held
hurt	hurt	hurt
keep	kept	kept
kneel	knelt	knelt
know	knew	known
lay	laid	laid
lead	led	led
lean	leant	leant
leap	leapt	leapt
learn	learnt	learnt
leave	left	left
lend	lent	lent
let	let	let
lie	lay	lain
light	lit	lit
lose	lost	lost
make	made	made
mean	meant	meant
meet	met	met
mow	mowed	mown
pay	paid	paid
put	put	put
quit	quit	quit

PRÉSENT	PRÉTÉRIT	PARTICIPE PASSÉ
read	read	read
rend	rent	rent
rid	rid	rid
ride	rode	ridden
ring	rang	rung
rise	rose	risen
run	ran	run
saw	sawed	sawn
say	said	said
see	saw	seen
seek	sought	sought
sell	sold	sold
send	sent	sent
set	set	set
sew	sewed	sewn
shake	shook	shaken
shed	shed	shed
shine	shone	shone
shoe	shod	shod
shoot	shot	shot
show	showed	shown
shrink	shrank	shrunk
shrive	shrove	shriven
shut	shut	shut
sing	sang, sung	sung
sink	sank, sunk	sunk
sit	sat	sat
slay	slew	slain
sleep	slept	slept
slide	slid	slid
sling	slung	slung
slink	slunk	slunk
slit	slit	slit
smell	smelt	smelt
smite	smote, smit	smitten, smit
sow	sowed	sown
speak	spoke	spoken
speed	sped	sped
spell	spelt, spelled	spelt, spelled
spend	spent	spent
spill	spilt	spilt
spin	spun, span	spun
spit	spat, spit	spat, spit
split	split	split
spoil	spoilt	spoilt
spread	spread	spread
spring	sprang	sprung
stand	stood	stood
steal	stole	stolen
stick	stuck	stuck
sting	stung	stung
stink	stank, stunk	stunk
stride	strode	stridden, strid
strike	struck	struck
string	strung	strung
strive	strove	striven
swear	swore	sworn

sweep	**swept**	**swept**
swell	**swelled**	**swollen**
swim	**swam**	**swum**
swing	**swung**	**swung**
take	**took**	**taken**
teach	**taught**	**taught**
tear	**tore**	**torn**
tell	**told**	**told**
think	**thought**	**thought**
thrive	**throve**	**thriven**
throw	**threw**	**thrown**
thrust	**thrust**	**thrust**
tread	**trod**	**trodden**
wake	**woke**	**woken**
wear	**wore**	**worn**
weave	**wove**	**woven, wove**
weep	**wept**	**wept**
wet	**wet**	**wet**
win	**won**	**won**
wind	**wound**	**wound**
wring	**wrung**	**wrung**
write	**wrung**	**wrung**
write	**wrote**	**written**

English Abbreviations

ABRÉVIATIONS ANGLAISES

A adults (*adultes*)

AA Automobile Association (*association d'automobilistes*); Alcoholics Anonymous (*société antialcoolique*)

a/c account (current) (*compte courant*)

am before noon (L. *ante meridiem*) (*avant midi*)

approx. approximately (*approximativement*)

assn association (*association*)

asst assistant (*auxiliaire ou aide*)

av average (*moyen*)

b born (*né*)

BA Bachelor of Arts (*Licencié ès Lettres*); British Academy (*Académie Britannique*); British Association (for the advancement of Science) (*association britannique pour la promotion des recherches scientifiques*)

BBC British Broadcasting Corporation (*organisation qui contrôle la radio et la télévision britanniques=ORTF*)

BC Before Christ (*avant Christ*); British Columbia (*Colombie Britannique*)

BD Bachelor of Divinity (*diplôme d'études théologiques*)

Bd Board (*conseil d'administration*)

BDS Bachelor of Dental Surgery (*diplôme sanctionnant les études dentaires*); bomb disposal squad (*une équipe spéciale pour le désamorcement des bombes*)

B/E Bill of exchange (*lettre de change, bon*)

BEA British European Airways (*compagnie aérienne qui dessert l'Europe*)

B. Litt. Bachelor of Letters (*diplôme d'études littéraires, diplôme d'études supérieures*)

BM British Museum (*grand musée d'art et d'antiquités à Londres avec une bibliothèque et une salle de lecture*; Bachelor of Medicine (*diplôme de médecine*)

BMA	British Medical Association (*conseil de l'ordre des médecins*)
B. Mus.	Bachelor of Music (*diplôme des études musicales*)
BOAC	British Overseas Airways Corporation (*compagnie aérienne qui dessert le monde entier*)
BR	British Rail (*chemins de fer britanniques= SNCF*)
Brit	Britain (*Bretagne*); British (*Britannique*)
Bros	Brothers (*Frères*)
B/S	Bill of Sale (*acte de vente, reçu*)
BSc	Bachelor of Science (*diplôme de sciences*)
C	Cape (*cap*); centigrade (*centigrade*); central (*central*)
c	cent (*cent*); centime (*centime*); century (*siècle*); chapter (*chapitre*); about (*L. circa*) (*vers*); (*in cricket*) caught (*mis hors jeu*)
Cantab	Cambridge (*L. Cantaburiensis*)
CIA	(*US*) Central Intelligence Agency (*agence américaine de contre-espionnage*)
CID	Criminal Investigation Department (*section de la police anglaise qui s'occupe de l'investigation des actes criminels*)
cif	Cost, Insurance and Freight (*coût, assurance et fret*)
CND	Campaign for Nuclear Disarmament (*mouvement en faveur du désarmement*)
CO	Commanding Officer (*commandant*); conscientious objector (*objecteur de conscience*)
Co	Company (*Cie, compagnie*)
c/o	care of (*aux bons soins de, chez*)
COD	cash on delivery (*payable à la livraison, livraison contre remboursement*)
cwt	hundredweight (*quintal*)
d	died (*mort*); date (*date*); daughter (*fille*); penny
DC	District of Columbia (*district fédéral de Columbia*); direct current (*courant continu*)
DD	Doctor of Divinity (*docteur en théologie*)
doz	dozen (*douzaine*)
EEC	European Economic Community—Common Market (*Communauté économique européenne—Marché commun*)
EFTA	European Free Trade Association (*Association européenne pour le libre échange*)
eg	for example ((*L. exampli gratia*) *par exemple*)
EP	extended play (*un disque quarante-cinq tours*)
ER	Queen Elizabeth (*L. Elizabeth Regina*) (*reine d'Angleterre*)
esp	especially (*specialement*)
est	established (*établi*)
FA	Football Association (*association qui contrôle le football*)
FAO	Food and Agriculture Organization (*organisation pour l'alimentation et l'agriculture*)
FBI	(*US*) Federal Bureau of Investigation (*police fédérale américaine*)
FO	Foreign Office (*Ministère des Affaires étrangères*)
fob	free on board (*franco à bord*)
FRS	Fellow of the Royal Society (*membre de la Société Royale*)
ft	foot (*pied*); feet (*pieds*); fort (*fort*)
gal	gallon(s) (*gallon(s)*—5 *litres*=1.1 gallons)
GATT	General Agreement on Tariffs and Trade (*convention générale sur les tarifs et la commerce*)
GB	Great Britain (*Grande Bretagne*)

GCE	General Certificate of Education (*brevet d'enseignement secondaire*)
GI	(*US*) Government issue (American private soldier) (*nom donné au simple soldat américain*)
GMT	Greenwich mean time (*l'heure de Greenwich*)
Govt	government (*gouvernement*)
GP	General practitioner (*médecin de médecine générale, omnipraticien*)
GPO	General Post Office (=*P et T*)
h & c	hot and cold (*chaud et froid*)
HE	His Excellency (*Son Excellence*); His Eminence (*Son Eminence*); high-explosive (*danger d'explosion*)
HM(S)	Her Majesty('s Service, Her Majesty's Ship) (*Le Service de Sa Majesté, Le Bateau de Sa Majesté*)
Hon.	Honorary (*Honoraire*); Honourable (*Honorable*)
hp	Horse-power (*cheval-vapeur*)
HQ	Headquarters (*quartier général*)
HRH	His (Her) Royal Highness (*Son Altesse Royale*)
I, Is	islands (*îles*)
ICBM	Inter-Continental Ballistic Missile (*missile intercontinental*)
ICI	Imperial Chemical Industries (*Industries Chimiques Impériales*)
i.e.	that is; namely (*L. id est*) (*c'est-à-dire*)
ILO	International Labour Organization (*Bureau international du travail*)
IMF	International Monetary Fund (*Fond monétaire international*)
in	inch(es) (*pouce(s)*)
Inc, Incorp	Incorporated (*incorporé*)
incl	included; including; inclusive (*ci-joint, ci-inclus*)
IOU	I owe you (*traite*)
IQ	Intelligence Quotient (*quotient intellectuel, coefficient de l'âge mental*)
ITA	Independent Television Authority (*la commission de contrôle du service de télévision indépendante*)
ITV	Independent Television (*le service de télévision indépendante*)
JP	Justice of the Peace (*juge de paix*)
jr	junior (*cadet, subalterne*)
Kt	Knight (*chevalier*)
L	Latin (*latin*); law (*le Droit*); Learner (*on motor car*) (*celui qui apprend à conduire une automobile*)
l	lake (*lac*); left (*gauche*); lira (*lire*)
lb	pound (*livre (poids)*)
LLB	Bachelor of Law (*licencié en droit*)
LP	Long-Playing (gramophone record) (*longue durée*); Labour Party (*le parti travailliste*)
LSD	lysergic acid diethylamide (*stupéfiant*); (also £sd) pounds, shillings and pence (*monnaie anglaise*)
Ltd	Limited (*Limité*)
m	male (*mâle*); married (*marié*); metre (*mètre*); mile (*mille*); minute (*minute*); month (*mois*)
MA	Master of Arts (*Licencié ès Lettres*)
MB, ChB	Bachelor of Medicine (*docteur en médecine*); Bachelor of Surgery (*docteur en chirurgie*)
MC	Master of Ceremonies (*maître de cérémonies*); Member of Congress (*US*) (*député*); Military Cross (*croix militaire*)

MCC	Marylebone Cricket Club (*les autorités qui contrôlent le cricket au Royaume Uni et dans le Commonwealth*)
MD	Doctor of Medicine (*docteur en médecine, médecin*); mentally deficient (*débile mental*)
Messrs	the plural of Mr. (*le pluriel de M.* (*MM*), *employé avec le nom d'une maison commerciale ou en tête d'une liste de plusieurs noms*)
MI5	Military Intelligence, Department 5 (*service du contre-espionnage*)
MOH	Medical Officer of Health (*directeur de la santé*)
MP	Member of Parliament (*membre de la chambre des communes, député*); Military Police (*police militaire*); Metropolitan Police (*police métropolitain*)
mph	miles per hour (*milles à l'heure*)
Mr.	Mister (*monsieur*)
Mrs.	Mistress (*madame*)
Mt	mount (*mont*); mountain (*montagne*)
n	name (*nom*); noun (*nom*); neuter (*neutre*); noon (*midi*); nephew (*neveu*); born (*L. natus*) (*né*)
Nat	National (*national*); Nationalist (*nationaliste*)
NATO	North Atlantic Treaty Organization (*l'Organisation du traité de l'Atlantique Nord*)
NCB	National Coal Board (*comité national pour l'exploitation du charbon*)
NCO	Non-commissioned officer (*sous-officier*)
NHS	National Health Service (*service de santé nationale—sécurité sociale*)
no(s)	number(s) (*L. numero*) (*numéro(s)*)
NW	nord-west (*nord-ouest*)
NY	New York
NZ	New Zealand (*Nouvelle Zélande*)
OAS	Organization of American States (*Organisation d'etats américains*); (*Organisation de l'armée secrète*)
OECD	Organisation for Economic Co-operation and Development (*Organisation pour la coopération et le développement économique*)
OHMS	On His (Her) Majesty's Service (*au service de Sa Majesté, service officiel*)
OK	all correct (*correct*); all right (*d'accord*)
OM	Order of Merit (*décoration civile accordée à certaines personnes en récompense de leur mérite particulier*)
OXFAM	Oxford Committee for Famine Relief (*Comité d'Oxford aidant les pays sous-développés*)
Oxon	Oxford(shire); of Oxford (*L. Oxoniensis*) (*d'Oxford*)
oz	ounce(s) (*once*)
pa	per annum; by the year (*par an*)
P & O	Peninsular and Oriental (Steam Navigation Company) (*compagnie de navigation*)
PAYE	Pay as you Earn (income tax—*impôt sur le revenu*)
PC	police constable (*agent* (*officier*) *de police*); Privy Council (*conseil privé*); Privy Councillor (*membre du conseil privé*)
PhD	Doctor of Philosophy (*docteur en philosophie*)
PM	Prime Minister (*premier ministre*); Past Master (*ancien maître*)
pm	afternoon (*L. post meridiem*) (*après-midi*); after death (*L. post mortem*) (*après décès*)
PO	Post office (*bureau de poste*); postal order (*mandat-poste*)

POB Post Office Box (*boîte postale*)
POW Prisoner of War (*prisonnier de guerre*)
pp on behalf of (*pour le compte de*); pages (*pages*)
Pres President (*président*)
PRO Public Relations Officer (*un agent de Public Relations*)
PTO Please Turn Over (*tournez s'il vous plaît*)
QC Queen's Counsel (*Conseiller de la Reine—poste juridique très important*); Queen's College (*collège faisant partie de l'université de Cambridge*)
qt quart (*quart de gallon*)
qv which see (*L. quod vide*)
RA Royal Academy (*académie royale*)
RAC Royal Automobile Club (*club royale d'automobilistes—association d'automobilistes comme l'AA*)
RAF Royal Air Force (*forces aériennes royales*); Royal Air Factory (*camp de RAF*)
RC Roman Catholic (*catholique romain*); Red Cross (*Croix-Rouge*)
regd registered (*recommande, enregistré, inserit*)
Rep Representative (*reps*); Republic (*république*); Republican (*républicain*); Repertory (*répertoire, compagnie en tournée ou compagnie provinciale*); Reporter (*journaliste, correspondant*)
Rev Reverend (*révérend*); Revelations (*Apocalypse*)
RN Royal Navy (*la marine royale*)
Rt. Hon. Right Honourable (*très honorable—titre accordé à un ministre ou ancien ministre du gouvernement britannique*)
s second (*deuxième*); shilling (*shilling*); son (*fils*); singular (*singulier*); substantive (*substantif*); solubility (*solubilité*)
Sch School (*école*)
Sec, Secy Secretary (*secrétaire*)
SHAPE Supreme Headquarters Allied Powers Europe (*Quartier général des alliés en Europe*
SRN State Registered Nurse (*infirmière diplômée*)
St Saint (*saint*); Strait (*détroit*); street (*rue*)
STD Subscriber Trunk Dialling (*l'Automatique interurbain*)
SW South-west (*sud-ouest*))
TB Tuberculosis (*tuberculose*)
TNT trinitrotoluene (explosive) (*explosif*)
TT total abstainer (teetotal) (*abstinent, antialcoolique*)
TUC Trades Union Congress (*confédération des syndicats* (*ouvriers*))
TV Television (*télévision, téléviseur*)
TWA Trans World Airlines (*compagnie aérienne américaine*)
UDI Unilateral Declaration of Independence (*déclaration unilatérale d'indépendence*)
UK United Kingdom (*royaume uni*)
UN(O) United Nations (Organization) (*Organisation des Nations Unies*)
UNESCO United Nations Educational, Scientific and Cultural Organization (*Organisation des Nations Unies pour l'Education, la Science et la Culture*) *qui s'occupe de l'éducation et de la vie scientifique et culturelle des pays sous-developpés*)
UNICEF UN International Children's Emergency Fund (*fonds spécial pour l'assistance des enfants réfugiés*)
US(A) United States (of America) (*États-Unis*)
USAF United States Air Force (*forces aériennes des États-Unis*)

USN United States Navy (*la marine américaine*)
VD Veneral Disease (*maladie venérienne*)
VHF very high frequency (*très haute fréquence*)
VIP (*fam*) very important person (*fam—personnage très important*)
viz namely (*L. videlicet*) (*nommément*)
W West (*ouest*); Western (*de l'ouest*); Welsh (*gallois*)
wc water closet (*W.C., cabinets*)
WHO World Health Organization (*Organisation mondiale de la santé*)
wk week (*semaine*)
wp weather permitting (*si le temps le permet*)
yd yard(s) (*yard=approx.* 1 *mètre*)
YHA Youth Hostels Association (*les Auberges de jeunesse*)
YMCA Young Men's Christian Association (*association de jeunes chrétiens*)
yr year (*an*); younger (*cadet*); your (*ton, votre*)
YWCA Young Women's Christian Association (*association de jeunes chrétiennes*)

Abréviations Françaises

FRENCH ABBREVIATIONS

AC Avant Christ (*before Christ*)
a.c. argent comptant (*ready money*)
ACF Automobile Club de France (*French automobile club*)
AEF Afrique Equatoriale Française (*French Equatorial Africa*)
AF Air France (*French airline company*)
AFP Agence France Presse (*French Press Agency*)
AM Assurance mutuelle (*mutual assurance*)
Amal Amiral (*Admiral*)
anme Anonyme (*limited liability company*)
AOF Afrique Occidentale Française (*French West Africa*)
AP Assistance publique (*public assistance*)
AR Arrière (*rear*)
arr. arrondissement (*district*)
AS Assurance sociale (*social security*)
ASLV Assurance sur la vie (*life assurance*)
asse Assurance (*insurance*)
AT Ancien Testament (*Old Testament*)
à t.p. à tout prix (*at any cost*)
auj. aujourd'hui (*today*)
av. avenue (*avenue*)
AV avant (*front*)
Bac Baccalauréat (*certificate of secondary education*)
b à p billet à payer (*bill payable*)
b à r billet à recevoir (*bill receivable*)
bd boulevard (*boulevard*)
BF Banque de France (*Bank of France*)
Bib Bible (*Bible*), Bibliothèque (*library*)
BIT Bureau international du travail (*International Labour Office*)
BN Bibliothèque Nationale (*national library*)
BO Bulletin officiel (*official bulletin*)
BNP Banque Nationale de Paris (*large banking house*)
BP Boîte postale (*Post Office Box*)

BSGDC	Breveté sans garantie du gouvernement (*patent without government guarantee of quality*)
bté	breveté (*patented*)
ca	courant alternatif (*alternating current*)
c-à-d	c'est-à-dire (*that is*)
CAF	Coût, assurance, fret (*cost, insurance, freight*)
CAP	Certificat d'aptitude professionelle (*certificate of general proficiency in industry*) Certificat d'aptitude pédagogique (*teaching certificate*)
Cap.	capitaine (*captain*)
CAPES	Certificat d'aptitude au professorat de l'enseignement secondaire (*certificate for teaching in secondary schools*)
cc	courant continu (*direct current*)
c/c	compte courant (*current account*)
CCP	Compte chèques postaux (*Post Office Account*)
CD	Corps diplomatique (*Diplomatic Corps*)
CEE	Communauté économique européenne—Marché commun (*European Economic Community—Common Market*)
CEG	Collège d'enseignement général (*Secondary Modern School*)
CEI	Commission Electro-technique international (*International electro-technical commission*)
CEP	Certificat d'études primaires (*certificate for primary studies*)
CES	College d'enseignement secondaire (*Secondary School*)
CFDT	Confédération française démocratique de travail (*Catholic trade union—branch of CFTC*)
CFTC	Confédération française de travailleurs chrétiens (*union of Catholic workers*)
cg	centigramme (*centigram*)
CGC	Confédération générale des cadres (*communist white collar union*)
CGE	Compagnie générale d'électricité (*large electronics company*)
CGT	Confédération générale du travail (*communist trade union*)
ch-l	chef-lieu (=*county town*)
CICR	Commission internationale de la Croix-Rouge (*International Commission of the Red Cross Organization*)
CM	Croix Militaire (*Military Cross*)
CNI	Centre National d'Information (*official government information department*)
CNRS	Centre national de la recherche scientifique (*national research board*)
CQFD	ce qu'il fallait démontré (*QED*)
CR	Croix-Rouge (*Red Cross*)
CRS	Compagnie républicaine de sécurité (*State Security Police*)
CT	Cabine téléphonique (*telephone box*)
c.v.	cheval-vapeur (*horse-power*)
cv	chevaux (*horses*); curriculum vitae
d	diamètre (*diameter*)
DCA	Défense contre avions (*anti-aircraft defence*)
déb	débit (*debit*)
déc	décédé (*deceased*); décembre (*December*)
dép	département (*administrative department*)
DM	Docteur Médecin (*Doctor of Medicine*)
DP	défense passive (*civil defence*)

EC	École centrale (*Central School of Engineering at Paris*)
éd(it)	édition (*edition*)
ÉLO	École des langues orientales (*School of Oriental Languages*)
É-M	État-major (*headquarters*)
ÉNA	École nationale d'administration (*national administrative school*)
env	environ (*about*)
et Cie	et Compagnie (*and Company, & Co.*)
Éts	Établissements (*establishments*)
EV	en ville (*Post. local*)
ex	exemple (*example*)
exempl.	exemplaire (*copy*)
F	Franc : NF Nouveau France (*new franc*) AF Ancien Franc (*old franc*)
fàb	franco à bord (*free on board, fob*)
fab	fabrication (*make*)
FEN	Fédération de l'éducation nationale (*University teachers' union*); Fédération des étudiants nationalistes (*extreme right union of student*)
FFI	Forces françaises de l'intérieur (*internal security forces*)
FFLT	Fédération française de Lawn-Tennis (*French Lawn Tennis Federation*)
FGDS	Fédération de la gauche démocratique et socialiste (*left-wing political grouping*)
FIFA	Fédération Internationale de Football Association (*body governing international football*)
FLN	Front de libération nationale (*nationalist movement in Algerian War*)
FMI	Fond monétaire international (*International Monetary Fund*)
FO	Fédération ouvrière (*left-wing trade union*)
fo(l)	folio (*folio*)
FS	faire suivre (*please forward*)
g	gramme (*gram*)
GC	Grand-Croix (*Grand cross of Legion of Honour*); (Route de) grande communication (*B road*)
GQG	Grand quartier général (*General Headquarters*)
h	heure (*hour*)
HC	hors concours (*not competing*); hors cadre (*not on the strength*)
HÉC	Hautes études commerciales (*business school*)
HLM	Habitations à loyer modéré (*accommodation at reasonable rents*)
hp	haute pression (*high pressure*)
HS	hors de service (*unfit for service*)
inéd	inédit (*unpublished*)
inf	infanterie (*infantry*); faites infuser (*infuse*)
in-f(o), infol	in-folio (*folio*)
IDHÉC	Institut des hautes études cinématographiques (*school for cinema-arts*)
in-pl	in plano (*broadsheet*)
JÉC	Jeunesse étudiante catholique (*catholic student association*)
JOC	Jeunesse ouvrière catholique (*young catholic workers*)
kil(o)	kilogramme (*kilogramme*)
km/h	kilomètres par heure (*kilometres per hour*)
labo	laboratoire (*laboratory*)

l.c. or loc. cit. L. loco citato (*at the place cited*)
liv(r) livraison (*delivery*)
liv. st. livre sterling (*pound sterling*)
M Monsieur (*Mister, Mr.*)
MA Moyen Age (*Middle Ages*)
Me Maître (*Master—title given to some lawyers*)
Mgr Monseigneur (*monsignor*)
Mlle Mademoiselle (*miss*)
MM Messieurs (*Messrs.*)
Mme Madame (*Mistress, Mrs.*)
Mon Maison (*Firm*)
M-P Mandat-poste (*post-office order*)
MRP Mouvement républicain populaire (*catholic centre party*)
n/c notre compte (*our account*)
NDÉ note de l'éditeur (*editor's note*)
négt négotiant (*wholesaler*)
N du T note du traducteur (*translator's note*)
NRF Nouvelle Revue Française (*editions of Gallimard publishing house*)
O à l'ordre de (*to the order of*)
OAS Organisation de l'armée secrète (*extreme right army group during Algerian War*)
OCDE Organisation de coopération et de développement économique (*Organization for Economic Co-operation and Development*)
OER Officiers élèves de la réserve (*officer cadets*)
ONU Organisation des Nations Unies (*United Nations Organization*)
ORTF Office de radiodiffusion et télévision françaises (*national broadcasting body = B.B.C.*)
OTAN Organisation du traité de l'Atlantique Nord (*North Atlantic Treaty Organization*)
p page (*page*); par (*per*); pour (*per*); poids (*weight*)
pass passim (*in various places*)
P-B Pays-Bas (*Netherlands*)
p/c pour compte (*on account*)
PC Parti communiste (*Communist Party*)
PCC pour copie conforme (*true copy*)
PG prisonnier de guerre (*prisoner of war*)
p.ex. par exemple (*for example*)
p.g. pour garder (*to be called for, poste restante*)
PJ Police judiciaire (*=CID*)
PMU Pari mutuel urbain (*licensed betting shop*)
PN passage à niveau (*level crossing*)
pp port payé (*carriage paid*)
PSU Parti socialiste unifié (*left-wing party formed in* 1960)
PSV Pilotage sans visibilité (*automatic pilot*)
P et T Postes et Télécommunications (*=GPO*)
PV procès-verbal (*parking ticket, etc*)
QG Quartier général (*headquarters*)
QM Quotient mental (*intelligence quotient*)
qq quelques (*some*); quelqu'un (*someone*)
qqf quelquefois (*sometimes*)
r rue (*road, street*); recommandé (*registered*)
RATP Régie autonome des transports parisiens (*body which runs Paris transport*)
RAU République Arabe Unie (*United Arab Republic*)
RDF Rassemblement démocratique français (*political grouping of centre parties*)

rd-vs	rendez-vous (*meeting place*)
rel	relié (*bound*)
Rép	République (*republic*)
RF	République française (*French Republic*)
le RP	le Révérend père (*the Reverend Father*)
RSVP	Répondez s'il vous plaît (*please reply*);
SA	Son Altesse (*His (Her) Highness*); Société anonyme (*limited company*)
SAR	Son Altesse Royale (*His (Her) Royal Highness*)
SARL	Société anonyme à responsabilité limitée (*limited liability company*)
s/c	son compte (*his account*); sous le couvert (*under (plain) cover*)
SE	Son Excellence (*His (Her) Excellency*); Son Eminence (*His Eminence*)
sept	Septentrional (*northern*)
SFIO	Section française de l'Internationale ouvrière (*French Socialist party*)
SI	Syndicat d'initiative (*tourist information bureau*)
slnd	sans lieu ni date (*of no place and no date*)
SM	Sa Majesté (*His (Her) Majesty*)
SMAG	Salaire minimum agricole garanti (*minimum agricultural wage*)
SMIG	Salaire minimum interprofessionnel garanti (*guaranteed minimum wage*)
SNCF	Société nationale des chemins de fer français (= *British Rail*)
SNES	Syndicat national de l'enseignement secondaire (*teachers' union*)
SS	Sécurité sociale (*social security*); Sa Sainteté (*His Holiness*)
Sté	Société (*society*)
suiv.	suivant (*following*)
svp	s'il vous plaît (*please*)
tàv	tout à vous (*yours ever*)
TEP	Théâtre de l'Est Parisien (*Parisian theatre*)
TNP	Théâtre national populaire (*Parisian theatre company*)
t-p	timbre-poste (*stamp*)
tpm	tours par minute (*revolutions per minute*)
TSF	télégraphie sans fil (*wireless telegraphy*)
TSVP	tournez s'il vous plaît (*please turn over*)
TVA	taxe à la valeur ajoutée (*purchase tax*)
UD	Union démocratique (*political grouping*)
UFF	Union familiale française (*Family association*)
UNAF	Union nationale des associations familiales (*Family association*)
UNEF	Union nationale des etudiants de France (*left-wing union of students*)
UNR	Union pour la Nouvelle République (*Gaullist political party*)
UP	Union postale (*Postal Union*)
UTA	Union de transports aériens (*united transport airline*)
v/c	votre compte (*your account*)
V-C	Vice-Consul (*Vice Consul*)
vo	verso (*back of page*)
Vte	Vicomte (*Viscount*)
WL	Wagons-lits (*sleeping cars*)
WR	Wagons-restaurants (*dining cars*)
XP	Exprès payé (*express paid*)